nombre d'heures à ajouter à l'heure du fuseau 0 pour obtenir l'heure locale

• capitale d'État

Atlas

socio-économique des pays du monde

2015

21, rue du Montparnasse 75283 Paris Cedex 06

Direction de la publication
Carine Girac-Marinier

Direction éditoriale
Claude Nimmo

Édition
Nadine Martrès

Analyses économiques
Simon Parlier

Mises à jour des analyses économiques et démographiques
Nadine Martrès

Analyses démographiques
Michel Giraud

Données statistiques
Michel Giraud

Repères historiques
Catherine Bruguière-Colovic

Cartographie
Editerra pour les cartes des continents
et des pays du monde
Michel Mazoyer pour les cartes thématiques
Krystyna Mazoyer, Léonie Schlosser
et Catherine Zacharopoulou
pour les cartes des Régions et Territoires français
mises à jour des cartes Nadine Martrès

Informatique éditoriale
Serge Boucher

Mise en pages
Typo-Virgule

Fabrication
Marlène Delbeken

Couverture
Uli Meindl

ISBN 978-2-03-590120-0

Sommaire

Cartes thématiques

Les pays du monde

EUROPE

ASIE

SOMMAIRE

AFRIQUE

AMÉRIQUE

OCÉANIE

La France et la francophonie

Les Régions

Pages de garde de début

Pages de garde de fin

Glossaire

APD (aide publique au développement). Ensemble des prêts et des subventions des membres du Comité d'aide au développement (CAD), comité spécialisé de l'OCDE.

Apport journalier moyen en calories. Équivalent en calories de l'approvisionnement alimentaire national net (production locale majorée des importations et minorée des exportations), divisé par le nombre d'habitants du pays.

Combustibles renouvelables. Ils comprennent la biomasse solide, la biomasse liquide, le biogaz, les déchets industriels et les déchets ménagers.

Densité. Précisément *densité moyenne*, grandeur obtenue en divisant le chiffre de la population totale par celui de la superficie du pays. Ce chiffre est localement souvent très éloigné de la densité réelle (agglomérations urbaines, étendues désertiques).

Dépenses militaires. Somme, exprimée en pourcentage du PIB, dépensée pour les personnels et les matériels relatifs à la défense nationale de chaque État.

Dette publique brute. Précisément *déficit/excédents des finances publiques*, somme des engagements financiers concernant le secteur des administrations publiques. Les engagements financiers de l'administration centrale, des administrations locales et du secteur de la Sécurité sociale sont consolidés.

Effectifs des forces armées. Ensemble des personnels d'active et des appelés des armes terrestre, navale, aérienne et stratégique, de leur administration et des forces de soutien, ainsi que des forces de gendarmerie. Les réservistes ne sont pas comptabilisés.

Empreinte écologique. Mesure de la superficie biologiquement productive, exprimée en hectares globaux (hag), nécessaire pour produire les ressources qu'une population ou une activité consomme et pour en absorber les déchets. Ramenée à une personne, cette superficie est estimée à 3,3 ha globaux dans le cadre de la Terre pour respecter les capacités de régénération de notre environnement.

Espérance de vie moyenne hommes et femmes. Précisément *espérance de vie moyenne pour les hommes ou pour les femmes à la naissance*, grandeur établie une année donnée en affectant à la génération actuelle masculine ou féminine (c'est-à-dire l'ensemble des garçons ou des filles nés durant cette année) toutes les pertes observées l'année donnée pour toutes les générations.

Exportations de biens. Valeur des marchandises qui sortent d'un État à destination d'un autre État. Les chiffres présentés ne prennent pas en compte le coût des assurances (CAF, coût assurance fret) et sont calculés free on board (FOB).

IDE (investissements directs à l'étranger). Flux nets d'investissement visant à acquérir une participation durable (au moins 10 % des actions avec droit de vote) dans la gestion d'une entreprise opérant dans une économie autre que celle de l'investisseur.

IDH (indice composite de développement humain). Créé en 1990 par le PNUD (Programme des Nations unies pour le développement), cet indice prend en compte, à parts égales, l'espérance de vie à la naissance, le niveau d'alphabétisation des adultes et le revenu des habitants en parité de pouvoir d'achat.

Importations de biens. Valeur des marchandises qui entrent sur le territoire d'un État venant d'États étrangers. Comme pour les exportations, les chiffres sont présentés free on board.

Indice de Gini. Il mesure la divergence entre la situation d'un pays modèle où les revenus seraient répartis de façon équitable et la situation réelle de chaque pays : le résultat compris entre 0 et 100 indique la situation, variant de l'égalité totale (0) à l'inégalité absolue (100).

Nombre d'automobiles. Nombre d'automobiles en service pour 1 000 habitants d'un pays donné pour une année donnée. Compte tenu des différentes méthodes de calcul selon les pays, les comparaisons entre pays doivent être établies avec prudence.

Nombre d'habitants pour un médecin. Chiffre obtenu en divisant le chiffre de la population totale d'un pays par celui du nombre de médecins, qui comprend les praticiens et tous les diplômés des facultés et écoles de médecine en activité dans tout domaine médical (pratique, enseignement, administration et recherche).

PNB (produit national brut). Précisément *produit national brut global (PNB global)*, somme totale du produit intérieur brut et du solde des revenus de facteurs de production transférés par l'étranger ou à l'étranger.

PNB/hab. (produit national brut par habitant). Somme du produit intérieur brut et du solde des revenus de facteurs de production transférés par l'étranger ou à l'étranger, divisée par le nombre d'habitants du pays.

PNB/hab. PPA. Précisément *produit national brut par habitant exprimé en parité de pouvoir d'achat.* La parité de pouvoir d'achat s'établit en définissant le nombre d'unités de compte monétaires du pays nécessaires pour acheter un panier représentatif de biens et de services en le rapportant au même achat aux États-Unis exprimé en dollars US et en le rapportant à un dollar fictif, appelé « dollar international ». Le produit national brut par habitant exprimé en parité de pouvoir d'achat fournit des valeurs strictement comparables de pays à pays.

Population active. Ensemble des personnes au-dessus d'un âge donné (le plus souvent 15 ans) qui, lors de la période considérée, disposent d'un emploi rémunéré ou sont au chômage (sans travail, disponibles pour chercher un emploi ou exercer un travail).

Population urbaine. Part de la population totale, exprimée en pourcentage, qui réside dans les zones définies comme urbaines dans chaque pays. Cette définition peut varier sensiblement d'un pays à l'autre.

Recettes touristiques. Somme des dépenses effectuées par les touristes internationaux sur le territoire du pays d'accueil. Elles incluent les dépenses de transports internationaux payées aux transporteurs nationaux et tous les prépaiements pour des biens ou des services dans le pays d'accueil.

Superficie. Étendue du territoire métropolitain, sans les dépendances. Elle est calculée, pour la plupart des pays, en prenant en compte les eaux intérieures, mais en excluant les eaux territoriales. Les données pour Chypre concernent l'ensemble de l'île.

Taux d'achèvement de l'école primaire. Pourcentage d'élèves qui terminent la dernière année d'école primaire. Ce taux est calculé en prenant le nombre total d'élèves en dernière année d'école primaire moins le nombre de redoublants.

Taux annuel d'inflation. Mesure de l'évolution des prix à la consommation d'une année sur l'autre.

Taux de chômage. Pourcentage de la population active que représentent les personnes sans travail, disponibles pour rechercher un emploi et pour exercer une profession.

Taux de croissance annuelle du PIB. Variation du PIB sur deux années successives, calculée à prix constants.

Taux de mortalité. Précisément *taux brut de mortalité*, rapport, pour une année ou pour une période donnée, entre le nombre des décès et la population totale, exprimé pour 1 000 personnes.

Taux de natalité. Précisément *taux brut de natalité*, rapport, pour une année ou pour une période donnée, entre le nombre des naissances et la population totale, exprimé pour 1 000 personnes.

Taux de mortalité infantile. Rapport entre le nombre annuel de décès d'enfants âgés de moins d'un an et le nombre total de naissances, exprimé pour 1 000 naissances vivantes.

Téléphones portables. Pourcentage de personnes abonnées à un réseau de téléphonie mobile.

Transferts de fonds. Transferts d'argent effectués vers leur pays d'origine par les travailleurs immigrés.

SOURCES PRINCIPALES

World Development Indicators, The World Bank (Banque mondiale), Washington.

Rapport mondial sur le développement humain, Programme des Nations unies pour le développement, New York.

Population Reference Bureau : World Population Data Sheet, Washington.

FaoStat, Organisation des Nations unies pour l'alimentation et l'agriculture (FAO), Rome.

World Economic Outlook, FMI.

Indicateurs statistiques

Les institutions internationales développent des outils statistiques qui permettent d'approcher de mieux en mieux la réalité des différents aspects démographiques et économiques de chacun des pays du monde.

Les indicateurs statistiques présentés ici illustrent les principales variables caractéristiques de la qualité de vie des populations humaines.

Dans la majorité des domaines concernant les données de démographie, de santé, d'éducation, d'économie et d'équipement, des valeurs très contrastées décrivent les fortes disparités entre pays développés et pays en développement.

Le secteur des productions agricoles et industrielles montre la part que prennent actuellement les grands pays émergents : Brésil, Russie, Inde, Chine et Afrique du Sud (les BRICS) dans l'économie mondiale.

Population

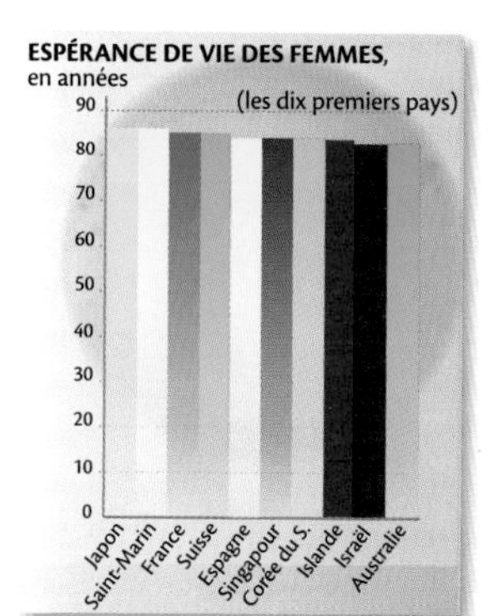

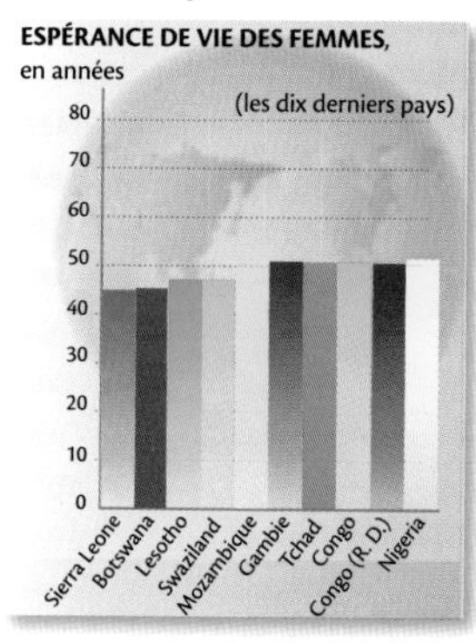

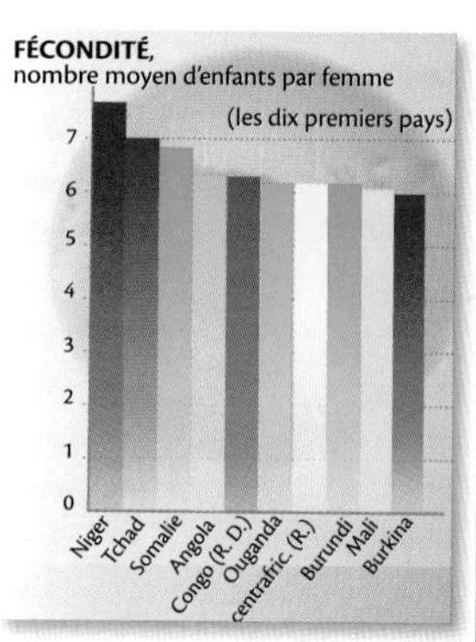

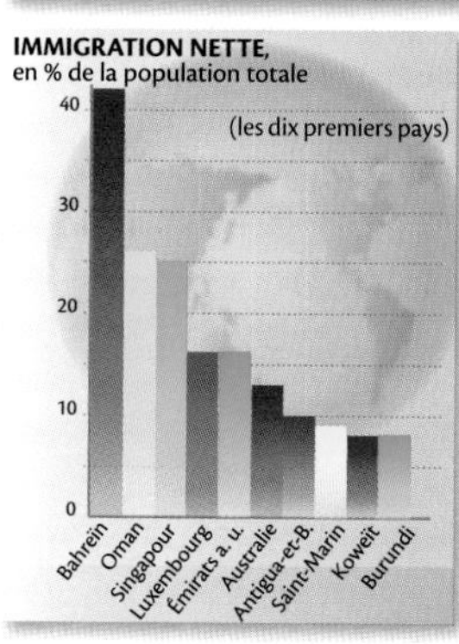

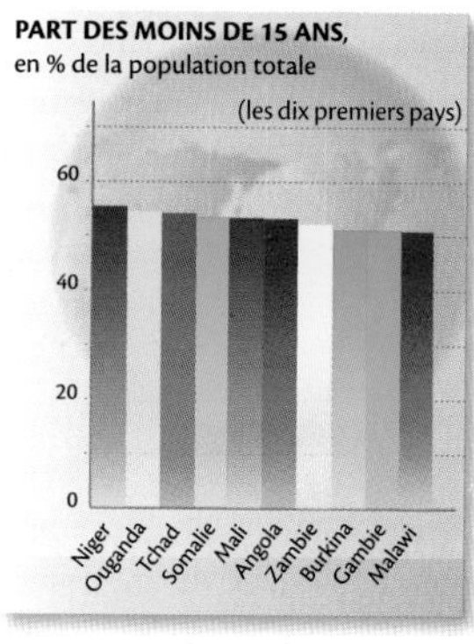

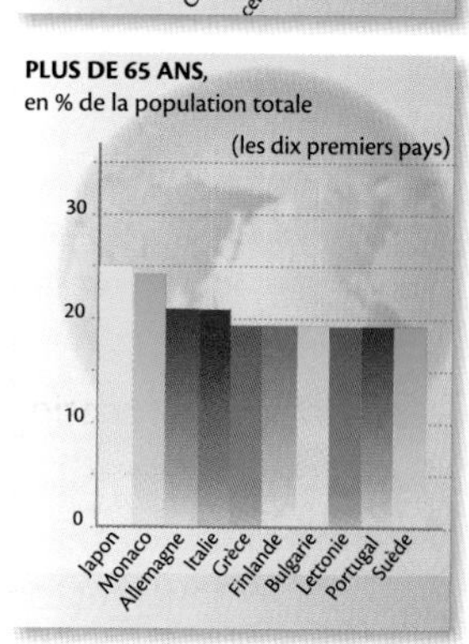

Santé

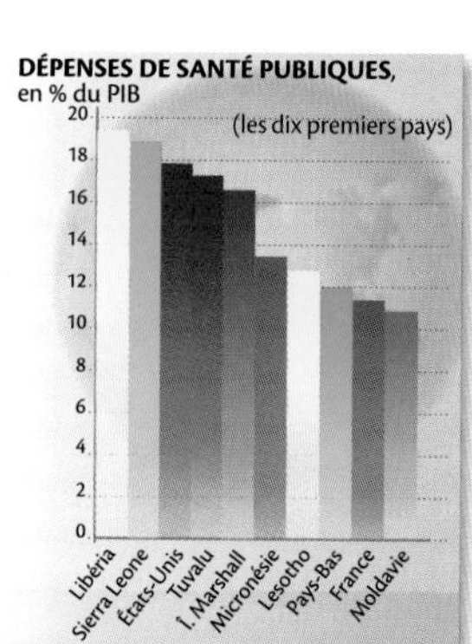

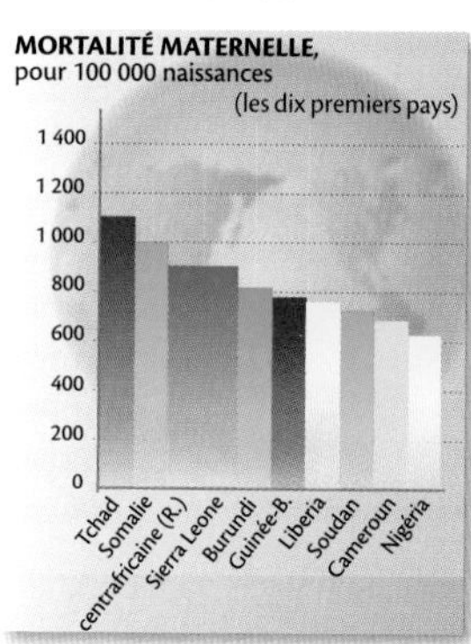

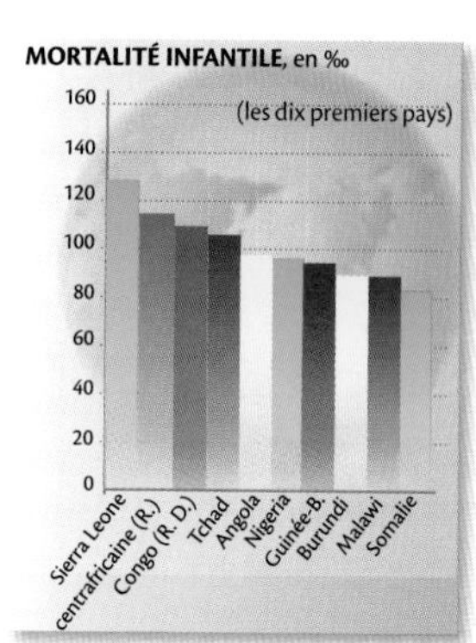

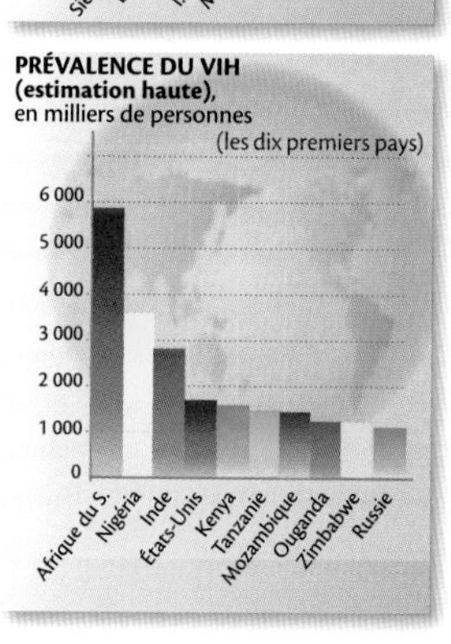

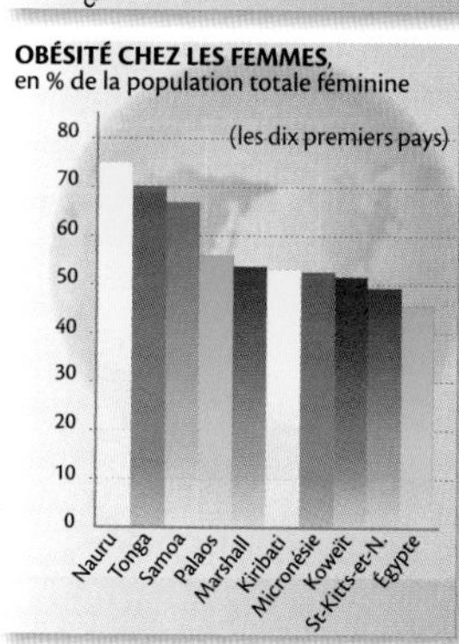

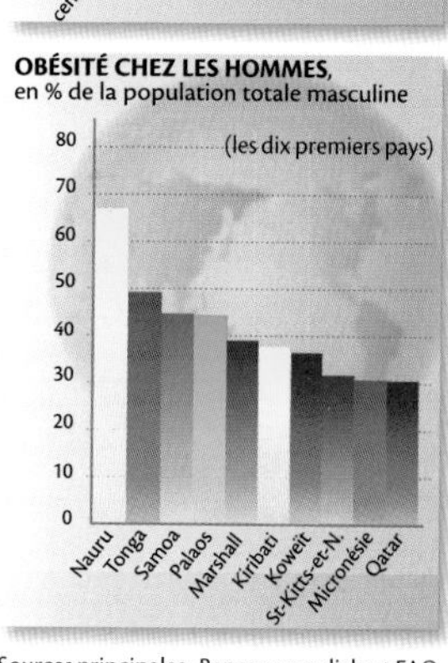

Sources principales : Banque mondiale et FAO

Conditions de vie

POPULATION VIVANT AVEC MOINS DE 1,25$ PAR JOUR,
en % de la population totale
(les dix premiers pays)
100
80
60
40
20
0
Congo (R. D.)
Liberia
Madagascar
Burundi
Malawi
Zambie
Nigeria
Tanzanie
Rwanda
Tchad

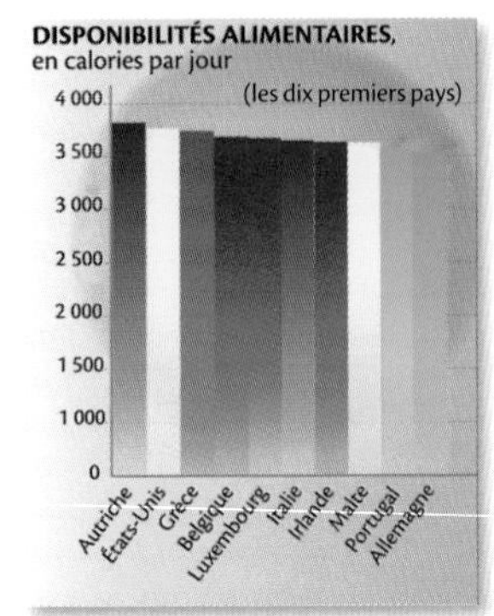

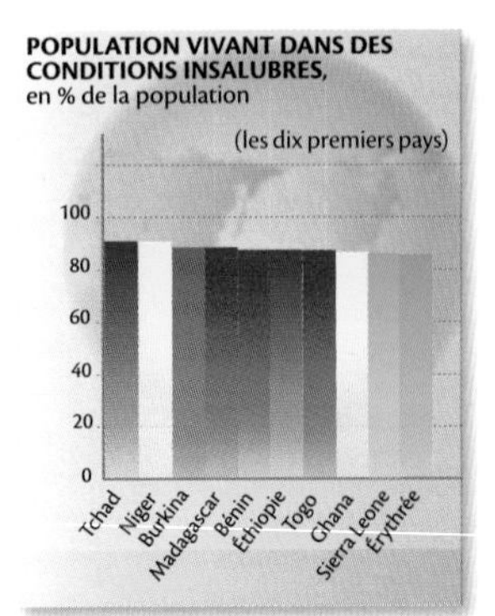

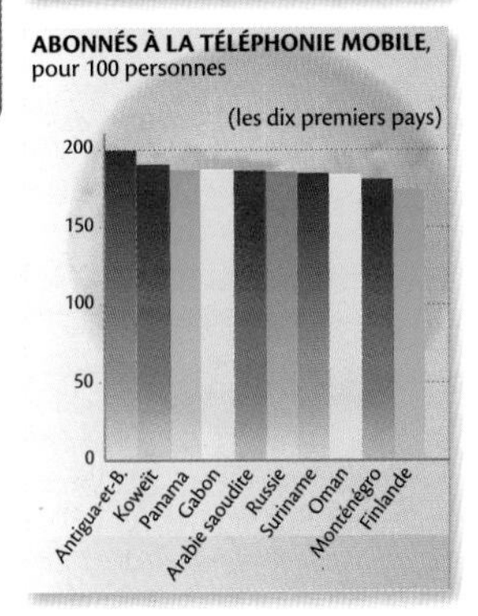

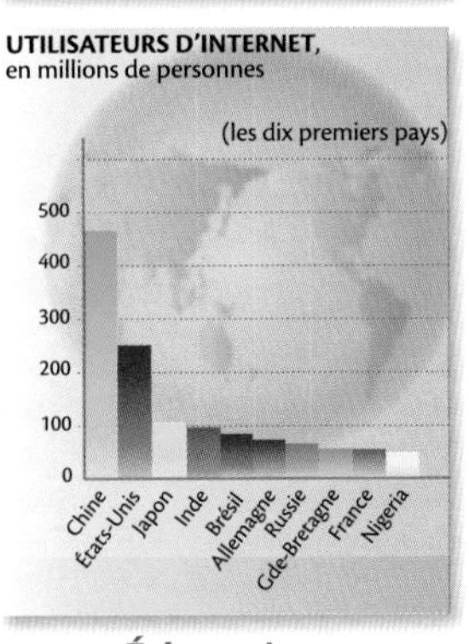

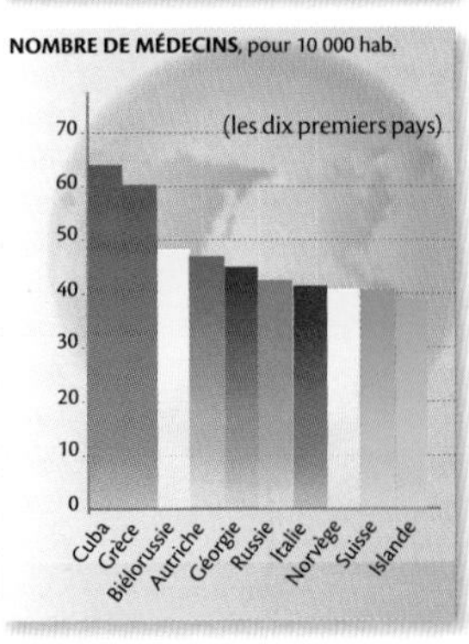

Éducation

TAUX D'INSCRIPTION des élèves dans l'enseignement supérieur,
en % de la classe d'âge
(les dix derniers pays)
3
2
1
0
Madagascar
Djibouti
Dominique
Burkina
Zimbabwe
Burundi
centrafr. (R.)
Tchad
Érythrée
Niger

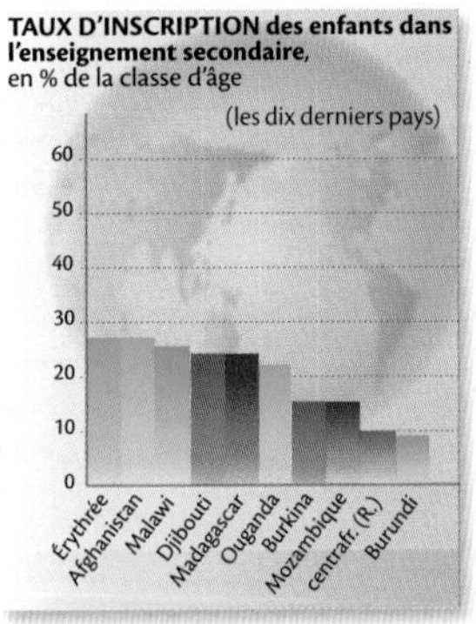

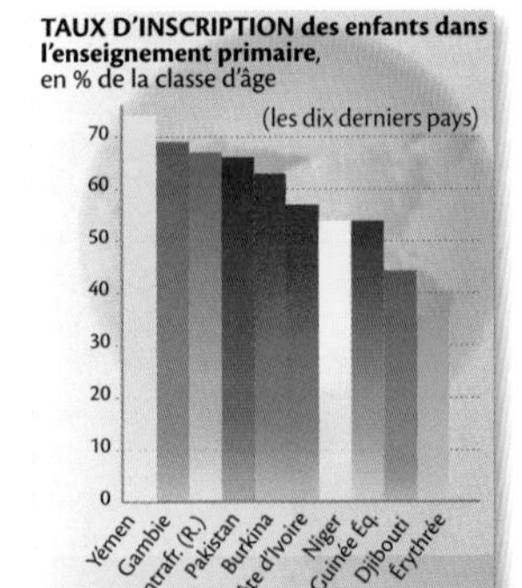

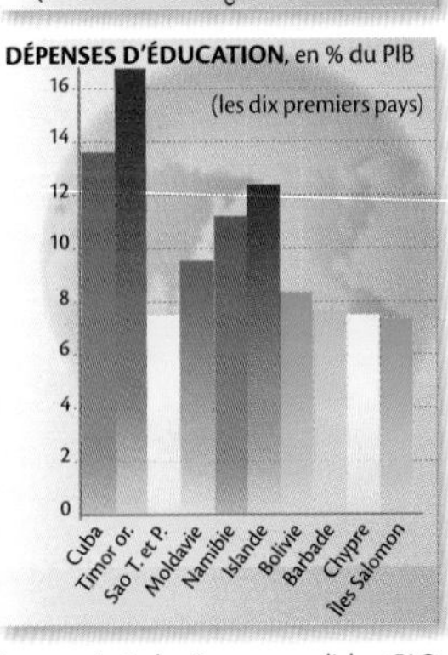

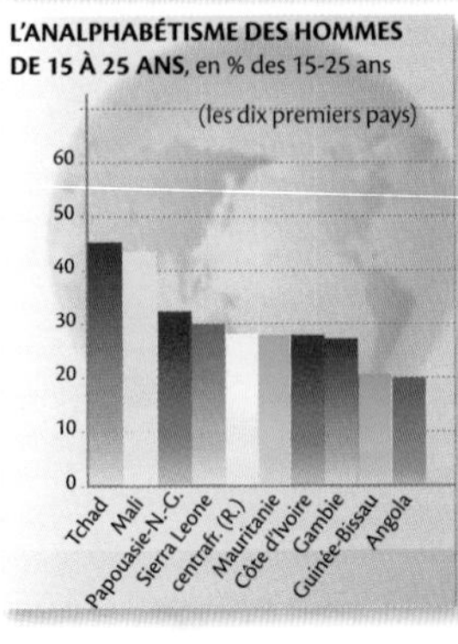

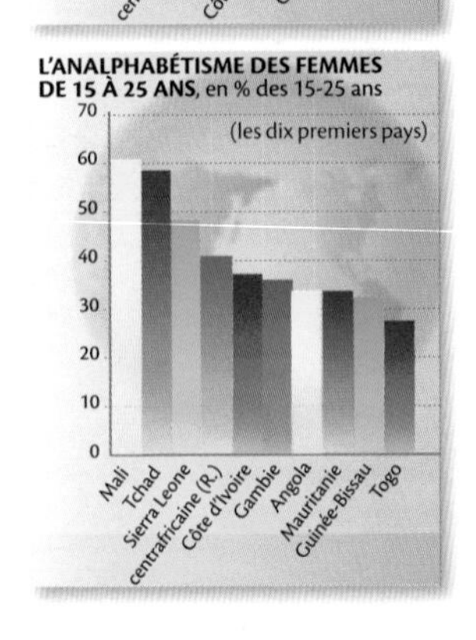

Sources principales : Banque mondiale et FAO

Économie

CROISSANCE DU PIB (2012), en %

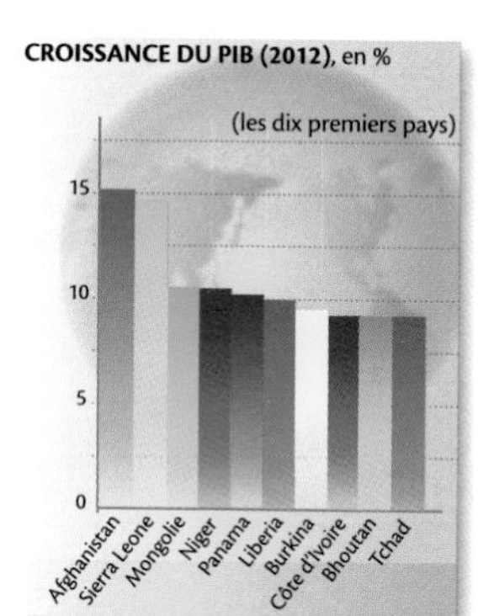

EXPORTATIONS DE MARCHANDISES, en % du total mondial

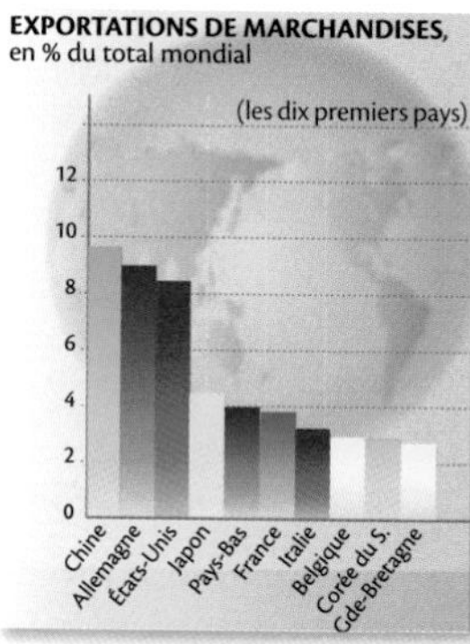

INDICE DE DÉVELOPPEMENT HUMAIN (IDH)

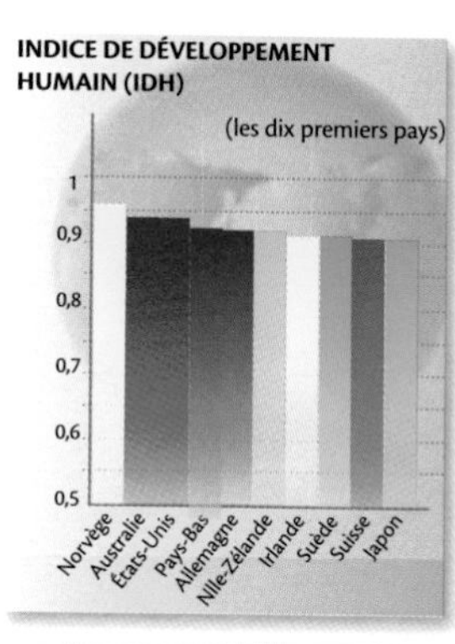

IMPORTATIONS DE MARCHANDISES, en % du total mondial

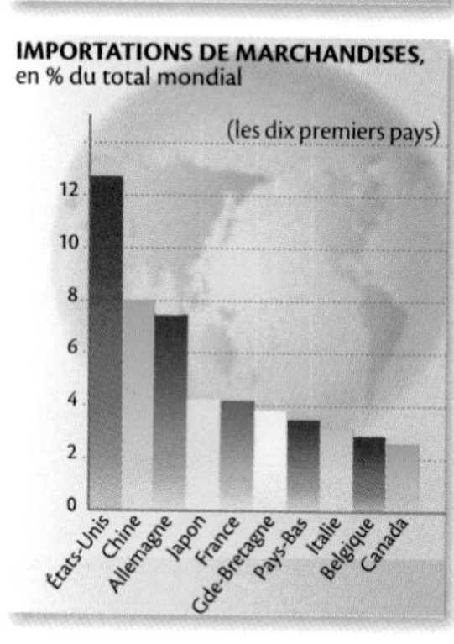

RNB PAR HABITANT (PPA), en dollars internationaux

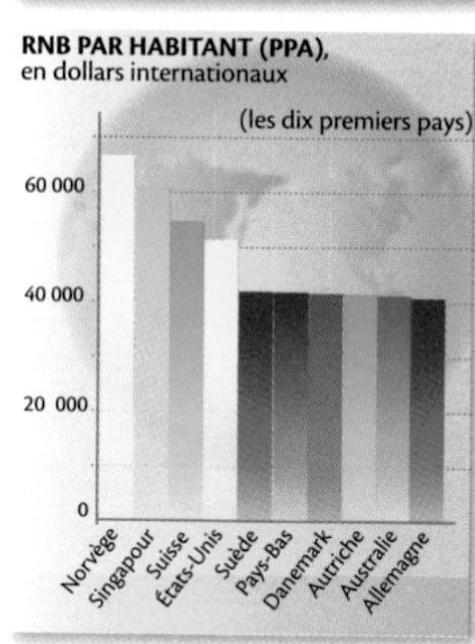

PIB (PPA), en % du total mondial

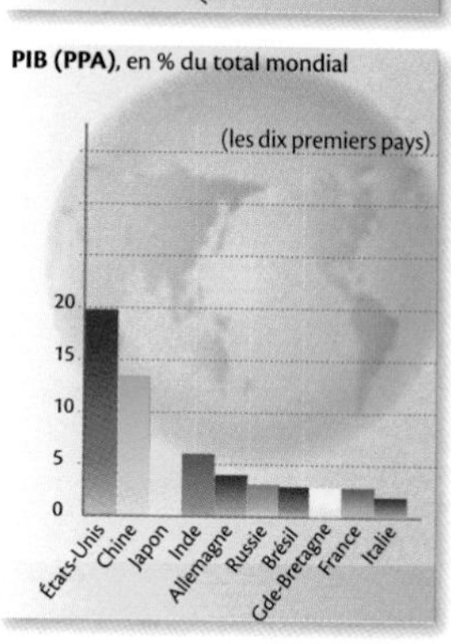

Productions

ACIER, en milliers de tonnes

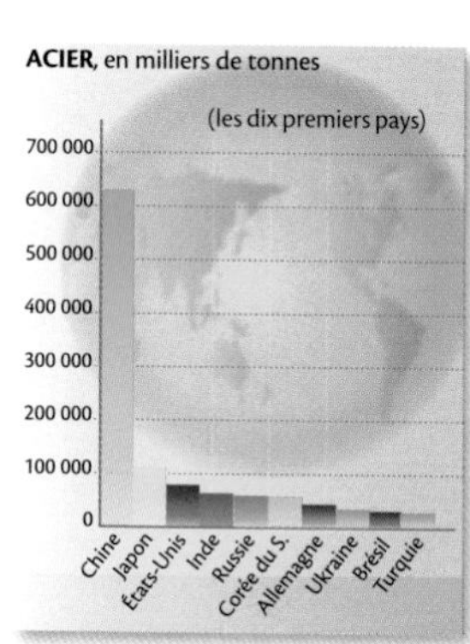

URANIUM (en milliers de tonnes)

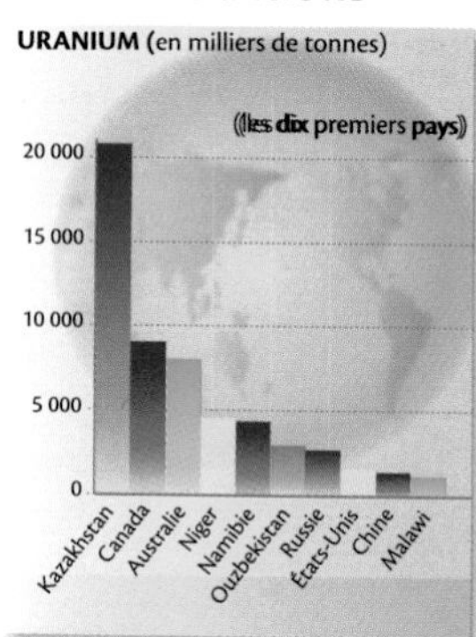

BLÉ, en milliers de tonnes

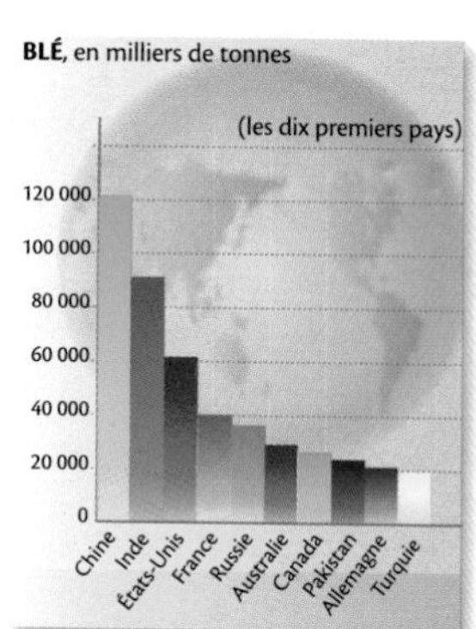

CUIVRE, en milliers de tonnes

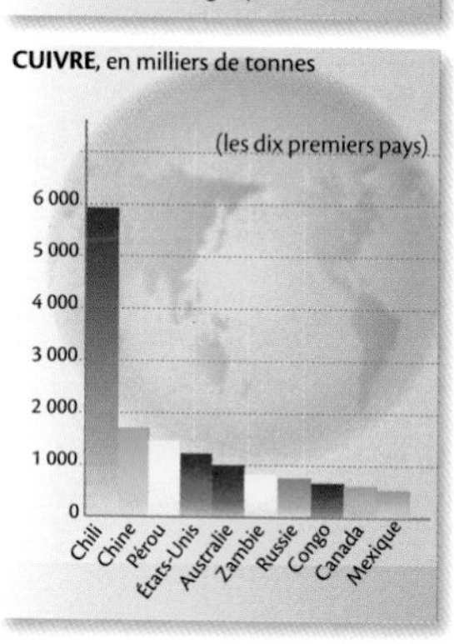

MAÏS, en milliers de tonnes

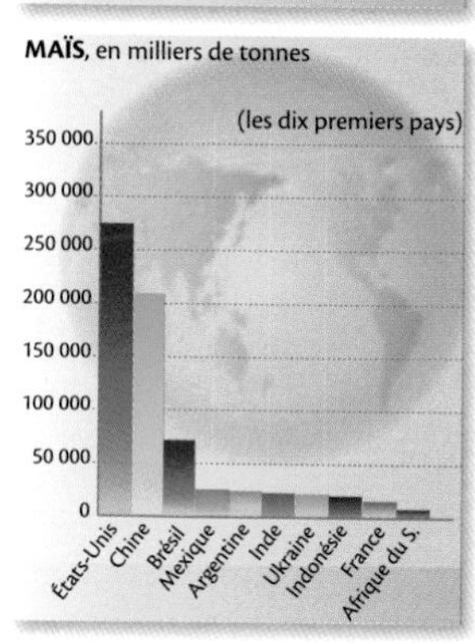

RIZ, en milliers de tonnes

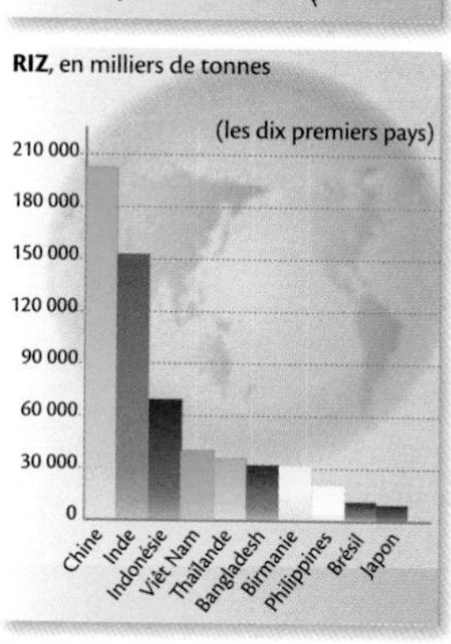

Sources principales : Banque mondiale et FAO

Énergie

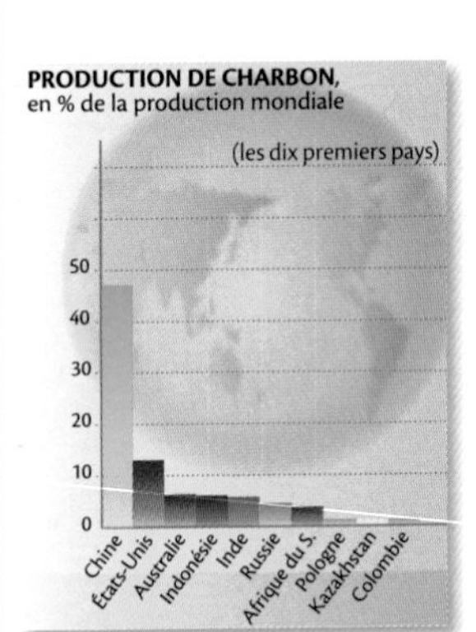

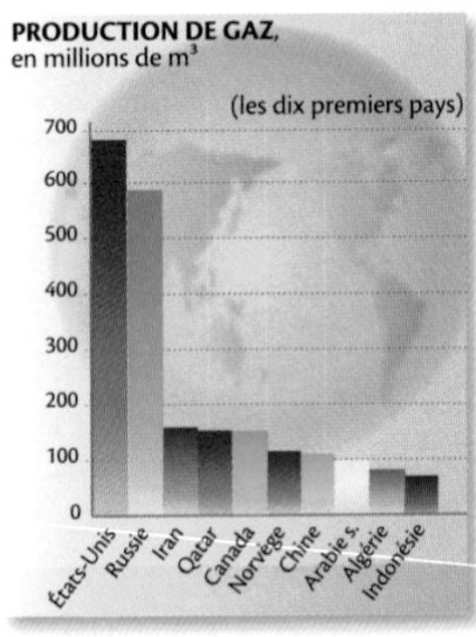

PRODUCTION DE PÉTROLE,
en millions de tonnes
(les dix premiers pays)
500
400
300
200
100
0
Arabie s.
Russie
États-Unis
Chine
Canada
Iran
Émirats a. u.
Koweït
Iraq
Mexique

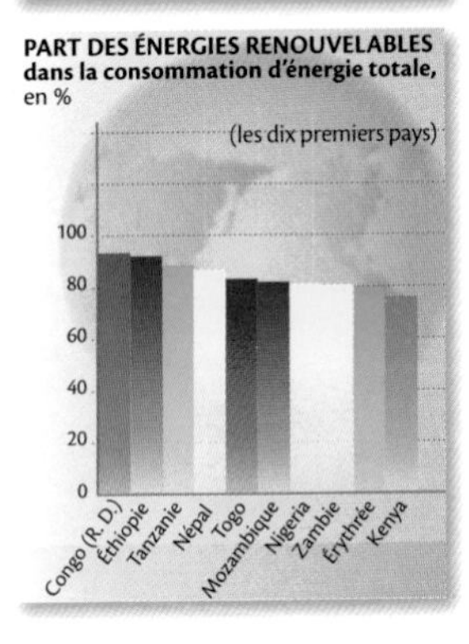

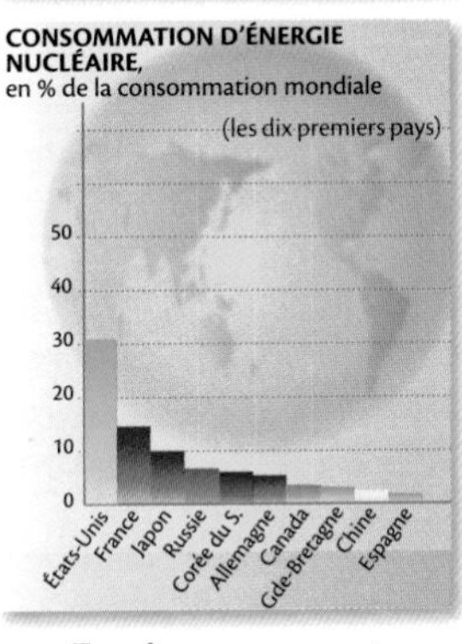

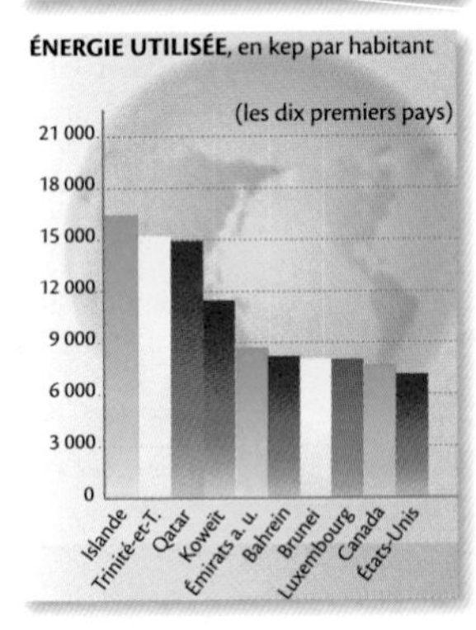

Environnement

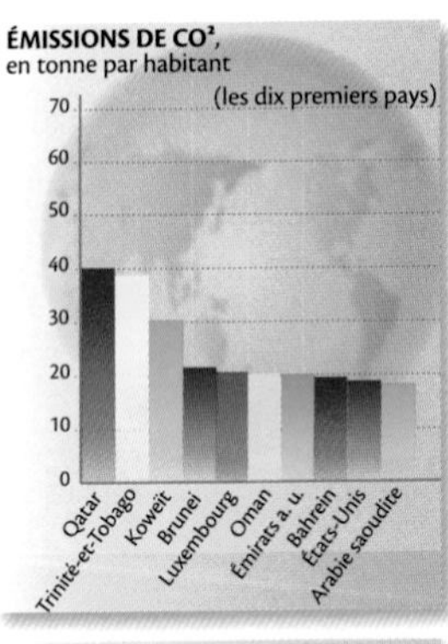

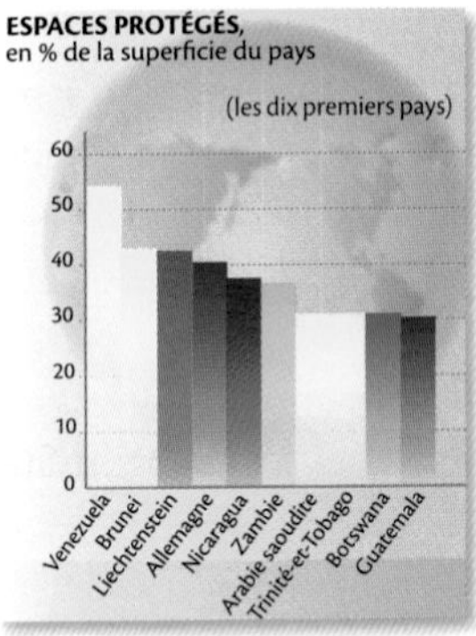

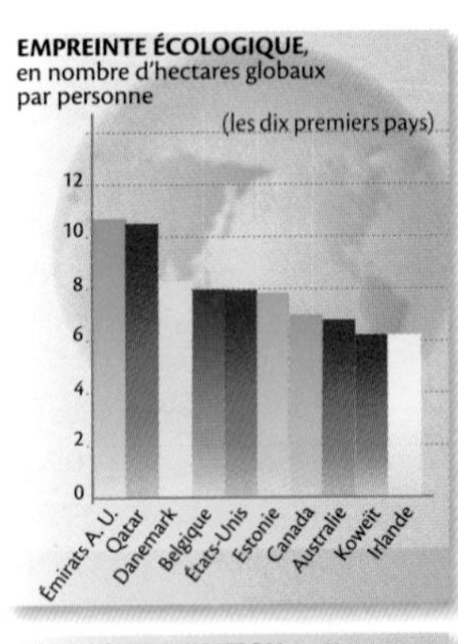

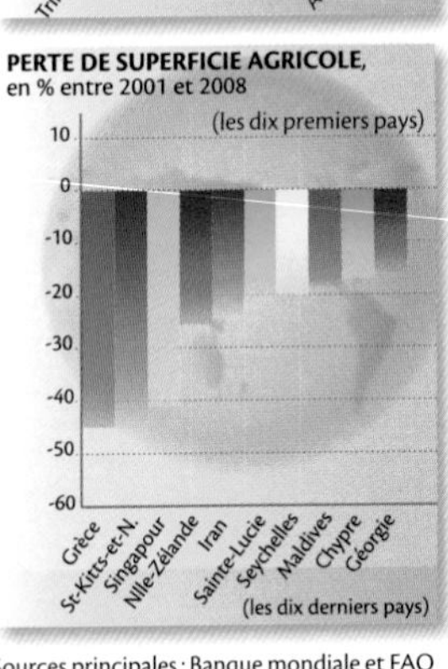

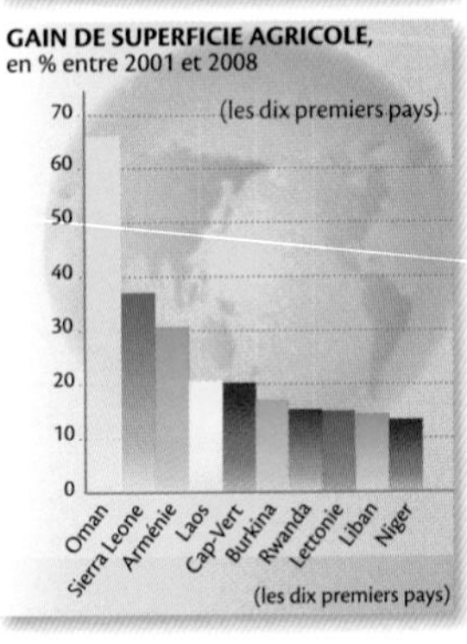

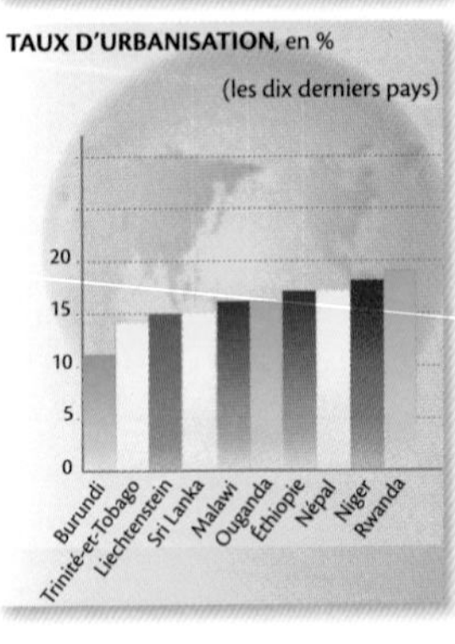

Sources principales : Banque mondiale et FAO

Cartes thématiques

Une carte thématique illustre la répartition spatiale de données relatives à un ou plusieurs thèmes à une certaine échelle. L'objet de la carte peut être de nature quantitative, comme par exemple la part de la population des moins de 15 ans, ou qualitative, comme la répartition des langues de grande diffusion.

Dans cette partie de l'ouvrage, il s'agit de montrer tant les situations démographiques (la natalité, l'espérance de vie) et sociales (le taux brut de scolarisation, les dépenses de santé) que physiques (les ressources en eau douce, les émissions de dioxyde de carbone) d'une planète peut-être en danger.

Nous avons choisi de présenter ici des données provenant des grandes organisations internationales, notamment la Banque mondiale et l'ONU, à travers ses divers programmes, en particulier celui concernant le développement humain (PNUD).

Ces cartes thématiques, pour la plupart du moins, mettent souvent en évidence une dichotomie Nord-Sud ou Afrique-reste du monde. L'Afrique, n'ayant pas encore achevé sa transition démographique, se différencie des autres continents pour pratiquement toutes les cartes concernant la population.

Pour les cartes ayant trait à l'environnement, on observe plutôt une opposition entre les pays du Nord et les pays du Sud, moins pollueurs, moins consommateurs d'eau, mais moins soumis à des réglementations dans le domaine environnemental.

POPULATION

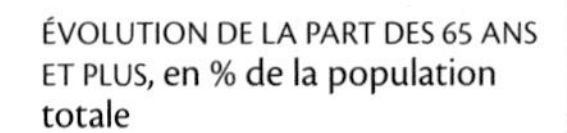

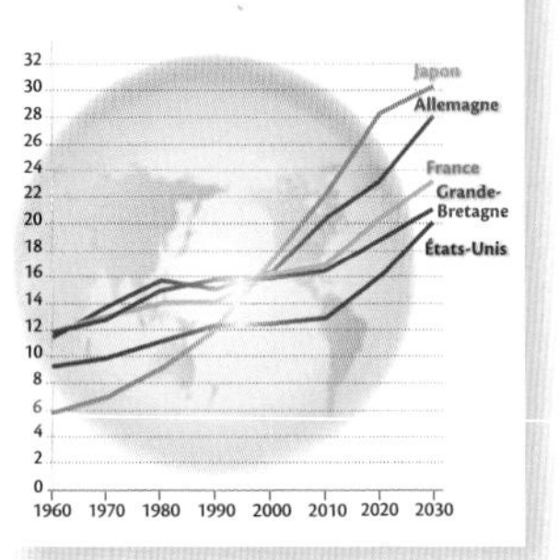

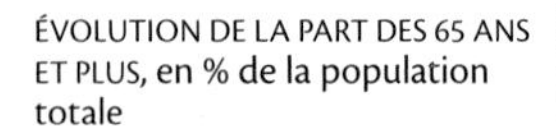

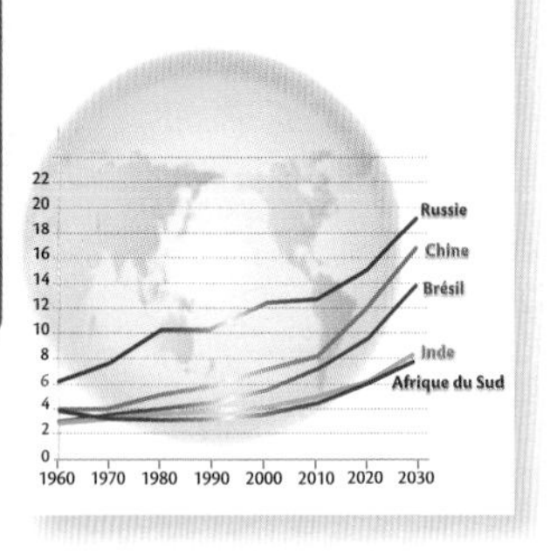

L'espérance de vie à la naissance
(en années)

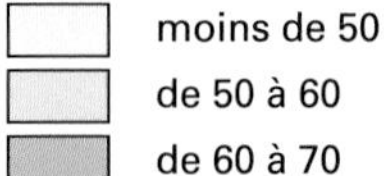

- moins de 50
- de 50 à 60
- de 60 à 70
- de 70 à 75
- plus de 75
- données non disponibles

ÂGE MÉDIAN DE LA POPULATION

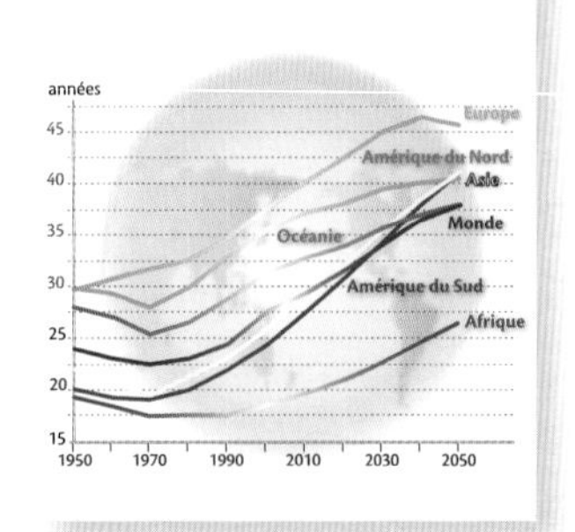

La population des moins de 15 ans

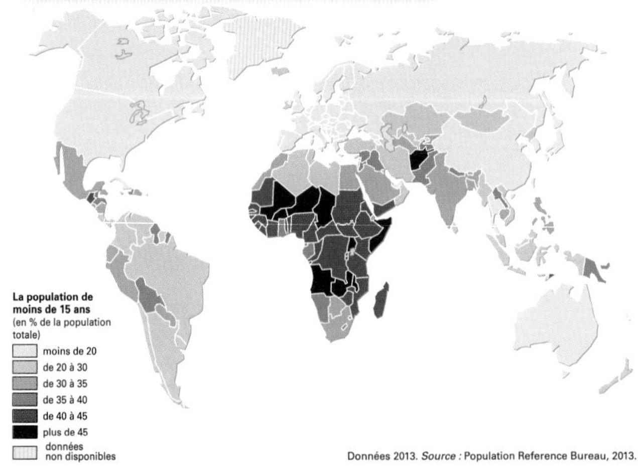

Données 2013. *Source* : Population Reference Bureau, 2013.

L'espérance de vie

Données 2013. *Source :* Population Reference Bureau, 2013.

La population de 65 ans et plus

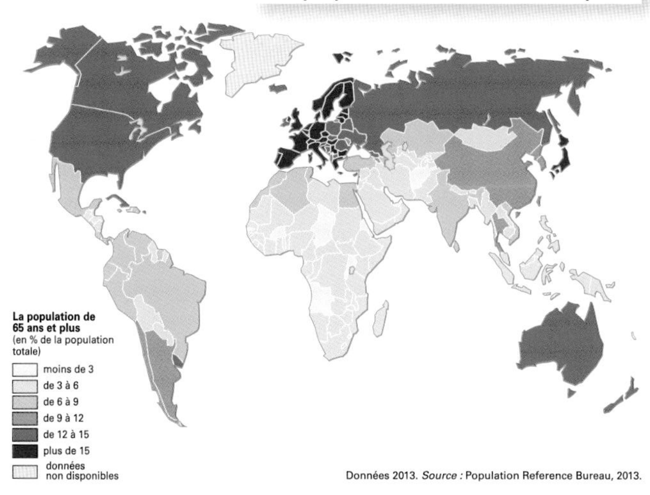

Données 2013. *Source :* Population Reference Bureau, 2013.

L'accroissement naturel

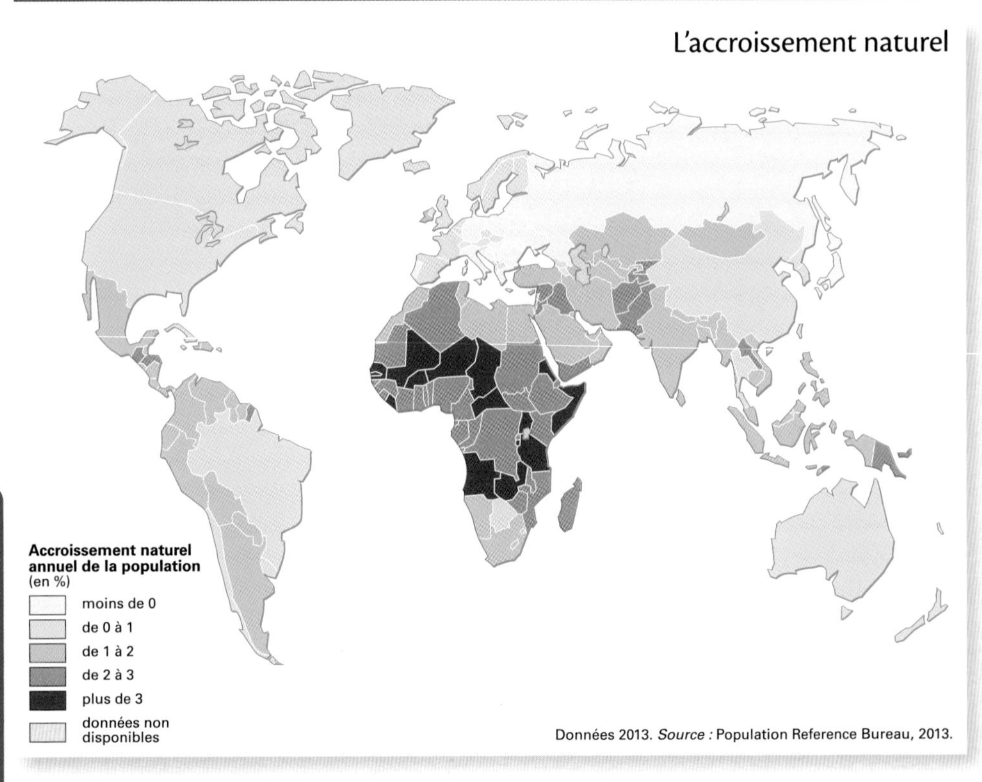

Données 2013. *Source :* Population Reference Bureau, 2013.

La mortalité

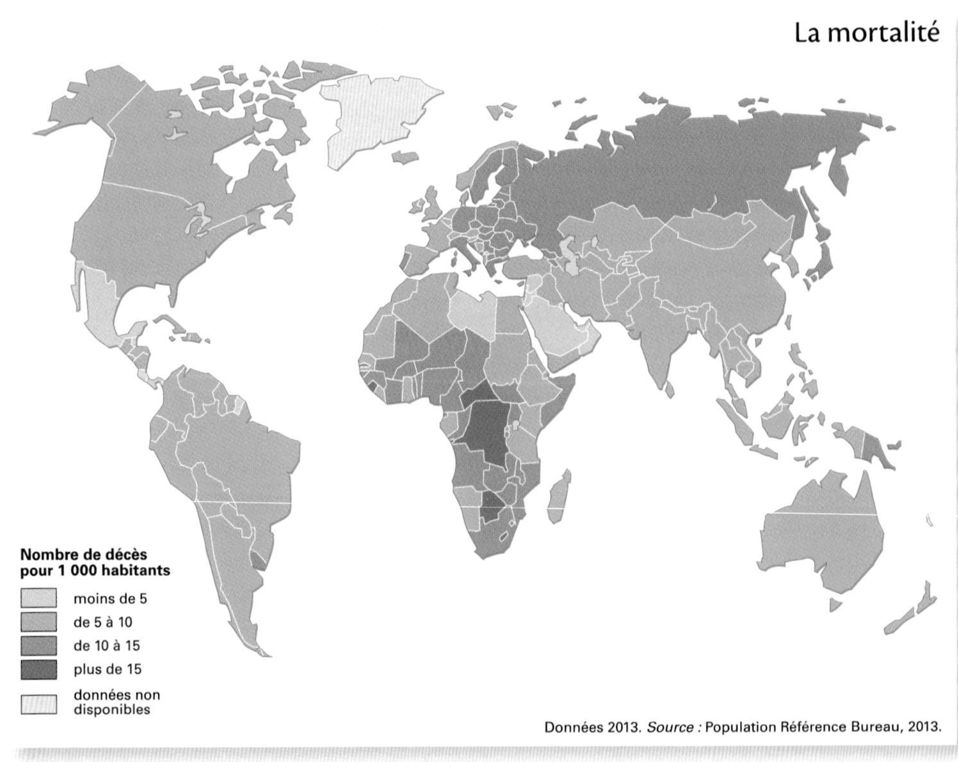

Données 2013. *Source :* Population Référence Bureau, 2013.

La fécondité

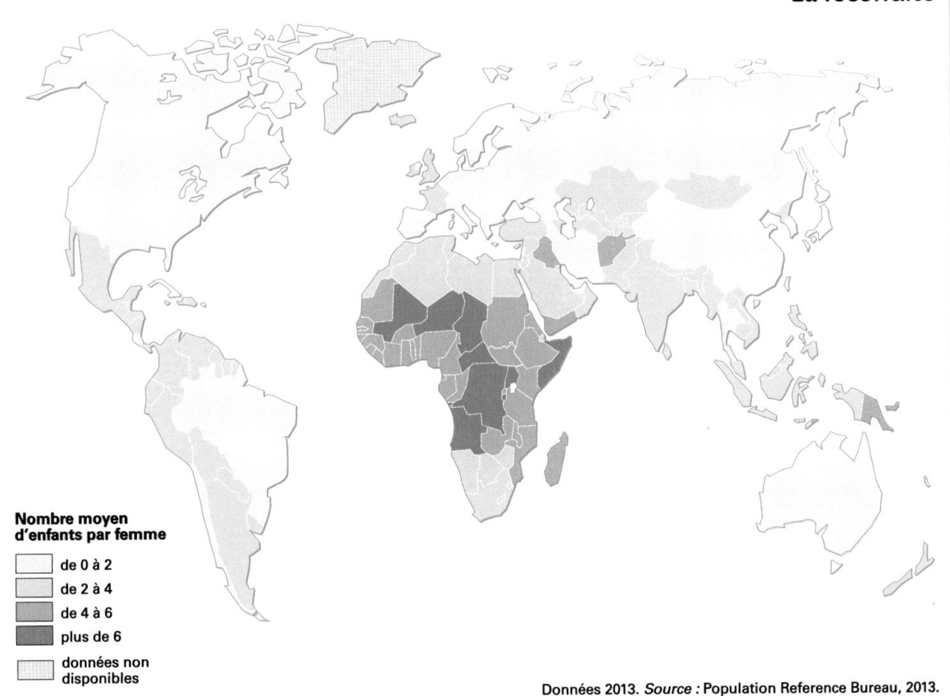

Données 2013. *Source :* Population Reference Bureau, 2013.

La natalité

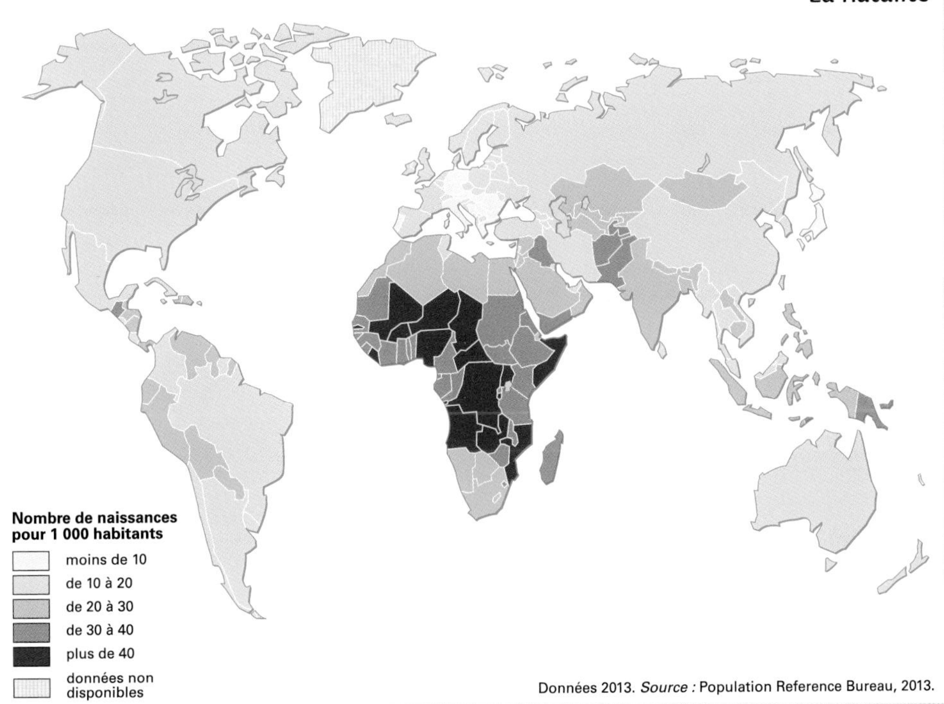

Données 2013. *Source :* Population Reference Bureau, 2013.

POPULATION

La densité de population

EUROPE DE L'OUEST
NORD-EST DES ÉTATS-UNIS
CHINE
ASIE DE L'EST
PROCHE-ORIENT
CÔTE DE L'AFRIQUE DE L'OUEST
ASIE MÉRIDIONALE
JAVA
SUD-EST BRÉSILIEN

Densité de population
(habitants / km²)

- moins de 1
- de 1 à 10
- de 10 à 50
- de 50 à 100
- plus de 100

Grands foyers de population
(en millions)

1500
1000
500
250
100
50
25

Source : Larousse 2014

La mortalité infantile

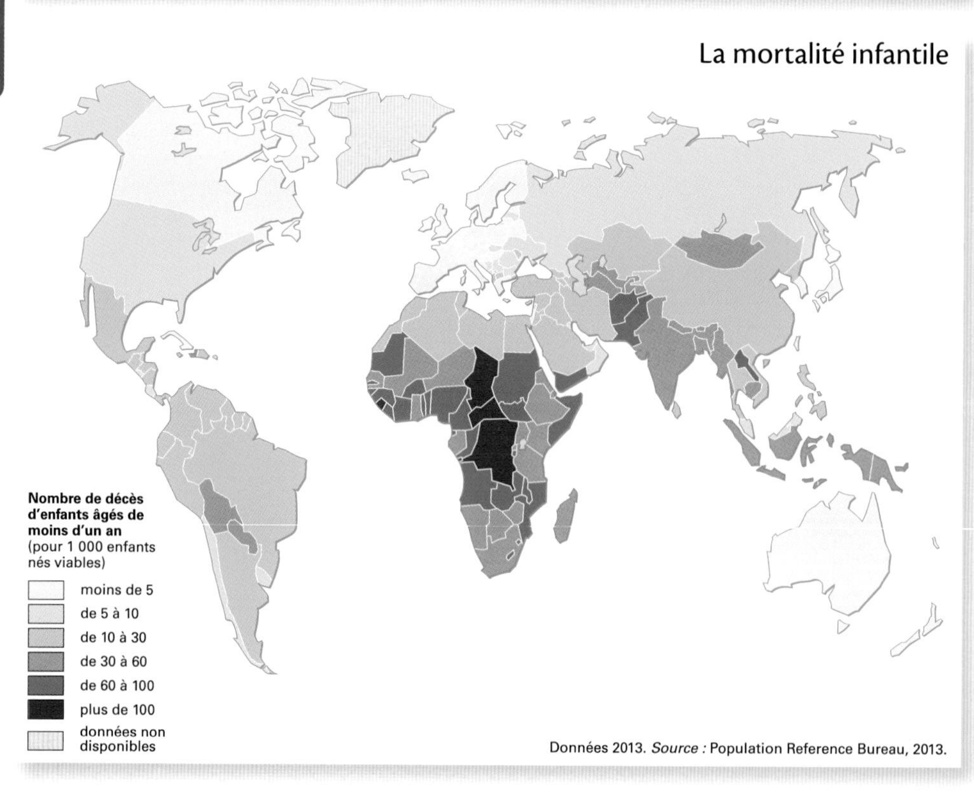

Données 2013. *Source :* Population Reference Bureau, 2013.

Les prélèvements d'eau douce

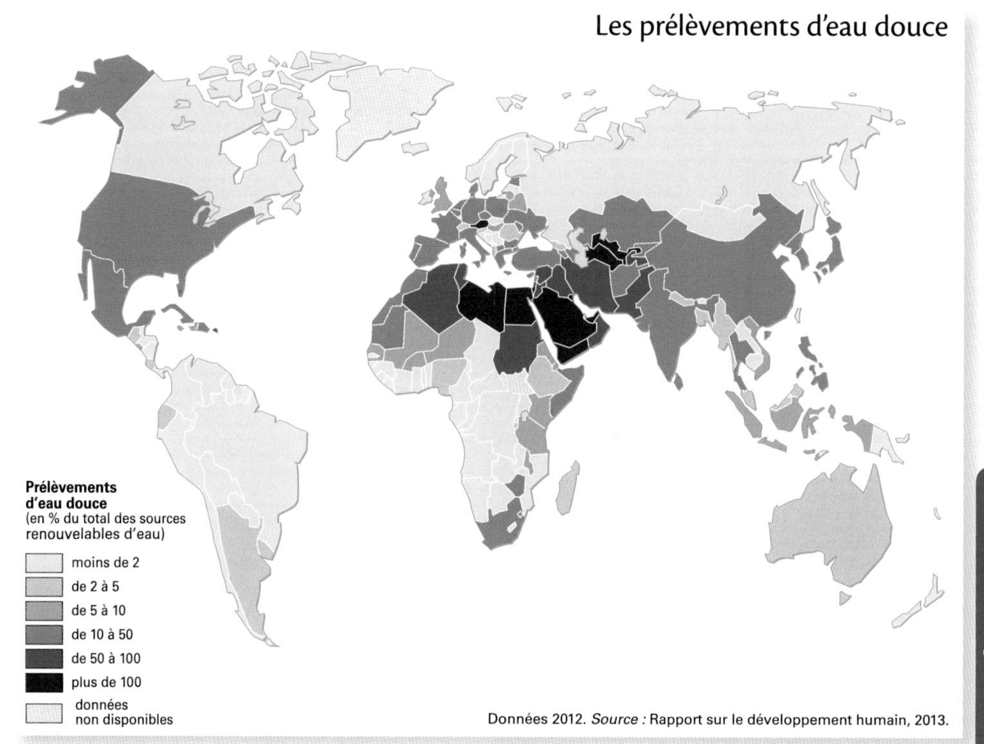

Données 2012. *Source :* Rapport sur le développement humain, 2013.

L'urbanisation

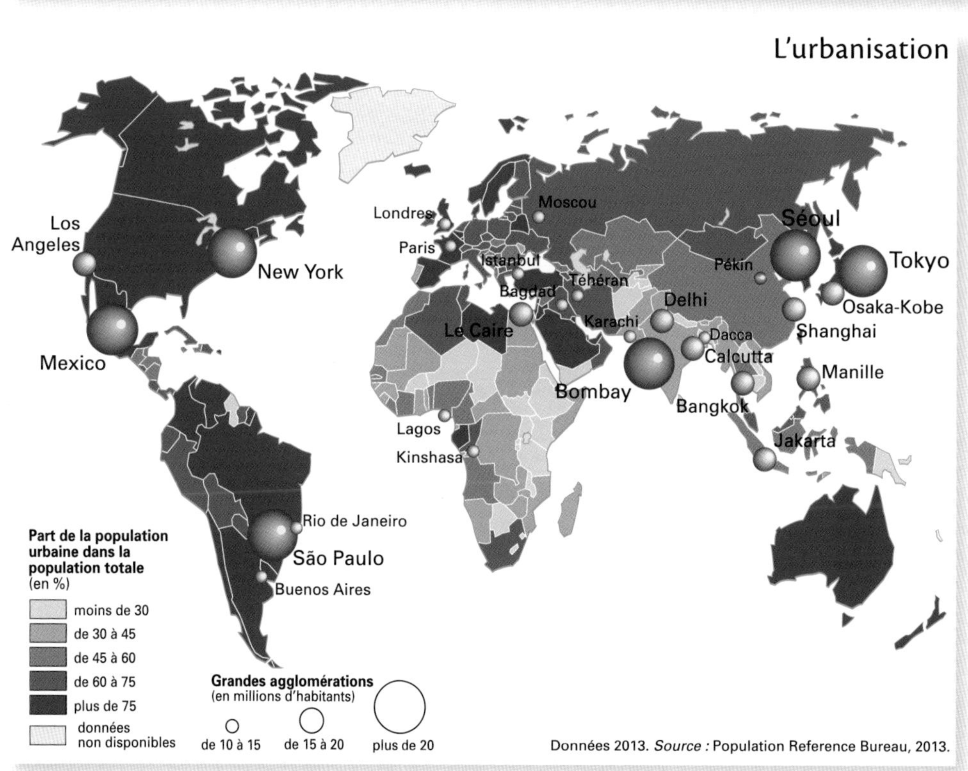

Données 2013. *Source :* Population Reference Bureau, 2013.

ENVIRONNEMENT

LE NUCLÉAIRE

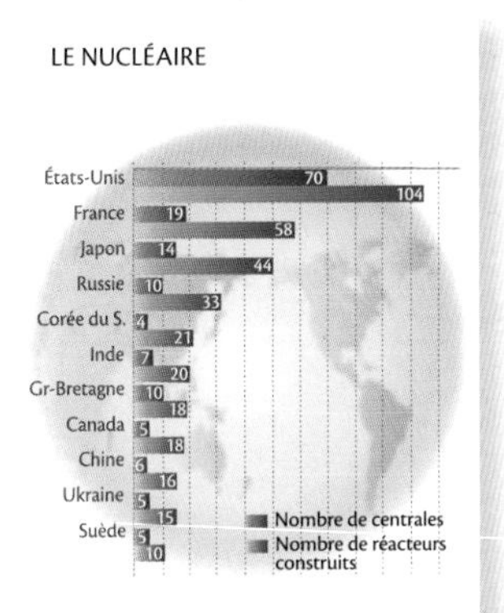

COMBUSTIBLES RENOUVELABLES, en % de l'energie totale

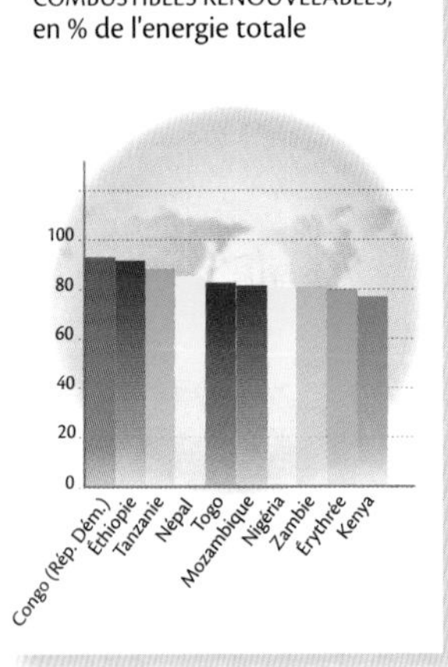
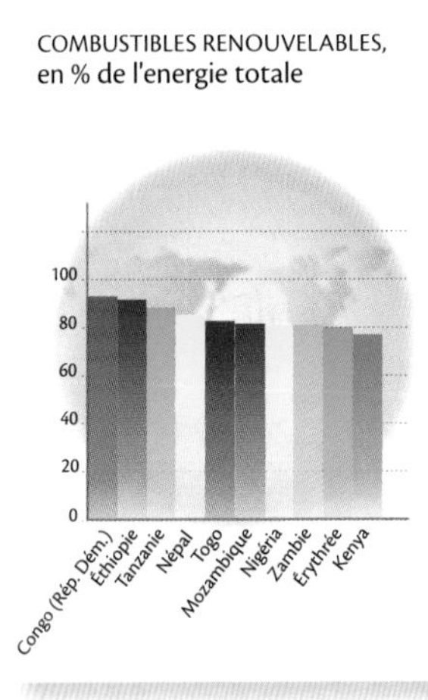

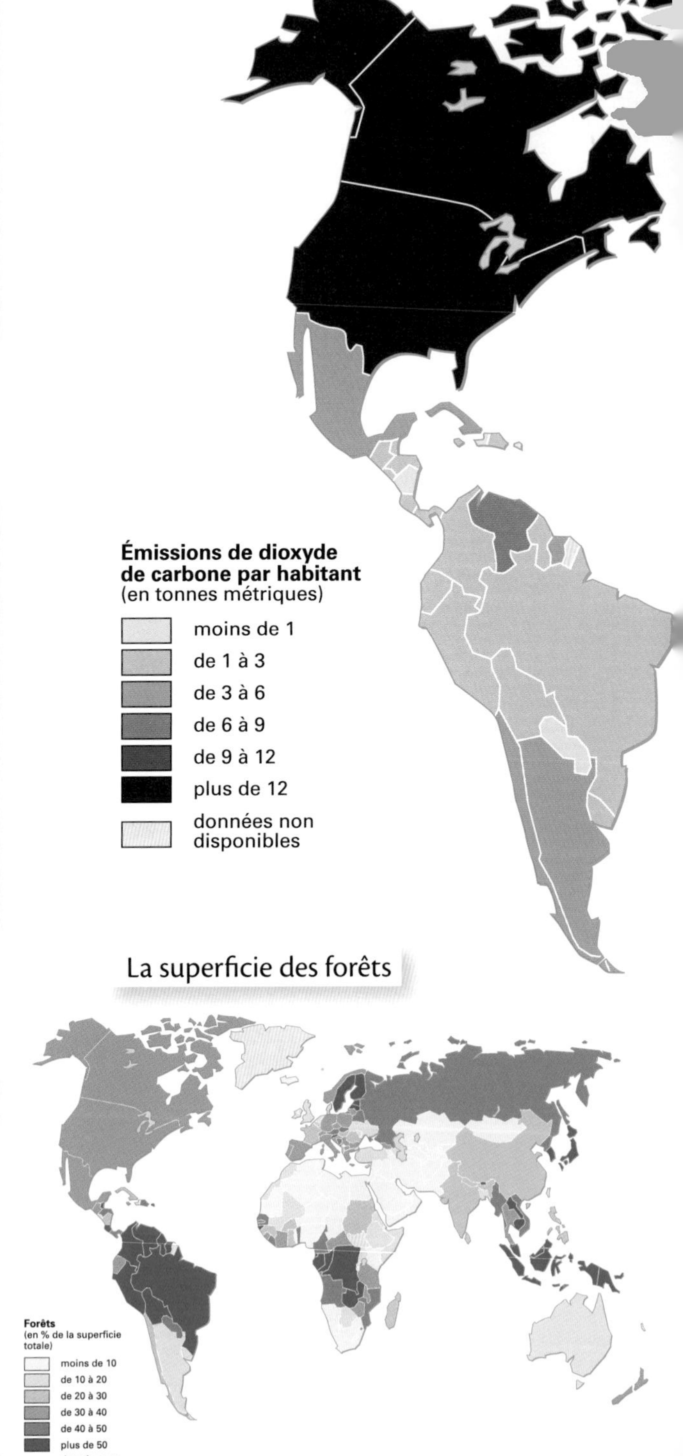

La superficie des forêts

ÉMISSIONS DE MÉTHANE, en kt d'équivalent CO_2

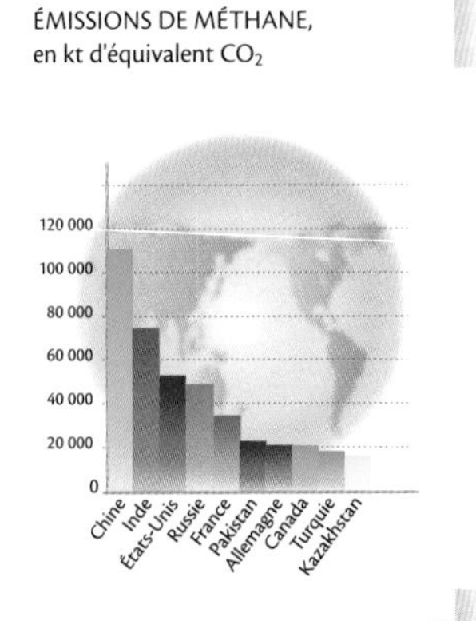

Données 2011. *Source :* Banque mondiale, 2013.

Les émissions de dioxyde carbone

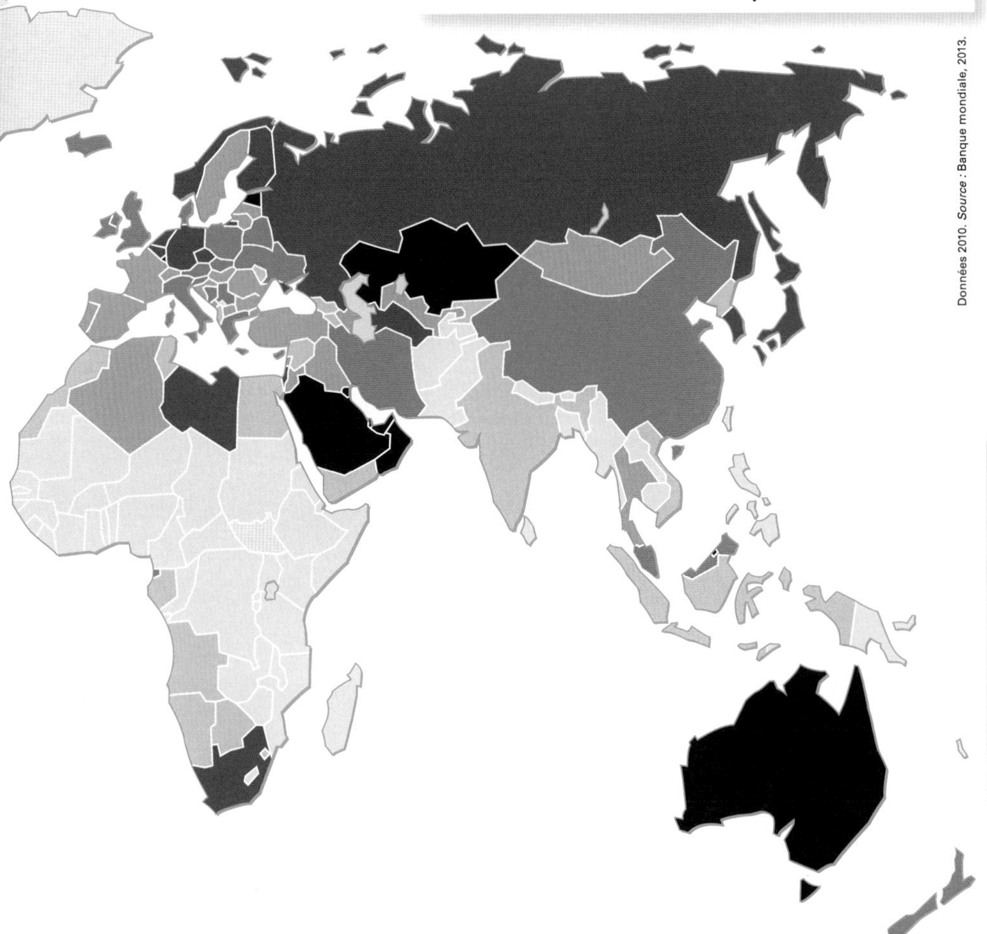

Données 2010. *Source :* Banque mondiale, 2013.

Les espèces menacées

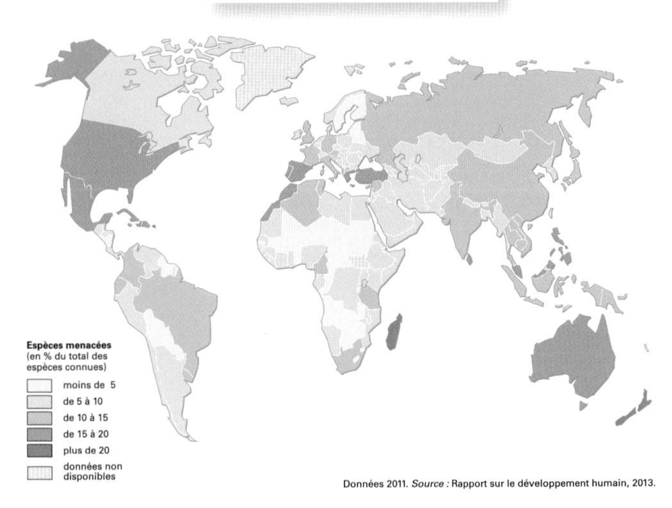

Données 2011. *Source :* Rapport sur le développement humain, 2013.

ÉDUCATION

Le ratio filles/garçons des inscriptions au primaire

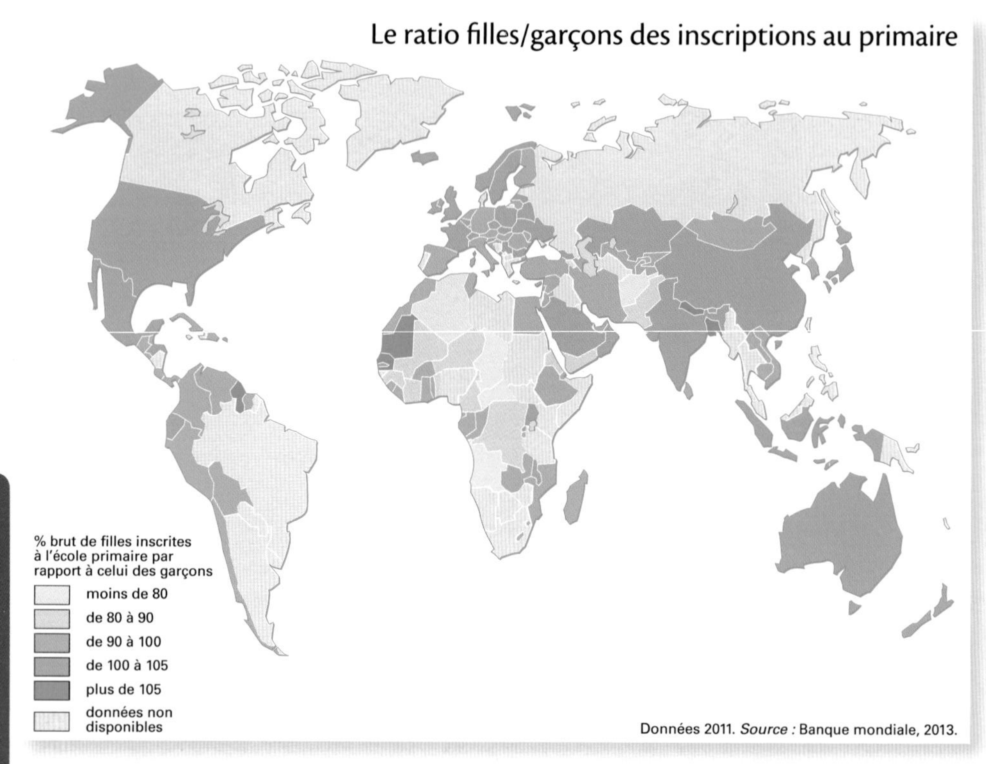

Données 2011. *Source :* Banque mondiale, 2013.

Le ratio femmes/hommes des inscriptions dans l'enseignement supérieur

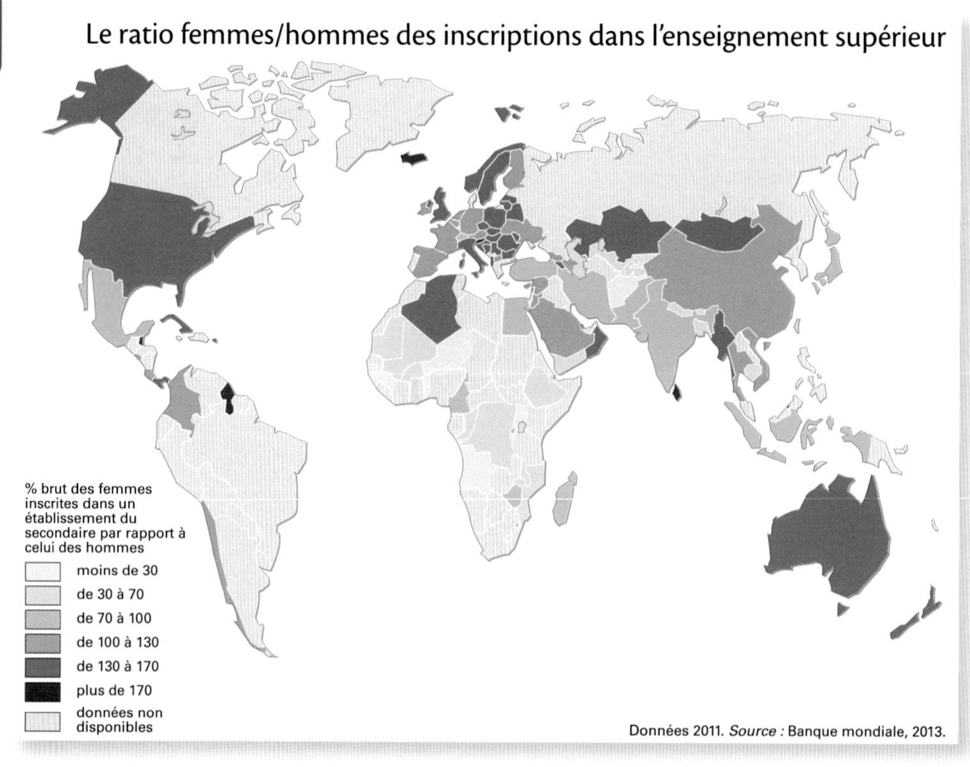

Données 2011. *Source :* Banque mondiale, 2013.

Les dépenses de santé

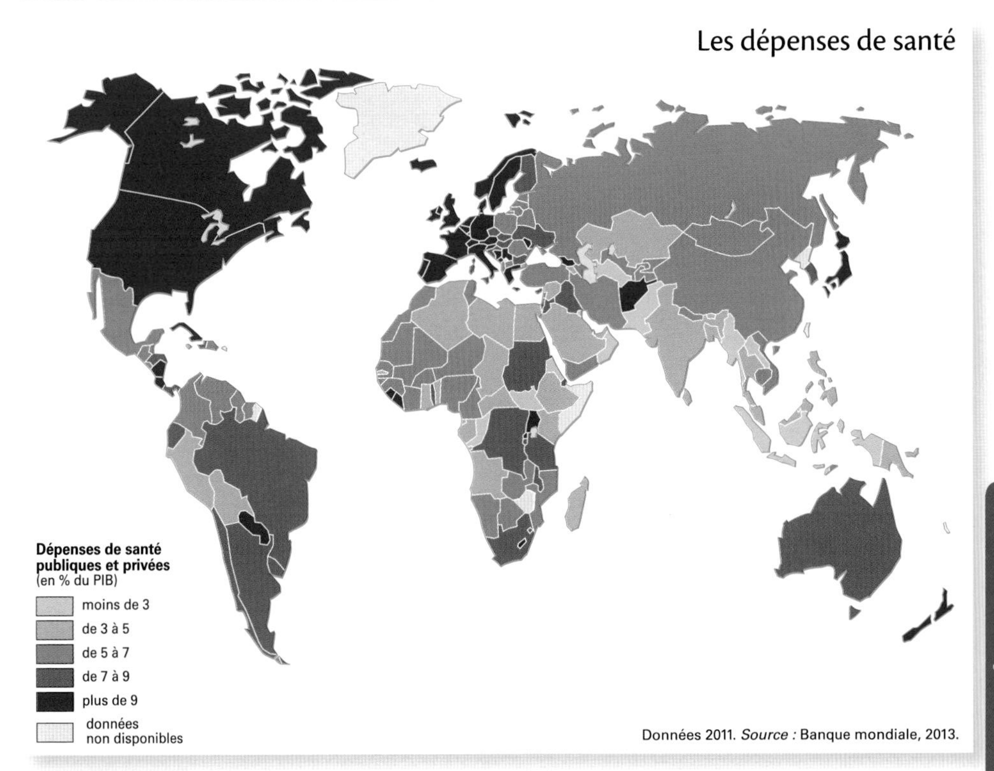

La fécondité chez les adolescentes

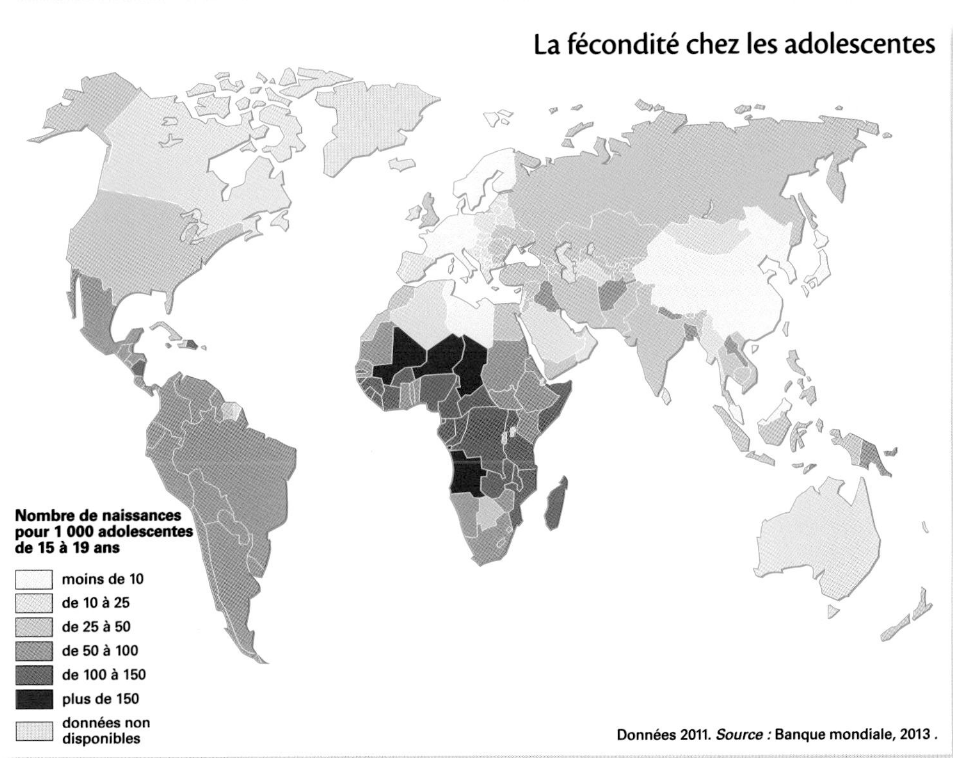

ÉCONOMIE

CHOMAGE DES ÉCONOMIES AVANCÉES, en % de la population active

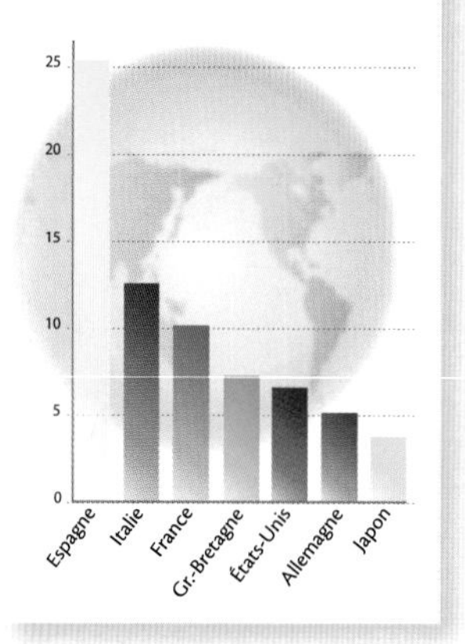

CROISSANCE DU PIB DES ÉCONOMIES AVANCÉES, variation annuelle en %

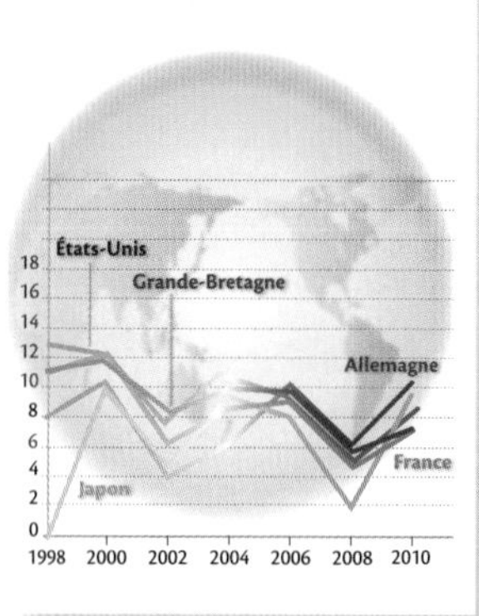

DETTES PUBLIQUES, en % du PIB

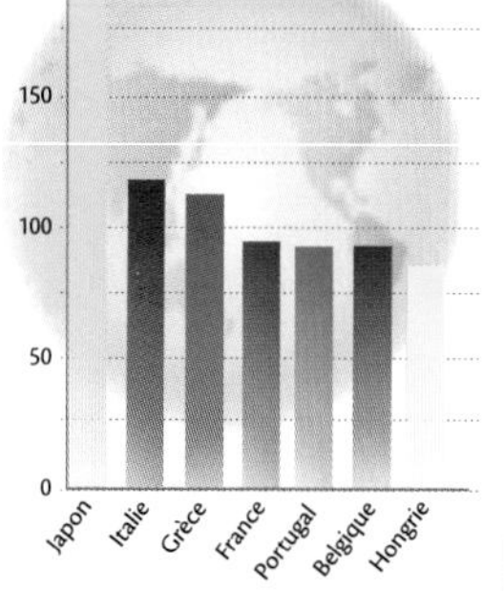

Taux d'emploi de la population active
(en % de la population âgée de 15 à 64 ans)

- moins de 50
- de 50 à 60
- de 60 à 70
- de 70 à 80
- plus de 80
- données non disponibles

La pauvreté

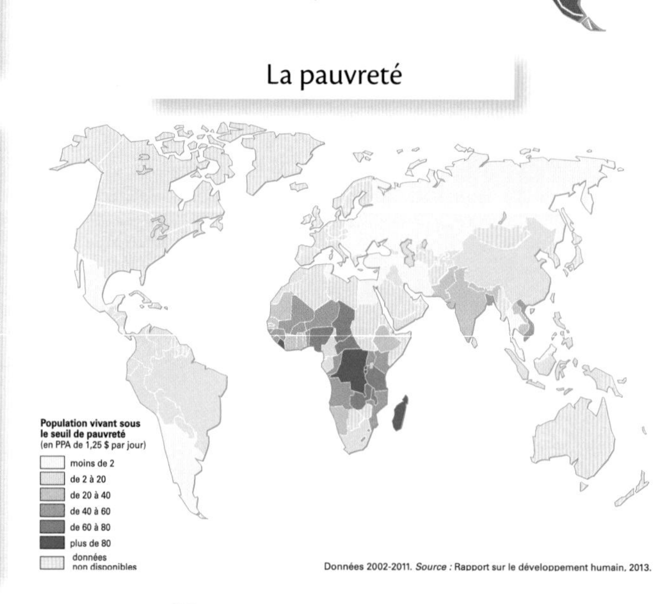

Données 2002-2011. *Source :* Rapport sur le développement humain, 2013.

La population active

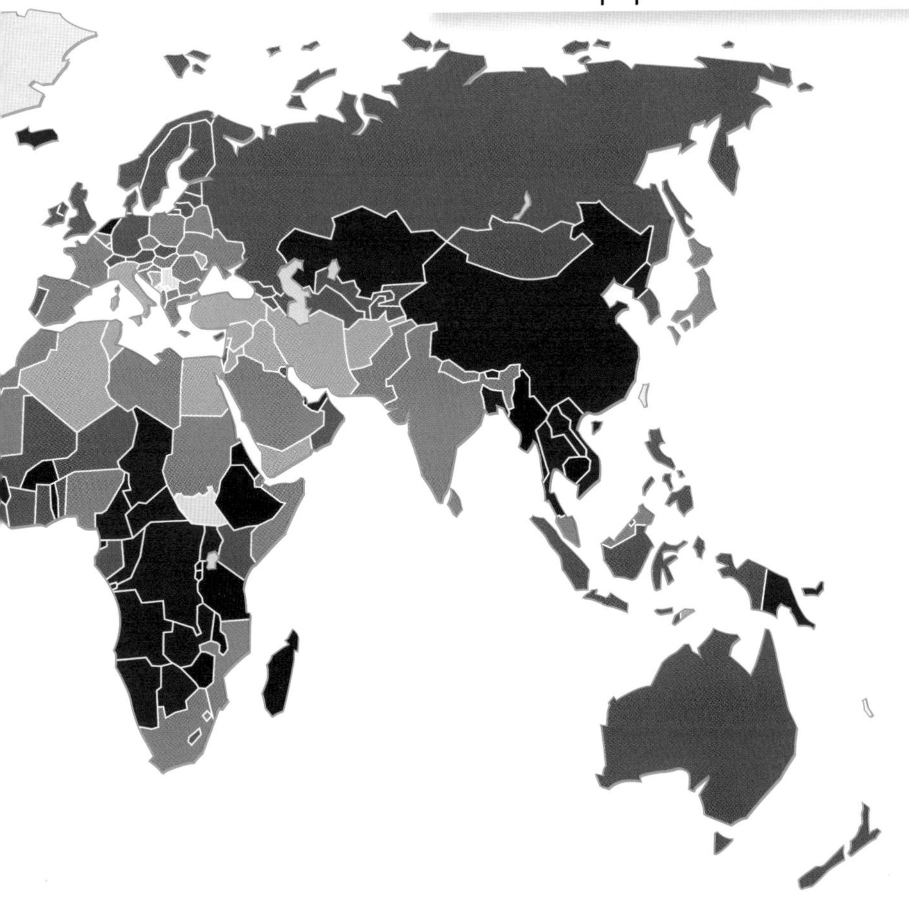

Données 2012. *Source :* Banque mondiale, 2013.

Les investissements directs à l'étranger

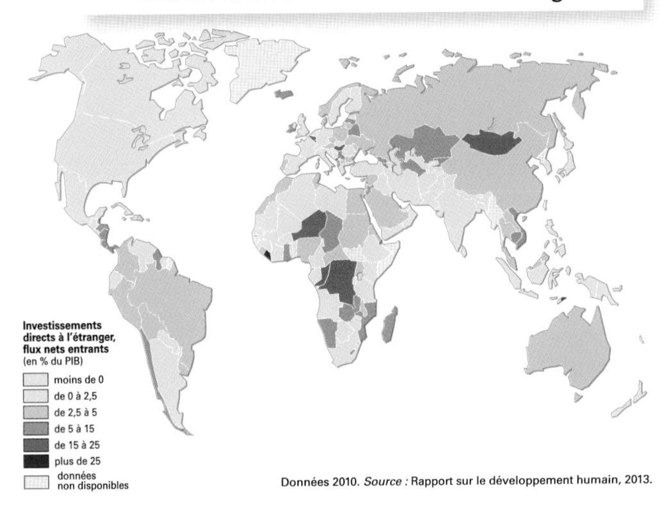

Données 2010. *Source :* Rapport sur le développement humain, 2013.

L'inflation

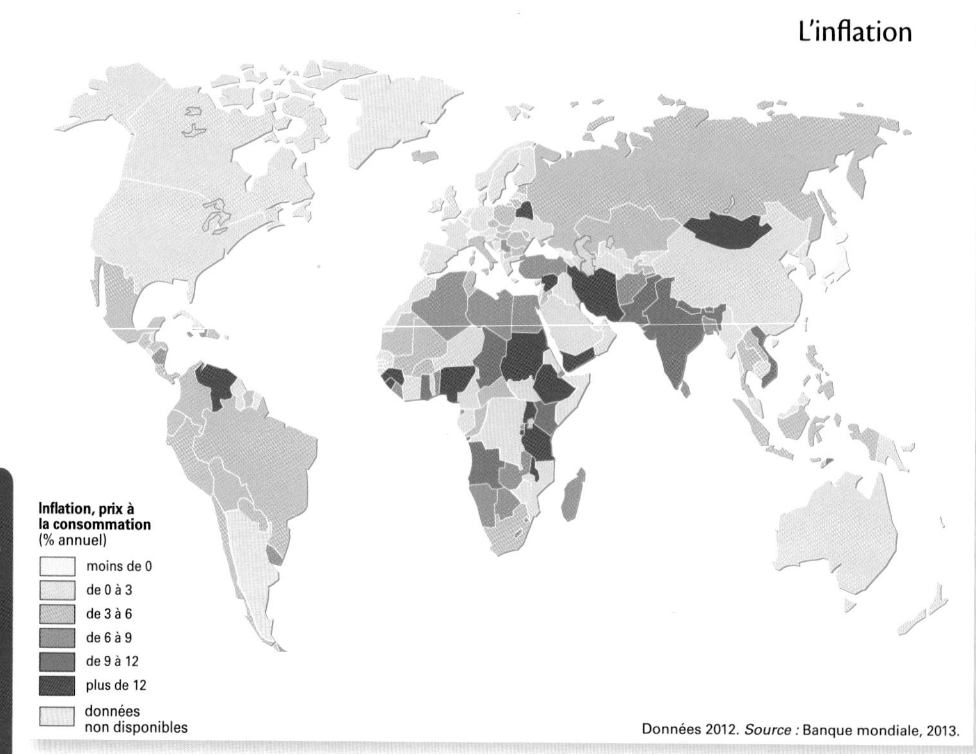

Données 2012. *Source :* Banque mondiale, 2013.

Les exportations de biens et de services

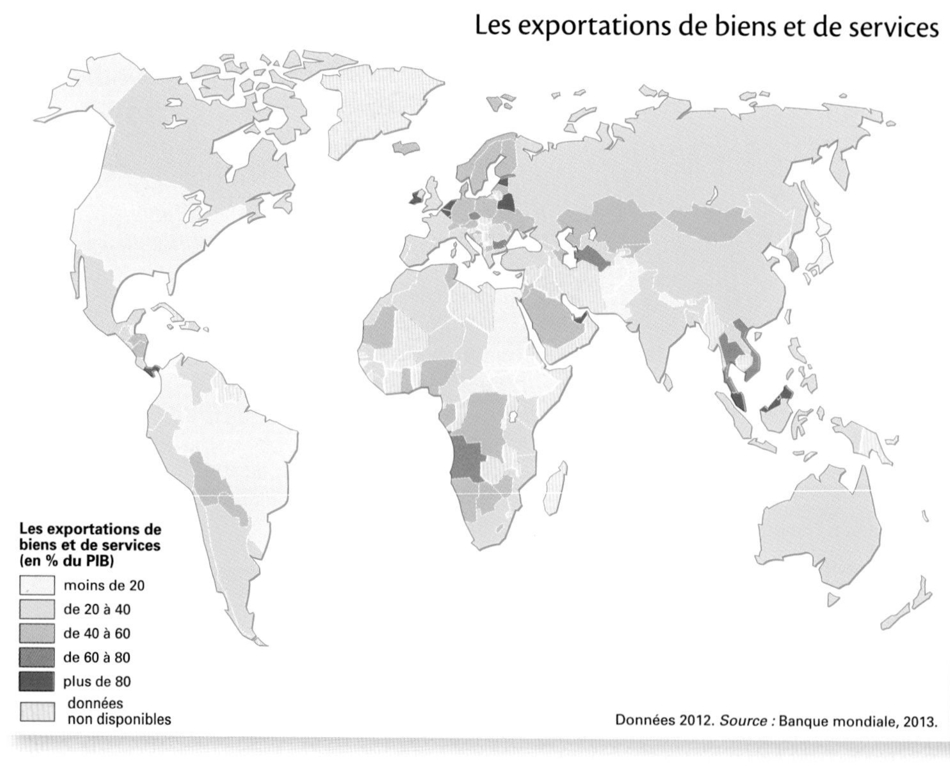

Données 2012. *Source :* Banque mondiale, 2013.

La croissance annuelle du PIB

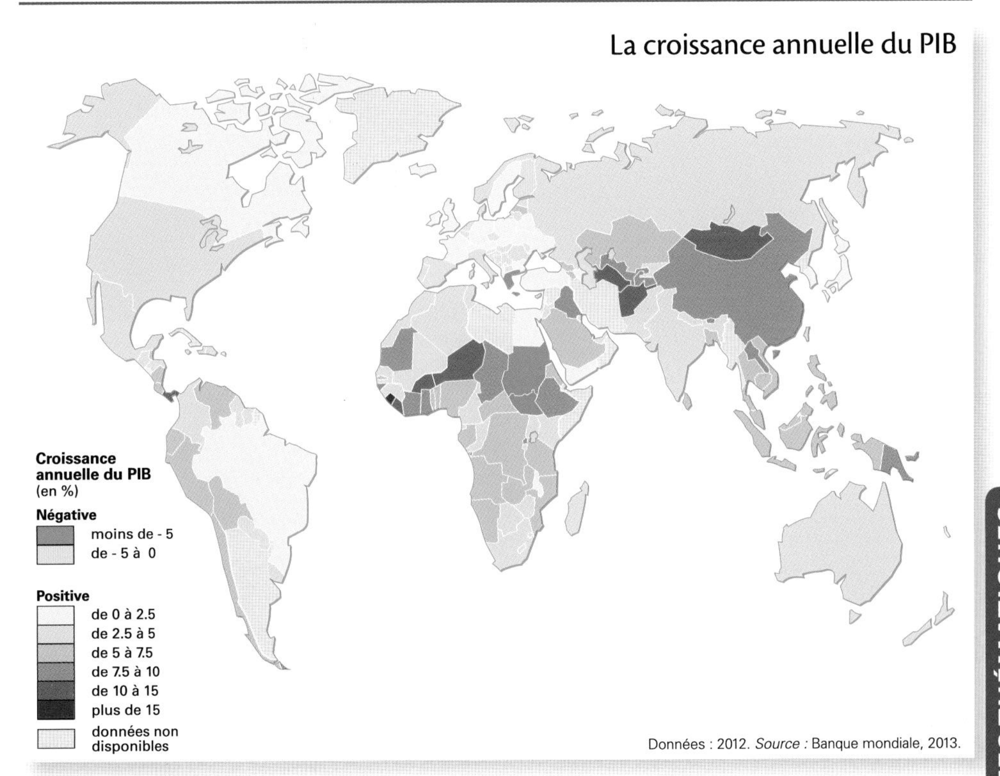

Données : 2012. *Source :* Banque mondiale, 2013.

Les transferts de fonds

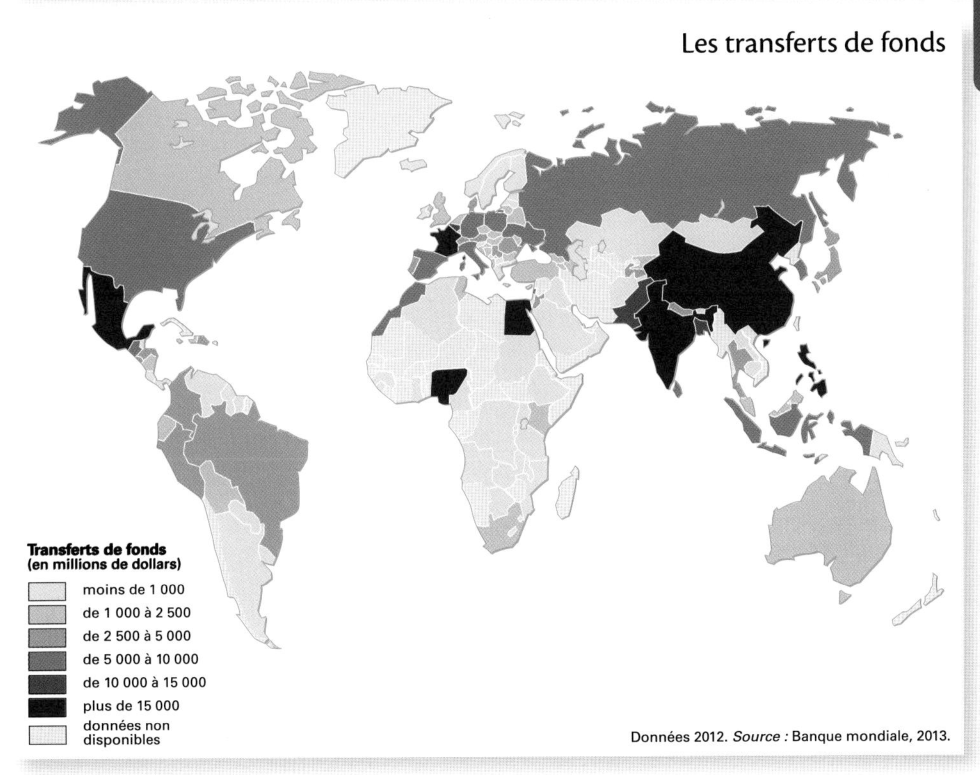

Données 2012. *Source :* Banque mondiale, 2013.

NIVEAU DE VIE

PRÉVALENCE DE LA SOUS-ALIMENTATION, en % de la population

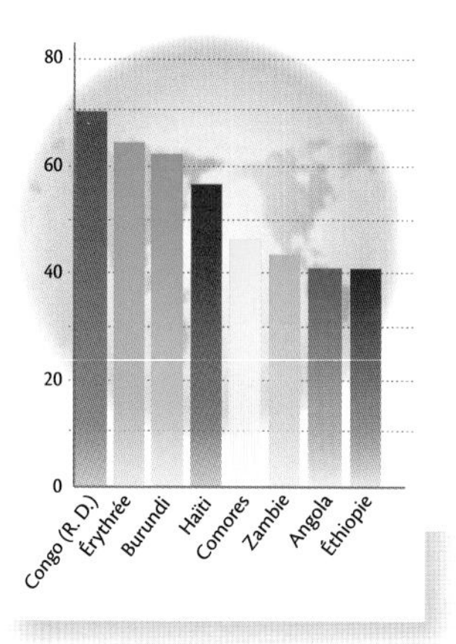

INSTALLATIONS D'ASSAINISSEMENT AMÉLIORÉES, en % de la population y ayant accès

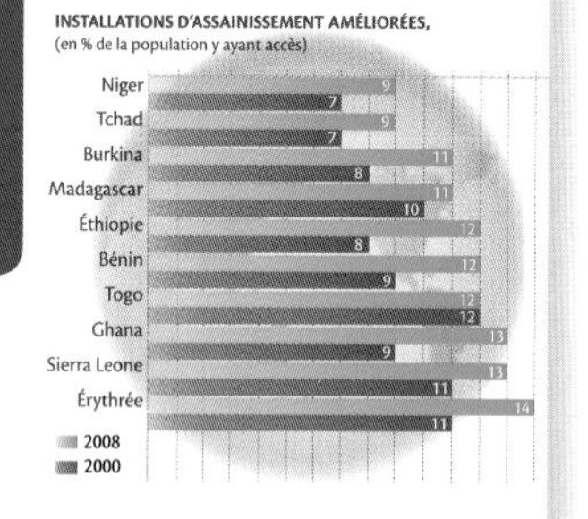

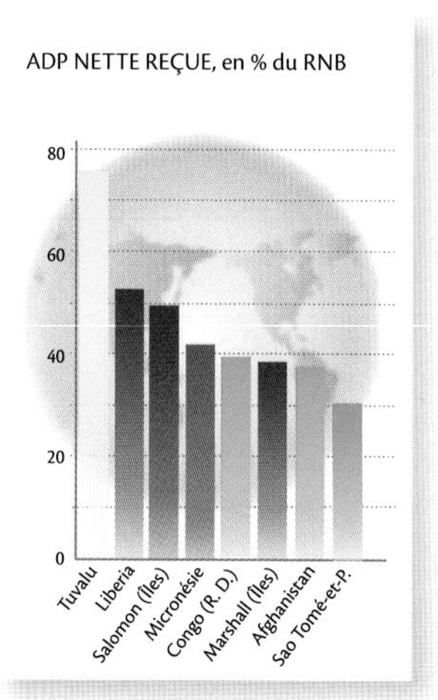

Indicateur de développement humain

faible
- moins de 0,416
- de 0,416 à 0,500

moyen
- de 0,500 à 0,662
- de 0,662 à 0,800

élevé
- de 0,800 à 0,904
- plus de 0,904
- données non disponibles

L'indice de Gini

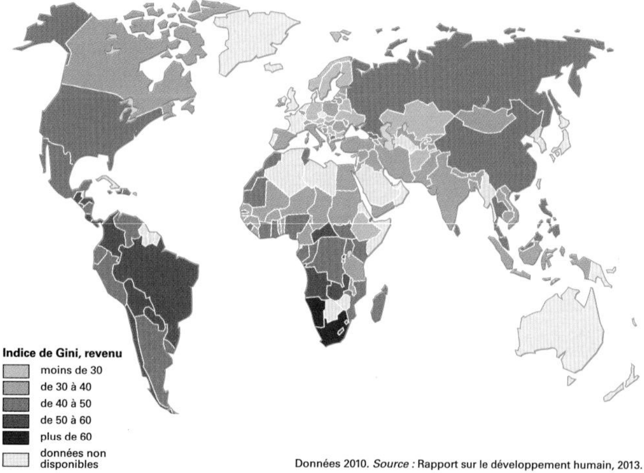

Données 2010. *Source :* Rapport sur le développement humain, 2013.

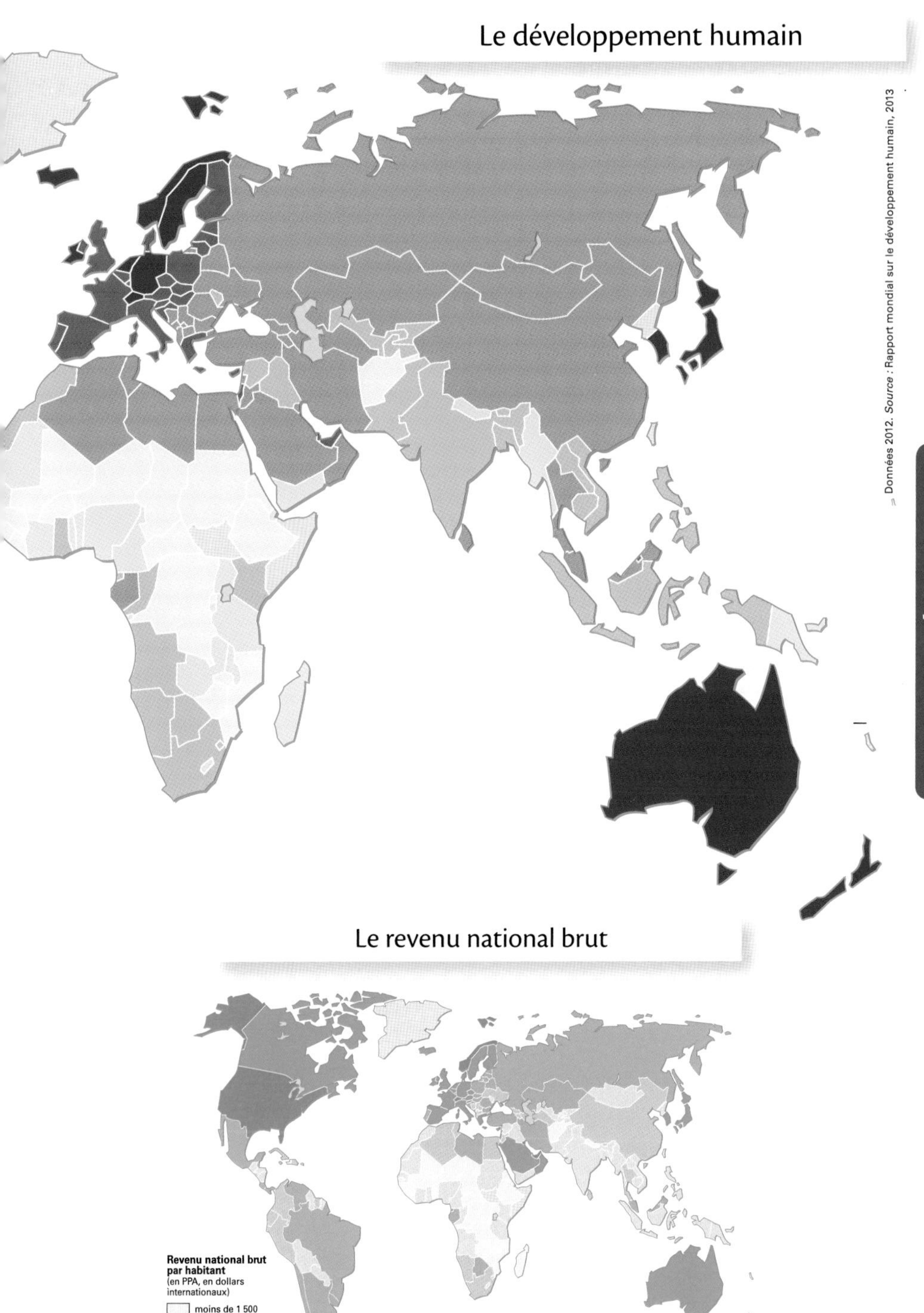

Données 2012. *Source :* Banque mondiale, 2013.

COMMUNICATION

Les utilisateurs d'Internet

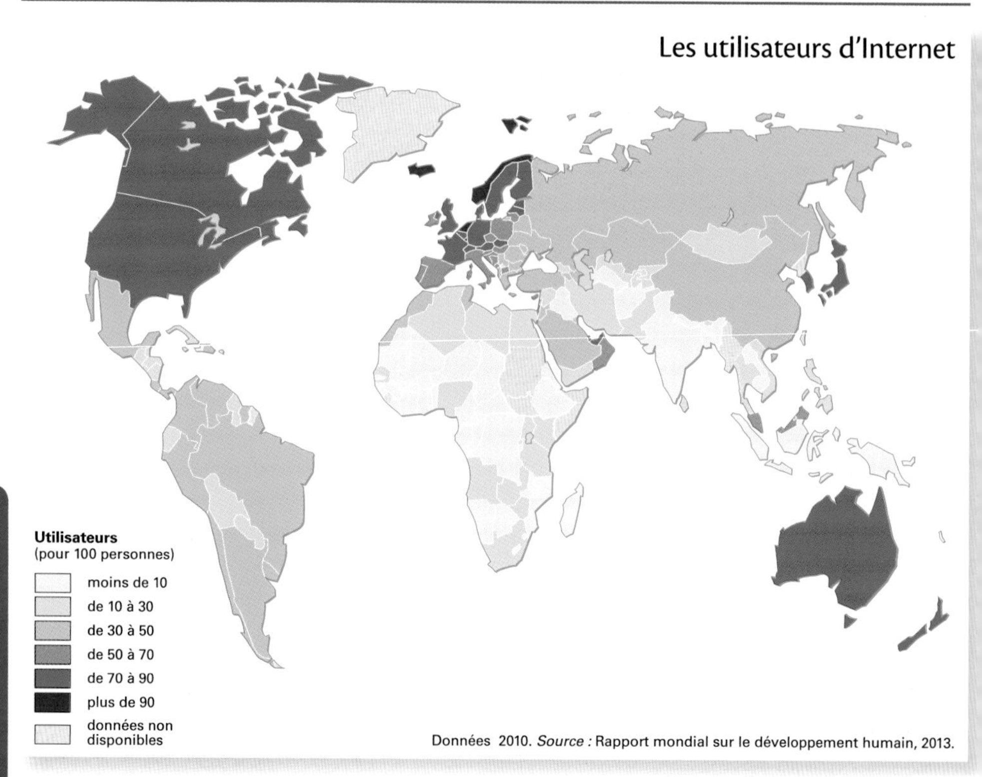

Données 2010. *Source :* Rapport mondial sur le développement humain, 2013.

Les téléphones mobiles

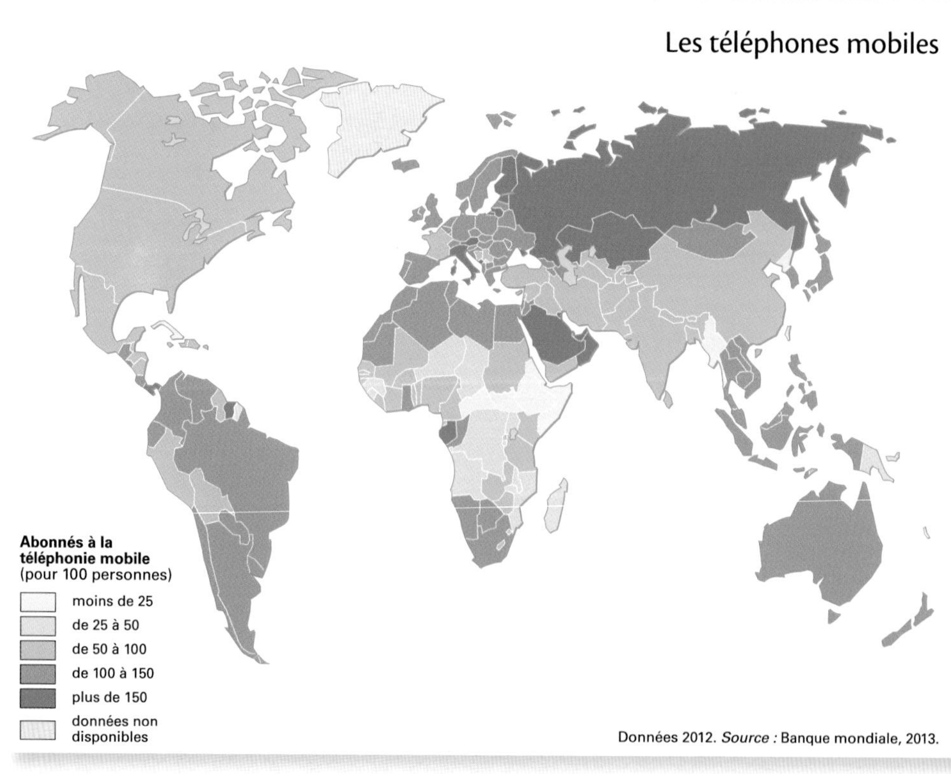

Données 2012. *Source :* Banque mondiale, 2013.

Les ordinateurs personnels

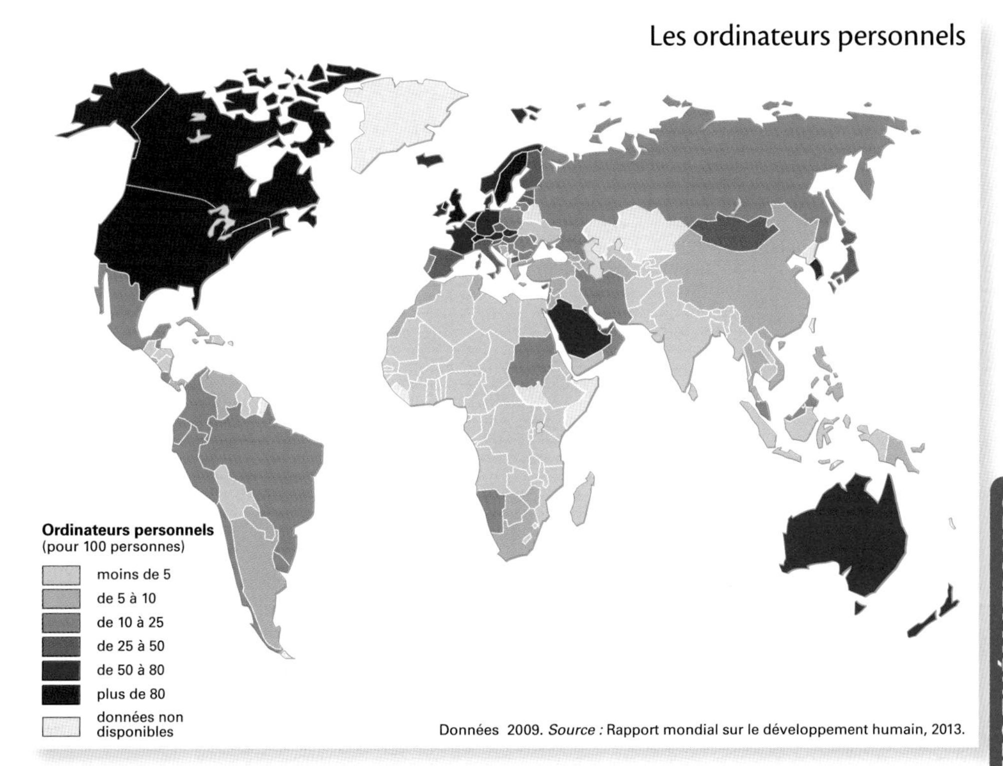

Données 2009. *Source :* Rapport mondial sur le développement humain, 2013.

Les exportations de haute technologie

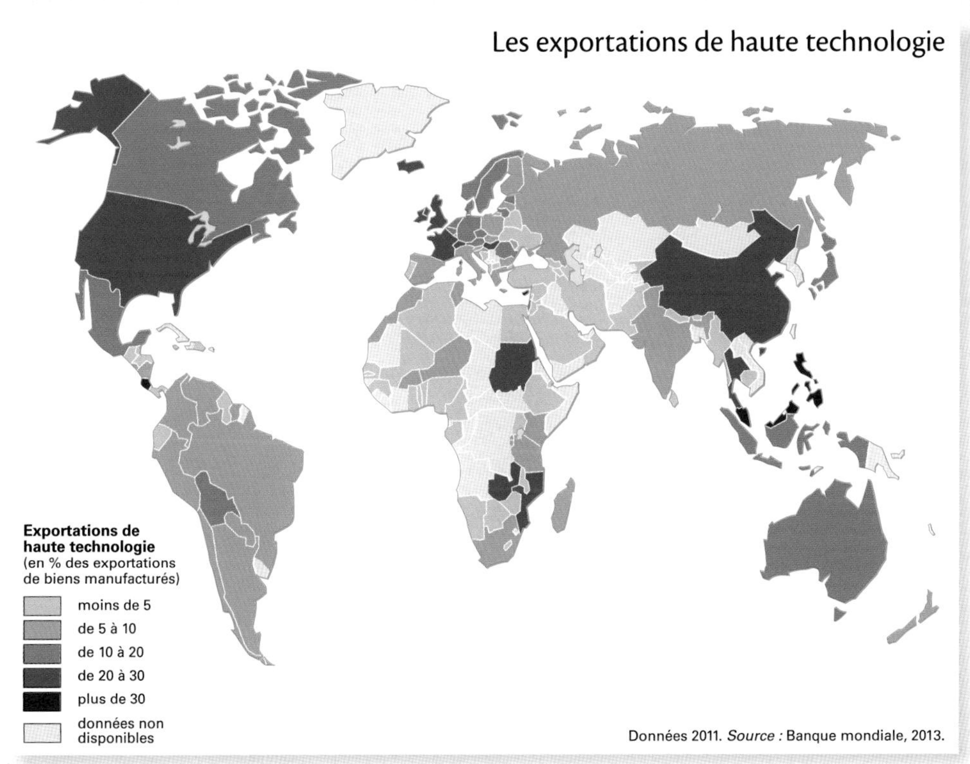

Données 2011. *Source :* Banque mondiale, 2013.

LANGUES ET RELIGIONS

Les langues de grande diffusion

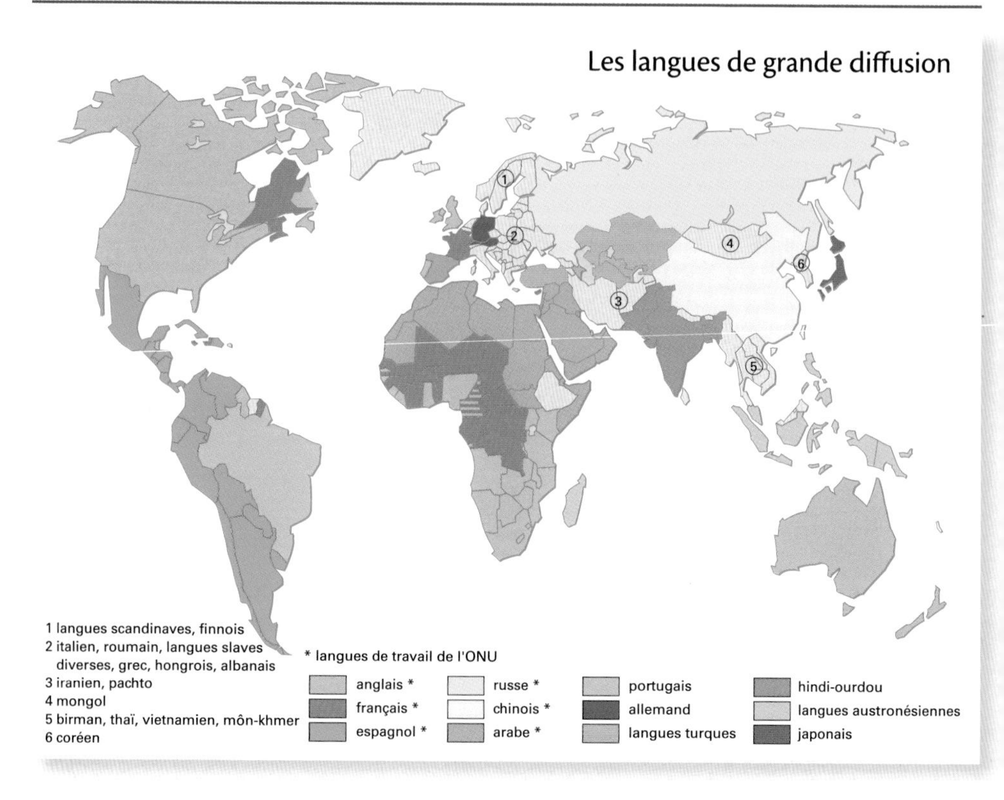

Les principales religions dans le monde

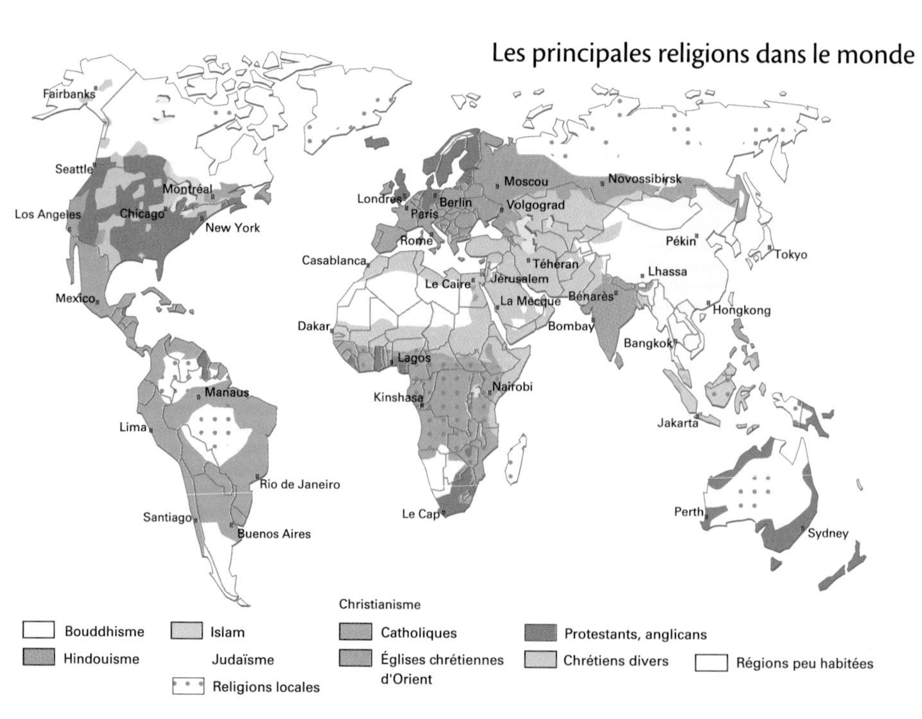

Les pays du monde

À la fin du XIXe siècle, toutes les terres émergées étaient réparties entre une trentaine de pays. À l'issue de la Seconde Guerre mondiale, le monde compte moins de quatre-vingts États. L'un des faits majeurs de la deuxième moitié du XXe siècle reste la multiplication du nombre des États, pour aboutir à l'effectif d'aujourd'hui.

Dans le contexte actuel où la crise ravive le souci de la gouvernance mondiale, il est utile de rappeler les dernières créations qui sont la marque de l'achèvement de la période de l'après-Seconde Guerre mondiale.

Après la vague des indépendances pour les pays colonisés et en dehors de l'Érythrée en 1993 et du Timor oriental en 2002, c'est en Europe et en Asie, durant ces trente dernières années, qu'ont eu lieu les grands changements ; dislocation de l'empire soviétique, chute du mur de Berlin, division de la Tchécoslovaquie et implosion des pays des Balkans.

Événement fondamental, la chute du mur de Berlin le 9 novembre 1989, précédée par l'ouverture du rideau de fer entre la Hongrie et l'Autriche le 27 juin 1989, amorce la réunification allemande et ouvre la voie au démantèlement du bloc soviétique.

Votée le 23 août 1990, la création de l'Allemagne réunifiée est effective le 3 octobre 1990. En 1991, la Communauté des États indépendants (CEI) est créée, séparant ainsi la Russie des autres pays de l'ancienne URSS. On dénombre alors 15 nouveaux États : la Fédération de Russie, le Kazakhstan, le Kirghizistan, le Tadjikistan, le Turkménistan, l'Ouzbékistan, la Géorgie, l'Arménie, l'Azerbaïdjan, l'Ukraine, la Biélorussie, la Moldavie, l'Estonie, la Lettonie et la Lituanie.

Dans les Balkans, les tensions entre les six républiques de l'ex-Yougoslavie, exacerbées après la mort de Tito, entraînent, à partir de 1991, une période de conflits qui aboutissent à l'indépendance de la Croatie et de la Slovénie, puis à celle de la Bosnie-Herzégovine, toutes trois reconnues par la Communauté européenne et par le Conseil de sécurité de l'ONU en 1992. La Macédoine, qui a proclamé son indépendance en 1991, ne sera admise à l'ONU qu'en 1993. La République fédérale de Yougoslavie devient en 2003 la Serbie-et-Monténégro, avant que le Monténégro ne devienne indépendant en 2006. Le Kosovo se proclame indépendant en 2008 ; il est reconnu par les États-Unis et par plusieurs États de l'Union européenne, dont la France.

La Tchécoslovaquie, en 1993, se divise en deux États, la Slovaquie et la République tchèque.

La cession du Soudan a donné naissance à un nouvel État, le Soudan du Sud, qui a proclamé son indépendance en juillet 2011.

Aujourd'hui la liste mondiale des États souverains compte 196 pays, dont Taïwan et le Kosovo, qui ne sont pas reconnus par l'ensemble de la communauté internationale.

MONDE POLITIQUE

Océan Glacial Arctique
Mer de Barents
Mer des Tchouktches
CANADA
Alaska (É.-U.)
Sibérie
RUSSIE
Mer de Béring
Mer d'Okhotsk
Îles Aléoutiennes (É.-U.)
Moscou
KAZAKHSTAN
Astana
Oulan-Bator
MONGOLIE
Kouriles (Russie)
OUZBÉKISTAN
Tachkent
Bichkek
KIRGHIZISTAN
TADJIKISTAN
Douchanbe
TURKMÉNISTAN
Achgabat
GÉORGIE
ARMÉNIE
AZERB.
CHINE
Pékin
CORÉE DU NORD
Pyongyang
Séoul
CORÉE DU SUD
JAPON
Tokyo
SYRIE
Téhéran
Damas
Bagdad
IRAQ
IRAN
Amman
Kaboul
AFGHANISTAN
Islamabad
PAKISTAN
Tibet
Shanghai
Mer de Chine orientale
Midway (É.-U.)
KOWEÏT
ARABIE SAOUDITE
BAHR.
QATAR
É.A.U.
Riyad
Mascate
OMAN
New Delhi
NÉPAL
BHOUT.
Dacca
BANGLADESH
Calcutta
INDE
Bombay
BIRMANIE
Nay Pyi Taw
LAOS
Hanoï
Vientiane
Mer de Chine méridionale
Mer des Philippines
Mariannes du Nord (É.-U.)
Wake (É.-U.)
Asmara
ÉRYTHRÉE
Sanaa
YÉMEN
Mer d'Oman
Golfe du Bengale
THAÏLANDE
Bangkok
CAMBODGE
Phnom Penh
VIÊT NAM
Manille
PHILIPPINES
Guam (É.-U.)
DJIBOUTI
Socotra (Y.)
Addis-Abeba
ÉTATS FÉDÉRÉS DE MICRONÉSIE
MARSHALL
PALAOS
SRI LANKA
Colombo
Sri Jayawardenepura Kotte
SOMALIE
Muqdisho
MALDIVES
BRUNEI
Kuala Lumpur
Putrajaya
MALAISIE
SINGAPOUR
Mer de Célèbes
Océan Pacifique
Nairobi
NAURU
KIRIBATI
Dar es Salam
SEYCHELLES
Océan Indien
Jakarta
INDONÉSIE
PAPOUASIE-NLLE-GUINÉE
Dili
TIMOR ORIENTAL
Port Moresby
ÎLES SALOMON
Honiara
TUVALU
COMORES
Mayotte (Fr.)
Îles Cocos (Austr.)
Î. Christmas (Austr.)
Wallis-et-Futuna (Fr.)
Mer de Corail
SAMOA
Antananarivo
MADAGASCAR
MAURICE
La Réunion (Fr.)
VANUATU
Port-Vila
FIDJI
Suva
Nlle-Calédonie (Fr.)
AUSTRALIE
Darling
Murray
Sydney
Canberra
Amsterdam (Fr.)
St-Paul (Fr.)
Îles Kermadec (N.-Z.)
Prince-Édouard (Afr. du S.)
Îles Crozet (Fr.)
Mer de Tasman
Tasmanie
NOUVELLE-ZÉLANDE
Wellington
Kerguelen (Fr.)
Île Heard (Austr.)
Îles Chatham (N.-Z.)
Î. Bounty (N.-Z.)
Î. Antipodes (N.-Z.)
Î. Macquarie (Austr.)
Î. Auckland (N.-Z.)
Î. Campbell (N.-Z.)
Antarctique
Ob
Ienisseï
Lena
Amour
L. Baïkal
Volga
L. Balkhach
Mer d'Aral
Mer Caspienne
Indus
Gange
Huang He
Yangzi Jiang
Mékong
60°
120°
180°

EUROPE

Qualifiée de « Vieux Continent » ou d'« Ancien Monde » par opposition au « Nouveau Monde » (les Amériques), l'Europe dénombre à l'aube du second millénaire un peu plus de 742 millions d'habitants (près de 11 % de la population mondiale) répartis sur plus de 10,5 millions de km² (près de 8 % de la superficie totale), de l'Atlantique à l'Oural et de la Scandinavie au nord du bassin méditerranéen.

Peu après la Seconde Guerre mondiale, plusieurs États ont décidé de s'unir dans une entité économique et politique. Celle-ci s'est agrandie en plusieurs étapes pour former en 1993 l'Union européenne, qui réunit maintenant 28 États. Malgré sa volonté de s'affirmer sur la scène internationale face aux États-Unis, à la Russie et aujourd'hui face à la Chine, l'Union européenne a du mal à se présenter comme un ensemble politique uni. Des divergences sur plusieurs sujets (environnement, politique agricole, rôle et place de l'euro) affaiblissent la position européenne alors que les effets de la crise mondiale sont encore sensibles, au

niveau de l'emploi notamment. Plusieurs pays de l'Union sont en difficulté, la Grèce depuis 2002, l'Irlande, le Portugal, l'Italie et l'Espagne ; dans nombre de pays, le niveau de la dette publique est préoccupant, et les politiques de rigueur mises en œuvre pour sa réduction suscitent des protestations de la part des populations concernées.

La grande variété de son immigration fait de l'Europe un continent culturellement riche, mais l'immigration ne suffit pas toujours à combler le déficit de l'accroissement naturel ; dans une quinzaine de pays, dont l'Allemagne et la Hongrie, le nombre des naissances est inférieur à celui des décès. Les faibles taux de fécondité et le vieillissement de la population (la part des adultes et des personnes âgées augmente tandis que celle des jeunes diminue) inquiètent les politiques, qui se doivent de mettre en place des systèmes de retraites adaptés.

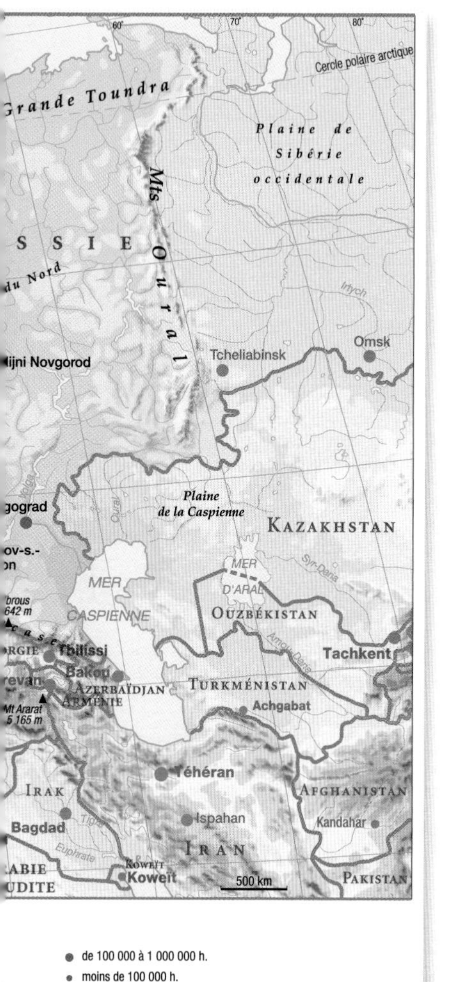

ALBANIE
ALLEMAGNE
ANDORRE
AUTRICHE
BELGIQUE
BIÉLORUSSIE
BOSNIE-HERZÉGOVINE
BULGARIE
CROATIE
DANEMARK
ESPAGNE
ESTONIE
FINLANDE
FRANCE
GRANDE-BRETAGNE
GRÈCE
HONGRIE
IRLANDE
ISLANDE
ITALIE
KOSOVO
LETTONIE
LIECHTENSTEIN
LITUANIE
LUXEMBOURG
MACÉDOINE
MALTE
MOLDAVIE
MONACO
MONTÉNÉGRO
NORVÈGE
PAYS-BAS
POLOGNE
PORTUGAL
ROUMANIE
RUSSIE
SAINT-MARIN
SERBIE
SLOVAQUIE
SLOVÉNIE
SUÈDE
SUISSE
TCHÈQUE (République)
UKRAINE
VATICAN

ALBANIE

Les Chaînes Dinariques occupent l'ensemble du pays, à l'exception de la partie centrale et du long du rivage de l'Adriatique où s'étendent des plaines et des collines. Le climat est méditerranéen sur une étroite frange littorale ; dans l'intérieur, il est de type continental.

Superficie : 28 748 km²
Population (2013) : 2 800 000 hab.
Capitale : Tirana 421 286 hab. (r. 2011)
Nature de l'État et du régime politique : république à régime parlementaire
Chef de l'État : (président de la République) Bujar Nishani
Chef du gouvernement : (Premier ministre) Edi Rama
Organisation administrative : 12 préfectures
Langue officielle : albanais
Monnaie : lek

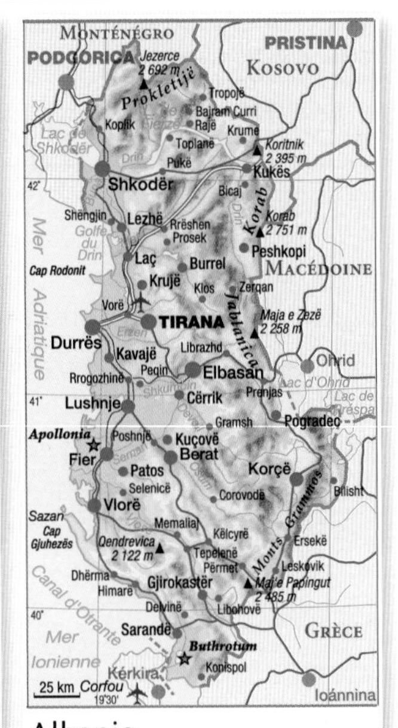

Albanie

- plus de 100 000 h.
- de 30 000 à 100 000 h.
- de 10 000 à 30 000 h.
- moins de 10 000 h.

200 500 1000 1500 m

★ site touristique important
— route
═ autoroute
— voie ferrée
✈ aéroport

DÉMOGRAPHIE

- **Densité :** 97 hab./km²
- **Part de la population urbaine (2013) :** 54 %
- **Structure de la population par âge (2013) :** moins de 15 ans : 20 %, 15-65 ans : 68 %, plus de 65 ans : 12 %
- **Taux de natalité (2013) :** 13 ‰
- **Taux de mortalité (2013) :** 7 ‰
- **Taux de mortalité infantile (2013) :** 14,4 ‰
- **Espérance de vie (2013) :** hommes : 74 ans, femmes : 80 ans

La population de l'Albanie, encore faiblement urbanisée (un peu plus de la moitié des habitants vivent dans les villes), est l'une des plus jeunes d'Europe (20 % a moins de 25 ans). La capitale, Tirana, regroupe plus de 15 % de la population totale du pays, secondée par Durrës, Shkodër et Elbasan. Une minorité hellénique est établie dans le sud du pays, alors que plus d'un million d'Albanais vivent à l'étranger, notamment en Italie.

ÉCONOMIE

- **PNB (2012) :** 12 milliards de dollars
- **PNB/hab. (2012) :** 4 030 dollars
- **PNB/hab. PPA (2012) :** 9 280 dollars internationaux
- **IDH (2012) :** 0,749
- **Taux de croissance annuelle du PIB (2012) :** 1,6 %
- **Taux annuel d'inflation (2012) :** 2 %
- **Structure de la population active (2010) :** agriculture : 41,5 %, mines et industries : 20,8 %, services : 37,7 %
- **Structure du PIB (2012) :** agriculture : 18,3 %, mines et industries : 15,6 %, services : 66,1 %
- **Dette publique brute :** n.d.
- **Taux de chômage (2011) :** 11,5 %

Pays encore largement rural qui reste l'un des plus pauvres d'Europe, l'Albanie a toutefois connu une croissance soutenue au cours des années 2000 et a peu subi la crise de 2008 - 2009. Sa situation n'en reste pas moins catastrophique ; le secteur agricole (blé, sorgho, avoine) ainsi que le secteur industriel (textile, ciment) pâtissent de la faiblesse des infrastructures et du manque d'équipements. La part que constitue l'économie parallèle dans l'économie nationale est inquiétante. La nouvelle équipe gouvernementale, en fonction depuis septembre 2013, a pour principal objectif de dynamiser l'activité économique, la croissance s'étant effondrée en 2012 et 2013 (1,7 %). L'une des principales mesures est de diminuer la pression fiscale sur les PME et ainsi créer des emplois. La réduction de la pauvreté est aussi un objectif majeur.

TOURISME

- **Recettes touristiques (2012) :** 1 833 millions de dollars

COMMERCE EXTÉRIEUR

- **Exportations de biens (2012) :** 1 123 millions de dollars
- **Importations de biens (2011) :** 7 257 millions de dollars

DÉFENSE

- **Forces armées (2011) :** 14 750 individus
- **Dépenses militaires (2012) :** 1,5 % du PIB

NIVEAU DE VIE

- **Nombre d'habitants pour un médecin (2012) :** 898
- **Apport journalier moyen en calories (2007) :** 2 880 (minimum FAO : 2 400)
- **Nombre d'automobiles pour 1 000 hab. (2011) :** 92
- **Téléphones portables (2012) :** 100 % de la population équipée

REPÈRES HISTORIQUES

Des origines à l'indépendance

D'abord occupée par les Illyriens, l'Albanie est colonisée par les Grecs (VIIᵉ s. av. J.-C.) puis par Rome (IIᵉ s. av. J.-C.). À la fin du VIᵉ s., les Slaves s'y installent en grand nombre.

XVᵉ - XIXᵉ s. : malgré la rébellion (1443-1468) de Skanderbeg, le pays tombe sous la domination ottomane et est largement islamisé. Plusieurs tentatives de révolte échouent, notamment celle d'Ali Pacha de Tebelen (1822).

L'Albanie indépendante

1912 : l'Albanie devient une principauté indépendante.

1920 : elle entre à la SDN.

1925 - 1939 : Ahmed Zogu dirige le pays comme président de la République, puis comme roi (Zog Iᵉʳ).

1939 : invasion de l'Albanie par les troupes italiennes.

1946 : la République populaire est proclamée. Elle rompt avec l'URSS (1961), puis avec la Chine (1978).

1985 : sous la conduite de Ramiz Alia, le pays sort de son isolement politique et économique, et, à partir de 1990, se démocratise.

1997 : un mouvement insurrectionnel populaire déstabilise le pays.

1998 : une nouvelle Constitution est approuvée par référendum.

2009 : l'Albanie devient membre de l'OTAN. Elle dépose une demande d'adhésion à l'Union européenne.

ALLEMAGNE

Sur un territoire inférieur aux deux tiers du territoire français, l'Allemagne est la première puissance économique d'Europe. Elle se caractérise par une géographie complexe. Le Nord, région de plaines, se rattache à l'Europe du Nord, mais surtout à l'Europe centrale et orientale, tandis que le Sud, plus montagneux, se rattache à la France et à l'Autriche.

Superficie : 357 022 km²
Population (2013) : 80 600 000 hab.
Capitale : Berlin 3 292 365 hab. (r. 2011)
Nature de l'État et du régime politique : république à régime parlementaire
Chef de l'État : (président de la République) Joachim Gauck
Chef du gouvernement : (chancelière) Angela Merkel
Organisation administrative : 16 Länder
Langue officielle : allemand
Monnaie : euro

DÉMOGRAPHIE

- **Densité :** 226 hab./km²
- **Part de la population urbaine (2013) :** 73 %
- **Structure de la population par âge (2013) :** moins de 15 ans : 13 %, 15-65 ans : 66 %, plus de 65 ans : 21 %
- **Taux de natalité (2013) :** 8 ‰
- **Taux de mortalité (2013) :** 11 ‰
- **Taux de mortalité infantile (2013) :** 3,3 ‰
- **Espérance de vie (2013) :** hommes : 78 ans, femmes : 83 ans

L'Allemagne est le pays le plus peuplé de l'Union européenne et le deuxième pays le plus peuplé d'Europe, après la Russie. La densité moyenne de la population est de l'ordre de 226 habitants au km² (plus du double de la densité française). Ce chiffre élevé est lié à l'ancienneté de l'urbanisation et à l'afflux, après la Seconde Guerre mondiale, de millions de réfugiés ou expulsés. La population est surtout dense dans les régions rhénanes et en Saxe, moins dans la partie septentrionale. Mais tous les Länder ont une densité supérieure à 100 habitants au km², exception faite du Brandebourg et du Mecklembourg-Poméranie-Occidentale. Le taux de natalité (8 ‰), l'un des plus bas du monde, est devenu inférieur au taux de mortalité (11 ‰), influencé par un vieillissement déjà sensible, et la population a commencé à décroître, d'autant que l'immigration tend à diminuer. Aux Turcs se sont ajoutés des réfugiés de l'ancienne Europe de l'Est et du Sud-Est. L'espérance de vie des femmes à la naissance est une des plus élevées du monde (83 ans).
Moins des trois quarts de la population vivent dans des villes. L'armature urbaine est caractérisée par le nombre important de grandes villes (Hambourg, Munich, Francfort, Cologne, Stuttgart, Brême, Hanovre, Leipzig, Dresde, Dortmund, Duisburg, Essen, Nuremberg), entraînant une vie régionale active. Berlin est une métropole incontestable, mais Hambourg, Munich et Francfort pèsent d'un poids démographique, économique et culturel aussi important.

ÉCONOMIE

- **PNB (2012) :** 3 510 milliards de dollars
- **PNB/hab. (2012) :** 44 260 dollars
- **PNB/hab. PPA (2012) :** 42 230 dollars internationaux
- **IDH (2012) :** 0,92
- **Taux de croissance annuelle du PIB (2012) :** 0,7 %
- **Taux annuel d'inflation (2012) :** 2 %
- **Structure de la population active (2012) :** agriculture : 1,5 %, mines et industries : 28,2 %, services : 70,2 %
- **Structure du PIB (2010) :** agriculture : 0,9 %, mines et industries : 27,9 %, services : 71,2 %
- **Dette publique brute (2011) :** 55 % du PIB
- **Taux de chômage (2012) :** 5,4 %

Quatrième puissance économique mondiale et première au niveau européen, l'Allemagne a connu un ralentissement de sa croissance dans la première moitié des années 2000 avant la crise de 2008, à laquelle elle a cependant relativement bien résisté grâce entre autre à son savoir-faire industriel. Malgré la contraction du commerce international et la concurrence de la Chine – l'un de ses deux principaux partenaires extracommunautaires avec les États-Unis –, elle reste le 2e exportateur de marchandises au monde (automobile, machines-outils, produits chimiques, agroalimentaire), avec un solde commercial positif, en croissance continue ces trente dernières années. Cet excédent commercial pénalise de fait la balance commerciale des autres pays de l'UE, qui déplorent l'importance des exportations allemandes au détriment des leurs. Les exportations de biens et de services représentent environ 25 % de celles de l'Union et plus de 40 % de son PIB. Ces échanges sont réalisés pour plus de 60 % au sein de l'UE, la France restant son principal client, devant les Pays-Bas, premier fournisseur, suivis des États-Unis, de la Grande-Bretagne et de l'Italie, avec maintenant une part croissante en direction des « grands émergents » (BRICS). Outre l'importation d'hydrocarbures, l'Allemagne consacre une part croissante aux énergies renouvelables, mais celle du charbon est toujours importante tandis que l'industrie nucléaire – dont l'abandon a été programmé pour l'horizon 2022 – nécessitera des investissements colossaux. L'Allemagne est un des rares pays où le chômage, qui est déjà l'un des plus bas de l'UE, est en baisse. Le nombre d'actifs augmente et les finances publiques présentent un excédent. Toutefois, la croissance a baissé en 2013 et n'a pas dépassé 0,5 %. Reste que, jusqu'à présent, la force de l'économie allemande fait de ce pays la principale locomotive de la zone euro.

TOURISME

- **Recettes touristiques (2012) :** 53 411 millions de dollars

COMMERCE EXTÉRIEUR

- **Exportations de biens (2012) :** 1 460 124 millions de dollars
- **Importations de biens (2012) :** 1 562 522 millions de dollars

DÉFENSE

- **Forces armées (2011) :** 196 000 individus
- **Dépenses militaires (2012) :** 1,3 % du PIB

NIVEAU DE VIE

- **Nombre d'habitants pour un médecin (2011) :** 271
- **Apport journalier moyen en calories (2007) :** 3 547 (minimum FAO : 2 400)
- **Nombre d'automobiles pour 1 000 hab. (2011) :** 517
- **Téléphones portables (2012) :** 100 % de la population équipée

REPÈRES HISTORIQUES

Les origines

Ier millénaire av. J.-C. : les Germains s'installent entre Rhin et Vistule, refoulant les Celtes en Gaule. Ils sont repoussés vers l'est par les Romains.

Ve - VIe s. : lors des Grandes Invasions, les Barbares germaniques fondent des royaumes parmi lesquels celui des Francs s'impose aux autres.

800 : fondation de l'Empire carolingien.

843 : le traité de Verdun partage l'Empire en trois royaumes : à l'est, la *Francia orientalis* de Louis le Germanique constituera la Germanie.

Le Saint Empire

962 : Otton Ier fonde le Saint Empire romain germanique.

1138 - 1250 : la dynastie souabe (Hohenstaufen), avec Frédéric Ier Barberousse (1152 - 1190) et Frédéric II (1220 - 1250), engage la lutte du Sacerdoce et de l'Empire.

1273 - 1438 : la couronne impériale passe aux Habsbourg, puis aux maisons de Bavière et de Luxembourg.

1356 : Charles IV de Luxembourg promulgue la Bulle d'or, véritable Constitution du Saint Empire.

XVIe s. : l'Empire, à son apogée avec Maximilien Ier (1493 - 1519) et Charles Quint (1519 - 1556), voit son unité religieuse brisée par la Réforme protestante.

1618 - 1648 : la guerre de Trente Ans ravage le pays.

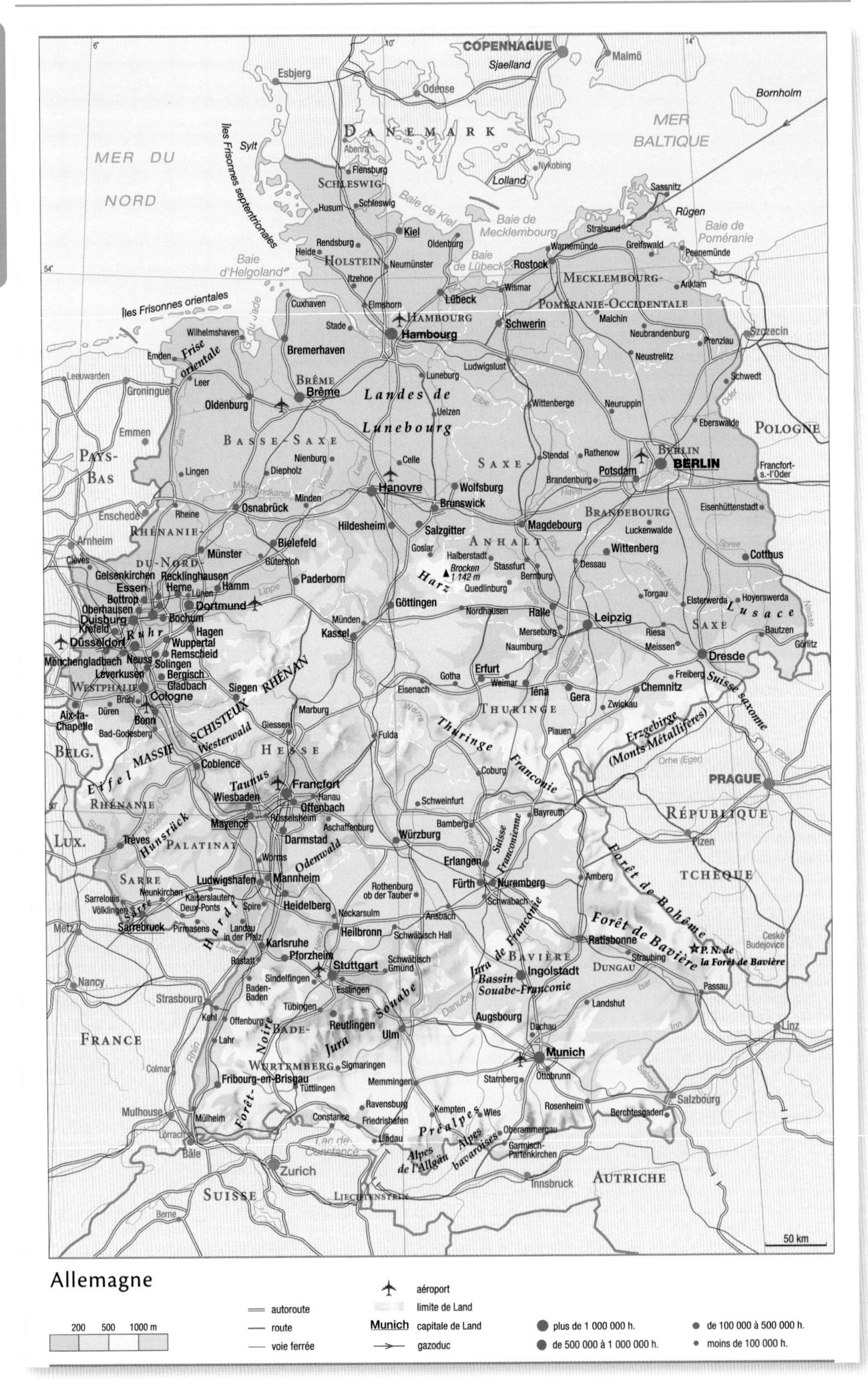
COPENHAGUE
Sjaelland
Malmö
Esbjerg
Odense
Bornholm
DANEMARK
MER BALTIQUE
MER DU NORD
Îles Frisonnes septentrionales
Sylt
Abenrå
Flensburg
Nykobing
Lolland
SCHLESWIG-
Husum
Schleswig
Baie de Kiel
Baie de Mecklembourg
Sassnitz
Rügen
Baie de Poméranie
Stralsund
Kiel
Rendsburg
Heide
Oldenburg
Warnemünde
Greifswald
Peenemünde
Baie d'Helgoland
HOLSTEIN
Neumünster
Baie de Lübeck
Rostock
MECKLEMBOURG-
Anklam
Itzehoe
Wismar
Îles Frisonnes orientales
Cuxhaven
Elmshorn
Lübeck
POMÉRANIE-OCCIDENTALE
Stade
HAMBOURG
Schwerin
Malchin
Wilhelmshaven
Hambourg
Neubrandenburg
Prenzlau
Szczecin
Emden
Frise orientale
Bremerhaven
Ludwigslust
Neustrelitz
Leeuwarden
Leer
BRÊME
Brême
Luneburg
Schwedt
Groningue
Landes de Lunebourg
Uelzen
Oldenburg
Wittenberge
Neuruppin
Emmen
Eberswalde
POLOGNE
BASSE-SAXE
PAYS-BAS
Nienburg
Celle
SAXE-
Stendal
Rathenow
BERLIN
Lingen
Diepholz
Potsdam
Francfort-s.-l'Oder
Brandenburg
Minden
Hanovre
Wolfsburg
Enschede
Rheine
Osnabrück
Brunswick
BRANDEBOURG
Eisenhüttenstadt
RHÉNANIE-
Hildesheim
Salzgitter
Magdebourg
Arnheim
Bielefeld
Luckenwalde
Münster
Goslar
ANHALT
Wittenberg
Clèves
DU-NORD
Gütersloh
Halberstadt
Brocken
1 142 m
Stassfurt
Cottbus
Gelsenkirchen
Recklinghausen
Dessau
Essen
Herne
Hamm
Paderborn
Harz
Bernburg
Bottrop
Quedlinburg
Torgau
Elsterwerda
Hoyerswerda
Oberhausen
Dortmund
Göttingen
Duisburg
Bochum
Nordhausen
Halle
Leipzig
Lusace
Krefeld
Münden
Düsseldorf
Ruhr
Hagen
Kassel
Merseburg
Riesa
SAXE
Bautzen
Wuppertal
Remscheid
Naumburg
Meissen
Görlitz
Mönchengladbach
Neuss
Solingen
Dresde
Leverkusen
Bergisch Gladbach
Erfurt
Gotha
Freiberg
WESTPHALIE
Eisenach
Weimar
Iéna
Gera
Chemnitz
Suisse saxonne
Cologne
Siegen
MASSIF SCHISTEUX RHÉNAN
Brühl
Düren
Zwickau
Aix-la-Chapelle
Bonn
Marburg
THURINGE
Bad-Godesberg
Giessen
Plauen
Erzgebirge (Monts Métallifères)
Westerwald
Thuringe
BELG.
HESSE
Fulda
Eifel
Coblence
Franconie
Orhe (Eger)
Coburg
Taunus
Francfort
PRAGUE
RHÉNANIE-
Wiesbaden
Hanau
Offenbach
Schweinfurt
Rüsselsheim
Bayreuth
Mayence
Aschaffenburg
RÉPUBLIQUE
Bamberg
Hunsrück
Suisse franconienne
LUX.
Trèves
Darmstad
Würzburg
Plzen
PALATINAT
Odenwald
Forêt de Bohême
Worms
Erlangen
SARRE
Ludwigshafen
Mannheim
Amberg
TCHÈQUE
Neunkirchen
Rothenburg ob der Tauber
Fürth
Nuremberg
Sarrelouis
Kaiserslautern
Völklingen
Deux-Ponts
Spire
Heidelberg
Schwabach
Neckarsulm
Ansbach
Metz
Sarrebruck
Pirmasens
Hardt
Landau in der Pfalz
Heilbronn
Forêt de Bavière
Jura de Franconie
Schwäbisch Hall
Ratisbonne
České Budějovice
Karlsruhe
P. N. de la Forêt de Bavière
Pforzheim
BAVIÈRE
Straubing
Rastatt
Stuttgart
Schwäbisch Gmünd
Ingolstadt
DUNGAU
Nancy
Sindelfingen
Bassin Souabe-Franconie
Baden-Baden
Esslingen
Passau
Strasbourg
Jura Souabe
Landshut
Tübingen
Kehl
Offenburg
Forêt-Noire
BADE-
Reutlingen
Augsbourg
FRANCE
Ulm
Dachau
Lahr
Linz
WURTEMBERG
Sigmaringen
Munich
Colmar
Fribourg-en-Brisgau
Memmingen
Starnberg
Ottobrunn
Tuttlingen
Salzbourg
Ravensburg
Mulhouse
Mülheim
Constance
Friedrichshafen
Kempten
Wies
Rosenheim
Berchtesgaden
Préalpes
Lörrach
Lindau
Oberammergau
Lac de Constance
Alpes de l'Allgäu
Alpes bavaroises
Bâle
Garmisch-Partenkirchen
Zurich
Innsbruck
AUTRICHE
SUISSE
LIECHTENSTEIN
Berne
50 km
6°
10°
14°
54°
50°
Allemagne
200
500
1000 m
autoroute
route
voie ferrée
aéroport
limite de Land
Munich
capitale de Land
gazoduc
plus de 1 000 000 h.
de 500 000 à 1 000 000 h.
de 100 000 à 500 000 h.
moins de 100 000 h.

1648 : les traités de Westphalie confirment la faiblesse du pouvoir impérial.

XVIIIe s. : le royaume de Prusse, dirigé par les Hohenzollern (à partir de 1701), domine l'Allemagne et devient une grande puissance sous Frédéric II.

1806 : Napoléon écrase la Prusse à Iéna et remplace le Saint Empire par une Confédération du Rhin excluant l'Autriche et la Prusse.

L'unité allemande

1815 : le congrès de Vienne crée la Confédération germanique (39 États, dont la Prusse et l'Autriche).

1834 : union douanière entre les États allemands (*Zollverein*).

1848 - 1850 : échec des mouvements nationaux et libéraux.

1862 - 1871 : Bismarck réalise l'unité allemande, après avoir éliminé l'Autriche (Sadowa, 1866) et vaincu la France (1870 - 1871).

1871 : proclamation de l'« Empire allemand ».

1871 - 1914 : l'Allemagne connaît de grands progrès économiques et politiques (expansion coloniale).

1914 - 1918 : la Première Guerre mondiale s'achève par la défaite de l'Allemagne.

De Weimar à la partition

1919 - 1933 : la république de Weimar écrase les spartakistes. L'humiliation causée par le traité de Versailles, l'occupation de la Ruhr par la France (1923 - 1925) et la crise économique favorisent la montée du nazisme.

1933 - 1934 : Hitler, chancelier et « Führer », inaugure le IIIe Reich, un État dictatorial et centralisé.

1936 : remilitarisation de la Rhénanie.

1938 - 1939 : l'Allemagne annexe l'Autriche (*Anschluss*) et une partie de la Tchécoslovaquie, puis attaque la Pologne.

1939 - 1945 : Seconde Guerre mondiale.

1945 - 1949 : vaincue, l'Allemagne est occupée par les armées alliées ; sa frontière avec la Pologne est limitée à l'est par la ligne Oder-Neisse.

1949 : création de la République fédérale d'Allemagne ou RFA et, dans la zone d'occupation soviétique, de la République démocratique allemande ou RDA. Chacun des deux États allemands se donne pour but de refaire l'unité allemande à son profit.

La République fédérale d'Allemagne

1949 : bénéficiant de l'aide américaine (plan Marshall), la RFA amorce un redressement économique rapide.

1951 : elle entre dans la CECA.

1955 : elle devient membre de l'OTAN.

1956 : création de la Bundeswehr.

1958 : la RFA entre dans la CEE.

1963 : traité d'amitié et de coopération franco-allemand.

1969 - 1974 : après avoir conclu un traité avec l'URSS et reconnu la ligne Oder-Neisse comme frontière germano-polonaise (1970), la RFA signe avec la RDA le traité interallemand de reconnaissance mutuelle (1972).

1989 : la RFA est confrontée aux problèmes posés par un afflux massif de réfugiés est-allemands et par les changements intervenus en RDA.

La République démocratique allemande

Organisée économiquement et politiquement sur le modèle soviétique, la RDA est dirigée par le Parti socialiste unifié (SED).

1950 : la RDA adhère au Comecon.

1953 : des émeutes ouvrières éclatent.

1955 : la RDA adhère au pacte de Varsovie.

1961 : afin d'enrayer la forte émigration des Allemands de l'Est vers la RFA, un mur est construit pour séparer Berlin-Est et Berlin-Ouest.

1972 : le traité interallemand de reconnaissance mutuelle est signé, ouvrant la voie à la reconnaissance de la RDA par les pays occidentaux.

1989 : un exode massif de citoyens est-allemands vers la RFA et d'importantes manifestations réclamant la démocratisation du régime provoquent à partir d'octobre la démission des principaux dirigeants, l'ouverture du mur de Berlin et de la frontière interallemande, l'abandon de toute référence au rôle dirigeant du SED.

L'Allemagne réunifiée

Depuis 1990 : l'union économique et monétaire entre la RFA et la RDA intervient en juillet. Le traité de Moscou (septembre) entre les deux États allemands, les États-Unis, la France, la Grande-Bretagne et l'URSS fixe les frontières de l'Allemagne unie, dont il restaure l'entière souveraineté. L'unification de l'Allemagne est proclamée le 3 octobre. Le chancelier Helmut Kohl dirige le pays. Lui succèdent Gerhard Schröder en 1998 et Angela Merkel en 2005.

les Länder

Le mot allemand *Land* (au pluriel *Länder*) désigne chacun des 16 États qui constituent la République fédérale d'Allemagne.

Länder	superficie en km²	population*	capitale
Bade-Wurtemberg	35 751	10 486 660	Stuttgart
Bavière	70 553	12 397 614	Munich
Berlin	889	3 292 365	Berlin
Brandebourg	29 059	2 455 780	Potsdam
Brême	404	650 863	Brême
Hambourg	753	1 706 696	Hambourg
Hesse	21 114	5 971 816	Wiesbaden
Mecklembourg-Poméranie-Occidentale	23 838	1 609 982	Schwerin
Rhénanie-du-Nord-Westphalie	34 070	17 538 251	Düsseldorf
Rhénanie-Palatinat	19 847	3 989 808	Mayence
Sarre	2 568	999 623	Sarrebruck
Saxe	18 337	4 056 799	Dresde
Basse-Saxe	47 344	7 777 992	Hanovre
Saxe-Anhalt	20 445	2 287 040	Magdebourg
Schleswig-Holstein	15 727	2 800 119	Kiel
Thuringe	16 251	2 188 589	Erfurt

* Estimations pour 2013.

ANDORRE

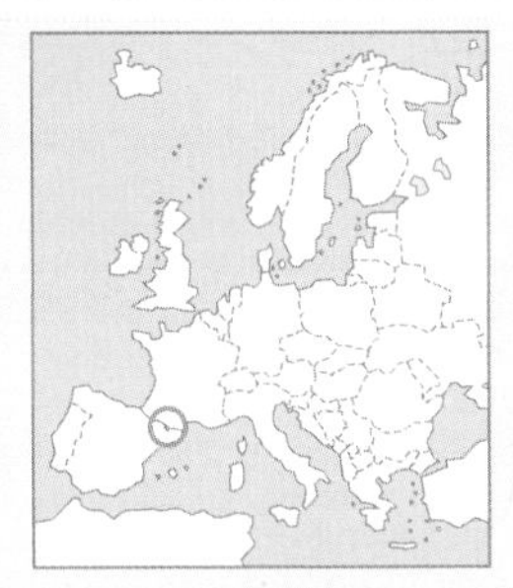

Située entre la France et l'Espagne, la principauté d'Andorre est une région montagneuse (altitude moyenne de 1 800 m), au climat rude, qui vit essentiellement du tourisme.

Superficie : 468 km²
Population (2013) : 100 000 hab.
Capitale : Andorre-la-Vieille 19 407 hab. (r. 2012)
Nature de l'État et du régime politique : régime parlementaire
Chefs de l'État : (coprinces) François Hollande et Joan Enric Vives i Sicília
Chef du gouvernement : Antoni Martí Petit
Organisation administrative : 7 paroisses
Langue officielle : catalan
Monnaie : euro

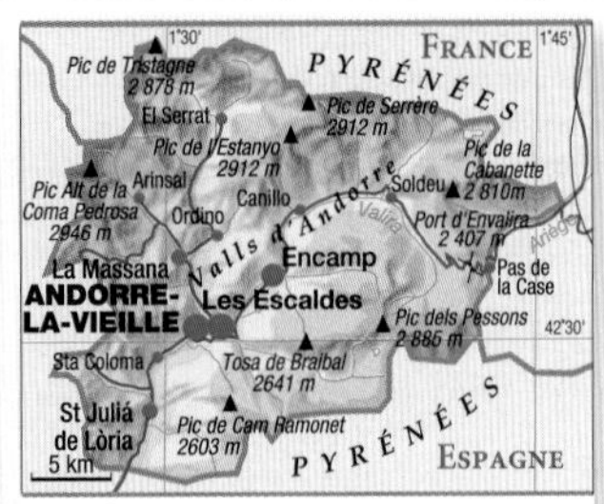

Andorre

- plus de 15 000 h.
- de 10 000 à 15 000 h.
- de 5 000 à 10 000 h.
- moins de 5 000 h.

1000 1500 2000 2500 m

route
voie ferrée

DÉMOGRAPHIE

- **Densité :** 214 hab./km²
- **Part de la population urbaine (2013) :** 90 %
- **Structure de la population par âge (2013) :** moins de 15 ans : 16 %, 15-65 ans : 71 %, plus de 65 ans : 13 %
- **Taux de natalité (2013) :** 9 ‰
- **Taux de mortalité (2013) :** 4 ‰
- **Taux de mortalité infantile (2013) :** 1,9 ‰
- **Espérance de vie (2010) :** hommes : 80 ans, femmes : 86 ans

Peuplée de 100 000 habitants seulement, Andorre est l'un des plus petits pays d'Europe. L'agglomération d'Andorre-la-Vieille, qui englobe la ville des Escaldes et Engordany, regroupe près de la moitié de la population totale du pays. Cette urbanisation explique la densité relativement forte (214 habitants au km²) pour un pays montagneux. L'espérance de vie de la population à la naissance atteint 83 ans. Les immigrés espagnols, portugais et français sont nombreux.

ÉCONOMIE

- **PNB :** n.d.
- **PNB/hab. :** n.d.
- **PNB/hab. PPA :** n.d.
- **IDH (2012) :** 0,846
- **Taux de croissance annuelle du PIB (2009) :** 3,6 %
- **Taux annuel d'inflation :** n.d.
- **Structure de la population active :** agriculture : n.d., mines et industries : n.d., services : n.d.
- **Structure du PIB :** agriculture : n.d., mines et industries : n.d., services : n.d.
- **Dette publique brute :** n.d.
- **Taux de chômage :** n.d.

La principauté est davantage dépendante de l'Espagne (59 % de ses importations) que de la France (19 %). Elle est plongée en pleine récession, avec une contraction sévère de ses exportations (notamment produits alimentaires, boissons et tabac, matériel de transport), une baisse du tourisme (Français et Espagnols), dont le pays tire l'essentiel de ses revenus, un déficit public de 1,7 % du PIB, une dette publique de 41 % du PIB et une croissance nulle. Un accord d'association avec l'espace économique européen devrait voir le jour en 2014. L'Andorre a par ailleurs été retirée de la liste des paradis fiscaux non coopératifs par l'OCDE en 2009, mais le secteur bancaire reste l'un des piliers de son économie.

TOURISME

- **Recettes touristiques :** n.d.

COMMERCE EXTÉRIEUR

- **Exportations de biens (2009) :** 63,2 millions de dollars
- **Importations de biens (2009) :** 1 580,7 millions de dollars

DÉFENSE

- **Forces armées :** n.d.
- **Dépenses militaires :** n.d.

NIVEAU DE VIE

- **Nombre d'habitants pour un médecin (2011) :** 256
- **Apport journalier moyen en calories :** n.d.
- **Nombre d'automobiles pour 1 000 hab. :** n.d.
- **Téléphones portables (2012) :** 74 % de la population équipée

REPÈRES HISTORIQUES

1278 : Andorre est régie par une sentence arbitrale lui donnant une organisation politique, administrative et judiciaire d'inspiration féodale. Le pays est placé sous la double suzeraineté de l'évêque de Seo de Urgel (Espagne) et du comte de Foix, coprinces.

1607 : le roi de France puis le président de la République héritent des droits du comte de Foix.

1982 : le chef du gouvernement est élu au suffrage universel : il remplace le procureur général jusqu'alors élu par le Conseil général.

1993 : l'approbation, par référendum, d'une Constitution qui établit un régime parlementaire est suivie par l'admission d'Andorre à l'ONU.

les micro-États d'Europe

Le cas d'**Andorre** n'est pas unique en Europe, qui, comme l'Océanie, possède plusieurs de ces « micro-États ». Ceux-ci sont recensés dans le tableau ci-dessous et classés selon leur superficie, du plus grand au plus petit. À titre de comparaison, l'État européen précédant Andorre dans ce classement serait le Luxembourg (2 586 km², 500 000 hab.), soit un pays environ cinq fois plus grand.
Andorre, le **Liechtenstein** et **Monaco** sont des principautés anciennes. Saint-Marin est une république depuis le XIIIe s. ! L'État le plus « jeune » est Malte (indépendant depuis 1964). Quant au **Vatican**, le plus petit de tous, il a été créé en 1929. C'est le seul à ne pas être membre de l'ONU.

États	superficie en km²	population
Andorre	468	100 000 (1)
Malte	316	400 000 (1)
Liechtenstein	160	40 000 (1)
Saint-Marin	61	30 000 (1)
Monaco	2	40 000 (1)
Vatican	0,44	557 (2)

(1) Estimations pour 2012. (2) Recensement de 2005.

AUTRICHE

La majeure partie du pays s'étend sur les Alpes, qui culminent dans les Hohe Tauern, découpées par de profondes vallées ouvrant des bassins où se concentre la population. Les plaines et les collines ne se développent qu'au nord et à l'est.

Superficie : 83 859 km²
Population (2013) : 8 500 000 hab.
Capitale : Vienne 1 714 227 hab. (r. 2011)
Nature de l'État et du régime politique : république à régime semi-présidentiel
Chef de l'État : (président fédéral) Heinz Fischer
Chef du gouvernement : (chancelier) Werner Faymann
Organisation administrative : 9 Länder
Langue officielle : allemand
Monnaie : euro

DÉMOGRAPHIE

- **Densité :** 101 hab./km²
- **Part de la population urbaine (2013) :** 67 %
- **Structure de la population par âge (2013) :** moins de 15 ans : 14 %, 15-65 ans : 68 %, plus de 65 ans : 18 %
- **Taux de natalité (2013) :** 9 ‰
- **Taux de mortalité (2013) :** 9 ‰
- **Taux de mortalité infantile (2013) :** 3,1 ‰
- **Espérance de vie (2013) :** hommes : 78 ans, femmes : 83 ans

La densité est importante, environ 100 habitants au km², pour un pays montagneux. La montagne demeure en effet fortement peuplée et le taux de population rurale reste élevé dans les différentes vallées alpines (avec des variations de densité du simple au double entre le Vorarlberg, dans l'extrême Ouest, peu dense, et le Tyrol, dans l'Ouest, très dense). Le tourisme et l'industrie ont permis de fixer la population en montagne en créant des emplois permanents. La population urbaine représente environ deux tiers de la population totale. Les villes importantes sont situées dans les plaines du Nord-Est, le long du Danube (Vienne, la capitale, qui regroupe le cinquième de la population du pays, et Linz), ou du Sud-Est (Graz). Innsbruck et Salzbourg, plus petites, sont les deux grandes villes des Alpes autrichiennes. Le taux de natalité étant devenu égal au taux de mortalité, le nombre d'habitants est stationnaire. L'espérance de vie des femmes à la naissance est l'une des plus élevées du monde.

ÉCONOMIE

- **PNB (2012) :** 392 milliards de dollars
- **PNB/hab. (2012) :** 47 660 dollars
- **PNB/hab. PPA (2012) :** 43 390 dollars internationaux
- **IDH (2012) :** 0,895
- **Taux de croissance annuelle du PIB (2012) :** 0,9 %
- **Taux annuel d'inflation (2012) :** 2,5 %
- **Structure de la population active (2012) :** agriculture : 4,9 %, mines et industries : 26,2 %, services : 68,9 %
- **Structure du PIB (2010) :** agriculture : 1,5 %, mines et industries : 29,2 %, services : 69,3 %
- **Dette publique brute (2011) :** 75 % du PIB
- **Taux de chômage (2012) :** 4,3 %

Pleinement intégrée à l'UE depuis son adhésion en 1995, l'Autriche réalise entre 70 et 80 % de ses échanges avec l'Union, dont plus de 38 % avec l'Allemagne. Ses autres partenaires, dans l'UE et hors UE, sont l'Italie, la Suisse, la République tchèque, la France, les Pays-Bas, la Hongrie, les États-Unis, le Royaume-Uni et la Chine, ainsi que, plus récemment, l'Europe orientale et les Balkans grâce à la hausse de leur activité économique. Le déficit commercial avec l'Allemagne, et conséquemment avec l'Union, est cependant compensé par les bonnes performances du pays à l'exportation (produits manufacturés surtout) en dehors de cette zone. L'Autriche n'a pas été épargnée par la crise de la zone euro ; sa croissance est régulièrement en baisse (0,4 % en 2013). La priorité du gouvernement pour l'année 2014 est d'éliminer le déficit budgétaire d'ici à 2016 et de mettre en place une réforme du système des retraites. Le taux de chômage, le plus faible de l'Union (4,3 %), augmente, notamment chez les jeunes. Le pays peut néanmoins toujours compter sur une main-d'œuvre qualifiée très productive, un taux élevé de R&D (recherche et développement), des comptes publics maîtrisés et sur un recours croissant aux énergies renouvelables (énergie hydraulique) qui,

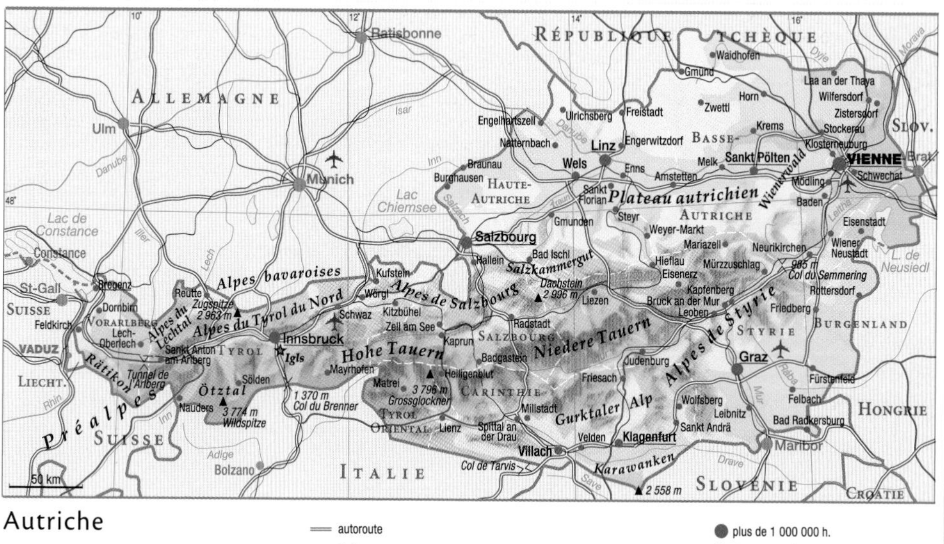

Autriche

aujourd'hui, sont plus importantes que le tourisme ou le BTP. Le secteur tertiaire est le secteur clé de l'économie, participant pour 70 % au PIB et employant près de 70 % de la population active.

TOURISME

- **Recettes touristiques (2012) :** 22 432 millions de dollars

COMMERCE EXTÉRIEUR

- **Exportations de biens (2012) :** 159 224 millions de dollars
- **Importations de biens (2012) :** 213 725 millions de dollars

DÉFENSE

- **Forces armées (2011) :** 23 250 individus
- **Dépenses militaires (2012) :** 0,8 % du PIB

NIVEAU DE VIE

- **Nombre d'habitants pour un médecin (2011) :** 206
- **Apport journalier moyen en calories (2007) :** 3 819 (minimum FAO : 2 400)
- **Nombre d'automobiles pour 1 000 hab. (2011) :** 529
- **Téléphones portables (2012) :** 100 % de la population équipée

REPÈRES HISTORIQUES

Les origines

Centre de la civilisation de Hallstatt au Ier millénaire av. J.-C., l'Autriche est occupée par les Romains, puis envahie par les Barbares.

803 : Charlemagne fonde la marche de l'Est (Österreich depuis 996).

1156 : elle devient un duché héréditaire aux mains des Babenberg.

1253 - 1278 : le duché est rattaché à la Bohême puis conquis par Rodolphe Ier de Habsbourg.

L'Autriche des Habsbourg

Les Habsbourg, maîtres du pays, sont aussi les possesseurs de la couronne impériale après 1438.

1493 - 1519 : grâce à une habile politique matrimoniale, Maximilien Ier jette les bases du futur empire de Charles Quint.

1521 : Ferdinand Ier reçoit de son frère Charles Quint (empereur depuis 1519) les domaines autrichiens et devient, en 1526, roi de Bohême et de Hongrie.

XVIe - XVIIe s. : l'Autriche est le rempart de l'Europe contre la progression ottomane. Foyer de la Réforme catholique pendant la guerre de Trente Ans, elle échoue à éviter l'émiettement politique et religieux de l'Allemagne (traités de Westphalie, 1648).

XVIIIe s. : après le règne éclairé de Marie-Thérèse (1740 - 1780) et le règne centralisateur de Joseph II (1780 - 1790), la longue lutte contre la France révolutionnaire et impériale vaut à l'Autriche de graves amputations territoriales.

1804 : François II prend le titre d'empereur d'Autriche. Il doit renoncer, par la volonté de Napoléon Ier, à la couronne du Saint-Empire, qui disparaît (1806).

1814 - 1815 : au congrès de Vienne, les territoires conquis par Napoléon Ier sont rendus à l'Autriche, qui apparaît comme l'arbitre de l'Europe par l'entremise de Metternich.

1866 : l'Autriche est vaincue par la Prusse à Sadowa.

1867 : François-Joseph Ier accepte le compromis donnant naissance à la monarchie austro-hongroise.

1879 - 1882 : l'Autriche signe avec l'Allemagne et l'Italie la Triple-Alliance.

1914 : l'assassinat de l'archiduc François-Ferdinand, héritier du trône, à Sarajevo (28 juin) déclenche la Première Guerre mondiale.

1918 : la défaite provoque l'éclatement de la monarchie austro-hongroise.

La République autrichienne

1919 - 1920 : les traités de Saint-Germain-en-Laye et de Trianon reconnaissent l'existence des États nationaux nés de la double monarchie.

1920 : la république d'Autriche est proclamée et se dote d'une Constitution fédérative.

1938 : le pays est rattaché à l'Allemagne nazie à la suite de l'Anschluss et fait partie du IIIe Reich jusqu'en 1945.

Depuis 1945 : sociaux-démocrates et conservateurs alternent au pouvoir, séparément ou formant une coalition.

1955 : après dix ans d'occupation par les forces alliées, l'Autriche, à nouveau république fédérale, devient un État neutre. Elle entre à l'ONU.

1986 - 1992 : Kurt Waldheim est président de la République.

1995 : l'Autriche adhère à l'Union européenne. Sociaux-démocrates et conservateurs s'allient selon le principe de la proportionnalité ou alternent au pouvoir, conférant au système politique autrichien une grande stabilité et parvenant à contenir l'extrême droite populiste surgie à partir du milieu des années 1990.

BELGIQUE

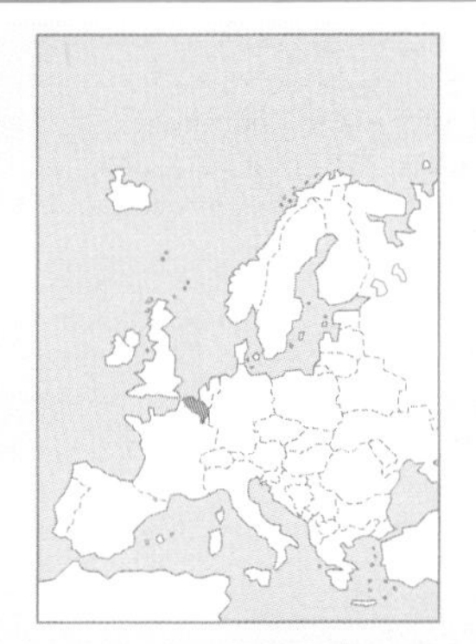

Disposant d'une façade maritime sur la mer du Nord, ce pays aux dimensions réduites est constitué de plaines et de bas plateaux s'élevant au sud-est vers le massif ardennais (culminant seulement à 694 m). Le climat océanique, tempéré, aux amplitudes thermiques réduites, aux précipitations régulières, y est doux et humide.

Superficie : 30 528 km²
Population (2013) : 11 200 000 hab.
Capitale : Bruxelles 168 576 hab. (r. 2013)
Nature de l'État et du régime politique : monarchie constitutionnelle à régime parlementaire
Chef de l'État : (roi) Philippe
Chef du gouvernement : (Premier ministre) Elio Di Rupo
Organisation administrative : 3 Régions
Langues officielles : allemand, français et néerlandais
Monnaie : euro

DÉMOGRAPHIE

- **Densité :** 367 hab./km²
- **Part de la population urbaine (2013) :** 99 %
- **Structure de la population par âge (2013) :** moins de 15 ans : 17 %, 15-65 ans : 66 %, plus de 65 ans : 17 %
- **Taux de natalité (2013) :** 12 ‰
- **Taux de mortalité (2013) :** 9 ‰
- **Taux de mortalité infantile (2013) :** 3,3 ‰
- **Espérance de vie (2013) :** hommes : 78 ans, femmes : 83 ans

La densité moyenne de la Belgique, élevée, avoisine les 360 habitants au km². Elle dépasse souvent 500 habitants sur le littoral flamand et le Brabant (autour de Bruxelles), tombant aux environs de 50 dans les hauteurs de l'Ardenne. Le taux très important d'urbanisation (99 %) est lié à la densité d'un réseau urbain bien hiérarchisé. La population ne s'accroît plus en raison de la chute de la natalité (12 ‰).

ÉCONOMIE

- **PNB (2012) :** 485 milliards de dollars
- **PNB/hab. (2012) :** 44 660 dollars
- **PNB/hab. PPA (2012) :** 39 860 dollars internationaux
- **IDH (2012) :** 0,897
- **Taux de croissance annuelle du PIB (2012) :** – 0,1 %
- **Taux annuel d'inflation (2012) :** 2,8 %
- **Structure de la population active (2012) :** agriculture : 1,2 %, mines et industries : 21,8 %, services : 77,1 %
- **Structure du PIB (2010) :** agriculture : 0,7 %, mines et industries : 21,7 %, services : 77,6 %
- **Dette publique brute (2011) :** 91 % du PIB
- **Taux de chômage (2012) :** 7,5 %

Fortement dépendante de son commerce extérieur (plus de 80 % de son PIB), la Belgique est l'une des puissances commerciales majeures de l'UE, au sein de laquelle elle réalise près de 75 % de ses échanges, ses principaux partenaires étant l'Allemagne, la France et les Pays-Bas. Les produits manufacturés (machines, produits chimiques) constituent 80 % de ses exportations et dégagent un solde excédentaire. Alors que la dette publique dépasse 90 % du PIB et que le pays a dû faire face à une récession en 2012, le gouvernement a été obligé de mettre en place des mesures d'austérité jamais vues jusque-là. La situation financière s'est améliorée mais, si elle doit perdurer, des réformes structurelles s'imposent dans un pays qui reste toutefois marqué par les disparités entre, d'une part, la Flandre et Bruxelles-Capitale, plus prospères, et, d'autre part, la Wallonie, en proie à une reconversion industrielle difficile et marquée par un taux de chômage plus élevé.

TOURISME

- **Recettes touristiques (2012) :** 13 028 millions de dollars

COMMERCE EXTÉRIEUR

- **Exportations de biens (2012) :** 302 371 millions de dollars
- **Importations de biens (2012) :** 404 400 millions de dollars

DÉFENSE

- **Forces armées (2011) :** 34 050 individus
- **Dépenses militaires (2012) :** 1,1 % du PIB

NIVEAU DE VIE

- **Nombre d'habitants pour un médecin (2011) :** 264
- **Apport journalier moyen en calories (2007) :** 3 694 (minimum FAO : 2 400)
- **Nombre d'automobiles pour 1 000 hab. (2011) :** 489
- **Téléphones portables (2012) :** 100 % de la population équipée

REPÈRES HISTORIQUES

Des origines à la domination autrichienne

La Belgique est peuplée dès le paléolithique.

57 - 51 av. J.-C. : la Gaule Belgique, occupée par des Celtes, est conquise par César.

IVe - VIe s. : le Nord est envahi par les Francs.

IXe - XIIIe s. : affaibli par des divisions territoriales (traité de Verdun, 843), le pays se décompose en de multiples principautés. Aux XIIe et XIIIe s., les villes connaissent un essor remarquable (draperie flamande).

XIVe - XVe s. : les « Pays-Bas », dans lesquels la Belgique est intégrée, se constituent en un ensemble progressivement unifié entre les mains des ducs de Bourgogne.

1477 : le mariage de Marie de Bourgogne avec Maximilien d'Autriche fait passer les Pays-Bas à la maison de Habsbourg.

De la domination des Habsbourg à l'indépendance

1515 : Charles Quint porte à dix-sept le nombre des provinces des Pays-Bas.

1572 : l'absolutisme de son successeur Philippe II et les excès du duc d'Albe provoquent la révolte des Pays-Bas.

1579 : les provinces du Nord deviennent indépendantes et forment les Provinces-Unies ; celles du Sud, qui forment la Belgique actuelle, se replacent sous l'autorité espagnole.

XVIIe s. : le cadre territorial de la Belgique se précise à la suite des guerres menées par Louis XIV.

1713 : le traité d'Utrecht remet les Pays-Bas espagnols à la maison d'Autriche.

1789 : les réformes imposées par l'empereur Joseph II provoquent l'insurrection et la proclamation de l'indépendance (1790) des *États belgiques unis*.

1795 - 1815 : les Français occupent le pays.

1815 : les futures provinces belges et les anciennes Provinces-Unies sont réunies en un royaume des Pays-Bas, créé au profit de Guillaume Ier.

1830 : les provinces belges proclament leur indépendance.

Du royaume de Belgique à nos jours

1831 : la conférence de Londres reconnaît l'indépendance de la Belgique, dont Léopold Ier devient le premier roi.

1865 - 1909 : sous le règne de Léopold II, l'essor industriel se double d'une implantation en Afrique.

1909 - 1945 : sous Albert Ier (1909 - 1934) et sous Léopold III (1934 - 1951), la Belgique, État neutre, est occupée par les Allemands pendant les deux guerres mondiales.

1951 : Léopold III abdique en faveur de son fils, Baudouin Ier.

1958 : la Belgique devient membre de la CEE.

1960 : le Congo belge devient indépendant.

1977 : le pacte d'Egmont découpe la Belgique en trois Régions : Flandre, Wallonie, Bruxelles. Cette régionalisation est adoptée pour la Flandre et la Wallonie en 1980, et pour Bruxelles en 1989.

1993 : Albert II succède à son frère Baudouin Ier. Une révision constitutionnelle transforme la Belgique en un État fédéral aux pouvoirs décentralisés.

Depuis 2007 : les divergences entre Flamands et Wallons sur le fédéralisme provoquent une grave crise politique.

2013 : Albert II abdique en faveur de son fils aîné Philippe.

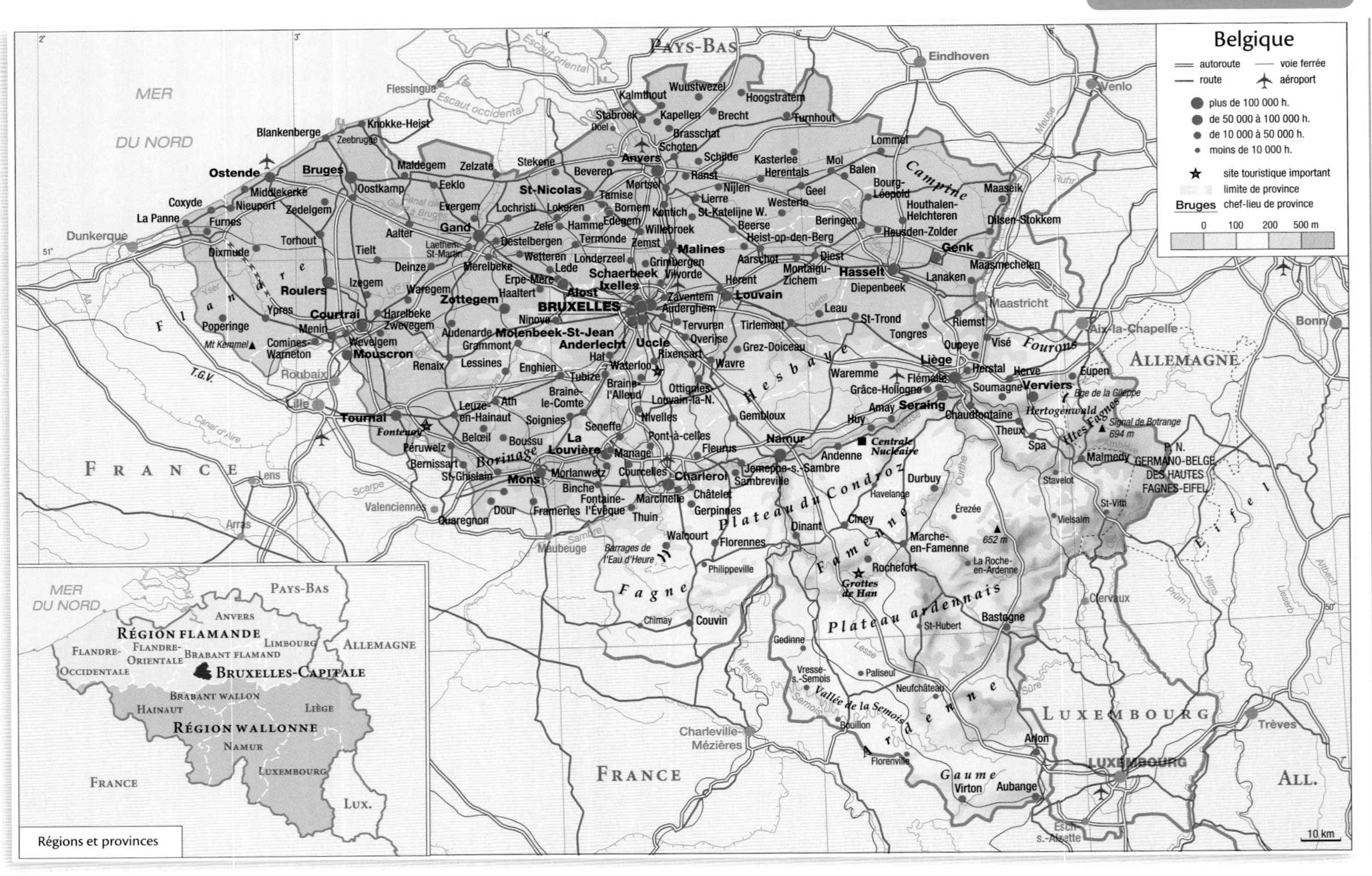
Belgique
autoroute
voie ferrée
route
aéroport
plus de 100 000 h.
de 50 000 à 100 000 h.
de 10 000 à 50 000 h.
moins de 10 000 h.
site touristique important
limite de province
Bruges chef-lieu de province
0 100 200 500 m
MER DU NORD
PAYS-BAS
ALLEMAGNE
FRANCE
LUXEMBOURG
ALL.
BRUXELLES
Anvers
Gand
Bruges
Ostende
Liège
Namur
Charleroi
Mons
Louvain
Hasselt
Wavre
Arlon
Campine
Hesbaye
Plateau du Condroz
Famenne
Fagne
Plateau ardennais
Ardenne
Gaume
Flandre
Borinage
Fourons
Eifel
P. N. GERMANO-BELGE DES HAUTES FAGNES-EIFEL
Signal de Botrange 694 m
Grottes de Han
Vallée de la Semois
10 km
Régions et provinces
RÉGION FLAMANDE
BRUXELLES-CAPITALE
RÉGION WALLONNE
FLANDRE-OCCIDENTALE
FLANDRE-ORIENTALE
ANVERS
LIMBOURG
BRABANT FLAMAND
BRABANT WALLON
HAINAUT
NAMUR
LIÈGE
LUXEMBOURG
LUX.

BIÉLORUSSIE

La Biélorussie est un pays au relief peu contrasté, au climat frais et humide, en partie boisé et marécageux. Les liens économiques et culturels demeurent importants avec la Russie. La population compte environ 80 % de Biélorusses de souche, mais encore plus de 10 % de Russes.

Superficie : 207 600 km²
Population (2013) : 9 500 000 hab.
Capitale : Minsk 1 861 320 hab. (e. 2011) dans l'agglomération
Nature de l'État et du régime politique : république à régime semi-présidentiel
Chef de l'État : (président de la République) Aleksandr Loukachenko
Chef du gouvernement : (président du Conseil des ministres) Mikhaïl Vladimirovitch Miasnikovitch
Organisation administrative : 6 régions
Langues officielles : biélorusse et russe
Monnaie : rouble biélorusse

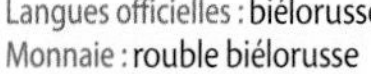

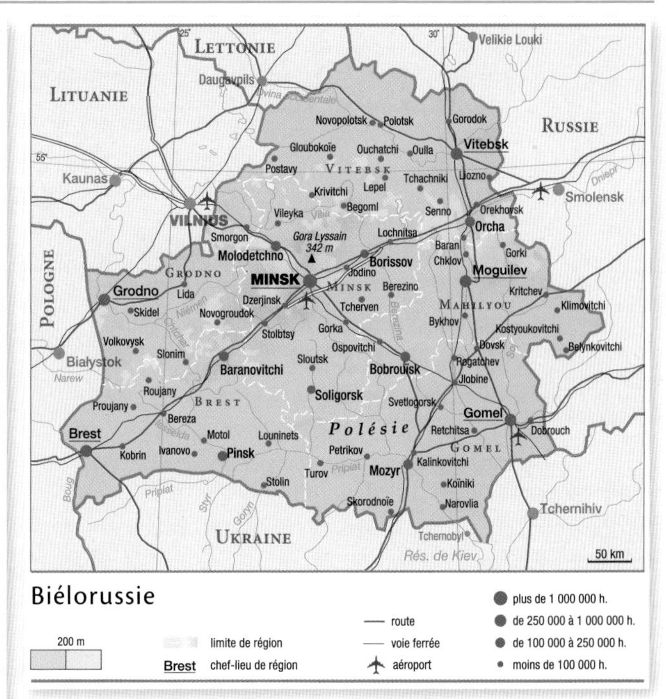

DÉMOGRAPHIE

- **Densité :** 46 hab./km²
- **Part de la population urbaine (2013) :** 76 %
- **Structure de la population par âge (2013) :** moins de 15 ans : 15 %, 15-65 ans : 71 %, plus de 65 ans : 14 %
- **Taux de natalité (2013) :** 12 ‰
- **Taux de mortalité (2013) :** 13 ‰
- **Taux de mortalité infantile (2013) :** 3,4 ‰
- **Espérance de vie (2013) :** hommes : 67 ans, femmes : 78 ans

La population est composée pour environ 80 % de Biélorusses d'origine, mais compte plus de 10 % de Russes. La croissance naturelle est réduite. Minsk, la capitale, au centre, est relayée à la périphérie par d'autres villes notables (Grodno et Brest à l'ouest, Vitebsk, Moguilev et Gomel à l'est).

ÉCONOMIE

- **PNB (2012) :** 62 milliards de dollars
- **PNB/hab. (2012) :** 6 530 dollars
- **PNB/hab. PPA (2012) :** 14 960 dollars internationaux
- **IDH (2012) :** 0,793
- **Taux de croissance annuelle du PIB (2012) :** 1,5 %
- **Taux annuel d'inflation (2012) :** 59,2 %
- **Structure de la population active :** agriculture : n.d., mines et industries : n.d., services : n.d.
- **Structure du PIB (2012) :** agriculture : 9,7 %, mines et industries : 44,4 %, services : 45,9 %
- **Dette publique brute (2011) :** 41 % du PIB
- **Taux de chômage (2011) :** 0,9 %

Avec le poids encore important de l'industrie lourde (sidérurgie), la part du secteur secondaire dans le PIB reste élevée. Après une forte croissance au début des années 2000 (entre 5 et 10 % par an), la crise de 2008 a révélé la vulnérabilité de l'économie biélorusse. En 2013, grâce à la consommation de la population russe, à l'essor du secteur de la construction, de la production agricole et des crédits octroyés par Moscou, l'économie poursuit sa croissance (2,1 % en 2013). Depuis 2010, avec la Russie et le Kazakhstan, le pays participe à la mise en œuvre d'une union douanière. Même si l'économie continue de croître, la Biélorussie est en proie à une grave crise financière. Secourue financièrement par la Russie, à qui elle achète une grande partie de son gaz, elle lui a cédé en contrepartie les dernières parts de la société qui exploite le réseau assurant les transits de gaz russe vers l'Europe.

TOURISME

- **Recettes touristiques (2012) :** 900 millions de dollars

COMMERCE EXTÉRIEUR

- **Exportations de biens (2012) :** 45 574 millions de dollars
- **Importations de biens (2012) :** 48 783 millions de dollars

DÉFENSE

- **Forces armées (2011) :** 158 000 individus
- **Dépenses militaires (2012) :** 1,2 % du PIB

NIVEAU DE VIE

- **Nombre d'habitants pour un médecin (2012) :** 266
- **Apport journalier moyen en calories (2007) :** 3 146 (minimum FAO : 2 400)
- **Nombre d'automobiles pour 1 000 hab. (2011) :** 274
- **Téléphones portables (2012) :** 100 % de la population équipée

REPÈRES HISTORIQUES

IXe - XIIe s. : la région, peuplée de Slaves orientaux, fait partie des États de Kiev.

XIIIe - XIVe s. : appelée Russie blanche, elle est intégrée dans le grand-duché de Lituanie, uni à la Pologne à partir de 1385.

XIVe - XVIIe s. : l'influence polonaise devient prépondérante.

1772 - 1793 : les deux premiers partages de la Pologne donnent la Biélorussie à l'Empire russe.

1919 : une république socialiste soviétique (RSS) de Biélorussie, indépendante, est proclamée.

1921 : la partie occidentale de la Biélorussie est rattachée à la Pologne.

1922 : la RSS de Biélorussie adhère à l'URSS.

1939 : la Biélorussie occidentale lui est rattachée.

1945 : la RSS de Biélorussie devient membre de l'ONU.

1991 : le Soviet suprême proclame l'indépendance du pays, qui adhère à la CEI.

BOSNIE-HERZÉGOVINE

La Bosnie-Herzégovine est un pays montagneux au climat continental, pratiquement sans accès à la mer, où les communications sont difficiles et où cohabitent trois groupes principaux : les Bosniaques, les Serbes et les Croates. De la vallée de la Save à la Dalmatie, le pays, accidenté, associe principalement forêts et pâturages.

Superficie : 51 197 km²
Population (2013) : 3 800 000 hab.
Capitale : Sarajevo 389 042 hab. (e. 2011)
Nature de l'État et du régime politique : république à régime semi-présidentiel
Chef de l'État : (président de la présidence) Bakir Izetbegović
Chef du gouvernement : (président du Conseil des ministres) Vjekoslav Bevanda
Organisation administrative : 2 entités et 1 district
Langues officielles : bosniaque, croate et serbe
Monnaie : mark convertible

Bosnie-Herzégovine

DÉMOGRAPHIE

- **Densité :** 74 hab./km²
- **Part de la population urbaine (2013) :** 46 %
- **Structure de la population par âge (2013) :** moins de 15 ans : 17 %, 15-65 ans : 68 %, plus de 65 ans : 15 %
- **Taux de natalité (2013) :** 8 ‰
- **Taux de mortalité (2013) :** 9 ‰
- **Taux de mortalité infantile (2013) :** 5 ‰
- **Espérance de vie (2013) :** hommes : 73 ans, femmes : 78 ans

Trois nationalités de tradition religieuse différente composent le pays : Musulmans ou Bosniaques (dans le Centre et le Nord-Est), majoritaires, Serbes (dans le Nord et l'Est) et Croates (dans le Sud). Sarajevo, la capitale, regroupe environ 10 % de la population totale.

ÉCONOMIE

- **PNB (2012) :** 18 milliards de dollars
- **PNB/hab. (2012) :** 4 750 dollars
- **PNB/hab. PPA (2012) :** 9 650 dollars internationaux
- **IDH (2012) :** 0,735
- **Taux de croissance annuelle du PIB (2012) :** – 0,7 %
- **Taux annuel d'inflation (2012) :** 2 %
- **Structure de la population active (2012) :** agriculture : 20,5 %, mines et industries : 30,3 %, services : 49 %
- **Structure du PIB (2012) :** agriculture : 8,4 %, mines et industries : 24,8 %, services : 66,8 %
- **Dette publique brute :** n.d.
- **Taux de chômage (2012) :** 28,1 %

Depuis la fin de la guerre dans l'ex-Yougoslavie (1995), le pays a connu une croissance régulière, l'aide internationale ayant répondu à la forte demande intérieure. Les progrès attendus vers une économie de marché et vers le respect des normes européennes n'ont pas été réalisées et le pays se voit sanctionné par Bruxelles, qui gèle une partie des fonds prévus par l'aide européenne. Le pays est en outre affaibli par une administration tentaculaire qui bloque les projets de réforme. Il est divisé en deux entités, la Fédération de Bosnie-Herzégovine (croato-musulmane) et la République serbe de Bosnie, chacune ayant ses propres institutions, Parlement et gouvernement.

TOURISME

- **Recettes touristiques (2012) :** 719 millions de dollars

COMMERCE EXTÉRIEUR

- **Exportations de biens (2012) :** 3 306 millions de dollars
- **Importations de biens (2012) :** 11 370 millions de dollars

DÉFENSE

- **Forces armées (2011) :** 10 550 individus
- **Dépenses militaires (2012) :** 1,4 % du PIB

NIVEAU DE VIE

- **Nombre d'habitants pour un médecin (2011) :** 590
- **Apport journalier moyen en calories (2007) :** 3 078 (minimum FAO : 2 400)
- **Nombre d'automobiles pour 1 000 hab. (2009) :** 119
- **Téléphones portables (2012) :** 90 % de la population équipée

REPÈRES HISTORIQUES

La région est conquise par les Ottomans (la Bosnie en 1463, l'Herzégovine en 1482) et islamisée. Administrée par l'Autriche-Hongrie (1878), puis annexée par elle en 1908, elle est intégrée au royaume des Serbes, Croates et Slovènes (1918), puis devient une république de la Yougoslavie (1945 - 1946).

1991 : éclatement de la Fédération yougoslave.

1992 : après la proclamation de l'indépendance, une guerre meurtrière oppose les Musulmans, les Croates et les Serbes qui, ayant unilatéralement proclamé une République serbe de Bosnie-Herzégovine, pratiquent une politique de purification ethnique. Une force de protection de l'ONU est établie.

1995 : conclu à Dayton sous l'égide des États-Unis, un accord prévoit le maintien d'un État unique de Bosnie-Herzégovine, composé de deux entités : la Fédération croato-musulmane et la République serbe de Bosnie.

Depuis 1996 : les élections voient la victoire des partis nationalistes puis modérés, mais les divisions perdurent.

BULGARIE

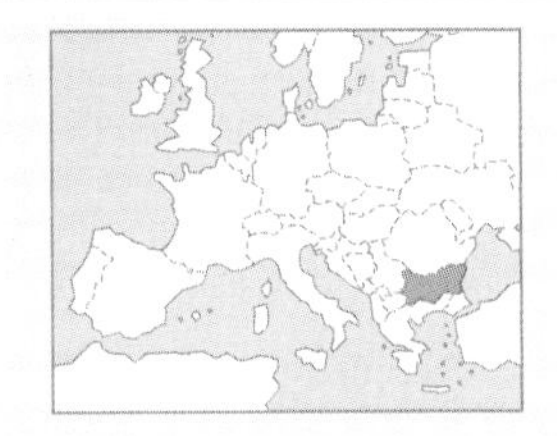

La population, qui compte une minorité d'origine turque, se concentre dans des bassins intérieurs (Sofia) et des plaines (vallée du Danube et vallée de la Marica), séparées par le mont Balkan. Le massif du Rhodope occupe le sud du pays.

Superficie : 110 912 km²
Population (2013) : 7 300 000 hab.
Capitale : Sofia 1 173 770 hab. (e. 2011) dans l'agglomération
Nature de l'État et du régime politique : république à régime semi-présidentiel
Chef de l'État : (président de la République) Rosen Plevneliev
Chef du gouvernement : (président du Conseil des ministres) Plamen Orecharski
Organisation administrative : 28 régions
Langue officielle : bulgare
Monnaie : lev bulgare

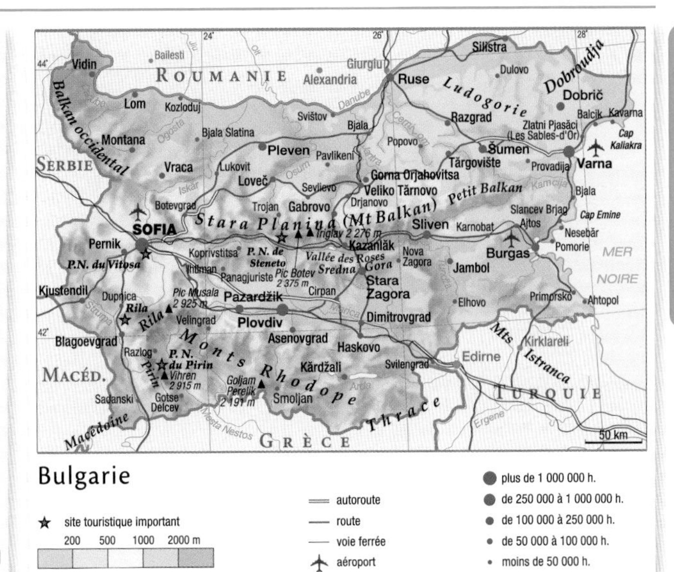

DÉMOGRAPHIE

- **Densité :** 66 hab./km²
- **Part de la population urbaine (2013) :** 73 %
- **Structure de la population par âge (2013) :** moins de 15 ans : 14 %, 15-65 ans : 67 %, plus de 65 ans : 19 %
- **Taux de natalité (2013) :** 9 ‰
- **Taux de mortalité (2013) :** 15 ‰
- **Taux de mortalité infantile (2013) :** 7,8 ‰
- **Espérance de vie (2013) :** hommes : 71 ans, femmes : 78 ans

La population, qui compte une minorité d'origine turque, se concentre dans les bassins intérieurs (autour de Sofia, 16 % de la population totale) et dans les plaines (vallée du Danube, au nord du pays ; vallée de la Marica, avec Plovdiv ; et le littoral, avec Varna, troisième ville du pays). Le nombre d'habitants est en diminution sensible depuis 1990, en raison, d'une part, de la baisse de la natalité (9 ‰) et, d'autre part, de l'émigration.

ÉCONOMIE

- **PNB (2012) :** 49 milliards de dollars
- **PNB/hab. (2012) :** 6 840 dollars
- **PNB/hab. PPA (2012) :** 15 450 dollars internationaux
- **IDH (2012) :** 0,782
- **Taux de croissance annuelle du PIB (2012) :** 0,8 %
- **Taux annuel d'inflation (2012) :** 3 %
- **Structure de la population active (2012) :** agriculture : 6,4 %, mines et industries : 31,3 %, services : 62,2 %
- **Structure du PIB (2012) :** agriculture : 6,4 %, mines et industries : 30,4 %, services : 63,2 %
- **Dette publique brute (2011) :** 15 % du PIB
- **Taux de chômage (2012) :** 12,3 %

Depuis son adhésion à l'UE en 2007, la Bulgarie a poursuivi sur la voie de la croissance soutenue qu'elle connaissait depuis le début des années 2000 – de l'ordre de 5,5 % –, un dynamisme brusquement interrompu par la crise de 2008. L'aggravation de la crise en 2011 a nécessité un plan d'austérité alors que le pays doit relever plusieurs défis, parmi lesquels une réforme en profondeur des services publics, l'amélioration des conditions d'investissement, des économies d'énergie et, alors qu'il dépend de la Russie pour ses importations de gaz, une diversification de ses sources d'approvisionnement. En 2013, le pays est marqué par une grave crise politique et le niveau de vie de la population reste faible.

TOURISME

- **Recettes touristiques (2012) :** 4 554 millions de dollars

COMMERCE EXTÉRIEUR

- **Exportations de biens (2012) :** 26 678 millions de dollars
- **Importations de biens (2012) :** 35 887 millions de dollars

DÉFENSE

- **Forces armées (2011) :** 47 300 individus
- **Dépenses militaires (2012) :** 1,5 % du PIB

NIVEAU DE VIE

- **Nombre d'habitants pour un médecin (2011) :** 266
- **Apport journalier moyen en calories (2007) :** 2 766 (minimum FAO : 2 400)
- **Nombre d'automobiles pour 1 000 hab. (2011) :** 345
- **Téléphones portables (2012) :** 100 % de la population équipée

REPÈRES HISTORIQUES

Des origines à la domination ottomane

Peuplée de Thraces, la région est conquise par les Romains (Ier s. apr. J.-C.). Elle appartient ensuite à l'Empire byzantin. Les Slaves s'y établissent à partir du VIe s.

V. 680 : des peuples Bulgares ou Proto-Bulgares envahissent le bas Danube et en chassent les Byzantins.

681 : le premier Empire bulgare est fondé.

865 : Boris Ier se convertit au christianisme.

1018 : les Byzantins établissent leur domination sur la Bulgarie.

1187 : fondation du second Empire bulgare.

Milieu du XIVe s. : menacée par les Mongols et par les Tatars, la Bulgarie est divisée en plusieurs principautés.

1396 - 1878 : sous domination ottomane, la Bulgarie est partiellement islamisée.

La Bulgarie indépendante

1878 : le congrès de Berlin décide de créer une Bulgarie autonome et de maintenir l'administration ottomane en Macédoine et en Roumélie-Orientale.

1908 : le pays accède à l'indépendance.

1912 - 1913 : à l'issue de la seconde guerre balkanique la Bulgarie est défaite.

1915 : la Bulgarie s'engage dans la Première Guerre mondiale aux côtés des empires centraux.

1941 - 1944 : d'abord neutre dans la Seconde Guerre mondiale, la Bulgarie adhère au pacte tripartite, puis entre en guerre aux côtés de l'URSS.

1946 : la Bulgarie devient une démocratie populaire.

1990 : le Parti communiste renonce à son rôle dirigeant ; démocrates et socialistes (ex-communistes) alternent au pouvoir à partir de 1991.

2004 : la Bulgarie adhère à l'OTAN.

2007 : la Bulgarie adhère à l'Union européenne.

CROATIE

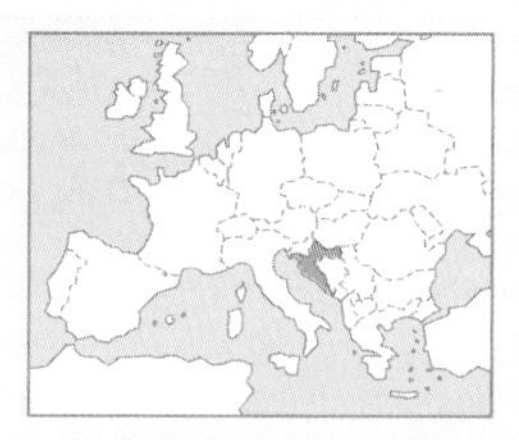

Étirée en forme de croissant, du Danube à l'Adriatique, la Croatie est formée de collines et de plaines dans le nord et l'est, de reliefs (Alpes Dinariques) dominant la côte dalmate à l'ouest. Le littoral (vers Split et Dubrovnik) est une grande région touristique.

Superficie : 56 538 km²
Population (2013) : 4 300 000 hab.
Capitale : Zagreb 686 568 hab. (r. 2011)
Nature de l'État et du régime politique : république à régime parlementaire
Chef de l'État : (président de la République) Ivo Josipović
Chef du gouvernement : (président du gouvernement) Zoran Milanović
Organisation administrative : 19 comtés et 1 municipalité
Langue officielle : croate
Monnaie : kuna croate

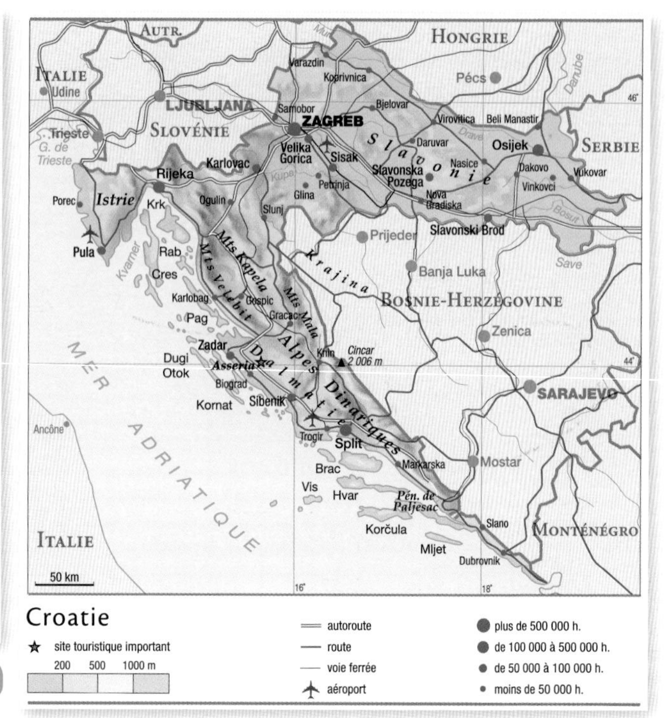

Croatie

★ site touristique important
200 500 1000 m
autoroute
route
voie ferrée
aéroport
plus de 500 000 h.
de 100 000 à 500 000 h.
de 50 000 à 100 000 h.
moins de 50 000 h.

DÉMOGRAPHIE

- **Densité :** 76 hab./km²
- **Part de la population urbaine (2013) :** 56 %
- **Structure de la population par âge (2013) :** moins de 15 ans : 15 %, 15-65 ans : 67 %, plus de 65 ans : 18 %
- **Taux de natalité (2013) :** 10 ‰
- **Taux de mortalité (2013) :** 12 ‰
- **Taux de mortalité infantile (2013) :** 4,7 ‰
- **Espérance de vie (2013) :** hommes : 74 ans, femmes : 80 ans

Les Croates d'origine, catholiques, constituent environ 70 % de la population totale, qui compte aussi un peu plus de 10 % de Serbes (davantage localement), orthodoxes. La plus grande ville, Zagreb, s'appuie sur des centres régionaux comme Osijek, Rijeka (le principal port) et Split.

ÉCONOMIE

- **PNB (2012) :** 57 milliards de dollars
- **PNB/hab. (2012) :** 13 490 dollars
- **PNB/hab. PPA (2012) :** 20 200 dollars internationaux
- **IDH (2012) :** 0,805
- **Taux de croissance annuelle du PIB (2012) :** – 2 %
- **Taux annuel d'inflation (2012) :** 3,4 %
- **Structure de la population active (2012) :** agriculture : 13,7 %, mines et industries : 27,4 %, services : 58,7 %
- **Structure du PIB (2012) :** agriculture : 5 %, mines et industries : 26,3 %, services : 68,8 %
- **Dette publique brute (2005) :** 44,2 % du PIB
- **Taux de chômage (2012) :** 15,8 %

Considérée comme l'une des plus riches des républiques de l'ex-Yougoslavie, la Croatie a considérablement souffert de la guerre de 1991 - 1995. Jusqu'à la récession de 2009, le pays a connu une croissance annuelle de 4 % en moyenne mais, depuis, il ne parvient pas à sortir de la crise. Peu exportateur, miné par la corruption et faiblement compétitif d'un point de vue économique, le pays voit sa dette s'alourdir inéxorablement. Cependant, d'importantes réformes structurelles (fiscalité, privatisations) ont été entreprises en vue de l'adhésion à l'Union en 2013, mais des réformes sur le plan macroéconomique doivent encore être réalisées (marché du travail, administration publique, système de santé et retraites). Parmi les atouts de la Croatie figure son potentiel touristique, secteur qui représente environ 1/5 du PIB.

TOURISME

- **Recettes touristiques (2012) :** 9 614 millions de dollars

COMMERCE EXTÉRIEUR

- **Exportations de biens (2012) :** 12 449 millions de dollars
- **Importations de biens (2012) :** 24 468 millions de dollars

DÉFENSE

- **Forces armées (2011) :** 21 600 individus
- **Dépenses militaires (2012) :** 1,7 % du PIB

NIVEAU DE VIE

- **Nombre d'habitants pour un médecin (2011) :** 368
- **Apport journalier moyen en calories (2007) :** 2 990 (minimum FAO : 2 400)
- **Nombre d'automobiles pour 1 000 hab. (2011) :** 343
- **Téléphones portables (2012) :** 100 % de la population équipée

REPÈRES HISTORIQUES

Peuplée d'Illyriens, la région appartient à partir de 6-9 apr. J.-C. à l'Empire romain et est envahie par les Slaves au VIe s.

925 : Tomislav (910 - 928) réunit sous son autorité les Croaties pannonienne et dalmate et prend le titre de roi.

1102 : le roi de Hongrie est reconnu roi de la Croatie.

1526 - 1527 : une partie du pays tombe sous la domination des Ottomans, le reste est intégré aux possessions de la maison d'Autriche.

1867 - 1868 : le compromis austro-hongrois rattache la Croatie à la Hongrie.

1918 - 1941 : la Croatie adhère au royaume des Serbes, Croates et Slovènes, qui devient la Yougoslavie en 1929. Les Croates s'opposent au centralisme serbe.

1941 - 1945 : l'État indépendant croate, contrôlé par les Allemands et les Italiens, est gouverné par Ante Pavelić.

1945 : : la Croatie devient une des six républiques de la Fédération yougoslave.

1991 : la Croatie déclare son indépendance. De violents combats opposent les Croates aux Serbes de Croatie et à l'armée fédérale.

1992 - 1995 : la Croatie restaure son autorité sur la totalité du territoire, appuie la contre-offensive des forces croato-musulmanes en Bosnie et cosigne l'accord de paix sur la Bosnie-Herzégovine (1995).

2009 : elle devient membre de l'OTAN.

2013 : elle adhère à l'Union européenne.

DANEMARK

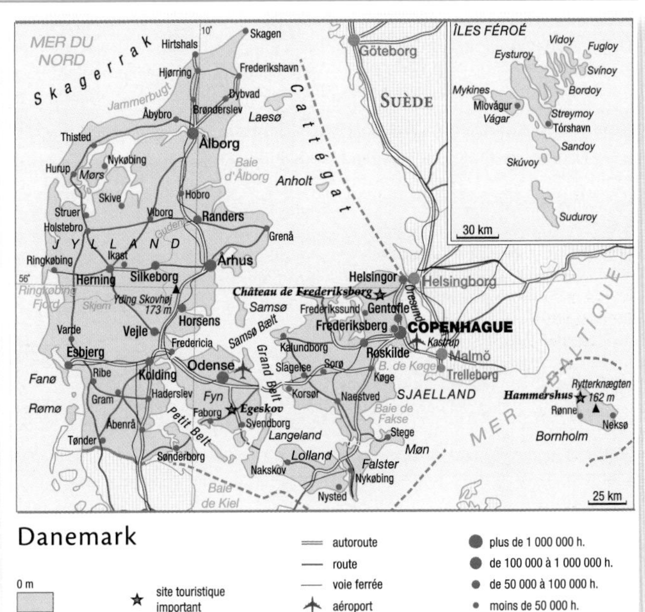

Constitué de la péninsule du Jylland, où vit un peu moins de la moitié de la population, et de plus de 500 îles, le Danemark est un pays de plaines et de bas plateaux (culminant à 173 m), au climat océanique et relativement humide. Le Groenland est une dépendance danoise depuis le XVIIe s. et a obtenu l'autonomie interne en 1979.

Superficie : 43 094 km²

Population (2013) : 5 600 000 hab.

Capitale : Copenhague 501 158 hab. (e. 2006), 1 206 020 hab. (e. 2011) dans l'agglomération

Nature de l'État et du régime politique : monarchie constitutionnelle à régime parlementaire

Chef de l'État : (reine) Marguerite II

Chef du gouvernement : (Premier ministre) Helle Thorning-Schmidt

Organisation administrative :

14 comtés, 2 municipalités et 2 communautés autonomes

Langue officielle : danois

Monnaie : krone (couronne danoise)

DÉMOGRAPHIE

- **Densité :** 130 hab./km²
- **Part de la population urbaine (2013) :** 87 %
- **Structure de la population par âge (2013) :** moins de 15 ans : 16 %, 15-65 ans : 66 %, plus de 65 ans : 18 %
- **Taux de natalité (2013) :** 10 ‰
- **Taux de mortalité (2013) :** 9 ‰
- **Taux de mortalité infantile (2013) :** 3,4 ‰
- **Espérance de vie (2013) :** hommes : 78 ans, femmes : 82 ans

Derrière Copenhague, la seule véritable grande ville avec plus d'un million d'habitants dans son agglomération, viennent Århus, Ålborg et Odense, les seules autres villes de plus de 100 000 habitants. Ces quatre principales villes sont des ports. Bien que la population soit très urbanisée (87 %), le reste du pays est constitué de petits centres urbains, peu éloignés des grandes agglomérations pourvoyeuses d'emplois. Ils sont significatifs de l'urbanisation scandinave, où s'est réalisée une symbiose entre la ville et la campagne. La population du pays, vieillissante, ne s'accroît plus.

ÉCONOMIE

- **PNB (2012) :** 324 milliards de dollars
- **PNB/hab. (2012) :** 59 850 dollars
- **PNB/hab. PPA (2012) :** 43 430 dollars internationaux
- **IDH (2012) :** 0,901
- **Taux de croissance annuelle du PIB (2012) :** – 0,4 %
- **Taux annuel d'inflation (2012) :** 2,4 %
- **Structure de la population active (2012) :** agriculture : 2,6 %, mines et industries : 19,7 %, services : 77,5 %
- **Structure du PIB (2010) :** agriculture : 1,2 %, mines et industries : 21,8 %, services : 77 %
- **Dette publique brute (2011) :** 51 % du PIB
- **Taux de chômage (2012) :** 7,5 %

Le pétrole et le gaz, complétés par l'énergie thermique et éolienne (qui devrait représenter la moitié de la consommation électrique du pays en 2020), offrent au Danemark une indépendance énergétique qui contribue à la forte croissance de son économie. Le pays mise sur la qualité de ses produits et sur la technologie. Il a ainsi déjà atteint l'objectif de l'UE en matière de R&D. Son commerce extérieur (produits manufacturés, agroalimentaire, viande porcine, produits laitiers) est globalement excédentaire, l'Allemagne étant son premier fournisseur et client, devant la Suède, le Royaume-Uni et la Norvège. Pour la première fois depuis 1997 - 1998, sous l'effet de la crise de 2008, le pays présente, depuis plusieurs années maintenant, un déficit budgétaire (limité à moins de 1,7 % du PIB) et une hausse du chômage que sa politique de « flexisécurité » lui avait permis jusque-là de contenir en dessous de 6 % mais qui augmente en 2013 (7,5 %).

En 2010, la croissance économique a progressivement redémarré sous l'influence de la reprise des échanges mondiaux et des taux d'intérêt restés très bas mais s'est écroulée avec la crise de l'UE et le pays est entré en récession. Un plan de relance, mis en place en 2012, a favorisé la croissance (0,1 % du PIB en 2013) grâce à la consommation intérieure, à l'augmentation des salaires et à un allégement de la fiscalité des ménages. L'économie du pays se remet doucement de la crise grâce à la reprise des exportations, pilier de l'économie danoise.

TOURISME

- **Recettes touristiques (2012) :** 5 993 millions de dollars

COMMERCE EXTÉRIEUR

- **Exportations de biens (2012) :** 104 874 millions de dollars
- **Importations de biens (2012) :** 157 503 millions de dollars

DÉFENSE

- **Forces armées (2011) :** 16 450 individus
- **Dépenses militaires (2012) :** 1,4 % du PIB

NIVEAU DE VIE

- **Nombre d'habitants pour un médecin (2011) :** 292
- **Apport journalier moyen en calories (2007) :** 3 416 (minimum FAO : 2 400)
- **Nombre d'automobiles pour 1 000 hab. (2011) :** 390
- **Téléphones portables (2012) :** 100 % de la population équipée

REPÈRES HISTORIQUES

Des origines au Moyen Âge chrétien

Peuplé dès le néolithique, le pays connaît à l'âge du bronze une culture très élaborée.

DANEMARK

IXe s. : les Danois participent aux expéditions vikings qui ravagent les côtes de l'Europe occidentale.

Xe s. : la dynastie du Jylland unifie le pays, qui se christianise peu à peu.

XIe s. : Svend Ier (vers 986 - 1014) s'empare de l'Angleterre. Son fils, Knud Ier le Grand, règne sur l'Angleterre, le Danemark et une partie de la Scandinavie.

1042 : l'Angleterre s'affranchit du Danemark.

XIIe s. : le régime féodal s'implante, tandis que l'influence de l'Église romaine se renforce.

1167 : l'évêque Absalon (1128 - 1201) fonde Copenhague.

1157 - 1241 : « l'ère des Valdemar » marque l'apogée de la civilisation médiévale du Danemark.

1397 : Marguerite Valdemarsdotter réalise l'union des trois royaumes scandinaves sous la domination danoise (union de Kalmar).

La Réforme et la lutte avec la Suède

1523 : l'Union de Kalmar est définitivement rompue avec l'élection de Gustave Vasa au trône de Suède.

1536 : le luthéranisme devient religion d'État.

1563 - 1570 : la guerre dano-suédoise pour la possession des détroits (Sund) consacre la suprématie du Danemark sur la Baltique et la fin de la domination hanséatique.

1625 - 1629 : le Danemark participe à la guerre de Trente Ans ; c'est un échec.

1645 : attaqué et vaincu par les Suédois, il doit renoncer à percevoir de la Suède les péages du Sund et des Belts (paix de Brömsebro).

1658 : la paix de Roskilde attribue la Scanie à la Suède.

1720 : au traité de Frederiksborg, le Danemark obtient le sud du Slesvig.

1770 - 1772 : Christian VII laisse le pouvoir à Struensee, qui gouverne en despote éclairé.

Les XIXe, XXe et XXIes.

1801 : le Danemark entre dans la ligue des Neutres contre la Grande-Bretagne, mais la pression anglaise (bombardements de Copenhague en 1801 et 1807) le fait basculer dans le camp français.

1814 : à la paix de Kiel, le Danemark perd la Norvège, mais reçoit le Lauenburg.

1849 : Frédéric VII promulgue une Constitution démocratique.

1864 : à la suite de la guerre des Duchés, le Danemark doit céder le Slesvig, le Holstein et le Lauenburg à la Prusse et à l'Autriche.

1918 : l'Islande devient indépendante, mais reste unie au royaume par la personne du roi.

1924 - 1940 : le pouvoir est presque constamment aux mains des sociaux-démocrates, qui introduisent d'importantes réformes sociales.

1940 - 1945 : le Danemark est occupé par les Allemands. Le roi Christian X reste au pouvoir tout en encourageant la résistance.

1944 : l'Islande se détache complètement du Danemark.

1945 - 1970 : le Parti social-démocrate domine la scène politique et restitue sa prospérité au pays.

1972 : la reine Marguerite II succède à son père, Frédéric IX.

1973 : le Danemark entre dans le Marché commun.

Depuis 1982 : libéraux et sociaux-démocrates alternent au pouvoir.

ESPAGNE

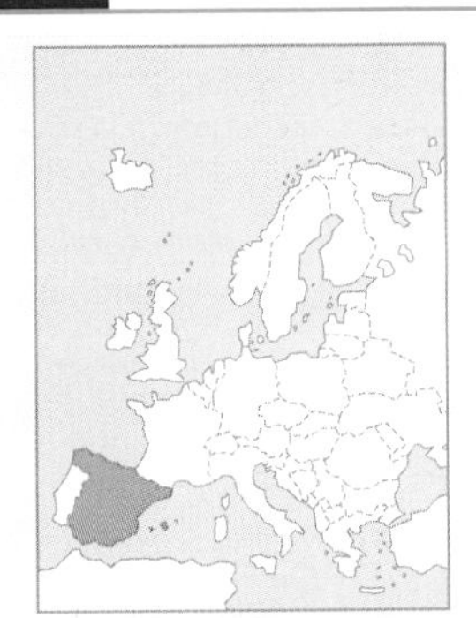

Ouverte sur l'océan Atlantique et sur la mer Méditerranée, l'Espagne est constituée d'un vaste plateau intérieur (la Meseta), au climat assez sec, chaud en été, rude en hiver, coupé par la Cordillère centrale et profondément entaillé par les vallées du Tage et du Duero. Ce plateau est bordé de hauteurs notables : cordillères Cantabrique et Ibérique au nord, Sierra Morena au sud. Celles-ci sont séparées des Pyrénées au nord et des chaînes Bétiques au sud par les bassins ouverts par l'Èbre et le Guadalquivir.

Superficie : 505 992 km^2
Population (2013) : 46 600 000 hab.
Capitale : Madrid 3 198 645 hab. (r. 2011), 6 574 450 hab. (e. 2011) dans l'agglomération
Nature de l'État et du régime politique : monarchie constitutionnelle à régime parlementaire
Chef de l'État : (roi) Juan Carlos Ier de Bourbon
Chef du gouvernement : (président du gouvernement) Mariano Rajoy Brey
Organisation administrative : 17 communautés autonomes et 2 villes
Langues officielles : espagnol
Monnaie : euro

DÉMOGRAPHIE

- **Densité :** 92 hab./km^2
- **Part de la population urbaine (2013) :** 77 %
- **Structure de la population par âge (2013) :** moins de 15 ans : 15 %, 15-65 ans : 67 %, plus de 65 ans : 18 %
- **Taux de natalité (2013) :** 10 ‰
- **Taux de mortalité (2013) :** 8 ‰
- **Taux de mortalité infantile (2013) :** 3,1 ‰
- **Espérance de vie (2013) :** hommes : 79 ans, femmes : 85 ans

La population s'est urbanisée (les trois quarts de la population vivent dans des villes). Une quarantaine de villes ont plus de 100 000 habitants et plusieurs plus d'un million d'habitants, dont Valence, Séville, Saragosse et Málaga, dominées par les pôles de Madrid et de Barcelone. Aux migrations vers l'étranger (Amérique du Sud, France) ont succédé des mouvements intérieurs, essentiellement vers Madrid et la périphérie du pays (Catalogne barcelonaise et ensemble Asturies-Pays basque), puis une immigration en provenance d'Afrique du Nord et d'Amérique latine. Ces mouvements ont accentué l'inégalité de la répartition de la population, qui se caractérise par un particularisme souvent affirmé (notamment au Pays basque et en Catalogne, avec l'existence de langues locales officielles). Avec l'effondrement du taux de natalité, la population, qui a doublé depuis les années 1930, ne s'accroît plus.

ÉCONOMIE

- **PNB (2012) :** 1 308 milliards de dollars
- **PNB/hab. (2012) :** 29 620 dollars
- **PNB/hab. PPA (2012) :** 31 670 dollars internationaux
- **IDH (2012) :** 0,885
- **Taux de croissance annuelle du PIB (2012) :** – 1,6 %
- **Taux annuel d'inflation (2012) :** 2,4 %
- **Structure de la population active (2012) :** agriculture : 4,4 %, mines et industries : 20,7 %, services : 74,9 %
- **Structure du PIB (2010) :** agriculture : 2,7 %, mines et industries : 26,1 %, services : 71,1 %
- **Dette publique brute (2011) :** 56 % du PIB
- **Taux de chômage (2012) :** 25 %

Au cours des années 2000, l'Espagne a connu un « miracle économique » dû, notamment, à un boom du secteur de la construction dont la crise a accentué la récession de 2009 - 2010 et la hausse massive du chômage, révélant les fragilités structurelles du développement du pays. Les produits chimiques, l'agroalimentaire, les appareils électriques et l'automobile sont les principaux postes d'exportation. La France, l'Allemagne et l'Italie sont les premiers partenaires de l'Espagne, qui est aussi l'une des puissances agricoles majeures de l'UE (fruits et légumes, huile d'olive, vin…). La diversification vers des activités de haute technologie est désormais une priorité dans le but de retrouver la compétitivité : les secteurs considérés comme stratégiques sont ainsi, outre l'agroalimentaire et l'automobile, les biens d'équipement, l'aérospatiale, les biotechnologies et l'industrie pharmaceutique, les technologies de l'information et de la communication, les énergies renouvelables et les industries liées à la protection de l'environnement. Le gouvernement a opéré des coupes dans les budgets sociaux et engagé des réformes concernant le marché du travail (baisse des coûts de la main-d'œuvre) et le régime des pensions, dans l'objectif de maintenir le déficit budgétaire sous la barre des 6 % fixée par l'Union européenne. En 2013, l'Espagne est sortie de la récession. Elle a renoué avec la compétitivité et les investisseurs étrangers sont à nouveau confiants dans ce contexte de redressement économique favorisé par la hausse des exportations, la création d'entreprises et la relative baisse du chômage. La hausse des exportations de biens et de services se poursuit grâce au développement du commerce vers l'Asie et l'Amérique latine. Le tourisme, l'automobile et les biens d'équipement se maintiennent.

TOURISME

- **Recettes touristiques (2012) :** 67 538 millions de dollars

COMMERCE EXTÉRIEUR

- **Exportations de biens (2012) :** 291 620 millions de dollars
- **Importations de biens (2012) :** 420 820 millions de dollars

DÉFENSE

- **Forces armées (2011) :** 215 700 individus
- **Dépenses militaires (2012) :** 0,9 % du PIB

NIVEAU DE VIE

- **Nombre d'habitants pour un médecin (2012) :** 252
- **Apport journalier moyen en calories (2007) :** 3 272 (minimum FAO : 2 400)
- **Nombre d'automobiles pour 1 000 hab. (2011) :** 481
- **Téléphones portables (2012) :** 100 % de la population équipée

REPÈRES HISTORIQUES

Les premiers temps

L'Espagne est peuplée dès le paléolithique. Ses premiers habitants historiquement connus sont les Ibères. À la fin du IIe millénaire, Phéniciens et Grecs fondent des comptoirs sur les côtes.

VIe s. av. J.-C. : les Celtes fusionnent avec les Ibères pour former les Celtibères.

IIIe - IIe s. av. J.-C. : enjeu des guerres puniques, l'Espagne est sous la domination de Carthage (à l'est du pays) puis de Rome (201 av. J.-C.).

19 av. J.-C. : elle est totalement soumise par Rome.

Ve s. apr. J.-C. : les Vandales envahissent le pays.

412 : les Wisigoths pénètrent en Espagne. Ils y établissent une monarchie brillante, catholique à partir du roi Reccared Ier (587).

L'islam et la Reconquista

711 : début de la conquête arabe.

756 : l'émirat omeyyade de Cordoue se déclare indépendant. Califat en 929, il se maintient jusqu'en 1031. Son émiettement favorise ensuite la *Reconquista* (Reconquête) depuis le Nord, où subsistaient des États chrétiens (Castille, León, Aragon…).

1085 : prise de Tolède par Alphonse VI.

1212 : les Arabes sont vaincus à Las Navas de Tolosa.

1248 : prise de Séville par Ferdinand III. Au milieu du XIIIe s., les musulmans refoulés dans le Sud sont réduits au royaume de Grenade.

1492 : ils en sont chassés par les « Rois Catholiques », Ferdinand d'Aragon et Isabelle de Castille, mariés en 1469.

L'âge d'or

XVIe s. : outre ses conquêtes coloniales d'Amérique, Charles Ier (1516 - 1556), devenu l'empereur Charles Quint en 1519,

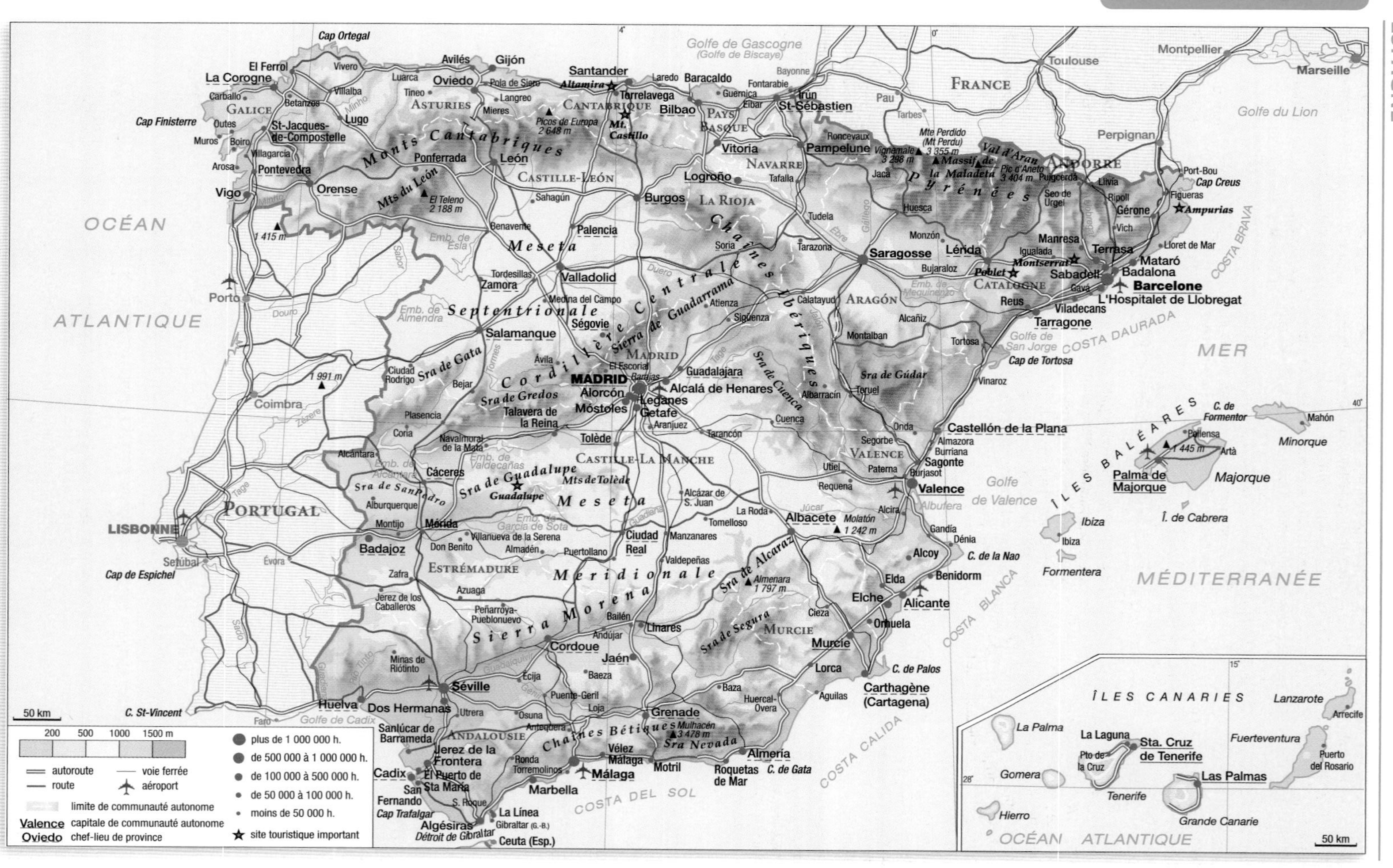
OCÉAN
ATLANTIQUE
MER
MÉDITERRANÉE
FRANCE
PORTUGAL
Golfe de Gascogne
(Golfe de Biscaye)
Golfe du Lion
Golfe de Valence
Golfe de San Jorge
Golfe de Cadix
COSTA BRAVA
COSTA DAURADA
COSTA BLANCA
COSTA CALIDA
COSTA DEL SOL
ÎLES BALÉARES
Minorque
Majorque
Ibiza
Formentera
Î. de Cabrera
Mahón
Palma de Majorque
C. de Formentor
Pollensa
Artà
1 445 m
ÎLES CANARIES
La Palma
Gomera
Hierro
Tenerife
Grande Canarie
Fuerteventura
Lanzarote
La Laguna
Sta. Cruz de Tenerife
Pto de la Cruz
Las Palmas
Puerto del Rosario
Arrecife
OCÉAN ATLANTIQUE
Pyrénées
Monts Cantabriques
Mts du León
Cordillère Centrale
Septentrionale
Sierra de Guadarrama
Chaînes Ibériques
Meseta
Sra de Gata
Sra de Gredos
Sra de Cuenca
Sra de Gúdar
Sra de Guadalupe
Mts de Tolède
Sra de San Pedro
Meseta Méridionale
Sierra Morena
Sra de Alcaraz
Sra de Segura
Chaînes Bétiques
Sra Nevada
Picos de Europa 2 648 m
El Teleno 2 188 m
Mte Perdido (Mt Perdu) 3 355 m
Vignemale 3 298 m
Massif de la Maladeta
Pic d'Aneto 3 404 m
Val d'Aran
Mulhacén 3 478 m
Almenara 1 797 m
Molatón 1 242 m
1 415 m
1 991 m
GALICE
ASTURIES
CANTABRIQUE
PAYS BASQUE
NAVARRE
LA RIOJA
ARAGÓN
CATALOGNE
ANDORRE
CASTILLE-LEÓN
MADRID
CASTILLE-LA MANCHE
VALENCE
MURCIE
ESTRÉMADURE
ANDALOUSIE
MADRID
LISBONNE
Cap Ortegal
Cap Finisterre
El Ferrol
La Corogne
Carballo
Betanzos
Vivero
Villalba
Outes
Muros
Boiro
Villagarcia
Arosa
St-Jacques-de-Compostelle
Lugo
Pontevedra
Orense
Vigo
Avilés
Gijón
Luarca
Oviedo
Tineo
Pola de Siero
Langreo
Mieres
Santander
Altamira
Torrelavega
Mt. Castillo
Laredo
Baracaldo
Bilbao
Guernica
Eibar
Fontarabie
Bayonne
Irún
St-Sébastien
Pau
Tarbes
Toulouse
Montpellier
Marseille
Perpignan
Port-Bou
Cap Creus
Figueras
Ampurias
Llivia
Puigcerdà
Seo de Urgel
Ripoll
Gérone
Vich
Lloret de Mar
Mataró
Badalona
Barcelone
L'Hospitalet de Llobregat
Terrasa
Sabadell
Manresa
Igualada
Montserrat
Poblet
Gavà
Viladecans
Reus
Tarragone
Tortosa
Cap de Tortosa
Vinaroz
Lérida
Monzón
Huesca
Jaca
Roncevaux
Pampelune
Vitoria
Logroño
Tafalla
Tudela
Tarazona
Saragosse
Bujaraloz
Alcañiz
Calatayud
Montalban
Teruel
Albarracín
Ponferrada
León
Sahagún
Burgos
Benavente
Palencia
Tordesillas
Zamora
Valladolid
Medina del Campo
Ségovie
Salamanque
Soria
Atienza
Sigüenza
Ciudad Rodrigo
Bejar
Ávila
El Escorial
Barajas
Guadalajara
Alcalá de Henares
Alcorcón
Móstoles
Leganés
Getafe
Aranjuez
Tarancón
Cuenca
Talavera de la Reina
Plasencia
Coria
Navalmoral de la Mata
Tolède
Alcántara
Cáceres
Guadalupe
Alburquerque
Montijo
Mérida
Badajoz
Villanueva de la Serena
Don Benito
Almadén
Puertollano
Ciudad Real
Manzanares
Valdepeñas
Alcázar de S. Juan
Tomelloso
La Roda
Albacete
Utiel
Requena
Segorbe
Onda
Castellón de la Plana
Almazora
Burriana
Sagonte
Burjasot
Paterna
Valence
Alcira
Albufera
Gandía
Dénia
C. de la Nao
Alcoy
Benidorm
Elda
Elche
Alicante
Orihuela
Cieza
Murcie
Lorca
Aguilas
C. de Palos
Carthagène (Cartagena)
Zafra
Azuaga
Jerez de los Caballeros
Peñarroya-Pueblonuevo
Bailén
Andújar
Linares
Cordoue
Jaén
Baeza
Baza
Huercal-Overa
Minas de Riotinto
Séville
Écija
Puente-Geril
Osuna
Loja
Antequera
Grenade
Huelva
Dos Hermanas
Utrera
Sanlúcar de Barrameda
Jerez de la Frontera
Cadix
El Puerto de Sta María
San Fernando
Cap Trafalgar
Ronda
Torremolinos
Marbella
Vélez Málaga
Málaga
Motril
Almería
Roquetas de Mar
C. de Gata
S. Roque
La Línea
Gibraltar (G.-B.)
Algésiras
Détroit de Gibraltar
Ceuta (Esp.)
Porto
Coimbra
Lisbonne
Setúbal
Cap de Espichel
Évora
Faro
C. St-Vincent
Minho
Douro
Tage
Sado
Guadiana
Rio Tinto
Guadalquivir
Júcar
Ebre
Duero
Emb. de Esla
Emb. de Almendra
Emb. de Alcántara
Emb. de Valdecañas
Emb. de García de Sola
Emb. de Mequinenza
50 km
200 500 1000 1500 m
autoroute
route
voie ferrée
aéroport
limite de communauté autonome
Valence capitale de communauté autonome
Oviedo chef-lieu de province
plus de 1 000 000 h.
de 500 000 à 1 000 000 h.
de 100 000 à 500 000 h.
de 50 000 à 100 000 h.
moins de 50 000 h.
site touristique important

incorpore à ses domaines les territoires autrichiens des Habsbourg. Philippe II (1556 - 1598) hérite du Portugal (1580), et son règne inaugure le « Siècle d'or » des arts et des lettres espagnols. Mais la défaite de l'Invincible Armada (1588) contre l'Angleterre prélude au déclin.

Le déclin

1640 : le Portugal se détache de l'Espagne.

1700 : l'extinction de la maison de Habsbourg permet l'avènement de Philippe V de Bourbon, petit-fils de Louis XIV : c'est la guerre de la Succession d'Espagne (1701 - 1714).

1759 - 1788 : Charles III, despote éclairé, s'efforce de redresser le pays.

1808 : Napoléon Ier impose comme roi son frère Joseph. Une émeute sanglante (*Dos de Mayo*, 2 mai) puis une répression (*Tres de Mayo*) marquent le début de la guerre d'indépendance.

1814 : les Bourbons sont restaurés.

1814 - 1833 : Ferdinand VII, aidé par l'intervention française en 1823, établit une monarchie absolue et perd les colonies d'Amérique.

Des guerres fratricides

1833 - 1868 : la reine Isabelle II doit lutter contre les carlistes, partisans de son oncle don Carlos, et est finalement renversée.

1874 : retour des Bourbons après une éphémère république. Alphonse XII (1874 - 1885) est proclamé roi.

1885 - 1931 : la régence de Marie-Christine (jusqu'en 1902) puis le règne d'Alphonse XIII sont marqués par des troubles. Au terme de la guerre contre les États-Unis (1898), l'Espagne perd Cuba, les Philippines et Porto Rico. À l'intérieur du pays, anarchie et mouvements nationalistes (basque, catalan) se développent.

1923 - 1930 : Primo de Rivera met en place une première dictature.

1931 : après la victoire républicaine aux élections, Alphonse XIII quitte l'Espagne et la république est proclamée.

1936 : en février, le Front populaire gagne les élections. En juillet, le soulèvement du général Franco marque le début de la guerre civile.

Le régime franquiste

1939 - 1975 : Franco, « caudillo », chef d'État à vie, gouverne avec un parti unique et organise un État autoritaire. Le pouvoir législatif est dévolu aux Cortes, assemblées non élues (1942). Pendant la Seconde Guerre mondiale, l'Espagne, favorable à l'Axe, reste en position de non-belligérance.

1947 : la loi de succession réaffirme le principe de la monarchie.

1955 : l'Espagne entre à l'ONU. Parallèlement, elle connaît, dès la fin des années 1960, une modernisation économique rapide.

1969 : Franco choisit Juan Carlos comme successeur.

L'Espagne démocratique

1975 : Franco meurt. Juan Carlos Ier devient roi d'Espagne. Il entreprend la démocratisation du régime, aidé par le gouvernement centriste d'Adolfo Suárez (1976 - 1981).

1978 : la nouvelle Constitution rétablit les institutions représentatives et crée des gouvernements autonomes dans les dix-sept régions du pays. Au Pays basque, la plus conflictuelle des communautés autonomes, le terrorisme de l'ETA menace le processus démocratique.

1982 : l'Espagne adhère à l'OTAN.

1986 : elle entre dans la CEE.

Depuis 1996 : dirigée par le conservateur José María Aznar, l'Espagne participe à l'offensive américano-britannique en Iraq (2003) avant d'être frappée par des attentats attribués à la mouvance islamiste (2004). Au socialiste José Luis Rodríguez Zapatero (2004 - 2011), succède le conservateur Mariano Rajoy.

les communautés

communautés autonomes	superficie en km²	population*	noms des habitants	capitale	nombre de provinces
Andalousie	87 268	8 371 270	Andalous	Séville	8
Aragon	47 650	1 344 509	Aragonais	Saragosse	3
Asturies	10 565	1 075 183	Asturiens	Oviedo	1
Baléares	5 014	841 669	Baléares	Palma de Majorque	1
Pays basque	7 254	2 185 393	Basques	Vitoria	2
Canaries	7 300	2 126 769	Canariens	Las Palmas et Santa Cruz de Tenerife	2
Cantabrique	5 289	592 542		Santander	1
Castille-La Manche	79 500	2 106 331		Tolède	5
Castille-León	94 200	2 540 188		Valladolid	9
Catalogne	32 100	7 519 843	Catalans	Barcelone	4
Estrémadure	41 602	1 104 499		Mérida	2
Galice	29 734	2 772 928	Galiciens	Saint-Jacques-de-Compostelle	4
Madrid	8 028	6 421 874		Madrid	1
Murcie	11 317	1 462 128		Murcie	1
Navarre	10 421	640 129		Pampelune	1
La Rioja	5 034	321 173		Logroño	1
Valence	23 305	2 563 342		Valence	3

villes autonomes	population*
Ceuta et Melilla	164 840

* recensement de 2011.

ESTONIE

Ouverte sur la mer Baltique, l'Estonie est un pays au relief plat, partiellement boisé et au climat frais. La population comporte une forte minorité russe (environ 30 %).

Superficie : 45 100 km²
Population (2013) : 1 300 000 hab.
Capitale : Tallinn 393 222 hab. (r. 2011)
Nature de l'État et du régime politique : république à régime parlementaire
Chef de l'État : (président de la République) Toomas Hendrik Ilves
Chef du gouvernement : (Premier ministre) Taavi Rõivas
Organisation administrative : 15 départements
Langue officielle : estonien
Monnaie : euro

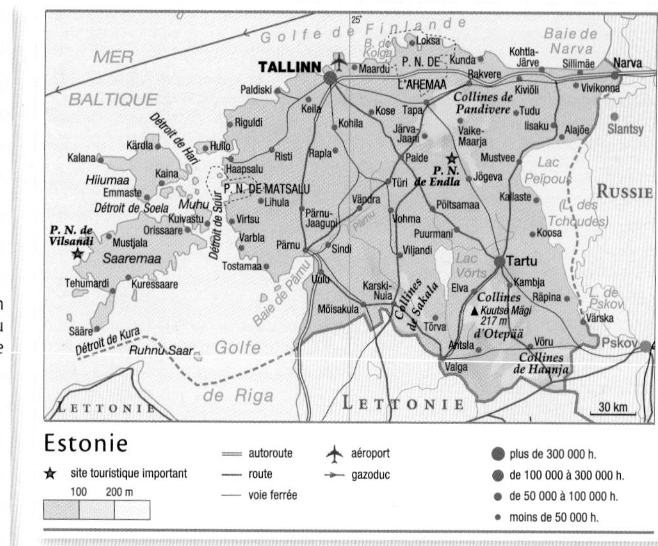

DÉMOGRAPHIE

- **Densité :** 29 hab./km²
- **Part de la population urbaine (2013) :** 69 %
- **Structure de la population par âge (2013) :** moins de 15 ans : 16 %, 15-65 ans : 66 %, plus de 65 ans : 18 %
- **Taux de natalité (2013) :** 11 ‰
- **Taux de mortalité (2013) :** 12 ‰
- **Taux de mortalité infantile (2013) :** 3,6 ‰
- **Espérance de vie (2013) :** hommes : 71 ans, femmes : 81 ans

Assez fortement urbanisé (plus des deux tiers de la population vivent en ville), le pays compte un peu plus de 60 % d'Estoniens d'origine, mais aussi près d'un tiers d'habitants d'origine russe, dont l'intégration est un problème. Le nombre d'habitants diminue lentement depuis 1990. La capitale, Tallinn, regroupe environ le tiers de la population totale du pays.

ÉCONOMIE

- **PNB (2012) :** 21 milliards de dollars
- **PNB/hab. (2012) :** 16 150 dollars
- **PNB/hab. PPA (2012) :** 22 500 dollars internationaux
- **IDH (2012) :** 0,846
- **Taux de croissance annuelle du PIB (2012) :** 3,9 %
- **Taux annuel d'inflation (2012) :** 3,9 %
- **Structure de la population active (2012) :** agriculture : 4,7 %, mines et industries : 31,1 %, services : 64,1 %
- **Structure du PIB (2010) :** agriculture : 3,5 %, mines et industries : 28,7 %, services : 67,7 %
- **Dette publique brute (2011) :** 7 % du PIB
- **Taux de chômage (2012) :** 10,1 %

Au cours des années 2000 - 2008, le pays a connu des taux de croissance de 7 à 10 % par an, tirés par l'investissement, la demande intérieure et le commerce extérieur (Finlande, Suède, Allemagne). La crise financière internationale de 2008 - 2009 a provoqué une brusque chute de la production et une très forte augmentation du chômage, passé de moins de 5 % à 19 %, pour s'établir autour de 8,4 % en 2013. C'est au prix d'une politique budgétaire sévère (baisse des salaires) et d'une bonne maîtrise de son budget que le pays est parvenu rapidement à se relever pour être admis dans la zone euro en 2011. La croissance, de l'ordre de 8 % en 2011, se stabilise autour de 1,5 % en 2013, portée surtout par la demande intérieure ; elle dépend principalement des produits manufacturés, notamment de l'électronique et de l'optique. L'économie, dynamique, est portée par un secteur tertiaire prédominant, moderne, et en pleine expansion.

TOURISME

- **Recettes touristiques (2012) :** 1 683 millions de dollars

COMMERCE EXTÉRIEUR

- **Exportations de biens (2012) :** 14 480 millions de dollars
- **Importations de biens (2012) :** 20 097 millions de dollars

DÉFENSE

- **Forces armées (2011) :** 5 750 individus
- **Dépenses militaires (2012) :** 1,9 % du PIB

NIVEAU DE VIE

- **Nombre d'habitants pour un médecin (2011) :** 299
- **Apport journalier moyen en calories (2007) :** 3 154 (minimum FAO : 2 400)
- **Nombre d'automobiles pour 1 000 hab. (2011) :** 412
- **Téléphones portables (2012) :** 100 % de la population équipée

REPÈRES HISTORIQUES

D'origine finno-ougrienne, les Estoniens s'unissent contre les envahisseurs vikings (IXe s.), russes (XIe - XIIe s.), puis sont écrasés en 1217 par les Danois et les chevaliers allemands (Porte-Glaive).

1346 - 1561 : la région est gouvernée par les chevaliers Porte-Glaive.

1629 : elle passe sous domination suédoise.

1721 : elle est intégrée à l'Empire russe.

1920 : la Russie soviétique reconnaît son indépendance.

1940 : conformément au pacte germano-soviétique, l'Estonie est annexée par l'URSS.

1941 - 1944 : elle est occupée par les Allemands.

1944 : elle redevient une république soviétique.

1991 : l'indépendance restaurée est reconnue par la communauté internationale (septembre).

1994 : les troupes russes achèvent leur retrait du pays.

2004 : l'Estonie adhère à l'OTAN et à l'Union européenne.

FINLANDE

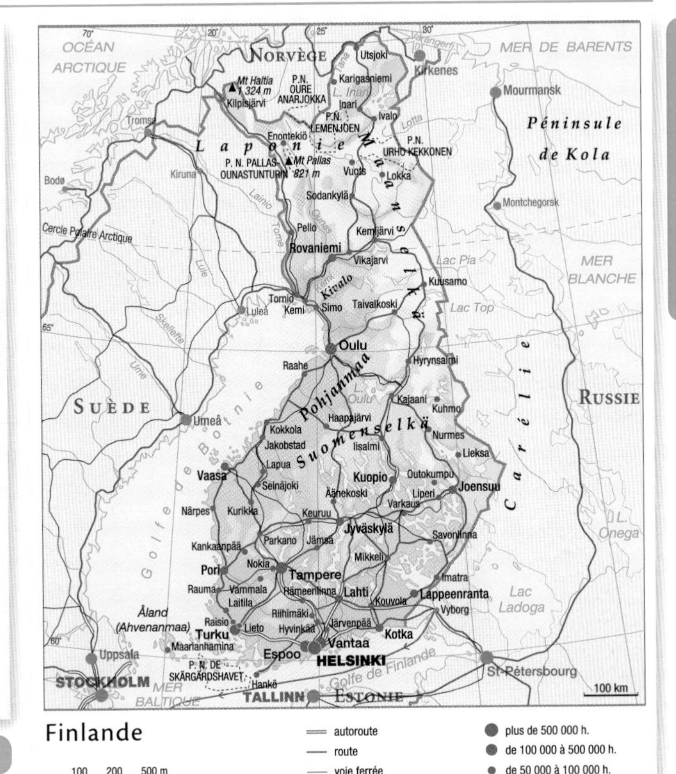

La Finlande est un vaste plateau de roches anciennes, troué de milliers de lacs. En dehors du Nord, domaine de la toundra, le pays est couvert par la forêt de conifères, dont l'exploitation constitue sa principale ressource.

Superficie : 338 145 km²
Population (2013) : 5 400 000 hab.
Capitale : Helsinki 560 905 hab. (e. 2005), 1 133 780 hab. (e. 2011) dans l'agglomération
Nature de l'État et du régime politique : république à régime parlementaire
Chef de l'État : (président de la République) Sauli Niinistö
Chef du gouvernement : (Premier ministre) Jyrki Katainen
Organisation administrative : 5 provinces et 1 territoire autonome
Langues officielles : finnois et suédois
Monnaie : euro

DÉMOGRAPHIE

- **Densité :** 16 hab./km²
- **Part de la population urbaine (2013) :** 68 %
- **Structure de la population par âge (2013) :** moins de 15 ans : 16 %, 15-65 ans : 65 %, plus de 65 ans : 19 %
- **Taux de natalité (2013) :** 11 ‰
- **Taux de mortalité (2013) :** 10 ‰
- **Taux de mortalité infantile (2013) :** 2,4 ‰
- **Espérance de vie (2013) :** hommes : 78 ans, femmes : 83 ans

La Finlande présente une densité moyenne faible (16 habitants au km²), mais la population est urbanisée à plus des deux tiers et est concentrée le long du littoral du Sud-Ouest (Helsinki, Turku, Tampere) ou sur le golfe de Botnie, régions au climat plus clément. L'espérance de vie à la naissance est parmi les plus élevées du monde (81 ans), ce qui place le pays au rang des pays les plus touchés par le vieillissement de la population.

ÉCONOMIE

- **PNB (2012) :** 247 milliards de dollars
- **PNB/hab. (2012) :** 46 490 dollars
- **PNB/hab. PPA (2012) :** 38 220 dollars internationaux
- **IDH (2012) :** 0,892
- **Taux de croissance annuelle du PIB (2012) :** – 0,8 %
- **Taux annuel d'inflation (2012) :** 2,8 %
- **Structure de la population active (2012) :** agriculture : 4,1 %, mines et industries : 22,7 %, services : 72,7 %
- **Structure du PIB (2010) :** agriculture : 2,9 %, mines et industries : 29,2 %, services : 67,9 %
- **Dette publique brute (2011) :** 48 % du PIB
- **Taux de chômage (2012) :** 7,6 %

Après quinze ans de croissance ininterrompue, la Finlande a subi la crise financière internationale de 2008 par une forte récession l'année suivante. Un redressement spectaculaire des exportations du pays, dopées par l'électronique et la métallurgie, a porté la croissance en 2011 aux environs de 3 %, freinée brutalement en 2012 (– 0,8 %) et qui reprend timidement en 2013 (0,6 %). Son déficit commercial au sein de l'UE est compensé par un excédent en dehors de cette zone. La Finlande jouit de nombreux atouts, dont sa compétitivité dans les secteurs des télécommunications et de l'électronique, la vigueur de sa recherche et son engagement dans la production des énergies renouvelables (30 % de la consommation d'énergie contre 10 % dans l'UE), sans oublier ses ressources forestières et minières (cuivre, nickel, or, zinc, argent...).

TOURISME

- **Recettes touristiques (2012) :** 5 591 millions de dollars

COMMERCE EXTÉRIEUR

- **Exportations de biens (2012) :** 76 453 millions de dollars
- **Importations de biens (2012) :** 100 855 millions de dollars

DÉFENSE

- **Forces armées (2011) :** 25 000 individus
- **Dépenses militaires (2012) :** 1,5 % du PIB

NIVEAU DE VIE

- **Nombre d'habitants pour un médecin (2011) :** 344
- **Apport journalier moyen en calories (2007) :** 3 221 (minimum FAO : 2 400)
- **Nombre d'automobiles pour 1 000 hab. (2011) :** 538
- **Téléphones portables (2012) :** 100 % de la population équipée

REPÈRES HISTORIQUES

Ier s. av. J.-C. - Ier s. apr. J.-C. : les Finnois occupent progressivement le sol finlandais.
XIIe- XVIe s. : la Finlande est occupée par la Suède, qui en fait un duché (1353).
1710 - 1721 : les armées de Pierre le Grand ravagent le pays.
1809 : la Finlande devient un grand-duché de l'Empire russe. Sous le règne d'Alexandre III et de Nicolas II, la russification s'intensifie, tandis que se développe la résistance nationale.
1917 : la Finlande proclame son indépendance.
1939 - 1944 : après une lutte héroïque contre l'Armée rouge, la Finlande est amputée de la Carélie. Elle combat l'URSS aux côtés du Reich à partir de 1941.
1948 : la Finlande signe un traité d'assistance mutuelle avec l'URSS (renouvelé en 1970 et en 1983).
1995 : la Finlande adhère à l'Union européenne.

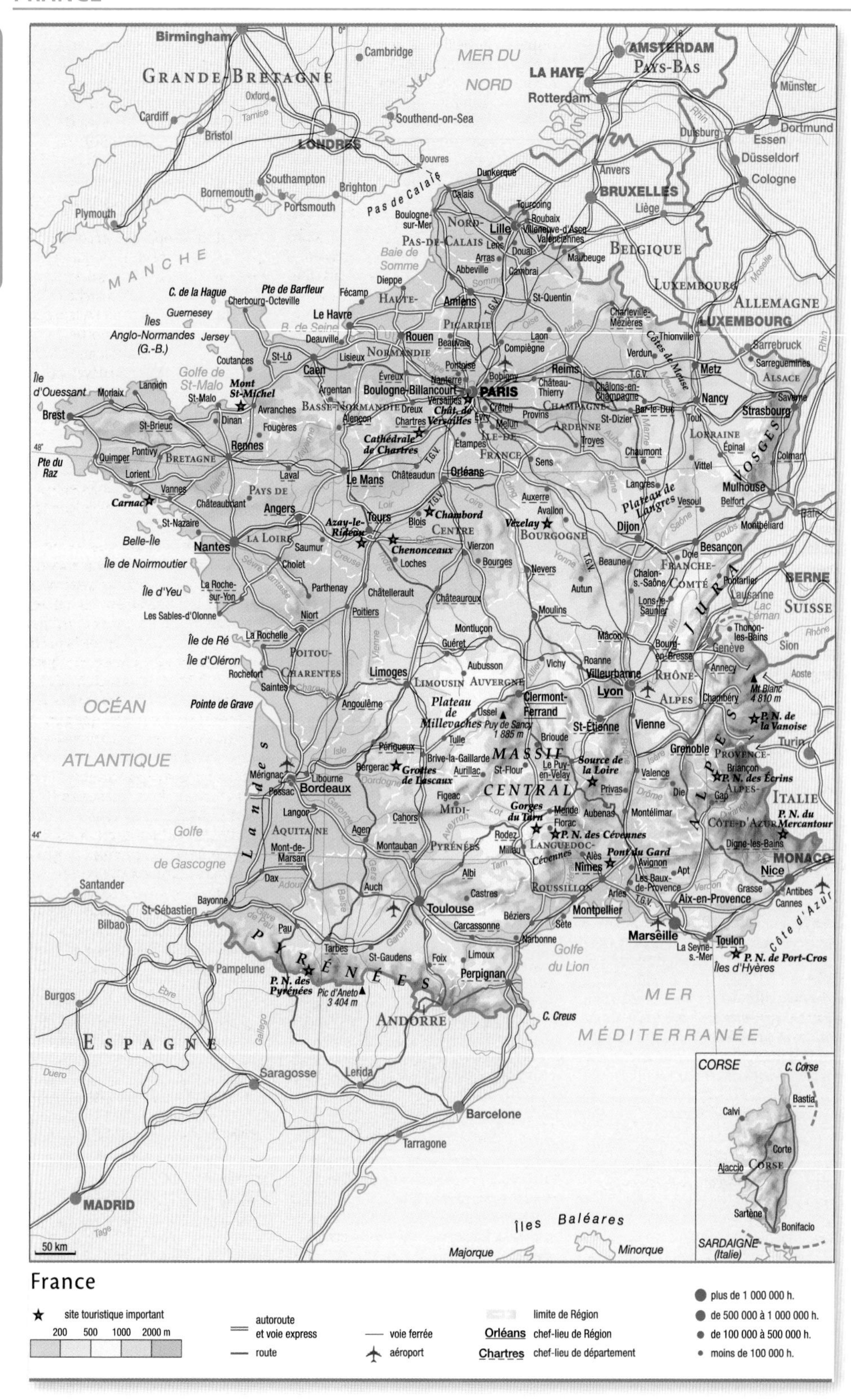

GRANDE-BRETAGNE
Birmingham
Cambridge
Oxford
Cardiff
Bristol
Tamise
LONDRES
Southend-on-Sea
Douvres
Southampton
Brighton
Bornemouth
Portsmouth
Plymouth
MER DU NORD
LA HAYE
Rotterdam
AMSTERDAM
PAYS-BAS
Münster
Duisburg
Dortmund
Essen
Düsseldorf
Cologne
Anvers
BRUXELLES
Liège
BELGIQUE
LUXEMBOURG
ALLEMAGNE
Pas de Calais
Dunkerque
Calais
Boulogne-sur-Mer
NORD-PAS-DE-CALAIS
Lille
Tourcoing
Roubaix
Villeneuve-d'Ascq
Valenciennes
Lens
Douai
Arras
Maubeuge
Cambrai
Baie de Somme
Abbeville
MANCHE
C. de la Hague
Pte de Barfleur
Cherbourg-Octeville
Fécamp
Dieppe
HAUTE-NORMANDIE
Amiens
PICARDIE
St-Quentin
Charleville-Mézières
Îles Anglo-Normandes (G.-B.)
Guernesey
Jersey
Le Havre
Deauville
Rouen
Beauvais
Compiègne
Laon
Côtes de Meuse
Thionville
Sarrebruck
Coutances
St-Lô
Lisieux
Caen
BASSE-NORMANDIE
Golfe de St-Malo
Évreux
Pontoise
Reims
Verdun
Metz
Sarreguemines
ALSACE
Île d'Ouessant
Morlaix
Lannion
Mont St-Michel
St-Malo
Argentan
Boulogne-Billancourt
Nanterre
Bobigny
PARIS
Versailles
Château-Thierry
Châlons-en-Champagne
Nancy
Saverne
Strasbourg
Brest
Avranches
Dinan
Alençon
Dreux
Chât. de Versailles
Créteil
Évry
Melun
Provins
CHAMPAGNE-ARDENNE
Bar-le-Duc
St-Dizier
Toul
LORRAINE
St-Brieuc
Fougères
Rennes
Chartres
Cathédrale de Chartres
Étampes
ÎLE-DE-FRANCE
Troyes
Épinal
VOSGES
Colmar
Pte du Raz
Quimper
Pontivy
BRETAGNE
Lorient
Laval
Le Mans
Châteaudun
Orléans
Sens
Chaumont
Vittel
Carnac
Vannes
PAYS DE LA LOIRE
Châteaubriant
Angers
Tours
Blois
Chambord
Auxerre
Avallon
Vézelay
Langres
Plateau de Langres
Vesoul
Mulhouse
Belfort
Montbéliard
Belle-Île
St-Nazaire
Nantes
Saumur
Azay-le-Rideau
Chenonceaux
CENTRE
BOURGOGNE
Dijon
Besançon
Île de Noirmoutier
Cholet
Loches
Vierzon
Bourges
Nevers
Beaune
Dole
FRANCHE-COMTÉ
Chalon-s.-Saône
Pontarlier
BERNE
Lausanne
SUISSE
Lac Léman
Île d'Yeu
La Roche-sur-Yon
Parthenay
Châtellerault
Châteauroux
Autun
Lons-le-Saunier
JURA
Les Sables-d'Olonne
Niort
Poitiers
Moulins
Île de Ré
La Rochelle
Montluçon
Mâcon
Thonon-les-Bains
Genève
Sion
POITOU-CHARENTES
Guéret
Bourg-en-Bresse
Île d'Oléron
Rochefort
Saintes
Limoges
Aubusson
Vichy
Roanne
Villeurbanne
RHÔNE-ALPES
Annecy
Aoste
Mt Blanc 4 810 m
OCÉAN ATLANTIQUE
Pointe de Grave
LIMOUSIN
AUVERGNE
Lyon
Angoulême
Plateau de Millevaches
Ussel
Puy de Sancy 1 885 m
Clermont-Ferrand
St-Étienne
Vienne
Chambéry
P. N. de la Vanoise
Turin
Tulle
Brioude
Périgueux
Brive-la-Gaillarde
MASSIF CENTRAL
Source de la Loire
Le Puy-en-Velay
Grenoble
PROVENCE-ALPES-CÔTE-D'AZUR
Mérignac
Pessac
Bordeaux
Libourne
Bergerac
Grottes de Lascaux
Aurillac
St-Flour
Valence
Briançon
P. N. des Écrins
Privas
Die
Gap
ITALIE
Landes
Langon
Figeac
MIDI-PYRÉNÉES
Gorges du Tarn
Mende
Aubenas
Montélimar
Cahors
Florac
P. N. du Mercantour
Golfe de Gascogne
AQUITAINE
Agen
Rodez
P. N. des Cévennes
Mont-de-Marsan
Montauban
Millau
LANGUEDOC-ROUSSILLON
Cévennes
Alès
Pont du Gard
Avignon
Digne-les-Bains
MONACO
Nîmes
Apt
Nice
Dax
Albi
Les Baux-de-Provence
Grasse
Antibes
Cannes
Santander
Auch
Castres
Arles
Aix-en-Provence
Côte d'Azur
St-Sébastien
Bayonne
Toulouse
Montpellier
Bilbao
Pau
Carcassonne
Béziers
Sète
Marseille
Toulon
La Seyne-s.-Mer
P. N. de Port-Cros
Îles d'Hyères
Tarbes
Narbonne
Golfe du Lion
PYRÉNÉES
St-Gaudens
Foix
Limoux
Pampelune
Perpignan
P. N. des Pyrénées
Pic d'Aneto 3 404 m
ANDORRE
C. Creus
MER MÉDITERRANÉE
Burgos
ESPAGNE
Èbre
Saragosse
Lerida
Duero
Barcelone
Tarragone
MADRID
Tage
Îles Baléares
Majorque
Minorque
50 km
CORSE
C. Corse
Bastia
Calvi
Corte
Ajaccio
Sartène
Bonifacio
SARDAIGNE (Italie)
France
site touristique important
200 500 1000 2000 m
autoroute et voie express
route
voie ferrée
aéroport
limite de Région
Orléans chef-lieu de Région
Chartres chef-lieu de département
plus de 1 000 000 h.
de 500 000 à 1 000 000 h.
de 100 000 à 500 000 h.
moins de 100 000 h.

FRANCE

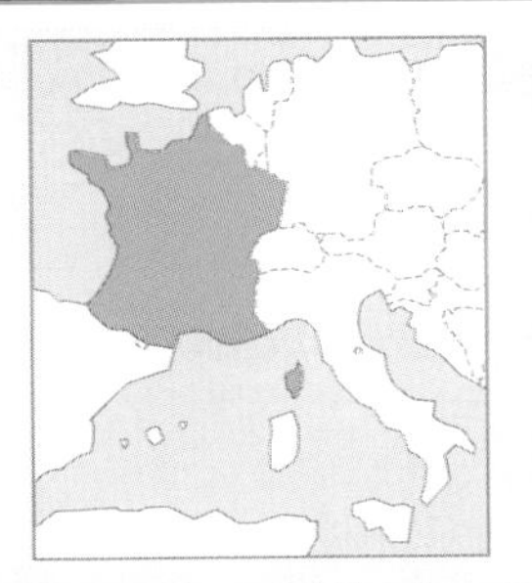

Le milieu naturel est caractérisé par l'extension des plaines et des bas plateaux ; la montagne elle-même est souvent bordée ou pénétrée par des vallées, voies de circulation et de peuplement. La latitude, la proximité de l'Atlantique et aussi la disposition du relief expliquent la dominante océanique du climat, caractérisé par l'instabilité des types de temps, la faiblesse des écarts de température, la relative abondance et la fréquence des précipitations. La rigueur de l'hiver s'accroît cependant vers l'intérieur, alors que le Sud-Est connaît un climat de type méditerranéen, marqué surtout par la chaleur et la sécheresse de l'été. La forêt occupe encore environ le quart du territoire.

Superficie : 551 500 km²
Population (2013) : 63 900 000 hab.
Capitale : Paris 2 274 880 hab. (r. 2011), 10 620 100 hab. (e. 2011) dans l'agglomération
Nature de l'État et du régime politique : république à régime semi-présidentiel
Chef de l'État : (président de la République) François Hollande
Chef du gouvernement : (Premier ministre) Manuel Valls
Organisation administrative : 21 Régions et la collectivité territoriale de Corse, 5 départements et Régions d'outre-mer, 5 collectivités d'outre-mer, 3 collectivités
Langue officielle : français
Monnaie : euro

DÉMOGRAPHIE

- **Densité :** 116 hab./km²
- **Part de la population urbaine (2013) :** 78 %
- **Structure de la population par âge (2013) :** moins de 15 ans : 19 %, 15-65 ans : 64 %, plus de 65 ans : 17 %
- **Taux de natalité (2013) :** 13 ‰
- **Taux de mortalité (2013) :** 9 ‰
- **Taux de mortalité infantile (2013) :** 3,3 ‰
- **Espérance de vie (2013) :** hommes : 79 ans, femmes : 85 ans

La population française ne représente guère que 1 % de la population mondiale. L'excédent naturel, de l'ordre de 200 000 à 250 000 personnes par an, est le plus fort d'Europe, car le taux de natalité (13 ‰) est resté supérieur au taux de mortalité (9 ‰) et la population s'accroît à un rythme réduit (autour de 0,4 % par an). Le taux de fécondité apparaît stabilisé autour de 2 enfants par femme, chiffre nettement plus élevé que la moyenne européenne. La population vieillit : seulement 19 % ont moins de 15 ans alors que la part des 65 ans et plus est de 17 %. L'espérance de vie des femmes à la naissance est l'une des plus élevées du monde (85 ans). Les immigrés, en provenance notamment du Portugal et de l'Algérie, représentent environ 8 % de la population totale, mais localement (dans les grandes agglomérations) parfois 10 à 15 %. Plus des trois quarts des Français vivent dans les villes. Avec ses 10 millions d'habitants, l'agglomération parisienne concentre le sixième des Français (loin devant Lyon et Marseille, les deux seules autres villes de plus d'un million d'habitants). Le réseau urbain se caractérise aussi par un semis assez serré de capitales régionales (de 200 000 à 700 000 habitants, où dominent Strasbourg, Nantes, Nice, Toulouse, Bordeaux et Lille) et de villes moyennes (de 20 000 à 200 000 habitants). La densité moyenne (116 habitants au km²) est nettement inférieure à celle des autres pays industrialisés d'Europe de l'Ouest, notamment le long d'une diagonale nord-est-sud-ouest passant par le Massif central.

ÉCONOMIE

- **PNB (2012) :** 2 658 milliards de dollars
- **PNB/hab. (2012) :** 41 750 dollars
- **PNB/hab. PPA (2012) :** 36 720 dollars internationaux
- **IDH (2012) :** 0,893
- **Taux de croissance annuelle du PIB (2012) :** 0 %
- **Taux annuel d'inflation (2012) :** 2 %
- **Structure de la population active (2012) :** agriculture : 2,9 %, mines et industries : 21,7 %, services : 74,9 %
- **Structure du PIB (2009) :** agriculture : 2 %, mines et industries : 19 %, services : 79 %
- **Dette publique brute (2011) :** 94 % du PIB
- **Taux de chômage (2012) :** 9,9 %

Cinquième puissance économique mondiale, la France a plutôt bien résisté à la crise de 2008 en subissant une récession limitée et amortie par l'importance du secteur public et des prestations sociales. Ces dernières sont pourtant pour une partie au cœur de la dégradation des finances publiques, fruit des déficits cumulés depuis la fin des années 1970 et aggravée en retour par la crise financière. Autre handicap de l'économie française, le déficit des échanges extérieurs (les deux tiers des exportations sont destinées à l'UE), notamment vis-à-vis de l'Allemagne, principal partenaire commercial, même si certains secteurs comme l'agroalimentaire (vin, blé, maïs...), les produits pharmaceutiques, l'aéronautique, le transport, les services financiers, le tourisme et le secteur des industries de luxe restent compétitifs. Comme tous les pays développés, insérée pleinement dans la mondialisation, la France doit affronter la concurrence des nouvelles puissances émergentes, au premier rang desquelles la Chine, dont les exportations ont été multipliées par six environ en dix ans. Le tissu industriel très diversifié du pays n'a pas empêché une inquiétante désindustrialisation qui a porté le chômage à un niveau historique avec la multiplication des plans sociaux. En 2011, la récession, qui touchait la plupart des pays de l'Union européenne, a accéléré la désindustrialisation du pays et a aggravé le déficit commercial. L'État a réactivé le Fonds de développement économique et social (FDES), créé en 1955, qui lui permet d'octroyer aux entreprises des prêts à des taux inférieurs à ceux du marché. La France a perdu, contrairement à l'Allemagne, sa capacité à innover et à exporter. En retrait par rapport à son homologue allemand, elle n'a pas su profiter du développement des pays émergents. La France reste toutefois l'un des pays de l'UE qui attire le plus les investissements directs étrangers. Grâce à la production d'électricité d'origine nucléaire, la dépendance énergétique de la France est inférieure à celle de la moyenne de l'UE, mais les énergies renouvelables ont encore une part relativement faible tandis que les importations d'hydrocarbures n'ont pratiquement pas cessé d'augmenter. Le système fiscal français, particulièrement complexe, fait partie des réformes à mener, de même que celle, au niveau européen, de la politique agricole commune entrée en vigueur le 1er janvier 2014. Le déficit budgétaire, constant depuis la fin des années 1970, a engendré une dette publique dépassant 90 % du PIB, ce qui est particulièrement préoccupant en temps de crise. Malgré une hausse des exportations de vins et de champagne, la croissance en 2013 est atone (– 0,1 %). Le secteur automobile, fleuron de l'industrie, est en difficulté. L'agroalimentaire, premier employeur industriel du pays, est en perte de vitesse, tout comme le secteur agricole qui perd en compétitivité au profit de l'Allemagne. Le secteur tertiaire, qui représente près de 80 % du PIB, est lui aussi touché par la crise, notamment la filière informatique.

TOURISME

- **Recettes touristiques (2012) :** 65 172 millions de dollars

COMMERCE EXTÉRIEUR

- **Exportations de biens (2012) :** 567 352 millions de dollars
- **Importations de biens (2012) :** 774 776 millions de dollars

DÉFENSE

- **Forces armées (2011) :** 332 250 individus
- **Dépenses militaires (2012) :** 2,3 % du PIB

NIVEAU DE VIE

- **Nombre d'habitants pour un médecin (2012) :** 296
- **Apport journalier moyen en calories (2007) :** 3 532 (minimum FAO : 2 400)
- **Nombre d'automobiles pour 1 000 hab. (2011) :** 481

- **Téléphones portables (2012) :** 98 % de la population équipée

REPÈRES HISTORIQUES

Les premiers occupants du territoire constituant la France actuelle apparaissent il y a environ un million d'années. Au début du Ier millénaire, les Celtes s'installent sur le sol gaulois.

58 - 51 av. J.-C. : après les résistances initiales (Vercingétorix), la Gaule est conquise par les légions romaines de Jules César.

Ve s. : le pays subit les invasions barbares : les Vandales et les Wisigoths traversent le pays ; les Huns sont arrêtés aux champs Catalauniques.

Francs et Mérovingiens

V. 481 - 508 : Clovis, roi des Francs, conquiert la Gaule et fonde le royaume franc.

511 : à sa mort se forment les trois royaumes mérovingiens d'Austrasie, de Neustrie et de Bourgogne, qui se combattent.

687 : Pépin de Herstal, maire du palais, se rend maître des trois royaumes.

732 : son fils, Charles Martel, arrête les Sarrasins à Poitiers.

Les Carolingiens

751 : Pépin le Bref est couronné roi des Francs et fonde la dynastie des Carolingiens.

800 : Charlemagne est couronné empereur d'Occident et règne sur un vaste empire.

843 : au traité de Verdun, l'Empire est partagé en trois royaumes.

Les Capétiens

987 : Hugues Capet, élu roi, fonde la dynastie capétienne.

1226 - 1270 : règne de Louis IX (Saint Louis).

1337 - 1453 : la guerre de Cent Ans oppose Français et Anglais. La monarchie ne peut résister à l'alliance du duché de Bourgogne et de l'Angleterre et, après la défaite d'Azincourt (1415), l'Angleterre acquiert la maîtrise du pays. Charles VII (1422 - 1461), le « roi de Bourges », bénéficie de l'aide de Jeanne d'Arc (délivrance d'Orléans en 1429). Les Anglais sont « boutés hors de France ».

1515 - 1547 : François Ier renforce la monarchie et favorise la Renaissance.

1515 : bataille de Marignan.

1572 : massacre de la Saint-Barthélemy, point culminant des guerres de Religion qui divisent la France.

Les Bourbons

1589 - 1610 : règne d'Henri IV, qui fonde la dynastie des Bourbons.

1598 : l'édit de Nantes assure la liberté de culte aux protestants.

1610 - 1643 : Louis XIII, aidé de Richelieu, développe l'absolutisme.

1643 - 1715 : pendant la minorité de Louis XIV, les troubles de la Fronde menacent l'autorité royale. Après la mort de Mazarin (1661), Louis XIV gouverne en monarque absolu.

1685 : révocation de l'édit de Nantes.

1715 - 1774 : le règne de Louis XV, qui commence par la régence de Philippe d'Orléans (1715 - 1723), est marqué par les désastres de la guerre de Sept Ans et la perte de la plus grande partie de l'empire colonial au profit de l'Angleterre.

1774 - 1789 : Louis XVI est impuissant à résoudre le problème financier et la crise économique et sociale des années 1780. À l'extérieur, l'intervention française assure l'indépendance américaine.

La Révolution

1789 : les États généraux se proclament Assemblée nationale constituante et abolissent les privilèges et droits féodaux.

1791 - 1792 : sous la Législative a lieu une tentative de monarchie constitutionnelle, qui échoue et entraîne la chute de la royauté (10 août 1792).

1792 - 1795 : la Convention nationale sauve la France de l'invasion étrangère. La Ire République est proclamée (21 septembre 1792). Le roi est exécuté (21 janvier 1793). Un gouvernement révolutionnaire est institué (juin 1793 - juillet 1794) : il instaure la Terreur et repousse la coalition ennemie. La chute de son chef, Robespierre, est suivie de la réaction thermidorienne (juillet 1794 - octobre 1795).

1795 - 1799 : le Directoire succède à la Convention.

Du Consulat au second Empire

1799 - 1804 : le Consulat. Bonaparte accède au pouvoir par le coup d'État du 18 brumaire an VIII.

1804 - 1814 : le premier Empire. Bonaparte est sacré empereur des Français sous le nom de Napoléon Ier.

1814 - 1815 : la première Restauration. Après l'abdication de Napoléon, les Bourbons sont restaurés. Louis XVIII octroie une charte constitutionnelle.

1815 : la tentative de retour de Napoléon pendant les Cent-Jours s'achève à Waterloo (18 juin). Il abdique une seconde fois.

1815 - 1830 : la seconde Restauration. Charles X succède à Louis XVIII en 1824.

1830 - 1848 : la monarchie de Juillet. Louis-Philippe Ier devient « roi des Français ».

1848 - 1851 : la IIe République. Louis Napoléon Bonaparte est triomphalement élu président le 10 décembre 1848. Le 2 décembre 1851, par un coup d'État qu'entérine un plébiscite, il institue un régime présidentiel autoritaire.

1852 - 1870 : le second Empire. Louis Napoléon Bonaparte devient empereur sous le nom de Napoléon III.

De la IIIe République à nos jours

1870 - 1946 : la IIIe République. Elle est proclamée après la défaite de l'Empire lors de la guerre franco-allemande. Ses débuts sont marqués par la Commune de Paris (18 mars - 28 mai 1871) et par l'affaire Dreyfus (1894 - 1899).

1914 - 1918 : Première Guerre mondiale. La France sort du conflit victorieuse, mais très affaiblie.

1936 : victoire électorale du Front populaire qui met en œuvre d'importantes réformes sociales.

1939 - 1945 : Seconde Guerre mondiale. Dès 1940, la France est sous occupation allemande. Le maréchal Pétain installe le régime de Vichy en zone libre. En 1944, les alliés débarquent en Normandie. Le Gouvernement provisoire de la République française, formé à Alger et présidé par de Gaulle, s'installe à Paris.

1946 - 1958 : la IVe République. Les guerres d'Indochine (1946 - 1954), puis d'Algérie (1954 - 1962), et l'instabilité ministérielle minent le régime.

1958 : la France devient membre de la CEE.

Depuis 1958 : la Ve République. La crise algérienne ramène Charles de Gaulle au pouvoir. Lui succèdent Georges Pompidou en 1969, Valéry Giscard d'Estaing en 1974, François Mitterrand en 1981, Jacques Chirac en 1995, Nicolas Sarkozy en 2007 et François Hollande en 2012.

2008 : la France ratifie le traité européen de Lisbonne par voie parlementaire.

GRANDE-BRETAGNE

Le Royaume-Uni comprend quatre parties principales : l'Angleterre proprement dite, le Pays de Galles, l'Écosse et l'Irlande du Nord (avec l'Irlande du Sud, ou république d'Irlande, ces régions forment les îles Britanniques). La prospérité n'est pas due au milieu naturel (sinon peut-être à l'insularité) : une superficie modeste (moins de la moitié de celle de la France), beaucoup de hautes terres et peu de plaines (sauf le bassin de Londres), un climat humide et frais, souvent plus favorable à l'élevage qu'aux cultures, à la lande qu'à la forêt.

Superficie : 242 900 km²
Population (2013) : 64 100 000 hab.
Capitale : Londres 3 231 901 hab. (r. 2011), 8 173 941 hab. (r. 2011) dans l'agglomération
Nature de l'État et du régime politique : monarchie constitutionnelle à régime parlementaire
Chef de l'État : (reine) Élisabeth II
Chef du gouvernement : (Premier ministre) David Cameron
Organisation administrative : 4 régions et 13 territoires
Langue officielle : anglais
Monnaie : livre sterling

DÉMOGRAPHIE

- **Densité :** 264 hab./km²
- **Part de la population urbaine (2013) :** 80 %
- **Structure de la population par âge (2013) :** moins de 15 ans : 18 %, 15-65 ans : 66 %, plus de 65 ans : 16 %
- **Taux de natalité (2013) :** 13 ‰
- **Taux de mortalité (2013) :** 9 ‰
- **Taux de mortalité infantile (2013) :** 4,2 ‰
- **Espérance de vie (2013) :** hommes : 80 ans, femmes : 84 ans

La Grande-Bretagne, avec 264 habitants au km² en moyenne, demeure un pays densément peuplé (plus du double de la densité française). La population ne s'accroît que très faiblement, mais le taux de natalité (13 ‰) est encore supérieur au taux de mortalité (9 ‰). L'émigration, traditionnelle (à la base de l'empire), n'a pas complètement disparu, mais elle a été compensée par une immigration à partir des anciennes colonies et dont l'origine géographique (Asie méridionale, Antilles, Afrique), plus que le poids numérique (7 % de la population totale), pose localement des problèmes d'intégration. L'urbanisation est ancienne et forte – 80 % de la population vit dans les villes. Avec plus de 12 % de la population totale, Londres domine de loin le réseau urbain, entraînant la croissance des villes moyennes de tout le sud de l'Angleterre. Loin derrière dominent les grandes villes de Birmingham, Glasgow, Liverpool, Leeds, Manchester, Sheffield, Édimbourg et Bristol, souvent situées sur les anciens bassins charbonniers. Les régions montagneuses sont beaucoup moins peuplées.

ÉCONOMIE

- **PNB (2012) :** 2 464 milliards de dollars
- **PNB/hab. (2012) :** 38 670 dollars
- **PNB/hab. PPA (2012) :** 37 340 dollars internationaux
- **IDH (2012) :** 0,875
- **Taux de croissance annuelle du PIB (2012) :** 0,1 %
- **Taux annuel d'inflation (2012) :** 2,8 %
- **Structure de la population active (2012) :** agriculture : 1,2 %, mines et industries : 18,9 %, services : 78,9 %
- **Structure du PIB (2010) :** agriculture : 0,7 %, mines et industries : 21,3 %, services : 78 %
- **Dette publique brute (2011) :** 100 % du PIB
- **Taux de chômage (2012) :** 7,9 %

La Grande-Bretagne a fortement ressenti la crise financière de 2008 qui a d'abord touché les secteurs de la banque et de la finance. La propagation de la crise à l'industrie et à l'immobilier a entraîné une grave récession qui a perduré en 2012, avec une augmentation du chômage et de l'inflation, une dépréciation de la livre et une dégradation des finances publiques. En dehors de la chimie et de l'aéronautique qui se maintiennent, le secteur industriel est en perte de vitesse et les ressources pétrolières et gazières ne couvrent plus les besoins. À l'exception des échanges avec les États-Unis (1er client) et l'Irlande, le commerce extérieur est traditionnellement déficitaire avec les partenaires de l'UE (Allemagne, Pays-Bas, France, Belgique, Espagne, Italie) comme avec la Chine et la Norvège. Fer de lance de la croissance, les services financiers ont été ébranlés par la crise et par les faillites bancaires aux États-Unis, et l'État a dû porter secours à huit banques, ce qui a directement contribué à l'envolée de la dette publique. Un plan d'austérité a été mis en place début 2011, qui devait relancer la croissance de l'économie, mais qui n'a pas fonctionné. En 2012, le gouvernement a décidé de réduire les dépenses publiques afin d'assainir la situation budgétaire. En 2013, la croissance économique est repartie à la hausse (1,4 %) grâce à la consommation des ménages, mais elle reste fragile en raison de la faiblesse des exportations, des investissements et du déficit commercial. Le pays, directement touché par la crise de l'euro (45 % des exportations se font avec 17 pays de la zone euro), est parvenu à réduire son déficit budgétaire qui est passé de 8,3 % du PIB en 2012 à 6,2 % en 2013.

TOURISME

- **Recettes touristiques (2012) :** 45 940 millions de dollars

COMMERCE EXTÉRIEUR

- **Exportations de biens (2012) :** 474 616 millions de dollars
- **Importations de biens (2012) :** 828 724 millions de dollars

DÉFENSE

- **Forces armées (2011) :** 165 650 individus
- **Dépenses militaires (2012) :** 2,5 % du PIB

NIVEAU DE VIE

- **Nombre d'habitants pour un médecin (2012) :** 362
- **Apport journalier moyen en calories (2007) :** 3 458 (minimum FAO : 2 400)
- **Nombre d'automobiles pour 1 000 hab. (2011) :** 457
- **Téléphones portables (2012) :** 100 % de la population équipée

REPÈRES HISTORIQUES

Des origines au Royaume-Uni

Peuplée dès le IIIe millénaire av. J.-C., l'Angleterre est occupée par les Celtes.

43 - 83 apr. J.-C. : conquise par Rome, elle forme la province de Bretagne.

Ve s. : invasion des peuples germaniques (Saxons, Angles, Jutes) qui refoulent les Celtes vers l'est.

IXe s. : invasion des Danois ; Knud le Grand (1016-1035) est roi de toute l'Angleterre.

1066 : vainqueur à Hastings de son rival anglo-saxon Harold, Guillaume de Normandie est couronné roi (Guillaume Ier le Conquérant).

1154 : Henri II fonde la dynastie Plantagenêt. Outre son empire continental (Normandie, Aquitaine, Bretagne, etc.), il entreprend la conquête du pays de Galles et de l'Irlande.

1215 : la Grande Charte, reconnaissance écrite des libertés traditionnelles, est octroyée par Jean sans Terre.

1327 - 1377 : les prétentions d'Édouard III au trône de France et la rivalité des deux pays en Aquitaine déclenchent la guerre de Cent Ans (1337 - 1475).

1450 - 1485 : la guerre des Deux-Roses oppose deux branches de la famille royale, les York et les Lancatres.

1485 : Henri VII, héritier des Lancastres, inaugure la dynastie Tudor.

1509 - 1547 : Henri VIII rompt avec Rome et se proclame chef de l'Église anglicane (1534).

1558 - 1603 : règne d'Élisabeth Ire, dont la victoire contre l'Espagne (Invincible Armada, 1588) préfigure l'avènement de la puissance maritime anglaise.

1603 : Jacques Stuart, roi d'Écosse, devient roi d'Angleterre sous le nom de Jacques Ier, réunissant à titre personnel les Couronnes des deux royaumes.

Le XVIIe s. est un siècle de crises politiques et religieuses où le despotisme stuart s'oppose au Parlement. Après la Révolution de 1688, ce dernier offre la Couronne à Marie II Stuart et à son mari Guillaume d'Orange (Guillaume III).

1689 : Déclaration des droits.

1707 : l'Acte d'union lie définitivement les royaumes d'Écosse et d'Angleterre.

La montée de la prépondérance britannique

1714 : le pays passe sous la souveraineté des Hanovre.

1714 - 1760 : les règnes de George Ier (1714 - 1727) et de George II (1727 - 1760) renforcent le rôle du Premier ministre tel Robert Walpole et celui du Parlement. Les whigs dominent la vie politique.

1756 - 1763 : à la suite de la guerre de Sept Ans, la Grande-Bretagne obtient au traité de Paris (1763) des gains territoriaux considérables (Canada, Inde).

1760 - 1820 : George III essaie de restaurer la prérogative royale. La première révolution industrielle fait de la Grande-Bretagne la première puissance économique mondiale.

1775 - 1783 : le soulèvement des colonies américaines aboutit à la reconnaissance des États-Unis d'Amérique.

1793 - 1815 : la Grande-Bretagne lutte victorieusement contre la France révolutionnaire et napoléonienne.

1800 : formation du Royaume-Uni par l'union de la Grande-Bretagne et de l'Irlande.

L'hégémonie britannique

1820 - 1830 : sous le règne de George IV, l'émancipation des catholiques est votée (1829).

1837 : avènement de la reine Victoria ; l'Angleterre affirme son hégémonie par une diplomatie d'intimidation face aux puissances rivales et par des opérationsmilitaires (guerre de Crimée, 1854 - 1856). À l'intérieur, le chartisme permet au syndicalisme de se développer (Trade Union Act, 1871).

1876 : Victoria est proclamée impératrice des Indes.

1895 : la politique impérialiste des conservateurs ne va pas sans créer de multiples litiges internationaux (Fachoda, 1898 ; guerre des Boers, 1899 - 1902).

1901 - 1910 : Édouard VII, successeur de Victoria, s'attache à promouvoir l'Entente cordiale franco-anglaise (1904).

1910 : avènement de George V.

D'une guerre à l'autre

1914 - 1918 : la Grande-Bretagne participe activement à la Première Guerre mondiale.

1921 : le problème irlandais trouve sa solution dans la reconnaissance de l'État libre d'Irlande (Éire). Le pays prend le nom de Royaume-Uni de Grande-Bretagne et d'Irlande du Nord.

1931 : création du Commonwealth.

1936 : Édouard VIII succède à George V, mais il abdique presque aussitôt au profit de son frère George VI.

1935 - 1940 : les conservateurs cherchent, en vain, à sauvegarder la paix (accords de Munich, 1938).

1939 - 1945 : au cours de la Seconde Guerre mondiale, la Grande-Bretagne, dirigée par Churchill, résiste victorieusement à l'invasion allemande.

La Grande-Bretagne depuis 1945

1949 : la Grande-Bretagne adhère à l'OTAN.

1952 : Élisabeth II succède à son père, George VI.

1973 : entrée de la Grande-Bretagne dans le Marché commun.

1982 : la Grande-Bretagne repousse la tentative de conquête des îles Falkland par l'Argentine.

1985 : un accord est signé entre la Grande-Bretagne et la république d'Irlande sur la gestion des affaires de l'Ulster.

1991 : la Grande-Bretagne participe militairement à la guerre du Golfe.

1993 : le traité de Maastricht est ratifié, en dépit d'une forte opposition à l'intégration européenne. Le processus de paix en Irlande du Nord est relancé.

1997 : l'Écosse et le pays de Galles se voient accorder un statut de plus grande autonomie. Le territoire de Hongkong est rétrocédé à la Chine.

1999 : conformément à l'accord conclu en 1998, un gouvernement semi-autonome est installé en Irlande du Nord. La Grande-Bretagne participe à l'intervention militaire puis à la force multinationale de maintien de la paix au Kosovo.

2003 : présente depuis 2001 en Afghanistan aux côtés des États-Unis, elle appuie ces derniers en Iraq, dans l'offensive militaire qui renverse le régime de S. Husayn.

Depuis 2011 : la Grande-Bretagne tend à se démarquer de la politique (en partic. économique) de l'UE.

Les monarchies européennes

Divers pays européens connaissent des régimes dits de « monarchie constitutionnelle », dans lesquels le souverain a très peu ou pas du tout de pouvoir politique, l'exécutif étant dirigé par un chef de gouvernement élu directement ou indirectement.

État	titre	nom	dynastie / maison
Belgique	roi	Albert II	Saxe-Cobourg-Gotha
Danemark	reine	Marguerite II	Schleswig-Holstein-Sonderburg-Glücksburg
Espagne	roi	Juan Carlos Ier	Bourbon
Grande-Bretagne	reine	Élisabeth II	Windsor (Hanovre-Saxe-Cobourg-Gotha)
Norvège	roi	Harald V	Norvège (Schleswig-Holstein-Sonderburg-Glücksburg)
Pays-Bas	reine	Béatrice	Orange-Nassau
Suède	roi	Charles XVI Gustave	Bernadotte

Mentionnons également les trois principautés européennes (Andorre, Liechtenstein, Monaco) et le grand-duché de Luxembourg, qui n'ont pour point commun que de n'être ni des républiques ni des monarchies.

État	titre	nom	dynastie / maison
Andorre	2 coprinces	l'évêque de Seo de Urgel, le président de la République française	
Liechtenstein	prince	Hans-Adam II	Liechtenstein
Luxembourg	grand-duc	Henri de Luxembourg	Luxembourg (Nassau-Weilburg)
Monaco	prince	Albert II	Grimaldi

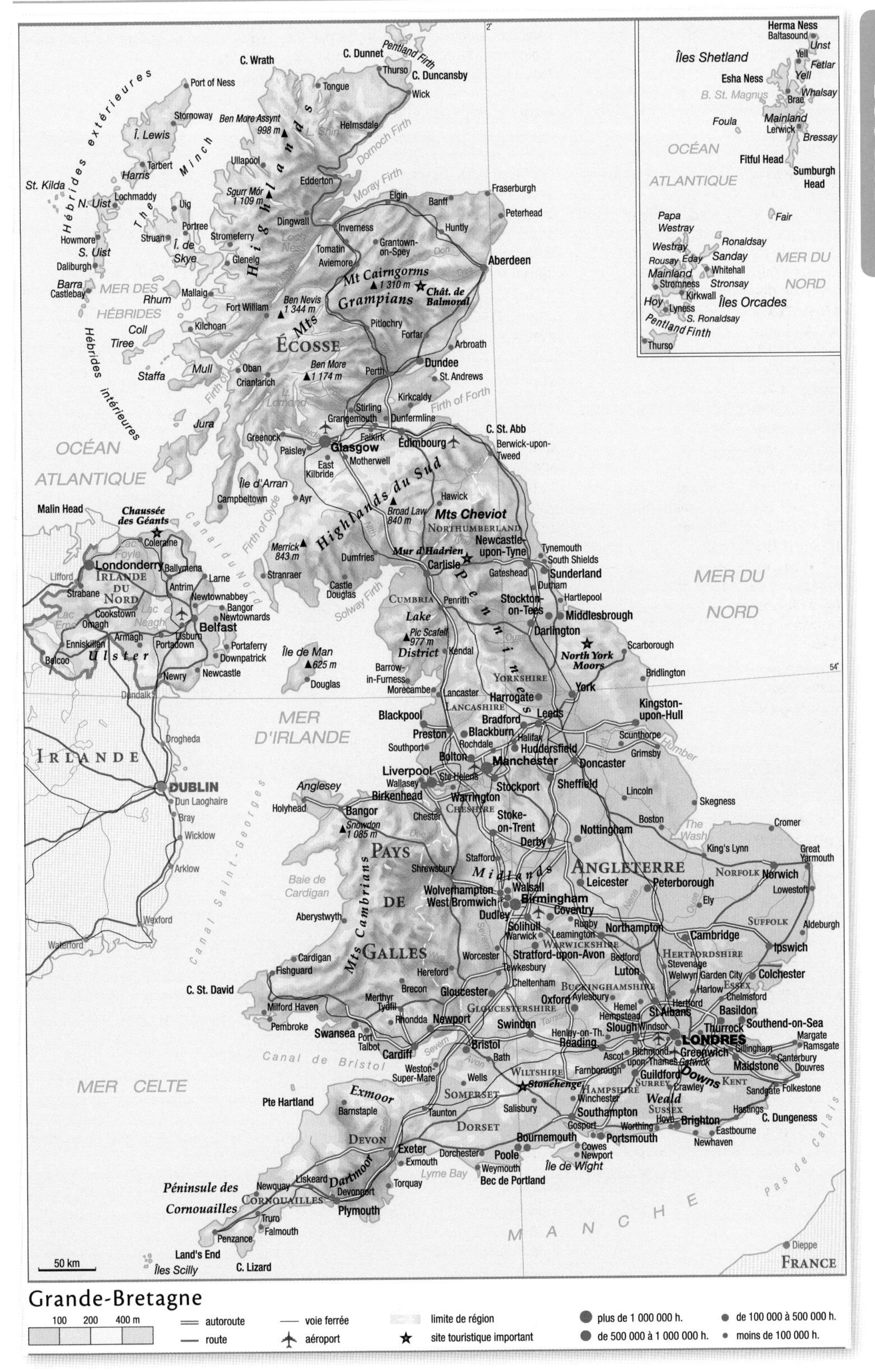
C. Wrath
C. Dunnet
Pentland Firth
Thurso
C. Duncansby
Wick
Tongue
Port of Ness
Stornoway
Ben More Assynt
998 m
Î. Lewis
Hébrides extérieures
The Minch
Highlands
L. Shin
Helmsdale
Dornoch Firth
Tarbert
Harris
Ullapool
St. Kilda
Edderton
Moray Firth
N. Uist
Lochmaddy
Sgurr Mór
1 109 m
Uig
Elgin
Banff
Fraserburgh
Peterhead
Portree
Dingwall
Howmore
Struan
Î. de Skye
Stromeferry
Inverness
Huntly
Grantown-on-Spey
S. Uist
Glenelg
Loch Ness
Tomatin
Aviemore
Aberdeen
Daliburgh
Barra
Castlebay
MER DES HÉBRIDES
Rhum
Mallaig
Mt Cairngorms
1 310 m
Grampians
Chât. de Balmoral
Fort William
Ben Nevis
1 344 m
Coll
Tiree
Kilchoan
Mts
Pitlochry
Forfar
Arbroath
Écosse
Dundee
Oban
Crianlarich
Ben More
1 174 m
Perth
St. Andrews
Staffa
Mull
Hébrides intérieures
Firth of Lorn
L. Lomond
Kirkcaldy
Firth of Forth
Stirling
Grangemouth
Dunfermline
Jura
Greenock
Falkirk
Glasgow
Paisley
Édimbourg
C. St. Abb
Berwick-upon-Tweed
Motherwell
East Kilbride
OCÉAN ATLANTIQUE
Highlands du Sud
Île d'Arran
Campbeltown
Ayr
Hawick
Broad Law
840 m
Mts Cheviot
Malin Head
Chaussée des Géants
Canal du Nord
Firth of Clyde
Northumberland
Coleraine
Lac Foyle
Merrick
843 m
Mur d'Hadrien
Newcastle-upon-Tyne
Tynemouth
South Shields
Londonderry
Ballymena
Dumfries
Carlisle
Gateshead
Sunderland
Lifford
Irlande du Nord
Larne
Stranraer
Pennines
Durham
Strabane
Antrim
Castle Douglas
Solway Firth
Newtownabbey
Bangor
Newtownards
Cumbria
Penrith
Stockton-on-Tees
Hartlepool
Middlesbrough
Lac Erne
Cookstown
Omagh
Lac Neagh
Lake District
Darlington
Belfast
Armagh
Lisburn
Portadown
Enniskillen
Portaferry
Downpatrick
Pic Scafell
977 m
Ulster
Île de Man
625 m
Kendal
North York Moors
Scarborough
Belcoo
Newry
Newcastle
Barrow-in-Furness
Yorkshire
Bridlington
Douglas
Morecambe
Dundalk
Lancaster
Harrogate
York
Lancashire
Kingston-upon-Hull
MER D'IRLANDE
Blackpool
Bradford
Leeds
Drogheda
Preston
Blackburn
Halifax
Scunthorpe
Humber
Southport
Rochdale
Huddersfield
Grimsby
Irlande
Bolton
Manchester
Doncaster
Liverpool
St Helens
Dublin
Wallasey
Anglesey
Stockport
Sheffield
Lincoln
Dun Laoghaire
Birkenhead
Warrington
Holyhead
Bangor
Cheshire
Skegness
Bray
Chester
Stoke-on-Trent
Snowdon
1 085 m
Boston
Wicklow
The Wash
Cromer
Nottingham
Derby
Pays de Galles
Stafford
King's Lynn
Great Yarmouth
Arklow
Shrewsbury
Midlands
Angleterre
Norfolk
Norwich
Baie de Cardigan
Leicester
Peterborough
Wolverhampton
Walsall
Lowestoft
West Bromwich
Birmingham
Ely
Dudley
Coventry
Aberystwyth
Mts Cambrians
Wexford
Solihull
Rugby
Northampton
Suffolk
Aldeburgh
Warwick
Leamington
Cambridge
Waterford
Warwickshire
Ipswich
Worcester
Stratford-upon-Avon
Bedford
Cardigan
Canal Saint-Georges
Hertfordshire
Fishguard
Tewkesbury
Stevenage
Hereford
Luton
Welwyn Garden City
Colchester
Essex
Cheltenham
Harlow
Buckinghamshire
Brecon
C. St. David
Gloucester
Chelmsford
Merthyr Tydfil
Aylesbury
Hertford
Oxford
Gloucestershire
Hemel Hempstead
St Albans
Basildon
Milford Haven
Rhondda
Newport
Swindon
Southend-on-Sea
Pembroke
Swansea
Port Talbot
Henley-on-Th.
Slough
Windsor
Thurrock
Margate
Reading
Londres
Cardiff
Bristol
Ascot
Richmond-upon-Thames
Greenwich
Gillingham
Ramsgate
Canal de Bristol
Bath
Maidstone
Canterbury
Weston-Super-Mare
Wiltshire
Farnborough
Gatwick
Douvres
MER CELTE
Wells
Guildford
Downs
Surrey
Crawley
Kent
Sandgate
Folkestone
Exmoor
Stonehenge
Hampshire
Pte Hartland
Somerset
Winchester
Weald
Barnstaple
Taunton
Salisbury
Southampton
Sussex
Hastings
C. Dungeness
Dorset
Worthing
Hove
Brighton
Gosport
Portsmouth
Eastbourne
Devon
Bournemouth
Newhaven
Exeter
Dorchester
Poole
Cowes
Newport
Exmouth
Lyme Bay
Weymouth
Île de Wight
Péninsule des Cornouailles
Newquay
Liskeard
Dartmoor
Devonport
Torquay
Bec de Portland
Pas de Calais
Cornouailles
Plymouth
MANCHE
Truro
Falmouth
Penzance
Dieppe
50 km
Land's End
Îles Scilly
C. Lizard
France
Herma Ness
Baltasound
Unst
Îles Shetland
Yell
Fetlar
Esha Ness
Yell
Whalsay
B. St. Magnus
Brae
Foula
Mainland
Lerwick
Bressay
OCÉAN ATLANTIQUE
Fitful Head
Sumburgh Head
Papa Westray
Fair
Westray
Ronaldsay
Rousay
Eday
Sanday
MER DU NORD
Mainland
Whitehall
Stromness
Stronsay
Kirkwall
Hoy
Lyness
Îles Orcades
S. Ronaldsay
Pentland Finth
Thurso
MER DU NORD
2°
54°
Grande-Bretagne
100
200
400 m
autoroute
route
voie ferrée
aéroport
limite de région
site touristique important
plus de 1 000 000 h.
de 500 000 à 1 000 000 h.
de 100 000 à 500 000 h.
moins de 100 000 h.

GRÈCE

Continentale, péninsulaire (Péloponnèse) et insulaire (îles Ioniennes, Cyclades, Sporades, Crète), la Grèce est un pays montagneux (2 917 m à l'Olympe), au relief fragmenté et à la faible étendue des bassins et des plaines. Le climat est méditerranéen dans le sud, dans les îles et sur l'ensemble du littoral, mais il se dégrade vers le nord, où les hivers peuvent être rudes.

Superficie : 131 957 km²
Population (2013) : 11 100 000 hab.
Capitale : Athènes 745 514 hab. (r. 2001), 3 413 990 hab. (e. 2011) dans l'agglomération
Nature de l'État et du régime politique : république à régime parlementaire
Chef de l'État : (président de la République) Károlos Papoúlias
Chef du gouvernement : (Premier ministre) Antónis Samarás
Organisation administrative : 13 régions administratives et la république monastique du mont Athos
Langue officielle : grec
Monnaie : euro

DÉMOGRAPHIE

- **Densité :** 84 hab./km²
- **Part de la population urbaine (2013) :** 73 %
- **Structure de la population par âge (2013) :** moins de 15 ans : 14 %, 15-65 ans : 67 %, plus de 65 ans : 19 %
- **Taux de natalité (2013) :** 9 ‰
- **Taux de mortalité (2013) :** 10 ‰
- **Taux de mortalité infantile (2013) :** 3,4 ‰
- **Espérance de vie (2013) :** hommes : 79 ans, femmes : 83 ans

La population est fortement urbanisée en raison du poids d'Athènes (qui concentre, avec son port, Le Pirée, un peu moins du tiers de la population totale du pays). Avec 800 000 habitants, Thessalonique, dans le Nord, est la deuxième ville du pays. Les autres grandes villes ont entre 100 000 et 200 000 habitants : Patras, dans le Péloponnèse ; Iráklion, en Crète ; Lárissa, dans le Centre. La population grecque se caractérise par son vieillissement : 19 % des Grecs ont plus de 65 ans.

ÉCONOMIE

- **PNB (2012) :** 250 milliards de dollars
- **PNB/hab. (2012) :** 23 260 dollars
- **PNB/hab. PPA (2012) :** 25 460 dollars internationaux
- **IDH (2012) :** 0,86
- **Taux de croissance annuelle du PIB (2012) :** – 6,4 %
- **Taux annuel d'inflation (2012) :** 1,5 %
- **Structure de la population active (2012) :** agriculture : 13 %, mines et industries : 16,7 %, services : 70,3 %
- **Structure du PIB (2009) :** agriculture : 3,1 %, mines et industries : 18,1 %, services : 79,3 %
- **Dette publique brute (2011) :** 107 % du PIB
- **Taux de chômage (2012) :** 24,2 %

L'ampleur de la crise grecque (2010) a révélé la situation catastrophique des finances publiques et le niveau d'endettement du pays, maquillés ou sous-estimés lors du passage à l'euro. Le sauvetage par le FMI et l'UE en 2010 ainsi que les investissements chinois ont accompagné un plan de restrictions budgétaires drastique (augmentation de la TVA, réforme des retraites, niches fiscales supprimées, taxes sur le tabac et l'alcool, etc.) qui n'a pas donné de résultats. Début 2013, après plusieurs plans d'austérité, la population est à l'agonie et l'économie est paralysée. Tous les indicateurs économiques sont à la baisse : construction, immobilier, automobile, équipements, commerce. Le chômage quant à lui a explosé (jusqu'à plus de 24 %). En accord avec l'Union européenne, début 2012, le pays a bénéficié d'un effacement de 100 milliards de sa dette privée afin de rétablir la dette à 120 % du PIB en 2020. Le PIB représente moins de 2 % de celui de l'Union et le commerce extérieur moins de 1 % ; ce dernier est déficitaire, y compris pour la filière agricole, à l'exception de certains produits comme l'huile d'olive. Les PME forment la base de l'économie et parmi les secteurs contribuant le plus à la richesse du pays figurent le transport maritime et le tourisme. Ils ne peuvent à eux seuls compenser la faiblesse de la structure productive, et par ailleurs la dépendance énergétique reste élevée malgré l'essor notable de la production d'énergies renouvelables. En 2013, l'économie s'est sensiblement rééquilibrée et le retour de la croissance se profile pour 2015. Le gouvernement a privatisé ses principales entreprises publiques (dont ses ports), vendu certaines de ses îles de la mer Égée, a réduit les salaires, mais la dette reste importante. Le chômage poursuit son inexorable progression malgré la diminution du coût du travail. Conséquence de la crise, l'économie souterraine (1/3 du PIB), incontrôlable, est en plein essor.

TOURISME

- **Recettes touristiques (2012) :** 14 984 millions de dollars

COMMERCE EXTÉRIEUR

- **Exportations de biens (2012) :** 28 088 millions de dollars
- **Importations de biens (2012) :** 79 781 millions de dollars

DÉFENSE

- **Forces armées (2011) :** 148 350 individus
- **Dépenses militaires (2012) :** 2,6 % du PIB

NIVEAU DE VIE

- **Nombre d'habitants pour un médecin (2011) :** 162
- **Apport journalier moyen en calories (2007) :** 3 725 (minimum FAO : 2 400)
- **Nombre d'automobiles pour 1 000 hab. (2011) :** 499
- **Téléphones portables (2012) :** 100 % de la population équipée

REPÈRES HISTORIQUES

La Grèce antique

VIIe millénaire : premiers établissements humains.
IIe millénaire : les Achéens s'installent dans la région.
2000 - 1500 : la Crète minoenne domine le monde égéen.
V. 1600 av. J.-C. : la civilisation mycénienne se développe.
IIe s. av. J.-C. : les invasions doriennes marquent le début du « Moyen Âge » grec.
VIIIe - VIe s. av. J.-C. : dans les cités, le régime oligarchique se substitue aux régimes monarchiques. L'expansion de la colonisation progresse vers l'Occident, le nord de l'Égée et la mer Noire.
490 - 479 : les guerres médiques opposent les Grecs et les Perses, qui doivent se retirer en Asie Mineure.
431 - 404 : la guerre du Péloponnèse oppose Athènes et Sparte, qui substitue son hégémonie à celle d'Athènes.
371 - 362 : Thèbes, victorieuse de Sparte, établit son hégémonie sur la Grèce continentale.
359 - 336 : Philippe II de Macédoine étend sa domination sur les cités grecques.
336 - 323 : Alexandre le Grand, maître de la Grèce, conquiert l'Empire perse.
323 - 168 : après le partage de l'empire d'Alexandre, la Grèce revient aux rois antigonides de Macédoine, en lutte contre Rome.
146 : vaincue par Rome, la Grèce devient une province romaine.

La Grèce byzantine

395 : la Grèce est intégrée à l'Empire d'Orient.
1204 : la quatrième croisade aboutit à la création de l'Empire latin de Constantinople, du royaume de Thessalonique, de la principauté d'Achaïe et de divers duchés.
XIVe - XVe s. : Vénitiens, Génois et Catalans se disputent la possession de la Grèce, tandis que les Ottomans occupent la Thrace, la Thessalie et la Macédoine.
1456 : les Ottomans conquièrent Athènes et le Péloponnèse.

La Grèce moderne

Le sentiment national se développe au XVIIIe s. en réaction contre la décadence turque et la volonté hégémonique de la

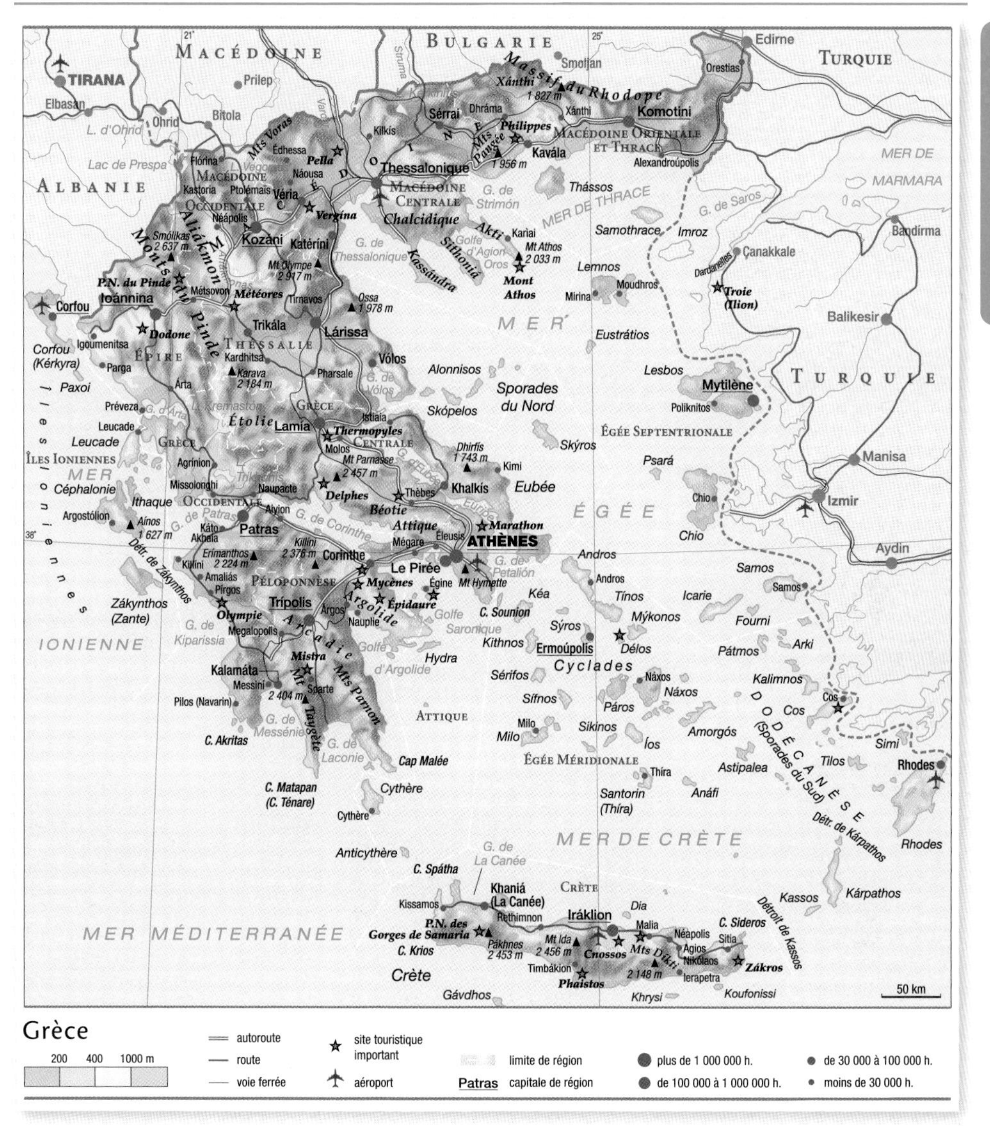

Russie de prendre sous sa protection tous les orthodoxes.

1827 - 1830 : la Grande-Bretagne, la France et la Russie soutiennent les Grecs contre les Ottomans et obtiennent la création d'un État grec indépendant sous leur protection (1830).

1863 - 1913 : Georges Ier tente de récupérer les régions peuplées de Grecs mais est défait par les Ottomans (1897).

1912 - 1913 : à l'issue des guerres balkaniques, la Grèce obtient la plus grande partie de la Macédoine, le sud de l'Épire, la Crète et les îles de Samos, Chio, Mytilène et Lemnos.

1917 : la Grèce entre en guerre aux côtés des Alliés.

1921 - 1922 : la guerre gréco-turque se solde par l'écrasement des Grecs.

1924 : la proclamation de la république instaure une période d'instabilité politique.

1940 - 1944 : la Grèce est occupée par les forces de l'Axe.

1946 - 1949 : la guerre civile oppose les forces gouvernementales aux communistes, qui échouent.

1952 : la Grèce est admise à l'OTAN.

1965 : l'affaire de Chypre provoque une crise intérieure grave.

1974 : fin du régime dictatorial des colonels, instauré en 1967.

1981 : la Grèce adhère à la CEE. Depuis cette date, socialistes (PASOK) et conservateurs (Nouvelle Démocratie) alternent au pouvoir.

À partir de 2010 : la Grèce est confrontée à une grave crise économique, financière et sociale.

HONGRIE

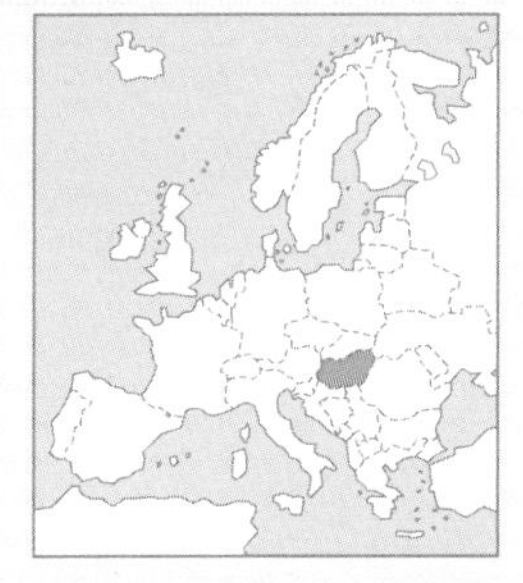

Entre Alpes et Carpates, la Hongrie est un pays danubien. Le fleuve y sépare la Grande Plaine, à l'est, l'Alföld, où la steppe pastorale (paysage de puszta) a presque disparu, et la moitié occidentale, la Transdanubie, plus accidentée, notamment par les monts Bakony, qui dominent le lac Balaton. Éloignée de l'océan, elle possède un climat continental, aux hivers assez rigoureux mais aux étés chauds.

Superficie : 93 032 km²
Population (2013) : 9 900 000 hab.
Capitale : Budapest 1 736 720 hab. (e. 2011)
Nature de l'État et du régime politique : république à régime parlementaire
Chef de l'État : (président de la République) János Áder
Chef du gouvernement : (Premier ministre) Viktor Orbán
Organisation administrative : 19 comitats, 22 municipalités et la capitale
Langue officielle : hongrois
Monnaie : forint

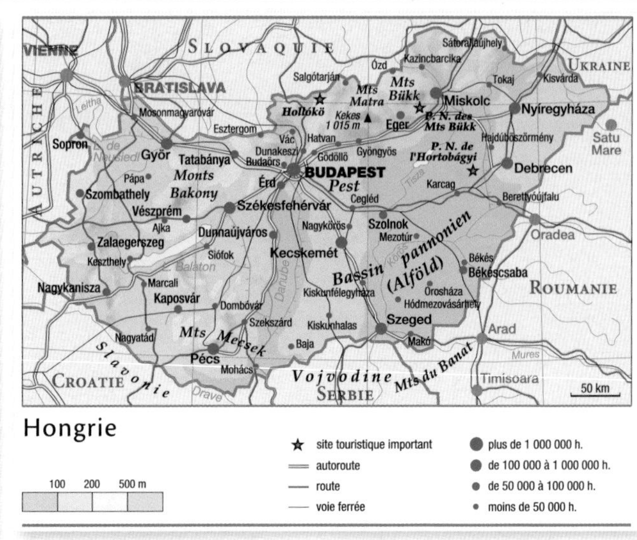

DÉMOGRAPHIE

- **Densité :** 106 hab./km²
- **Part de la population urbaine (2013) :** 69 %
- **Structure de la population par âge (2013) :** moins de 15 ans : 15 %, 15-65 ans : 68 %, plus de 65 ans : 17 %
- **Taux de natalité (2013) :** 9 ‰
- **Taux de mortalité (2013) :** 13 ‰
- **Taux de mortalité infantile (2013) :** 4,9 ‰
- **Espérance de vie (2013) :** hommes : 71 ans, femmes : 78 ans

L'agglomération de Budapest concentre le quart de la population totale du pays. Celui-ci se caractérise par un taux d'urbanisation moyen (69 %) et une lente décroissance, tenant à la conjonction de la chute du taux de natalité (9 ‰) et du vieillissement (taux de mortalité de 13 ‰). Les plus fortes densités de population se concentrent entre Budapest et Györ. Les autres grandes villes sont, dans le Sud, Pécs et Szeged, dans le Nord, Miskolc, et dans l'Est, Debrecen et Nyiregyháza.

ÉCONOMIE

- **PNB (2012) :** 118 milliards de dollars
- **PNB/hab. (2012) :** 12 380 dollars
- **PNB/hab. PPA (2012) :** 20 710 dollars internationaux
- **IDH (2012) :** 0,831
- **Taux de croissance annuelle du PIB (2012) :** – 1,7 %
- **Taux annuel d'inflation (2012) :** 5,7 %
- **Structure de la population active (2012) :** agriculture : 5,2 %, mines et industries : 29,8 %, services : 64,9 %
- **Structure du PIB (2010) :** agriculture : 3,5 %, mines et industries : 31 %, services : 65,4 %
- **Dette publique brute (2011) :** 82 % du PIB
- **Taux de chômage (2012) :** 10,9 %

Très dépendante de son commerce extérieur, la Hongrie a été touchée par la crise dans ses exportations (machines et matériels de transport), qui représentent environ 80 % du PIB. Sa balance commerciale est positive avec ses partenaires de l'UE, y compris avec l'Allemagne, premier partenaire devant l'Italie, l'Autriche, mais négative avec la Russie et la Chine. Touché par la crise de la dette de l'Union européenne, le pays a dû renforcer ses mesures d'austérité en créant des taxes supplémentaires (« taxes de crise ») pour les multinationales. Les réformes structurelles engagées par le gouvernement ont porté leurs fruits puisque en 2013, le pays est sorti de la récession et prévoit une croissance de 1,8 % en 2014.

TOURISME

- **Recettes touristiques (2012) :** 6 928 millions de dollars

COMMERCE EXTÉRIEUR

- **Exportations de biens (2012) :** 90 234 millions de dollars
- **Importations de biens (2012) :** 109 216 millions de dollars

DÉFENSE

- **Forces armées (2011) :** 38 500 individus
- **Dépenses militaires (2012) :** 0,8 % du PIB

NIVEAU DE VIE

- **Nombre d'habitants pour un médecin (2011) :** 293
- **Apport journalier moyen en calories (2007) :** 3 465 (minimum FAO : 2 400)
- **Nombre d'automobiles pour 1 000 hab. (2011) :** 298
- **Téléphones portables (2012) :** 100 % de la population équipée

REPÈRES HISTORIQUES

Des origines à Béla III

V. 500 av. J.-C. : la région est peuplée par des Illyriens et des Thraces.
35 av. J.-C. - 9 apr. J.-C. : elle est conquise par Rome.
IVe - VIe s. : elle est envahie par les Huns, les Ostrogoths, les Lombards, puis par les Avars.
896 : menés par Árpád, les Hongrois arrivent dans la plaine danubienne.
1172 - 1196 : sous Béla III, la Hongrie médiévale est à son apogée.

Les Habsbourg (1526 - 1918)

1526 : Ferdinand Ier de Habsbourg (1526-1564) est élu par la Diète roi de Hongrie.
1699 : les Habsbourg reconquièrent sur les Turcs la plaine hongroise perdue en 1540.
1703 - 1711 : à la suite de l'insurrection dirigée par Ferenc Rákóczi, l'Autriche reconnaît l'autonomie de l'État hongrois.
1848 : la révolution de Budapest, dirigée par Kossuth, est écrasée par les forces austro-russes.
1867 : grâce au compromis austro-hongrois, la Hongrie est à nouveau un État autonome.

La Hongrie depuis 1918

1918 : Károlyi proclame l'indépendance de la Hongrie.
1938 - 1945 : alliée aux puissances de l'Axe, entrée en guerre contre l'URSS (1941), la Hongrie est occupée par l'armée soviétique (1944 - 1945).
1949 : Rákosi proclame la république populaire hongroise et impose un régime stalinien.
Oct. - nov. 1956 : Imre Nagy, qui a amorcé la déstalinisation, proclame la neutralité du pays. Les troupes soviétiques brisent l'insurrection populaire.
1989 : le parti communiste ouvrier hongrois renonce à son rôle dirigeant.
1999 : la Hongrie est intégrée à l'OTAN.
2004 : elle adhère à l'Union européenne.

IRLANDE

L'Irlande, au climat doux et humide, est formée, à la périphérie, de hautes collines et de moyennes montagnes, et, au centre, d'une vaste plaine tourbeuse, parsemée de lacs, difficilement drainée par le Shannon.

Superficie : 70 273 km²
Population (2013) : 4 600 000 hab.
Capitale : Dublin 527 612 hab. (r. 2011), 1 120 870 hab. (e. 2011) dans l'agglomération
Nature de l'État et du régime politique : république à régime semi-présidentiel
Chef de l'État : (président de la République) Michael Daniel Higgins
Chef du gouvernement : (Premier ministre) Enda Kenny
Organisation administrative : 4 provinces
Langues officielles : anglais et gaélique
Monnaie : euro

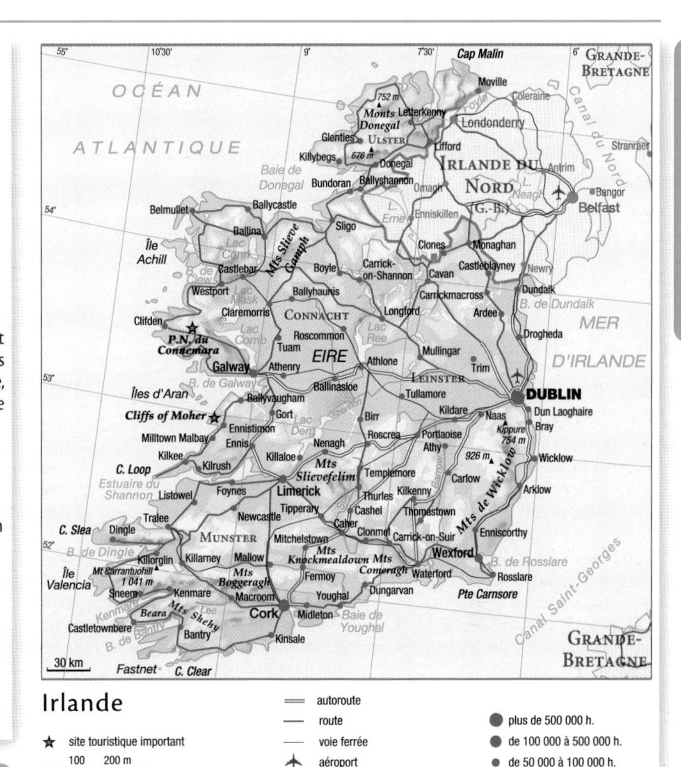

DÉMOGRAPHIE

- **Densité :** 65 hab./km²
- **Part de la population urbaine (2013) :** 60 %
- **Structure de la population par âge (2013) :** moins de 15 ans : 22 %, 15-65 ans : 66 %, plus de 65 ans : 12 %
- **Taux de natalité (2013) :** 16 ‰
- **Taux de mortalité (2013) :** 6 ‰
- **Taux de mortalité infantile (2013) :** 3,5 ‰
- **Espérance de vie (2013) :** hommes : 78 ans, femmes : 83 ans

La population est relativement peu dense (65 habitants au km²) et le taux d'urbanisation atteint à peine 60 %. Avec près du quart de la population totale du pays, Dublin, la capitale, demeure la principale ville, loin devant Cork (120 000 habitants), dans le sud de l'île. Après avoir été longtemps une terre d'émigration (c'est le seul pays du monde qui soit moins peuplé de nos jours qu'en 1841), l'Irlande est devenue un bassin de main-d'œuvre, notamment en provenance des pays de l'est de l'Europe, et la population augmente modérément. Certaines régions, comme le Connemara, dans le Nord-Ouest, sont presque vides.

ÉCONOMIE

- **PNB (2012) :** 172 milliards de dollars
- **PNB/hab. (2012) :** 39 110 dollars
- **PNB/hab. PPA (2012) :** 35 670 dollars internationaux
- **IDH (2012) :** 0,916
- **Taux de croissance annuelle du PIB (2012) :** 0,9 %
- **Taux annuel d'inflation (2012) :** 1,7 %
- **Structure de la population active (2012) :** agriculture : 4,7 %, mines et industries : 18,3 %, services : 76,9 %
- **Structure du PIB (2009) :** agriculture : 1 %, mines et industries : 32 %, services : 67 %
- **Dette publique brute (2011) :** 102 % du PIB
- **Taux de chômage (2012) :** 14,7 %

L'Irlande a connu un fort développement économique dans les années 1990, devenant une tête de pont vers l'Europe pour les entreprises américaines, japonaises et coréennes, notamment. Le niveau de ses exportations représente plus de 50 % de son PIB, l'Irlande dépendant en grande partie de son commerce extérieur, excédentaire. Elle a pour principaux partenaires les États-Unis (premier client), le Royaume-Uni (premier fournisseur), la Belgique, l'Allemagne, les Pays-Bas et la France. Après une très forte croissance – de 5 % à 10 % dans les années 1996 - 2006 –, fondée en grande partie sur les investissements étrangers et les services financiers, le « tigre celtique » a subi de plein fouet la crise de 2008 avec une récession précoce, l'éclatement de la bulle immobilière, une forte hausse du chômage et de la dette publique. Un plan drastique de restrictions budgétaires (baisse des salaires et des retraites dans le service public, hausse de l'impôt sur le revenu, diminution du salaire minimum et réduction des prestations sociales) a été ainsi adopté en 2010, et l'aide de l'UE et du FMI a été sollicitée. Depuis 2011, la croissance est revenue, l'économie s'est stabilisée, le déficit public a légèrement diminué et, en 2013, le plan de rigueur a fonctionné. Le chômage quant à lui a diminué, même s'il reste élevé (14,7 %). Cet équilibre est cependant fragile, il pourrait être anéanti si les exportations, très dépendantes des pays de l'Union européenne (pour 40 %), devaient chuter. L'Irlande a renfloué son système bancaire, et retrouvé la confiance des investisseurs mais l'économie intérieure est toujours en berne.

TOURISME

- **Recettes touristiques (2012) :** 9 629 millions de dollars

COMMERCE EXTÉRIEUR

- **Exportations de biens (2012) :** 119 321 millions de dollars
- **Importations de biens (2012) :** 176 954 millions de dollars

DÉFENSE

- **Forces armées (2011) :** 8 900 individus
- **Dépenses militaires (2012) :** 0,6 % du PIB

NIVEAU DE VIE

- **Nombre d'habitants pour un médecin (2011) :** 315
- **Apport journalier moyen en calories (2007) :** 3 612 (minimum FAO : 2 400)

- **Nombre d'automobiles pour 1 000 hab. (2010) :** 434
- **Téléphones portables (2012) :** 100 % de la population équipée

REPÈRES HISTORIQUES

Les origines

IVe s. av. J.-C. : une population celtique, les Gaëls, s'implante sur le sol irlandais. Les nombreux petits royaumes qui se fondent s'agrègent en cinq grandes unités politiques.

IIe s. apr. J.-C. : les rois de Connacht affirment leur prééminence.

432 - 461 : saint Patrick évangélise l'Irlande.

VIe - VIIe s. : les moines irlandais créent d'importantes abbayes sur le continent.

Fin du VIIe s. - début du XIe s. : l'Irlande est envahie par les Scandinaves.

1014 : l'expansion de ces derniers est stoppée par Brian Boru (victoire de Clontarf).

La domination anglaise

1175 : Henri II d'Angleterre impose sa souveraineté à l'Irlande.

1541 : Henri VIII prend le titre de roi d'Irlande. Sa réforme religieuse provoque la révolte des Irlandais, attachés à la foi catholique. Il réplique en redistribuant les terres irlandaises à des Anglais. Les confiscations se poursuivent sous Édouard VI et Élisabeth Ire.

XVIIe - XVIIIe s. : les Irlandais multiplient les révoltes en s'appuyant sur les adversaires de l'Angleterre : Espagnols et Français.

1649 : Oliver Cromwell mène une sanglante répression contre les Irlandais, qui ont pris le parti des Stuarts (massacre de Drogheda). Cette répression est suivie d'une spoliation générale des terres.

1690 : Jacques II est défait à la Boyne par Guillaume III. Le pays est désormais complètement dominé par l'aristocratie anglaise.

1796 - 1798 : les Irlandais se révoltent sous l'influence des révolutions américaine et française.

1800 : Pitt fait proclamer l'union de l'Irlande et de l'Angleterre.

1829 : Daniel O'Connell obtient l'émancipation des catholiques.

1846 - 1848 : une effroyable crise alimentaire (Grande Famine) plonge l'île dans la misère ; une énorme émigration (notamment vers les États-Unis) dépeuple le pays.

1902 : Arthur Griffith fonde le Sinn Féin, partisan de l'indépendance.

1916 : une insurrection nationaliste est durement réprimée.

L'Irlande indépendante

1921 : le traité de Londres donne naissance à l'État libre d'Irlande, membre du Commonwealth, et maintient le nord-est du pays au sein du Royaume-Uni (Irlande du Nord).

1922 : une véritable guerre civile oppose le gouvernement provisoire à ceux qui refusent la partition de l'Irlande.

1937 : une nouvelle Constitution est adoptée et l'Irlande prend le nom d'Éire.

1948 : l'Éire devient la république d'Irlande et rompt avec le Commonwealth.

1973 : l'Irlande entre dans la CEE.

1985 : un accord est signé entre Dublin et Londres sur la gestion des affaires de l'Irlande du Nord.

1993 - 1994 : le processus de paix en Irlande du Nord est relancé.

1999 : conformément à l'accord conclu en 1998, des institutions semi-autonomes sont mises en place en Irlande du Nord.

2009 : les Irlandais approuvent par référendum la ratification du traité (européen) de Lisbonne, repoussée une première fois en 2008.

ISLANDE

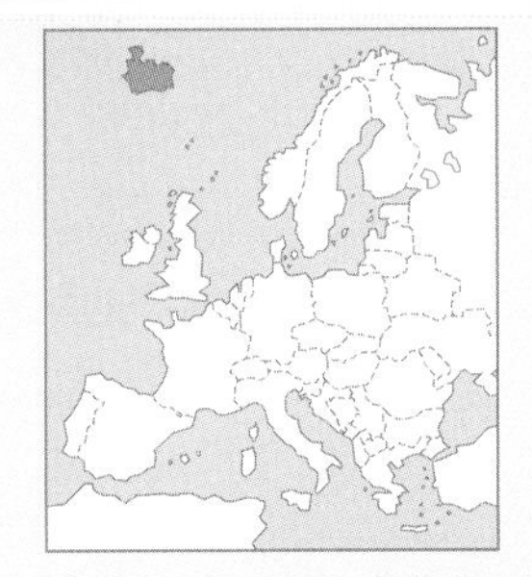

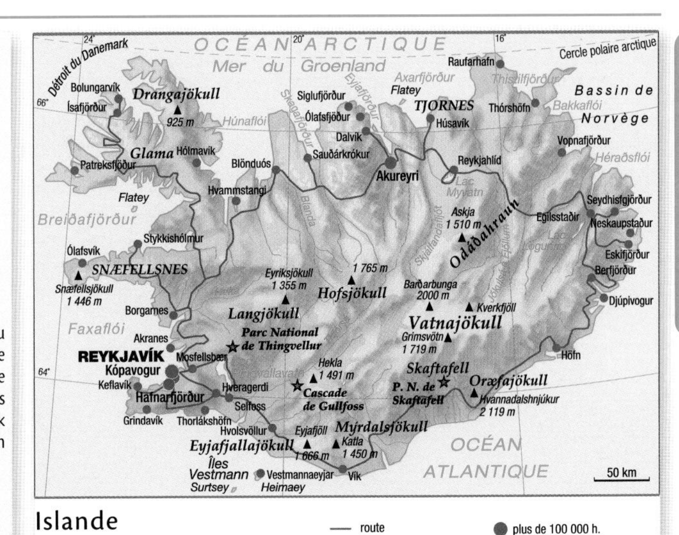

Pays de glaciers (ils occupent le dixième du territoire) et de volcans, bordé par le cercle polaire, mais avec un climat plus humide que réellement froid, l'Islande vit de l'élevage des moutons et surtout de la pêche. Reykjavík regroupe plus de la moitié de la population totale.

Superficie : 103 000 km²
Population (2013) : 300 000 hab.
Capitale : Reykjavík 119 547 hab. (e. 2009), 206 297 hab. (e. 2011) dans l'agglomération
Nature de l'État et du régime politique : république à régime semi-présidentiel
Chef de l'État : (président de la République) Ólafur Ragnar Grímsson
Chef du gouvernement : (Premier ministre) Sigmundur Davíð Gunnlaugsson
Organisation administrative : 8 régions
Langue officielle : islandais
Monnaie : krona (couronne islandaise)

DÉMOGRAPHIE

- **Densité :** 3 hab./km²
- **Part de la population urbaine (2013) :** 95 %
- **Structure de la population par âge (2013) :** moins de 15 ans : 21 %, 15-65 ans : 66 %, plus de 65 ans : 13 %
- **Taux de natalité (2013) :** 14 ‰
- **Taux de mortalité (2013) :** 6 ‰
- **Taux de mortalité infantile (2013) :** 1,8 ‰
- **Espérance de vie (2013) :** hommes : 81 ans, femmes : 84 ans

La population, peu nombreuse, se concentre sur la côte méridionale, aux températures plus douces et où se situe la capitale, Reykjavík, qui regroupe plus de la moitié de la population totale du pays. L'espérance de vie à la naissance est parmi les plus élevées du monde (82 ans), tandis que le taux de mortalité infantile est très faible (1,8 %).

ÉCONOMIE

- **PNB (2012) :** 12 milliards de dollars
- **PNB/hab. (2012) :** 38 330 dollars
- **PNB/hab. PPA (2012) :** 33 480 dollars internationaux
- **IDH (2012) :** 0,906
- **Taux de croissance annuelle du PIB (2012) :** 1,4 %
- **Taux annuel d'inflation (2012) :** 5,2 %
- **Structure de la population active (2012) :** agriculture : 5,5 %, mines et industries : 18,2 %, services : 75,8 %
- **Structure du PIB (2009) :** agriculture : 7 %, mines et industries : 25 %, services : 68 %
- **Dette publique brute (2011) :** 119 % du PIB
- **Taux de chômage (2012) :** 6 %

La faillite en octobre 2008 puis le sauvetage, grâce à l'aide du FMI, des trois principales banques du pays ont mis en évidence le surdimensionnement de ce secteur par rapport au reste de l'économie (avec l'aluminium et les produits de la pêche, représentant 80 % des exportations). Les grands projets portent sur la production d'électricité (hydroélectricité, géothermie et énergie éolienne). En 2013, la croissance économique a atteint à 1,9 % et la baisse du chômage a été stupéfiante. Le tourisme est en pleine expansion.

TOURISME

- **Recettes touristiques (2012) :** 750 millions de dollars

COMMERCE EXTÉRIEUR

- **Exportations de biens (2012) :** 5 060 millions de dollars
- **Importations de biens (2012) :** 7 221 millions de dollars

DÉFENSE

- **Forces armées (2011) :** 180 individus
- **Dépenses militaires (2012) :** 0,1 % du PIB

NIVEAU DE VIE

- **Nombre d'habitants pour un médecin (2012) :** 289
- **Apport journalier moyen en calories (2007) :** 3 362 (minimum FAO : 2 400)
- **Nombre d'automobiles pour 1 000 hab. (2011) :** 644
- **Téléphones portables (2012) :** 100 % de la population équipée

REPÈRES HISTORIQUES

IXe s. : les Scandinaves commencent la colonisation de l'Islande.

930 : l'Althing, assemblée des hommes libres, est constituée.

1056 : le premier évêché autonome est créé.

1262 : Haakon IV de Norvège soumet l'île à son pouvoir.

1380 : l'Islande et la Norvège tombent sous l'autorité du Danemark.

1550 : Christian III impose la réforme luthérienne.

1602 : le monopole commercial est conféré aux Danois.

XVIIIe s. : la variole, des éruptions volcaniques et une terrible famine déciment la population.

1903 : l'île devient autonome.

1918 : elle est indépendante tout en conservant le même roi que le Danemark.

1944 : la République islandaise est proclamée.

1958 - 1961 : un conflit au sujet de la pêche (« guerre de la morue ») oppose l'Islande à la Grande-Bretagne.

2009 : fragilisée par une grave crise économique, l'Islande dépose une demande d'adhésion à l'Union européenne.

France
Allemagne
Munich
Lac de Constance
Bâle
Zurich
Liechtenstein
Vaduz
Innsbruck
Berne
Suisse
Lac de Neuchâtel
L. Léman
Col du Brenner
Salzbourg
Autriche
Vienne
Rép. tchèque
Slovaquie
Bratislava
Budapest
Lac Balaton
Hongrie
Pecs
Slovénie
Ljubljana
Zagreb
Croatie
Rijeka
Istrie
Bosnie-Herzégovine
Sarajevo
Dalmatie
Zadar
Split
Dubrovnik
Alpes Rhétiques
Alpes
C. du Splügen
C. du Stelvio
Trentin-Haut-Adige
Merano
Bolzano
Cortina d'Ampezzo
Alpes de l'Ortler
3 905 m Ortles
Bernina 4 049 m
Madonna di C.
3 342 m Marmolada
Dolomites
Frioul-Vénétie Julienne
Col de Tarvis
Udine
Gorizia
Trieste
G. de Trieste
Belluno
Pordenone
Trente
Feltre
Alpes Bergamasques
Sondrio
Lombardie
Col du Gd-St-Bernard
Tunnel du Simplon
Mt Blanc 4 810 m
Mt Cervin 4 478 m
Mt Rose 4 634 m
Pallanza
Stresa
Varese
Lecco
Côme
Bergame
Monza
Milan
Sesto
Val d'Aoste
Aoste
C. du Pt-St-Bernard
Gd Paradis 4 061 m
Col du Fréjus
Suse
Biella
Turbigo
Novare
Ivrée
Verceil
Piémont
Vigevano
Casale
Turin
Moncalieri
Alexandrie
Sestrières
3 841 m Mt Viso
Pignerol
Nichelino
Asti
Saluces
C. de Larche
Cuneo
Savone
Novi Ligure
Gênes
Gorgonzola
Brescia
Bardolino
Sirmione
Lodi
Sesto S. Giovanni
Crémone
Pavie
Plaisance
Vérone
Vicence
Vénétie
Padoue
Mestre
Venise
Murano
Trévise
Aquilée
G. de Venise
Lido
Chioggia
Villafranca di Verona
Mantoue
Este
Rovigo
Delta du Pô
Plaine du Pô
Ferrare
Lagune de Comacchio
Parme
Reggio nell'Emilia
Modène
Bologne
Émilie-Romagne
Imola
Ravenne
Faenza
Forli
Rimini
Cesena
St Marin
Pesaro
Ligurie
Rapallo
Riviera du Levant
Riviera du Ponant
Fr.
Monaco
G. de Gênes
Imperia
San Remo
Bordighera
Vintimille
Mer Ligurienne
La Spezia
Massa
Viareggio
Pistoia
Lucques
Prato
Fiesole
Pise
Florence
Livourne
Mts du Chianti
Toscane
S. Gemignano
Volterra
Sienne
Arezzo
Gubbio
Urbino
Fano
Marotta
Senigallia
Jesi
Ancône
Loretto
Macerata
Pérouse
Marches
Lac Trasimène
Ombrie
Assise
Chiusi
Mts Métallifères
Mt Amiata 1 734 m
Grosseto
Piombino
Portoferraio
Archipel Toscan
Île d'Elbe
Maremme
Orvieto
Terni
Foligno
Spolète
Ascoli Piceno
S. Benedetto del Tronto
Teramo
L. de Bolsena
Rieti
Abruzzes
Gran Sasso d'Italia
Pescara
Chieti
Viterbe
Tarquinia
Civitavecchia
Cité du Vatican
Latium
L'Aquila
Cerveteri Nécropoles
Rome
Fiumicino
Ostie
Tivoli
Frascati
Mentana
Avezzano
P. N. des Abruzzes
Subiaco
Anagni
Frosinone
Vasto
L. de Lesina
L. de Varano
Î. Tremiti
Gargano
S. Severo
Tavoliere
Molise
Mt Cassin
Campobasso
Manfredonia
Golfe de Manfredonia
Foggia
Barletta
Molfetta
Bari
Andria
Bitonto
Pouille
Monopoli
Martina Franca
Brindisi
Péninsule Salentine
Lecce
Otrante
Tarente
Golfe de Tarente
C. Santa Maria di Leuca
Anzio
Latina
Gaète
Golfe de Gaète
Capoue
Vésuve 1 281 m
Caserte
Bénévent
Herculanum
Avellino
Pompéi
Salerne
Pouzzoles
Îles Pontines
Î. d'Ischia
Naples
Portici
Torre del Greco
Torre Annunziata
Capri
Sorrente
Ravello
Amalfi
G. de Salerne
Paestum
Campanie
Potenza
Matera
Basilicate
Mt Pollino 2 271 m
Golfe de Policastro
Sybaris Copia
Rossano
Calabre
Cosenza
La Sila 1 929 m
Crotone
Nicastro-Sambiase
Golfe de Ste-Euphémie
Catanzaro
G. de Squillace
Vibo Valentia
Apennins calabrais
Aspromonte 1 956 m
Reggio di Calabria
Mer Ionienne
Mer Adriatique
Apennins
Corse
Bastia
Ajaccio
Î. de Montecristo
Bouches de Bonifacio
Île Caprera
Île Asinara
G. de l'Asinara
Costa Smeralda
Porto Torres
Sassari
Olbia
Alghero
Sardaigne
Nuoro
Oristano
G. d'Oristano
Gennargentu 1 834 m
Campidano
Cagliari
G. de Cagliari
Île S. Pietro
Île S. Antioco
C. Spartivento
Mer Tyrrhénienne
Î. d'Ustica
Stromboli
Îles Lipari
Î. Vulcano
Messine
Détroit de Messine
Palerme
Cefalù
Trapani
Erice
Monreale
Ségeste
Îles Égates
Marsala
Sélinonte
Mazara del Vallo
Sicile
Etna 3 345 m
Taormina
Acireale
Enna
Caltanissetta
Catane
Piazza Armerina
Augusta
Agrigente
Gela
Licata
Raguse
Syracuse
Modica
Avola
C. Passero
Mer Méditerranée
Détroit de Malte
Pantelleria
Malte
La Valette
Bizerte
C. Bon
Tunis
Annaba
Tunisie
Algérie
Italie
volcan
200 400 1000 2000 m
autoroute
route
voie ferrée
aéroport
site touristique important
limite de province
Milan capitale de région
Urbino chef-lieu de province
plus de 1 000 000 h.
de 500 000 à 1 000 000 h.
de 100 000 à 500 000 h.
moins de 100 000 h.

ITALIE

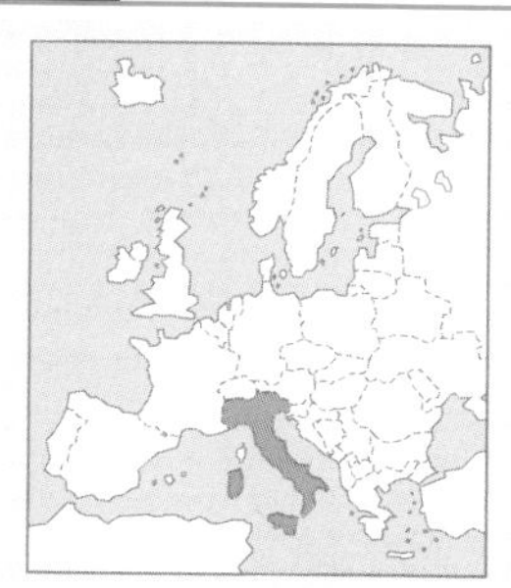

Étirée sur plus de 10° de latitude, l'Italie présente des paysages variés, avec prédominance des collines (42 % du territoire), devant la montagne (35 %) et la plaine (23%). Trois ensembles naturels se dégagent. Au nord, l'Italie possède le versant méridional de l'arc alpin, élevé mais coupé de nombreuses vallées. Il domine la plaine du Pô (50 000 km²), qui s'élargit vers l'Adriatique. Au sud enfin, de la Ligurie à la Calabre, l'Apennin forme l'ossature du pays; en Italie centrale, il est bordé de collines, de plateaux et de plaines alluviales. Le climat méditerranéen ne se manifeste véritablement que sur l'Italie centrale et méridionale (îles incluses), les Alpes ayant un climat plus rude, et la plaine du Pô, un climat à tendance continentale.

Superficie : 301 318 km²
Population (2013) : 59 800 000 hab.
Capitale : Rome 2 612 068 hab. (r. 2011), 3 298 300 hab. (e. 2011) dans l'agglomération
Nature de l'État et du régime politique : république à régime parlementaire
Chef de l'État : (président de la République) Giorgio Napolitano
Chef du gouvernement : (président du Conseil) Matteo Renzi
Organisation administrative : 20 régions
Langue officielle : italien
Monnaie : euro

DÉMOGRAPHIE

- **Densité :** 198 hab./km²
- **Part de la population urbaine (2013) :** 68 %
- **Structure de la population par âge (2013) :** moins de 15 ans : 14 %, 15-65 ans : 65 %, plus de 65 ans : 21 %
- **Taux de natalité (2013) :** 9 ‰
- **Taux de mortalité (2013) :** 10 ‰
- **Taux de mortalité infantile (2013) :** 3,2 ‰
- **Espérance de vie (2013) :** hommes : 79 ans, femmes : 85 ans

Avec près de 200 habitants au km², l'Italie est un pays densément peuplé. Sa population a subi des mutations importantes dans le dernier demi-siècle et son comportement démographique a rejoint celui des autres pays industrialisés : très faible natalité (9 ‰), un taux de mortalité atteignant 10 ‰, et surtout un taux de fécondité extrêmement bas, de 1,4 enfant par femme. De plus, la part de la population âgée de plus de 60 ans s'accroît. Par ailleurs, l'émigration a pratiquement cessé et, à l'inverse, un mouvement d'immigration se développe à partir de l'Afrique et pose localement certains problèmes. Les déplacements de population les plus significatifs ont lieu à l'intérieur même du pays, du sud vers le nord et des campagnes vers les villes et certaines régions (Rome, la Toscane et l'ensemble Milan-Turin-Gênes). Aujourd'hui, un peu plus des deux tiers de la population sont urbanisés. Le réseau urbain est dominé par trois villes qui dépassent le million d'habitants : Rome, la capitale politique, Milan, la capitale économique, et Naples, la grande ville du Mezzogiorno. Les autres villes principales sont Turin, Palerme, Gênes, Florence et Bologne. En même temps, la structure de la population active s'est sensiblement modifiée, avec un transfert du secteur primaire vers l'industrie (au moins initialement) et surtout vers les services.

ÉCONOMIE

- **PNB (2012) :** 2 002 milliards de dollars
- **PNB/hab. (2012) :** 33 860 dollars
- **PNB/hab. PPA (2012) :** 32 920 dollars internationaux
- **IDH (2012) :** 0,881
- **Taux de croissance annuelle du PIB (2012) :** – 2,5 %
- **Taux annuel d'inflation (2012) :** 3 %
- **Structure de la population active (2012) :** agriculture : 3,7 %, mines et industries : 27,8 %, services : 68,5 %
- **Structure du PIB (2010) :** agriculture : 1,9 %, mines et industries : 25,3 %, services : 72,8 %
- **Dette publique brute (2011) :** 111 % du PIB
- **Taux de chômage (2012) :** 10,7 %

Grand pays touristique et industriel, l'Italie est l'un des pays de l'UE ayant une dette publique qui dépasse la valeur de son PIB (environ 133 % en 2013) depuis le début des années 1990, et ce malgré la réforme de l'administration publique et la privatisation des entreprises industrielles d'État dans les années 1990. Fer de lance traditionnel de ses échanges, le secteur textile tient toujours une part importante dans les exportations du pays, avec la chimie, l'agroalimentaire, l'automobile, la métallurgie et les machines-outils. Cette industrie, basée sur la transformation, est une des plus importantes d'Europe. Si l'Italie bénéficie encore du dynamisme de ses PMI, elle reste encore marquée par l'écart historique – qui a pris désormais une dimension politique – entre les régions du Nord (Lombardie, Vénétie, Piémont) et le sud du pays où le taux de chômage est bien plus élevé que dans le nord et où l'économie est infiltrée par les mafias. Le secteur tertiaire, notamment le tourisme, est le fer de lance de l'économie. Il génère 75 % des recettes du PIB et emploie les deux tiers de la population active. La réponse prioritaire apportée à la crise est une réduction des dépenses publiques, le gel des salaires et des embauches dans la fonction publique et des restrictions budgétaires dans les domaines de la santé, des transports et de la politique sociale. Malgré deux plans de rigueur mis en place en 2011, le pays ne parvient pas à rassurer les marchés, d'autant que la production industrielle a diminué et que le chômage n'a jamais autant augmenté (10,7 % en 2012, 12,5 % en 2013). L'Italie peut toutefois compter sur une économie saine basée sur le faible endettement des ménages et la fiabilité de ses banques.

TOURISME

- **Recettes touristiques (2012) :** 45 368 millions de dollars

COMMERCE EXTÉRIEUR

- **Exportations de biens (2012) :** 478 932 millions de dollars
- **Importations de biens (2012) :** 584 971 millions de dollars

DÉFENSE

- **Forces armées (2011) :** 367 550 individus
- **Dépenses militaires (2012) :** 1,7 % du PIB

NIVEAU DE VIE

- **Nombre d'habitants pour un médecin (2011) :** 287
- **Apport journalier moyen en calories (2007) :** 3 646 (minimum FAO : 2 400)
- **Nombre d'automobiles pour 1 000 hab. (2011) :** 644
- **Téléphones portables (2012) :** 100 % de la population équipée

REPÈRES HISTORIQUES

L'Antiquité

L'Italie est peuplée dès le IIIe millénaire.

VIIIe s. av. J.-C. : les Étrusques s'installent entre Pô et Campanie ; les Grecs établissent des comptoirs sur les côtes méridionales.

IVe s. : les Celtes occupent la plaine du Pô.

IVe - IIe s. : Rome (fondée en 753, selon la légende) profite des dissensions entre ces différents peuples pour conquérir progressivement l'ensemble de la péninsule, en même temps que, après sa victoire sur Carthage, elle domine l'ensemble de la Méditerranée occidentale.

58 - 51 av. J.-C. : avec César, l'Italie devient maîtresse de la Gaule.

42 av. J.-C. : Octave incorpore la Gaule Cisalpine à l'Italie.

27 av. J.-C. - Ve s. apr. J.-C. : à partir d'Auguste, l'Italie est le centre d'un vaste empire. Le christianisme, introduit au Ier s., longtemps persécuté, triomphe au IVe s. à Rome, qui devient le siège de la papauté.

Le Moyen Âge

Ve s. : les invasions barbares réduisent l'empire d'Occident à l'Italie, qui n'est pas elle-même épargnée (sacs de Rome, 410 et 476).

VIe s. : l'Italie se développe autour de trois pôles : Milan, centre du royaume lombard ; Ravenne, sous domination byzantine ; le territoire pontifical, autour de Rome.

VIIIe s. : contre les progrès lombards, le pape fait appel aux Francs ; Charlemagne devient roi des Lombards (774), avant d'être couronné empereur (800).

ITALIE

Xe s. : le roi de Germanie Otton Ier est couronné empereur à Rome (962) et l'Italie est intégrée dans le Saint Empire romain germanique.

1075 - 1122 : la querelle des Investitures s'achève par la victoire de la papauté sur l'Empire.

1122 - 1250 : une nouvelle force se constitue, celle des cités (Pise, Gênes, Florence, Milan, Venise). Lorsque le conflit entre Rome et l'Empire rebondit, les cités se déchirent entre guelfes (partisans du pape) et gibelins (qui soutiennent l'empereur).

1309 - 1376 : la papauté doit quitter Rome pour Avignon ; elle est affaiblie par le Grand Schisme d'Occident (1378 - 1417).

XVe s. : une nouvelle puissance naît dans le Nord, le duché de Savoie ; les cités voient l'apogée de la Renaissance.

Du déclin du XVIe s. au Risorgimento

1494 - 1559 : les guerres d'Italie s'achèvent par l'établissement de la prépondérance espagnole sur la péninsule.

1713 : le pays passe sous la domination des Habsbourg d'Autriche.

1792 - 1799 : la France annexe la Savoie et Nice et occupe la république de Gênes.

1802 - 1804 : Bonaparte conquiert l'ensemble de la péninsule, et constitue le Nord en une « République italienne ».

1805 - 1814 : celle-ci, devenue royaume d'Italie, a pour souverain Napoléon ; le royaume de Naples est occupé en 1806.

1814 : la domination autrichienne est restaurée dans le Nord et le Centre.

1846 - 1849 : l'entreprise de libération nationale, le *Risorgimento*, échoue devant la résistance autrichienne ; mais le Piémont, avec Victor-Emmanuel II et son ministre Cavour, s'impose à sa tête, et obtient l'appui de la France.

1859 : les troupes franco-piémontaises sont victorieuses de l'Autriche.

1860 : la Savoie et Nice reviennent à la France. Des mouvements révolutionnaires, en Italie centrale et dans le royaume de Naples conquis par Garibaldi, aboutissent à l'union de ces régions avec le Piémont.

1861 : le royaume d'Italie est proclamé, avec pour souverain Victor-Emmanuel II.

1866 : il s'agrandit de la Vénétie grâce à l'aide prussienne.

Du royaume d'Italie à nos jours

1900 : Victor-Emmanuel III accède au trône.

1915 - 1918 : l'Italie participe à la Première Guerre mondiale aux côtés des Alliés.

1922 : Mussolini est appelé au pouvoir par le roi après la « marche sur Rome » de ses Chemises noires. Il instaure un régime fasciste.

1929 : accords du Latran.

1935 - 1936 : conquête de l'Éthiopie.

1943 : Mussolini, qui était entré en guerre aux côtés de l'Allemagne en 1940, se réfugie dans le Nord où il constitue la république de Salo ; il est arrêté et fusillé en 1945.

1944 : Victor-Emmanuel III abdique.

1946 : la république est proclamée.

1958 : l'Italie entre dans la CEE.

1958 - 1968 : les démocrates-chrétiens sont les auteurs d'un « miracle » économique.

1976 - 1979 : le « compromis historique » réunit démocrates-chrétiens et communistes au pouvoir.

1992 : la révision des institutions et la lutte contre la Mafia et la corruption deviennent les principaux enjeux politiques (opération « mains propres »).

Depuis 1994 : des coalitions de droite et de centre gauche alternent au pouvoir.

les régions

région	superficie (en km²)	population*	capitale ou chef-lieu	provinces
Abruzzes	10 798	1 307 199	L'Aquila	4 (L'Aquila, Chieti, Pescara et Teramo).
Aoste (Val d')	3 263	126 982	Aoste	
Basilicate	9 992	579 251	Potenza	2 (Matera et Potenza).
Calabre	15 080	1 956 830	Catanzaro	5 (Catanzaro, Cosenza, Crotone, Reggio di Calabria et Vibo Valentia).
Campanie	13 595	5 748 555	Naples	5 (Avellino, Bénévent, Caserte, Naples et Salerne).
Émilie-Romagne	22 124	4 352 794	Bologne	8 (Bologne, Ferrare, Forli, Modène, Parme, Plaisance, Ravenne et Reggio nell'Emilia).
Frioul-Vénétie Julienne	7 855	1 220 078	Trieste	4 (Gorizia, Trieste, Udine et Pordenone).
Latium	17 203	5 499 537	Rome	5 (Frosinone, Latina, Rieti, Rome et Viterbe).
Ligurie	5 421	1 577 439	Gênes	4 (Gênes, Imperia, Savone et La Spezia).
Lombardie	23 850	9 719 520	Milan	9 (Bergame, Brescia, Côme, Crémone, Mantoue, Milan, Pavie, Sondrio et Varèse).
Marches	9 694	1 542 156	Ancône	4 (Pesaro et Urbino, Ancône, Macerata et Ascoli Piceno).
Molise	4 438	314 560	Campobasso	2 (Campobasso et Isernia).
Ombrie	8 456	888 482	Pérouse	2 (Pérouse et Terni).
Piémont	25 399	4 367 394	Turin	6 (Alexandrie, Asti, Cuneo, Novare, Turin et Verceil).
Pouille	19 362	4 050 817	Bari	5 (Bari, Brindisi, Foggia, Lecce et Tarente).
Sardaigne	24 090	1 642 528	Cagliari	4 (Cagliari, Nuoro, Oristano et Sassari).
Sicile	25 708	4 999 164	Palerme	9 (Agrigente, Caltanisetta, Catane, Enna, Messine, Palerme, Raguse, Syracuse et Trapani).
Toscane	22 997	3 673 457	Florence	9 (Arezzo, Florence, Grosseto, Livourne, Lucques, Massa e Carrare, Pise, Pistoia et Sienne).
Trentin-Haut-Adige	13 607	1 031 577	Trente	2 (Trente et Bolzano).
Vénétie	18 391	4 866 324	Venise	7 (Belluno, Padoue, Rovigo, Trévise, Venise, Vérone et Vicence).

* recensement de 2011.

KOSOVO

Le Kosovo est en grande partie un pays montagneux (Prokletije, Sar Planima) avec des sommets atteignant plus de 2 500 m (Daravica 2 656 m). Le territoire comprend également les bassins tectoniques du Kosovo au sens strict (Kosovo Polje) et de la Metohija.

Superficie : 10 908 km²
Population (2013) : 1 800 000 hab.
Capitale : Pristina 145 149 hab. (r. 2011)
Nature de l'État et du régime politique : république à régime parlementaire
Chef de l'État : (président de la République) Atifete Jahjaga
Chef du gouvernement : (Premier ministre) Hashim Thaçi
Langues officielles : monténégrin, albanais et serbe
Monnaie : euro

Kosovo

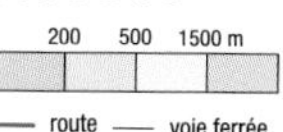

DÉMOGRAPHIE

- **Densité :** 165 hab./km²
- **Part de la population urbaine (2013) :** 38 %
- **Structure de la population par âge (2013) :** moins de 15 ans : 28 %, 15-65 ans : 65 %, plus de 65 ans : 7 %
- **Taux de natalité (2013) :** 14 ‰
- **Taux de mortalité (2013) :** 4 ‰
- **Taux de mortalité infantile (2013) :** 10 ‰
- **Espérance de vie (2013) :** hommes : 67 ans, femmes : 71 ans

La population d'origine albanaise, en grande partie musulmane, représente 85 % de la population totale du Kosovo, avec un taux élevé de fécondité. Le pays se remet peu à peu de la guerre de 1999, qui a vu tour à tour la moitié des Albanais puis de nombreux Serbes contraints à l'exil. Les principales villes sont Pristina, la capitale, et Prizren, dans le Sud. Les moins de 15 ans représentent plus du quart de la population totale.

ÉCONOMIE

- **PNB (2012) :** 6 milliards de dollars
- **PNB/hab. (2012) :** 3 600 dollars
- **PNB/hab. PPA :** n.d.
- **IDH :** n.d.
- **Taux de croissance annuelle du PIB (2012) :** 2,7 %
- **Taux annuel d'inflation (2012) :** 2,5 %
- **Structure de la population active (2012) :** agriculture : 4,6 %, mines et industries : 28,4 %, services : 67,1 %
- **Structure du PIB (2012) :** agriculture : 14 %, mines et industries : 19,5 %, services : 66,5 %
- **Dette publique brute :** n.d.
- **Taux de chômage (2012) :** 30,9 %

Depuis son indépendance, le Kosovo a bénéficié de l'aide financière internationale, des envois de fonds de sa diaspora et d'une augmentation des investissements privés et publics qui ont permis une croissance modérée. Si 45 % de sa population vit en dessous du seuil de pauvreté et si 35 % de la population active est au chômage, ses ressources minières (lignite, plomb, nickel, zinc...) et son agriculture sont des atouts potentiels pour son développement futur, entravés, cependant, par de mauvaises infrastructures, une importante économie informelle et un niveau de corruption inquiétant. Le défi du pays est aujourd'hui de réformer les bases de son économie.

TOURISME

- **Recettes touristiques :** n.d.

COMMERCE EXTÉRIEUR

- **Exportations de biens (2012) :** 362 millions de dollars
- **Importations de biens (2012) :** 3 730 millions de dollars

DÉFENSE

- **Forces armées (2008) :** 1 000 individus
- **Dépenses militaires :** n.d.

NIVEAU DE VIE

- **Nombre d'habitants pour un médecin :** n.d.
- **Apport journalier moyen en calories :** n.d.
- **Nombre d'automobiles pour 1 000 hab. :** n.d.
- **Téléphones portables :** n.d.

REPÈRES HISTORIQUES

À partir du XIIe s. : la région fait partie de la Serbie.

1389 - 1912 : sous domination ottomane, elle est peuplée en majorité de Turcs et d'Albanais convertis à l'islam.

1912 - 1913 : le Kosovo est reconquis par la Serbie, à laquelle il est intégré.

1945 - 1946 : il est doté du statut de province autonome.

1990 : confronté à la montée du nationalisme serbe, et à la réduction en 1989, de son autonomie, il se proclame République du Kosovo et milite pour son indépendance.

1999 : en réponse à la répression serbe au Kosovo, l'OTAN intervient militairement en Yougoslavie. Le Kosovo est placé sous administration civile internationale.

2008 : après l'échec de discussions avec la Serbie sur le statut de la province, l'indépendance sous supervision internationale est unilatéralement proclamée.

2012 : le Kosovo accède à la pleine souveraineté (fin de la supervision internationale).

LETTONIE

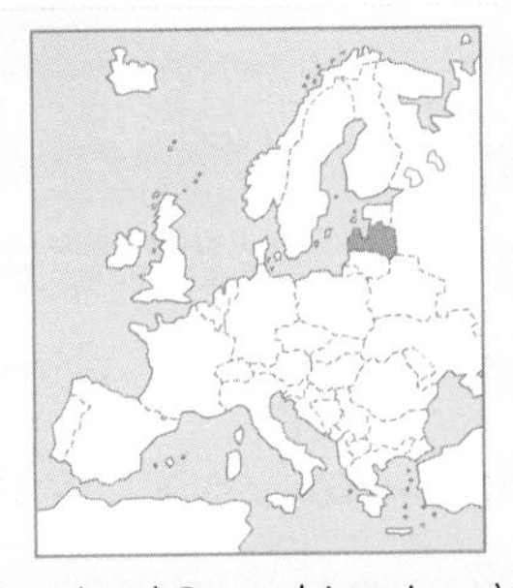

Traversée par le Daugava, la Lettonie possède un relief faiblement accidenté et largement couvert de forêts ou d'herbages, sous un climat humide et frais.

Superficie : 64 600 km²
Population (2013) : 2 000 000 hab.
Capitale : Riga 701 135 hab. (e. 2011)
Nature de l'État et du régime politique : république à régime parlementaire
Chef de l'État : (président de la République) Andris Berzinš
Chef du gouvernement : (Premier ministre) Laimdota Straujuma
Organisation administrative : 26 districts et 7 municipalités
Langue officielle : letton
Monnaie : lats letton

Lettonie

★ site touristique important

100 200 m

autoroute
route
voie ferrée
aéroport

plus de 500 000 h.
de 100 000 à 500 000 h.
de 50 000 à 100 000 h.
moins de 50 000 h.

DÉMOGRAPHIE

- **Densité :** 31 hab./km²
- **Part de la population urbaine (2013) :** 68 %
- **Structure de la population par âge (2013) :** moins de 15 ans : 14 %, 15-65 ans : 67 %, plus de 65 ans : 19 %
- **Taux de natalité (2013) :** 10 ‰
- **Taux de mortalité (2013) :** 14 ‰
- **Taux de mortalité infantile (2013) :** 6,3 ‰
- **Espérance de vie (2013) :** hommes : 69 ans, femmes : 79 ans

La densité moyenne est faible (31 habitants au km²) et la population a commencé à décroître, en raison d'un taux de mortalité (14 ‰) sensiblement supérieur au taux de natalité (10 ‰). Le pays est peuplé pour moitié de Lettons d'origine et pour un tiers de Russes d'origine. Près de 70 % de la population réside dans des villes, dont environ le tiers à Riga (700 000 habitants), la capitale et l'un des grands ports de la Baltique. Avec ses 100 000 habitants, Daugavpils est la grande ville du sud du pays.

ÉCONOMIE

- **PNB (2012) :** 28 milliards de dollars
- **PNB/hab. (2012) :** 14 120 dollars
- **PNB/hab. PPA (2012) :** 21 920 dollars internationaux
- **IDH (2012) :** 0,814
- **Taux de croissance annuelle du PIB (2012) :** 5 %
- **Taux annuel d'inflation (2012) :** 2,3 %
- **Structure de la population active (2012) :** agriculture : 8,4 %, mines et industries : 23,5 %, services : 68,1 %
- **Structure du PIB (2010) :** agriculture : 4,1 %, mines et industries : 21,8 %, services : 74,1 %
- **Dette publique brute (2011) :** 42 % du PIB
- **Taux de chômage (2012) :** 14,9 %

Après une très forte croissance depuis 1995 (jusqu'à 12 % en 2006), tirée par la demande intérieure et les aides de l'UE, la Lettonie a plongé dans une récession brutale en 2008 - 2009 (– 18 %), due notamment à une explosion du crédit. Secourue par le FMI et l'UE depuis décembre 2008, et avec l'aide de la Banque mondiale, elle applique désormais un programme de stabilisation impliquant de sévères restrictions budgétaires en vue de son entrée dans la zone euro en 2014. En 2013, le taux de croissance a été positif grâce à la consommation inrérieure. L'économie se redresse (+ 5 % en 2012, + 4 % en 2013) avec une production industrielle (agroalimentaire, textile, construction, produits pharmaceutiques, scieries et métallurgie) et un trafic portuaire en hausse. Le pays a également réussi à réduire sa dette publique à environ 42 % du PIB. Le chômage est en baisse malgré un taux encore élevé (11,4 % en 2013 contre 14,9 % en 2012).

TOURISME

- **Recettes touristiques (2012) :** 1 098 millions de dollars

COMMERCE EXTÉRIEUR

- **Exportations de biens (2012) :** 12 346 millions de dollars
- **Importations de biens (2012) :** 18 282 millions de dollars

DÉFENSE

- **Forces armées (2011) :** 5 350 individus
- **Dépenses militaires (2012) :** 0,9 % du PIB

NIVEAU DE VIE

- **Nombre d'habitants pour un médecin (2011) :** 345
- **Apport journalier moyen en calories (2007) :** 2 962 (minimum FAO : 2 400)
- **Nombre d'automobiles pour 1 000 hab. (2011) :** 284
- **Téléphones portables (2012) :** 100 % de la population équipée

REPÈRES HISTORIQUES

Au début de l'ère chrétienne, des peuples du groupe finno-ougrien et du groupe balte s'établissent dans la région.

Début du XIIIe s. - 1561 : les chevaliers Teutoniques et Porte-Glaive fusionnent (1237) pour former l'ordre livonien. Celui-ci gouverne et christianise le pays.

1561 : la Livonie est annexée par la Pologne, et la Courlande érigée en duché sous suzeraineté polonaise.

1795 : après le troisième partage de la Pologne, la totalité du pays est intégrée à l'Empire russe.

1918 : la Lettonie proclame son indépendance.

1920 : celle-ci est reconnue par la Russie soviétique au traité de Riga.

1940 : conformément au pacte germano-soviétique, la Lettonie est annexée par l'URSS.

1941 - 1944 : occupation par l'Allemagne.

1944 : la Lettonie redevient république soviétique.

1991 : l'indépendance restaurée est reconnue par la communauté internationale.

1994 : les troupes russes achèvent leur retrait du pays.

2004 : la Lettonie adhère à l'OTAN et à l'Union européenne.

LIECHTENSTEIN

L'extrémité alpestre du Vorarlberg (2 500 m) domine la plaine du Rhin, élargie seulement au nord.

Superficie : 160 km²
Population (2013) : 40 000 hab.
Capitale : Vaduz 5 225 hab. (e. 2011)
Nature de l'État et du régime politique : monarchie constitutionnelle à régime parlementaire
Chef de l'État : (prince) Hans-Adam II
Chef du gouvernement : Adrian Hasler
Organisation administrative : 11 communes
Langue officielle : allemand
Monnaie : franc suisse

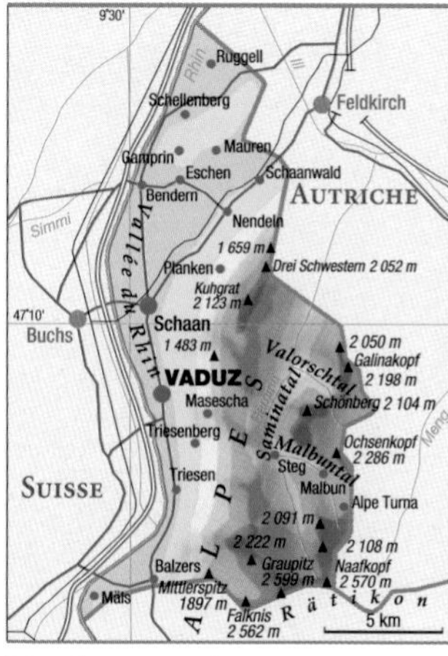

Liechtenstein

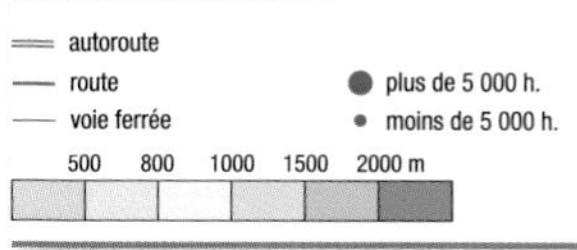

DÉMOGRAPHIE

- **Densité :** 250 hab./km²
- **Part de la population urbaine (2013) :** 15 %
- **Structure de la population par âge (2013) :** moins de 15 ans : 16 %, 15-65 ans : 70 %, plus de 65 ans : 14 %
- **Taux de natalité (2013) :** 10 ‰
- **Taux de mortalité (2013) :** 6 ‰
- **Taux de mortalité infantile (2013) :** 1,6 ‰
- **Espérance de vie (2013) :** hommes : 79 ans, femmes : 84 ans

Ce très petit pays, l'un des micro-États d'Europe, ne compte que 40 000 habitants. Le tiers d'entre eux sont des étrangers, souvent employés dans les nombreuses holdings que compte ce paradis fiscal. Vaduz, la capitale, regroupe un peu plus de 5 000 habitants. Le reste de la population, qui est principalement de langue allemande et de religion catholique, est dispersé dans des villages ou des maisons isolées.

ÉCONOMIE

- **PNB (2009) :** 4 milliards de dollars
- **PNB/hab. (2009) :** 137 070 dollars
- **PNB/hab. PPA :** n.d.
- **IDH (2012) :** 0,883
- **Taux de croissance annuelle du PIB (2005) :** 1,2 %
- **Taux annuel d'inflation (2003) :** 0,6 %
- **Structure de la population active (2003) :** agriculture : 1,2 %, mines et industries : 45,3 %, services : 53,5 %
- **Structure du PIB (2005) :** agriculture : 7 %, mines et industries : 40 %, services : 53 %
- **Dette publique brute :** n.d.
- **Taux de chômage (2003) :** 2,3 %

Ce micro-État, qui a l'un des PIB par habitant les plus élevés du monde, est riche surtout par les capitaux étrangers qu'il accueillait : un scandale politico-financier en Allemagne l'a incité à signer en 2009 un accord avec l'OCDE, ce qui lui a permis d'être retiré de la liste des paradis fiscaux non coopératifs quant à la transparence et l'échange effectif de renseignements en matière fiscale.

En 2013, la décision de mettre fin au secret bancaire a été officialisée. En outre, le pays a mis en place des mesures visant à protéger son économie ; il appartient à l'Espace économique européen (EEE) assurant la libre circulation de marchandises, de capitaux, de services et de personnes. D'autre part, ses relations avec la Suisse sont très étroites puisque le Lichtenstein a adopté le franc suisse comme monnaie officielle et qu'il peut s'appuyer sur l'Union douanière qui lie les deux pays depuis 1923.

TOURISME

- **Recettes touristiques :** n.d.

COMMERCE EXTÉRIEUR

- **Exportations de biens :** n.d.
- **Importations de biens :** n.d.

DÉFENSE

- **Forces armées :** n.d.
- **Dépenses militaires :** n.d.

NIVEAU DE VIE

- **Nombre d'habitants pour un médecin :** n.d.
- **Apport journalier moyen en calories :** n.d.
- **Nombre d'automobiles pour 1 000 hab. (2011) :** 750
- **Téléphones portables (2012) :** 100 % de la population équipée

REPÈRES HISTORIQUES

1719 : constitué par la réunion des seigneuries de Vaduz et de Schellenberg, le Liechtenstein est érigé en principauté.

1806 - 1813 : il entre dans la Confédération du Rhin.

1815 - 1866 : il est rattaché à la Confédération germanique.

1921 : le pays est doté d'une Constitution démocratique.

1923 : il est lié économiquement à la Suisse (Union douanière et financière).

1990 : le Liechtenstein devient membre de l'ONU.

LITUANIE

Le plus grand et le plus peuplé des États baltes a, contrairement à ses voisins, longtemps eu une vocation continentale. Bocager et boisé, il occupe une région de collines morainiques parsemée de lacs et de petites plaines.

Superficie : 65 200 km²
Population (2013) : 3 000 000 hab.
Capitale : Vilnius 538 968 hab. (r. 2011)
Nature de l'État et du régime politique : république à régime semi-présidentiel
Chef de l'État : (présidente de la République) Dalia Grybauskaite
Chef du gouvernement : (Premier ministre) Algirdas Butkevicius
Organisation administrative : 10 régions
Langue officielle : lituanien
Monnaie : litas lituanien

DÉMOGRAPHIE

- **Densité :** 46 hab./km²
- **Part de la population urbaine (2013) :** 67 %
- **Structure de la population par âge (2013) :** moins de 15 ans : 15 %, 15-65 ans : 67 %, plus de 65 ans : 18 %
- **Taux de natalité (2013) :** 10 ‰
- **Taux de mortalité (2013) :** 14 ‰
- **Taux de mortalité infantile (2013) :** 3,9 ‰
- **Espérance de vie (2013) :** hommes : 68 ans, femmes : 79 ans

La population du plus grand des pays Baltes est en diminution. Elle est composée à 80 % de Lituaniens d'origine, la proportion de Russes d'origine étant de 10 %. Les deux tiers de la population résident dans des villes. Vilnius, la capitale, Kaunas, centre industriel, et Klaipėda, port sur la Baltique, dominent le réseau urbain.

ÉCONOMIE

- **PNB (2012) :** 41 milliards de dollars
- **PNB/hab. (2012) :** 13 830 dollars
- **PNB/hab. PPA (2012) :** 23 560 dollars internationaux
- **IDH (2012) :** 0,818
- **Taux de croissance annuelle du PIB (2012) :** 3,7 %
- **Taux annuel d'inflation (2012) :** 3,1 %
- **Structure de la population active (2012) :** agriculture : 8,9 %, mines et industries : 24,8 %, services : 65,9 %
- **Structure du PIB (2010) :** agriculture : 3,5 %, mines et industries : 28,2 %, services : 68,3 %
- **Dette publique brute (2011) :** 44 % du PIB
- **Taux de chômage (2012) :** 13,2 %

La modernisation du pays se mesure notamment par la contribution des services au PIB (près de 70 %) axés sur les communications et les technologies de l'importation. La Russie reste son premier partenaire commercial (importation d'hydrocarbures). Après une forte croissance tirée par la demande intérieure et les aides de l'UE, le pays a durement ressenti la crise de 2008 mais a renoué avec la croissance depuis 2011 (3,8 % en 2013) grâce à la reprise des exportations, du secteur industriel et du BTP. Après une succession de mesures d'austérité entreprises en 2009 et 2010, la consommation des ménages et les investissements sont toujours à la hausse depuis 2011 tandis que le chômage continue de baisser. Le pays espère entrer dans la zone euro à l'horizon 2015.

TOURISME

- **Recettes touristiques (2012) :** 1 417 millions de dollars

COMMERCE EXTÉRIEUR

- **Exportations de biens (2012) :** 28 771 millions de dollars
- **Importations de biens (2012) :** 35 383 millions de dollars

DÉFENSE

- **Forces armées (2011) :** 23 350 individus
- **Dépenses militaires (2012) :** 1 % du PIB

NIVEAU DE VIE

- **Nombre d'habitants pour un médecin (2011) :** 275
- **Apport journalier moyen en calories (2007) :** 3 436 (minimum FAO : 2 400)
- **Nombre d'automobiles pour 1 000 hab. (2011) :** 515
- **Téléphones portables (2012) :** 100 % de la population équipée

REPÈRES HISTORIQUES

Ve s. environ : des tribus balto-slaves de la région s'organisent pour lutter contre les invasions scandinaves.

V. 1240 : Mindaugas fonde le grand-duché de Lituanie.

Seconde moitié du XIIIe s. - XIVe s. : cet État combat les chevaliers Teutoniques et étend sa domination sur les principautés russes du Sud-Ouest.

1385 - 1386 : la Lituanie s'allie à la Pologne ; le grand-duc de Jagellon devient roi de Pologne sous le nom de Ladislas II (1386 - 1434).

1392 - 1430 : sous Vytautas, qui règne sur le grand-duché sous la suzeraineté de son cousin Ladislas II, la Lituanie s'étend jusqu'à la mer Noire.

1569 : l'Union de Lublin crée l'État polono-lituanien.

1795 : la majeure partie du pays est annexée par l'Empire russe.

1915 - 1918 : la Lituanie est occupée par les Allemands.

1918 : elle proclame son indépendance.

1920 : la Russie soviétique la reconnaît.

1940 : conformément au pacte germano-soviétique, la Lituanie est annexée par l'URSS.

1941 - 1944 : occupation par l'Allemagne.

1944 : la Lituanie redevient une république soviétique.

1991 : l'indépendance, proclamée en 1990, est reconnue par la communauté internationale.

1993 : les troupes russes achèvent leur retrait du pays.

2004 : la Lituanie adhère à l'OTAN et à l'Union européenne.

LUXEMBOURG

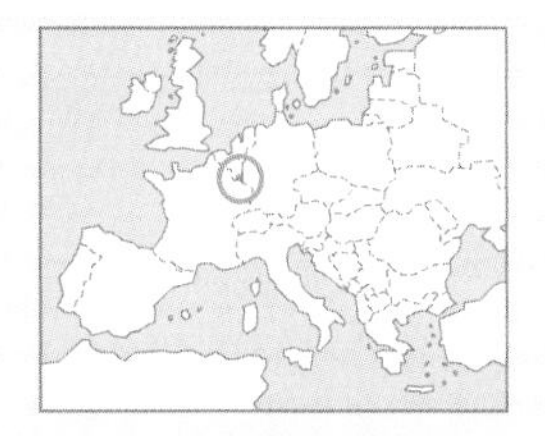

La région septentrionale (Ösling) appartient au plateau ardennais, souvent forestier, entaillé par des vallées encaissées (Sûre) et dont la mise en valeur est limitée par des conditions naturelles défavorables. Elle s'oppose au Sud (Gutland), prolongement de la Lorraine, où la fertilité des sols et un climat moins rude ont favorisé l'essor d'une agriculture variée et de l'élevage bovin.

Superficie : 2 586 km²
Population (2013) : 500 000 hab.
Capitale : Luxembourg 95 058 hab. (r. 2011)
Nature de l'État et du régime politique : monarchie constitutionnelle à régime parlementaire
Chef de l'État : (grand-duc) Henri
Chef du gouvernement : (Premier ministre) Xavier Bettel
Organisation administrative : 3 districts
Langues officielles : luxembourgeois, allemand et français
Monnaie : euro

Luxembourg

200 500 m — autoroute — route — limite de district — voie ferrée — aéroport — plus de 50 000 h. — de 10 000 à 50 000 h. — moins de 10 000 h.

DÉMOGRAPHIE

- **Densité :** 193 hab./km²
- **Part de la population urbaine (2013) :** 83 %
- **Structure de la population par âge (2013) :** moins de 15 ans : 17 %, 15-65 ans : 69 %, plus de 65 ans : 14 %
- **Taux de natalité (2013) :** 11 ‰
- **Taux de mortalité (2013) :** 7 ‰
- **Taux de mortalité infantile (2013) :** 3,4 ‰
- **Espérance de vie (2013) :** hommes : 78 ans, femmes : 83 ans

La population, stagnante, se concentre surtout dans le sud du pays et compte environ 35 % d'immigrés. Avec environ 95 000 habitants, la capitale, Luxembourg, est la seule grande ville. Plus de 100 000 frontaliers en provenance de France, de Belgique et d'Allemagne viennent travailler chaque jour dans le pays.

ÉCONOMIE

- **PNB (2012) :** 38 milliards de dollars
- **PNB/hab. (2012) :** 71 620 dollars
- **PNB/hab. PPA (2012) :** 60 160 dollars internationaux
- **IDH (2012) :** 0,875
- **Taux de croissance annuelle du PIB (2012) :** – 0,2 %
- **Taux annuel d'inflation (2012) :** 2,7 %
- **Structure de la population active (2012) :** agriculture : 1,3 %, mines et industries : 12,4 %, services : 84,1 %
- **Structure du PIB (2011) :** agriculture : 0,3 %, mines et industries : 13,8 %, services : 85,9 %
- **Dette publique brute (2011) :** 17 % du PIB
- **Taux de chômage (2012) :** 5,1 %

Première destination au sein de l'UE des investissements directs étrangers (plus de 50 % du PIB), le Luxembourg a basé son développement sur les services financiers. Le pays n'a pas échappé à la crise et le chômage et la dette sont des sujets préoccupants. Des réformes sociales (retraites) et fiscales sont indispensables.

TOURISME

- **Recettes touristiques (2012) :** 4 807 millions de dollars

COMMERCE EXTÉRIEUR

- **Exportations de biens (2012) :** 15 886 millions de dollars
- **Importations de biens (2012) :** 80 259 millions de dollars

DÉFENSE

- **Forces armées (2011) :** 1 510 individus
- **Dépenses militaires (2012) :** 0,6 % du PIB

NIVEAU DE VIE

- **Nombre d'habitants pour un médecin (2012) :** 360
- **Apport journalier moyen en calories (2007) :** 3 681 (minimum FAO : 2 400)
- **Nombre d'automobiles pour 1 000 hab. (2011) :** 665
- **Téléphones portables (2012) :** 100 % de la population équipée

REPÈRES HISTORIQUES

963 : issu du morcellement de la Lotharingie, le comté de Luxembourg est créé au sein du Saint Empire romain germanique.

1354 : Charles IV de Luxembourg érige le comté en duché de Luxembourg.

1441 : le Luxembourg passe à Philippe le Bon, duc de Bourgogne.

1506 : il devient possession des Habsbourg d'Espagne.

1714 : au traité de Rastatt, le Luxembourg est cédé à l'Autriche.

1795 : il est annexé par la France.

1815 : le congrès de Vienne en fait un grand-duché, lié à titre personnel au roi des Pays-Bas et membre de la Confédération germanique.

1831 : la moitié occidentale du grand-duché devient belge (province de Luxembourg).

1867 : le traité de Londres fait du Luxembourg un État neutre, sous la garantie des grandes puissances.

1890 : la couronne passe à la famille de Nassau.

1912 : la loi salique est abrogée et Marie-Adélaïde devient grande-duchesse.

1914 - 1918 : le Luxembourg est occupé par les Allemands.

1919 : Charlotte de Nassau devient grande-duchesse et donne une Constitution démocratique au pays.

1940 - 1944 : nouvelle occupation allemande.

1948 : le Luxembourg abandonne sa neutralité.

1958 : il entre dans la CEE.

1964 : Jean devient grand-duc.

2000 : il abdique en faveur de son fils Henri.

MACÉDOINE

En grande partie montagneuse, ouverte cependant par quelques bassins et vallées (dont celle du Vardar), la Macédoine associe élevage et cultures. Le pays souffre de son enclavement.

Superficie : 25 713 km²
Population (2013) : 2 100 000 hab.
Capitale : Skopje 499 026 hab. (e. 2011) dans l'agglomération
Nature de l'État et du régime politique : république à régime semi-présidentiel
Chef de l'État : (président de la République) Gjorge Ivanov
Chef du gouvernement : (Premier ministre) Nikola Gruevski
Organisation administrative : 123 municipalités
Langues officielles : macédonien et albanais
Monnaie : denar

DÉMOGRAPHIE

- **Densité :** 82 hab./km²
- **Part de la population urbaine (2013) :** 65 %
- **Structure de la population par âge (2013) :** moins de 15 ans : 17 %, 15-65 ans : 71 %, plus de 65 ans : 12 %
- **Taux de natalité (2013) :** 11 ‰
- **Taux de mortalité (2013) :** 10 ‰
- **Taux de mortalité infantile (2013) :** 10 ‰
- **Espérance de vie (2013) :** hommes : 73 ans, femmes : 77 ans

La population est composée principalement de Macédoniens d'origine (environ les deux tiers de la population totale), de confession orthodoxe, et d'une minorité d'Albanais d'origine, de confession musulmane. Elle se concentre dans la vallée du Vardar où Skopje, la capitale, regroupe un habitant sur quatre.

ÉCONOMIE

- **PNB (2012) :** 9 milliards de dollars
- **PNB/hab. (2012) :** 4 620 dollars
- **PNB/hab. PPA (2012) :** 11 540 dollars internationaux
- **IDH (2012) :** 0,74
- **Taux de croissance annuelle du PIB (2012) :** – 0,3 %
- **Taux annuel d'inflation (2012) :** 3,3 %
- **Structure de la population active (2012) :** agriculture : 17,3 %, mines et industries : 29,9 %, services : 52,8 %
- **Structure du PIB (2012) :** agriculture : 11,5 %, mines et industries : 26 %, services : 62,6 %
- **Dette publique brute :** n.d.
- **Taux de chômage (2012) :** 31 %

Dans le contexte d'une économie encore largement étatisée, l'accroissement de la demande intérieure, des investissements encouragés par l'État et les exportations (métallurgie, textile) ont permis une croissance soutenue à partir de 2002. Mais la contraction des échanges engendrée par la crise mondiale a entraîné une récession en 2008. Le gouvernement a lancé plusieurs réformes structurelles en vue de développer l'agriculture et les infrastructures. La politique de rigueur a permis de maîtriser le déficit budgétaire et de renouer avec la croissance en 2013 (2,1 %) grâce à la consommation intérieure et aux investissements. Le chômage reste très préoccupant (environ 30 %).

TOURISME

- **Recettes touristiques (2012) :** 250 millions de dollars

COMMERCE EXTÉRIEUR

- **Exportations de biens (2012) :** 2 960 millions de dollars
- **Importations de biens (2012) :** 7 304 millions de dollars

DÉFENSE

- **Forces armées (2011) :** 8 000 individus
- **Dépenses militaires (2012) :** 1,4 % du PIB

NIVEAU DE VIE

- **Nombre d'habitants pour un médecin (2011) :** 381
- **Apport journalier moyen en calories (2007) :** 3 105 (minimum FAO : 2 400)
- **Nombre d'automobiles pour 1 000 hab. (2010) :** 138
- **Téléphones portables (2012) :** 100 % de la population équipée

REPÈRES HISTORIQUES

VIIe - VIe s. av. J.-C. : les tribus de Macédoine sont unifiées.
356 - 336 : Philippe II porte le royaume à son apogée et impose son hégémonie à la Grèce.
336 - 323 : Alexandre le Grand conquiert l'Égypte et l'Orient.
323 - 276 : après sa mort, ses généraux (les diadoques) se disputent la Macédoine.
276 - 168 : les Antigonides règnent sur le pays.
168 : la victoire romaine de Pydna met un terme à l'indépendance macédonienne.
148 av. J.-C. : la Macédoine devient province romaine.
IVe s. apr. J.-C. : elle est rattachée à l'Empire romain d'Orient.
VIIe s. : les Slaves occupent la région.
IXe - XIVe s. : Byzantins, Bulgares et Serbes se disputent le pays.
1371 - 1912 : la Macédoine fait partie de l'Empire ottoman.
1912 - 1913 : la première guerre balkanique la libère des Turcs.
1913 : la question du partage de la Macédoine oppose la Serbie, la Grèce et la Bulgarie au cours de la seconde guerre balkanique.
1915 - 1918 : la région est le théâtre d'une campagne menée par les Alliés contre les forces austro-germano-bulgares.
1945 : la république fédérée de Macédoine est créée au sein de la Yougoslavie.
1991 : elle se déclare indépendante.
1993 : elle est admise à l'ONU sous le nom d'ex-république yougoslave de Macédoine.

MALTE

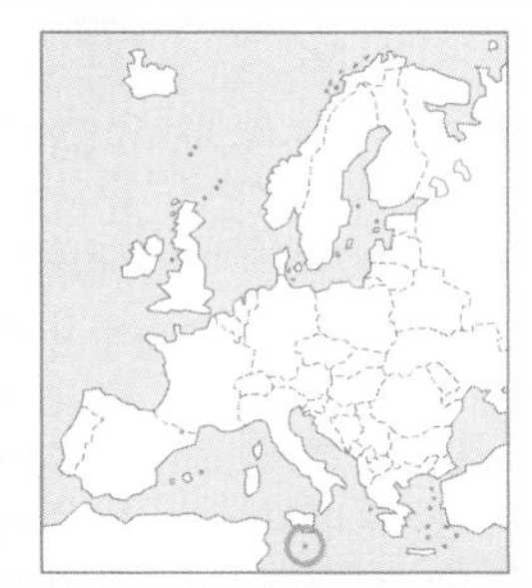

Situé au centre de la Méditerranée, l'archipel commande le bassin oriental de cette mer et constitue une position stratégique remarquable. L'île de Malte, formée de terrains calcaires, a un relief accidenté, mais peu élevé (258 m). Le climat doux, aux pluies d'hiver, permet des cultures variées.

Superficie : 316 km^2
Population (2013) : 400 000 hab.
Capitale : La Valette 5 784 hab. (r. 2011), 198 256 hab. (e. 2011) dans l'agglomération
Nature de l'État et du régime politique : république à régime parlementaire
Chef de l'État : (président de la République) George Abela
Chef du gouvernement : (Premier ministre) Joseph Muscat
Organisation administrative : pas de division
Langues officielles : maltais et anglais
Monnaie : euro

DÉMOGRAPHIE

- **Densité :** 1 266 hab./km^2
- **Part de la population urbaine (2013) :** 100 %
- **Structure de la population par âge (2013) :** moins de 15 ans : 15 %, 15-65 ans : 69 %, plus de 65 ans : 16 %
- **Taux de natalité (2013) :** 10 ‰
- **Taux de mortalité (2013) :** 8 ‰
- **Taux de mortalité infantile (2013) :** 6,3 ‰
- **Espérance de vie (2013) :** hommes : 79 ans, femmes : 83 ans

La population, principalement de confession orthodoxe, ne s'accroît plus. La densité totale, une des plus élevées du monde, dépasse les 1 200 habitants au km^2. La Valette, la capitale, forme avec Sliema et Hamrun une agglomération qui regroupe 40 % de la population totale du pays. L'espérance de vie des femmes à la naissance est parmi les plus élevées du monde (83 ans).

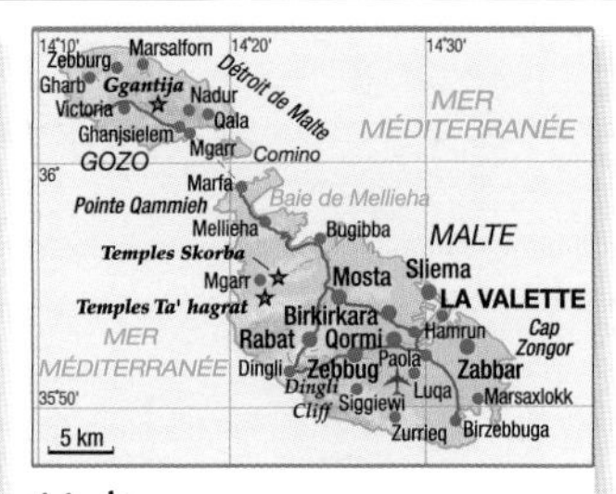

Malte

site touristique important

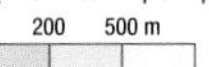

route
aéroport
plus de 10 000 h.
moins de 10 000 h.

ÉCONOMIE

- **PNB (2012) :** 8 milliards de dollars
- **PNB/hab. (2012) :** 19 760 dollars
- **PNB/hab. PPA (2012) :** 27 000 dollars internationaux
- **IDH (2012) :** 0,847
- **Taux de croissance annuelle du PIB (2012) :** 1 %
- **Taux annuel d'inflation (2012) :** 2,4 %
- **Structure de la population active (2012) :** agriculture : 1 %, mines et industries : 22,1 %, services : 76,4 %
- **Structure du PIB (2010) :** agriculture : 1,9 %, mines et industries : 32,7 %, services : 65,4 %
- **Dette publique brute (2011) :** 84 % du PIB
- **Taux de chômage (2012) :** 6,4 %

L'île a pleinement profité de son adhésion à l'UE (2004) avec une croissance soutenue de son PIB (3,6 % en moyenne) tirée par des services en expansion et les fonds structurels européens. Elle a bien résisté à la crise de 2008, alors qu'elle entrait dans la zone euro la même année. Les investissements étrangers et publics, la production industrielle (composants électroniques et médicaments), les services ainsi que le tourisme y ont contribué malgré leur forte dépendance à l'évolution des marchés internationaux. En 2011, la crise libyenne a eu des conséquences directes sur l'économie maltaise, les investisseurs libyens étant bien implantés dans le pays. Le commerce extérieur (60 % au sein de l'UE) demeure cependant déficitaire et la dette publique diminue mais reste importante (environ 72 % du PIB en 2013).

TOURISME

- **Recettes touristiques (2012) :** 1 480 millions de dollars

COMMERCE EXTÉRIEUR

- **Exportations de biens (2012) :** 4 094 millions de dollars
- **Importations de biens (2011) :** 8 269 millions de dollars

DÉFENSE

- **Forces armées (2011) :** 2 120 individus
- **Dépenses militaires (2012) :** 0,6 % du PIB

NIVEAU DE VIE

- **Nombre d'habitants pour un médecin (2012) :** 310
- **Apport journalier moyen en calories (2007) :** 3 611 (minimum FAO : 2 400)
- **Nombre d'automobiles pour 1 000 hab. (2011) :** 644
- **Téléphones portables (2012) :** 100 % de la population équipée

REPÈRES HISTORIQUES

IVe - IIe millénaire : Malte est le centre d'une civilisation mégalithique.

IXe s. av. J.-C. : l'île devient un poste phénicien. Elle est occupée ensuite par les Grecs (VIIIe s.) puis par les Carthaginois (VIe s.).

218 av. J.-C. : Malte est annexée par les Romains.

870 : l'île est occupée par les Arabes.

1090 : Roger Ier s'empare de Malte, dont le sort est lié au royaume de Sicile jusqu'au XVIe s.

1530 : Charles Quint cède l'île aux chevaliers de Saint-Jean de Jérusalem, à condition que ceux-ci s'opposent à l'avance ottomane.

1798 : Bonaparte occupe l'île.

1800 : la Grande-Bretagne en fait une base stratégique.

1940 - 1943 : Malte joue un rôle déterminant dans la guerre en Méditerranée.

1964 : l'île accède à l'indépendance, dans le cadre du Commonwealth.

1974 : Malte devient une république. La vie politique est dominée par l'alternance au pouvoir des travaillistes et des nationalistes.

2004 : Malte adhère à l'Union européenne.

 MOLDAVIE

La Moldavie présente un relief ondulé de collines et de plaines alluviales très fertiles, un climat doux et humide, des ressources en eau pour l'irrigation, conditions naturelles propices au développement de l'agriculture.

Superficie : 33 851 km²
Population (2013) : 4 100 000 hab.
Capitale : Chişinău 676 787 hab. (e. 2011) dans l'agglomération
Nature de l'État et du régime politique : république à régime semi-présidentiel
Chef de l'État : (président de la République) Nicolae Timofti
Chef du gouvernement : (Premier ministre) Iurie Leancă
Organisation administrative : 10 districts, 1 territoire autonome, 1 territoire et 1 municipalité
Langue officielle : moldave
Monnaie : leu moldave

 DÉMOGRAPHIE

- **Densité :** 121 hab./km²
- **Part de la population urbaine (2013) :** 42 %
- **Structure de la population par âge (2013) :** moins de 15 ans : 16 %, 15-65 ans : 74 %, plus de 65 ans : 10 %
- **Taux de natalité (2013) :** 11 ‰
- **Taux de mortalité (2013) :** 11 ‰
- **Taux de mortalité infantile (2013) :** 10 ‰
- **Espérance de vie (2013) :** hommes : 67 ans, femmes : 75 ans

Le nombre d'habitants diminue sensiblement depuis 1990. Le pays est peuplé pour deux tiers de roumanophones. Les minorités de langue ukrainienne, russe et turque (Gagaouzes) sont notablement représentées. Les campagnes sont densément peuplées. La population urbaine, minoritaire (42 %), est concentrée pour moitié dans les villes de Chişinău, la capitale, Bălţi, dans le Nord-Ouest, et Tiraspol et Tighina, en Transnistrie. L'espérance de vie à la naissance est une des plus faibles d'Europe (71 ans).

 ÉCONOMIE

- **PNB (2012) :** 8 milliards de dollars
- **PNB/hab. (2012) :** 2 070 dollars

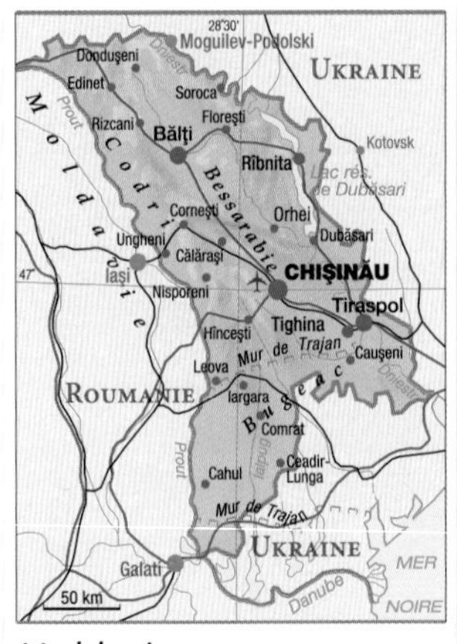

Moldavie
— route
— voie ferrée
aéroport
200 m
plus de 500 000 h.
de 100 000 à 500 000 h.
de 50 000 à 100 000 h.
moins de 50 000 h.

- **PNB/hab. PPA (2012) :** 3 630 dollars internationaux
- **IDH (2012) :** 0,66
- **Taux de croissance annuelle du PIB (2012) :** – 0,8 %
- **Taux annuel d'inflation (2012) :** 4,7 %
- **Structure de la population active (2012) :** agriculture : 26,4 %, mines et industries : 19,3 %, services : 54,3 %
- **Structure du PIB (2012) :** agriculture : 13,1 %, mines et industries : 16,8 %, services : 70,1 %
- **Dette publique brute (2011) :** 24 % du PIB
- **Taux de chômage (2012) :** 5,6 %

La Moldavie a connu après 1999 une diminution très sensible de la pauvreté après dix ans d'une crise due à l'écroulement de l'Union soviétique, suivie d'une forte croissance (7,7 % en 2008) soutenue par la consommation des ménages (dopée par les investissements étrangers) et les subventions de l'UE dans le cadre de la politique européenne de voisinage, à laquelle a succédé le partenariat oriental. Mais la crise internationale a plongé le pays dans la récession, minant les fondements de ce développement, pour l'essentiel les envois de fonds des travailleurs émigrés obligés de rentrer au pays (environ 31 % du PIB entre 2004 et 2008), qui avaient permis une augmentation importante de la demande intérieure. La croissance a cependant repris en 2010, s'est poursuivie en 2011 (7 % du PIB) et en 2013 (4 %) grâce à la production industrielle ; malgré une augmentation de la dette et du déficit budgétaire, cette économie en transition présente quelques atouts, parmi lesquels les zones franches créées pour attirer les investissements étrangers. L'économie moldave repose principalement sur l'agriculture et est tributaire de son voisin russe qui fixe les prix des hydrocarbures dont le pays est totalement dépourvu.
La Moldavie a conclu en 2013 un accord de libre-échange avec l'UE avant une prochaine intégration, ce qui lui permettrait d'affaiblir sa dépendance vis-à-vis de la Russie ; elle réalise environ 50 % de ses échanges commerciaux avec les membres de l'Union, Roumanie et Italie en particulier.

TOURISME

- **Recettes touristiques (2012) :** 262 millions de dollars

COMMERCE EXTÉRIEUR

- **Exportations de biens (2012) :** 1 697 millions de dollars
- **Importations de biens (2012) :** 6 119 millions de dollars

DÉFENSE

- **Forces armées (2011) :** 7 750 individus
- **Dépenses militaires (2012) :** 0,3 % du PIB

NIVEAU DE VIE

- **Nombre d'habitants pour un médecin (2012) :** 274
- **Apport journalier moyen en calories (2007) :** 2 771 (minimum FAO : 2 400)
- **Nombre d'automobiles pour 1 000 hab. (2011) :** 113
- **Téléphones portables (2012) :** 100 % de la population équipée

 REPÈRES HISTORIQUES

1538 : la Bessarabie, qui constitue la majeure partie de la Moldavie, est annexée par l'Empire ottoman.
1812 : elle est cédée à la Russie.
1918 : la Bessarabie est rattachée à la Roumanie.
1924 : les Soviétiques créent, sur la rive droite du Dniestr, la République autonome de Moldavie, rattachée à l'Ukraine.
1940 : conformément au pacte germano-soviétique, les Soviétiques annexent la Bessarabie, dont le sud est rattaché à l'Ukraine. Le reste de la Bessarabie et une partie de la République autonome de Moldavie forment, au sein de l'URSS, la République socialiste soviétique de Moldavie.
1941 - 1944 : celle-ci est occupée par la Roumanie alliée à l'Allemagne.
1991 : la Moldavie proclame son indépendance et adhère à la CEI.
1994 : l'éventualité d'un rattachement de la Moldavie à la Roumanie est rejetée par référendum. Une nouvelle Constitution prévoit un statut d'autonomie pour la Transnistrie et la minorité gagaouze.

MONACO

Monaco est un micro-État, dont le site, rocailleux, ne permet aucune forme d'exploitation agricole.

Superficie : 2 km²
Population (2013) : 40 000 hab.
Capitale : Monaco
Nature de l'État et du régime politique : monarchie constitutionnelle
Chef de l'État : (prince) Albert II
Chef du gouvernement : (ministre d'État) Michel Roger
Organisation administrative : pas de division
Langue officielle : français
Monnaie : euro

DÉMOGRAPHIE

- **Densité :** 20 000 hab./km²
- **Part de la population urbaine (2013) :** 100 %
- **Structure de la population par âge (2013) :** moins de 15 ans : 13 %, 15-65 ans : 63 %, plus de 65 ans : 24 %
- **Taux de natalité (2013) :** 6 ‰
- **Taux de mortalité (2013) :** 6 ‰
- **Taux de mortalité infantile (2010) :** 0 ‰
- **Espérance de vie :** hommes : n.d., femmes : n.d.

Formant un micro-État (ou une cité-État), composé d'une seule commune, Monaco est entièrement urbanisé. Les Français représentent près du tiers de sa population, qui compte aussi 20 % d'Italiens, les Monégasques étant à peine 20 %. L'espérance de vie à la naissance est l'une des plus élevées du monde.

ÉCONOMIE

- **PNB (2009) :** 6 milliards de dollars
- **PNB/hab. (2009) :** 183 150 dollars

Monaco — masse bâtie — monument — circuit du grand prix

- **PNB/hab. PPA :** n.d.
- **IDH :** n.d.
- **Taux de croissance annuelle du PIB :** n.d.
- **Taux annuel d'inflation :** n.d.
- **Structure de la population active :** agriculture : n.d., mines et industries : n.d., services : n.d.
- **Structure du PIB :** agriculture : n.d., mines et industries : n.d., services : n.d.
- **Dette publique brute :** n.d.
- **Taux de chômage :** n.d.

Comme les deux autres paradis fiscaux européens (Andorre et Liechtenstein), la principauté a accepté en 2009 de répondre aux exigences de l'OCDE en matière de transparence et de communication d'informations destinées à combattre la fraude fiscale et s'est engagée à signer des accords dans ce sens avec les gouvernements qui le souhaiteraient. Monaco n'a pas échappé à la crise mondiale. Les services financiers et le tourisme, piliers de l'économie nationale, mais aussi l'industrie du jeu, des cosmétiques, de la chimie et de la transformation de matières plastiques ont enregistré des résultats inférieurs à ceux des années précédentes. Par son PIB par habitant (estimé à plus de 200 000 dollars), le « Rocher » se situe au premier rang mondial du classement de la Banque mondiale.

TOURISME

- **Recettes touristiques :** n.d.

COMMERCE EXTÉRIEUR

- **Exportations de biens :** n.d.
- **Importations de biens :** n.d.

DÉFENSE

- **Forces armées :** n.d.
- **Dépenses militaires :** n.d.

NIVEAU DE VIE

- **Nombre d'habitants pour un médecin (2012) :** 142
- **Apport journalier moyen en calories :** n.d.
- **Nombre d'automobiles pour 1 000 hab. (2011) :** 732
- **Téléphones portables (2012) :** 94 % de la population équipée

REPÈRES HISTORIQUES

Colonie phénicienne dans l'Antiquité, la ville passe sous la domination de la colonie grecque de Marseille et prend le nom de Monoïkos.

1297 : elle échoit à la famille Grimaldi mais, enjeu des querelles génoises entre guelfes et gibelins, elle ne lui revient définitivement qu'en 1419.

1512 : la France reconnaît son indépendance.

1793 - 1814 : les Français annexent la principauté.

1815 - 1817 : le protectorat français est remplacé par celui de la Sardaigne.

1865 : Monaco se replace sous la protection de la France en signant avec elle l'union douanière.

1911 : un régime libéral y remplace l'absolutisme.

1949 : Rainier III devient prince de Monaco.

1962 : Rainier III libéralise encore la Constitution.

1993 : la principauté est admise à l'ONU.

2005 : à la mort de Rainier III, son fils lui succède sous le nom d'Albert II.

MONTÉNÉGRO

Le littoral, abrupt, très découpé et méditerranéen, s'étend sur environ 200 km entre la Croatie et l'Albanie. Essentiellement montagneux, le Monténégro est recouvert pour plus de la moitié par les forêts. Les montagnes, dont les plus hauts sommets avoisinent les 2 500 m, s'inscrivent dans l'ensemble des Alpes Dinariques. C'est dans les plaines dominées par les cultures méditerranéennes et où se sont établies les principales villes que se situe la plus grande partie de la population.

Superficie : 13 812 km²
Population (2013) : 600 000 hab.
Capitale : Podgorica 150 977 hab. (r. 2011)
Nature de l'État et du régime politique : république à régime parlementaire
Chef de l'État : (président) Filip Vujanović
Chef du gouvernement : (Premier ministre) Milo Djukanović
Langue officielle : monténégrin
Monnaie : euro

DÉMOGRAPHIE

- **Densité :** 43 hab./km²
- **Part de la population urbaine (2013) :** 64 %
- **Structure de la population par âge (2013) :** moins de 15 ans : 19 %, 15-65 ans : 68 %, plus de 65 ans : 13 %
- **Taux de natalité (2013) :** 12 ‰
- **Taux de mortalité (2013) :** 10 ‰
- **Taux de mortalité infantile (2013) :** 5,6 ‰
- **Espérance de vie (2013) :** hommes : 72 ans, femmes : 77 ans

Ce petit État des Balkans voit sa montagne se dépeupler et sa population se concentrer dans les grandes vallées du Sud-Est, où se situent les principales villes, dont Podgorica, la capitale (150 000 habitants dans l'agglomération), et les ports de Kotor et surtout de Bar. Niksić est la seule grande ville des bassins de l'intérieur. Les Monténégrins d'origine constituent moins de la moitié de la population totale, qui comprend un tiers de Serbes.

Monténégro

—	route	●	plus de 1 000 000 h.
—	voie ferrée	●	de 100 000 à 1 000 000 h.
★	site touristique important	●	de 50 000 à 100 000 h.
	200 500 1500 m	•	moins de 50 000 h.

ÉCONOMIE

- **PNB (2012) :** 4 milliards de dollars
- **PNB/hab. (2012) :** 7 220 dollars
- **PNB/hab. PPA (2012) :** 14 590 dollars internationaux
- **IDH (2012) :** 0,791
- **Taux de croissance annuelle du PIB (2012) :** – 0,5 %
- **Taux annuel d'inflation (2011) :** 3,2 %
- **Structure de la population active (2012) :** agriculture : 5,7 %, mines et industries : 18,1 %, services : 76,2 %
- **Structure du PIB (2012) :** agriculture : 10,1 %, mines et industries : 20,1 %, services : 69,8 %
- **Dette publique brute :** n.d.
- **Taux de chômage (2012) :** 19,6 %

Très sensible aux chocs extérieurs, l'économie a connu une récession de plus de 7 % à la suite de la crise de 2008, après une croissance très rapide depuis sa séparation de la Serbie (jusqu'à plus de 10 %). Cet essor était dû pour l'essentiel aux investissements étrangers, au tourisme, à l'immobilier et à la production d'aluminium (environ 40 % des exportations). La crise économique ayant provoqué une baisse du prix du métal, le Combinat d'aluminium de Podgorica a enregistré une forte baisse d'activité qui s'est soldée par une faillite en 2013. De plus, le crédit qui s'est brusquement tari (avec d'importants retraits) a plongé le pays dans une crise de liquidités. Appuyé par le FMI, le gouvernement a engagé des réformes structurelles en vue d'une adhésion à l'UE. Le tourisme, toujours en hausse, constitue un atout solide et devrait se développer grâce aux investissements russes portés essentiellement sur l'immobilier. En 2013, le pays a renoué avec la croissance (1,5 %).

TOURISME

- **Recettes touristiques (2012) :** 826 millions de dollars

COMMERCE EXTÉRIEUR

- **Exportations de biens (2012) :** 499 millions de dollars
- **Importations de biens (2011) :** 2 979 millions de dollars

DÉFENSE

- **Forces armées (2011) :** 12 180 individus
- **Dépenses militaires (2012) :** 1,9 % du PIB

NIVEAU DE VIE

- **Nombre d'habitants pour un médecin (2011) :** 494
- **Apport journalier moyen en calories (2007) :** 2 447 (minimum FAO : 2 400)
- **Nombre d'automobiles pour 1 000 hab. (2011) :** 262
- **Téléphones portables (2012) :** 100 % de la population équipée

REPÈRES HISTORIQUES

XIᵉ s. : la région, appelée Dioclée puis Zeta (actuel Monténégro), devient le centre d'un État.

1360 : inclus dans le royaume serbe aux XIIIᵉ - XIVᵉ s., le royaume de Zeta redevient indépendant.

1479 - 1878 : le Monténégro est sous domination ottomane.

1914 - 1918 : pendant la Première Guerre mondiale, le Monténégro se range aux côtés de la Serbie, avec laquelle il décide de s'unir, puis c'est l'intégration dans la Yougoslavie (voir Serbie).

1992 : la Serbie et le Monténégro créent la République fédérale de Yougoslavie.

2003 : la République fédérale de Yougoslavie prend le nom de Serbie-et-Monténégro.

2006 : l'union entre la Serbie et le Monténégro prend fin, ce dernier ayant choisi de recouvrer son indépendance (juin).

NORVÈGE

Occupant la partie occidentale de la péninsule scandinave, la Norvège, étirée sur plus de 1 500 km, est une région montagneuse (en dehors du Nord, où dominent les plateaux) et forestière.

Superficie : 323 877 km²
Population (2013) : 5 100 000 hab.
Capitale : Oslo 612 314 hab. (r. 2011), 915 386 hab. (e. 2011) dans l'agglomération
Nature de l'État et du régime politique : monarchie constitutionnelle à régime parlementaire
Chef de l'État : (roi) Harald V
Chef du gouvernement : (Premier ministre) Erna Solberg
Organisation administrative : 19 départements et 5 dépendances
Langue officielle : norvégien
Monnaie : krone (couronne norvégienne)

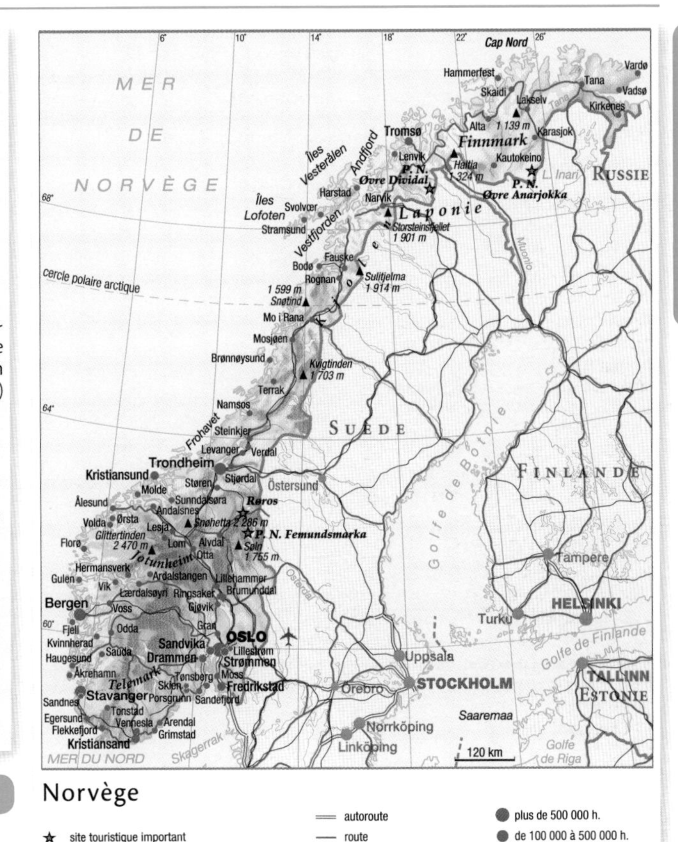

Norvège

DÉMOGRAPHIE

- **Densité :** 16 hab./km²
- **Part de la population urbaine (2013) :** 80 %
- **Structure de la population par âge (2013) :** moins de 15 ans : 18 %, 15-65 ans : 66 %, plus de 65 ans : 16 %
- **Taux de natalité (2013) :** 12 ‰
- **Taux de mortalité (2013) :** 8 ‰
- **Taux de mortalité infantile (2013) :** 2,4 ‰
- **Espérance de vie (2013) :** hommes : 79 ans, femmes : 83 ans

La densité moyenne, très faible, est limitée par la présence de montagnes dans un climat nordique. La population, urbanisée à 80 %, est concentrée dans le Sud et près du littoral, découpé de fjords, sur lesquels se sont installées les principales villes, Oslo, Bergen, Trondheim, Stavanger. Le pays est au tout premier rang mondial pour le développement humain et l'espérance de vie des femmes à la naissance est parmi les plus élevées du monde (83 ans).

ÉCONOMIE

- **PNB (2012) :** 510 milliards de dollars
- **PNB/hab. (2012) :** 98 860 dollars
- **PNB/hab. PPA (2012) :** 66 960 dollars internationaux
- **IDH (2012) :** 0,955
- **Taux de croissance annuelle du PIB (2012) :** 3,1 %
- **Taux annuel d'inflation (2012) :** 0,7 %
- **Structure de la population active (2012) :** agriculture : 2,2 %, mines et industries : 20,2 %, services : 77,4 %
- **Structure du PIB (2010) :** agriculture : 1,6 %, mines et industries : 39,9 %, services : 58,5 %
- **Dette publique brute (2011) :** 20 % du PIB
- **Taux de chômage (2012) :** 3,2 %

Malgré le ralentissement de sa croissance par rapport aux années 1990, la Norvège, la toute première puissance mondiale par son niveau de vie, a bien résisté au choc de la crise internationale de 2008. Fort de ses productions nationalisées en gaz (2e exportateur vers l'Europe et 3e mondial) et en pétrole (5e exportateur mondial), de ses autres ressources minières (aluminium, nickel, zinc, titane), le pays s'est développé sans difficulté à l'écart de l'UE, avec laquelle il réalise toutefois plus de 80 % de son commerce extérieur. La force de son économie s'appuie sur ses exportations dominées par les hydrocarbures (le pétrole représente la moitié des exportations et représente 1/5 de l'activité économique du pays), les produits de la pêche et de l'aquaculture, le transport maritime, les services financiers et l'équipement automobile. Soucieuse de développer ses exportations en dehors de l'Europe, la Norvège sait qu'elle pourra au besoin se tourner vers les pays émergents. Le pays, contrairement à ses voisins de l'UE, a été très peu affecté par la crise de 2011 ; la production pétrolière et la consommation intérieure sont en hausse tout comme le taux d'emploi. Le chômage ne touche que 3,2 % de la population active.

TOURISME

- **Recettes touristiques (2012) :** 6 399 millions de dollars

COMMERCE EXTÉRIEUR

- **Exportations de biens (2012) :** 165 999 millions de dollars
- **Importations de biens (2012) :** 137 307 millions de dollars

DÉFENSE

- **Forces armées (2011) :** 24 450 individus
- **Dépenses militaires (2012) :** 1,4 % du PIB

NIVEAU DE VIE

- **Nombre d'habitants pour un médecin (2011) :** 240
- **Apport journalier moyen en calories (2007) :** 3 464 (minimum FAO : 2 400)

- **Nombre d'automobiles pour 1 000 hab. (2011) :** 472
- **Téléphones portables (2012) :** 100 % de la population équipée

REPÈRES HISTORIQUES

Des origines au Moyen Âge

VIIIe - XIe s. : les Vikings s'aventurent vers les îles Britanniques, l'Empire carolingien, le Groenland.

IXe s. : Harald Ier Hårfager unifie la Norvège.

995 - 1000 : le roi Olav Ier Tryggvesson commence à convertir ses sujets au christianisme.

1016 - 1030 : son œuvre est poursuivie par Olav II Haraldsson, ou saint Olav.

XIIe s. : les querelles dynastiques affaiblissent le pouvoir royal.

1163 : Magnus V Erlingsson est sacré roi de Norvège. L'Église donne ainsi une autorité spirituelle à la monarchie norvégienne.

XIIIe s. : les marchands de la Hanse établissent leur suprématie économique sur le pays.

1223 - 1263 : Haakon IV Haakonsson établit son autorité sur les îles de l'Atlantique (Féroé, Orcades, Shetland) ainsi que sur l'Islande et le Groenland.

1263 - 1280 : son fils, Magnus VI Lagaböte, améliore la législation et l'administration.

1319 - 1343 : Magnus VII Eriksson unit momentanément la Norvège et la Suède.

1363 : son fils, Haakon VI Magnusson, épouse Marguerite, fille de Valdemar IV, roi de Danemark.

1380 : devenue régente à la mort de son mari, Marguerite Ire Valdemarsdotter gouverne le Danemark et la Norvège au nom de son fils mineur, Olav, puis seule à la mort de celui-ci en 1387. Profitant alors d'une révolte des Suédois contre leur roi, elle se fait proclamer reine de Suède.

De l'union à l'indépendance

1397 : l'Union de Kalmar unit le Danemark, la Norvège et la Suède sous l'autorité d'Erik de Poméranie, désigné comme héritier par Marguerite Ire Valdemarsdotter.

1523 : alors que la Suède retrouve son indépendance, la Norvège tombe pour trois siècles sous la domination des rois de Danemark, qui lui imposent le luthéranisme et la langue danoise.

XVIIe s. : le pays, entraîné dans les conflits européens, doit céder des territoires à la Suède.

1814 : par le traité de Kiel, le Danemark cède la Norvège à la Suède. La Norvège obtient une Constitution propre, avec une Assemblée, ou *Storting*, chaque État formant un royaume autonome sous l'autorité d'un même roi.

1884 : le chef de la résistance nationale, Johan Sverdrup (1816 - 1892), obtient un régime parlementaire.

La Norvège indépendante

1905 : après un plébiscite décidé par le Storting, c'est la rupture avec la Suède. La Norvège choisit un prince danois, qui devient roi sous le nom de Haakon VII.

1940 - 1945 : les Allemands occupent la Norvège.

1957 : Olav V succède à son père Haakon VII.

Depuis 1965 : les conservateurs, alliés aux libéraux et aux agrariens, et les travaillistes alternent au pouvoir.

1972 et 1994 : par deux fois, les Norvégiens repoussent par référendum l'entrée de leur pays dans l'Europe communautaire.

1991 : Harald V succède à son père Olav V.

2011 : la double attaque perpétrée le 22 juillet par un extrémiste de droite (explosion d'une voiture piégée à Oslo et fusillade contre un rassemblement de jeunes travaillistes sur l'île voisine d'Utøya), faisant 77 morts et de nombreux blessés, provoque un traumatisme dans le pays.

PAYS-BAS

Face à la mer du Nord, les Pays-Bas sont avant tout un pays plat, dont une partie (polders), située au-dessous du niveau de la mer, est préservée de l'océan par des digues. Le climat est océanique, doux et humide pour une latitude relativement élevée, avec des précipitations suffisantes (700 à 800 mm en moyenne) et qui, régulièrement réparties dans l'année, sont favorables à l'agriculture.

Superficie : 41 526 km²
Population (2013) : 16 800 000 hab.
Capitale (siège des pouvoirs publics et de la Cour) : Amsterdam 779 808 hab. (e. 2011), 1 055 610 hab. (e. 2011) dans l'agglomération
Capitale : La Haye 495 083 hab. (e. 2011), 635 023 hab. (e. 2011) dans l'agglomération
Nature de l'État et du régime politique : monarchie constitutionnelle à régime parlementaire
Chef de l'État : (roi) Guillaume-Alexandre ou Willem-Alexander
Chef du gouvernement : (Premier ministre) Mark Rutte
Organisation administrative : 12 provinces et 2 parties autonomes
Langue officielle : néerlandais
Monnaie : euro

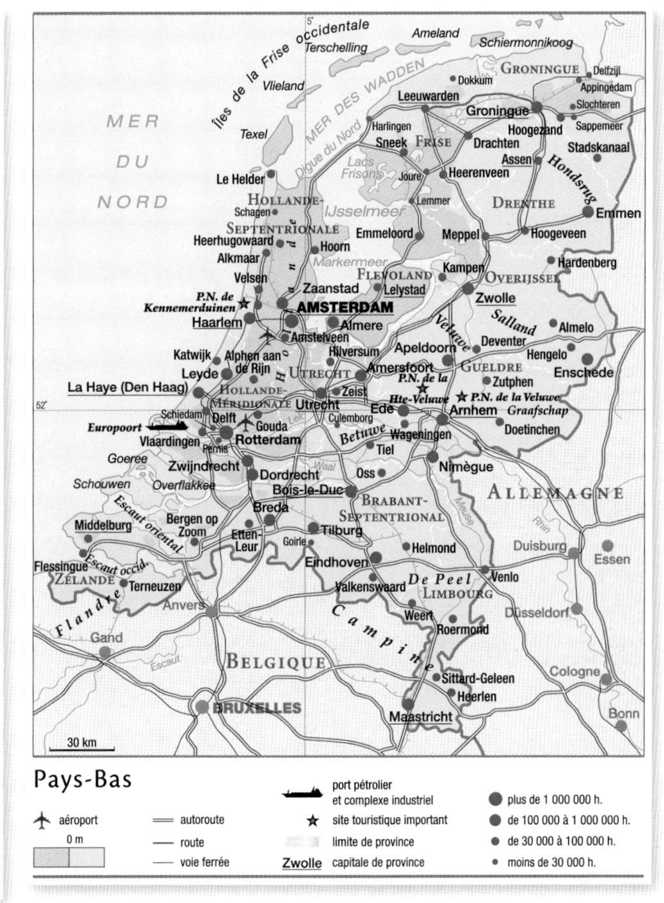

Pays-Bas

DÉMOGRAPHIE

- **Densité :** 405 hab./km²
- **Part de la population urbaine (2013) :** 66 %
- **Structure de la population par âge (2013) :** moins de 15 ans : 17 %, 15-65 ans : 67 %, plus de 65 ans : 16 %
- **Taux de natalité (2013) :** 10 ‰
- **Taux de mortalité (2013) :** 8 ‰
- **Taux de mortalité infantile (2013) :** 3,7 ‰
- **Espérance de vie (2013) :** hommes : 79 ans, femmes : 83 ans

Avec en moyenne 405 habitants au km², les Pays-Bas possèdent une densité de population exceptionnellement élevée. L'Ouest, en particulier, est très peuplé, avec 40 % de la population totale, 900 habitants au km² et les quatre plus grosses agglomérations du pays que sont Amsterdam, La Haye, Rotterdam – l'un des tout premiers ports du monde – et Utrecht. Les densités décroissent progressivement vers la périphérie, où l'on trouve des provinces plus rurales, qui comptent cependant encore plus de 150 habitants au km². Avec une espérance de vie élevée (81 ans) et un indice de fécondité de 1,8 enfant par femme, le pays connaît un vieillissement sensible de sa population, qui ne s'accroît plus que modérément.

ÉCONOMIE

- **PNB (2012) :** 778 milliards de dollars
- **PNB/hab. (2012) :** 47 970 dollars
- **PNB/hab. PPA (2012) :** 43 510 dollars internationaux
- **IDH (2012) :** 0,921
- **Taux de croissance annuelle du PIB (2012) :** – 1,2 %
- **Taux annuel d'inflation (2012) :** 2,4 %
- **Structure de la population active (2011) :** agriculture : 2,5 %, mines et industries : 15,3 %, services : 71,5 %
- **Structure du PIB (2010) :** agriculture : 2 %, mines et industries : 24 %, services : 74,1 %
- **Dette publique brute (2011) :** 66 % du PIB
- **Taux de chômage (2012) :** 5,3 %

Cinquième puissance commerciale de l'UE, qui représente 65 % de leurs échanges excédentaires, les Pays-Bas n'échappent pas à la récession qui frappe l'ensemble des pays de l'Union européenne depuis 2011, tandis que leur dette publique et leur déficit budgétaire, traditionnellement peu élevés, ont très sensiblement augmenté. Les exportations (machines-outils, agroalimentaire, énergie, notamment) représentent plus de 70 % de leur PIB, leurs principaux clients étant l'Allemagne, la Belgique, le Royaume-Uni et la France. Le commerce à l'extérieur de l'Union est en revanche déficitaire, en partie sous l'effet des importations en provenance de la Chine (premier partenaire devant les États-Unis et la Russie) qui ont doublé depuis 2004. Avec le port de Rotterdam, l'un des plus importants du monde et le plus actif d'Europe, le pays est un carrefour essentiel du commerce mondial. Deuxième producteur européen de gaz naturel et deuxième exportateur de produits agricoles au monde, il mise aussi pour son avenir sur son industrie, en particulier sur les secteurs de la chimie, le raffinage du pétrole, la fabrication de matériel électronique et l'agroalimentaire. Le secteur tertiaire repose essentiellement sur le fret maritime, les services financiers, les nouvelles technologies et l'ingénierie en eau. La consommation intérieure n'a toujours pas repris en 2013 tandis que le chômage augmente (4,4 % en 2011, 5,3 % en 2012 et 7 % en 2013).

TOURISME

- **Recettes touristiques (2012) :** 20 970 millions de dollars

COMMERCE EXTÉRIEUR

- **Exportations de biens (2012) :** 533 189 millions de dollars
- **Importations de biens (2012) :** 606 333 millions de dollars

DÉFENSE

- **Forces armées (2011) :** 43 300 individus
- **Dépenses militaires (2012) :** 1,3 % du PIB

NIVEAU DE VIE

- **Nombre d'habitants pour un médecin (2011) :** 350
- **Apport journalier moyen en calories (2007) :** 3 278 (minimum FAO : 2 400)
- **Nombre d'automobiles pour 1 000 hab. (2011) :** 466
- **Téléphones portables (2012) :** 100 % de la population équipée

REPÈRES HISTORIQUES

Des origines à la période espagnole

La présence ancienne de l'homme est attestée par des monuments mégalithiques et des tumulus de l'âge du bronze.

57 av. J.-C. : César conquiert le pays, peuplé par des tribus celtes et germaniques.

15 av. J.-C. : les futurs Pays-Bas forment la province de Gaule Belgique.

IVe s. : les envahisseurs saxons s'établissent à l'est, tandis que les Francs occupent les territoires méridionaux.

VIIe - VIIIe s. : la christianisation de ces peuples ne s'achève qu'avec Charlemagne.

Xe - XIIe s. : affaibli au IXe s. par les invasions normandes et les divisions territoriales (traité de Verdun, 843), le pays se décompose en de multiples principautés féodales.

XIIe - XIIIe s. : les villes connaissent un essor remarquable (Gand, Bruges).

XVe s. : par achats, mariages, héritages, les ducs de Bourgogne incorporent peu à peu tous les Pays-Bas.

1477 : à la mort de Charles le Téméraire, le mariage de sa fille avec Maximilien d'Autriche fait passer le pays sous la domination des Habsbourg.

1515 : Charles Quint porte à dix-sept le nombre des provinces et érige l'ensemble en cercle d'Empire (1548). Les idées de la Réforme se diffusent largement dans le pays.

Les Pays-Bas du XVIe au XVIIIe s.

1566 : la politique de Philippe II, absolutiste et hostile aux protestants, provoque le soulèvement de la Flandre, du Hainaut, puis des provinces du Nord.

1567 - 1573 : la répression menée par le duc d'Albe débouche sur la révolte générale de la Hollande et de la Zélande (1568) sous la direction de Guillaume d'Orange, bientôt suivies des autres provinces.

1579 : les provinces du Sud, en majorité catholiques, se soumettent à l'Espagne (Union d'Arras) ; celles du Nord, calvinistes, proclament l'Union d'Utrecht, qui pose les bases des Provinces-Unies.

1648 : l'indépendance des Provinces-Unies est reconnue par l'Espagne, qui conserve cependant les provinces méridionales.

1714 : les Pays-Bas espagnols passent sous domination autrichienne.

1795 : ils sont annexés par la France ; les Provinces-Unies deviennent la République batave.

Du royaume des Pays-Bas à nos jours

1815 : le congrès de Vienne réunit l'ensemble des provinces en un royaume des Pays-Bas. Guillaume Ier devient roi.

1839 : il reconnaît l'indépendance de la Belgique, proclamée en 1830.

1890 : Wilhelmine accède au pouvoir.

1914 - 1918 : la neutralité néerlandaise est maintenue pendant la Première Guerre mondiale.

1940 - 1945 : les Pays-Bas sont occupés par l'Allemagne.

1948 : Wilhelmine abdique en faveur de sa fille Juliana.

1949 : l'Indonésie accède à l'indépendance.

1958 : les Pays-Bas entrent dans la CEE.

1980 : Béatrice accède au trône.

2005 : les Néerlandais, consultés par référendum, rejettent le projet de traité institutionnel de l'Union européenne.

POLOGNE

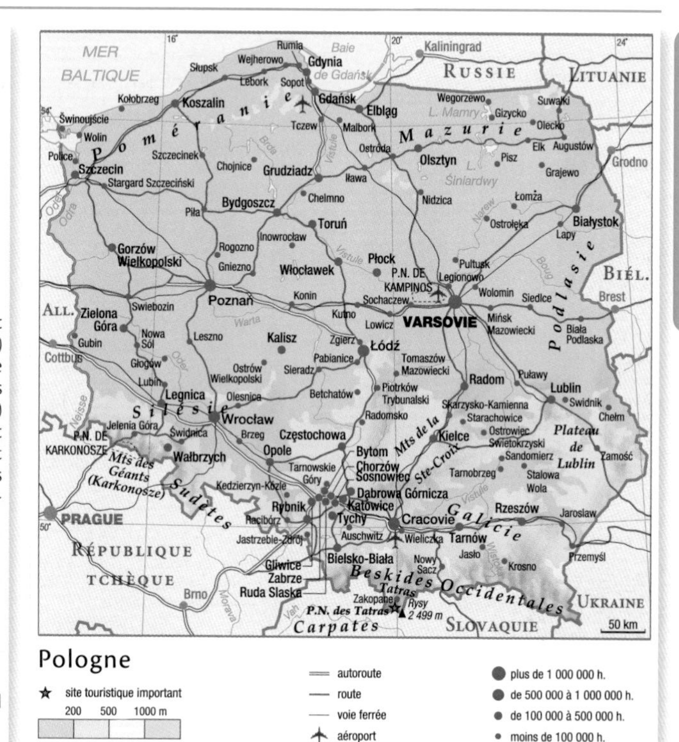

En bordure de la Baltique, la Pologne est d'abord un pays de plaines (parfois lacustres) et de plateaux, avec une frange montagneuse qui occupe le sud du pays. S'y juxtaposent les montagnes jeunes des Carpates (Beskides) dans l'Est et les massifs anciens du Nord-Ouest (montagne de Sainte-Croix) et de l'Ouest (Sudètes). Le climat est continental, les hivers sont rudes, souvent enneigés, et les étés relativement chauds et humides.

Superficie : 323 250 km²
Population (2013) : 38 500 000 hab.
Capitale : Varsovie 1 700 612 hab. (r. 2011)
Nature de l'État et du régime politique : république à régime semi-présidentiel
Chef de l'État : (président de la République) Bronislaw Komorowski
Chef du gouvernement : (président du Conseil des ministres) Donald Tusk
Organisation administrative : 16 voïvodies
Langue officielle : polonais
Monnaie : złoty

DÉMOGRAPHIE

- **Densité :** 119 hab./km²
- **Part de la population urbaine (2013) :** 61 %
- **Structure de la population par âge (2013) :** moins de 15 ans : 15 %, 15-65 ans : 71 %, plus de 65 ans : 14 %
- **Taux de natalité (2013) :** 10 ‰
- **Taux de mortalité (2013) :** 10 ‰
- **Taux de mortalité infantile (2013) :** 4,7 ‰
- **Espérance de vie (2013) :** hommes : 72 ans, femmes : 81 ans

La définition du nouveau territoire, à l'issue de la Seconde Guerre mondiale, a entraîné d'importants mouvements de population. La Pologne est à forte majorité catholique et le taux de natalité est longtemps resté élevé. Aujourd'hui, la population vieillit et décroît, en raison du recul de la natalité (10 ‰) et du départ à l'étranger de nombreux travailleurs. Citadins pour les deux tiers, les habitants se concentrent dans la moitié méridionale, souvent dans des villes dépassant 200 000 habitants, les agglomérations les plus importantes étant Varsovie, Łódź, Cracovie, Wrocław et Gdańsk. Les densités diminuent du sud-ouest, en Silésie, vers le nord-est.

ÉCONOMIE

- **PNB (2012) :** 468 milliards de dollars
- **PNB/hab. (2012) :** 12 660 dollars
- **PNB/hab. PPA (2012) :** 21 170 dollars internationaux
- **IDH (2012) :** 0,821
- **Taux de croissance annuelle du PIB (2012) :** 1,8 %
- **Taux annuel d'inflation (2012) :** 3,6 %
- **Structure de la population active (2012) :** agriculture : 12,6 %, mines et industries : 30,4 %, services : 57 %
- **Structure du PIB (2010) :** agriculture : 3,5 %, mines et industries : 31,6 %, services : 64,8 %
- **Dette publique brute (2010) :** 56,4 % du PIB
- **Taux de chômage (2012) :** 10,1 %

La reconversion des chantiers navals de Gdansk, sauvés de la fermeture, dans la production d'éoliennes, symbolise assez bien la transition de l'économie polonaise. La production d'énergies renouvelables est l'une des plus basses de l'UE et les secteurs industriels traditionnels (sidérurgie) sont en déclin. Les réserves de charbon, principale ressource minière du pays – outre le cuivre et l'argent –, lui permettent de présenter une faible dépendance énergétique. Un accord sur la livraison de gaz naturel a été signé entre la Pologne et la Russie qui lui fournit plus de 40 % de ses besoins. L'industrie (construction automobile et agroalimentaire) reste importante, mais le secteur tertiaire a largement contribué à l'amélioration de la conjoncture économique, passant d'environ 50 % de la valeur ajoutée à près de 65 % depuis les années 1990. L'agriculture polonaise conserve également un poids particulier, recourant de plus en plus à la culture biologique, alors que les filières agroalimentaires fournissent une part importante des exportations du pays. Après une forte croissance depuis le milieu des années 1990, la Pologne est l'un des pays d'Europe qui a le mieux résisté à la crise de 2008 (+ 15 % cumulés de 2008 à 2011) grâce à sa rigueur financière, à une industrie peu dépendante des importations, au contrôle de son système bancaire et financier et à l'accroissement de micro-entreprises dans le secteur tertiaire. En raison de sa forte dépendance vis-à-vis de l'UE, l'économie de la Pologne a subi, en 2013, un ralentissement important (seulement 1,3 % de croissance). Les exportations vers la zone s'élèvent à 51 %, dont 25 % vers l'Allemagne avec laquelle elle est très liée. De nombreuses entreprises se tournent maintenant vers la Chine et la Russie. Le taux de chômage ne cesse d'augmenter (10,2 % en 2013).

TOURISME

- **Recettes touristiques (2012) :** 11 598 millions de dollars

COMMERCE EXTÉRIEUR

- **Exportations de biens (2012) :** 190 830 millions de dollars
- **Importations de biens (2012) :** 224 542 millions de dollars

DÉFENSE

- **Forces armées (2011) :** 118 050 individus
- **Dépenses militaires (2012) :** 1,9 % du PIB

NIVEAU DE VIE

- **Nombre d'habitants pour un médecin (2011) :** 484
- **Apport journalier moyen en calories (2007) :** 3 421 (minimum FAO : 2 400)
- **Nombre d'automobiles pour 1 000 hab. (2011) :** 451
- **Téléphones portables (2012) :** 100 % de la population équipée

REPÈRES HISTORIQUES

Les origines et la dynastie des Piast

Ve - VIe s. : les Slaves s'établissent entre l'Odra et l'Elbe.

VIIe - Xe s. : l'ethnie polonaise se particularise au sein de la communauté des Slaves occidentaux, entre les bassins de l'Odra et de la Vistule.

966 : baptême du duc Mieszko Ier (v. 960 - 992), fondateur de la dynastie des Piast.

1025 : Boleslas Ier le Vaillant (992 - 1025) est couronné roi.

XIIe s. : les partages successoraux morcellent et affaiblissent le pays, en proie aux incursions des Germains.

1226 : pour repousser les Prussiens païens, Conrad de Mazovie fait appel aux chevaliers Teutoniques, qui conquièrent la Prusse (1230 - 1283), puis la Poméranie orientale (1308 - 1309).

1320 - 1333 : Ladislas Ier Łokietek restaure l'unité du pays, dont le territoire demeure amputé de la Silésie et de la Poméranie.

1333 - 1370 : Casimir III le Grand, fils de Łokietek, lance l'expansion vers l'est (Ruthénie, Volhynie) et fonde l'université de Cracovie (1364).

1370 : la couronne passe à Louis Ier le Grand, roi de Hongrie.

Les Jagellons et la république nobiliaire

1385 - 1386 : l'acte de Krewo établit une union personnelle entre la Lituanie et la Pologne ; Jogaila, grand-duc de Lituanie, roi de Pologne sous le nom de Ladislas II (1386 - 1434), fonde la dynastie des Jagellons.

1506 - 1572 : les règnes de Sigismond Ier le Vieux (1506 - 1548) et de Sigismond II Auguste (1548 - 1572) voient l'apogée de la Pologne, marqué par la diffusion de l'humanisme, la tolérance religieuse et l'essor économique.

1569 : l'Union de Lublin assure la fusion de la Pologne et de la Lituanie en une « république » gouvernée par une Diète unique et un souverain élu en commun.

1587 - 1632 : Sigismond III Vasa mène des guerres ruineuses contre la Russie, les Ottomans et la Suède.

1648 - 1660 : la Russie conquiert la Biélorussie et la Lituanie, tandis que la Suède occupe presque tout le pays.

XVIIIe s. : l'ingérence des puissances étrangères dans les affaires intérieures du pays conduit à la guerre de la Succession de Pologne.

Les trois partages de la Pologne et la domination étrangère

1772 : la Russie, l'Autriche et la Prusse procèdent au premier partage de la Pologne.

1788 - 1791 : les patriotes réunissent la Grande Diète et adoptent la Constitution du 3 mai 1791.

1793 : la Russie et la Prusse réalisent le deuxième partage de la Pologne.

1794 : l'insurrection de Kościuszko est écrasée.

1795 : le troisième partage de la Pologne supprime même le nom du pays.

1807 - 1813 : Napoléon crée le grand-duché de Varsovie.

1815 : le congrès de Vienne crée un royaume de Pologne réuni à l'Empire russe.

1864 - 1918 : après les insurrections de 1830 et de 1864, la partie prussienne et la partie russe de la Pologne sont soumises à une politique d'assimilation.

La Pologne indépendante

1918 : Piłsudski proclame à Varsovie la république indépendante de Pologne.

1920 - 1921 : à l'issue de la guerre polono-soviétique, la frontière est reportée à 200 km à l'est de la ligne Curzon.

1926 - 1935 : Piłsudski, démissionnaire en 1922, reprend le pouvoir et le conserve jusqu'en 1935. La Pologne signe des pactes de non-agression avec l'URSS (1932) et avec l'Allemagne (1934).

1939 : la Pologne est envahie par les troupes allemandes, puis soviétiques. L'Allemagne et l'URSS se partagent la Pologne conformément au pacte germano-soviétique.

1940 : le gouvernement en exil, dirigé par Sikorski, s'établit à Londres.

1943 : insurrection et anéantissement du ghetto de Varsovie.

1945 : les troupes soviétiques pénètrent à Varsovie et y installent le comité de Lublin, qui se transforme en gouvernement provisoire. Les frontières du pays sont fixées à Yalta et à Potsdam.

La Pologne depuis 1945

1948 : Gomułka, partisan d'une voie polonaise vers le socialisme, est écarté au profit de Bierut, qui s'aligne sur le modèle soviétique.

1956 : Gomułka revient au pouvoir après les émeutes ouvrières de Poznań.

1970 : Gierek veut remédier aux problèmes de la société polonaise en modernisant l'économie avec l'aide de l'Occident.

1978 : élection de Karol Wojtyła, archevêque de Cracovie, à la papauté (sous le nom de Jean-Paul II).

1980 : le syndicat Solidarność est créé avec à sa tête Lech Wałęsa.

Déc. 1981 - déc. 1982 : le général Jaruzelski instaure l'« état de guerre ».

1989 : des négociations entre le pouvoir et l'opposition aboutissent au rétablissement du pluralisme syndical et à la démocratisation des institutions.

1990 : L. Wałęsa est élu à la présidence de la République au suffrage universel.

1991 : à l'issue des premières élections législatives entièrement libres, une trentaine de partis sont représentés à la Diète.

1997 : une nouvelle Constitution est adoptée.

1999 : la Pologne est intégrée dans l'OTAN.

2004 : elle adhère à l'Union européenne.

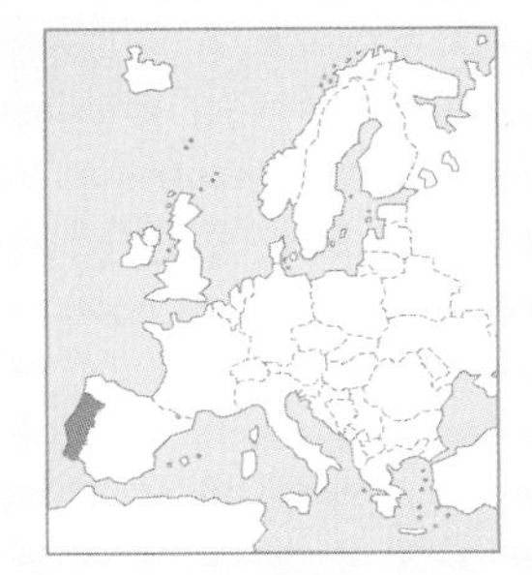

Largement ouvert sur l'Atlantique, le Portugal occupe l'extrémité sud-ouest de l'Europe et a l'Espagne pour seul voisin. Son climat devient plus chaud et plus sec du nord au sud, et ses reliefs prolongent ceux de la Meseta espagnole ; le socle ancien est modelé en plateaux qui descendent en gradins vers l'Atlantique. Les altitudes les plus élevées se rencontrent dans le Nord : près de 2 000 m dans les serras de Lousã et da Estrela. Le pays n'a que le cours inférieur de ses trois grands fleuves : Douro, Tage et Guadiana.

Superficie : 91 982 km²
Population (2013) : 10 500 000 hab.
Capitale : Lisbonne 547 733 hab. (r. 2011), 2 843 410 hab. (e. 2011) dans l'agglomération
Nature de l'État et du régime politique : république à régime semi-présidentiel
Chef de l'État : (président de la République) Aníbal Cavaco Silva
Chef du gouvernement : (Premier ministre) Pedro Passos Coelho
Organisation administrative : 18 districts et 2 régions autonomes
Langue officielle : portugais
Monnaie : euro

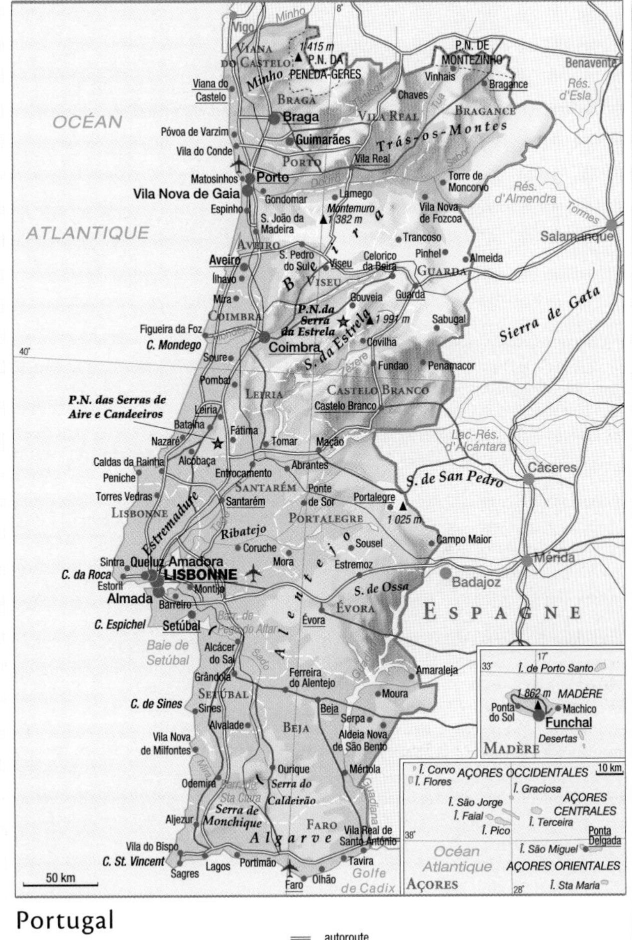

Portugal

★	site touristique important
✈	aéroport
200 / 500 / 1000 / 1500 m	
═	autoroute
—	route
—	voie ferrée
	limite de région
Braga	chef-lieu de région
●	plus de 500 000 h.
●	de 100 000 à 500 000 h.
●	de 50 000 à 100 000 h.
•	moins de 50 000 h.

 DÉMOGRAPHIE

- **Densité :** 114 hab./km²
- **Part de la population urbaine (2013) :** 38 %
- **Structure de la population par âge (2013) :** moins de 15 ans : 15 %, 15-65 ans : 66 %, plus de 65 ans : 19 %
- **Taux de natalité (2013) :** 9 ‰
- **Taux de mortalité (2013) :** 10 ‰
- **Taux de mortalité infantile (2013) :** 3,4 ‰
- **Espérance de vie (2013) :** hommes : 77 ans, femmes : 83 ans

La population a vu son profil se modifier profondément : le taux de natalité (9 ‰), longtemps élevé, a fortement baissé et est aujourd'hui l'un des plus faibles de l'Europe de l'Ouest ; la croissance naturelle est nulle, entraînant un vieillissement de la population. Après avoir connu dans les années 1960 une émigration massive, notamment vers la France, le Portugal tend à devenir aujourd'hui un pays d'immigration. La population est concentrée surtout dans les régions côtières (sauf dans le Sud, où les densités restent faibles), l'émigration ayant vidé l'intérieur. La capitale, Lisbonne, regroupe plus du quart de la population totale du pays. Avec 1,3 million d'habitants, Porto est la grande agglomération du nord du pays.

ÉCONOMIE

- **PNB (2012) :** 207 milliards de dollars
- **PNB/hab. (2012) :** 20 620 dollars
- **PNB/hab. PPA (2012) :** 24 770 dollars internationaux
- **IDH (2012) :** 0,816
- **Taux de croissance annuelle du PIB (2012) :** – 3,2 %
- **Taux annuel d'inflation (2012) :** 2,8 %
- **Structure de la population active (2012) :** agriculture : 10,5 %, mines et industries : 25,6 %, services : 63,8 %
- **Structure du PIB (2010) :** agriculture : 2,4 %, mines et industries : 23 %, services : 74,6 %
- **Dette publique brute (2011) :** 92 % du PIB
- **Taux de chômage (2012) :** 15,6 %

Avec une très faible croissance depuis 2002, un déficit commercial structurellement déficitaire depuis trois décennies, une dette publique et un déficit budgétaire en augmentation – alors que le pays, respectant les critères de convergence de Maastricht, était parmi les « bons élèves » de l'UE –, l'économie portugaise est, depuis la crise de 2008, dans une situation critique malgré les divers plans de rigueur instaurés en 2010 et 2011. La demande extérieure et les investissements provenant de son voisin et principal partenaire commercial, l'Espagne, ont chuté, aggravant ainsi la santé économique du pays, déjà fragilisée par la baisse à l'exportation de certains produits agricoles comme le vin de Porto. L'ambitieux programme de relance mettant l'accent sur l'économie sociale semble bien compromis, l'heure étant toujours aux restrictions budgétaires (baisse des salaires des fonctionnaires, plafonnement des aides sociales, baisse des retraites, prolongation de la journée de travail dans le secteur privé, augmentation de la TVA dans la restauration...), afin de maintenir le déficit public sous la barre des 5 %. Parmi les faiblesses du pays figurent le poids d'un secteur traditionnel comme le textile, directement frappé par la concurrence de la Chine, et la forte dépendance aux hydrocarbures. En revanche, le Portugal occupe la sixième place européenne en matière d'électricité produite par des éoliennes (après l'Allemagne, l'Espagne, l'Italie, la France et la Grande-Bretagne). Un des plus vastes parcs éoliens d'Europe fournit environ 10 % de l'énergie du pays, qui vise à long terme l'exportation de technologie éolienne. Le pays abrite également la seconde plus grande centrale solaire au monde et l'énergie électrique est produite pour 30 % par l'énergie hydraulique. Fer de lance de l'économie, les exportations sont en baisse à cause de la crise de l'Union européenne (75 % des exportations), mais le tourisme, pilier du secteur tertiaire, et le secteur minier sont en bonne santé. Malgré toutes ces difficultés, les indicateurs économiques montrent que le Portugal est en passe de sortir de la récession. Le PIB a progressé (1,1 % en 2013), les exportations ont augmenté (+ 5,8 %) et la balance des paiements courants est excédentaire (1 % du PIB). Parallèlement, la dette a augmenté (128 % du PIB en 2013).

TOURISME

- **Recettes touristiques (2012) :** 14 882 millions de dollars

COMMERCE EXTÉRIEUR

- **Exportations de biens (2012) :** 58 126 millions de dollars
- **Importations de biens (2012) :** 83 597 millions de dollars

DÉFENSE

- **Forces armées (2011) :** 90 300 individus
- **Dépenses militaires (2012) :** 1,8 % du PIB

NIVEAU DE VIE

- **Nombre d'habitants pour un médecin (2011) :** 259
- **Apport journalier moyen en calories (2007) :** 3 584 (minimum FAO : 2 400)
- **Nombre d'automobiles pour 1 000 hab. :** n.d.
- **Téléphones portables (2012) :** 100 % de la population équipée

REPÈRES HISTORIQUES

La formation de la nation

Le pays est occupé par des tribus en relation avec les Phéniciens, les Carthaginois et les Grecs.

IIe s. av. J.-C. : l'ouest de la Péninsule est conquis par les Romains. La province de Lusitanie est créée par Auguste.

Ve s. apr. J.-C. : elle est envahie par les Suèves et les Alains, puis par les Wisigoths.

711 : les musulmans conquièrent le pays.

866 - 910 : Alphonse III, roi des Asturies, reprend le contrôle de la région de Porto.

1064 : Ferdinand Ier, roi de Castille, libère la région située entre Douro et Mondego.

1097 : Alphonse VI, roi de Castille et de León, confie le comté de Portugal à son gendre, Henri de Bourgogne, fondateur de la dynastie de Bourgogne.

1139 - 1185 : son fils, Alphonse Henriques, prend le titre de roi de Portugal après sa victoire d'Ourique sur les Maures (1139) et fait reconnaître l'indépendance du Portugal.

1249 : Alphonse III (1248 - 1279) parachève la Reconquête en occupant l'Algarve.

1385 : Jean Ier (1385 - 1433) fonde la dynastie d'Aviz et remporte sur les Castillans la victoire d'Aljubarrota.

L'âge d'or

XVe - XVIe s. : le Portugal joue un grand rôle dans les voyages de découvertes, animés par Henri le Navigateur (1394 - 1460).

1488 : Bartolomeu Dias double le cap de Bonne-Espérance.

1494 : le traité de Tordesillas établit une ligne de partage entre les possessions extraeuropéennes de l'Espagne et celles du Portugal.

1497 : Vasco de Gama découvre la route des Indes.

1500 : Cabral prend possession du Brésil.

1505 - 1515 : l'Empire portugais des Indes est constitué.

Les crises et le déclin

1580 : Philippe II d'Espagne s'empare du Portugal.

1640 : les Portugais se soulèvent et proclament roi le duc de Bragance, Jean IV (1640 - 1656).

1668 : l'Espagne reconnaît l'indépendance du Portugal.

Fin du XVIIe s. : se résignant à l'effondrement de ses positions en Asie et à son recul en Afrique, le Portugal se consacre à l'exploitation du Brésil.

1707 - 1750 : sous Jean V, l'or du Brésil ne parvient pas à stimuler l'économie métropolitaine.

1750 - 1777 : Joseph Ier fait appel à Pombal, qui impose un régime de despotisme éclairé et reconstruit Lisbonne après le séisme de 1755.

1807 : Jean VI s'enfuit au Brésil tandis que les Anglo-Portugais, dirigés par le régent Beresford, luttent jusqu'en 1811 contre les Français qui ont envahi le pays.

1822 : Jean VI (1816 - 1826) revient à Lisbonne. Son fils, Pierre Ier, se proclame empereur du Brésil, dont l'indépendance est reconnue en 1825.

1826 : à la mort de Jean VI, un conflit dynastique oppose Pierre Ier, devenu roi du Portugal sous le nom de Pierre IV, sa fille Marie II (1826 - 1853) et son frère Miguel qui s'était proclamé roi sous le nom de Michel Ier.

1852 - 1908 : le Portugal connaît sous les rois Pierre V (1853 - 1861), Louis Ier (1861 - 1889) et Charles Ier (1889 - 1908) un véritable régime parlementaire ; le pays tente de se reconstituer un empire colonial autour de l'Angola et du Mozambique.

La république

1910 : la république est proclamée.

1933 - 1968 : Salazar instaure l'« État nouveau » (*Estado Novo*), corporatiste et nationaliste.

1974 : une junte prend le pouvoir et inaugure la « révolution des œillets » ; elle est éliminée par les forces de gauche. Sociaux-démocrates et socialistes alternent au pouvoir.

1975 : les anciennes colonies portugaises accèdent à l'indépendance.

1986 : le Portugal entre dans la CEE.

1999 : le territoire de Macao est rétrocédé à la Chine.

ROUMANIE

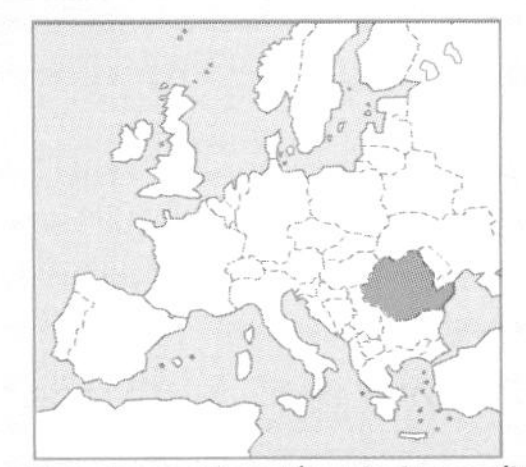

Les Carpates constituent les principaux reliefs. La chaîne forme un arc de cercle qui entoure la Transylvanie, d'où émergent les monts Apuseni. À la périphérie de cet ensemble se succèdent plateaux et plaines. Le climat est de type continental.

Superficie : 238 391 km²
Population (2013) : 21 300 000 hab.
Capitale : Bucarest 1 677 985 hab. (r. 2011)
Nature de l'État et du régime politique : république à régime semi-présidentiel
Chef de l'État : (président de la République) Traian Băsescu
Chef du gouvernement : (Premier ministre) Victor Ponta
Organisation administrative : 41 départements et 1 municipalité
Langue officielle : roumain
Monnaie : leu

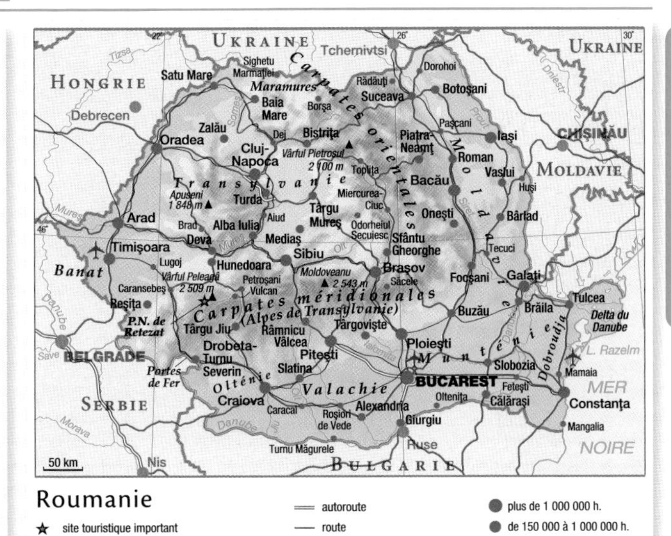

DÉMOGRAPHIE

- **Densité :** 89 hab./km²
- **Part de la population urbaine (2013) :** 55 %
- **Structure de la population par âge (2013) :** moins de 15 ans : 15 %, 15-65 ans : 70 %, plus de 65 ans : 15 %
- **Taux de natalité (2013) :** 9 ‰
- **Taux de mortalité (2013) :** 12 ‰
- **Taux de mortalité infantile (2013) :** 9,4 ‰
- **Espérance de vie (2013) :** hommes : 70 ans, femmes : 77 ans

La population, en quasi-totalité de religion orthodoxe, compte plusieurs minorités, dont la principale (environ 10 %) est constituée par les Hongrois (dans l'Ouest, en Transylvanie), auxquels s'ajoutent des Tsiganes. Plus de la moitié de la population est urbanisée. Hormis la capitale, Bucarest, les principales villes sont Iaşi, Constanţa, Timişoara, Cluj-Napoca, Craiova et Galaţi. Les densités de population les plus élevées se situent en Valaquie, dans le Sud. Dans l'Ouest, en Transylvanie, la densité est plus faible.

ÉCONOMIE

- **PNB (2012) :** 191 milliards de dollars
- **PNB/hab. (2012) :** 8 820 dollars
- **PNB/hab. PPA (2012) :** 16 860 dollars internationaux
- **IDH (2012) :** 0,786
- **Taux de croissance annuelle du PIB (2012) :** 3,1 %
- **Taux annuel d'inflation (2012) :** 3,3 %
- **Structure de la population active (2012) :** agriculture : 29 %, mines et industries : 28,6 %, services : 42,4 %
- **Structure du PIB (2012) :** agriculture : 6 %, mines et industries : 32,5 %, services : 61,5 %
- **Dette publique brute (2009) :** 23,7 % du PIB
- **Taux de chômage (2012) :** 7 %

Pays encore en grande partie rural, la Roumanie a pourtant connu une très forte croissance depuis 2001, associée à la perspective d'adhésion à l'UE (2007) et tirée par la demande intérieure, l'expansion des services et les investissements étrangers. Grâce à ses ressources en hydroélectricité, en hydrocarbures (réserves de gaz notamment), ainsi qu'à son industrie nucléaire, sa dépendance énergétique est très faible. Sous la contrainte du FMI, qui lui a évité une faillite certaine en lui accordant un prêt de 13 milliards d'euros environ, la Roumanie a adopté en 2010 un plan drastique visant à réduire les dépenses alors que la situation sociale était explosive, le chômage et le taux de pauvreté ayant augmenté de façon alarmante. Un nouveau prêt de 5 milliards d'euros a été accordé en 2011 en échange d'un durcissement de la politique d'austérité déjà en vigueur. Point positif, l'agriculture, le tourisme, l'industrie du bois, les télécommunications et le secteur de l'informatique sont en plein essor. En 2014, le pays semble sortir de la crise. L'agriculture et la production industrielle sont en hausse tout comme les exportations qui ont augmenté de 4 %. La croissance s'est élevée à 2 % en 2013 et le chômage stagne autour de 7 %.

TOURISME

- **Recettes touristiques (2012) :** 2 084 M de $

COMMERCE EXTÉRIEUR

- **Exportations de biens (2012) :** 51 291 M de $
- **Importations de biens (2012) :** 76 486 M de $

DÉFENSE

- **Forces armées (2011) :** 151 300 individus
- **Dépenses militaires (2012) :** 1,3 % du PIB

NIVEAU DE VIE

- **Nombre d'habitants pour un médecin (2011) :** 419
- **Apport journalier moyen en calories (2007) :** 3 455 (minimum FAO : 2 400)
- **Nombre d'automobiles pour 1 000 hab. (2011) :** 201
- **Téléphones portables (2012) :** 100 % de la population équipée

REPÈRES HISTORIQUES

Les Daces sont les premiers habitants connus de l'actuelle Roumanie.

106 apr. J.-C. : Trajan conquiert la Dacie.

VIe s. : la région est envahie par les Slaves.

XIe s. : les Hongrois conquièrent la Transylvanie.

XIVe - XIXe s. : les principautés de Valachie et de Moldavie, formées au XIVe s., deviennent vassales de l'Empire ottoman.

1829 - 1856 : protectorats ottoman et russe sur la Moldavie et la Valachie.

1878 : l'indépendance du pays, qui prend le nom de Roumanie en 1866, est reconnue.

1919 - 1920 : à l'issue de la Première Guerre mondiale, les traités de paix attribuent à la Roumanie la Dobroudja, la Bucovine, la Transylvanie et le Banat.

1944 : le dictateur Antonescu, qui a engagé le pays, aux côtés d'Hitler, contre l'URSS (1941), est renversé.

1947 : une république populaire est proclamée.

1974 : Ceauşescu, président du Conseil d'État depuis 1967, est président de la République. Il maintient un régime centralisé et répressif.

1989 : une insurrection renverse Ceauşescu, qui est exécuté avec son épouse. Un Conseil du Front de salut national assure la direction du pays.

1990 : les premières élections libres sont remportées par le Front de salut national.

2004 : la Roumanie adhère à l'OTAN.

2007 : la Roumanie adhère à l'Union européenne.

RUSSIE

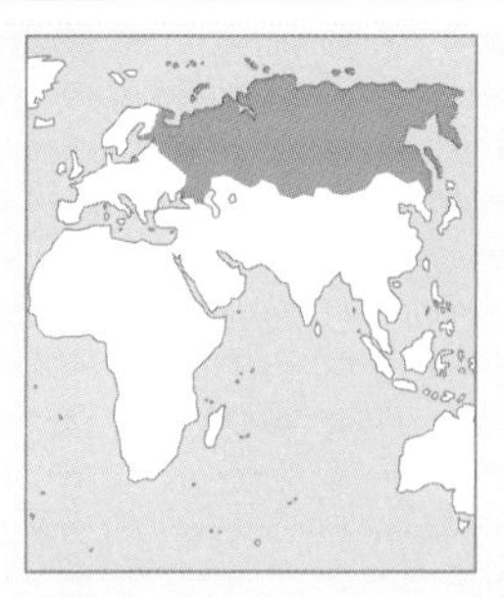

La Russie est, de loin, le plus vaste pays du monde (plus de trente fois la superficie de la France), s'étendant sur environ 10 000 km d'ouest en est, de la Baltique au Pacifique (neuf fuseaux horaires). Elle est formée essentiellement de plaines et de plateaux, la montagne apparaissant toutefois dans le Sud (Caucase, confins de la Mongolie et de la Chine) et l'Est (en bordure du Pacifique). L'Oural constitue une barrière traditionnelle entre la Russie d'Europe à l'ouest et la Russie d'Asie (la Sibérie) à l'est. La latitude, mais surtout l'éloignement de l'océan et la disposition du relief expliquent la continentalité (forts écarts de température) du climat, marquée vers l'est avec des hivers très rigoureux, ainsi que la disposition zonale des formations végétales : du nord au sud se succèdent la toundra, la taïga, les feuillus et les steppes herbacées.

Superficie : 17 102 560 km²
Population (2013) : 145 456 422 hab.
Capitale : Moscou 11 514 330 hab. (r. 2010)
Nature de l'État et du régime politique : république à régime semi-présidentiel
Chef de l'État : (président de la République) Vladimir Vladimirovitch Poutine
Chef du gouvernement : (président du gouvernement) Dmitri Anatolievitch Medvedev
Organisation administrative : 7 arrondissements fédéraux
Langue officielle : russe
Monnaie : rouble russe

DÉMOGRAPHIE

- **Densité** : 8 hab./km²
- **Part de la population urbaine (2013)** : 74 %
- **Structure de la population par âge (2013)** : moins de 15 ans : 16 %, 15-65 ans : 71 %, plus de 65 ans : 13 %
- **Taux de natalité (2013)** : 13 ‰
- **Taux de mortalité (2013)** : 13 ‰
- **Taux de mortalité infantile (2013)** : 7,4 ‰
- **Espérance de vie (2013)** : hommes : 64 ans, femmes : 76 ans

La faible densité moyenne de la population (8 habitants au km²) témoigne de la faible occupation du sol, mais cache surtout l'inégalité de la répartition : la partie occidentale du territoire (Oural compris) regroupe pratiquement 80 % de la population sur 25 % du territoire, avec une densité moyenne de 25 habitants au km², face à une densité de 2 habitants au km² pour la partie asiatique du pays. Les Russes d'origine constituent un peu plus de 80 % de la population totale. Une vingtaine de minorités totalisent toutefois plus de 22 millions d'habitants, répartis dans des républiques et régions autonomes, principalement localisées dans la plaine russe (Volga supérieure) et au nord du Caucase. Un nombre important de Russes vivent dans les pays voisins (notamment en Ukraine, au Kazakhstan et dans les pays Baltes). La majeure partie de la population est aujourd'hui urbanisée (74 %). Moscou et Saint-Pétersbourg dominent le réseau urbain, mais une dizaine d'autres villes comptent plus d'un million d'habitants : Nijni Novgorod, Iekaterinbourg, Samara, Tcheliabinsk, Oufa, Perm, dans la région Volga-Oural, Novossibirsk et Omsk, en Sibérie occidentale. La chute de la natalité (13 ‰) et l'augmentation très sensible de la mortalité (surtout masculine) s'expliquent par la conjonction des difficultés économiques et des déficits sanitaires (hôpitaux, maternités et médicaments), si bien que la population de la Russie diminue de façon continue depuis 1992.

ÉCONOMIE

- **PNB (2012)** : 1 948 milliards de dollars
- **PNB/hab. (2012)** : 12 700 dollars
- **PNB/hab. PPA (2012)** : 22 720 dollars internationaux
- **IDH (2012)** : 0,788
- **Taux de croissance annuelle du PIB (2012)** : 3,4 %
- **Taux annuel d'inflation (2012)** : 5,1 %
- **Structure de la population active (2010)** : agriculture : 8,6 %, mines et industries : 27,9 %, services : 62,3 %
- **Structure du PIB (2012)** : agriculture : 3,9 %, mines et industries : 36 %, services : 60,1 %
- **Dette publique brute (2011)** : 9 % du PIB
- **Taux de chômage (2012)** : 5,5 %

La Russie se place au 9ᵉ rang mondial par son PNB en dollars courants, et est l'une des grandes puissances économiques émergentes. Elle a connu une réduction de moitié de la pauvreté même si d'importants écarts subsistent en la matière entre les régions et entre les villes et les campagnes. Grande puissance minière, outre le pétrole et le gaz naturel contrôlés par l'État, qui représentent plus de 60 % de ses exportations et absorbent 30 % des investissements étrangers, la Russie se classe parmi les premiers producteurs d'argent, d'or, de diamant, de bauxite, de cobalt, de cuivre, d'étain, de minerai de fer, de nickel, de phosphate et de plomb. Ce secteur fournit environ 30 % de son PNB et 70 % des revenus de l'État. Parmi les 20 premières puissances commerciales, elle a pour principal partenaire la Chine depuis 2010 puis l'UE (45 % de l'ensemble des flux, avec en tête l'Allemagne, l'Italie, la France, la Finlande et la Hongrie) devant l'Ukraine et la Turquie. La Russie est aussi l'une des grandes puissances agricoles du monde : blé (5ᵉ producteur et 5ᵉ exportateur) ; orge (1ᵉʳ producteur et 6ᵉ exportateur), huile de tournesol (4ᵉ exportateur)... Avec une croissance de l'ordre de 7 % en moyenne depuis le début des années 2000, la Russie a surmonté la crise de 2008 malgré une récession de près de 8 % en 2009. Grâce aux revenus du pétrole, la Russie est désormais le deuxième producteur de brut au monde, derrière l'Arabie saoudite, et le 2ᵉ exportateur mondial de gaz. L'économie du pays se portait bien jusqu'en 2012 avec une croissance de 4 % en moyenne depuis 2010. L'un de ses atouts majeurs est l'agriculture (10 % des terres agricoles mondiales), dont le point faible est la vétusté de ses équipements. Mais la Russie ne doit pas seulement investir dans l'agriculture, la production industrielle est atone et peu compétitive. Elle doit également réduire ses coûts de production et diversifier son économie trop centrée sur les revenus du pétrole et du gaz. Le pays, après une excellente récolte céréalière en 2009, est redevenu un exportateur de premier plan en 2010 avant d'être touché l'été de la même année par la sécheresse et les incendies. Fermée au tourisme jusqu'à l'arrivée de V. Poutine au pouvoir, la Russie sait aujourd'hui tirer profit de son patrimoine historique et culturel en attirant un nombre de visiteurs de plus en plus important chaque année. En 2013, la croissance a diminué (1,5 %) et elle ne perdure que grâce à la consommation des ménages. La corruption, loin d'être éradiquée, l'économie grise et le mauvais climat du milieu des affaires repoussent de façon globale les investisseurs étrangers, qui préfèrent se tourner vers le Brésil, la Chine ou l'Inde. La dette de l'État est très faible comparée à celle de ses partenaires commerciaux de l'Union européenne et le déficit public est quasi inexistant.

TOURISME

- **Recettes touristiques (2012)** : 17 031 millions de dollars

COMMERCE EXTÉRIEUR

- **Exportations de biens (2012)** : 528 005 millions de dollars
- **Importations de biens (2012)** : 446 093 millions de dollars

DÉFENSE

- **Forces armées (2011)** : 1 364 000 individus
- **Dépenses militaires (2012)** : 4,5 % du PIB

NIVEAU DE VIE

- **Nombre d'habitants pour un médecin (2011)** : 232
- **Apport journalier moyen en calories (2007)** : 3 376 (minimum FAO : 2 400)
- **Nombre d'automobiles pour 1 000 hab. (2010)** : 233
- **Téléphones portables (2012)** : 100 % de la population équipée

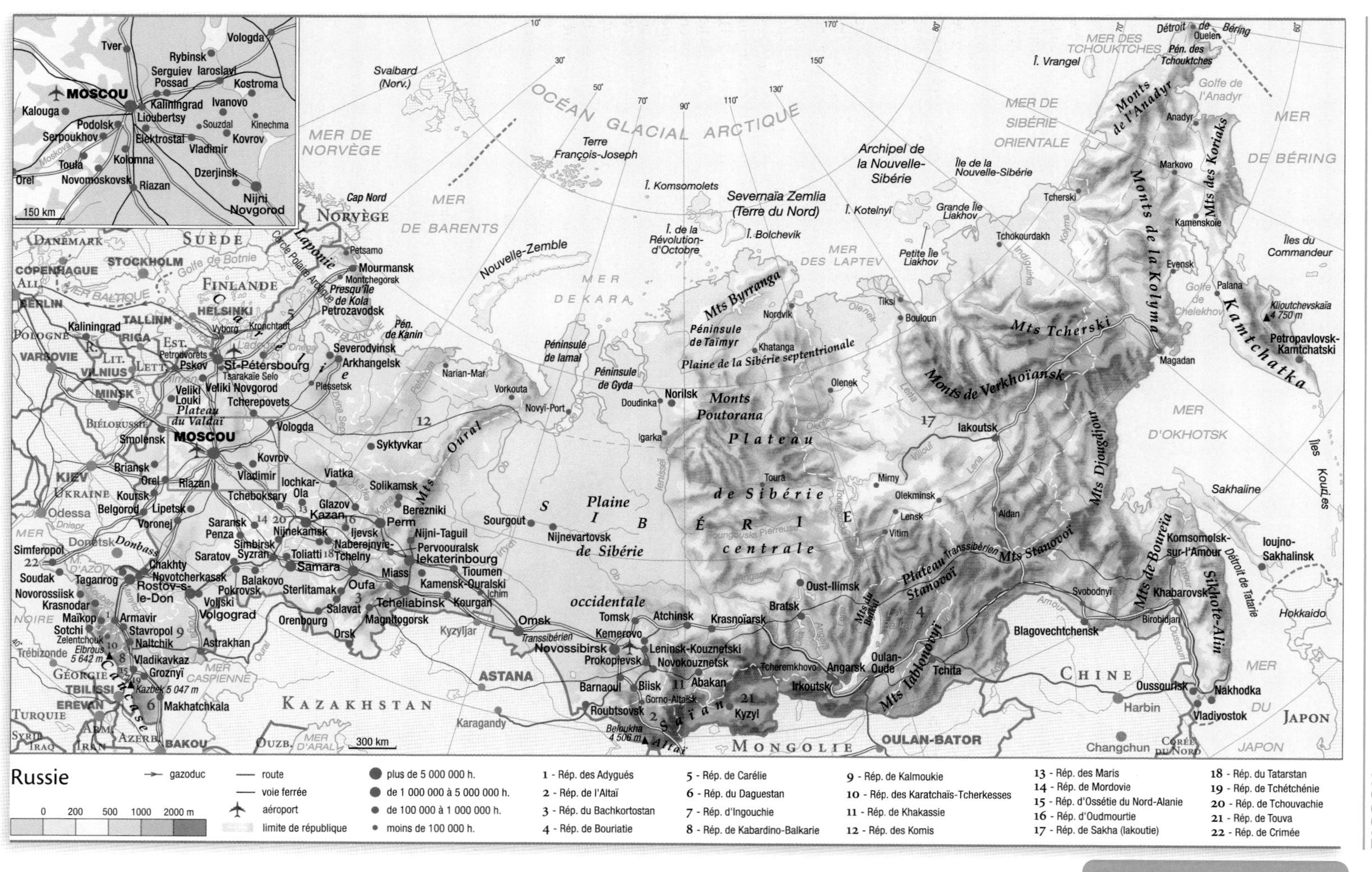
Russie
gazoduc
route
voie ferrée
aéroport
limite de république
plus de 5 000 000 h.
de 1 000 000 à 5 000 000 h.
de 100 000 à 1 000 000 h.
moins de 100 000 h.
0
200
500
1000
2000 m
1 - Rép. des Adygués
2 - Rép. de l'Altaï
3 - Rép. du Bachkortostan
4 - Rép. de Bouriatie
5 - Rép. de Carélie
6 - Rép. du Daguestan
7 - Rép. d'Ingouchie
8 - Rép. de Kabardino-Balkarie
9 - Rép. de Kalmoukie
10 - Rép. des Karatchaïs-Tcherkesses
11 - Rép. de Khakassie
12 - Rép. des Komis
13 - Rép. des Maris
14 - Rép. de Mordovie
15 - Rép. d'Ossétie du Nord-Alanie
16 - Rép. d'Oudmourtie
17 - Rép. de Sakha (Iakoutie)
18 - Rép. du Tatarstan
19 - Rép. de Tchétchénie
20 - Rép. de Tchouvachie
21 - Rép. de Touva
22 - Rép. de Crimée
150 km
300 km
MOSCOU
OCÉAN GLACIAL ARCTIQUE
MER DE NORVÈGE
MER DE BARENTS
MER DE KARA
MER DES LAPTEV
MER DE SIBÉRIE ORIENTALE
MER DES TCHOUKTCHES
MER DE BÉRING
MER D'OKHOTSK
MER DU JAPON
MER CASPIENNE
Svalbard (Norv.)
Terre François-Joseph
Nouvelle-Zemble
Severnaïa Zemlia (Terre du Nord)
Archipel de la Nouvelle-Sibérie
Î. Vrangel
Kamtchatka
Sakhaline
Îles Kouriles
Monts Oural
Plaine de Sibérie occidentale
Plateau de Sibérie centrale
Plaine de la Sibérie septentrionale
Monts Poutorana
Mts Byrranga
Monts de Verkhoïansk
Mts Tcherski
Monts de la Kolyma
Mts des Koriaks
Monts de l'Anadyr
Mts Djougdjour
Mts Stanovoï
Mts de Bouréïa
Sikhote-Alin
Mts Iablonovoï
Saïan
Altaï
Caucase
NORVÈGE
SUÈDE
FINLANDE
UKRAINE
KAZAKHSTAN
MONGOLIE
CHINE
JAPON
ASTANA
OULAN-BATOR
St-Pétersbourg
Mourmansk
Arkhanguelsk
Kazan
Samara
Perm
Iekaterinbourg
Tcheliabinsk
Oufa
Volgograd
Rostov-sur-le-Don
Omsk
Novossibirsk
Krasnoïarsk
Irkoutsk
Iakoutsk
Magadan
Khabarovsk
Vladivostok
Petropavlovsk-Kamtchatski

REPÈRES HISTORIQUES

Les origines et les principautés médiévales

Ve s. apr. J.-C. : les Slaves de l'Est descendent vers le sud-est, où ils recueillent les vestiges des civilisations scythe et sarmate.

VIIIe - IXe s. : des Vikings, les Varègues, dominent les deux voies du commerce entre Baltique et mer Noire, le Dniepr et la Volga. Ils fondent des principautés dont les chefs sont semi-légendaires (Askold à Kiev, Riourik à Novgorod).

882 : Oleg, prince rióurikide, fonde l'État de Kiev.

989 : Vladimir Ier (vers 980 - 1015) impose à ses sujets le « baptême de la Russie ».

1019 - 1054 : sous Iaroslav le Sage, la Russie kiévienne connaît une brillante civilisation, inspirée de Byzance.

1169 : Vladimir est choisie pour capitale du second État russe, la principauté de Vladimir-Souzdal.

1238 - 1240 : les Mongols conquièrent presque tout le pays.

L'État moscovite

XIVe s. : la principauté de Moscou acquiert la suprématie sur les autres principautés russes.

1380 : Dimitri Donskoï bat les Mongols à Koulikovo.

1462 - 1505 : Ivan III organise un État puissant et centralisé et met fin à la suzeraineté mongole (1480).

1533 - 1584 : Ivan IV le Terrible, qui prend le titre de tsar (1547), commence la conquête de la Sibérie.

1605 - 1613 : après le règne de Boris Godounov (1598 - 1605), la Russie connaît des troubles politiques et sociaux ; elle est envahie par les Suédois et les Polonais.

1649 : le Code fait du servage une institution.

1666 - 1667 : la condamnation des vieux-croyants par l'Église orthodoxe russe provoque le schisme.

L'Empire russe jusqu'au milieu du XIXe s.

1682 - 1725 : Pierre le Grand entreprend l'occidentalisation du pays et crée l'Empire russe (1721).

1762 - 1796 : Catherine II mène une politique d'expansion et de prestige. En 1774, la Russie obtient un accès à la mer Noire ; à l'issue des trois partages de la Pologne, elle acquiert la Biélorussie, l'Ukraine occidentale et la Lituanie.

1796 - 1801 : règne de Paul Ier, qui participe aux deux premières coalitions contre la France.

1801 - 1825 : règne d'Alexandre Ier qui, vaincu par Napoléon, s'allie ensuite avec lui (Tilsit, 1807) puis prend une part active à sa chute (campagne de Russie, 1812). En 1815, il participe au congrès de Vienne et adhère à la Sainte-Alliance.

1825 - 1835 : Nicolas Ier mène une politique autoritaire en matant la conspiration décabriste (1825) et la révolte polonaise (1831).

1854 - 1856 : la Russie est battue par la France et la Grande-Bretagne, alliées de l'Empire ottoman pendant la guerre de Crimée.

La modernisation et le maintien de l'autocratie

1860 : la Russie annexe la région comprise entre l'Amour, l'Oussouri et le Pacifique, puis conquiert l'Asie centrale (1865 - 1897).

1861 - 1864 : Alexandre II (1855 - 1881) affranchit les serfs. Insatisfaite, l'intelligentsia révolutionnaire adhère au nihilisme puis, dans les années 1870, au populisme.

1881 - 1894 : Alexandre III limite l'application des réformes du règne précédent. Le pays connaît une rapide industrialisation à la fin des années 1880.

1904 - 1905 : la guerre russo-japonaise est un désastre pour la Russie et favorise la révolution de 1905. Après avoir fait des concessions libérales, Nicolas II revient à l'autocratisme. La Russie se rapproche de la Grande-Bretagne pour former avec elle et la France la Triple-Entente.

1915 : engagée dans la Première Guerre mondiale, elle subit de lourdes pertes lors des offensives austro-allemandes en Pologne, en Galicie et en Lituanie.

1917 : la révolution de Février abat le tsarisme ; la révolution d'Octobre donne le pouvoir aux bolcheviques.

L'URSS

1918 - 1920 : la République socialiste fédérative soviétique de Russie (RSFSR) est proclamée. L'Allemagne lui impose le traité de Brest-Litovsk. La guerre civile oppose l'Armée rouge et les armées blanches. Le « communisme de guerre » est instauré et les nationalisations sont généralisées.

1920 : la Russie soviétique reconnaît l'indépendance des États baltes. L'Armée rouge occupe l'Arménie.

1921 : la nouvelle politique économique (NEP) est adoptée.

1922 : Staline devient secrétaire général du Parti communiste. La Russie, la Transcaucasie, l'Ukraine et la Biélorussie s'unissent au sein de l'URSS.

1929 : la NEP est abandonnée. Le premier plan quinquennal donne la priorité à l'industrie lourde, et la collectivisation massive des terres est entreprise.

1936 : une Constitution précise l'organisation de l'URSS en 11 républiques fédérées : Russie, Ukraine, Biélorussie, Kazakhstan, Kirghizistan, Ouzbékistan, Tadjikistan, Turkménistan, Arménie, Azerbaïdjan, Géorgie.

1939 : le pacte germano-soviétique est conclu.

1939 - 1940 : l'URSS annexe la Pologne orientale, les États baltes, la Carélie, la Bessarabie et la Bucovine du Nord.

1941 : l'Allemagne envahit l'URSS.

1943 : l'Armée rouge remporte la bataille de Stalingrad.

1944 - 1945 : les forces soviétiques progressent en Europe orientale et, conformément aux accords de Yalta (février 1945), occupent la partie orientale de l'Allemagne.

1947 - 1949 : le Kominform est créé. La guerre froide se développe.

1955 : l'URSS signe avec sept démocraties populaires le pacte de Varsovie.

1956 : l'armée soviétique écrase la tentative de libéralisation de la Hongrie.

1962 : l'installation à Cuba de missiles soviétiques provoque une grave crise avec les États-Unis.

1968 : l'URSS intervient militairement en Tchécoslovaquie.

1979 : les troupes soviétiques occupent l'Afghanistan.

1985 - 1987 : M. Gorbatchev met en œuvre la *perestroïka*.

1989 : l'URSS achève le retrait de ses troupes d'Afghanistan. Les premières élections à candidatures multiples ont lieu, les revendications nationales se développent.

1990 : le rôle dirigeant du parti est aboli et un régime présidentiel est instauré. L'URSS, en signant le traité de Moscou, accepte l'unification de l'Allemagne.

La Fédération de Russie

Depuis 1991 : la restauration de l'indépendance des pays Baltes est suivie par la dissolution de l'URSS. La Russie, l'Ukraine, la Biélorussie, la Moldavie, les républiques d'Asie centrale et celles du Caucase (excepté la Géorgie), qui ont proclamé leur indépendance, créent la Communauté des États indépendants (CEI). La Russie prend le nom officiel de Fédération de Russie. Elle succède à l'URSS comme puissance nucléaire et comme membre permanent du Conseil de sécurité de l'ONU. L'armée russe intervient contre les indépendantistes de Tchétchénie (1994 - 1996 et 1999 - 2000). À Boris Ieltsine, président de la République de 1991 à 1999, succèdent Vladimir Poutine (1999 - 2008), Dmitri Medvedev (2008 - 2012) et à nouveau V. Poutine (depuis 2012).

SAINT-MARIN

Enclavé en plein territoire italien, au sud de Rimini, et accroché sur les pentes abruptes du mont Titano dans l'Apennin calcaire, Saint-Marin est la plus ancienne république d'Europe.

Superficie : 61 km²
Population (2013) : 30 000 hab.
Capitale : Saint-Marin 4 280 hab. (e. 2011) dans l'agglomération
Nature de l'État et du régime politique : république
Chef de l'État et du gouvernement : (capitaines-régents) Anna Maria Muccioli et Gian Carlo Capicchioni
Organisation administrative : 9 castelli
Langue officielle : italien
Monnaie : euro

Saint-Marin

200 300 500 m
plus de 4 000 h.
moins de 4 000 h.
route

Ce très petit pays, l'un des micro-États d'Europe, ne compte que 30 000 habitants. La population se concentre principalement à Dogana, Borgo Maggiore et Saint-Marin, la capitale, qui regroupe 4 000 habitants dans l'agglomération. 10 % de la population est de nationalité italienne.

DÉMOGRAPHIE

- **Densité :** 492 hab./km²
- **Part de la population urbaine (2013) :** 84 %
- **Structure de la population par âge (2013) :** moins de 15 ans : 15 %, 15-65 ans : 67 %, plus de 65 ans : 18 %
- **Taux de natalité (2013) :** 9 ‰
- **Taux de mortalité (2013) :** 7 ‰
- **Taux de mortalité infantile (2013) :** 3,1 ‰
- **Espérance de vie (2013) :** hommes : 82 ans, femmes : 86 ans

ÉCONOMIE

- **PNB (2007) :** 1,291 milliard de dollars
- **PNB/hab. (2007) :** 45 130 dollars
- **PNB/hab. PPA (2007) :** 37 080 dollars internationaux
- **IDH :** n.d.
- **Taux de croissance annuelle du PIB (2009) :** 1,9 %
- **Taux annuel d'inflation (2012) :** 2,8 %
- **Structure de la population active (2010) :** agriculture : 0,3 %, mines et industries : 36,9 %, services : 62,8 %
- **Structure du PIB :** agriculture : n.d., mines et industries : n.d., services : n.d.
- **Dette publique brute (2008) :** 58 % du PIB
- **Taux de chômage (2007) :** 2,6 %

Étroitement liée à l'économie italienne, ce micro-État fonde sa prospérité pour l'essentiel sur le tourisme, l'industrie, les services financiers (banques et assurances) et le secteur public. Son revenu par habitant est supérieur à celui de la province voisine de Rimini, mais plus de 30 % des salariés résident en Italie. La crise n'épargne pas le pays qui a vu son PIB diminuer de 3,5 % en 2013.

TOURISME

- **Recettes touristiques :** n.d.

COMMERCE EXTÉRIEUR

- **Exportations de biens :** n.d.
- **Importations de biens :** n.d.

DÉFENSE

- **Forces armées :** n.d.
- **Dépenses militaires :** n.d.

NIVEAU DE VIE

- **Nombre d'habitants pour un médecin (2012) :** 205
- **Apport journalier moyen en calories :** n.d.
- **Nombre d'automobiles pour 1 000 hab. (2011) :** 1 139
- **Téléphones portables (2012) :** 100 % de la population équipée

REPÈRES HISTORIQUES

Selon la tradition, Saint-Marin est fondé au IVe s. par un ermite retiré sur le mont Titano, dont la réputation de sainteté attira une petite communauté qui s'élargit peu à peu en une communauté laïque.

IXe s. : la ville accède à l'autonomie.

XIIIe s. : Saint-Marin devient une république.

1992 : il est admis à l'ONU.

SERBIE

Située au cœur de la péninsule balkanique, la Serbie s'étend sur les bassins du Danube, de la Morava méridionale et de la Morava occidentale. C'est un pays de collines et de moyennes montagnes plus que de plaines, transition structurale entre le système dinarique à l'ouest, la Stara Planina et le Rhodope à l'est. La partie la plus active, outre Belgrade, est la vallée de la Morava, riche région agricole.

Superficie : 77 474 km²
Population (2013) : 7 100 000 hab.
Capitale : Belgrade 1 135 080 hab. (e. 2011) dans l'agglomération
Nature de l'État et du régime politique : république à régime semi-présidentiel
Chef de l'État : (président de la République) Tomislav Nikolić
Chef du gouvernement : (Premier ministre) Ivica Dacić
Langue officielle : serbe
Monnaie : dinar serbe

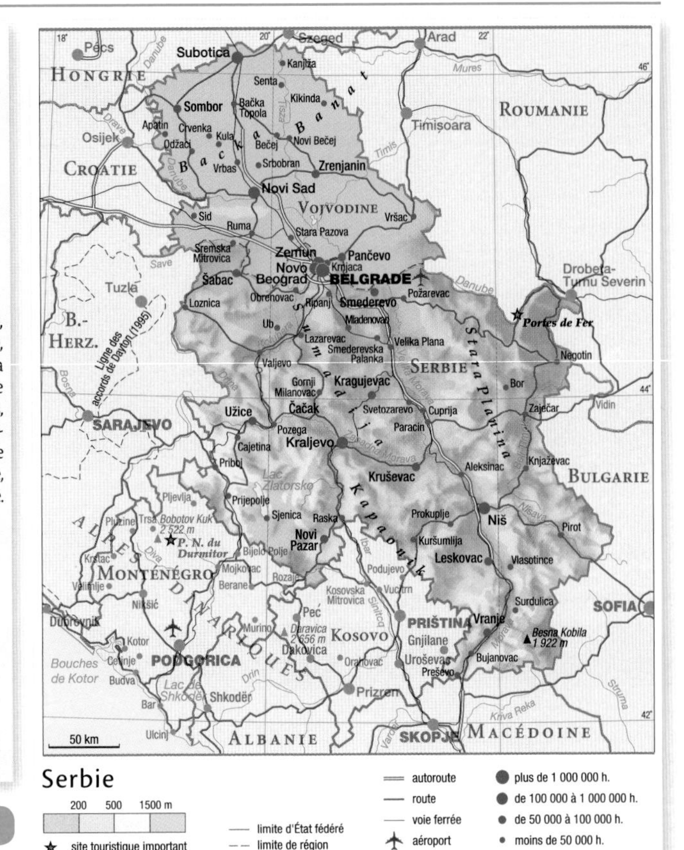

DÉMOGRAPHIE

- **Densité :** 92 hab./km²
- **Part de la population urbaine (2013) :** 59 %
- **Structure de la population par âge (2013) :** moins de 15 ans : 14 %, 15-65 ans : 69 %, plus de 65 ans : 17 %
- **Taux de natalité (2013) :** 9 ‰
- **Taux de mortalité (2013) :** 14 ‰
- **Taux de mortalité infantile (2013) :** 5,4 ‰
- **Espérance de vie (2013) :** hommes : 72 ans, femmes : 77 ans

L'agglomération de Belgrade domine le réseau urbain. Dans le Nord, Novi Sad est la deuxième grande ville du pays. La partie la plus active est constituée par l'axe de la Morava, voie de passage vers la Macédoine, la Grèce et la Bulgarie, jalonnée de centres comme Ni, Jagodina, Kragujevac, Smederevo. Les montagnes périphériques sont en voie de dépeuplement. La population est majoritairement d'origine serbe et de confession orthodoxe, mais comprend des minorités importantes, notamment des Hongrois dans l'extrémité septentrionale de la Vojvodine.

ÉCONOMIE

- **PNB (2012) :** 36 milliards de dollars
- **PNB/hab. (2012) :** 5 280 dollars
- **PNB/hab. PPA (2012) :** 11 430 dollars internationaux
- **IDH (2012) :** 0,769
- **Taux de croissance annuelle du PIB (2012) :** – 1,7 %
- **Taux annuel d'inflation (2012) :** 7,3 %
- **Structure de la population active (2012) :** agriculture : 21 %, mines et industries : 26,5 %, services : 52,6 %
- **Structure du PIB (2011) :** agriculture : 9 %, mines et industries : 26,6 %, services : 64,3 %
- **Dette publique brute :** n.d.
- **Taux de chômage (2012) :** 23,9 %

Avant la crise de 2008 – qui a entraîné une hausse de la pauvreté et de la dette extérieure –, la Serbie a connu une croissance relativement soutenue depuis le début des années 2000 (4,3 % en moyenne entre 2000 et 2004, puis 6,4 % entre 2004 et 2008) mais qui tend à fléchir en 2010 (1 %), en 2011 (1,6 %) et en 2012 (– 1,7 %) pour reprendre en 2013 (2 %). Le revenu moyen par habitant a été multiplié environ par trois depuis 2002. Les exportations sont dominées par les productions des entreprises étrangères implantées dans le pays tandis que le secteur d'État reste important. Le pays possède plusieurs atouts pour son développement futur, parmi lesquels des terres fertiles et des ressources naturelles comme le cuivre, le fer et le lithium, mais il dépend de la Russie pour ses importations de pétrole et de gaz naturel. Le soutien du FMI et l'accord de stabilisation et d'association avec l'UE doivent favoriser une augmentation des échanges – encore réduits et déficitaires – et des exportations (fer, acier, pneus, appareils électriques). Après avoir fait un emprunt auprès du FMI d'un milliard d'euros, la Serbie se tourne vers les Émirats arabes Unis afin d'obtenir un crédit de plusieurs milliards d'euros. Le déficit budgétaire (8,3 % du PIB), la dette (privée et publique) importante et le faible niveau des investissements étrangers constituent, avec la corruption et l'économie grise, des obstacles au développement de l'économie. Le pays doit absolument engager des réformes dans les secteurs de l'administration et de l'industrie. Le chômage a augmenté en 2013 (25 %).

TOURISME

- **Recettes touristiques (2012) :** 1 150 millions de dollars

COMMERCE EXTÉRIEUR

- **Exportations de biens (2012) :** 11 335 millions de dollars

- **Importations de biens (2011) :** 23 467 millions de dollars

DÉFENSE

- **Forces armées (2011) :** 28 150 individus
- **Dépenses militaires (2012) :** 2,2 % du PIB

NIVEAU DE VIE

- **Nombre d'habitants pour un médecin (2011) :** 473
- **Apport journalier moyen en calories (2007) :** 2 710 (minimum FAO : 2 400)
- **Nombre d'automobiles pour 1 000 hab. (2011) :** 215
- **Téléphones portables (2012) :** 93 % de la population équipée

REPÈRES HISTORIQUES

La formation d'un État yougoslave

IIe s. av. J.-C. : la région, peuplée d'Illyriens, de Thraces puis de Celtes, est intégrée à l'Empire romain.

VIe - VIIe s. : elle est submergée par les Slaves.

2de moitié du IXe s. : sous l'influence de Byzance, les Serbes sont christianisés.

XIe s. : la région, appelée Dioclée puis Zeta (actuel Monténégro), devient le centre d'un État.

Vers 1170 - vers 1196 : Étienne Nemanja émancipe les terres serbes de la tutelle byzantine.

1217 : son fils Étienne Ier Nemanjić (vers 1196 - 1227) devient roi. Il crée une Église serbe indépendante.

1360 : inclus dans le royaume serbe aux XIIIe - XIVe s., le royaume de Zeta redevient indépendant.

1489 - 1830 : défaits par les Turcs à Kosovo (1389), les Serbes sont intégrés à l'Empire ottoman. Le Monténégro est également sous domination ottomane de 1479 à 1878.

1804 - 1813 : les Serbes se révoltent sous la conduite de Karageorges.

1830 : Michel Obrenović, reconnu prince de Serbie par les Ottomans (1815), obtient l'autonomie complète.

1878 : le Monténégro et la Serbie obtiennent leur indépendance (congrès de San Stefano et de Berlin).

1908 : Pierre Karadjordjević (1903 - 1921) se rapproche de la Russie. Il doit accepter l'annexion de la Bosnie-Herzégovine par l'Autriche.

1912 - 1913 : la Serbie participe aux deux guerres balkaniques et obtient la majeure partie de la Macédoine.

1914 : à la suite de l'attentat de Sarajevo, la Serbie rejette l'ultimatum autrichien, déclenchant ainsi la Première Guerre mondiale.

1915 - 1918 : elle est occupée par les forces des puissances centrales et de la Bulgarie.

1918 : le royaume des Serbes, Croates et Slovènes est créé au profit de Pierre Ier Karadjordjević. Il réunit les Slaves du Sud, qui, avant la Première Guerre mondiale, étaient divisés entre la Serbie et l'Empire austro-hongrois.

1919 - 1920 : les traités de Neuilly-sur-Seine, de Saint-Germain-en-Laye, de Trianon et de Rapallo fixent ses frontières.

1921 : une Constitution centraliste et parlementaire est adoptée.

1929 : le pays prend le nom de Yougoslavie.

1941 : la résistance est organisée par D. Mihailović, Serbe de tendance royaliste et nationaliste, d'une part, et par le Croate et communiste J. Broz Tito, d'autre part. Pierre II se réfugie à Londres.

La république socialiste fédérative de Yougoslavie sous Tito

1945 - 1946 : la république populaire fédérative est créée, constituée de six républiques. Tito dirige le gouvernement.

1948 - 1949 : Staline exclut la Yougoslavie du monde socialiste et du Kominform.

1950 : l'autogestion est instaurée.

1963 : la république socialiste fédérative de Yougoslavie (RSFY) est instaurée.

1974 : une nouvelle Constitution renforce les droits des républiques.

1980 : après la mort de Tito, les fonctions présidentielles sont exercées collégialement.

L'éclatement de la fédération yougoslave

À partir de 1988 : les tensions interethniques se développent (notamment au Kosovo) et la situation économique, politique et sociale se détériore.

1990 : la Ligue communiste yougoslave renonce au monopole politique. La Croatie et la Slovénie, désormais dirigées par l'opposition démocratique, s'opposent à la Serbie et cherchent à redéfinir leur statut dans la fédération yougoslave.

1991 : elles proclament leur indépendance. Après des affrontements, l'armée fédérale se retire de Slovénie ; des combats meurtriers opposent les Croates à l'armée fédérale et aux Serbes de Croatie. La Macédoine proclame son indépendance (septembre).

1992 : la communauté internationale reconnaît l'indépendance de la Croatie et de la Slovénie, puis celle de la Bosnie-Herzégovine, où éclate une guerre meurtrière. La Serbie et le Monténégro créent la république fédérale de Yougoslavie.

1999 : en réponse à la répression serbe au Kosovo, l'OTAN intervient militairement en Yougoslavie. Le Kosovo est placé provisoirement sous administration internationale.

2003 : une nouvelle Charte constitutionnelle transforme la Yougoslavie en une fédération rénovée portant le nom de Serbie-et-Monténégro.

La Serbie à nouveau indépendante

Depuis 2006 : l'union entre la Serbie et le Monténégro prend fin, ce dernier ayant choisi de recouvrer son indépendance (juin). Après avoir récusé la proclamation unilatérale d'indépendance du Kosovo (17 février 2008), la Serbie accepte (2011) d'entamer avec ce dernier des pourparlers directs pour tenter de trouver une solution au différend qui les oppose. En 2012, elle obtient le statut de candidat à l'Union européenne.

SLOVAQUIE

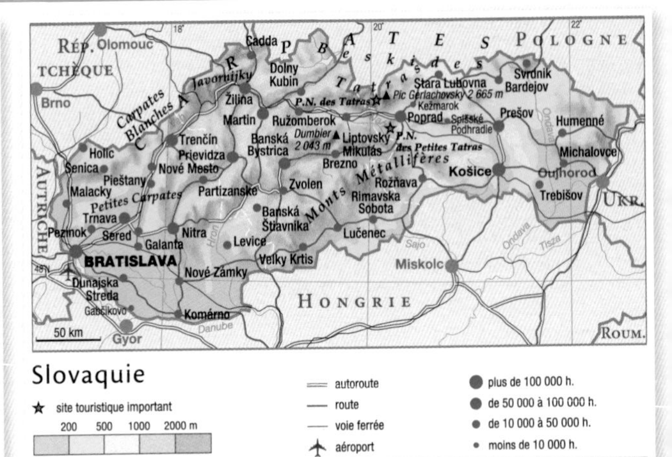

Slovaquie

★ site touristique important

200 500 1000 2000 m

autoroute
route
voie ferrée
aéroport

plus de 100 000 h.
de 50 000 à 100 000 h.
de 10 000 à 50 000 h.
moins de 10 000 h.

Occupant principalement l'extrémité nord-ouest des Carpates, la Slovaquie est un pays en grande partie montagneux, au climat continental. Le noyau le plus élevé est occupé par les Hautes Tatras (2 655 m), séparées des Basses Tatras par le Vah supérieur. Au nord s'étend l'arc des Beskides.

Superficie : 49 012 km²
Population (2013) : 5 400 000 hab.
Capitale : Bratislava 411 228 hab. (r. 2011)
Nature de l'État et du régime politique : république à régime parlementaire
Chef de l'État : (président de la République) Ivan Gašparović
Chef du gouvernement : (Premier ministre) Robert Fico
Organisation administrative : 8 régions
Langue officielle : slovaque
Monnaie : euro

DÉMOGRAPHIE

- **Densité :** 110 hab./km²
- **Part de la population urbaine (2013) :** 54 %
- **Structure de la population par âge (2013) :** moins de 15 ans : 15 %, 15-65 ans : 72 %, plus de 65 ans : 13 %
- **Taux de natalité (2013) :** 10 ‰
- **Taux de mortalité (2013) :** 10 ‰
- **Taux de mortalité infantile (2013) :** 5,8 ‰
- **Espérance de vie (2013) :** hommes : 72 ans, femmes : 79 ans

La population se concentre dans le sud-ouest de la Slovaquie, où se situe Bratislava, la capitale. Avec plus de 200 000 habitants, Koice est la principale ville de l'est du pays. La Slovaquie compte, au sud, une notable minorité hongroise, qui atteint près de 10 % de la population totale.

ÉCONOMIE

- **PNB (2012) :** 90 milliards de dollars
- **PNB/hab. (2012) :** 17 180 dollars
- **PNB/hab. PPA (2012) :** 24 770 dollars internationaux
- **IDH (2012) :** 0,84
- **Taux de croissance annuelle du PIB (2012) :** 1,8 %
- **Taux annuel d'inflation (2012) :** 3,6 %
- **Structure de la population active (2012) :** agriculture : 3,2 %, mines et industries : 37,5 %, services : 59,2 %
- **Structure du PIB (2010) :** agriculture : 3,9 %, mines et industries : 34,9 %, services : 61,2 %
- **Dette publique brute (2011) :** 46 % du PIB
- **Taux de chômage (2012) :** 13,9 %

Tirée par la demande intérieure, les aides de l'UE et les exportations, la Slovaquie a connu une croissance quasiment ininterrompue depuis la partition de 1993. Son revenu par habitant n'atteint encore qu'environ 42 % de celui de la zone euro (dont elle est membre depuis 2009), mais la part des services (moins de 34 % du PIB en 1991) a presque doublé. Ses échanges – au sein de l'UE (80 %), avec l'Allemagne et sa voisine tchèque pour principaux partenaires – sont excédentaires pour les biens manufacturés (automobile), mais l'énergie, la chimie et l'agroalimentaire sont déficitaires. L'automobile est le secteur dominant de l'industrie slovaque, suivie des équipements électriques, de la métallurgie, de l'agroalimentaire et de l'énergie. La Slovaquie a fortement subi les effets de la crise de 2008 et celle de la zone euro avec, notamment, une dégradation de ses finances publiques. La croissance se poursuit depuis 2010 (4 %), mais avec un ralentissement en 2013 (0,8 %). Elle est accompagnée d'une hausse du taux de chômage de l'ordre de 14 %.

TOURISME

- **Recettes touristiques (2012) :** 2 514 M de $

COMMERCE EXTÉRIEUR

- **Exportations de biens (2012) :** 80 751 M de $
- **Importations de biens (2012) :** 83 076 M de $

DÉFENSE

- **Forces armées (2011) :** 15 850 individus
- **Dépenses militaires (2012) :** 1,1 % du PIB

NIVEAU DE VIE

- **Nombre d'habitants pour un médecin (2011) :** 333
- **Apport journalier moyen en calories (2007) :** 2 893 (minimum FAO : 2 400)
- **Nombre d'automobiles pour 1 000 hab. (2011) :** 307
- **Téléphones portables (2012) :** 100 % de la population équipée

REPÈRES HISTORIQUES

Xe s. : les Hongrois détruisent la Grande-Moravie et annexent la Slovaquie, qui constitue dès lors la Haute-Hongrie.
1526 : celle-ci entre avec le reste de la Hongrie dans le domaine des Habsbourg.
Apr. 1540 : la plaine hongroise étant occupée par les Ottomans, le gouvernement hongrois s'établit à Presbourg (aujourd'hui Bratislava) et y demeure jusqu'en 1848.
XIXe s. : le mouvement national slovaque se développe.
1918 : la Slovaquie est intégrée à l'État tchécoslovaque.
1939 : un État slovaque séparé, sous protectorat allemand, est créé.
1945 - 1948 : la région est réintégrée dans la Tchécoslovaquie, et la centralisation, rétablie.
1948 - 1953 : le communiste Gottwald préside à l'alignement sur l'URSS. Des procès (1952 - 1954) condamnent Slánský et les « nationalistes slovaques ».
1968 : lors du « printemps de Prague », le parti, dirigé par Dubček, tente de s'orienter vers un « socialisme à visage humain ». L'intervention soviétique, en août, met un terme au cours novateur.
1969 : la Slovaquie est dotée du statut de république fédérée. Husák remplace Dubček à la tête du parti. C'est le début de la « normalisation ».
1989 : à la suite d'importantes manifestations, les principales autorités démissionnent et le rôle dirigeant du parti est aboli. Le dissident Havel est élu président.
1990 : les députés slovaques obtiennent que la Tchécoslovaquie prenne le nom de République fédérative tchèque et slovaque.
1992 : Havel démissionne. Le processus de partition de la Tchécoslovaquie en deux États indépendants est négocié par les gouvernements tchèque et slovaque.
1er janvier 1993 : la Slovaquie devient un État indépendant.
2004 : elle adhère à l'OTAN et à l'Union européenne.

SLOVÉNIE

Ouverte par les vallées de la Drave et de la Save, la Slovénie s'étend sur trois régions naturelles : les Alpes Juliennes (2 863 m au Triglav), le plateau du Karst au sud-ouest, humide et boisé, et les plaines et les collines du piémont alpin.

Superficie : 20 256 km²
Population (2013) : 2 100 000 hab.
Capitale : Ljubljana 272 897 hab. (e. 2011) dans l'agglomération
Nature de l'État et du régime politique : république à régime semi-présidentiel
Chef de l'État : (président de la République) Borut Pahor
Chef du gouvernement : (Premier ministre) Alenka Bratusek
Organisation administrative : 12 régions
Langue officielle : slovène
Monnaie : euro

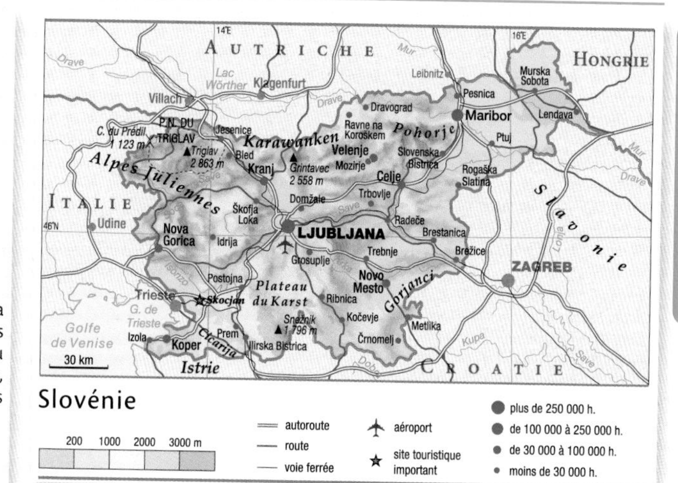

DÉMOGRAPHIE

- **Densité :** 104 hab./km²
- **Part de la population urbaine (2013) :** 50 %
- **Structure de la population par âge (2013) :** moins de 15 ans : 14 %, 15-65 ans : 69 %, plus de 65 ans : 17 %
- **Taux de natalité (2013) :** 11 ‰
- **Taux de mortalité (2013) :** 9 ‰
- **Taux de mortalité infantile (2013) :** 1,6 ‰
- **Espérance de vie (2013) :** hommes : 76 ans, femmes : 83 ans

Pour moitié citadine, la population (principalement catholique) se concentre pour la majeure partie dans les plaines et les collines du piémont alpin, notamment à Ljubljana, la capitale, et à Maribor, principale ville de l'est du pays, avec 100 000 habitants. Le profil démographique de la Slovénie est celui d'un pays vieillissant, avec un accroissement naturel nul et une espérance de vie très élevée (80 ans).

ÉCONOMIE

- **PNB (2012) :** 45 milliards de dollars
- **PNB/hab. (2012) :** 22 800 dollars
- **PNB/hab. PPA (2012) :** 27 240 dollars internationaux
- **IDH (2012) :** 0,892
- **Taux de croissance annuelle du PIB (2012) :** – 2,5 %
- **Taux annuel d'inflation (2012) :** 2,6 %
- **Structure de la population active (2012) :** agriculture : 8,3 %, mines et industries : 30,8 %, services : 60,3 %
- **Structure du PIB (2010) :** agriculture : 2,5 %, mines et industries : 31,6 %, services : 65,9 %
- **Dette publique brute (2009) :** 34,1 % du PIB
- **Taux de chômage (2012) :** 8,8 %

Les bons résultats de l'économie slovène (équilibre budgétaire atteint en 2007 et faible dette publique notamment) ont valu au pays son adhésion à la zone euro, son revenu moyen atteignant désormais 60 % de celui de cette dernière. Aux secteurs traditionnels (textile, métallurgie, sylviculture, électroménager, automobile) s'ajoutent les services (principal moteur de l'économie) et les secteurs à haute valeur ajoutée qui sont en forte expansion. Très dépendant de son commerce extérieur (70 % au sein de l'UE), le pays voit toutefois sa forte croissance (5 % en moyenne depuis 2004) assez brutalement interrompue par la crise de 2008 et est plongé en pleine récession depuis 2011 malgré une économie saine et des bases solides. En 2013, un plan d'assainissement de l'économie a évité de justesse au pays de se retrouver sous tutelle de ses créanciers.

TOURISME

- **Recettes touristiques (2012) :** 2 920 millions de dollars

COMMERCE EXTÉRIEUR

- **Exportations de biens (2012) :** 27 837 millions de dollars
- **Importations de biens (2012) :** 32 265 millions de dollars

DÉFENSE

- **Forces armées (2011) :** 12 100 individus
- **Dépenses militaires (2012) :** 1,2 % du PIB

NIVEAU DE VIE

- **Nombre d'habitants pour un médecin (2011) :** 393
- **Apport journalier moyen en calories (2007) :** 3 223 (minimum FAO : 2 400)
- **Nombre d'automobiles pour 1 000 hab. (2011) :** 522
- **Téléphones portables (2012) :** 100 % de la population équipée

REPÈRES HISTORIQUES

VIe s. : des tribus slaves (Slovènes) s'établissent dans la région.
788 : celle-ci est incorporée à l'empire de Charlemagne.
VIIIe s. : christianisée par des missionnaires de Salzbourg, elle adopte la Réforme, qui contribue au développement du slovène, puis revient au catholicisme.
1278 : elle passe sous la domination des Habsbourg.
XVIe et XVIIe s. : les incursions turques, rendant le pays peu sûr, arrêtent la colonisation allemande pour un temps.
1809 - 1813 : l'administration française (en Istrie depuis 1805, en Carinthie et en Carniole depuis 1809) des Provinces Illyriennes prépare le réveil national qui s'accentue lors de la restitution des régions slovènes à l'Autriche (1914).
1848 : la révolution entraîne des révoltes paysannes ; elle permet l'abolition du servage.
1918 : la Slovénie entre dans le royaume des Serbes, Croates et Slovènes, qui prend en 1929 le nom de Yougoslavie.
1920 : elle doit céder Klagenfurt à l'Autriche, et l'Istrie et les Alpes Juliennes à l'Italie.
1941 - 1945 : elle est partagée entre l'Allemagne, l'Italie et la Hongrie.
1945 : la Slovénie devient une des républiques fédérées de Yougoslavie.
1990 : l'opposition démocratique remporte les premières élections libres.
1991 : la Slovénie proclame son indépendance (reconnue par la communauté internationale en 1992).
2004 : elle adhère à l'OTAN et à l'Union européenne.

SUÈDE

La moitié nord du pays, correspondant au Norrland, au climat rude (les températures moyennes en février varient de – 6 °C à – 12 °C), s'oppose à la Suède centrale, formant une dépression traversée par la ligne de partage des eaux entre le Skagerrak et la Baltique. Quant à la partie méridionale, aux températures plus douces, elle est bordée par les îles Gotland et Öland, où alternent lacs et forêts.

Superficie : 449 964 km²
Population (2013) : 9 600 000 hab.
Capitale : Stockholm 758 148 hab. (r. 2002), 1 385 200 hab. (e. 2011) dans l'agglomération
Nature de l'État et du régime politique : monarchie constitutionnelle à régime parlementaire
Chef de l'État : (roi) Charles XVI Gustave
Chef du gouvernement : (Premier ministre) Fredrik Reinfeldt
Organisation administrative : 21 départements
Langue officielle : suédois
Monnaie : krona (couronne suédoise)

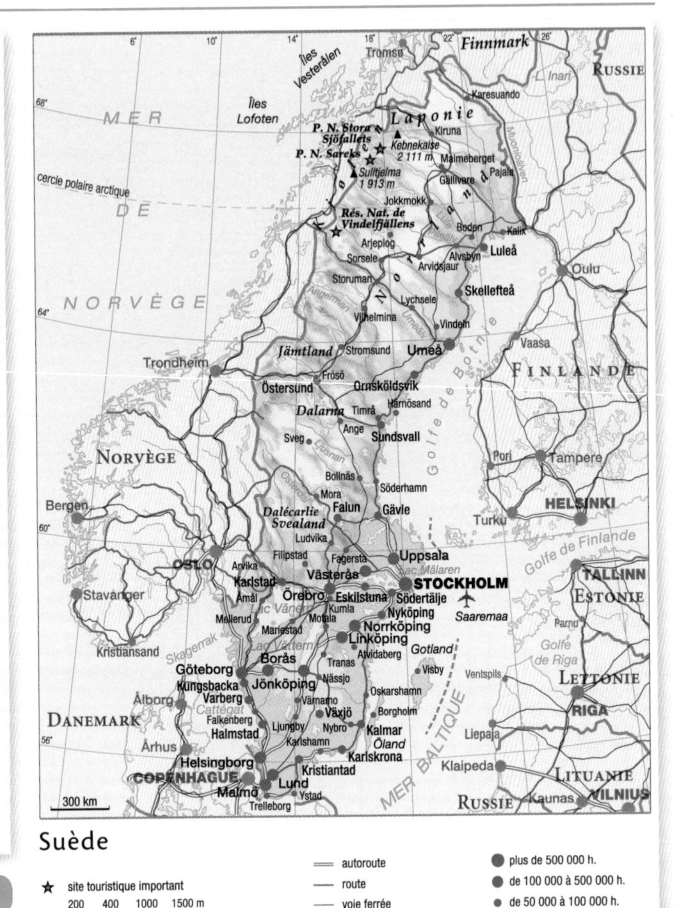

Suède

★ site touristique important
200 400 1000 1500 m

autoroute
route
voie ferrée
aéroport

plus de 500 000 h.
de 100 000 à 500 000 h.
de 50 000 à 100 000 h.
moins de 50 000 h.

DÉMOGRAPHIE

- **Densité :** 21 hab./km²
- **Part de la population urbaine (2013) :** 84 %
- **Structure de la population par âge (2013) :** moins de 15 ans : 17 %, 15-65 ans : 64 %, plus de 65 ans : 19 %
- **Taux de natalité (2013) :** 12 ‰
- **Taux de mortalité (2013) :** 10 ‰
- **Taux de mortalité infantile (2013) :** 2,6 ‰
- **Espérance de vie (2013) :** hommes : 80 ans, femmes : 84 ans

La Suède est le plus vaste et le plus peuplé des pays d'Europe du Nord. La densité moyenne est très faible (21 habitants au km²), limitée par la présence de montagnes dans un climat nordique. La population est concentrée dans le tiers méridional du pays, région de plaines et de lacs fortement urbanisée et au climat plus clément, où sont situées les trois plus grandes villes, Stockholm, la capitale, Göteborg et Malmö. Le Norrland, qui occupe toute la moitié nord du pays, est quasiment vide, ainsi que les montagnes et la Laponie, tout au nord : les densités sont ici souvent inférieures à 5 habitants au km². La population suédoise, vieillissante, ne s'accroît que très faiblement. L'espérance de vie des femmes à la naissance est parmi les plus élevées du monde (84 ans).

ÉCONOMIE

- **PNB (2012) :** 536 milliards de dollars
- **PNB/hab. (2012) :** 55 970 dollars
- **PNB/hab. PPA (2012) :** 43 980 dollars internationaux
- **IDH (2012) :** 0,916
- **Taux de croissance annuelle du PIB (2012) :** 1 %
- **Taux annuel d'inflation (2012) :** 0,9 %
- **Structure de la population active (2012) :** agriculture : 2 %, mines et industries : 19,5 %, services : 77,9 %
- **Structure du PIB (2010) :** agriculture : 1,8 %, mines et industries : 26,3 %, services : 71,8 %
- **Dette publique brute (2011) :** 38 % du PIB
- **Taux de chômage (2012) :** 8 %

Le « modèle suédois » alliant croissance et redistribution a été préservé grâce à la solidité du consensus social et politique sur ses principaux fondements malgré une augmentation du chômage (environ 8 %). La solidité des finances publiques et le maintien du système de protection sociale ont pu être ainsi conciliés. Grâce à la faible dépendance énergétique – recours au nucléaire (42 % de son électricité) et aux énergies renouvelables – ainsi qu'aux exportations à l'extérieur de l'UE (produits pharmaceutiques, appareils électriques, automobile...), les échanges commerciaux sont excédentaires. Après une récession (la plus forte depuis 1945) et un léger déficit budgétaire en 2009, le pays a connu une vigoureuse reprise et a été assez indifférent à la crise monétaire qui a secoué l'Union européenne grâce à la solidité de ses finances publiques. La croissance s'est cependant tassée en 2013 (0,8 %), la production régresse et le taux de chômage stagne autour de 8 %.

TOURISME

- **Recettes touristiques (2012) :** 16 331 millions de dollars

COMMERCE EXTÉRIEUR

- **Exportations de biens (2012) :** 185 076 millions de dollars
- **Importations de biens (2012) :** 223 740 millions de dollars

DÉFENSE

- **Forces armées (2011) :** 21 300 individus
- **Dépenses militaires (2012) :** 1,2 % du PIB

NIVEAU DE VIE

- **Nombre d'habitants pour un médecin (2011) :** 265
- **Apport journalier moyen en calories (2007) :** 3 110 (minimum FAO : 2 400)
- **Nombre d'automobiles pour 1 000 hab. (2011) :** 462
- **Téléphones portables (2012) :** 100 % de la population équipée

REPÈRES HISTORIQUES

Des origines à la formation de la nation suédoise

V. 1800 av. J.-C. : peuplée dès le néolithique, la Suède établit des relations avec les pays méditerranéens.

IXe - XIe s. apr. J.-C. : les Suédois, appelés *Varègues*, commercent surtout en Russie. Le christianisme progresse après le baptême du roi Olof Skötkonung (1008).

1157 : Erik le Saint entreprend une croisade contre les Finnois.

1250 - 1266 : Birger Jarl, fondateur de la dynastie des Folkung, établit sa capitale à Stockholm et renforce l'unité du pays.

1319 - 1363 : les Folkung unissent la Suède et la Norvège.

1389 : Marguerite Ire Valdemarsdotter, déjà reine du Danemark et de la Norvège, devient reine de Suède.

1397 : l'Union de Kalmar unit le Danemark, la Norvège et la Suède sous l'autorité d'Erik de Poméranie, désigné comme héritier par Marguerite Ire Valdemarsdotter.

1440 - 1520 : l'opposition nationale suédoise se regroupe autour des Sture.

La période de grandeur

1523 - 1560 : Gustave Ier Vasa, qui a chassé les Danois, rend l'indépendance à son pays. Le luthéranisme devient religion d'État.

1568 - 1592 : Jean III Vasa entreprend la construction d'un empire suédois en Baltique.

1611 - 1632 : Gustave II Adolphe intervient victorieusement dans la guerre de Trente Ans.

1632 - 1654 : la reine Christine lui succède sous la régence d'Oxenstierna. Bénéficiant des traités de Westphalie (1648), la Suède est maîtresse de la Baltique.

1654 - 1660 : Charles X Gustave écrase les Danois.

1697 - 1718 : Charles XII, entraîné dans la guerre du Nord (1700 - 1721), fait perdre à son pays la maîtrise de la Baltique.

De l'ère de la liberté à nos jours

XVIIIe s. : les règnes de Frédéric Ier (1720 - 1751) et d'Adolphe-Frédéric (1751 - 1771) sont marqués par l'opposition entre le parti pacifiste des Bonnets et le parti des Chapeaux (militariste et profrançais).

1771 - 1792 : Gustave III règne en despote éclairé, puis (1789) restaure l'absolutisme.

1808 : Gustave IV Adolphe doit abandonner la Finlande à la Russie.

1810 : Charles XIII adopte comme successeur le maréchal français Bernadotte, qui s'allie avec l'Angleterre et la Russie contre Napoléon (1812).

1814 : par le traité de Kiel, la Norvège est unie à la Suède.

1818 - 1844 : Bernadotte devient roi sous le nom de Charles XIV.

1905 : la Suède doit accepter la sécession de la Norvège.

1907 - 1950 : sous le règne de Gustave V, le pays observe une stricte neutralité durant les deux guerres mondiales.

1973 : le roi Charles XVI Gustave succède à Gustave VI Adolphe.

1995 : la Suède adhère à l'Union européenne.

SUISSE

Essentiellement montagneuse, la Suisse se compose de trois ensembles : le Jura, le Plateau suisse ou Mittelland, et les Alpes, qui occupent environ 60 % du territoire et surplombent les vallées du Rhône et du Rhin. Au sud, les Alpes Pennines dominent la plaine du Pô. Entre les Alpes et le Jura, le Plateau est plutôt un ensemble de collines et de vallées qui s'abaissent vers le sud.

Superficie : 41 284 km²
Population (2013) : 8 600 000 hab.
Capitale : Berne 124 381 hab. (r. 2010), 353 462 hab. (e. 2011) dans l'agglomération
Nature de l'État et du régime politique : république à régime parlementaire
Chef de l'État et du gouvernement : (président de la Confédération) Didier Burkhalter
Organisation administrative : 23 cantons (3 sont composés de 2 demi-cantons)
Langues officielles : allemand, français, italien et romanche
Monnaie : franc suisse

DÉMOGRAPHIE

- **Densité :** 208 hab./km²
- **Part de la population urbaine (2013) :** 74 %
- **Structure de la population par âge (2013) :** moins de 15 ans : 15 %, 15-65 ans : 68 %, plus de 65 ans : 17 %
- **Taux de natalité (2013) :** 10 ‰
- **Taux de mortalité (2013) :** 8 ‰
- **Taux de mortalité infantile (2013) :** 3,8 ‰
- **Espérance de vie (2013) :** hommes : 80 ans, femmes : 85 ans

Marquée par la diversité linguistique (les germanophones sont toutefois de loin les plus nombreux) et le partage, presque égal, entre catholiques et protestants, la Suisse est un pays densément peuplé et urbanisé aux trois quarts. La population se concentre dans le Plateau, ou Moyen-Pays, entre le Jura et surtout les Alpes. Les francophones sont présents dans l'Ouest. Une petite minorité parle italien, alors que la pratique de la langue romanche est marginale. La croissance de la population est modérée.

ÉCONOMIE

- **PNB (2012) :** 653 milliards de dollars
- **PNB/hab. (2012) :** 80 970 dollars
- **PNB/hab. PPA (2012) :** 55 090 dollars internationaux
- **IDH (2012) :** 0,913
- **Taux de croissance annuelle du PIB (2012) :** 1 %
- **Taux annuel d'inflation (2012) :** – 0,7 %
- **Structure de la population active (2012) :** agriculture : 3,5 %, mines et industries : 20,3 %, services : 72,5 %
- **Structure du PIB (2010) :** agriculture : 1,1 %, mines et industries : 26 %, services : 71,8 %
- **Dette publique brute (2009) :** 20,7 % du PIB
- **Taux de chômage (2012) :** 4,2 %

Toujours en dehors de l'UE avec laquelle elle est cependant étroitement liée par plusieurs accords bilatéraux d'association, la Suisse fonde largement sa prospérité sur son rôle de place financière (spécialisée dans la gestion de fortunes) et sur un secteur tertiaire très développé. Le secteur bancaire représente 10 % du PIB, mais les banques doivent se résoudre dorénavant à appliquer le secret bancaire. La Suisse est de plus en plus insérée dans le commerce international de marchandises (20e rang mondial). Ses exportations sont en augmentation depuis 2000, concernant plusieurs secteurs de pointe très compétitifs (haute technologie, produits chimiques et pharmaceutiques, instruments de précision, horlogerie, appareils électroniques), et elles ont largement profité de la reprise économique en Asie et en Amérique du Sud. Le pays se classe au 3e rang mondial pour le PIB/hab. en 2013 et le chômage n'excède pas 3,2 %.

TOURISME

- **Recettes touristiques (2012) :** 21 061 millions de dollars

COMMERCE EXTÉRIEUR

- **Exportations de biens (2012) :** 332 131 millions de dollars
- **Importations de biens (2011) :** 266 597 millions de dollars

DÉFENSE

- **Forces armées (2011) :** 23 100 individus
- **Dépenses militaires (2012) :** 0,8 % du PIB

NIVEAU DE VIE

- **Nombre d'habitants pour un médecin (2011) :** 245
- **Apport journalier moyen en calories (2007) :** 3 465 (minimum FAO : 2 400)
- **Nombre d'automobiles pour 1 000 hab. (2011) :** 521
- **Téléphones portables (2012) :** 100 % de la population équipée

REPÈRES HISTORIQUES

Les origines et la Confédération

IXe s. - Ier s. av. J.-C. : à l'âge du fer, les civilisations de Hallstatt et de La Tène se développent.
58 av. J.-C. : le pays est conquis par César.
Ve s. : l'Helvétie est envahie par les Burgondes et les Alamans, qui germanisent le Nord et le Centre.
VIIe - IXe s. : elle est christianisée.
888 : elle entre dans le royaume de Bourgogne.
1032 : elle est intégrée avec celui-ci dans le Saint Empire.
XIe - XIIIe s. : les Habsbourg acquièrent de grandes possessions dans la région.
Fin du XIIIe s. : dans des circonstances devenues légendaires (Tell), les cantons défendent leurs libertés.
1291 : les trois cantons forestiers (Uri, Schwyz, Unterwald) se lient en un pacte perpétuel ; c'est l'acte de naissance de la Confédération suisse.
1353 : la Confédération comprend huit cantons après l'adhésion de Lucerne (1332), Zurich (1351), Glaris, Zoug (1352) et Berne (1353). Après les victoires de Sempach (1386) et de Näfels (1388), elle fait reconnaître son indépendance par les Habsbourg.
1499 : Maximilien Ier signe la paix de Bâle avec les Confédérés ; le Saint Empire n'exerce plus qu'une suzeraineté nominale.
1513 : la Confédération compte treize cantons après l'adhésion de Soleure et Fribourg (1481), Bâle et Schaffhouse (1501) puis Appenzell (1513).
1516 : après leur défaite à Marignan, les Suisses signent avec la France une paix perpétuelle.
1519 : la Réforme est introduite à Zurich par Zwingli.
1536 : Calvin fait de Genève la « Rome du protestantisme ».
1648 : les traités de Westphalie reconnaissent l'indépendance de la Confédération.

L'époque contemporaine

1798 : le Directoire impose une République helvétique, qui devient vite ingouvernable.
1803 : l'Acte de médiation, reconstituant l'organisation confédérale, est ratifié par Bonaparte.
1813 : il est abrogé.
1815 : un nouveau pacte confédéral entre vingt-deux cantons est ratifié par le congrès de Vienne, qui reconnaît la neutralité de la Suisse.
1845 - 1847 : sept cantons catholiques forment une ligue (le *Sonderbund*), qui est réprimée militairement.
1848 : une nouvelle Constitution instaure un État fédératif, doté d'un gouvernement central siégeant à Berne.
1874 : le droit de référendum est introduit.
1891 : celui d'initiative populaire l'est également.
1914 - 1918, 1939 - 1945 : la neutralité et la vocation humanitaire de la Suisse sont respectées.
1979 : un nouveau canton de langue française, le Jura, est créé.
1999 : une nouvelle Constitution est adoptée.
2002 : la Suisse devient membre de l'ONU.

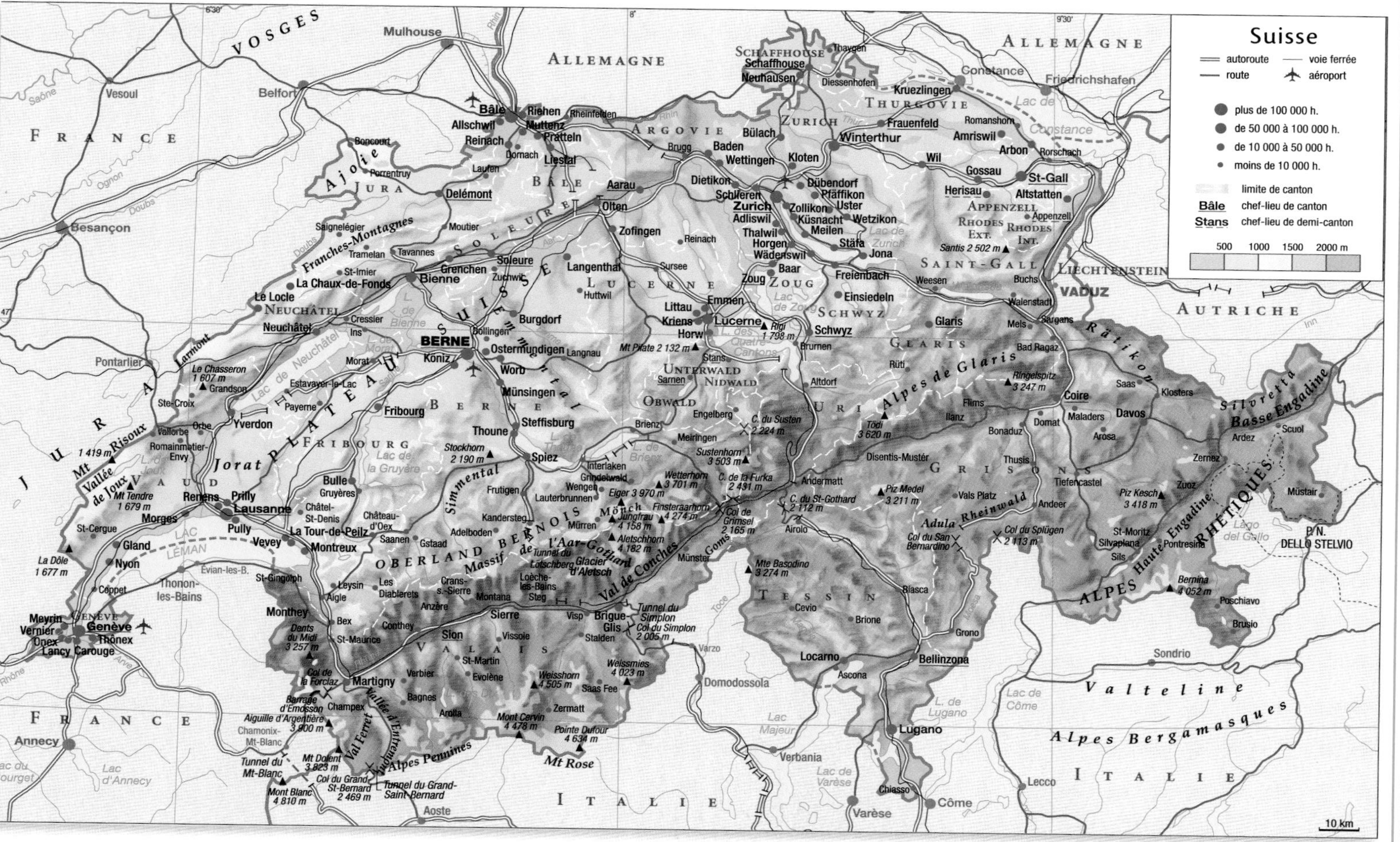
Suisse
autoroute
route
voie ferrée
aéroport
plus de 100 000 h.
de 50 000 à 100 000 h.
de 10 000 à 50 000 h.
moins de 10 000 h.
limite de canton
Bâle chef-lieu de canton
Stans chef-lieu de demi-canton
500 1000 1500 2000 m
10 km
ALLEMAGNE
AUTRICHE
FRANCE
ITALIE
LIECHTENSTEIN
VADUZ
VOSGES
JURA
Valteline
Alpes Bergamasques
ALPES RHÉTIQUES
Alpes de Glaris
Rätikon
Silvretta
Basse Engadine
Haute Engadine
P.N. DELLO STELVIO
Rheinwald
OBERLAND BERNOIS
Massif de l'Aar-Gothard
Val de Conches
Alpes Pennines
Vallée d'Entremont
Val Ferret
Mt Rose
Simmental
Emmental
PLATEAU SUISSE
Jorat
Vallée de Joux
Mt Risoux
Ajoie
Franches-Montagnes
Lac de Constance
Lac de Neuchâtel
LAC LÉMAN
Lac Majeur
Lac de Côme
L. de Lugano
Lac de Varèse
Lac d'Annecy
Lac du Bourget
BERNE
Zurich
Genève
Bâle
Lausanne
Lucerne
St-Gall
Winterthur
Bienne
Fribourg
Neuchâtel
Schaffhouse
Coire
Sion
Lugano
Bellinzona
Locarno
Mulhouse
Besançon
Belfort
Vesoul
Pontarlier
Annecy
Aoste
Côme
Varèse
Lecco
Sondrio
Domodossola
Verbania
Friedrichshafen
Constance
Chamonix-Mt-Blanc
Thonon-les-Bains
Évian-les-B.
Mont Blanc 4 810 m
Mont Cervin 4 478 m
Pointe Dufour 4 634 m
Weisshorn 4 505 m
Finsteraarhorn 4 274 m
Jungfrau 4 158 m
Eiger 3 970 m
Tödi 3 620 m
Bernina 4 052 m
Piz Kesch 3 418 m
Säntis 2 502 m
Rigi 1 798 m
Mt Pilate 2 132 m
La Dôle 1 677 m
Le Chasseron 1 607 m
Mt Tendre 1 679 m
Col du Grand-St-Bernard 2 469 m
Col du Simplon 2 005 m
C. du St-Gothard 2 112 m
Col de Grimsel 2 165 m
C. de la Furka 2 431 m
C. du Susten 2 224 m
Col du San Bernardino
Col du Splügen 2 113 m
Tunnel du Grand-Saint-Bernard
Tunnel du Simplon
Tunnel du Mt-Blanc
Tunnel du Lötschberg
Glacier d'Aletsch
6°30'
8°
9°30'
47°

EUROPE

TCHÈQUE (RÉPUBLIQUE)

Le pays est constitué de la Bohême, quadrilatère de moyennes montagnes entourant la plaine fertile du Polabí, et de la Moravie.

Superficie : 78 866 km²
Population (2013) : 10 500 000 hab.
Capitale : Prague 1 241 664 hab. (r. 2012)
Nature de l'État et du régime politique : république à régime parlementaire
Chef de l'État : (président de la République) Miloš Zeman
Chef du gouvernement : (Premier ministre) Bohuslav Sobotka
Organisation administrative : 13 régions et 1 municipalité
Langue officielle : tchèque
Monnaie : koruna (couronne tchèque)

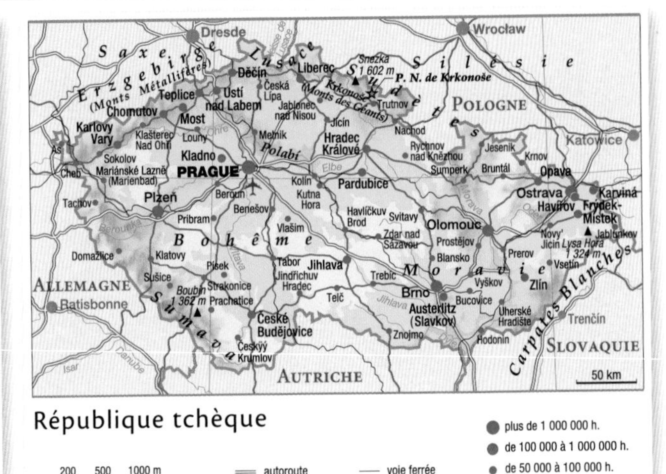

DÉMOGRAPHIE

- **Densité :** 133 hab./km²
- **Part de la population urbaine (2013) :** 74 %
- **Structure de la population par âge (2013) :** moins de 15 ans : 15 %, 15-65 ans : 69 %, plus de 65 ans : 16 %
- **Taux de natalité (2013) :** 10 ‰
- **Taux de mortalité (2013) :** 10 ‰
- **Taux de mortalité infantile (2013) :** 2,6 ‰
- **Espérance de vie (2013) :** hommes : 75 ans, femmes : 81 ans

Le réseau urbain, dense, est dominé par Prague et Plze en Bohême et par Ostrava et Brno en Moravie, avec aussi de nombreuses villes moyennes. La densité de la population dépasse les 150 habitants au km² en Moravie, dans l'est du pays, et notamment en Silésie. Avec une espérance de vie élevée (81 ans pour les femmes) et un indice de fécondité de 1,5 enfant par femme, le pays connaît un vieillissement sensible de sa population, qui ne s'accroît quasiment plus depuis 1990.

ÉCONOMIE

- **PNB (2012) :** 182 milliards de dollars
- **PNB/hab. (2012) :** 18 120 dollars
- **PNB/hab. PPA (2012) :** 24 720 dollars internationaux
- **IDH (2012) :** 0,873
- **Taux de croissance annuelle du PIB (2012) :** – 1 %
- **Taux annuel d'inflation (2012) :** 3,3 %
- **Structure de la population active (2012) :** agriculture : 3,1 %, mines et industries : 38,1 %, services : 58,8 %
- **Structure du PIB (2010) :** agriculture : 2,3 %, mines et industries : 36,3 %, services : 61,4 %
- **Dette publique brute (2011) :** 38 % du PIB
- **Taux de chômage (2012) :** 7 %

L'économie de la République tchèque a subi plusieurs cures d'austérité après les crises de 2008 et de 2011, entraînant les indicateurs économiques du pays à la baisse : le taux de chômage a doublé (10 % en 2013), la croissance du PIB se contracte et la production industrielle, l'agriculture et le BTP sont en chute libre. Pour conséquences, les investissements et la consommation intérieure sont atones. Très dépendant de l'UE (80 % de ses échanges, excédentaires) et de l'Allemagne (38 % de ses exportations), le commerce extérieur a légèrement progressé en 2013, le secteur automobile restant le pilier de la production industrielle. En 2013, la dette avoisine les 50 % du PIB.

TOURISME

- **Recettes touristiques (2012) :** 8 462 millions de dollars

COMMERCE EXTÉRIEUR

- **Exportations de biens (2012) :** 125 179 millions de dollars
- **Importations de biens (2012) :** 142 201 millions de dollars

DÉFENSE

- **Forces armées (2011) :** 26 750 individus
- **Dépenses militaires (2012) :** 1,1 % du PIB

NIVEAU DE VIE

- **Nombre d'habitants pour un médecin (2011) :** 270
- **Apport journalier moyen en calories (2007) :** 3 260 (minimum FAO : 2 400)
- **Nombre d'automobiles pour 1 000 hab. (2011) :** 427
- **Téléphones portables (2012) :** 100 % de la population équipée

REPÈRES HISTORIQUES

Fin du VIIIe s. - début du Xe s. : les Slaves, établis en Bohême depuis le Ve s., organisent l'empire de Grande-Moravie.

900 - 1306 : les Přemyslides règnent sur le pays.

1310 - 1347 : la dynastie des Luxembourg dirige le royaume, qui atteint son apogée sous Charles IV (1346 - 1378).

1526 : Ferdinand Ier de Habsbourg est proclamé roi de Bohême et de Hongrie.

1526 - 1648 : renouvelée à chaque élection royale, l'union avec l'Autriche est renforcée par la Constitution de 1627, qui donne, à titre héréditaire, la couronne de Bohême aux Habsbourg.

XIXe s. : les Tchèques participent à la révolution de 1848.

1918 : ils accèdent à l'indépendance et forment avec les Slovaques la république de Tchécoslovaquie.

1938 : à la suite des accords de Munich, le pays cède à l'Allemagne les Sudètes.

1939 : l'Allemagne occupe la Bohême-Moravie et y instaure son protectorat. La Slovaquie forme un État séparé.

1945 : Prague est libérée par l'armée soviétique.

Févr. 1948 : les communistes s'emparent du pouvoir.

1968 : l'intervention soviétique brise le mouvement de libéralisation du régime initié par Dubček.

1969 : la Tchécoslovaquie devient un État fédéral formé des Républiques tchèque et slovaque.

1989 : à la suite d'importantes manifestations, le rôle dirigeant du parti est aboli. Le dissident Václav Havel est élu président.

1992 : le processus de partition de la Tchécoslovaquie en deux États indépendants est négocié par les gouvernements tchèque et slovaque.

1993 : la République tchèque devient indépendante.

1999 : elle est intégrée dans l'OTAN.

2004 : elle adhère à l'Union européenne.

UKRAINE

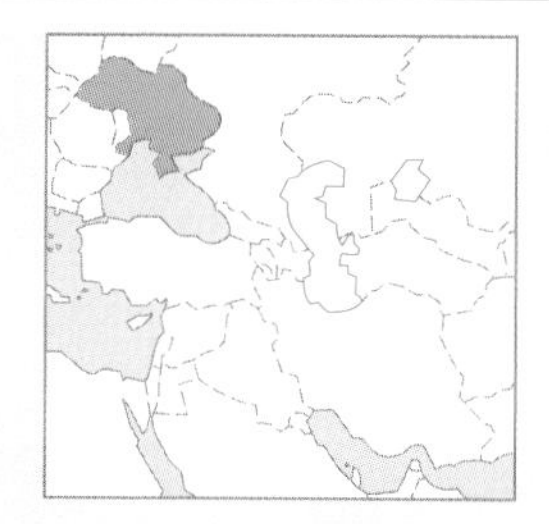

La Russie exceptée, l'Ukraine est, devant la France, le plus vaste État d'Europe. Sous un climat continental aux hivers modérément froids et aux étés chauds et humides, le territoire appartient au domaine de la steppe, boisée au nord et à tendance aride aux approches de la mer Noire.

Superficie : 576 540 km²
Population (2013) : 43 543 578 hab.
Capitale : Kiev 2 829 300 hab. (e. 2011)
Nature de l'État et du régime politique : république à régime présidentiel
Chef de l'État : (président de la République) Oleksandr Tourtchynov
Chef du gouvernement : (Premier ministre) Arseni Iatseniouk
Organisation administrative : 24 régions et 2 municipalités
Langue officielle : ukrainien
Monnaie : hrivna

DÉMOGRAPHIE

- **Densité :** 75 hab./km²
- **Part de la population urbaine (2013) :** 69 %
- **Structure de la population par âge (2013) :** moins de 15 ans : 14 %, 15-65 ans : 71 %, plus de 65 ans : 15 %
- **Taux de natalité (2013) :** 11 ‰
- **Taux de mortalité (2013) :** 15 ‰
- **Taux de mortalité infantile (2013) :** 8,5 ‰
- **Espérance de vie (2013) :** hommes : 66 ans, femmes : 76 ans

La population du pays a une densité faible. Urbanisée aux deux tiers, elle se concentre principalement sur le Dniepr, où se situe la capitale, Kiev, et au-delà, dans l'est du pays, où plusieurs autres villes dépassent le million d'habitants (Kharkiv, Odessa, Donetsk, Dnipropetrovsk) et où vit surtout la minorité russe. Celle-ci représente environ 20 % de la population totale. Avec la chute de la natalité et l'augmentation très sensible de la mortalité (surtout masculine : l'espérance de vie à la naissance pour les hommes n'est que de 66 ans), la population de l'Ukraine diminue de façon continue depuis 1990.

ÉCONOMIE

- **PNB (2012) :** 173 milliards de dollars
- **PNB/hab. (2012) :** 3 500 dollars
- **PNB/hab. PPA (2012) :** 7 180 dollars internationaux
- **IDH (2012) :** 0,74
- **Taux de croissance annuelle du PIB (2012) :** 0,2 %
- **Taux annuel d'inflation (2012) :** 0,6 %
- **Structure de la population active (2012) :** agriculture : 17,2 %, mines et industries : 20,7 %, services : 62,1 %
- **Structure du PIB (2012) :** agriculture : 9,3 %, mines et industries : 29,8 %, services : 60,9 %
- **Dette publique brute (2011) :** 27 % du PIB
- **Taux de chômage (2012) :** 7,5 %

Depuis 2001 et jusqu'en 2008, l'Ukraine a connu une très forte croissance, de l'ordre de 7,5 % en moyenne. Marqué par une forte inflation, puis avec la crise internationale de 2008, le pays a plongé dans une récession brutale, la monnaie nationale perdant 40 % de sa valeur par rapport au dollar. L'industrie lourde (sidérurgie) est encore importante (elle représente 40 % des exportations et 28 % de la production industrielle) mais peu compétitive, le commerce extérieur est déficitaire et le revenu par habitant reste peu élevé. Le pays possède pourtant plusieurs atouts, dont l'agriculture (1er producteur et 1er exportateur mondial de tournesol) et les ressources minières (charbon, fer, manganèse, uranium) mais, avec la crise, la chute du cours des métaux (réduction des deux tiers) a accentué la baisse de la pro-

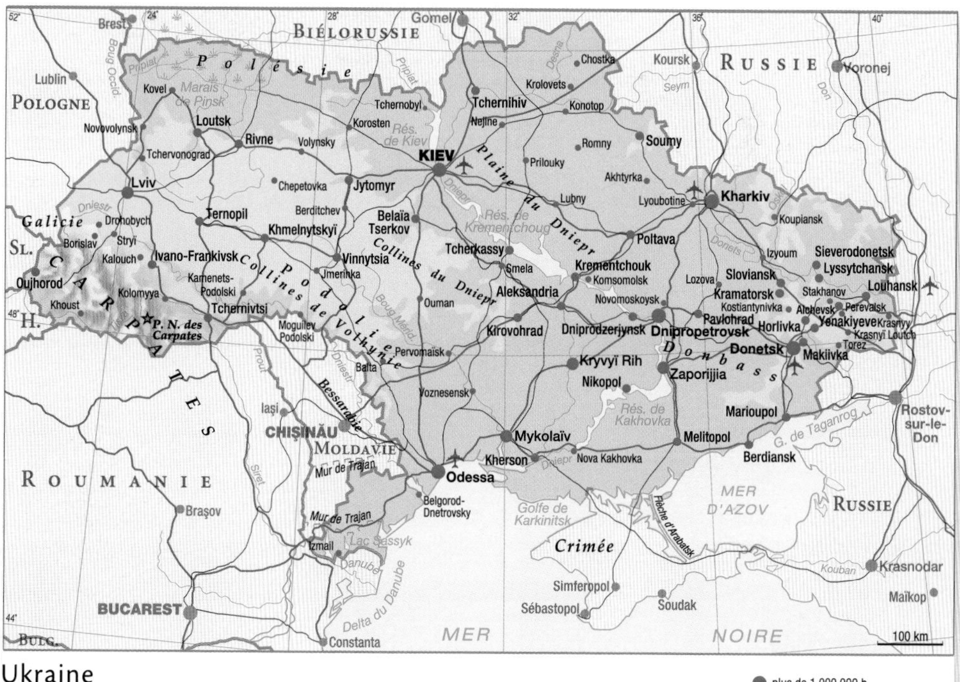

Ukraine

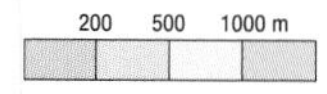

— route
— voie ferrée
aéroport

● plus de 1 000 000 h.
● de 500 000 à 1 000 000 h.
● de 100 000 à 500 000 h.
● moins de 100 000 h.

duction industrielle. Malgré ses réserves de houille et d'uranium, le pays dépend des importations de pétrole et de gaz naturel dont le transit à destination de l'Europe par son territoire est également un facteur de tension avec la Russie. Le pays a dû renoncer au monopole qu'il exerçait sur l'acheminement du gaz russe vers l'Europe à cause du nouveau gazoduc «Nord Stream» qui dessert l'Europe via la mer Baltique. Malgré la relance de la croissance amorcée en 2010, le pays est entré en récession en 2013 en raison de la chute de ses exportations. Dépendant à 60 % du gaz russe, Moscou a fait pression sur le gouvernement ukrainien pour abandonner l'accord de partenariat qui devait lier le pays avec l'Union européenne, lui octroyant ainsi une confortable aide financière. La situation reste fragile dans la mesure où la dette extérieure atteint 84 % du PIB.

TOURISME

- **Recettes touristiques (2012) :** 5 406 millions de dollars

COMMERCE EXTÉRIEUR

- **Exportations de biens (2012) :** 64 003 millions de dollars
- **Importations de biens (2012) :** 104 582 millions de dollars

DÉFENSE

- **Forces armées (2011) :** 214 850 individus
- **Dépenses militaires (2012) :** 2,8 % du PIB

NIVEAU DE VIE

- **Nombre d'habitants pour un médecin (2012) :** 284
- **Apport journalier moyen en calories (2007) :** 3 224 (minimum FAO : 2 400)
- **Nombre d'automobiles pour 1 000 hab. (2011) :** 148
- **Téléphones portables (2012) :** 100 % de la population équipée

REPÈRES HISTORIQUES

X^e^ - XIIe s. : l'État de Kiev se développe.

XIIe s. : la Galicie-Volhynie recueille les traditions kiéviennes.

1238 - 1240 : la conquête mongole ruine la région de Kiev.

XIIIe - XIVe s. : la Lituanie et la Pologne annexent toutes les régions où se développe la civilisation ukrainienne, hormis la Ruthénie subcarpatique, sous domination hongroise depuis le XIe s.

XVe - XVIe s. : des communautés cosaques s'organisent sur le Don et le Dniepr.

1654 : l'hetman (chef) des Cosaques Khmelnitski se place sous la protection de la Moscovie.

1667 : l'Ukraine est partagée entre la Pologne et la Russie.

1709 : Pierre le Grand écrase à Poltava l'hetman Mazeppa, qui a tenté de constituer une Ukraine réunifiée et indépendante.

1793 - 1795 : à la suite des partages de la Pologne, toute l'Ukraine est sous la domination des Empires russe et autrichien.

Fin 1917 - début 1918 : une république soviétique est créée à Kharkov par les bolcheviques, et une république indépendante est proclamée à Kiev par les nationalistes.

1919 - 1920 : les armées russes blanches puis les Polonais interviennent en Ukraine.

1922 : la République soviétique d'Ukraine adhère à l'Union soviétique.

1939 - 1940 : l'URSS annexe les territoires polonais peuplés d'Ukrainiens, ainsi que la Bucovine du Nord et la Bessarabie.

1941 - 1944 : un régime d'occupation très rigoureux est imposé par les nazis.

1945 : l'Ukraine s'agrandit de la Ruthénie subcarpatique.

1954 : la Crimée, dotée d'une importante minoritée russe, lui est rattachée.

1991 : l'Ukraine accède à l'indépendance et adhère à la CEI. Des conflits d'intérêt opposent l'Ukraine à la Russie, notamment. sur le statut de la Crimée, qui devient une république autonome à l'intérieur des frontières ukrainiennes, et sur le contrôle de la flotte de la mer Noire.

2004 : la victoire de l'opposition démocratique (« révolution orange », soutenue par les États-Unis et l'Union européenne) lors de l'élection présidentielle, ravive l'hostilité de la Russie.

Depuis 2013 : en dépit de l'arrivée au pouvoir d'un président prorusse en 2010, le dilemme entre un rapprochement de l'Ukraine avec l'Europe et son retour dans le giron russe est au cœur d'une crise politique qui aboutit à la destitution du président (février 2014). La République autonome de Crimée déclare son indépendance et demande son rattachement à la Russie (mars). Cette sécession n'est reconnue que par la Russie.

Le Vatican englobe la place et la basilique Saint-Pierre, le palais du Vatican et ses annexes, les jardins du Vatican. S'ajoute à ce domaine la pleine propriété des bâtiments, à Rome et à Castel Gandolfo (droits extra-territoriaux).

Superficie : 0,44 km²
Population (2005) : 557 hab.
Chef de l'État et du gouvernement : (pape) François
Organisation administrative : pas de division
Langue officielle : italien
Monnaie : euro

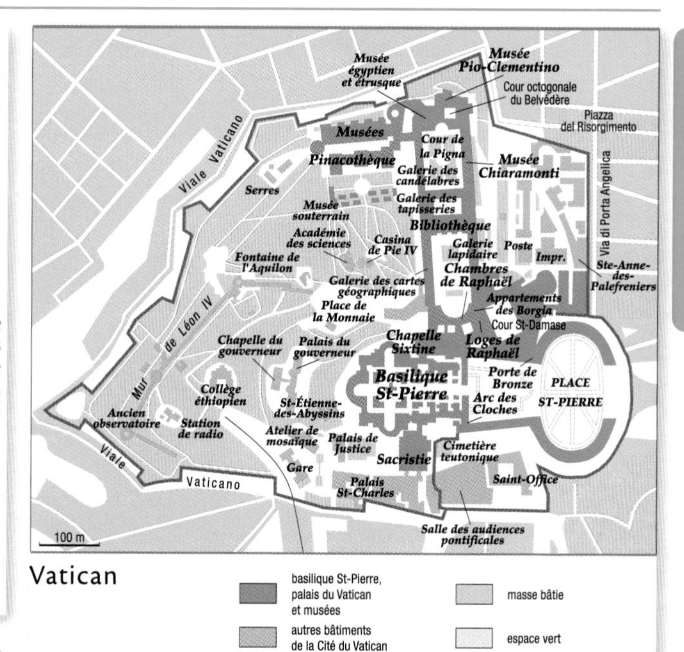

Vatican

DÉMOGRAPHIE

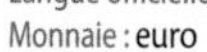

- **Densité :** 1 269 hab./km²
- **Part de la population urbaine :** n.d.
- **Structure de la population par âge :** moins de 15 ans : n.d., 15-65 ans : n.d., plus de 65 ans : n.d.
- **Taux de natalité :** n.d.
- **Taux de mortalité :** n.d.
- **Taux de mortalité infantile :** n.d.
- **Espérance de vie () :** hommes : n.d., femmes : n.d.

Le Vatican est l'État le moins peuplé du monde. Formant un micro-État (ou une cité-État) composé d'une seule commune, il est entièrement urbanisé. Le nombre d'habitants est bien inférieur au nombre réel de personnes venant y travailler chaque jour. S'y ajoutent les millions de touristes qui visitent chaque année ses musées, créant une présence temporaire bien supérieure à la population officielle.

ÉCONOMIE

- **PNB :** n.d.
- **PNB/hab. :** n.d.
- **PNB/hab. PPA :** n.d.
- **IDH :** n.d.
- **Taux de croissance annuelle du PIB :** n.d.
- **Taux annuel d'inflation :** n.d.
- **Structure de la population active :** agriculture : n.d., mines et industries : n.d., services : n.d.
- **Structure du PIB :** agriculture : n.d., mines et industries : n.d., services : n.d.
- **Dette publique brute :** n.d.
- **Taux de chômage :** n.d.

Déficitaires, les finances du Vatican ont également subi les effets de la crise financière internationale. Les recettes proviennent des dons (le denier de Saint-Pierre), du tourisme, des activités financières et du patrimoine immobilier, gérées par l'Administration du patrimoine du siège apostolique. L'économie repose sur une industrie liée à l'impression de publications, à la fabrication de monnaies, de timbres-poste et de médailles. Rendu célèbre par plusieurs scandales politico-financiers en Italie, l'Institut des œuvres religieuses abrite les comptes courants des salariés et les participations. Le pape François a ordonné la révision de la Constitution apostolique et une commission est chargée d'enquêter sur la supposée opacité des finances de l'État.

TOURISME

- **Recettes touristiques :** n.d.

COMMERCE EXTÉRIEUR

- **Exportations de biens :** n.d.
- **Importations de biens :** n.d.

DÉFENSE

- **Forces armées :** n.d.
- **Dépenses militaires :** n.d.

NIVEAU DE VIE

- **Nombre d'habitants pour un médecin :** n.d.
- **Apport journalier moyen en calories :** n.d.
- **Nombre d'automobiles pour 1 000 hab. :** n.d.
- **Téléphones portables :** n.d.

REPÈRES HISTORIQUES

756 - 1870 : le Vatican est la capitale d'un État temporel, les États pontificaux, constitués par la partie centrale de l'Italie, sous le gouvernement des papes.
1870 : les nationalistes s'emparent de Rome, qui devient la capitale du jeune royaume d'Italie. Les papes se considèrent désormais comme prisonniers au Vatican.
1929 : les accords du Latran, signés entre Pie XI et Mussolini, reconnaissent la souveraineté du Vatican.

ASIE

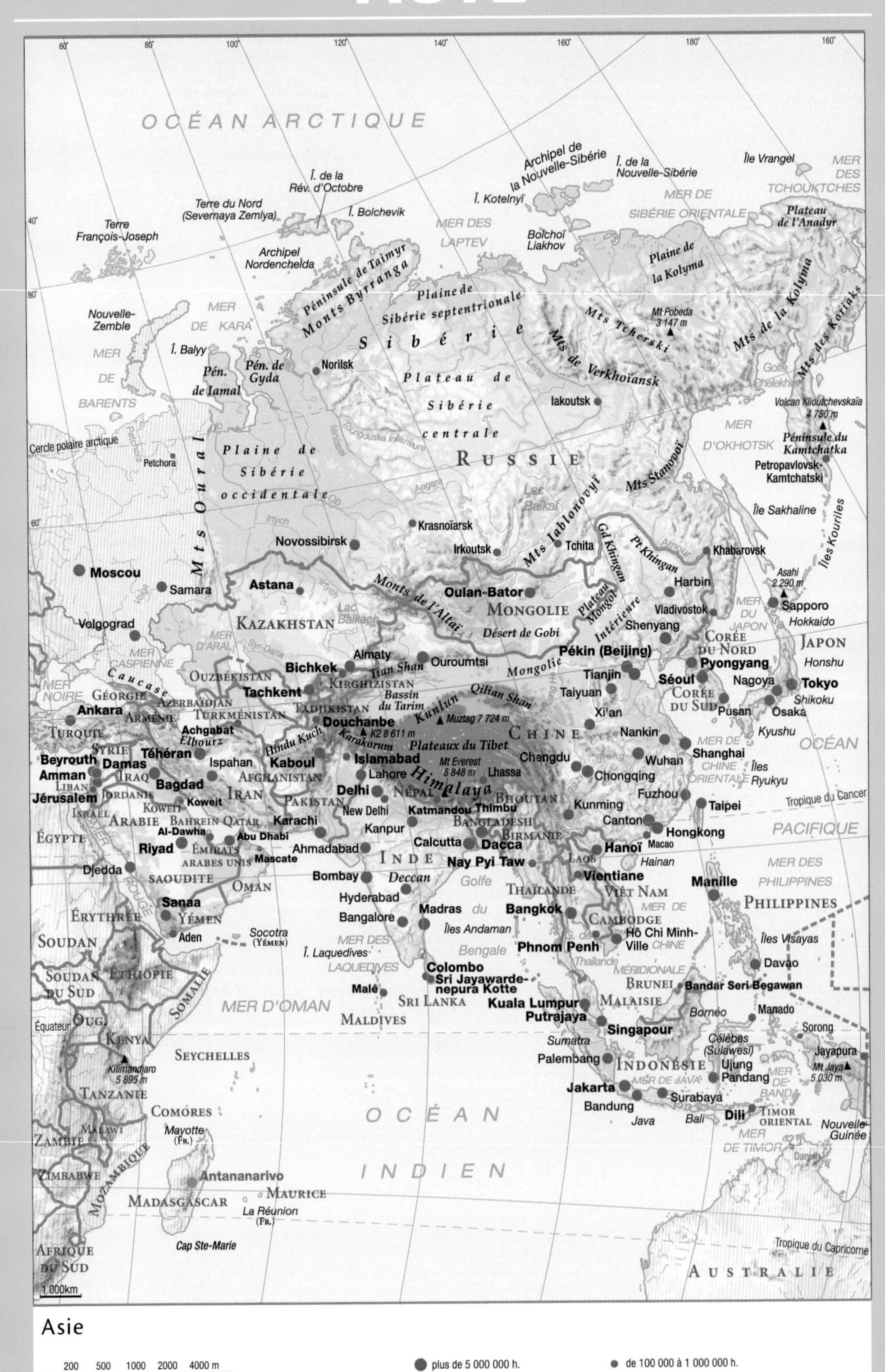
OCÉAN ARCTIQUE
Archipel de la Nouvelle-Sibérie
Î. de la Nouvelle-Sibérie
Île Vrangel
MER DES TCHOUKTCHES
Î. de la Rév. d'Octobre
Terre du Nord (Severnaya Zemlya)
Î. Bolchevik
Î. Kotelnyï
MER DE SIBÉRIE ORIENTALE
Plateau de l'Anadyr
Terre François-Joseph
Archipel Nordenchelda
MER DES LAPTEV
Bolchoï Liakhov
Plaine de la Kolyma
Péninsule de Taïmyr
Monts Byrranga
Plaine de Sibérie septentrionale
Mts de la Kolyma
Nouvelle-Zemble
MER DE KARA
Mt Pobeda 3 147 m
Mts Tcherski
Mts des Koriaks
MER DE BARENTS
Î. Balyy
Sibérie
Mts de Verkhoïansk
Pén. de Iamal
Pén. de Gyda
Norilsk
Plateau de Sibérie centrale
Iakoutsk
Volcan Klioutchevskaïa 4 750 m
MER D'OKHOTSK
Cercle polaire arctique
Petchora
Mts Oural
Plaine de Sibérie occidentale
RUSSIE
Péninsule du Kamtchatka
Petropavlovsk-Kamtchatski
Mts Stanovoï
Lac Baïkal
Île Sakhaline
Krasnoïarsk
Îles Kouriles
Novossibirsk
Mts Iablonovyï
Tchita
Irkoutsk
Gd Khingan
Pt Khingan
Khabarovsk
Moscou
Samara
Astana
Monts de l'Altaï
Oulan-Bator
Harbin
Asahi 2 290 m
Sapporo
Hokkaido
MONGOLIE
Plateau Mongol
Vladivostok
Volgograd
KAZAKHSTAN
Lac Balkach
Désert de Gobi
Mongolie Intérieure
Shenyang
MER DU JAPON
MER D'ARAL
MER CASPIENNE
Almaty
Ouroumtsi
Pékin (Beijing)
CORÉE DU NORD
JAPON
Honshu
Caucase
OUZBÉKISTAN
Bichkek
Tian Shan
Tianjin
Pyongyang
MER NOIRE
GÉORGIE
Tachkent
KIRGHIZISTAN
Bassin du Tarim
Séoul
Nagoya
Tokyo
AZERBAÏDJAN
Qilian Shan
Taiyuan
CORÉE DU SUD
Pusan
Osaka
Shikoku
Ankara
ARMÉNIE
TURKMÉNISTAN
TADJIKISTAN
Kunlun
Xi'an
TURQUIE
Achgabat
Douchanbe
K2 8 611 m
Muztag 7 724 m
Kyushu
Elbourz
Hindu Kuch
Karakorum
Plateaux du Tibet
CHINE
Nankin
MER DE CHINE ORIENTALE
OCÉAN
SYRIE
Téhéran
Shanghai
Beyrouth
Damas
Ispahan
Kaboul
Islamabad
Chengdu
Wuhan
Îles Ryukyu
Amman
IRAQ
AFGHANISTAN
Mt Everest 8 848 m
Lhassa
Chongqing
LIBAN
Bagdad
Lahore
Himalaya
Jérusalem
JORDANIE
IRAN
Delhi
NÉPAL
BHOUTAN
Fuzhou
ISRAËL
Koweït
PAKISTAN
New Delhi
Katmandou
Thimbu
Kunming
Taipei
Tropique du Cancer
KOWEÏT
ARABIE
BAHREIN
QATAR
Karachi
BANGLADESH
Canton
ÉGYPTE
Al-Dawha
Abu Dhabi
Kanpur
BIRMANIE
Hongkong
PACIFIQUE
Riyad
ÉMIRATS ARABES UNIS
Mascate
Ahmadabad
Calcutta
Dacca
Hanoï
Macao
INDE
Nay Pyi Taw
LAOS
Hainan
MER DES PHILIPPINES
Djedda
SAOUDITE
OMAN
Bombay
Deccan
Golfe du Bengale
THAÏLANDE
Vientiane
VIÊT NAM
Manille
Hyderabad
PHILIPPINES
MER ROUGE
Sanaa
YÉMEN
Madras
Bangkok
MER DE CHINE MÉRIDIONALE
ÉRYTHRÉE
Bangalore
Îles Andaman
CAMBODGE
Aden
Socotra (YÉMEN)
Hô Chi Minh-Ville
Îles Visayas
SOUDAN
MER DES LAQUEDIVES
Phnom Penh
Î. Laquedives
G. de Thaïlande
Davao
ÉTHIOPIE
Colombo
Sri Jayawardenepura Kotte
SOUDAN DU SUD
SOMALIE
Malé
BRUNEI
Bandar Seri Begawan
SRI LANKA
Kuala Lumpur
MALAISIE
MER D'OMAN
Putrajaya
Bornéo
Manado
Équateur
OUG.
MALDIVES
Singapour
Sorong
KENYA
Sumatra
Célèbes (Sulawesi)
Jayapura
SEYCHELLES
Palembang
INDONÉSIE
Ujung Pandang
Mt Jaya 5 030 m
Kilimandjaro 5 895 m
MER DE JAVA
MER DE BANDA
TANZANIE
Jakarta
Surabaya
COMORES
OCÉAN INDIEN
Bandung
Java
Bali
Dili
TIMOR ORIENTAL
Nouvelle-Guinée
ZAMBIE
MALAWI
Mayotte (FR.)
MER DE TIMOR
MOZAMBIQUE
Darwin
ZIMBABWE
Antananarivo
MAURICE
MADAGASCAR
La Réunion (FR.)
Cap Ste-Marie
Tropique du Capricorne
AFRIQUE DU SUD
AUSTRALIE
1 000km
Asie
200 500 1000 2000 4000 m
plus de 5 000 000 h.
de 1 000 000 à 5 000 000 h.
de 100 000 à 1 000 000 h.
moins de 100 000 h.

44 000 000 km²
4,298 milliards d'habitants*

*estimation pour 2013

Avec 44 millions de km² et près de 4,3 milliards d'habitants, l'Asie est le plus vaste et le plus peuplé des continents. L'aspect démographique revêt une importance toute particulière dans cette partie du monde où la Chine et l'Inde ont une population respective de 1 365 200 000 habitants et 1 276 500 000 habitants ; la somme de leurs populations est cinq fois supérieure à celle des États-Unis et du Canada réunis et sept fois supérieure à celle de l'Europe.

Ce vaste continent, aux nombreuses particularités géographiques et humaines, est plus aisément abordé par ses sous-ensembles régionaux : Asie méridionale, Asie du Sud-Est, Asie centrale, Extrême-Orient, Proche- et Moyen-Orient. Les flux de marchandises, de capitaux, de personnes, entre les pays asiatiques et avec les autres continents, font de l'Asie le principal acteur de la mondialisation. Le Japon et la Corée du Sud hier, la Chine et l'Inde aujourd'hui connaissent une croissance fulgurante qui est en train de créer de nouveaux équilibres économiques. Les effets de la crise mondiale s'estompent progressivement. Quant au Japon, il doit faire face maintenant aux conséquences d'une catastrophe naturelle et industrielle.

Tandis que le sud et l'est du continent sont soumis au rythme de la mousson, la majorité de la population (90 %) se concentre sur une petite partie du territoire (30 %), plaines et deltas des grands fleuves (Indus, Gange, Brahmapoutre, Mékong, fleuve Rouge, Yangzi Jiang, Huang He) qui constituent des zones à risques en cas de montée du niveau des mers.

Aux tensions existantes (conflit israélo-palestinien, Iran, Birmanie, Corée du Nord, Afghanistan et Iraq), se sont ajoutés les mouvements populaires du « printemps arabe » dans plusieurs pays, dont la Syrie qui s'enlise dans une guerre civile meurtrière.

AFGHANISTAN
ARABIE SAOUDITE
ARMÉNIE
AZERBAÏDJAN
BAHREÏN
BANGLADESH
BHOUTAN
BIRMANIE
BRUNEI
CAMBODGE
CHINE
CHYPRE
CORÉE DU NORD
CORÉE DU SUD
ÉMIRATS ARABES UNIS
GÉORGIE
INDE
INDONÉSIE
IRAN
IRAQ
ISRAËL
JAPON
JORDANIE
KAZAKHSTAN
KIRGHIZISTAN
KOWEÏT
LAOS
LIBAN
MALAISIE
MALDIVES
MONGOLIE
NÉPAL
OMAN
OUZBÉKISTAN
PAKISTAN
PHILIPPINES
QATAR
SINGAPOUR
SRI LANKA
SYRIE
TADJIKISTAN
TAÏWAN
THAÏLANDE
TIMOR ORIENTAL
TURKMÉNISTAN
TURQUIE
VIÊT NAM
YÉMEN

AFGHANISTAN

L'Afghanistan est un pays en majeure partie montagneux (surtout au nord : Hindu Kuch) et aride (souvent moins de 250 mm de pluies), ouvert par quelques vallées (Amou-Daria au nord, Helmand au sud). Au pied des reliefs, relativement arrosés, se sont implantées les principales villes (Kaboul, Kandahar, Harat).

Superficie : 652 090 km²
Population (2013) : 30 600 000 hab.
Capitale : Kaboul 3 096 910 hab. (r. 2011)
Nature de l'État et du régime politique : république à régime présidentiel
Chef de l'État et du gouvernement : (président de la République) Hamid Karzai
Organisation administrative : 34 provinces
Langues officielles : persan (dari) et pachto
Monnaie : afghani

Afghanistan

DÉMOGRAPHIE

- **Densité :** 47 hab./km²
- **Part de la population urbaine (2013) :** 24 %
- **Structure de la population par âge (2013) :** moins de 15 ans : 49 %, 15-65 ans : 49 %, plus de 65 ans : 2 %
- **Taux de natalité (2013) :** 37 ‰
- **Taux de mortalité (2013) :** 8 ‰
- **Taux de mortalité infantile (2013) :** 71 ‰
- **Espérance de vie (2013) :** hommes : 59 ans, femmes : 61 ans

Le peuple dominant (sans doute près de la moitié de la population) est celui des Pachtouns, devant les Ouzbeks, les Tadjiks, les Baloutches, les Hazara. La guerre depuis 1979 a provoqué une régression de la population, qui est peu urbanisée et dont l'espérance de vie à la naissance est très faible. Le taux de fécondité élevé (5,4 enfants par femme) compense un taux de mortalité infantile très important.

ÉCONOMIE

- **PNB (2012) :** 21 milliards de dollars
- **PNB/hab. (2012) :** 680 dollars
- **PNB/hab. PPA (2012) :** 1 560 dollars internationaux
- **IDH (2012) :** 0,374
- **Taux de croissance annuelle du PIB (2012) :** 14,4 %
- **Taux annuel d'inflation (2012) :** 7,2 %
- **Structure de la population active :** agriculture : n.d., mines et industries : n.d., services : n.d.
- **Structure du PIB (2012) :** agriculture : 24,6 %, mines et industries : 21,8 %, services : 53,6 %
- **Dette publique brute :** n.d.
- **Taux de chômage (2005) :** 8,5 %

La reconversion de la culture du pavot a été un échec : les surfaces cultivées et la production d'opium prospèrent. Alors que les troupes de l'OTAN doivent quitter le pays en 2014, la situation économique est très préoccupante. Le taux de croissance est passé de 14,4 % en 2012 à 3,1 % en 2013, notamment en raison du ralentissement notable de la création de nouvelles entreprises.

TOURISME

- **Recettes touristiques (1998) :** 1 M de $

COMMERCE EXTÉRIEUR

- **Exportations de biens (2012) :** 620 M de $
- **Importations de biens (2011) :** 6 566 M de $

DÉFENSE

- **Forces armées (2011) :** 340 350 individus
- **Dépenses militaires (2012) :** 3,6 % du PIB

NIVEAU DE VIE

- **Nombre d'habitants pour un médecin (2011) :** 5 155
- **Apport journalier moyen en calories :** n.d.
- **Nombre d'automobiles pour 1 000 hab. (2011) :** 20
- **Téléphones portables (2012) :** 54 % de la population équipée

REPÈRES HISTORIQUES

L'Afghanistan antique et médiéval

Province de l'Empire iranien achéménide (VIe- IVe s. av. J.-C.), hellénisée après la conquête d'Alexandre (329 av. J.-C.) partic. en Bactriane, le région fait partie de l'empire Kushana (Ier s. av. J.-C.-Ve s. apr. J.-C.), influencé par le bouddhisme. Puis l'Afghanistan est progressivement intégré au monde musulman; commencée lors de la conquête de Harat par les Arabes (651), l'islamisation se poursuit sous les Ghaznévides (Xe- XIIe s.).

1221 - 1222 : la région est ravagée par les invasions mongoles.

L'époque moderne et contemporaine

XVIe - XVIIe s. : le pays est dominé par l'Inde et l'Iran, qui se le partagent.

1747 : fondation de la première dynastie nationale afghane.

1839 - 1842 et 1878 - 1880 : guerres anglo-afghanes.

1921 : traité d'amitié avec la Russie soviétique et reconnaissance de l'indépendance de l'Afghanistan.

1973 : coup d'État qui renverse le roi Zaher Chah. Proclamation de la république.

1978 : coup d'État communiste.

1979 - 1989 : intervention militaire de l'URSS pour soutenir le gouvernement de Kaboul dans la lutte qui l'oppose aux moudjahidin.

1992 : les moudjahidin établissent un régime islamiste.

1996 : les talibans, soutenus par le Pakistan, s'emparent du pouvoir et imposent un islamisme radical.

2001 : après les attentats perpétrés sur leur territoire (11 septembre), les États-Unis, appuyés par la communauté internationale, interviennent militairement en Afghanistan contre le réseau islamiste al-Qaida et son chef Oussama Ben Laden, et contre les talibans, accusés de les soutenir. Sous le coup des bombardements américains et des assauts de l'Alliance du Nord, le régime des talibans s'effondre. Un gouvernement de transition multiethnique est mis en place.

2004 : une nouvelle Constitution est adoptée.

Depuis 2010 : instauration d'une stratégie de dialogue avec les talibans et début du retrait des forces étrangères.

ARABIE SAOUDITE

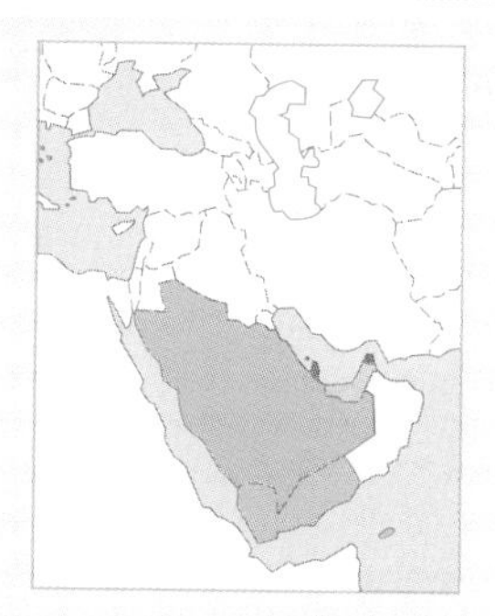

Occupant la majeure partie de la péninsule d'Arabie, l'Arabie saoudite est un pays vaste (près de quatre fois la superficie de la France) et doit son importance politique et économique au pétrole. Membre influent de l'OPEP, il est le premier producteur et surtout exportateur de pétrole, puisqu'il détient en effet environ 15 % des réserves mondiales.

Superficie : 2 149 690 km²
Population (2013) : 30 100 000 hab.
Capitale : Riyad 5 450 820 hab. (e. 2011)
Nature de l'État et du régime politique : monarchie
Chef de l'État et du gouvernement : (roi) Abd Allah ibn Abd al-Aziz al-Saud
Organisation administrative : 13 émirats
Langue officielle : arabe
Monnaie : riyal saoudien

DÉMOGRAPHIE

- **Densité :** 14 hab./km²
- **Part de la population urbaine (2013) :** 81 %
- **Structure de la population par âge (2013) :** moins de 15 ans : 30 %, 15-65 ans : 67 %, plus de 65 ans : 3 %
- **Taux de natalité (2013) :** 21 ‰
- **Taux de mortalité (2013) :** 3 ‰
- **Taux de mortalité infantile (2013) :** 16 ‰
- **Espérance de vie (2013) :** hommes : 73 ans, femmes : 75 ans

Peu dense, la population, musulmane, s'est sédentarisée, avec une urbanisation rapidement croissante, notamment à Riyad, la capitale, Djedda, grand port sur la mer Rouge, La Mecque, ville de pèlerinage, Médine et Dammam. L'industrie du pétrole a recours à une importante main-d'œuvre immigrée. La population des moins de 15 ans représente environ le tiers de la population totale et le taux de mortalité est particulièrement bas.

ÉCONOMIE

- **PNB (2011) :** 679 milliards de dollars
- **PNB/hab. (2011) :** 21 210 dollars
- **PNB/hab. PPA (2011) :** 30 160 dollars internationaux
- **IDH (2012) :** 0,782
- **Taux de croissance annuelle du PIB (2012) :** 5,1 %
- **Taux annuel d'inflation (2012) :** 2,9 %
- **Structure de la population active (2012) :** agriculture : 4,7 %, mines et industries : 24,7 %, services : 70,6 %
- **Structure du PIB (2012) :** agriculture : 2,2 %, mines et industries : 62,6 %, services : 35,2 %
- **Dette publique brute :** n.d.
- **Taux de chômage (2012) :** 5,6 %

L'Arabie saoudite, qui a échappé aux soulèvements de ses voisins arabes en 2011, est, devant la Russie, en 2012, le 1er producteur mondial de pétrole avec 16 % des réserves prouvées dans le monde. Ses exportations (le pétrole représente plus de 90 % des exportations et 80 % des revenus du pays) s'effectuent en premier lieu à destination de l'Asie. Le secteur tertiaire, dominé par les services financiers, est en pleine expansion. En 2013, la croissance est en retrait (3,6 %) et le chômage touche particulièrement les jeunes.

TOURISME

- **Recettes touristiques (2012) :** 9 336 millions de dollars

COMMERCE EXTÉRIEUR

- **Exportations de biens (2012) :** 388 370 millions de dollars
- **Importations de biens (2012) :** 215 206 millions de dollars

DÉFENSE

- **Forces armées (2011) :** 249 000 individus
- **Dépenses militaires (2012) :** 8 % du PIB

NIVEAU DE VIE

- **Nombre d'habitants pour un médecin (2011) :** 1 065
- **Apport journalier moyen en calories (2007) :** 3 144 (minimum FAO : 2 400)
- **Nombre d'automobiles pour 1 000 hab. :** n.d.
- **Téléphones portables (2012) :** 100 % de la population équipée

REPÈRES HISTORIQUES

En 1932, l'Arabie saoudite naît de la réunion en un seul royaume des régions conquises par Abd al-Aziz ibn Saud, dit Ibn Séoud, depuis 1902.

1932 - 1953 : Ibn Séoud modernise le pays grâce aux fonds procurés par le pétrole.

1953 - 1964 : son fils Saud est roi ; il cède en 1958 la réalité du pouvoir à son frère Faysal, qui le dépose en 1964.

1964 - 1975 : Faysal se fait le champion du panislamisme et le protecteur des régimes conservateurs arabes.

1975 - 1982 : son frère Khalid règne sur le pays.

1982 : son frère Fahd lui succède.

1991 : une force multinationale, déployée sur le territoire saoudien, intervient contre l'Iraq (guerre du Golfe).

BAHREÏN

Situé sur le golfe Persique, Bahreïn est un archipel (les deux îles principales sont celle de Bahreïn, proprement dite, où se trouve la capitale, Manama, et la petite île voisine de Muharraq).

Superficie : 694 km²
Population (2013) : 1 100 000 hab.
Capitale : Manama 261 782 hab. (e. 2011) dans l'agglomération
Nature de l'État et du régime politique : monarchie constitutionnelle
Chef de l'État : (roi) Hamad ibn Isa al-Khalifa
Chef du gouvernement : (Premier ministre) Khalifa ibn Salman al-Khalifa
Organisation administrative : 5 gouvernorats
Langue officielle : arabe
Monnaie : dinar de Bahreïn

DÉMOGRAPHIE

- **Densité :** 1 585 hab./km²
- **Part de la population urbaine (2013) :** 100 %
- **Structure de la population par âge (2013) :** moins de 15 ans : 21 %, 15-65 ans : 77 %, plus de 65 ans : 2 %
- **Taux de natalité (2013) :** 14 ‰
- **Taux de mortalité (2013) :** 2 ‰
- **Taux de mortalité infantile (2013) :** 7 ‰
- **Espérance de vie (2013) :** hommes : 75 ans, femmes : 78 ans

Concentrée sur Bahreïn et Muharraq, la population est entièrement urbanisée, avec une densité de peuplement très élevée (près de 1 600 hab./km²). Elle est partagée entre chiites (majoritaires numériquement) et sunnites (dominant politiquement), avec un nombre d'immigrés relativement important. Le taux de fécondité (1,9 enfant par femme) est inférieur au seuil de renouvellement des générations.

ÉCONOMIE

- **PNB (2010) :** 21 milliards de dollars
- **PNB/hab. (2010) :** 14 820 dollars
- **PNB/hab. PPA (2010) :** 18 910 dollars internationaux
- **IDH (2012) :** 0,796
- **Taux de croissance annuelle du PIB (2012) :** 3,4 %
- **Taux annuel d'inflation (2012) :** 2,8 %
- **Structure de la population active (2010) :** agriculture : 1,2 %, mines et industries : 35,3 %, services : 63,4 %
- **Structure du PIB (1995) :** agriculture : 0,9 %, mines et industries : 43,4 %, services : 55,7 %
- **Dette publique brute (2007) :** 19 % du PIB
- **Taux de chômage (2010) :** 1,1 %

En raison de réserves modestes, le royaume ne peut fonder son développement futur sur ses hydrocarbures (25 % de son PIB environ et 60 % des revenus de l'État). Également l'un des dix premiers producteurs mondiaux d'aluminium, le pays mise surtout sur son secteur bancaire, manufacturier (agroalimentaire), et sur la production de matériaux de construction.

TOURISME
- **Recettes touristiques (2012) :** 1 766 M de $

COMMERCE EXTÉRIEUR
- **Exportations de biens (2012) :** 19 768 M de $
- **Importations de biens (2011) :** 13 884 M de $

DÉFENSE
- **Forces armées (2011) :** 19 460 individus
- **Dépenses militaires (2012) :** 3,1 % du PIB

NIVEAU DE VIE
- **Nombre d'habitants pour un médecin (2011) :** 672
- **Apport journalier moyen en calories :** n.d.
- **Nombre d'automobiles pour 1 000 hab. (2010) :** 451
- **Téléphones portables (2012) :** 100 % de la population équipée

REPÈRES HISTORIQUES

1914 : les Britanniques établissent leur protectorat sur l'émirat.
1971 : Bahreïn acquiert son indépendance.
2002 : l'émirat devient une monarchie constitutionnelle.

ÉMIRATS ARABES UNIS

Le pays regroupe 7 émirats (Abu Dhabi, Dubai, Chardja, Fudjayra, Adjman, Umm al-Qaywayn et Ras al-Khayma).

Superficie : 83 600 km²
Population (2013) : 9 300 000 hab.
Capitale : Abu Dhabi 942 193 hab. (e. 2011)
Nature de l'État et du régime politique : monarchie
Chef de l'État : (président du Conseil suprême des souverains) Khalifa ibn Zayid al-Nahyan
Chef du gouvernement : (Premier ministre) Muhammad ibn Rachid al-Maktum
Organisation administrative : 7 émirats
Langue officielle : arabe
Monnaie : dirham des EAU

DÉMOGRAPHIE

- **Densité :** 111 hab./km²
- **Part de la population urbaine (2013) :** 83 %
- **Structure de la population par âge (2013) :** moins de 15 ans : 13 %, 15-65 ans : 87 %, plus de 65 ans : 0 %
- **Taux de natalité (2013) :** 16 ‰
- **Taux de mortalité (2013) :** 1 ‰
- **Taux de mortalité infantile (2013) :** 7 ‰
- **Espérance de vie (2013) :** hommes : 76 ans, femmes : 78 ans

La population, principalement citadine, se concentre sur le littoral, et notamment dans les villes de Dubai et d'Abu Dhabi. Les immigrés, notamment Iraniens, Indiens et Pakistanais, représentent une forte proportion de la population totale, en augmentation rapide.

ÉCONOMIE

- **PNB (2011) :** 360 milliards de dollars
- **PNB/hab. (2011) :** 35 770 dollars
- **PNB/hab. PPA (2011) :** 41 550 dollars internationaux
- **IDH (2012) :** 0,818
- **Taux de croissance annuelle du PIB (2012) :** 4,4 %
- **Taux annuel d'inflation (2011) :** 0,9 %
- **Structure de la population active (2010) :** agriculture : 4,2 %, mines et industries : 24,3 %, services : 71,5 %
- **Structure du PIB (2010) :** agriculture : 1 %, mines et industries : 53,9 %, services : 45,1 %
- **Dette publique brute :** n.d.
- **Taux de chômage (2008) :** 4 %

Depuis plusieurs années, dans la perspective d'un épuisement de leurs réserves de pétrole (5,9 % des réserves mondiales en 2012) et de gaz (3,3 %), les EAU diversifient leur économie : finance, construction, tourisme, surtout pour Dubai, industries lourdes (pétrochimie, aluminium) et énergies alternatives (nucléaire), surtout pour Abu Dhabi.

TOURISME
- **Recettes touristiques (2011) :** 8 577 M de $

COMMERCE EXTÉRIEUR
- **Exportations de biens (2009) :** 174 725 M de $
- **Importations de biens (2011) :** 251 961 M de $

DÉFENSE
- **Forces armées (2011) :** 51 000 individus
- **Dépenses militaires (2011) :** 5,5 % du PIB

NIVEAU DE VIE
- **Nombre d'habitants pour un médecin (2011) :** 518
- **Apport journalier moyen en calories (2007) :** 3 171 (minimum FAO : 2 400)
- **Nombre d'automobiles pour 1 000 hab. (2007) :** 293
- **Téléphones portables (2012) :** 100 % de la population équipée

REPÈRES HISTORIQUES

1892 - 1971 : les « États de la Trêve » (Trucial States), du nom du traité de paix perpétuelle signé en 1853 avec la Grande-Bretagne, sont placés sous protectorat britannique.
1971 - 1972 : ils forment la fédération indépendante des Émirats arabes unis, dirigée par l'émir Zayid ibn Sultan al-Nahyan (1971- 2004), puis par son fils l'émir Khalifa ibn Zayid al-Nahyan (depuis 2004).

OMAN

Le pays est désertique dans sa plus grande partie et possède une longue façade maritime. Seules les montagnes de l'Oman (3 000 m), au nord, et les collines du Dhofar, au sud, reçoivent quelques pluies.

Superficie : 212 457 km²
Population (2013) : 4 000 000 hab.
Capitale : Mascate 743 029 hab. (e. 2011) dans l'agglomération
Nature de l'État et du régime politique : monarchie
Chef de l'État et du gouvernement : (sultan) Qabus ibn Said
Organisation administrative : 8 régions
Langue officielle : arabe
Monnaie : rial omanais

DÉMOGRAPHIE

- **Densité :** 19 hab./km²
- **Part de la population urbaine (2013) :** 75 %
- **Structure de la population par âge (2013) :** moins de 15 ans : 26 %, 15-65 ans : 71 %, plus de 65 ans : 3 %
- **Taux de natalité (2013) :** 21 ‰
- **Taux de mortalité (2013) :** 2 ‰
- **Taux de mortalité infantile (2013) :** 9 ‰
- **Espérance de vie (2013) :** hommes : 74 ans, femmes : 78 ans

En nette majorité arabe et musulmane dans sa quasi-totalité, la population, très jeune et de plus en plus instruite, croît rapidement, avec un taux de fécondité de 2,9 enfants par femme. Elle se concentre sur les littoraux du Nord et du Sud. La plus grande ville est Mascate, la capitale.

ÉCONOMIE

- **PNB (2010) :** 55 milliards de dollars
- **PNB/hab. (2010) :** 19 110 dollars
- **PNB/hab. PPA (2010) :** 25 320 dollars internationaux
- **IDH (2012) :** 0,731
- **Taux de croissance annuelle du PIB (2011) :** 0,3 %
- **Taux annuel d'inflation (2012) :** 2,9 %
- **Structure de la population active (2010) :** agriculture : 5,2 %, mines et industries : 36,9 %, services : 57,9 %
- **Structure du PIB (2006) :** agriculture : 2 %, mines et industries : 56 %, services : 42 %
- **Dette publique brute (2010) :** 5 % du PIB
- **Taux de chômage :** n.d.

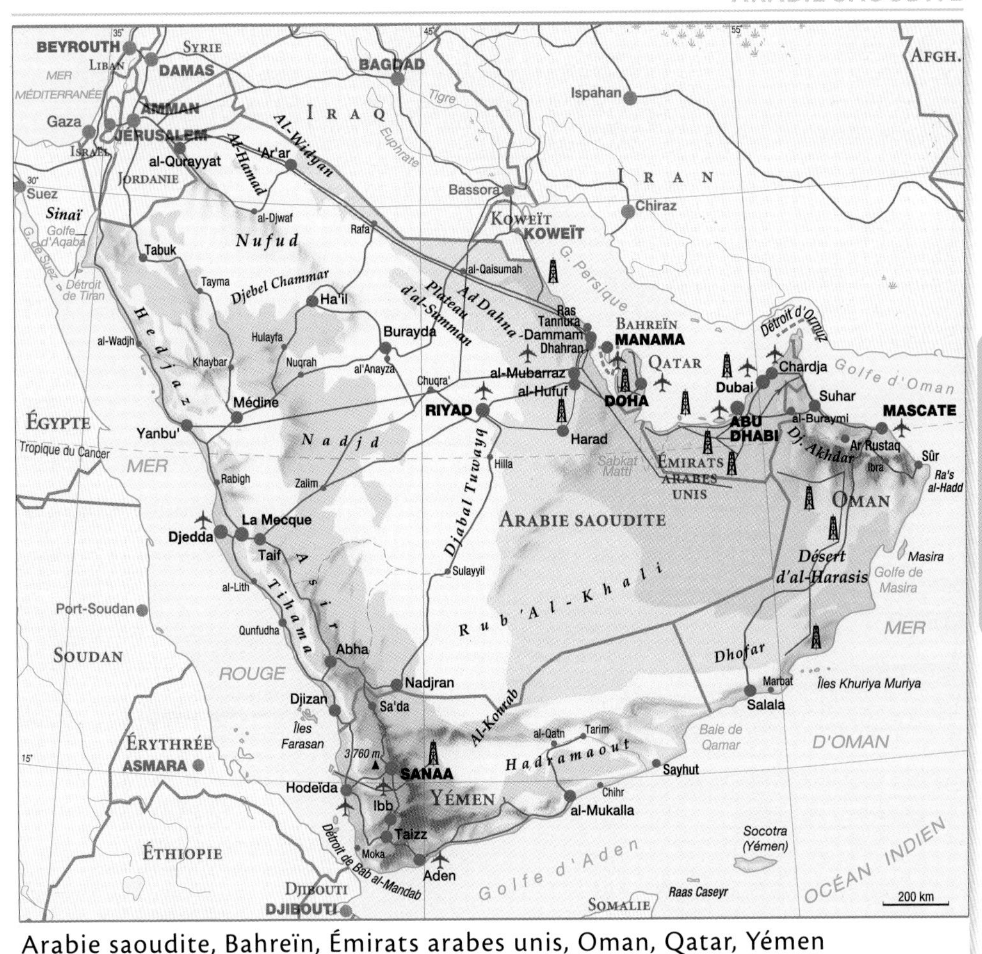

Arabie saoudite, Bahreïn, Émirats arabes unis, Oman, Qatar, Yémen

La prospérité du sultanat est davantage assise sur son pétrole que sur son gaz (respectivement 50 % et 4 % du PIB), dont les réserves sont toutefois réduites (elles devraient s'assécher d'ici une quinzaine d'années). Cela l'incite à valoriser le développement des infrastructures portuaires et l'exploitation de ses autres richesses minières (aluminium, chrome, cuivre), couplée avec une diversification industrielle et agroalimentaire. Le secteur tertiaire, notamment le tourisme de luxe, représente presque les deux tiers du PIB.

TOURISME

- **Recettes touristiques (2012) :** 1 612 M de $

COMMERCE EXTÉRIEUR

- **Exportations de biens (2012) :** 52 138 M de $
- **Importations de biens (2011) :** 22 718 M de $

DÉFENSE

- **Forces armées (2011) :** 47 000 individus
- **Dépenses militaires (2012) :** 8,6 % du PIB

NIVEAU DE VIE

- **Nombre d'habitants pour un médecin (2011) :** 488
- **Apport journalier moyen en calories :** n.d.
- **Nombre d'automobiles pour 1 000 hab. (2007) :** 166
- **Téléphones portables (2012) :** 100 % de la population équipée

REPÈRES HISTORIQUES

XVIIe - XIXe s. : les sultans d'Oman gouvernent un empire maritime, acquis aux dépens du Portugal et dont le centre est Zanzibar.
Depuis 1970 : le sultan Qabus ibn Said a entrepris de moderniser le pays.

QATAR

Péninsule désertique, le Qatar est très riche en pétrole et surtout en gaz naturel.

Superficie : 11 000 km²
Population (2013) : 2 200 000 hab.
Capitale : Doha 567 051 hab. (e. 2011) dans l'agglomération
Nature de l'État et du régime politique : monarchie

Chef de l'État : (émir) Tamim ibn Hamad al-Thani
Chef du gouvernement : (chef du Conseil des ministres) Abdullah ibn Nasser ibn Khalifa al-Thani
Organisation administrative : 9 municipalités
Langue officielle : arabe
Monnaie : riyal du Qatar

DÉMOGRAPHIE

- **Densité :** 200 hab./km²
- **Part de la population urbaine (2013) :** 100 %
- **Structure de la population par âge (2013) :** moins de 15 ans : 12 %, 15-65 ans : 87 %, plus de 65 ans : 1 %
- **Taux de natalité (2013) :** 12 ‰

- **Taux de mortalité (2013) :** 2 ‰
- **Taux de mortalité infantile (2013) :** 7 ‰
- **Espérance de vie (2013) :** hommes : 77 ans, femmes : 79 ans

Les habitants sont en majorité arabophones (Qatariens, Égyptiens et Palestiniens). La capitale, Doha, concentre 40 % de la population de ce petit pays en grande partie désertique. La majeure partie de la population active est immigrée, notamment en provenance de l'Iran, de l'Inde et du Pakistan. L'accroissement de la population est très faible, en raison d'un taux de mortalité extrêmement bas, 2 ‰, et d'un taux de natalité de l'ordre de 12 ‰.

ÉCONOMIE

- **PNB (2011) :** 169 milliards de dollars
- **PNB/hab. (2011) :** 76 010 dollars
- **PNB/hab. PPA (2011) :** 80 470 dollars internationaux
- **IDH (2012) :** 0,834
- **Taux de croissance annuelle du PIB (2012) :** 6,2 %
- **Taux annuel d'inflation (2012) :** 1,9 %
- **Structure de la population active (2012) :** agriculture : 1,4 %, mines et industries : 51,8 %, services : 46,8 %
- **Structure du PIB (1991) :** agriculture : 1 %, mines et industries : 45 %, services : 54 %
- **Dette publique brute :** n.d.
- **Taux de chômage (2012) :** 0,5 %

Après la Russie et l'Iran, le Qatar recèle les troisièmes réserves mondiales prouvées de gaz naturel (plus de 13 %). Avec le pétrole (1,4 % des réserves), la production d'hydrocarbures (gaz notamment) contribue ainsi pour plus de 60 % à son PIB. Parmi les autres ressources (hormis le tourisme) que le pays met en valeur, en collaboration avec des entreprises étrangères, figure en particulier l'hélium avec 25 % de la production mondiale.

TOURISME

- **Recettes touristiques (2012) :** 4 463 M de $

COMMERCE EXTÉRIEUR

- **Exportations de biens (2012) :** 132 968 M de $
- **Importations de biens (2011) :** 43 793 M de $

DÉFENSE

- **Forces armées (2011) :** 11 800 individus
- **Dépenses militaires (2010) :** 1,5 % du PIB

NIVEAU DE VIE

- **Nombre d'habitants pour un médecin (2011) :** 363
- **Apport journalier moyen en calories :** n.d.
- **Nombre d'automobiles pour 1 000 hab. (2007) :** 724
- **Téléphones portables (2012) :** 100 % de la population équipée

REPÈRES HISTORIQUES

1868 : le Qatar est lié à la Grande-Bretagne par un traité.
1979 : il accède à l'indépendance, avec à sa tête l'émir Khalifa ibn Hamad al-Thani (1972 - 1995).
1995 : son fils Hamad ibn Khalifa al-Thani lui succède.
2005 : entrée en vigueur d'une Constitution.

YÉMEN

Presque aussi vaste que la France, le Yémen est en grande partie désertique. Un haut plateau culminant à 3 760 m occupe la partie occidentale du pays. C'est sur ces hautes terres qu'est concentrée la majeure partie de la population et que se situe la capitale, Sanaa. Sur la côte méridionale, Aden, principal port, est la capitale économique du pays.

Superficie : 537 968 km²
Population (2013) : 25 200 000 hab.
Capitale : Sanaa 2 418 680 hab. (e. 2011) dans l'agglomération
Nature de l'État et du régime politique : république à régime semi-présidentiel
Chef de l'État : (président de la République) Abd Rabbo Mansour Hadi
Chef du gouvernement : (Premier ministre) Muhammad Salim Basindwa
Organisation administrative : 19 gouvernorats
Langue officielle : arabe
Monnaie : rial yéménite

DÉMOGRAPHIE

- **Densité :** 47 hab./km²
- **Part de la population urbaine (2013) :** 29 %
- **Structure de la population par âge (2013) :** moins de 15 ans : 42 %, 15-65 ans : 55 %, plus de 65 ans : 3 %
- **Taux de natalité (2013) :** 34 ‰
- **Taux de mortalité (2013) :** 6 ‰
- **Taux de mortalité infantile (2013) :** 72 ‰
- **Espérance de vie (2013) :** hommes : 61 ans, femmes : 63 ans

La population, musulmane et organisée en confédérations tribales, se concentre dans l'ouest du pays, notamment à Sanaa, la capitale, et dans le sud, où se trouve Aden, la deuxième ville du pays. Dans l'est du pays, aride et désertique, seules les oasis de l'Hadramaout sont occupées. Le nombre d'habitants s'accroît rapidement, malgré un taux de mortalité infantile très élevé (72 ‰), et les jeunes de moins de 15 ans représentent 42 % de la population totale.

ÉCONOMIE

- **PNB (2012) :** 34 milliards de dollars
- **PNB/hab. (2012) :** 1 270 dollars
- **PNB/hab. PPA (2012) :** 2 310 dollars internationaux
- **IDH (2012) :** 0,458
- **Taux de croissance annuelle du PIB (2012) :** 0,1 %
- **Taux annuel d'inflation (2012) :** 17,3 %
- **Structure de la population active (2010) :** agriculture : 24,7 %, mines et industries : 18,8 %, services : 56,5 %
- **Structure du PIB (2010) :** agriculture : 7,7 %, mines et industries : 29,4 %, services : 62,9 %
- **Dette publique brute :** n.d.
- **Taux de chômage (2010) :** 17,8 %

L'une des causes de l'instabilité politique du Yémen, un des pays les plus pauvres du monde, est la faible redistribution des revenus que le gouvernement tire des richesses naturelles, en premier lieu le pétrole (11 % du PIB, 90 % des exportations et 73 % des recettes de l'État). L'épuisement de ses réserves l'incite par ailleurs à exploiter d'autres ressources minières comme le gaz naturel et le zinc.

TOURISME

- **Recettes touristiques (2012) :** 913 M de $

COMMERCE EXTÉRIEUR

- **Exportations de biens (2011) :** 8 662 M de $
- **Importations de biens (2011) :** 8 248 M de $

DÉFENSE

- **Forces armées (2011) :** 137 900 individus
- **Dépenses militaires (2012) :** 4 % du PIB

NIVEAU DE VIE

- **Nombre d'habitants pour un médecin (2011) :** 5 076
- **Apport journalier moyen en calories (2007) :** 2 068 (minimum FAO : 2 400)
- **Nombre d'automobiles pour 1 000 hab. (2007) :** 35
- **Téléphones portables (2012) :** 54 % de la population équipée

REPÈRES HISTORIQUES

Ier millénaire av. J.-C. : divers royaumes se développent en Arabie du Sud, dont ceux de Saba et de l'Hadramaout.
VIe s. apr. J.-C. : la région est occupée par les Éthiopiens puis par les Perses Sassanides.
Après 628 : conquête musulmane.
1570 - 1635 : le Yémen est intégré à l'Empire ottoman, qui, après 1635, n'a plus d'autorité réelle.
1839 : les Britanniques conquièrent Aden et établissent leur protectorat sur le sud du Yémen.
1871 : les Ottomans organisent, après la conquête de Sanaa, le vilayet du Yémen.
1920 : l'indépendance du royaume gouverné par les imams zaydites est reconnue.
1959 - 1963 : Aden et la plupart des sultanats du protectorat britannique forment la fédération de l'Arabie du Sud, qui devient indépendante en 1967.
1962 : au nord, la république est proclamée à l'issue d'un coup d'État. La guerre civile oppose les royalistes aux républicains (1962 - 1970).
1970 : au sud est instaurée une république démocratique et populaire, marxiste-léniniste.
1990 : réunification des deux Yémens.

ARMÉNIE

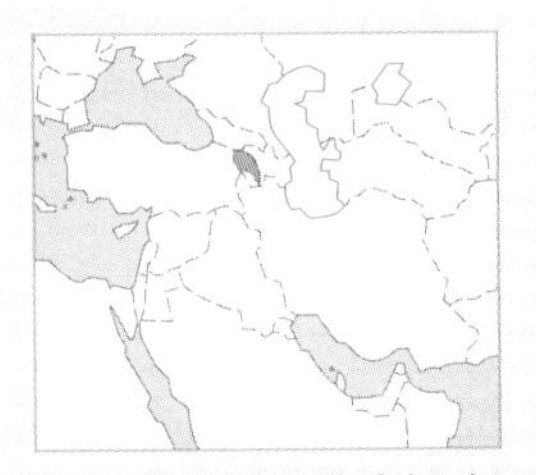

D'une superficie égale à celle de la Belgique, située dans le Petit Caucase, limitrophe de la Turquie, l'Arménie est un pays montagneux (90 % du territoire au-dessus de 1 000 m), coupé de dépressions, dont celle ouverte par l'Araxe, ou de bassins, dont l'un est occupé par le lac Sevan.

Superficie : 29 800 km²
Population (2013) : 3 000 000 hab.
Capitale : Erevan 1 116 380 hab. (e. 2011)
Nature de l'État et du régime politique : république à régime semi-présidentiel
Chef de l'État : (président de la République) Serge Sarkissian
Chef du gouvernement : (Premier ministre) Tigran Sarkissian
Organisation administrative : 1 municipalité et 10 régions
Langue officielle : arménien
Monnaie : dram arménien

DÉMOGRAPHIE

- **Densité :** 101 hab./km²
- **Part de la population urbaine (2013) :** 63 %
- **Structure de la population par âge (2013) :** moins de 15 ans : 17 %, 15-65 ans : 73 %, plus de 65 ans : 10 %
- **Taux de natalité (2013) :** 14 ‰
- **Taux de mortalité (2013) :** 10 ‰
- **Taux de mortalité infantile (2013) :** 11 ‰
- **Espérance de vie (2013) :** hommes : 71 ans, femmes : 78 ans

La population, chrétienne, se concentre pour moitié dans la vallée de l'Araxe, en dépit de sa situation périphérique, et notamment pour plus du tiers dans la seule agglomération d'Erevan. Gumri et Vanadzor (moins de 150 000 habitants chacune) sont les deux seules autres villes importantes.

ÉCONOMIE

- **PNB (2012) :** 10 milliards de dollars
- **PNB/hab. (2012) :** 3 720 dollars
- **PNB/hab. PPA (2012) :** 8 820 dollars internationaux
- **IDH (2012) :** 0,729
- **Taux de croissance annuelle du PIB (2012) :** 7,2 %
- **Taux annuel d'inflation (2012) :** 2,6 %
- **Structure de la population active (2011) :** agriculture : 38,9 %, mines et industries : 16,7 %, services : 44,4 %
- **Structure du PIB (2012) :** agriculture : 21,6 %, mines et industries : 33,2 %, services : 45,2 %
- **Dette publique brute :** n.d.
- **Taux de chômage (2011) :** 7 %

Après quinze ans de croissance ininterrompue grâce au secteur minier, à celui de la construction et aux services, l'Arménie s'est trouvée confrontée à la crise financière. Son principal fournisseur étant la Russie (pétrole et gaz), le pays a choisi de rejoindre l'Union douanière formée entre la Russie, la Biélorussie et le Kazakhstan au détriment d'un accord de libre-échange avec l'UE, en passe d'être signé. La croissance, qui se maintient en 2013 (4,6 %), est due en grande partie à l'exploitation de richesses minières, aux bons résultats de l'agriculture et à l'augmentation des exportations.

TOURISME

- **Recettes touristiques (2012) :** 485 millions de dollars

COMMERCE EXTÉRIEUR

- **Exportations de biens (2012) :** 1 538 millions de dollars
- **Importations de biens (2011) :** 4 928 millions de dollars

DÉFENSE

- **Forces armées (2011) :** 55 544 individus
- **Dépenses militaires (2012) :** 3,9 % du PIB

NIVEAU DE VIE

- **Nombre d'habitants pour un médecin (2012) :** 351
- **Apport journalier moyen en calories (2007) :** 2 280 (minimum FAO : 2 400)
- **Nombre d'automobiles pour 1 000 hab. (2007) :** 94
- **Téléphones portables (2012) :** 100 % de la population équipée

REPÈRES HISTORIQUES

VIIe s. av. J.-C. : les Arméniens, établis dans la région du lac de Van, fondent un État vassal des Mèdes puis des Perses.
189 av. J.-C. : soumise aux Séleucides depuis la fin du IVe s. av. J.-C., l'Arménie reconquiert son indépendance.
Ier s. av. J.-C. : elle passe sous domination romaine puis parthe, et se convertit au christianisme dès la fin du IIIe s.
640 : les Arabes envahissent le pays.
Milieu XIe s. - début XVe s. : la Grande Arménie est ravagée par les invasions turques et mongoles. La Petite Arménie, créée en Cilicie par Rouben (1080), soutient les croisés dans leur lutte contre l'islam, puis succombe sous les coups des Mamelouks (1375). Les Ottomans soumettent toute l'Arménie et la placent sous l'autorité du patriarche de Constantinople.
1813 - 1828 : les Russes conquièrent l'Arménie orientale.
1915 : 1 500 000 Arméniens sont victimes du génocide perpétré par le gouvernement jeune-turc.
1918 : la république d'Arménie est proclamée et reconnue par les Alliés, mais les troupes turques kémalistes et l'Armée rouge occupent le pays.
1922 : elle est intégrée à l'URSS et devient une république fédérée en 1936.
1988 : elle réclame le rattachement du Haut-Karabakh ; les gouvernements de l'URSS et de l'Azerbaïdjan s'y opposent.
1991 : l'Arménie devient indépendante.
2009 : l'Arménie et la Turquie engagent un processus de normalisation de leurs relations.

AZERBAÏDJAN

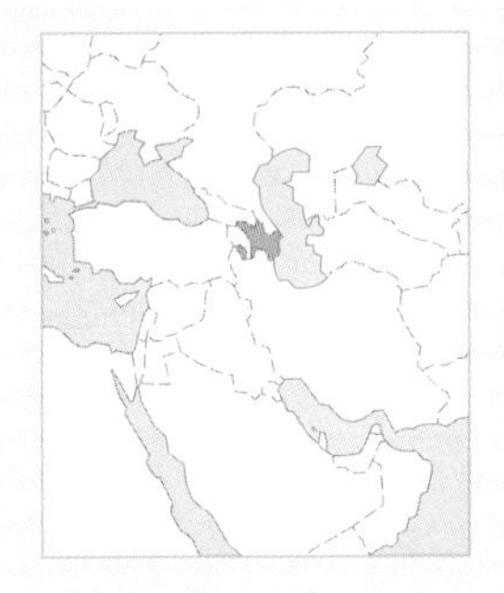

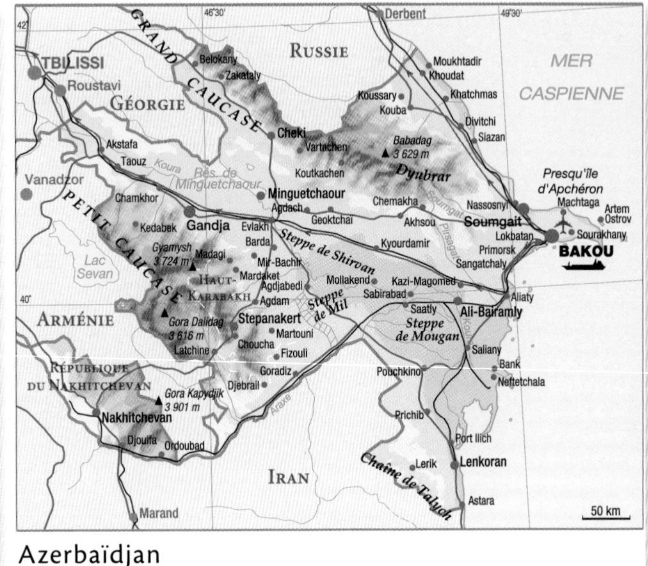

Azerbaïdjan

port pétrolier
0 500 1000 2000 m

route
voie ferrée
aéroport
oléoduc

plus de 1 000 000 h.
de 100 000 à 1 000 000 h.
de 30 000 à 100 000 h.
moins de 30 000 h.

Au sud du Grand Caucase, largement ouvert sur la Caspienne, l'Azerbaïdjan correspond à la vaste plaine deltaïque de la Koura et de l'Araxe et à son pourtour montagneux. C'est un pays au climat méditerranéen, aride, chaud et sec.

Superficie : 86 600 km²
Population (2013) : 9 400 000 hab.
Capitale : Bakou 2 122 900 hab. (e. 2011) dans l'agglomération
Nature de l'État et du régime politique : république à régime présidentiel
Chef de l'État : (président de la République) Ilham ou Ilkham Aliev
Chef du gouvernement : (Premier ministre) Artour Rasizade
Organisation administrative : 66 rayons et 11 municipalités
Langue officielle : azerbaïdjanais (azéri)
Monnaie : manat azerbaïdjanais

DÉMOGRAPHIE

- **Densité :** 109 hab./km²
- **Part de la population urbaine (2013) :** 53 %
- **Structure de la population par âge (2013) :** moins de 15 ans : 22 %, 15-65 ans : 72 %, plus de 65 ans : 6 %
- **Taux de natalité (2013) :** 19 ‰
- **Taux de mortalité (2013) :** 6 ‰
- **Taux de mortalité infantile (2013) :** 11 ‰
- **Espérance de vie (2013) :** hommes : 71 ans, femmes : 77 ans

L'Azerbaïdjan, dont la population a doublé entre 1959 et 1989, est en passe d'achever sa transition démographique. La famille élargie, avec ses valeurs traditionnelles, reste le fondement de la société et joue un rôle dans le clientélisme qui caractérise les relations sociales. Bakou, la capitale, est la grande ville du pays, loin devant Gandja et Soumgait.

ÉCONOMIE

- **PNB (2012) :** 61 milliards de dollars
- **PNB/hab. (2012) :** 6 220 dollars
- **PNB/hab. PPA (2012) :** 9 310 dollars internationaux
- **IDH (2012) :** 0,734
- **Taux de croissance annuelle du PIB (2012) :** 2,2 %
- **Taux annuel d'inflation (2012) :** 1,1 %
- **Structure de la population active (2012) :** agriculture : 37,7 %, mines et industries : 14,3 %, services : 48 %
- **Structure du PIB (2012) :** agriculture : 5,4 %, mines et industries : 63,1 %, services : 31,5 %
- **Dette publique brute (2010) :** 6 % du PIB
- **Taux de chômage (2012) :** 5,2 %

Le pétrole et le gaz contribuent pour plus de la moitié au PIB, qui a connu une croissance de l'ordre de 20 % entre 2003 et 2008 avant de subir une forte contraction en 2009 - 2010. Depuis, la croissance est de nouveau à la hausse : 2,2 % en 2012 et 3,5 % en 2013. La diversification de l'économie est une priorité, les réserves de pétrole étant limitées. Avec l'aide internationale et l'appel aux capitaux étrangers, l'État veut ainsi développer l'industrie non extractive, la production de gaz (ses principaux clients étant l'Iran, la Turquie et la Russie), les infrastructures, les services (banque et tourisme) et l'agriculture (riz, tabac et céréales).

TOURISME

- **Recettes touristiques (2012) :** 1 500 millions de dollars

COMMERCE EXTÉRIEUR

- **Exportations de biens (2012) :** 31 877 millions de dollars
- **Importations de biens (2012) :** 16 121 millions de dollars

DÉFENSE

- **Forces armées (2011) :** 81 950 individus
- **Dépenses militaires (2012) :** 4,6 % du PIB

NIVEAU DE VIE

- **Nombre d'habitants pour un médecin (2012) :** 296
- **Apport journalier moyen en calories (2007) :** 2 961 (minimum FAO : 2 400)
- **Nombre d'automobiles pour 1 000 hab. (2011) :** 84
- **Téléphones portables (2012) :** 100 % de la population équipée

REPÈRES HISTORIQUES

Ancienne province de l'Iran, l'Azerbaïdjan est envahi au XIᵉ s. par les Turcs Seldjoukides.
1828 : l'Iran cède l'Azerbaïdjan septentrional à l'Empire russe.
1918 : une république indépendante est proclamée.
1920 : elle est occupée par l'Armée rouge et soviétisée.
1922 : elle est intégrée à l'URSS.
1923 - 1924 : la République autonome du Nakhitchevan et la Région autonome du Haut-Karabakh sont instituées et rattachées à l'Azerbaïdjan.
1936 : l'Azerbaïdjan devient une république fédérée.
1988 : il s'oppose aux revendications arméniennes sur le Haut-Karabakh. Le nationalisme azéri se développe et des pogroms anti-arméniens se produisent.
1990 : les communistes remportent les premières élections libres.
1991 : l'Azerbaïdjan obtient son indépendance et adhère à la CEI.
1993 : l'armée arménienne du Haut-Karabakh prend le contrôle de cette région et occupe le sud-ouest de l'Azerbaïdjan.

BAHREÏN → ARABIE SAOUDITE

BANGLADESH

Situé sur le golfe du Bengale, le Bangladesh s'étend sur la plus grande partie du delta du Gange et du Brahmapoutre. C'est une région très chaude et très humide, subissant de fréquentes inondations, surtout pendant l'été (saison de la mousson).

Superficie : 143 998 km²
Population (2013) : 156 600 000 hab.
Capitale : Dacca 7 423 137 hab. (r. 2010), 15 390 871 hab. (e. 2011) dans l'agglomération
Nature de l'État et du régime politique : république à régime parlementaire
Chef de l'État : (président de la République) Abdul Hamid (à titre intérimaire)
Chef du gouvernement : (Premier ministre) Hasina Wajed
Organisation administrative : 6 divisions
Langue officielle : bengali
Monnaie : taka

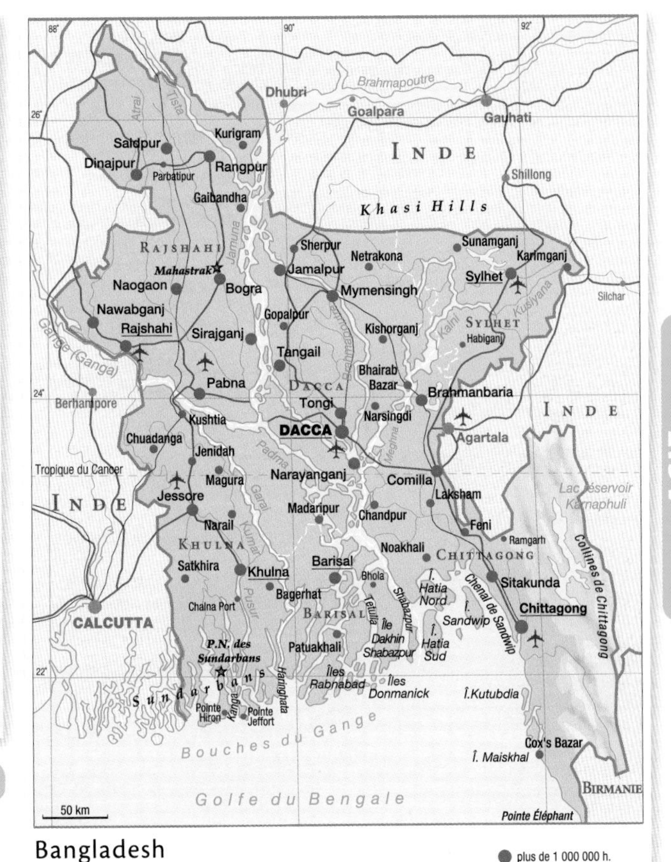

Bangladesh

DÉMOGRAPHIE

- **Densité :** 1 088 hab./km²
- **Part de la population urbaine (2013) :** 26 %
- **Structure de la population par âge (2013) :** moins de 15 ans : 31 %, 15-65 ans : 64 %, plus de 65 ans : 5 %
- **Taux de natalité (2013) :** 21 ‰
- **Taux de mortalité (2013) :** 6 ‰
- **Taux de mortalité infantile (2013) :** 35 ‰
- **Espérance de vie (2013) :** hommes : 69 ans, femmes : 71 ans

Avec une superficie égale au quart de celle de la France, cet État est deux fois et demie plus peuplé : la densité de population dépasse les 1 000 habitants au km². L'agglomération de Dacca, la capitale, est une des plus peuplées du monde. Chittagong et Khulna dépassent aussi le million d'habitants. Le fort taux de fécondité et la baisse relative de la mortalité (bien que le taux de mortalité infantile reste très élevé) entraînent une très forte croissance de la population dont l'espérance de vie s'améliore.

ÉCONOMIE

- **PNB (2012) :** 128 milliards de dollars
- **PNB/hab. (2012) :** 840 dollars
- **PNB/hab. PPA (2012) :** 2 030 dollars internationaux
- **IDH (2012) :** 0,515
- **Taux de croissance annuelle du PIB (2012) :** 6,2 %
- **Taux annuel d'inflation (2012) :** 6,2 %
- **Structure de la population active (2005) :** agriculture : 48,1 %, mines et industries : 14,5 %, services : 37,4 %
- **Structure du PIB (2012) :** agriculture : 17,7 %, mines et industries : 28,5 %, services : 53,8 %
- **Dette publique brute :** n.d.
- **Taux de chômage (2009) :** 5 %

Depuis vingt ans, le pays connaît une croissance de l'ordre de 5 % par an (dopée en partie par l'envoi de fonds de Bangladais résidant à l'étranger) et les échanges extérieurs (UE, États-Unis, Chine et Inde) ont augmenté. Le pays maintient sa croissance en 2013 (5,8 %) et la pauvreté diminue, grâce à la vigueur de ses exportations, notamment de textile, à son secteur agricole et au secteur manufacturier. Malgré des conditions de travail difficiles pour les ouvriers du textile, ce secteur représente 13 % du PIB et ses exportations ont augmenté de 24 %.

TOURISME

- **Recettes touristiques (2012) :** 97 millions de dollars

COMMERCE EXTÉRIEUR

- **Exportations de biens (2012) :** 24 916 millions de dollars
- **Importations de biens (2012) :** 40 835 millions de dollars

DÉFENSE

- **Forces armées (2011) :** 220 950 individus
- **Dépenses militaires (2012) :** 1,3 % du PIB

NIVEAU DE VIE

- **Nombre d'habitants pour un médecin (2012) :** 2 809
- **Apport journalier moyen en calories (2007) :** 2 281 (minimum FAO : 2 400)
- **Nombre d'automobiles pour 1 000 hab. (2011) :** 2
- **Téléphones portables (2012) :** 64 % de la population équipée

REPÈRES HISTORIQUES

1971 : le Pakistan oriental, issu du partage du Bengale en 1947, obtient son indépendance et devient le Bangladesh.

BHOUTAN

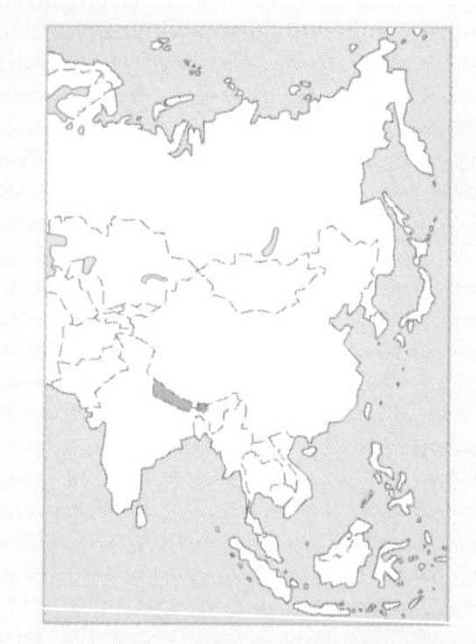

Cet État d'Asie, situé sur la bordure de l'Himalya entre la Chine (Tibet) et l'Inde (Assam), est un pays de hautes terres, coupées de vallées nord-sud (vers le Brahmapoutre) où se concentre la population. Il est en majeure partie recouvert par la forêt. Le climat est tempéré ou très humide selon l'altitude.

Superficie : 47 000 km²
Population (2013) : 700 000 hab.
Capitale : Thimbu 99 337 hab. (e. 2011)
Nature de l'État et du régime politique : monarchie parlementaire
Chef de l'État : (roi) Jigme Khesar Namgyel Wangchuk ou Wangchuck
Chef du gouvernement : (président du Conseil des ministres) Tshering Tobgay
Organisation administrative : 20 districts
Langue officielle : tibétain (dzongkha)
Monnaies : ngultrum et roupie indienne

DÉMOGRAPHIE

- **Densité :** 15 hab./km²
- **Part de la population urbaine (2013) :** 36 %
- **Structure de la population par âge (2013) :** moins de 15 ans : 30 %, 15-65 ans : 65 %, plus de 65 ans : 5 %
- **Taux de natalité (2013) :** 22 ‰
- **Taux de mortalité (2013) :** 7 ‰
- **Taux de mortalité infantile (2013) :** 47 ‰
- **Espérance de vie (2013) :** hommes : 65 ans, femmes : 69 ans

Les habitants vivent dans les profondes vallées nord-sud (vers le Brahmapoutre) des zones montagneuses, alors que l'Himalaya est quasiment vide. Majoritairement bouddhiste, la population compte une importante minorité népalaise, hindouiste, immigrée dans la partie méridionale du pays. La seule grande ville est Thimbu, la capitale. Le taux de mortalité infantile reste très élevé.

ÉCONOMIE

- **PNB (2012) :** 2 milliards de dollars
- **PNB/hab. (2012) :** 2 420 dollars
- **PNB/hab. PPA (2012) :** 6 200 dollars internationaux
- **IDH (2012) :** 0,538
- **Taux de croissance annuelle du PIB (2012) :** 9,4 %
- **Taux annuel d'inflation (2012) :** 10,9 %
- **Structure de la population active (2012) :** agriculture : 62,2 %, mines et industries : 8,6 %, services : 29,2 %
- **Structure du PIB (2011) :** agriculture : 15,9 %, mines et industries : 43,9 %, services : 40,2 %
- **Dette publique brute (2009) :** 57 % du PIB
- **Taux de chômage (2012) :** 2,1 %

La forte croissance du pays du « bonheur national brut » (9 % en moyenne depuis 2000) est largement fondée sur le tourisme, le secteur de la construction, et sur son énergie hydroélectrique (près de 20 % du PIB) qu'il exploite en étroite collaboration avec l'Inde, son principal client et fournisseur (85 % de ses échanges, excédentaires), au détriment de secteurs plus traditionnels comme l'agriculture et l'exploitation forestière. Si le pays reste rural (62 % de la population), la part de l'agriculture dans le PIB décroît régulièrement au profit de l'industrie liée au secteur agricole (agroalimentaire) et aux ressources minières (ferroalliages, ciment). Malgré une croissance de 5,8 % en 2013, la priorité du gouvernement porte sur la diminution du chômage et de l'inflation afin de favoriser la consommation intérieure.

TOURISME

- **Recettes touristiques (2012) :** 76 millions de dollars

COMMERCE EXTÉRIEUR

- **Exportations de biens (2012) :** 592 millions de dollars
- **Importations de biens (2011) :** 967 millions de dollars

DÉFENSE

- **Forces armées :** n.d.
- **Dépenses militaires :** n.d.

NIVEAU DE VIE

- **Nombre d'habitants pour un médecin (2008) :** 10 000
- **Apport journalier moyen en calories :** n.d.
- **Nombre d'automobiles pour 1 000 hab. (2010) :** 46
- **Téléphones portables (2012) :** 75 % de la population équipée

REPÈRES HISTORIQUES

Occupé au XVIIe s. par des Tibétains, le Bhoutan devient vassal de l'Inde à partir de 1865.

1910 - 1949 : le pays est contrôlé par les Britanniques.

1949 : il est soumis à un semi-protectorat indien.

1971 : le Bhoutan devient indépendant.

NÉPAL

Le Népal est un État de l'Himalaya, presque exclusivement montagneux, enclavé entre la Chine et l'Inde, dont il dépend étroitement. Du nord au sud se succèdent le haut Himalaya, où plus de 250 sommets dépassent 7 000 m (dont l'Everest, le Makalu, le Dhaulagiri, l'Annapurna), et le moyen Himalaya, qui regroupe dans son étage tempéré (au-dessous de 2 000 m) la majeure partie de la population et les plaines forestières du Terai.

Superficie : 147 181 km²

Population (2013) : 26 800 000 hab.

Capitale : Katmandou 975 453 hab. (r. 2011)

Nature de l'État et du régime politique : république

Chef de l'État : (président de la République) Ram Baran Yadav

Chef du gouvernement : (Premier ministre) Sushil Koirala

Organisation administrative : 5 régions de développement

Langue officielle : népalais

Monnaie : roupie népalaise

DÉMOGRAPHIE

- **Densité :** 182 hab./km²
- **Part de la population urbaine (2013) :** 17 %
- **Structure de la population par âge (2013) :** moins de 15 ans : 35 %, 15-65 ans : 60 %, plus de 65 ans : 5 %
- **Taux de natalité (2013) :** 24 ‰
- **Taux de mortalité (2013) :** 7 ‰
- **Taux de mortalité infantile (2013) :** 46 ‰
- **Espérance de vie (2013) :** hommes : 66 ans, femmes : 69 ans

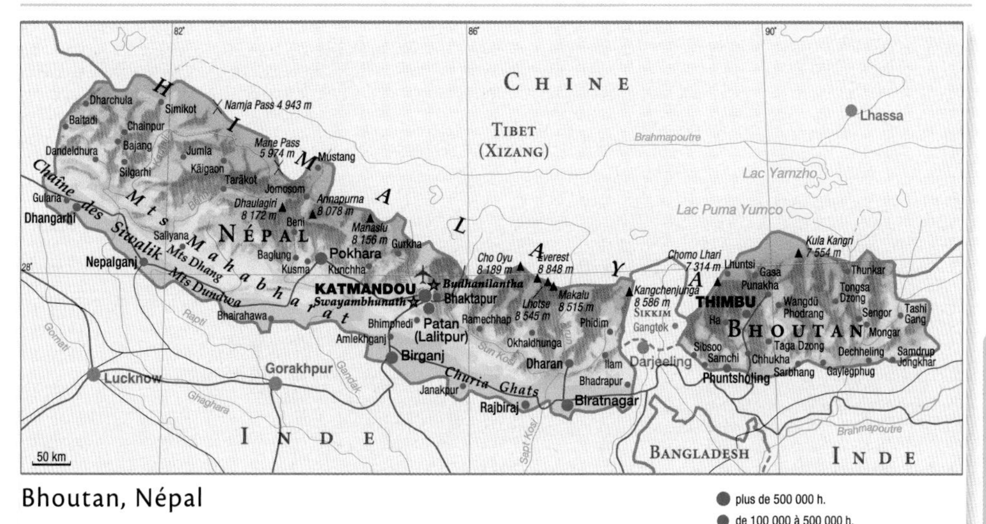

Bhoutan, Népal

400 1000 2000 4000 m

— route
— voie ferrée
★ site touristique important
aéroport

- plus de 500 000 h.
- de 100 000 à 500 000 h.
- de 30 000 à 100 000 h.
- moins de 30 000 h.

Issue de nombreux courants migratoires, la population, majoritairement hindouiste, forme une mosaïque de peuples. La majeure partie des habitants est établie dans les vallées et les bassins du centre du pays, l'étage tempéré (au-dessous de 2 000 m) du moyen Himalaya. La population est dense, très pauvre, encore largement analphabète, avec un taux de mortalité infantile qui reste très élevé. La capitale, Katmandou, est le centre politique, économique et touristique du pays. Dans le Sud, les villes du Terai sont des marchés de contact entre la plaine et la montagne.

ÉCONOMIE

- **PNB (2012) :** 19 milliards de dollars
- **PNB/hab. (2012) :** 700 dollars
- **PNB/hab. PPA (2012) :** 1 470 dollars internationaux
- **IDH (2012) :** 0,463
- **Taux de croissance annuelle du PIB (2012) :** 4,9 %
- **Taux annuel d'inflation (2012) :** 9,5 %
- **Structure de la population active :** agriculture : n.d., mines et industries : n.d., services : n.d.
- **Structure du PIB (2012) :** agriculture : 37 %, mines et industries : 15,4 %, services : 47,6 %
- **Dette publique brute (2010) :** 34 % du PIB
- **Taux de chômage (2008) :** 2,7 %

L'économie du Népal repose pour l'essentiel sur l'agriculture (plus du tiers du PIB), l'industrie du ciment, l'industrie du textile et l'énergie hydroélectrique, qu'il exploite en collaboration avec l'Inde, son principal partenaire. Cependant, depuis la formation d'un gouvernement communiste avec le soutien d'un parti maoïste renforcé (2011), le pays développe aussi ses relations avec la Chine, qui a augmenté son aide financière. Si certains produits locaux (thé, épices, laine pashmina) trouvent des marchés dans les pays développés, le commerce extérieur du Népal reste réduit et lourdement déficitaire. Le tourisme est néanmoins un atout majeur pour le pays ; il attire Indiens et Chinois et représente une ressource financière non négligeable, tout comme les envois de fonds des Népalais vivant à l'étranger. La croissance a ralenti (3,6 % en 2013) et la pauvreté est encore très répandue avec plus de 25 % de la population vivant avec moins de 1,25 dollar par jour (PPA).

TOURISME

- **Recettes touristiques (2012) :** 415 millions de dollars

COMMERCE EXTÉRIEUR

- **Exportations de biens (2012) :** 1 004 millions de dollars
- **Importations de biens (2012) :** 6 328 millions de dollars

DÉFENSE

- **Forces armées (2011) :** 157 750 individus
- **Dépenses militaires (2011) :** 1,4 % du PIB

NIVEAU DE VIE

- **Nombre d'habitants pour un médecin :** n.d.
- **Apport journalier moyen en calories (2007) :** 2 360 (minimum FAO : 2 400)
- **Nombre d'automobiles pour 1 000 hab. (2010) :** 4
- **Téléphones portables (2012) :** 53 % de la population équipée

REPÈRES HISTORIQUES

IVe - VIIIe s. : les Newar de la vallée de Katmandou adoptent la civilisation indienne.

À partir du XIIe s. : le reste du pays, sauf les vallées du Nord occupées par des Tibétains, est peu à peu colonisé par des Indo-Népalais.

1744 - 1780 : la dynastie de Gurkha unifie le pays.

1816 : elle doit accepter une sorte de protectorat de la Grande-Bretagne.

1846 - 1951 : une dynastie de Premiers ministres, les Rana, détient le pouvoir effectif.

1923 : la Grande-Bretagne reconnaît formellement l'indépendance du Népal.

1951 : Tribhuvana Bir Bikram rétablit l'autorité royale.

1991 : les premières élections multipartites ont lieu. Deux partis, le Congrès népalais et le Parti communiste, dominent la vie politique.

Depuis 1996 : le pouvoir est confronté au développement d'une guérilla maoïste.

2001 : Birendra Bir Bikram ayant été assassiné, son frère Gyanendra Bir Bikram accède au trône.

2008 : la monarchie est abolie et la république proclamée. Mais les relations entre les nouveaux dirigeants du pays sont complexes et les crises politiques, fréquentes.

BIRMANIE

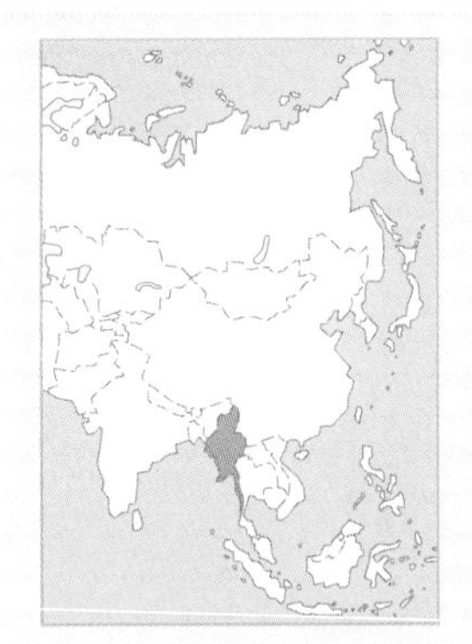

Le cœur de ce pays, coupé par le tropique et situé dans le domaine de la mousson (pluies d'été), est une longue dépression drainée par l'Irrawaddy, plus humide au sud, dans la basse Birmanie, correspondant approximativement au delta du fleuve, qu'au nord, dans la haute Birmanie, autour de Mandalay. Le pourtour est montagneux : chaîne de l'Arakan à l'ouest, monts des Kachin au nord, plateau Chan et Tenasserim à l'est. Il est souvent très arrosé et boisé, difficilement pénétrable.

Superficie : 676 578 km²
Population (2013) : 53 300 000 hab.
Capitale : Nay Pyi Taw 1 060 000 hab. (e. 2011) dans l'agglomération
Nature de l'État et du régime politique : république
Chef de l'État et du gouvernement : (président de la République) Thein Sein
Organisation administrative : 7 États et 7 divisions
Langue officielle : birman
Monnaie : kyat

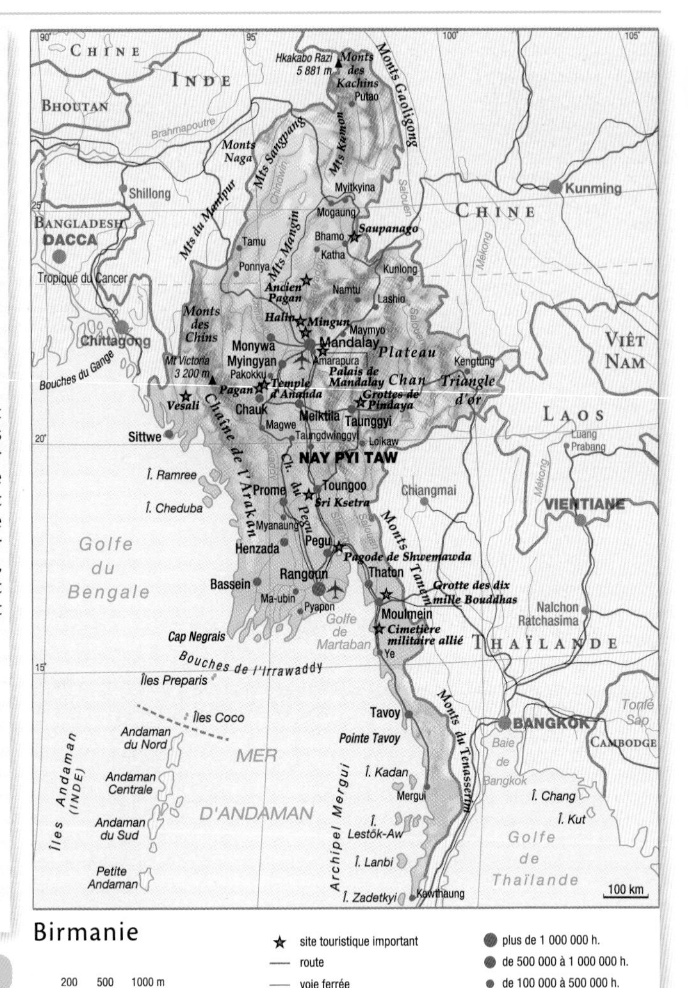

Birmanie

200 — 500 — 1000 m

★ site touristique important
— route
— voie ferrée
✈ aéroport

● plus de 1 000 000 h.
● de 500 000 à 1 000 000 h.
● de 100 000 à 500 000 h.
● moins de 100 000 h.

DÉMOGRAPHIE

- **Densité :** 79 hab./km²
- **Part de la population urbaine (2013) :** 31 %
- **Structure de la population par âge (2013) :** moins de 15 ans : 28 %, 15-65 ans : 67 %, plus de 65 ans : 5 %
- **Taux de natalité (2013) :** 18 ‰
- **Taux de mortalité (2013) :** 9 ‰
- **Taux de mortalité infantile (2013) :** 52 ‰
- **Espérance de vie (2013) :** hommes : 63 ans, femmes : 67 ans

La majeure partie de la population, proprement birmane, occupe la dépression centrale, drainée par l'Irrawaddy. La périphérie du pays est composée de minorités – les Chan, les Chin, les Kachin et surtout les Karen –, qui occupent les montagnes selon un étagement précis et totalisent près du quart de la population totale. La population est en grande majorité bouddhiste. La densité de population birmane est plutôt faible, sauf dans les deltas du Sud et dans le bassin de Mandalay, fortement peuplés. La plus grande ville, Rangoun, regroupe plus de 4 millions d'habitants.

ÉCONOMIE

- **PNB :** n.d.
- **PNB/hab. :** n.d.
- **PNB/hab. PPA (2010) :** 1 950 dollars internationaux
- **IDH (2012) :** 0,498
- **Taux de croissance annuelle du PIB (2010) :** 10,4 %
- **Taux annuel d'inflation (2012) :** 1,5 %
- **Structure de la population active (1998) :** agriculture : 63,4 %, mines et industries : 11,2 %, services : 25,4 %
- **Structure du PIB (2010) :** agriculture : 36,4 %, mines et industries : 26 %, services : 37,6 %
- **Dette publique brute :** n.d.
- **Taux de chômage (2011) :** 4 %

Peu sensible à l'embargo commercial partiel imposé au régime militaire par certains pays occidentaux (dont les États-Unis et l'UE), la Birmanie développe son commerce extérieur vers l'Asie au sein et en dehors de l'ASEAN dont elle est membre : ses principaux partenaires sont la Thaïlande (1er client), la Chine (1er fournisseur et investisseur étranger), l'Inde, Singapour, le Japon, la Corée du Sud et la Malaisie, devant l'UE qui ne représente que 2,6 % de ses échanges. Le trafic de stupéfiants mis à part, elle exporte notamment du gaz naturel (35 %), du pétrole, des pierres précieuses et semi-précieuses (rubis, jade), du bois de teck, divers produits agricoles (haricots secs, sésame). Très fortement concurrencée par ses voisins, le pays doit moderniser son agriculture et son secteur industriel qui représentent respectivement 36 % et 26 % du PIB. Après avoir connu un rythme autour de 10 % au cours des années 2000, la croissance a fortement ralenti sous l'effet du cyclone Nargis et de la crise financière (2008) à partir de 2009. Mais en 2010, le pays a renoué avec la croissance avec un taux de 10,4 %, qui s'est stabilisé à 6,8 % en 2013. La Birmanie est perçue comme l'un des pays d'Asie les plus corrompus et affiche un développement humain parmi les plus bas de la région, même si depuis 2010 le nouveau gouvernement a mis en place une politique d'ouverture économique par le biais des privatisations, de la libéralisation et de la modernisation du secteur financier, d'où l'affluence des investisseurs étrangers (Chine, Japon, Corée du Sud, Singapour), attirés par le secteur des hydrocarbures.

TOURISME

- **Recettes touristiques (2012) :** 293 millions de dollars

COMMERCE EXTÉRIEUR

- **Exportations de biens (2011) :** 7 699 millions de dollars
- **Importations de biens (2011) :** 7 919 millions de dollars

DÉFENSE

- **Forces armées (2011) :** 513 250 individus
- **Dépenses militaires (2007) :** 33,38 % du PIB

NIVEAU DE VIE

- **Nombre d'habitants pour un médecin (2011) :** 1 996
- **Apport journalier moyen en calories (2007) :** 2 465 (minimum FAO : 2 400)
- **Nombre d'automobiles pour 1 000 hab. (2011) :** 5
- **Téléphones portables (2012) :** 11 % de la population équipée

REPÈRES HISTORIQUES

Les royaumes des Thaïs (Chan), des Môn et des Birmans

IXe s. : les Birmans venant du Nord-Est atteignent la Birmanie centrale.

XIe s. : ils y constituent un État autour de Pagan (fondée en 849), qui tombe aux mains des Sino-Mongols puis des Chan (1287 - 1299).

1347 - 1752 : les Birmans recréent un royaume dont la capitale est Toungoo.

1539 - 1541 : ils conquièrent le territoire môn et unifient le pays.

1752 : les Môn s'emparent d'Ava et mettent fin au royaume de Toungoo.

1752 - 1760 : Alaungpaya reconstitue l'Empire birman.

La domination britannique

1852 - 1855 : les Britanniques conquièrent Pegu et annexent la Birmanie à l'empire des Indes.

1942 - 1948 : envahie par les Japonais (1942), reconquise par les Alliés en 1944 - 1945, la Birmanie accède à l'indépendance (1948).

La Birmanie indépendante

1948 - 1962 : U Nu, Premier ministre de l'Union birmane (1948 - 1958 ; 1960 - 1962), est confronté à la guerre civile déclenchée par les communistes et à la rébellion des Karen (1949 - 1955).

1962 : le général Ne Win prend le pouvoir. Un régime socialiste et autoritaire est instauré.

1990 : l'opposition remporte les élections, mais les militaires gardent le pouvoir.

1997 : la Birmanie devient membre de l'ASEAN.

2008 : alors que le passage du cyclone Nargis provoque un désastre humanitaire, la junte organise un référendum pour faire approuver une Constitution qui pérennise son pouvoir.

2010 : des élections ont lieu (les premières depuis 1990), boycottées par l'opposition démocratique, dirigée par Aung San Suu Kyi (dont le parti est dissous pour avoir boycotté le scrutin).

Depuis 2011 : en application de la Constitution de 2008, la junte s'autodissout pour faire place à un nouveau régime, civil mais dominé par d'anciens militaires. Thein Sein, Premier ministre en 2007, devient président de la République. Cette évolution s'accompagne d'une détente notable de la situation intérieure (entrée du parti d'Aung San Suu Kyi au Parlement, levée d'une partie des sanctions internationales).

BRUNEI → MALAISIE

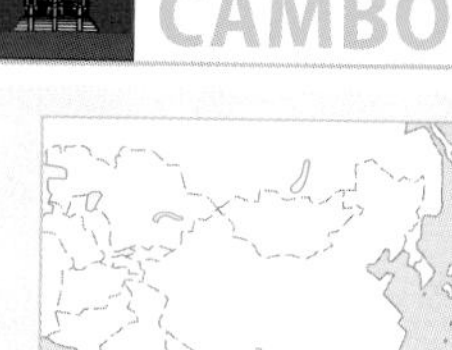

CAMBODGE

Le Cambodge est formé de plaines et de plateaux recouverts de forêts et de savanes, entourant une dépression centrale drainée par le Mékong. C'est dans cette zone que se concentre la population.

Superficie : 181 035 km²
Population (2013) : 14 400 000 hab.
Capitale : Phnom Penh 1 549 760 hab. (e. 2011) dans l'agglomération
Nature de l'État et du régime politique : monarchie constitutionnelle à régime parlementaire
Chef de l'État : (roi) Norodom Sihamoni
Chef du gouvernement : (Premier ministre) Hun Sen
Organisation administrative : 4 municipalités autonomes et 20 provinces
Langue officielle : khmer
Monnaie : riel

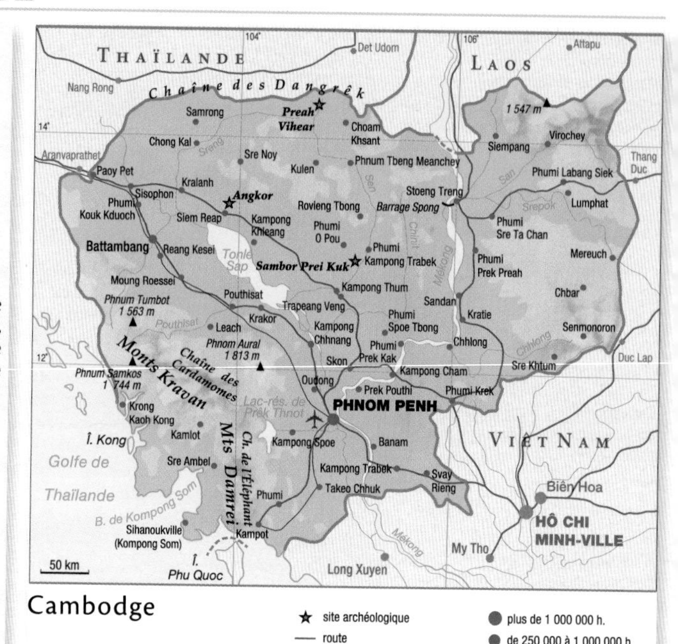

Cambodge

DÉMOGRAPHIE

- **Densité :** 80 hab./km²
- **Part de la population urbaine (2013) :** 20 %
- **Structure de la population par âge (2013) :** moins de 15 ans : 34 %, 15-65 ans : 62 %, plus de 65 ans : 4 %
- **Taux de natalité (2013) :** 25 ‰
- **Taux de mortalité (2013) :** 6 ‰
- **Taux de mortalité infantile (2013) :** 45 ‰
- **Espérance de vie (2013) :** hommes : 61 ans, femmes : 64 ans

La population, composée principalement de Khmers, est assez dense dans les rizières de la région centrale des « Quatre Bras » et des Lacs, beaucoup moins dans les montagnes et les plateaux périphériques. Phnom Penh, la capitale, est de loin la principale ville du pays. La structure de la population se caractérise par une forte proportion de jeunes de moins de 15 ans.

ÉCONOMIE

- **PNB (2012) :** 13 milliards de dollars
- **PNB/hab. (2012) :** 880 dollars
- **PNB/hab. PPA (2012) :** 2 330 dollars internationaux
- **IDH (2012) :** 0,543
- **Taux de croissance annuelle du PIB (2012) :** 7,3 %
- **Taux annuel d'inflation (2012) :** 2,9 %
- **Structure de la population active (2012) :** agriculture : 51 %, mines et industries : 18,6 %, services : 30,4 %
- **Structure du PIB (2012) :** agriculture : 35,6 %, mines et industries : 24,3 %, services : 40,1 %
- **Dette publique brute :** n.d.
- **Taux de chômage (2012) :** 0,2 %

Après une décennie de croissance jusqu'en 2008, de l'ordre de 8 % par an en moyenne, le Cambodge a sévèrement subi la crise de 2009. Néanmoins, grâce au secteur du caoutchouc, en pleine expansion, au secteur de la construction, à la découverte de réserves sous-marines de pétrole, au secteur industriel du textile (20 % du PIB), au tourisme et à l'agriculture (riz, tabac, soja), la croissance économique, dopée par les exportations, a bien repris (7 % en 2013).

TOURISME

- **Recettes touristiques (2012) :** 1 790 M de $

COMMERCE EXTÉRIEUR

- **Exportations de biens (2012) :** 6 016 M de $
- **Importations de biens (2011) :** 7 634 M de $

DÉFENSE

- **Forces armées (2011) :** 191 300 individus
- **Dépenses militaires (2012) :** 1,5 % du PIB

NIVEAU DE VIE

- **Nombre d'habitants pour un médecin (2011) :** 4 348
- **Apport journalier moyen en calories (2007) :** 2 268 (minimum FAO : 2 400)
- **Nombre d'automobiles pour 1 000 hab. :** n.d.
- **Téléphones portables (2012) :** 100 % de la population équipée

REPÈRES HISTORIQUES

VIe s. : le royaume du Funan est conquis par les ancêtres des Khmers.

IXe s. : Jayavarman II (802 - vers 836) et ses successeurs fondent un vaste empire.

XIIIe s. : la brillante civilisation du Cambodge décline et le bouddhisme triomphe.

1432 : sa capitale Angkor est abandonnée au profit de Phnom Penh.

Fin du XVIe s. : le Cambodge devient vassal du Siam.

XVIIIe s. : il perd le delta du Mékong, colonisé par les Vietnamiens.

1863 : établissement du protectorat français.

1953 : Norodom Sihanouk, roi depuis 1941, obtient l'indépendance totale du Cambodge.

1955 : il abdique en faveur de son père.

1960 - 1970 : devenu chef de l'État, Norodom Sihanouk est renversé par un coup d'État militaire, appuyé par les États-Unis.

1975 : les Khmers rouges prennent le pouvoir. Devenu le Kampuchéa démocratique, le pays est soumis à une dictature meurtrière dirigée par Pol Pot.

1978 : l'armée vietnamienne occupe le Cambodge. La République populaire du Kampuchéa est proclamée.

1989 : les troupes vietnamiennes quittent le pays, redevenu l'État du Cambodge.

1993 : la monarchie parlementaire est rétablie ; Norodom Sihanouk redevient roi.

1999 : le Cambodge devient membre de l'ASEAN.

2004 : Norodom Sihanouk se retire. Un de ses fils, Norodom Sihamoni, lui succède.

2009 : ouverture des premiers procès des anciens dirigeants khmers rouges.

CHINE

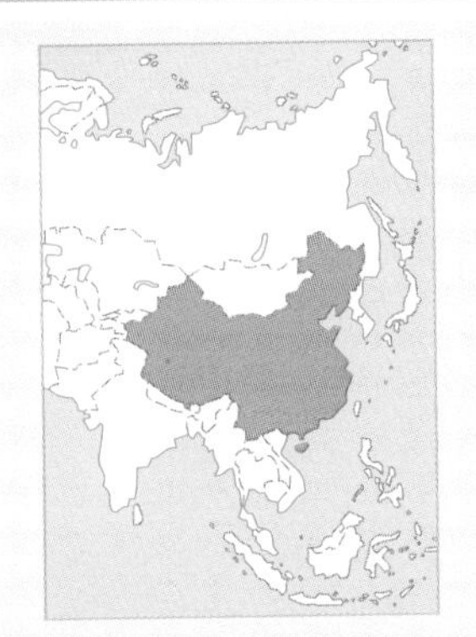

On distingue une Chine occidentale (aride, voire désertique et presque vide), formée de vastes plateaux et de dépressions (plateaux tibétains et mongols, bassin du Tsaidam, du Tarim), qui sont cernés de hautes chaînes (Himalaya, Karakorum, Tian Shan), et une Chine orientale, au relief plus morcelé, plus bas, descendant par paliers vers la mer. Dans cette dernière se juxtaposent plateaux, collines et plaines, et le climat, variant avec la latitude, introduit une division essentielle entre une Chine du Nord et une Chine du Sud, séparées par la chaîne des Qinling. La Chine orientale est presque entièrement dans le domaine de la mousson, apportant des pluies d'été, beaucoup plus abondantes au sud qu'au nord. C'est dans cette région que se concentre la quasi-totalité de la population.

Superficie : 9 596 961 km²
Population (2013) : 1 365 200 000 hab.
Capitale : Pékin 15 594 367 hab. (e. 2011) dans l'agglomération
Nature de l'État et du régime politique : république, régime socialiste
Chef de l'État : (président de la République) Xi Jinping
Chef du gouvernement : (Premier ministre) Li Keqiang
Organisation administrative : 22 provinces, 5 régions autonomes, 4 municipalités et 2 régions administratives spéciales
Langue officielle : chinois
Monnaie : yuan

DÉMOGRAPHIE

- **Densité :** 142 hab./km²
- **Part de la population urbaine (2013) :** 53 %
- **Structure de la population par âge (2013) :** moins de 15 ans : 16 %, 15-65 ans : 75 %, plus de 65 ans : 9 %
- **Taux de natalité (2013) :** 12 ‰
- **Taux de mortalité (2013) :** 7 ‰
- **Taux de mortalité infantile (2013) :** 16 ‰
- **Espérance de vie (2013) :** hommes : 73 ans, femmes : 77 ans

La Chine regroupe environ le cinquième de la population mondiale (plus de 20 fois celle de la France), ce qui en fait le pays le plus peuplé, devant l'Inde. La densité moyenne atteint les 140 habitants au km², mais ce chiffre n'est pas significatif : 90 % des habitants se regroupent sur le sixième du territoire (les plaines et les bassins de la Chine orientale ainsi que le littoral). Si la densité est inférieure à 10 habitants au km² dans l'Ouest, au Tibet et au Qinghai, elle avoisine ou dépasse 600 habitants au km² au Shandong et au Jiangsu. La population urbaine (aujourd'hui autour de 53 % de la population totale) connaît une croissance importante, même s'il est difficile de la quantifier précisément. Près d'une centaine d'agglomérations dépassent le million d'habitants. Shanghai, Pékin, Hongkong, Tianjin, Canton et Wuhan comptent parmi les grandes métropoles mondiales. La population comporte une majorité de Han, les Chinois proprement dits (près de 95 % du total), et de nombreuses minorités, fortes parfois de plusieurs millions de personnes (Zhuang, Hui, Turcs Ouïgours, Yi, Tibétains, Mongols, etc.), qui vivent surtout dans les régions périphériques.

ÉCONOMIE

- **PNB (2012) :** 8 185 milliards de dollars
- **PNB/hab. (2012) :** 5 720 dollars
- **PNB/hab. PPA (2012) :** 9 040 dollars internationaux
- **IDH (2012) :** 0,699
- **Taux de croissance annuelle du PIB (2012) :** 7,8 %
- **Taux annuel d'inflation (2012) :** 2,7 %
- **Structure de la population active (2011) :** agriculture : 34,8 %, mines et industries : 29,5 %, services : 35,7 %
- **Structure du PIB (2012) :** agriculture : 10,1 %, mines et industries : 45,3 %, services : 44,6 %
- **Dette publique brute :** n.d.
- **Taux de chômage (2011) :** 4 %

Au deuxième rang mondial (devant le Japon et derrière les États-Unis) par son PNB, la Chine reste un pays « à revenu intermédiaire ». En tête des puissances économiques émergentes, elle a pris une place de tout premier plan dans le commerce mondial et dans les investissements massifs à l'étranger, bénéficiant de plusieurs avantages comparatifs, au premier rang desquels le faible coût du travail et la sous-évaluation de sa monnaie, le yuan, entretenue par l'accumulation d'énormes réserves de change. La Chine est en effet devenue le premier exportateur mondial de marchandises (devant l'Allemagne), s'imposant ou augmentant ses parts de marché dans de nombreux secteurs, du textile à l'électronique en passant par la haute technologie, l'aérospatiale, les télécommunications, les machines-outils, l'industrie chimique, l'électronique ou la métallurgie. Ses principaux partenaires commerciaux sont l'Union européenne, les États-Unis, le Japon, la Corée du Sud et Taïwan. Sa très forte croissance repose aussi sur l'exploitation de la houille (qui fournit 70 % de l'électricité produite) dont le pays dispose en quantité, parmi de nombreuses ressources minières (aluminium, antimoine, cuivre, fer, terres rares...). Redevenue importatrice de produits agricoles, la Chine doit moderniser son agriculture au travers de la mécanisation du secteur et de l'intégration de nouvelles technologies. Cet essor a favorisé celui du marché intérieur et de la classe moyenne, ce qui devrait inciter l'État à réorienter sa stratégie économique. Sans négliger cependant l'importance de l'agriculture (1re productrice de blé, riz, thé, coton, arachide...), qui, tout en constituant un vaste réservoir de main-d'œuvre bon marché, emploie encore plus de 40 % de la population active. L'ascension sociale à venir de millions de Chinois, due en partie à la hausse des salaires, laisse présager une explosion du marché automobile, qui a déjà supplanté celui des États-Unis. En 2011, la Chine a subi les conséquences de la crise qui a secoué l'Union européenne, son premier partenaire commercial. En 2013, le bilan économique est mitigé en raison d'un ralentissement de la croissance (7,6 %) et du changement de l'équipe au pouvoir. Une politique de rigueur monétaire avait été engagée par le précédent gouvernement qui voulait lutter contre l'inflation et parvenir à un équilibre de son économie au profit du marché intérieur plutôt qu'au profit des exportations. Le pays fait partie des premiers producteurs mondiaux de pétrole (4e) alors que seul 1/4 des réserves sont connues et ne sont pas exploitées. De même pour le gaz naturel dont seulement 15 % des réserves ont été découvertes.

TOURISME

- **Recettes touristiques (2012) :** 53 313 M de $

COMMERCE EXTÉRIEUR

- **Exportations de biens (2012) :** 1 970 945 M de $
- **Importations de biens (2011) :** 1 998 294 M de $

DÉFENSE

- **Forces armées (2011) :** 2 945 000 individus
- **Dépenses militaires (2012) :** 2 % du PIB

NIVEAU DE VIE

- **Nombre d'habitants pour un médecin (2012) :** 549
- **Apport journalier moyen en calories (2007) :** 2 981 (minimum FAO : 2 400)
- **Nombre d'automobiles pour 1 000 hab. (2011) :** 44
- **Téléphones portables (2012) :** 81 % de la population équipée

REPÈRES HISTORIQUES

La Chine impériale jusqu'à la conquête mongole

221 - 206 av. J.-C. : l'empire Qin est fondé par Qin Shi Huangdi, qui unifie l'ensemble des royaumes chinois.

206 av. J.-C. - 220 apr. J.-C. : dynastie des Han, qui étendent leur empire en Mandchourie, en Corée, en Mongolie, au Viêt Nam et en Asie centrale. Ils fondent le mandarinat et remettent à l'honneur le confucianisme. Ils contrôlent la route de la

soie et s'ouvrent aux influences étrangères, notamment au bouddhisme.
220 - 581 : période de morcellement territorial et de guerres. L'influence du bouddhisme se développe. À la période des Trois Royaumes (220 - 265) succède celle des dynasties du Nord et du Sud (317 - 589).
581 - 618 : dynastie Sui, qui réunifie le pays.
618 - 907 : dynastie des Tang. La Chine connaît une administration remarquable et poursuit son expansion militaire avec les empereurs Tang Taizong (627 - 649) et Tang Gaozong (650 - 683).
907 - 960 : elle est à nouveau morcelée pendant la période des Cinq Dynasties.
960 - 1279 : dynastie des Song, qui gouvernent un territoire beaucoup moins étendu que celui des Tang depuis que les « barbares du Nord » ont créé les empires Liao (947 - 1124) et Jin (1115 - 1234). La civilisation scientifique et technique chinoise est très en avance sur celle de l'Occident. Repliés dans le Sud à partir de 1127, les Song sont éliminés par les Mongols, qui conquièrent le pays.
1279 - 1368 : la dynastie mongole des Yuan gouverne la Chine, qui se soulève sous la conduite de Zhu Yuanzhang (Hongwu), fondateur de la dynastie Ming.

La Chine des Ming et des Qing

1368 - 1644 : dynastie des Ming. Ses empereurs renouent avec la tradition nationale mais instaurent des pratiques autocratiques. Yongle (1403 - 1424) conquiert la Mandchourie.
1644 - 1911 : dynastie Qing, fondée par les Mandchous, qui ont envahi le pays. Les Qing, avec les empereurs Kangxi (1662 - 1722), Yongzheng (1723 - 1736) et Qianlong (1736 - 1796), établissent leur domination sur un territoire plus étendu que jamais (protectorat sur le Tibet, 1751 ; progression en Mongolie et en Asie centrale).
1839 - 1842 : guerre de l'opium.
1851 - 1864 : insurrection des Taiping.
1875 - 1908 : l'impératrice Cixi détient le pouvoir. Vaincue par le Japon (1894 - 1895), la Chine doit céder à ce dernier le Liaodong et Taïwan (anciennement Formose). La Russie, l'Allemagne, la Grande-Bretagne et la France se partagent le pays en zones d'influence.
1900 : la révolte des Boxers est réprimée.

La république de Chine

1911 : la république est instaurée.
1927 : les nationalistes du Guomindang, dirigés par Sun Yat-sen puis, après 1925, par Jiang Jieshi (Tchang Kaï-chek), rompent avec les communistes.
1934 - 1935 : les communistes gagnent le Nord au terme de la « Longue Marche ».
1937 - 1945 : le Japon, qui occupe la Chine du Nord depuis 1937, progresse vers le Sud en 1944.
1945 - 1949 : après la capitulation japonaise, la guerre civile oppose nationalistes et communistes.

La République populaire de Chine jusqu'en 1976

1949 : création de la République populaire de Chine. Mao Zedong en assure la direction. Zhou Enlai est Premier ministre et ministre des Affaires étrangères. Les nationalistes se sont repliés à Taïwan.
1956 : devant les résistances et les difficultés économiques, Mao lance la campagne des « Cent Fleurs », qui est un grand débat d'idées.
1958 : Mao impose lors du « Grand Bond en avant » la collectivisation des terres et la création des communes populaires ; c'est un échec économique.
1960 : l'URSS rappelle ses experts et provoque l'arrêt des grands projets industriels.
1966 : Mao lance la « Grande Révolution culturelle prolétarienne ». Au cours de dix années de troubles (1966 - 1976), les responsables du Parti communiste sont éliminés par les étudiants, organisés en gardes rouges, et par l'armée.
1969 : la détérioration des relations avec l'URSS aboutit à des incidents frontaliers.
1971 : admission de la République populaire de Chine à l'ONU, où elle remplace Taïwan. Rapprochement avec les États-Unis.

Les nouvelles orientations

1976 : mort de Mao Zedong ; arrestation de la « Bande des Quatre ».
1977 : Deng Xiaoping mène une politique de réformes économiques, d'ouverture sur l'étranger et de révision du maoïsme.
1979 : un conflit armé oppose la Chine au Viêt Nam.
1989 : la visite de Gorbatchev à Pékin consacre la normalisation des relations avec l'URSS. Les étudiants et la population réclament la libéralisation du régime. Deng Xiaoping fait intervenir l'armée contre les manifestants, qui sont victimes d'une répression sanglante (juin, notamment à Pékin, place Tian'anmen).
1997 : la Grande-Bretagne rétrocède Hong kong à la Chine.
1999 : le Portugal rétrocède Macao à la Chine.
2001 : la Chine voit sa position confortée sur la scène internationale (attribution des jeux Olympiques de 2008 à Pékin ; adhésion à l'OMC).

Les provinces

La Chine est constituée de 22 provinces – hors Taïwan –, de 5 régions autonomes, de 4 municipalités autonomes et de 2 régions administratives spéciales.

Les provinces :
Anhui (capitale Hefei) ; **Fujian** (Fuzhou) ; **Gansu** (Lanzhou) ; **Guangdong** (Canton) ; **Guizhou** (Guiyang) ; **Hainan** (Haikou) ; **Hebei** (Shijiazhuang) ; **Heilongjiang** (Harbin) ; **Henan** (Zhengzhou) ; **Hubei** (Wuhan) ; **Hunan** (Changsha) ; **Jiangsu** (Nankin) ; **Jiangxi** (Nanchang) ; **Jilin** (Chang-chun) ; **Liaoning** (Shenyang) ; **Qinghai** (Xining) ; **Shaanxi** (Xi'an) ; **Shandong** (Jinan) ; **Shanxi** (Taiyuan) ; **Sichuan** (Chengdu) ; **Yunnan** ou **Yun-nan** (Kunming) ; **Zhejiang** (Hangzhou).

Les régions autonomes :
Guangxi (capitale Nanning) ; **Mongolie-Intérieure** (Houhehot) ; **Ningxia** (Yinchuan) ; **Tibet** (Lhassa) ; **Xinjiang** (Ouroumtsi).
Les municipalités autonomes : Chongqing, Pékin, Shanghai, Tianjin.
Les régions administratives spéciales : Hongkong ; Macao.

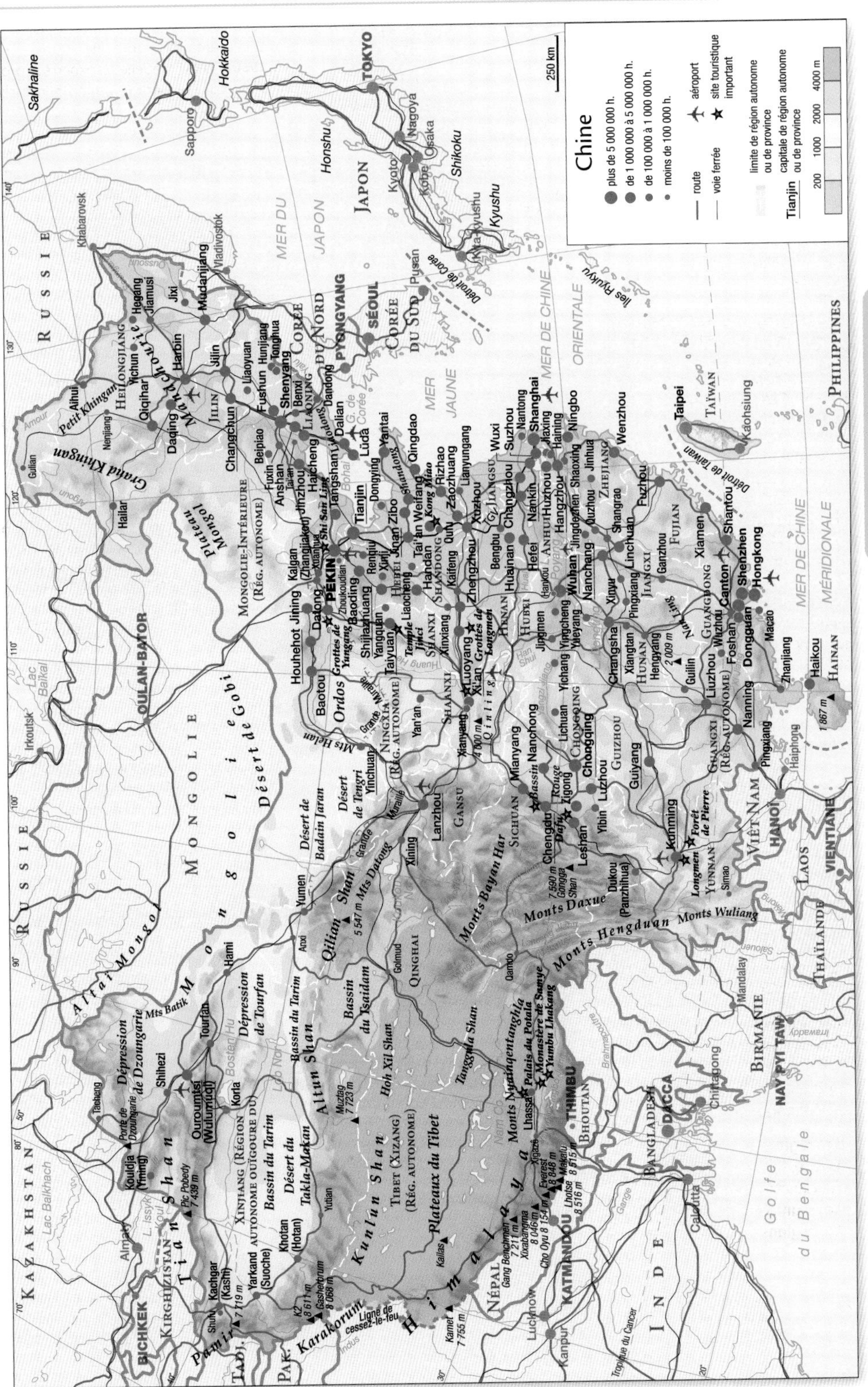
Chine
plus de 5 000 000 h.
de 1 000 000 à 5 000 000 h.
de 100 000 à 1 000 000 h.
moins de 100 000 h.
route
voie ferrée
aéroport
site touristique important
limite de région autonome ou de province
Tianjin capitale de région autonome ou de province
200 1000 2000 4000 m
250 km
RUSSIE
MONGOLIE
KAZAKHSTAN
JAPON
PHILIPPINES
INDE
PÉKIN
TOKYO
SÉOUL
PYONGYANG
OULAN-BATOR
Shanghai
Hongkong
Taipei
MER DE CHINE ORIENTALE
MER DE CHINE MÉRIDIONALE
MER DU JAPON
MER JAUNE
Golfe du Bengale

CHYPRE

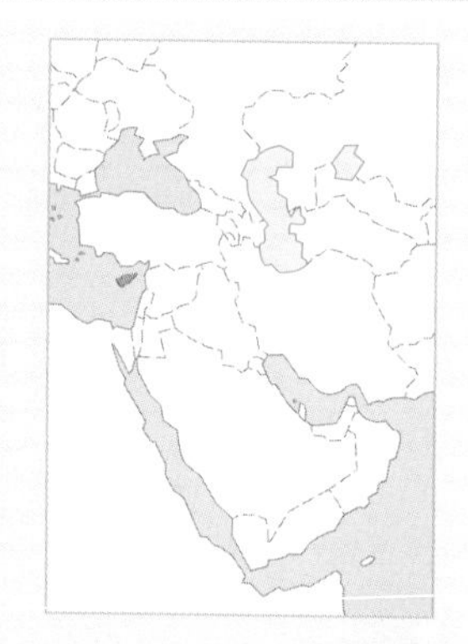

Proche des côtes turque et syrienne, l'île de Chypre est en grande partie montagneuse, avec une dépression centrale où se situe sa capitale, Nicosie. Le climat est méditerranéen avec une tendance à l'aridité.

Superficie : 9 251 km²
Population (2013) : 1 100 000 hab.
Capitale : Nicosie 53 772 hab. (r. 2011), 252 570 hab. (e. 2011) dans l'agglomération
Nature de l'État et du régime politique : république à régime présidentiel
Chef de l'État et du gouvernement : (président de la République) Níkos Anastasiádis
Organisation administrative : 6 districts
Langues officielles : grec et turc
Monnaie : euro

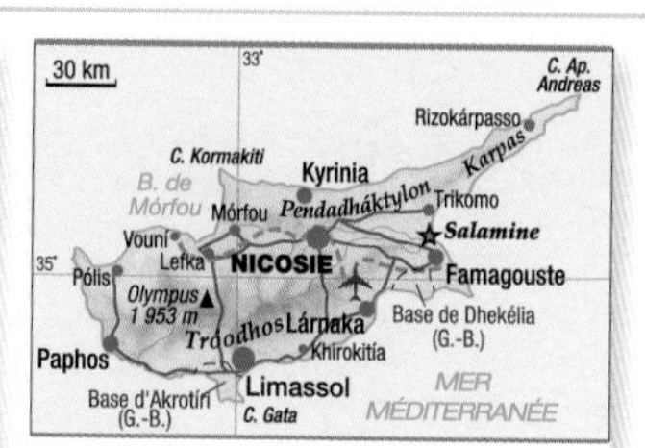

Chypre

- — route
- aéroport
- 200 500 m
- ● plus de 100 000 h.
- ● de 30 000 à 100 000 h.
- • moins de 30 000 h.
- ★ site touristique important
- - - ligne de cessez-le-feu (août 1974)

DÉMOGRAPHIE

- **Densité :** 119 hab./km²
- **Part de la population urbaine (2013) :** 62 %
- **Structure de la population par âge (2013) :** moins de 15 ans : 17 %, 15-65 ans : 70 %, plus de 65 ans : 13 %
- **Taux de natalité (2013) :** 12 ‰
- **Taux de mortalité (2013) :** 7 ‰
- **Taux de mortalité infantile (2013) :** 6 ‰
- **Espérance de vie (2013) :** hommes : 76 ans, femmes : 81 ans

Chypre juxtapose deux populations, l'une grecque, majoritaire à 80 %, qui vit dans la grande partie sud-ouest de l'île, autour du massif du Tróodhos, l'autre turque, qui habite dans le Nord et le Nord-Est, sur environ 40 % du territoire. Avec 119 habitants au km², la densité de population est relativement élevée. Les déplacements de population liés à la partition ont accéléré l'urbanisation de l'île. Nicosie, la capitale, regroupe près du quart de la population totale.

ÉCONOMIE

- **PNB (2012) :** 22 milliards de dollars
- **PNB/hab. (2012) :** 26 110 dollars
- **PNB/hab. PPA (2012) :** 29 840 dollars internationaux
- **IDH (2012) :** 0,848
- **Taux de croissance annuelle du PIB (2012) :** – 2,4 %
- **Taux annuel d'inflation (2012) :** 2,4 %
- **Structure de la population active (2012) :** agriculture : 2,9 %, mines et industries : 20,2 %, services : 76,9 %
- **Structure du PIB (2008) :** agriculture : 2 %, mines et industries : 19,6 %, services : 78,4 %
- **Dette publique brute (2011) :** 113 % du PIB
- **Taux de chômage (2012) :** 11,8 %

Depuis son entrée dans l'UE jusqu'à la crise de 2008, année de son adhésion à la zone euro, la République (grecque) de Chypre a connu une croissance ininterrompue. Le tourisme et le transport maritime restent les deux piliers de l'économie chypriote devant l'immobilier et le secteur bancaire, exposé depuis à la dette grecque. Par sa position géographique, le pays ambitionnait de devenir un carrefour commercial et financier entre l'Europe et le Moyen-Orient, mais reste très dépendant du tourisme et de ses importations, en provenance de l'UE pour plus de 70 %. Depuis 2011, les conséquences de la crise grecque sont encore douloureuses pour l'économie chypriote qui n'a plus accès aux marchés financiers. Le gouvernement s'est donc engagé dans une politique de rigueur visant à geler les salaires de la fonction publique et à augmenter la TVA. En 2014, Chypre étant l'un des seuls pays de l'UE à être encore en récession, il devrait obtenir un plan d'aide de 10 milliards d'euros. Le chômage est en constante augmentation.

TOURISME

- **Recettes touristiques (2012) :** 2 724 millions de dollars

COMMERCE EXTÉRIEUR

- **Exportations de biens (2012) :** 2 602 millions de dollars
- **Importations de biens (2011) :** 8 015 millions de dollars

DÉFENSE

- **Forces armées (2011) :** 12 750 individus
- **Dépenses militaires (2012) :** 2,1 % du PIB

NIVEAU DE VIE

- **Nombre d'habitants pour un médecin (2011) :** 363
- **Apport journalier moyen en calories (2007) :** 3 181 (minimum FAO : 2 400)
- **Nombre d'automobiles pour 1 000 hab. (2011) :** 419
- **Téléphones portables (2012) :** 98 % de la population équipée

REPÈRES HISTORIQUES

De l'Antiquité à l'époque moderne

Peuplée dès le VIIᵉ millénaire, l'île de Chypre est colonisée par les Grecs, puis par les Phéniciens.

IIIᵉ - Iᵉʳ s. av. J.-C. : l'île passe sous la domination des Ptolémées, puis des Lagides.

58 av. J.-C. : Chypre devient une province romaine.

395 apr. J.-C. : elle est englobée dans l'Empire byzantin.

1191 - 1489 : conquise par Richard Cœur de Lion, elle est cédée aux Lusignan.

1489 : elle devient vénitienne.

1570 - 1571 : elle est conquise par les Turcs.

L'époque contemporaine

1925 : passée sous administration britannique (1878), elle est annexée par la Grande-Bretagne (1914) qui l'érige en colonie.

1959 : l'indépendance est accordée dans le cadre du Commonwealth.

1960 : la République est proclamée, avec un président grec et un vice-président turc.

1974 : un coup d'État favorable à l'*Enôsis* (Union avec la Grèce) provoque un débarquement turc dans le nord de l'île.

1983 : proclamation unilatérale d'une « République turque de Chypre du Nord ».

2004 : après le rejet, par référendum, d'un plan de réunification de l'île, la République (grecque) de Chypre adhère à l'Union européenne.

CORÉE DU NORD

Occupant la partie nord de la péninsule coréenne, la Corée du Nord est un pays montagneux presque entièrement recouvert par les forêts. Le climat est rude, les hivers sont rigoureux et les précipitations parfois insuffisantes.

Superficie : 120 538 km²
Population (2013) : 24 700 000 hab.
Capitale : Pyongyang 2 842 570 hab. (e. 2011)
Nature de l'État et du régime politique : république, régime socialiste
Chef de l'État : (chef de la Commission de défense nationale) Kim Jong-un
Chef du gouvernement : (Premier ministre) Pak Pong-ju
Organisation administrative : 9 provinces et 4 municipalités
Langue officielle : coréen
Monnaie : won nord-coréen

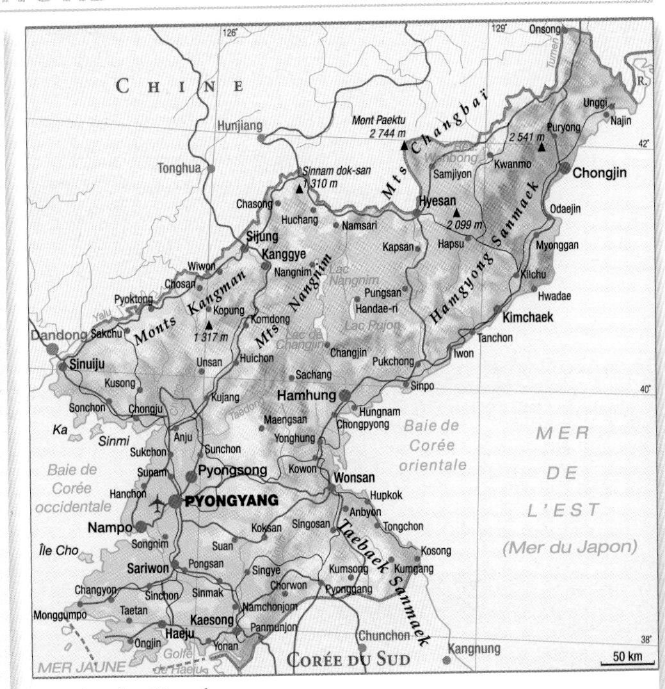

Corée du Nord

500 1000 2000 m

— voie ferrée
— route
aéroport

plus de 2 000 000 h.
de 500 000 à 2 000 000 h.
de 100 000 à 500 000 h.
moins de 100 000 h.

DÉMOGRAPHIE

- **Densité :** 205 hab./km²
- **Part de la population urbaine (2013) :** 60 %
- **Structure de la population par âge (2013) :** moins de 15 ans : 22 %, 15-65 ans : 69 %, plus de 65 ans : 9 %
- **Taux de natalité (2013) :** 15 ‰
- **Taux de mortalité (2013) :** 9 ‰
- **Taux de mortalité infantile (2013) :** 27 ‰
- **Espérance de vie (2013) :** hommes : 65 ans, femmes : 73 ans

Plus vaste que la Corée du Sud, la Corée du Nord a une population inférieure de moitié. Toutefois, la densité demeure élevée (plus de 200 habitants au km² en moyenne), compte tenu des conditions naturelles souvent difficiles. La population n'est urbanisée qu'à 60 % et hormis Pyongyang, la capitale, Hamhung et Chongjin sont les seules villes à dépasser les 500 000 habitants. Les conditions de vie de la population sont très dures et l'espérance de vie à la naissance n'est que de 69 ans, contre 81 ans chez son voisin, la Corée du Sud.

ÉCONOMIE

- **PNB :** n.d.
- **PNB/hab. :** n.d.
- **PNB/hab. PPA (2007) :** 2 240 dollars internationaux
- **IDH :** n.d.
- **Taux de croissance annuelle du PIB (2009) :** 3,7 %
- **Taux annuel d'inflation :** n.d.
- **Structure de la population active :** agriculture : n.d., mines et industries : n.d., services : n.d.
- **Structure du PIB (2004) :** agriculture : 30 %, mines et industries : 34 %, services : 36 %
- **Dette publique brute :** n.d.
- **Taux de chômage :** n.d.

L'économie de la Corée du Nord reste basée sur le complexe militaro-industriel. Le secteur agricole a enregistré une augmentation de sa production et le secteur minier (pétrole, fer, phosphate, zinc, argent) n'est pas exploité. En dehors de l'aide alimentaire, les échanges extérieurs se font principalement avec la Chine, la Corée du Sud et l'Inde, et les investissements étrangers, quoique sporadiques, ne sont pas absents. Une zone d'économie spéciale a été créée au nord-est du pays, regroupant des entreprises chinoises, russes et canadiennes.

TOURISME

- **Recettes touristiques :** n.d.

COMMERCE EXTÉRIEUR

- **Exportations de biens (2009) :** 1 550 M de $
- **Importations de biens (2009) :** 2 050 M de $

DÉFENSE

- **Forces armées (2011) :** 1 379 000 individus
- **Dépenses militaires :** n.d.

NIVEAU DE VIE

- **Nombre d'habitants pour un médecin :** n.d.
- **Apport journalier moyen en calories (2007) :** 2 087 (minimum FAO : 2 400)
- **Nombre d'automobiles pour 1 000 hab. :** n.d.
- **Téléphones portables (2012) :** 7 % de la population équipée

REPÈRES HISTORIQUES

Ier s. av. J.-C. : la Chine établit des commanderies en Corée.
IVe s. apr. J.-C. : introduction du bouddhisme.
918 : naissance de la dynastie Koryo.
1231 : invasion mongole.
1392 : naissance de la dynastie Li (ou Yi), qui adopte le confucianisme.
1637 : elle doit reconnaître la suzeraineté de la dynastie chinoise des Qing.
1910 : le Japon annexe le pays.
1945 : occupation par les troupes soviétiques et américaines.
1948 : la république de Corée est établie au sud du pays et la République populaire démocratique de Corée au nord. Kim Il-sung dirige la Corée du Nord jusqu'à sa mort en 1994.
1953 : à l'issue de la guerre de Corée (1950-1953), la division du pays est maintenue.
1991 : les deux Corées entrent à l'ONU et signent un accord de réconciliation.
Depuis 2002 : les relations de la Corée du Nord avec la communauté internationale connaissent un regain de tension, en particulier sur la question du nucléaire.

CORÉE DU SUD

Le pays bénéficie de conditions de relief et de climat assez favorables, avec une notable extension des plaines et des collines, des températures clémentes et une pluviosité suffisante.

Superficie : 99 268 km²
Population (2013) : 50 200 000 hab.
Capitale : Séoul 9 735 857 hab. (e. 2011)
Nature de l'État et du régime politique : république à régime semi-présidentiel
Chef de l'État : (présidente de la République) Park Geun-hye
Chef du gouvernement : (Premier ministre) Chung Hong-won
Organisation administrative : 9 provinces, 6 municipalités et la capitale
Langue officielle : coréen
Monnaie : won

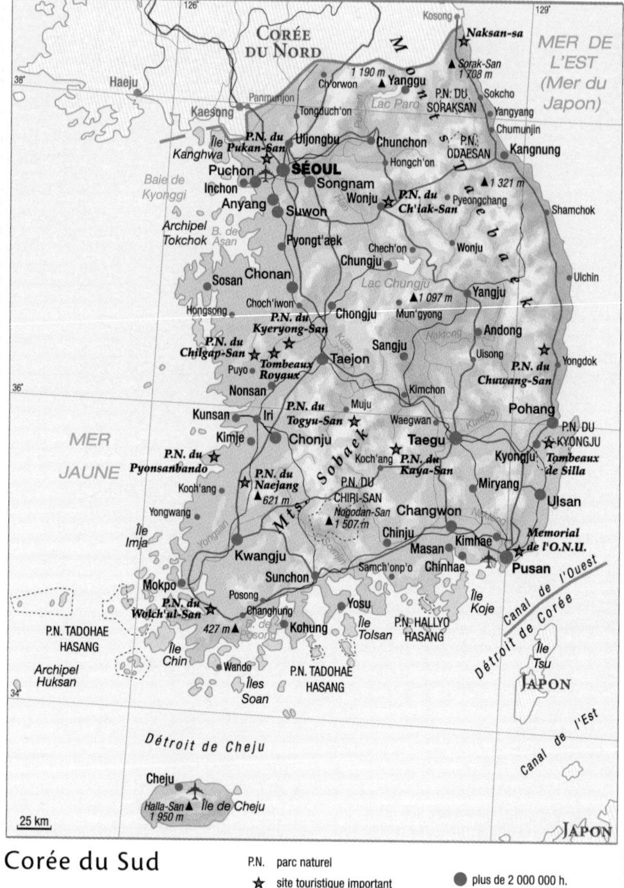

Corée du Sud

DÉMOGRAPHIE

- **Densité :** 506 hab./km²
- **Part de la population urbaine (2013) :** 82 %
- **Structure de la population par âge (2013) :** moins de 15 ans : 16 %, 15-65 ans : 73 %, plus de 65 ans : 11 %
- **Taux de natalité (2013) :** 10 ‰
- **Taux de mortalité (2013) :** 5 ‰
- **Taux de mortalité infantile (2013) :** 3 ‰
- **Espérance de vie (2013) :** hommes : 78 ans, femmes : 84 ans

Sensiblement moins étendue que la Corée du Nord, la Corée du Sud est deux fois plus peuplée. La densité moyenne dépasse les 500 habitants au km² : c'est la plus forte du monde, après celle du Bangladesh, pour un État relativement vaste, d'autant plus que la population n'occupe que 20 % du territoire (plaines littorales et bassins intérieurs essentiellement), constitué pour le reste de montagnes et de forêts. Le vieillissement de la population se confirme : la part des plus de 65 ans atteint maintenant 11 % de la population totale, et le taux de fécondité, de 1,3 enfant par femme, est très inférieur au seuil de renouvellement des générations. Avec près de 10 millions d'habitants, Séoul, la capitale, fait partie des grandes métropoles mondiales. Plusieurs autres villes dépassent le million d'habitants : Pusan, Inchon, Kwangju, Taegu, Taejon.

ÉCONOMIE

- **PNB (2012) :** 1 136 milliards de dollars
- **PNB/hab. (2012) :** 22 670 dollars
- **PNB/hab. PPA (2012) :** 30 970 dollars internationaux
- **IDH (2012) :** 0,909
- **Taux de croissance annuelle du PIB (2012) :** 2 %
- **Taux annuel d'inflation (2012) :** 2,2 %
- **Structure de la population active (2010) :** agriculture : 6,6 %, mines et industries : 17 %, services : 76,4 %
- **Structure du PIB (2012) :** agriculture : 2,6 %, mines et industries : 39,2 %, services : 58,2 %
- **Dette publique brute (2009) :** 32,6 % du PIB
- **Taux de chômage (2012) :** 3,2 %

Classée au 15e rang économique mondial et au 4e rang des pays asiatiques, la Corée du Sud a poursuivi sur la voie de la croissance après avoir surmonté la crise asiatique de 1997 et s'être hissée dans le groupe des économies à haut revenu. Ce développement est désormais en grande partie fondé sur les secteurs de haute technologie, notamment de la biotechnologie. Les conglomérats (chaebol), encore très diversifiés comme Samsung ou LG (électronique, téléphonie, construction, pétrochimie, énergie, sidérurgie) ou plus spécialisés comme Hyundai (automobile), sont toujours les piliers du système industriel. Les secteurs traditionnels comme la construction navale et l'acier constituent des valeurs sûres de l'économie sud-coréenne, qui cherche cependant à se diversifier. La compétitivité de l'économie est essentielle, sachant que les exportations représentent environ la moitié de son PIB, les destinations principales étant la Chine, les pays de l'ASEAN (Association des nations du Sud-Est asiatique), l'UE et les États-Unis. Afin de dynamiser ses exportations, le pays multiplie les accords de libre-échange avec ses partenaires commerciaux et souhaite libéraliser ses échanges avec la Chine d'ici à 2015. La croissance économique a connu un léger recul en 2011 et 2012 (2 %), elle se stabilise en 2013 à 2,8 %. La Corée du Sud est très liée commercialement à l'Europe (crise de la dette), aux États-Unis et à la Chine, mais a su rebondir grâce à la demande intérieure. Disposant de ressources minières très réduites, le pays dépend fortement des importations de combustibles. La diversification des sources d'énergie est ainsi recherchée : pétrole, gaz, charbon (38 % de son électricité), nucléaire (37 %), énergies renouvelables, dont un plan de développement a été lancé en 2011.

TOURISME

- **Recettes touristiques (2012) :** 17 246 millions de dollars

COMMERCE EXTÉRIEUR

- **Exportations de biens (2012) :** 552 709 millions de dollars
- **Importations de biens (2012) :** 603 465 millions de dollars

DÉFENSE

- **Forces armées (2011) :** 659 500 individus
- **Dépenses militaires (2012) :** 2,8 % du PIB

NIVEAU DE VIE

- **Nombre d'habitants pour un médecin (2011) :** 494
- **Apport journalier moyen en calories (2007) :** 3 074 (minimum FAO : 2 400)
- **Nombre d'automobiles pour 1 000 hab. (2011) :** 276
- **Téléphones portables (2012) :** 100 % de la population équipée

REPÈRES HISTORIQUES

Ier s. av. J.-C. : la Chine établit des commanderies en Corée.

IVe s. apr. J.-C. : introduction du bouddhisme.

918 : naissance de la dynastie Koryo.

1231 : invasion mongole.

1392 : naissance de la dynastie Li (ou Yi), qui adopte le confucianisme.

1637 : elle doit reconnaître la suzeraineté de la dynastie chinoise des Qing.

1910 : le Japon, qui a éliminé les Qing de Corée en 1985, annexe le pays.

1945 : occupation par les troupes soviétiques et américaines.

1948 : la république de Corée est établie au sud du pays et la République populaire démocratique de Corée au nord.

1953 : à l'issue de la guerre de Corée (1950-1953), la division du pays est maintenue.

1987 : un processus de démocratisation s'engage en Corée du Sud, jusque-là soumise à un régime autoritaire.

1991 : les deux Corées entrent à l'ONU et signent un accord de réconciliation.

1993 : Kim Young-sam accède à la tête de l'État.

1998 : Kim Dae-jung, leader historique de l'opposition, devient président de la République.

2000 : un dialogue s'engage entre les deux Corées (rencontre historique des deux chefs d'État, en juin, à Pyongyang, renouvelée en octobre 2007). Le président sud-coréen Kim Dae-jung reçoit le prix Nobel de la paix.

2003 : Roh Moo-hyun est président de la République.

2008 : Lee Myung-bak lui succède.

2010 : les relations entre les deux Corées connaissent un nouveau pic de tension.

2013 : Park Geun-hye est la première femme à diriger le pays.

ÉMIRATS ARABES UNIS → ARABIE SAOUDITE

GÉORGIE

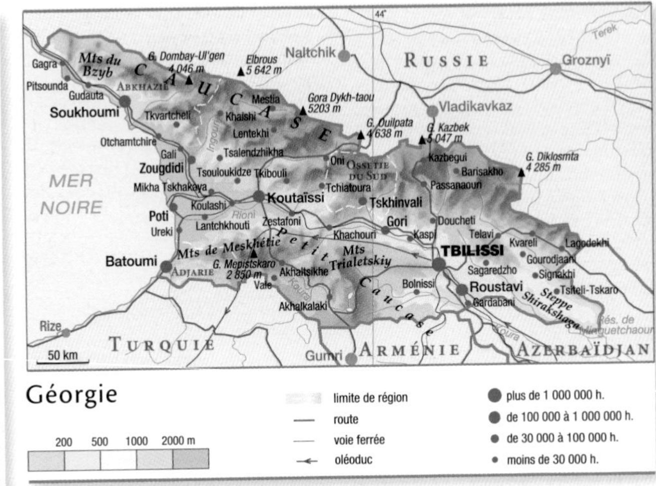

ASIE

Enclavée entre les monts du Grand Caucase au nord et ceux du Petit Caucase au sud, la plaine de Colchide, ouverte sur la mer Noire, est drainée par le Rioni et la haute Koura, et se resserre vers l'est (bassins de Gori et de Tbilissi). Cette disposition du relief induit une diversité climatique et donc une variété des milieux naturels et des mises en valeur.

Superficie : 69 700 km²

Population (2013) : 4 500 000 hab.

Capitale : Tbilissi 1 120 690 hab. (e. 2011)

Nature de l'État et du régime politique : république à régime semi-présidentiel

Chef de l'État : (président de la République) Gueorgui Margvelachvili

Chef du gouvernement : (Premier ministre) Irakli Garibachvili

Organisation administrative : 2 républiques autonomes, 9 régions et 1 municipalité

Langue officielle : géorgien

Monnaie : lari

DÉMOGRAPHIE

- **Densité :** 65 hab./km²
- **Part de la population urbaine (2013) :** 58 %
- **Structure de la population par âge (2013) :** moins de 15 ans : 17 %, 15-65 ans : 69 %, plus de 65 ans : 14 %
- **Taux de natalité (2013) :** 13 ‰
- **Taux de mortalité (2013) :** 11 ‰
- **Taux de mortalité infantile (2013) :** 13 ‰
- **Espérance de vie (2013) :** hommes : 70 ans, femmes : 79 ans

Le pays compte environ 70 % de Géorgiens, moins de 10 % de Russes et des minorités à la périphérie (en Abkhazie, Adjarie, Ossétie du Sud), avec des tendances séparatistes. La population se concentre dans les vallées, les plaines et le littoral de la mer Noire. Tbilissi, la capitale, est aussi la principale ville ; Batoumi (en Adjarie), le débouché maritime, sur la mer Noire ; Soukhoumi (en Abkhazie), une importante station touristique. Le nombre d'habitants est en diminution depuis 1990 et la part des plus de 65 ans augmente, représentant 14 % de la population totale.

ÉCONOMIE

- **PNB (2012) :** 16 milliards de dollars
- **PNB/hab. (2012) :** 3 270 dollars
- **PNB/hab. PPA (2012) :** 5 770 dollars internationaux
- **IDH (2012) :** 0,745
- **Taux de croissance annuelle du PIB (2012) :** 6 %
- **Taux annuel d'inflation (2012) :** – 0,9 %
- **Structure de la population active (2007) :** agriculture : 53,2 %, mines et industries : 10,4 %, services : 36 %
- **Structure du PIB (2012) :** agriculture : 8,5 %, mines et industries : 23,1 %, services : 68,4 %
- **Dette publique brute (2012) :** 32,5 % du PIB
- **Taux de chômage (2012) :** 15 %

Avec le retour en 2010 de la croissance, basée en partie sur l'essor de la production industrielle (métallurgie, chimie, secteur minier) et sur le développement du secteur tertiaire (tourisme) qui représente près de 70 % du PIB, la Géorgie est parvenue à surmonter à la fois le conflit avec Moscou et la crise financière qui l'avaient frappée en 2008. Voie de passage pour l'acheminement du gaz ou du pétrole russes vers l'Arménie et azéris vers la Turquie et l'Europe, la Géorgie tire des bénéfices de cette position. Après avoir quitté la CEI, elle resserre ses liens avec l'Azerbaïdjan qui lui fournit un gaz moins cher que le russe. Les échanges commerciaux avec la Russie étant atones, c'est la Turquie qui est aujourd'hui le 1er partenaire commercial du pays. La croissance, dopée par les investissements étrangers, s'élève à 2,5 % en 2013.

TOURISME

- **Recettes touristiques (2012) :** 1 059 millions de dollars

COMMERCE EXTÉRIEUR

- **Exportations de biens (2012) :** 3 459 millions de dollars
- **Importations de biens (2012) :** 9 147 millions de dollars

DÉFENSE

- **Forces armées (2011) :** 32 350 individus
- **Dépenses militaires (2012) :** 2,9 % du PIB

NIVEAU DE VIE

- **Nombre d'habitants pour un médecin (2012) :** 236
- **Apport journalier moyen en calories (2007) :** 2 859 (minimum FAO : 2 400)
- **Nombre d'automobiles pour 1 000 hab. (2011) :** 130
- **Téléphones portables (2012) :** 100 % de la population équipée

REPÈRES HISTORIQUES

Colonisée par les Grecs et les Romains (Colchide) puis dominée par les Sassanides (Ibérie), la région est conquise par les Arabes (v. 650).

IXe - XIIIe s. : elle connaît une remarquable renaissance, atteint son apogée sous la reine Thamar (1184 - 1213), puis est ravagée par les Mongols.

XVIe - XVIIIe s. : la Géorgie perd des territoires au profit de l'Iran et de l'Empire ottoman et se place sous la protection de la Russie (1783).

1801 : elle est annexée par la Russie.

1918 : une république indépendante est proclamée.

1921 : l'Armée rouge intervient et un régime soviétique est instauré.

1922 : la Géorgie est intégrée à l'URSS.

1991 : elle accède à l'indépendance.

1993 : la Géorgie rejoint la CEI.

1995 : adoption d'une nouvelle Constitution.

2008 : au lendemain d'une offensive déclenchée par la Géorgie en Ossétie du Sud pour y restaurer son autorité, la Russie mène une guerre éclair en territoire géorgien (8-12 août) et reconnaît l'indépendance des républiques séparatistes d'Ossétie du Sud et d'Abkhazie.

INDE

L'Inde est constituée de trois grandes régions d'extensions inégales. Elle atteint l'Himalaya au nord, mais n'en possède qu'une frange. Le cœur du pays est la vaste plaine drainée ou irriguée par le Gange (et ses affluents), auquel vient se joindre le Brahmapoutre pour former le delta du Gange, périodiquement ravagé par les cyclones et les inondations. La plaine gangétique est valorisée par les pluies de la mousson (de juin à septembre), moins abondantes vers le sud (au-delà du tropique), dans l'intérieur du Deccan qui est protégé par la barrière des Ghats occidentaux. Le Deccan, où la forêt claire a été presque totalement défrichée, est même localement sec. Les variations des précipitations y sont notables.

Superficie : 3 287 263 km^2
Population (2013) : 1 276 500 000 hab.
Capitale : New Delhi englobée dans Delhi 22 100 000 hab. (e. 2010) dans l'agglomération
Nature de l'État et du régime politique : république à régime parlementaire
Chef de l'État : (président de la République) Pranab Mukherjee
Chef du gouvernement : (Premier ministre) Manmohan Singh
Organisation administrative : 28 États et 7 territoires de l'Union
Langues officielles : hindi et anglais
Monnaie : roupie indienne

DÉMOGRAPHIE

- **Densité :** 388 hab./km^2
- **Part de la population urbaine (2013) :** 31 %
- **Structure de la population par âge (2013) :** moins de 15 ans : 30 %, 15-65 ans : 64 %, plus de 65 ans : 6 %
- **Taux de natalité (2013) :** 22 ‰
- **Taux de mortalité (2013) :** 7 ‰
- **Taux de mortalité infantile (2013) :** 44 ‰
- **Espérance de vie (2013) :** hommes : 65 ans, femmes : 68 ans

L'Inde est le deuxième pays le plus peuplé du monde, après la Chine. Sa population s'accroît d'environ 1,5 million d'habitants par mois. La population indienne se caractérise par une série de divisions en communautés très contrastées et il n'existe pas d'unité linguistique (langues indo-européennes dans le Nord, langues dravidiennes dans le Sud). La pression démographique se maintient (un taux de natalité de 22 ‰ malgré une politique de limitation des naissances), dans un pays encore majoritairement rural. L'exode rural et la forte natalité ont gonflé les villes, qui regroupent environ le tiers de la population totale, souvent dans des agglomérations surpeuplées et des conditions de vie difficiles (multiplication des bidonvilles). Une quarantaine d'agglomérations dépassent le million d'habitants et les plus grandes, Calcutta, Bombay, Delhi, Madras, comptent plus de 5 millions d'habitants. Les principales villes se situent sur la côte de la péninsule du Deccan (région de plateaux relativement aride) ou se sont développées au pied de l'Himalaya, dans la vaste plaine drainée par le Gange où se concentrent, de Delhi à Calcutta, plusieurs centaines de millions d'Indiens.

ÉCONOMIE

- **PNB (2012) :** 1 887 milliards de dollars
- **PNB/hab. (2012) :** 1 580 dollars
- **PNB/hab. PPA (2012) :** 3 910 dollars internationaux
- **IDH (2012) :** 0,554
- **Taux de croissance annuelle du PIB (2012) :** 3,2 %
- **Taux annuel d'inflation (2012) :** 9,3 %
- **Structure de la population active (2012) :** agriculture : 47,2 %, mines et industries : 24,7 %, services : 28,1 %
- **Structure du PIB (2012) :** agriculture : 17,4 %, mines et industries : 25,7 %, services : 56,9 %
- **Dette publique brute (2011) :** 48 % du PIB
- **Taux de chômage (2012) :** 3,6 %

L'Inde s'est hissée au 3e rang mondial par son PIB en parité de pouvoir d'achat (8e rang en dollars courants). Effet de la libéralisation de son économie, entreprise dans les années 1980 et 1990, l'Inde connaît une croissance très forte, atteignant plus de 9 % entre 2005 et 2008, tandis que le pays a surmonté sans difficulté la crise de 2008 avec une reprise de plus de 8 % entre 2010 et 2011. Mais, en 2013, la croissance n'a atteint que 3,8 % en raison, certes, du contexte économique international mais aussi à cause du désordre politique ambiant. Le secteur industriel (activités manufacturières et minières), déjà mis à mal par l'instabilité aux États-Unis et par la crise de la dette en Europe, est vétuste et nécessite un renouvellement de ses infrastructures. À la différence de celui de la Chine, la grande rivale, le développement est moins tiré par les exportations que par la demande intérieure avec une classe moyenne en expansion, par les investissements privés dans les secteurs industriel et minier, et par la dépense publique (avec une dette importante). Parmi les secteurs en forte croissance figurent la sidérurgie et l'automobile (Tata), mais aussi les télécommunications. Son commerce extérieur est désormais tourné vers l'Asie et l'Afrique (au Kenya, notamment) au détriment de l'Europe et des États-Unis. Si l'Inde doit importer son pétrole, elle fait partie des tout premiers producteurs mondiaux de charbon (5e rang). Toutefois, les progrès de l'Inde vers les Objectifs de développement humain fixés par l'ONU pour l'année 2015 sont lents, particulièrement en ce qui concerne la diminution de la pauvreté, de la malnutrition et de la mortalité infantile, ainsi que l'éducation des enfants.

TOURISME

- **Recettes touristiques (2012) :** 17 518 millions de dollars

COMMERCE EXTÉRIEUR

- **Exportations de biens (2012) :** 298 321 millions de dollars
- **Importations de biens (2012) :** 580 814 millions de dollars

DÉFENSE

- **Forces armées (2011) :** 2 647 150 individus
- **Dépenses militaires (2012) :** 2,4 % du PIB

NIVEAU DE VIE

- **Nombre d'habitants pour un médecin (2011) :** 1 541
- **Apport journalier moyen en calories (2007) :** 2 352 (minimum FAO : 2 400)
- **Nombre d'automobiles pour 1 000 hab. (2010) :** 12
- **Téléphones portables (2012) :** 69 % de la population équipée

REPÈRES HISTORIQUES

Les origines et l'Inde ancienne

2500 - 1800 av. J.-C. : la civilisation de l'Indus (Mohenjo-Daro) est à son apogée.

IIe millénaire av. J.-C. : les Aryens arrivent d'Asie centrale et colonisent l'Inde du Nord, qui adopte leur langue, le sanskrit, leur religion védique (à la base de l'hindouisme) et leur conception de la hiérarchie sociale (système des castes).

V. 560 - 480 av. J.-C. : l'Inde entre dans l'histoire à l'époque de la vie du Bouddha, contemporain de Mahavira, fondateur du jaïnisme.

V. 327 - 325 av. J.-C. : Alexandre le Grand atteint l'Indus et y établit des colonies grecques.

V. 320 - 176 av. J.-C. : l'Empire maurya est porté à son apogée par Ashoka (v. 269 - 232 av. J.-C.), qui étend sa domination de l'Afghanistan au Deccan et envoie des missions bouddhiques en Inde du Sud et à Ceylan.

Ier s. apr. J.-C. : l'Inde, morcelée, subit les invasions des Kushana.

320 - 550 : les Gupta favorisent la renaissance de l'hindouisme.

606 - 647 : le roi Harsha parvient à réunifier le pays.

VIIe - XIIe s. : l'Inde est à nouveau morcelée. Établis en Inde du Sud, les Pallava (VIIIe - IXe s.) puis les Cola (Xe - XIIe s.) exportent la civilisation indienne en Asie du Sud-Est. Le Sind est dominé par les Arabes (VIIIe s.), et la vallée de l'Indus tombe aux mains des Ghaznévides (XIe s.).

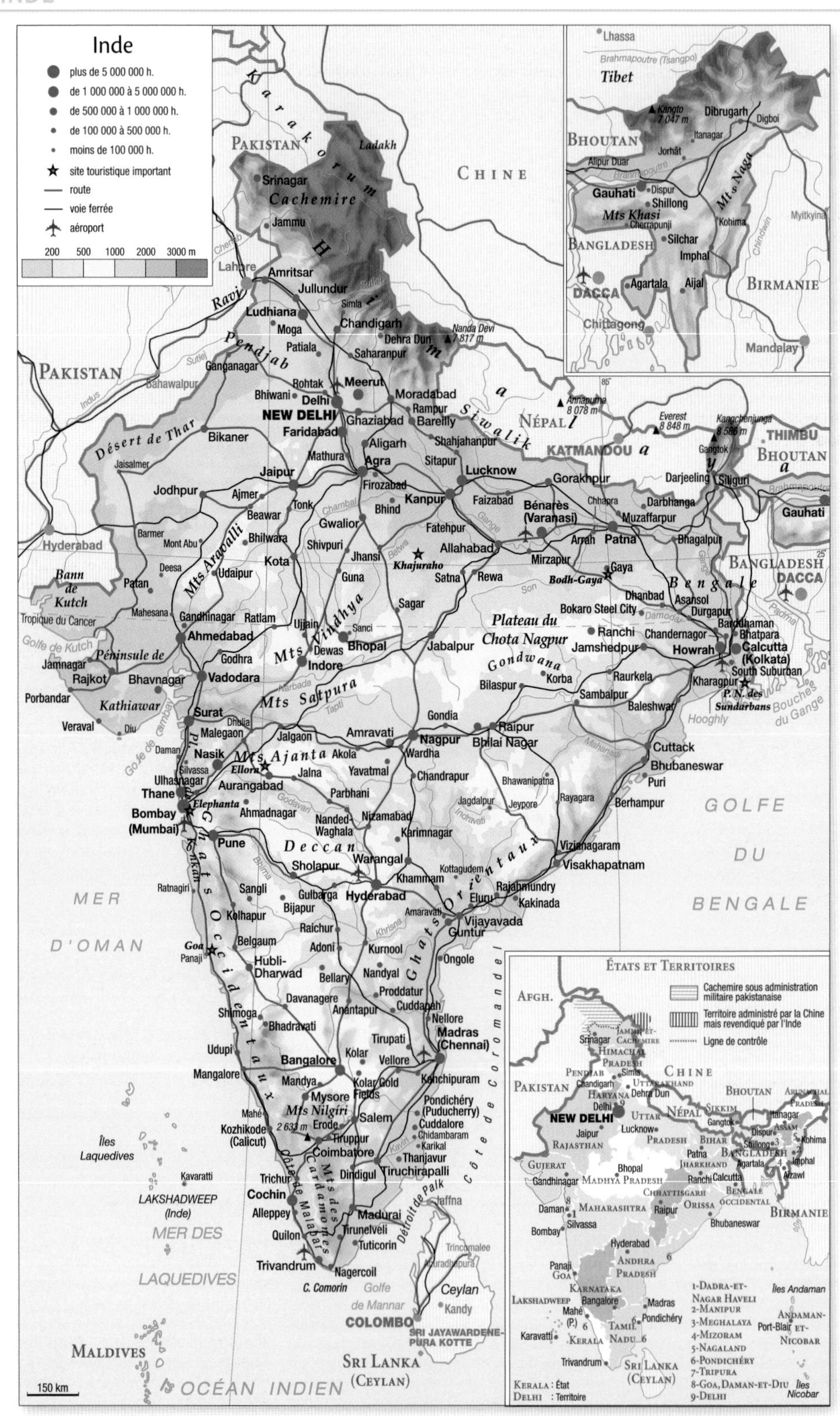

Inde
plus de 5 000 000 h.
de 1 000 000 à 5 000 000 h.
de 500 000 à 1 000 000 h.
de 100 000 à 500 000 h.
moins de 100 000 h.
site touristique important
route
voie ferrée
aéroport
200 500 1000 2000 3000 m
Karakorum
Himalaya
Siwalik
PAKISTAN
Ladakh
Srinagar
Cachemire
Jammu
CHINE
Lahore
Amritsar
Jullundur
Ravi
Ludhiana
Simla
Chandigarh
Moga
Patiala
Dehra Dun
Nanda Devi 7 817 m
Pendjab
Saharanpur
Ganganagar
Sutlej
Bahawalpur
Indus
Rohtak
Meerut
Bhiwani
Delhi
NEW DELHI
Moradabad
Rampur
Bareilly
Ghaziabad
Faridabad
Annapurna 8 078 m
NÉPAL
Everest 8 848 m
Kangchenjunga 8 586 m
THIMBU
BHOUTAN
KATMANDOU
Désert de Thar
Bikaner
Jaisalmer
Aligarh
Shahjahanpur
Mathura
Agra
Sitapur
Lucknow
Gorakhpur
Darjeeling
Siliguri
Gangtok
Jodhpur
Ajmer
Jaipur
Firozabad
Kanpur
Faizabad
Chhapra
Darbhanga
Muzaffarpur
Gauhati
Tonk
Chambal
Bhind
Bénarès (Varanasi)
Beawar
Gwalior
Fatehpur
Gange
Barmer
Mont Abu
Mts Aravalli
Bhilwara
Shivpuri
Jhansi
Betwa
Khajuraho
Allahabad
Arrah
Patna
Bhagalpur
Hyderabad
Deesa
Kota
Mirzapur
Gaya
BANGLADESH
DACCA
Bann de Kutch
Patan
Udaipur
Guna
Satna
Rewa
Bodh-Gaya
Bengale
Son
Dhanbad
Asansol
Mahesana
Sagar
Bokaro Steel City
Durgapur
Tropique du Cancer
Gandhinagar
Ratlam
Ujjain
Mts Vindhya
Sanci
Plateau du Chota Nagpur
Damodar
Padma
Golfe de Kutch
Ahmedabad
Dewas
Bhopal
Jabalpur
Ranchi
Chandernagor
Bardhaman
Bhatpara
Péninsule de Kathiawar
Godhra
Mts
Indore
Jamshedpur
Howrah
Calcutta (Kolkata)
South Suburban
Jamnagar
Rajkot
Bhavnagar
Vadodara
Gondwana
Korba
Raurkela
Kharagpur
P. N. des Sundarbans
Narbada
Mts Satpura
Bilaspur
Sambalpur
Bouches du Gange
Porbandar
Surat
Tapti
Baleshwar
Hooghly
Veraval
Diu
Golfe de Cambay
Dhulia
Malegaon
Jalgaon
Amravati
Gondia
Raipur
Bhilai Nagar
Daman
Nagpur
Wardha
Mahanadi
Cuttack
Nasik
Mts Ajanta
Akola
Bhubaneswar
Ellora
Jalna
Yavatmal
Chandrapur
Bhawanipatna
Puri
Ulhasnagar
Silvassa
Aurangabad
Rayagada
Thane
Parbhani
Jagdalpur
Jeypore
Berhampur
Elephanta
Godavari
GOLFE DU BENGALE
Bombay (Mumbai)
Ahmadnagar
Nanded-Waghala
Nizamabad
Indravati
Karimnagar
Pune
Deccan
Vizianagaram
Konkan
Bhima
Sholapur
Warangal
Ghats Orientaux
Visakhapatnam
Kottagudem
Khammam
Ratnagiri
Sangli
Gulbarga
Hyderabad
Rajahmundry
Kakinada
MER D'OMAN
Kolhapur
Bijapur
Eluru
Amaravati
Raichur
Vijayavada
Guntur
Krishna
Belgaum
Goa
Panaji
Ghats Occidentaux
Adoni
Hubli-Dharwad
Kurnool
Ongole
Bellary
Nandyal
Proddatur
Davanagere
Cuddapah
Anantapur
Shimoga
Nellore
Bhadravati
Madras (Chennai)
Tirupati
Udupi
Kolar
Bangalore
Vellore
Mangalore
Kolar Gold Fields
Kanchipuram
Mandya
Mysore
Pondichéry (Puducherry)
Mts Nilgiri
Mahé
Salem
Cuddalore
2 633 m
Kozhikode (Calicut)
Erode
Chidambaram
Tiruppur
Karikal
Coimbatore
Thanjavur
Kaveri
Îles Laquedives
Tiruchirapalli
Côte de Coromandel
Kavaratti
Trichur
Dindigul
Mts des Cardamomes
Cochin
Côte de Malabar
Détroit de Palk
Jaffna
LAKSHADWEEP (Inde)
Alleppey
Madurai
MER DES LAQUEDIVES
Quilon
Tirunelveli
Tuticorin
Trincomalee
Anuradhapura
Trivandrum
Nagercoil
C. Comorin
Golfe de Mannar
Ceylan
Kandy
COLOMBO
SRI JAYAWARDENEPURA KOTTE
MALDIVES
SRI LANKA (CEYLAN)
OCÉAN INDIEN
150 km
Lhassa
Brahmapoutre (Tsangpo)
Tibet
Kangto 7 047 m
Dibrugarh
Digboi
BHOUTAN
Itanagar
Jorhât
Alipur Duar
Brahmapoutre
Mts Naga
Gauhati
Dispur
Shillong
Mts Khasi
Cherrapunji
Kohima
Myitkyina
Chindwin
BANGLADESH
Silchar
Imphal
DACCA
Agartala
Aijal
BIRMANIE
Chittagong
Mandalay
ÉTATS ET TERRITOIRES
Cachemire sous administration militaire pakistanaise
Territoire administré par la Chine mais revendiqué par l'Inde
Ligne de contrôle
AFGH.
JAMMU-ET-CACHEMIRE
HIMACHAL PRADESH
PENDJAB
Chandigarh
HARYANA
Dehra Dun
UTTARAKHAND
CHINE
PAKISTAN
Delhi
NEW DELHI
UTTAR PRADESH
NÉPAL
SIKKIM
BHOUTAN
ARUNACHAL PRADESH
Itanagar
ASSAM
Lucknow
Jaipur
RAJASTHAN
BIHAR
Patna
BANGLADESH
Dispur
Shillong
Kohima
Imphal
Aizawl
JHARKHAND
Agartala
GUJERAT
Bhopal
MADHYA PRADESH
Ranchi
Calcutta
BENGALE OCCIDENTAL
Gandhinagar
CHHATTISGARH
Daman
MAHARASHTRA
Raipur
ORISSA
BIRMANIE
Bombay
Silvassa
Bhubaneswar
Hyderabad
ANDHRA PRADESH
Panaji
GOA
KARNATAKA
Bangalore
LAKSHADWEEP
Mahé (P.)
Madras
Pondichéry
Karavatti
KERALA
TAMIL NADU
Trivandrum
SRI LANKA (CEYLAN)
1-DADRA-ET-NAGAR HAVELI
2-MANIPUR
3-MEGHALAYA
4-MIZORAM
5-NAGALAND
6-PONDICHÉRY
7-TRIPURA
8-GOA, DAMAN-ET-DIU
9-DELHI
Îles Andaman
ANDAMAN-ET-NICOBAR
Port-Blair
Îles Nicobar
KERALA : État
DELHI : Territoire

L'Inde musulmane

1206 - 1414 : le sultanat de Delhi est créé ; il s'étend de la vallée du Gange au Deccan ; l'Inde est placée pour cinq siècles et demi sous l'hégémonie musulmane.

XIVe - XVIe s. : des sultanats autonomes sont créés au Bengale, au Deccan et au Gujerat ; l'empire de Vijayanagar, au sud, se mobilise pour la défense politique de l'hindouisme.

1497 - 1498 : le Portugais Vasco de Gama découvre la route des Indes.

1526 : Baber fonde la dynastie des Grands Moghols.

1526 - 1857 : ces derniers dominent l'Inde grâce à leur armée, à leur administration efficace et à leur attitude conciliante à l'égard de la majorité hindoue. Après les brillants règnes d'Akbar (1556 - 1605) et de Chah Djahan (1628 - 1658), celui d'Aurangzeb (1658 - 1707) prélude au déclin.

1600 : la Compagnie anglaise des Indes orientales est créée.

1664 : la Compagnie française des Indes orientales est fondée.

1674 : les Marathes, profitant du déclin moghol, constituent un royaume hindou, puis se rendent maîtres de l'Inde dans la première moitié du XVIIIe s.

1742 - 1754 : Dupleix soumet à l'influence française le Carnatic et six provinces du Deccan.

1757 : Clive remporte la victoire de Plassey sur le nabab du Bengale.

1763 : le traité de Paris réduit l'Inde française à cinq comptoirs ; les Britanniques conservent Bombay, Madras et le Bengale.

La domination britannique

1772 - 1785 : W. Hastings organise la colonisation du Bengale.

1799 - 1819 : la Grande-Bretagne conquiert l'Inde du Sud, la vallée du Gange, Delhi, et bat les Marathes.

1849 : elle annexe le royaume sikh du Pendjab.

1857 - 1858 : révolte des cipayes.

1858 : la Compagnie anglaise des Indes orientales est supprimée, et l'Inde, rattachée à la Couronne britannique.

1876 : Victoria est couronnée impératrice des Indes.

1885 : fondation du parti du Congrès.

1906 : la Ligue musulmane est créée.

1920 - 1922 : Gandhi lance une campagne de désobéissance civile.

1929 : J. Nehru devient président du Congrès.

1935 : le *Government of India Act* accorde l'autonomie aux provinces.

L'Inde indépendante

1947 : l'indépendance est proclamée et l'Inde est divisée en deux États : l'Union indienne, à majorité hindoue, et le Pakistan, à majorité musulmane. Cette partition s'accompagne de massacres (de 300 000 à 500 000 victimes) et du déplacement de dix à quinze millions de personnes.

1947 - 1964 : J. Nehru, Premier ministre et président du Congrès, met en œuvre un programme de développement et prône le non-alignement.

1947 - 1948 : une guerre oppose l'Inde et le Pakistan pour le contrôle du Cachemire.

1948 : Gandhi est assassiné.

1950 : la Constitution fait de l'Inde un État fédéral, laïque et parlementaire, composé d'États organisés sur des bases ethniques et linguistiques.

1962 : un conflit oppose la Chine et l'Inde au Ladakh.

1965 : une deuxième guerre indo-pakistanaise éclate à propos du Cachemire. L'Inde se rapproche de l'URSS.

1966 : Indira Gandhi arrive au pouvoir.

1971 : une troisième guerre indo-pakistanaise est provoquée par la sécession du Bangladesh.

1984 : I. Gandhi, revenue au pouvoir en 1980, est assassinée par des extrémistes sikhs.

1992 : la destruction de la mosquée d'Ayodhya (Uttar Pradesh) par des militants nationalistes hindous entraîne de graves affrontements intercommunautaires.

1998 : l'Inde procède à une série de tirs nucléaires, qui génère des tensions dans la région (notamment avec le Pakistan) et avec la communauté internationale.

MALDIVES

Archipel corallien de l'océan Indien, les Maldives sont constituées par 19 atolls comprenant plus de 1 000 petites îles coralliennes, dont 200 environ sont habitées. C'est le pays le plus bas du monde (altitude moyenne de 2 m).

Superficie : 298 km²
Population (2013) : 400 000 hab.
Capitale : Malé 131 777 hab. (e. 2011) dans l'agglomération
Nature de l'État et du régime politique : république à régime semi-présidentiel
Chef de l'État et du gouvernement : (président de la République) Abdulla Yameen
Organisation administrative : 1 municipalité et 19 atolls administratifs
Langue officielle : divehi
Monnaie : rufiyaa (roupie des Maldives)

DÉMOGRAPHIE

- **Densité :** 1 342 hab./km²
- **Part de la population urbaine (2013) :** 35 %
- **Structure de la population par âge (2013) :** moins de 15 ans : 27 %, 15-65 ans : 68 %, plus de 65 ans : 5 %
- **Taux de natalité (2013) :** 22 ‰
- **Taux de mortalité (2013) :** 4 ‰
- **Taux de mortalité infantile (2013) :** 9 ‰
- **Espérance de vie (2013) :** hommes : 73 ans, femmes : 75 ans

Le tiers de la population, en majorité musulmane sunnite, se regroupe à Malé, la capitale. Le pays est faiblement urbanisé et les moins de 15 ans représentent 27 % de la population totale.

ÉCONOMIE

- **PNB (2012) :** 2 milliards de dollars
- **PNB/hab. (2012) :** 5 750 dollars
- **PNB/hab. PPA (2012) :** 7 560 dollars internationaux
- **IDH (2012) :** 0,688
- **Taux de croissance annuelle du PIB (2012) :** 3,4 %
- **Taux annuel d'inflation (2012) :** 11,3 %
- **Structure de la population active (2006) :** agriculture : 11,6 %, mines et industries : 25,6 %, services : 62,8 %
- **Structure du PIB (2012) :** agriculture : 4 %, mines et industries : 21,4 %, services : 74,6 %
- **Dette publique brute (2010) :** 67 % du PIB
- **Taux de chômage (2006) :** 14,4 %

Très dépendantes du tourisme (le tiers de son PIB environ), les Maldives ont connu une croissance de l'ordre de 3,5 % en 2013 et cherchent à diversifier leur économie et leurs exportations trop dépendantes de la pêche (97 %). Parmi les priorités figure le développement des infrastructures de transport.

TOURISME

- **Recettes touristiques (2012) :** 1 868 millions de dollars

COMMERCE EXTÉRIEUR

- **Exportations de biens (2012) :** 330 millions de dollars
- **Importations de biens (2011) :** 2 267 millions de dollars

DÉFENSE

- **Forces armées (1995) :** 700 individus
- **Dépenses militaires (2007) :** 6,11 % du PIB

NIVEAU DE VIE

- **Nombre d'habitants pour un médecin (2011) :** 627
- **Apport journalier moyen en calories (2007) :** 2 685 (minimum FAO : 2 400)
- **Nombre d'automobiles pour 1 000 hab. (2011) :** 11
- **Téléphones portables (2012) :** 100 % de la population équipée

REPÈRES HISTORIQUES

1887 : les Maldives passent sous protectorat britannique.

1965 : le pays accède à l'indépendance.

1968 : la république est proclamée.

INDONÉSIE

État insulaire (plus de 13 000 îles, dont moins de la moitié est habitée), l'Indonésie s'étend sur 5 000 km d'ouest en est et sur 2 000 km du nord au sud. La plupart des îles sont montagneuses, souvent volcaniques, et les plaines n'ont qu'une extension réduite. La latitude (proche de l'équateur) explique la chaleur constante (26-27 °C environ) et la forte humidité presque permanente. Associés, ces deux facteurs ont provoqué le développement de la forêt dense, qui recouvre plus de 60 % du territoire.

Superficie : 1 919 443 km²
Population (2013) : 248 500 000 hab.
Capitale : Jakarta 9 588 198 hab. (r. 2010)
Nature de l'État et du régime politique : république à régime présidentiel
Chef de l'État et du gouvernement : (président de la République) Susilo Bambang Yudhoyono
Organisation administrative : 28 provinces, 1 district spécial et 2 régions spéciales
Langue officielle : indonésien
Monnaie : rupiah (roupie indonésienne)

DÉMOGRAPHIE

- **Densité :** 129 hab./km²
- **Part de la population urbaine (2013) :** 50 %
- **Structure de la population par âge (2013) :** moins de 15 ans : 29 %, 15-65 ans : 66 %, plus de 65 ans : 5 %
- **Taux de natalité (2013) :** 21 ‰
- **Taux de mortalité (2013) :** 6 ‰
- **Taux de mortalité infantile (2013) :** 32 ‰
- **Espérance de vie (2013) :** hommes : 68 ans, femmes : 72 ans

L'Indonésie est le quatrième pays le plus peuplé du monde. La densité moyenne de la population n'est pas exceptionnelle, mais ce chiffre n'a guère de signification : certaines grandes îles sont très peu peuplées (Bornéo, Nouvelle-Guinée, qui ne sont d'ailleurs que partiellement indonésiennes), d'autres assez peu (Sumatra, Célèbes). C'est que plus des deux tiers de la population se concentrent sur moins de 7 % de la superficie totale, à Java, où se trouvent les trois plus grandes villes (Jakarta, Surabaya, Bandung). La diversité de peuplement est très importante en Indonésie : à une majorité de Deutéro-Malais et de Proto-Malais s'ajoutent des minorités mélanésienne et chinoise. L'unification se fait par la religion (l'islam est la religion de près de 90 % de la population) : l'Indonésie est le premier pays musulman du monde.

ÉCONOMIE

- **PNB (2012) :** 853 milliards de dollars
- **PNB/hab. (2012) :** 3 420 dollars
- **PNB/hab. PPA (2012) :** 4 730 dollars internationaux
- **IDH (2012) :** 0,629
- **Taux de croissance annuelle du PIB (2012) :** 6,2 %
- **Taux annuel d'inflation (2012) :** 4,3 %
- **Structure de la population active (2011) :** agriculture : 35,9 %, mines et industries : 20,6 %, services : 43,5 %
- **Structure du PIB (2012) :** agriculture : 14,4 %, mines et industries : 46,9 %, services : 38,7 %
- **Dette publique brute (2011) :** 26 % du PIB
- **Taux de chômage (2011) :** 7 %

Dans les cinq années précédant la crise de 2008 - 2009, l'Indonésie a connu un boom de ses exportations (+ 120 %), en particulier de ses produits agricoles (huiles végétales dont l'huile de palme, riz, cacao, café) et de ses matières premières (caoutchouc, pétrole et gaz). Tirée par les demandes chinoise, japonaise et indienne, cette augmentation diffère du précédent boom des années 1990, fondé sur l'exportation de produits manufacturés à destination des pays développés. Elle témoigne surtout de la réorientation et de la diversification du commerce du pays, vers la zone Asie-Pacifique. Avec des taux de 4 à 6 % depuis 2000 (environ 5,8 % en 2013), la croissance s'accompagne toutefois de tensions inflationnistes de l'ordre de 5 à 9 %, et le taux d'extrême pauvreté reste important. En dépit d'un vaste marché intérieur qui reste le principal moteur de l'économie, celle-ci subit la pression exercée par des voisins plus compétitifs, membres de l'ASEAN comme Singapour (1er fournisseur), et par la Chine sur certains de ses secteurs traditionnels comme le textile ou même le tourisme. Le secteur industriel (textile, produits électroniques) est le moteur de l'économie indonésienne, mais le secteur agricole reste stable, notamment grâce à la production de caoutchouc (2e producteur mondial), et le secteur minier n'est pas en reste avec les exportations de gaz liquéfié (1er exportateur mondial), de charbon thermique et d'étain. En 2013, l'économie reste suspendue à la reprise de l'économie chinoise, dont elle est très dépendante. La modernisation des infrastructures autoroutières et portuaires est une priorité pour le pays.

TOURISME

- **Recettes touristiques (2012) :** 8 994 millions de dollars

COMMERCE EXTÉRIEUR

- **Exportations de biens (2012) :** 187 347 millions de dollars

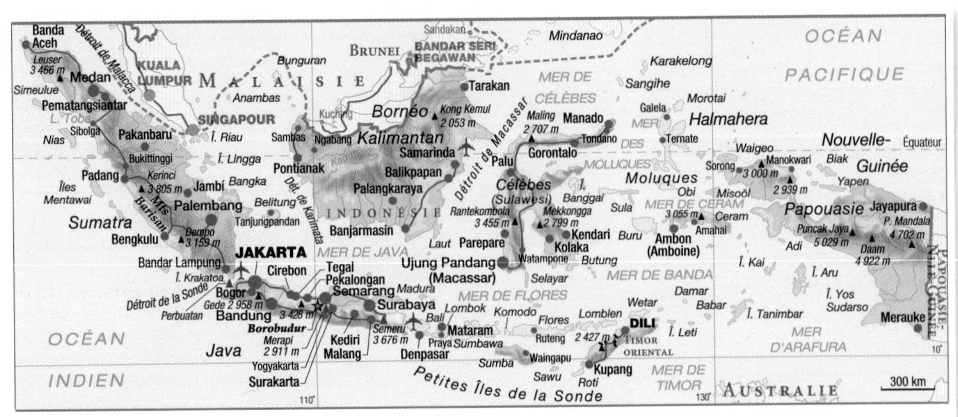

Indonésie, Timor oriental

200 500 1000 m
— route
aéroport
▲ volcan
★ site touristique important
● plus de 7 000 000 h.
● de 1 000 000 à 7 000 000 h.
● de 100 000 à 1 000 000 h.
• moins de 100 000 h.

- **Importations de biens (2012) :** 226 633 millions de dollars

DÉFENSE
- **Forces armées (2011) :** 676 500 individus
- **Dépenses militaires (2012) :** 0,8 % du PIB

NIVEAU DE VIE
- **Nombre d'habitants pour un médecin (2011) :** 3 472
- **Apport journalier moyen en calories (2007) :** 2 538 (minimum FAO : 2 400)
- **Nombre d'automobiles pour 1 000 hab. (2011) :** 37
- **Téléphones portables (2012) :** 100 % de la population équipée

REPÈRES HISTORIQUES

Des origines aux Indes néerlandaises

D'abord morcelée en petits royaumes de culture indianisée, l'Indonésie est dominée du VIIe au XIVe s. par le royaume bouddhiste de Srivijaya.

XIIIe - XVIe s. : l'islamisation gagne tout l'archipel, à l'exception de Bali, qui reste fidèle à l'hindouisme ; l'empire de Majapahit règne sur l'archipel aux XIVe-XVe s.

1511 : les Portugais prennent Malacca.

1602 : la Compagnie hollandaise des Indes orientales est fondée.

1799 : la Compagnie perd son privilège et les Néerlandais pratiquent la colonisation directe.

Début du XXe s. : la pacification des Indes néerlandaises est réalisée.

1942 - 1945 : le Japon occupe l'archipel.

L'Indonésie indépendante

1945 : Sukarno proclame l'indépendance de l'Indonésie.

1949 : les Pays-Bas reconnaissent le nouveau statut.

1950 - 1967 : Sukarno tente d'instituer un socialisme « à l'indonésienne » et est confronté à divers mouvements séparatistes.

1963 - 1969 : la Nouvelle-Guinée occidentale est rétrocédée par les Pays-Bas et rattachée à l'Indonésie.

1966 - 1967 : Sukarno est éliminé au profit de Suharto. Régulièrement réélu à partir de 1968, Suharto applique une politique anticommuniste et se rapproche de l'Occident.

1975 - 1976 : l'annexion du Timor oriental déclenche une guérilla.

Depuis les années 1980 : l'islam fondamentaliste se propage.

1998 : sous la pression d'une opposition renforcée par la crise économique, Suharto démissionne.

1999 : l'opposition démocratique remporte les élections législatives. Mais le pays est en proie à la multiplication des troubles séparatistes et interconfessionnels (Aceh, Irian Jaya, Moluques).

2002 : l'indépendance du Timor oriental est proclamée.

2005 : un accord de paix est conclu avec les séparatistes de la région d'Aceh.

TIMOR ORIENTAL

Situé au nord de la mer de Timor et appartenant à l'archipel de la Sonde, le Timor oriental est un pays montagneux.

Superficie : 14 874 km²
Population (2013) : 1 100 000 hab.
Capitale : Dili 180 224 hab. (e. 2011) dans l'agglomération
Nature de l'État et du régime politique : république à régime semi-présidentiel
Chef de l'État : (président de la République) José Maria de Vasconcelos, dit Taur Matan Ruak
Chef du gouvernement : (Premier ministre) José Alexandre, dit Xanana Gusmão
Organisation administrative : 13 districts
Langues officielles : tétum et portugais
Monnaie : dollar des États-Unis

DÉMOGRAPHIE

- **Densité :** 74 hab./km²
- **Part de la population urbaine (2013) :** 30 %
- **Structure de la population par âge (2013) :** moins de 15 ans : 41 %, 15-65 ans : 54 %, plus de 65 ans : 5 %
- **Taux de natalité (2013) :** 33 ‰
- **Taux de mortalité (2013) :** 7 ‰
- **Taux de mortalité infantile (2013) :** 45 ‰
- **Espérance de vie (2013) :** hommes : 65 ans, femmes : 68 ans

Dili, la capitale, est la plus grande ville. La population du pays, en pleine transition démographique, s'accroît rapidement avec un taux de natalité de 33 ‰ et un indice de fécondité de 5,7 enfants par femme. La population est très jeune, les moins de 15 ans représentant 41 % de la population totale. L'espérance de vie à la naissance n'est que de 66 ans. La population associe des traits mélanésiens et malais. Parmi les six peuples principaux qui se partagent le territoire, les Tetun sont les plus nombreux.

ÉCONOMIE

- **PNB (2012) :** 5 milliards de dollars
- **PNB/hab. (2012) :** 3 620 dollars
- **PNB/hab. PPA (2012) :** 6 230 dollars internationaux
- **IDH (2012) :** 0,576
- **Taux de croissance annuelle du PIB (2012) :** 0,6 %
- **Taux annuel d'inflation (2012) :** 11,8 %
- **Structure de la population active (2010) :** agriculture : 50,8 %, mines et industries : 9,4 %, services : 39,8 %
- **Structure du PIB (2011) :** agriculture : 16,7 %, mines et industries : 26,4 %, services : 56,9 %
- **Dette publique brute :** n.d.
- **Taux de chômage (2010) :** 3,9 %

Après une croissance de plus de 13 % en 2008, l'économie s'est fortement contractée avant de connaître une reprise vigoureuse à partir de 2013 (9,5 %), appuyée pour l'essentiel sur la dépense publique. Depuis son accession à l'indépendance en 2002, le pays est parvenu à s'affirmer économiquement grâce à ses réserves de pétrole et de gaz, son objectif étant de sortir du sous-développement d'ici à 2030. Un programme en cinq points dans le cadre des Objectifs du millénaire de l'ONU a ainsi été adopté. Le pays reste fortement rural : la population est employée pour 50 % dans le secteur agricole. Les exportations sont dominées par le café arabica, devançant le bois de santal et le marbre. Des investissements dans les infrastructures s'imposent.

TOURISME
- **Recettes touristiques (2012) :** 21 M de $

COMMERCE EXTÉRIEUR
- **Exportations de biens (2012) :** 33 M de $
- **Importations de biens (2009) :** 440 M de $

DÉFENSE
- **Forces armées (2011) :** 1 330 individus
- **Dépenses militaires (2012) :** 2,9 % du PIB

NIVEAU DE VIE
- **Nombre d'habitants pour un médecin :** n.d.
- **Apport journalier moyen en calories (2007) :** 2 066 (minimum FAO : 2 400)
- **Nombre d'automobiles pour 1 000 hab. :** n.d.
- **Téléphones portables (2012) :** 52 % de la population équipée

REPÈRES HISTORIQUES

À partir du XVIIe s., les Portugais et les Hollandais se partagent l'île.

1950 : la partie néerlandaise est englobée par la République indépendante d'Indonésie.

1975 - 1976 : la partie portugaise (Timor oriental) est annexée par la république d'Indonésie : un mouvement de guérilla se développe.

1999 : à l'issue d'un référendum organisé sous l'égide de l'ONU, les Timorais de l'Est se prononcent massivement pour l'indépendance. Le territoire est placé sous administration provisoire de l'ONU.

2002 : le Timor oriental devient un État indépendant et adhère à l'ONU.

IRAN

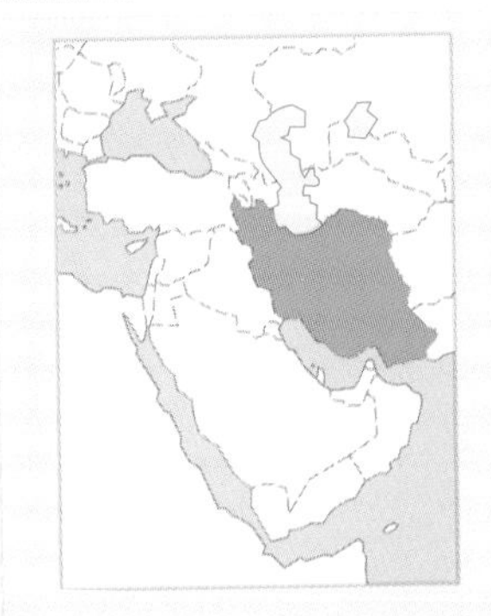

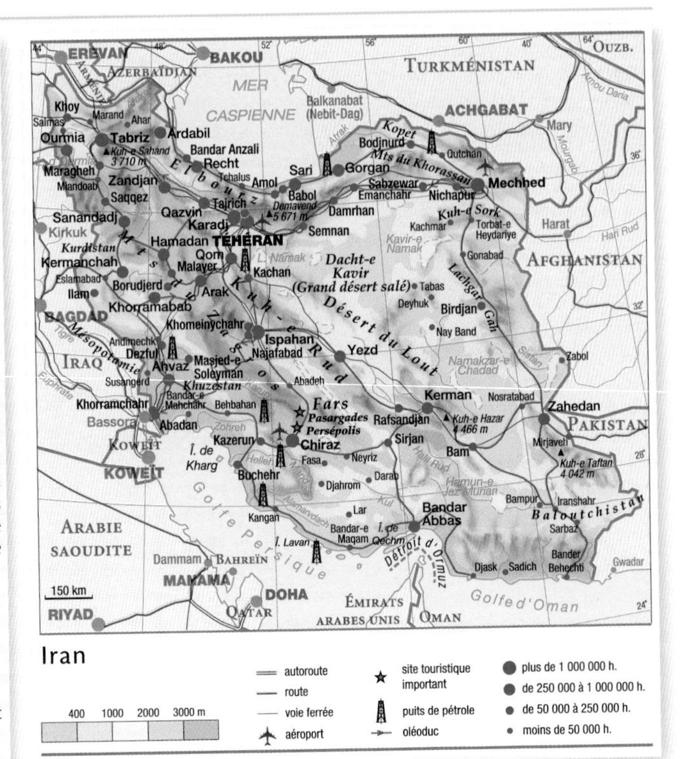

Situé entre la Caspienne et l'océan Indien, l'Iran est un pays de hautes plaines steppiques et désertiques, au climat contrasté (chaud en été, froid en hiver). Ces plaines sont cernées au nord et à l'ouest par de puissants massifs (Elbourz, dépassant 5 600 m) et des chaînes (Zagros étiré sur 1 800 km) humides et encore largement boisés dont le piémont est jalonné de villes (Téhéran, Ispahan, Chiraz).

Superficie : 1 633 188 km^2
Population (2013) : 76 500 000 hab.
Capitale : Téhéran 7 304 150 hab. (e. 2011)
Nature de l'État et du régime politique : république à régime semi-présidentiel
Chef de l'État et du gouvernement : (président de la République) Hassan Rohani
Guide de la révolution islamique : Ali Hoseini Khamenei
Organisation administrative : 28 provinces
Langue officielle : persan
Monnaie : rial iranien

DÉMOGRAPHIE

- **Densité :** 47 hab./km^2
- **Part de la population urbaine (2013) :** 71 %
- **Structure de la population par âge (2013) :** moins de 15 ans : 25 %, 15-65 ans : 70 %, plus de 65 ans : 5 %
- **Taux de natalité (2013) :** 19 ‰
- **Taux de mortalité (2013) :** 5 ‰
- **Taux de mortalité infantile (2013) :** 19 ‰
- **Espérance de vie (2013) :** hommes : 72 ans, femmes : 75 ans

Occupant une superficie presque triple de celle de la France, l'Iran est un peu plus peuplé que celle-ci. La population est constituée à peine pour moitié de persanophones, avec de notables minorités, surtout dans le Nord-Ouest (Azéris) et l'Ouest (Kurdes). Cette population, presque entièrement islamisée (principalement chiites), est aujourd'hui urbanisée à près des trois quart. Téhéran demeure de loin la principale ville (elle est même la ville la plus peuplée d'Asie occidentale). Mechhed, Tabriz, Ispahan et Chiraz, villes de piémont et parfois centres d'oasis, dépassent aussi le million d'habitants. Le taux de fécondité a nettement baissé, pour s'établir aujourd'hui à 1,9 enfant par femme, et le pays a achevé sa transition démographique.

ÉCONOMIE

- **PNB (2009) :** 330 milliards de dollars
- **PNB/hab. (2009) :** 4 520 dollars
- **PNB/hab. PPA (2009) :** 11 490 dollars internationaux
- **IDH (2012) :** 0,742
- **Taux de croissance annuelle du PIB (2009) :** 1,8 %
- **Taux annuel d'inflation (2012) :** 27,3 %
- **Structure de la population active (2010) :** agriculture : 21,2 %, mines et industries : 32,2 %, services : 46,6 %
- **Structure du PIB (2007) :** agriculture : 11 %, mines et industries : 44 %, services : 45 %
- **Dette publique brute :** n.d.
- **Taux de chômage (2008) :** 10,5 %

Avec les quatrièmes réserves mondiales de pétrole et les premières de gaz, l'Iran est appelé à devenir l'une des puissances économiques majeures de la région, le secteur des hydrocarbures représentant 90 % des exportations et le quart du PIB. Le secteur agricole, riche et diversifié (blé, orge, riz, thé, pomme de terre), a bénéficié d'une réforme agraire en 1962 qui lui a permis de rester concurrentiel grâce à l'investissement privé et, de ce fait, à se moderniser. Le secteur tertiaire est dominé par le secteur bancaire et les télécommunications, mais il est impératif pour le pays de diversifier son économie, d'autoriser les privatisations et de s'ouvrir aux investisseurs étrangers. Bien que pénalisé par les sanctions internationales, le pays a connu une croissance modérée de 4 % en moyenne depuis 2005, mais les effets de l'embargo se faisant ressentir, celle-ci a chuté à 2,5 % en 2011 et l'inflation est restée élevée. Le gouvernement a supprimé en 2011 les subventions sur les fournitures énergétiques et les produits de première nécessité. Une mesure qui témoigne de sa volonté de réorienter l'économie, très planifiée et peu libéralisée, vers une plus grande transparence tout en préservant le système de protection sociale qui permet à l'Iran d'être l'un des pays qui a le plus progressé vers les Objectifs du millénaire de l'ONU, notamment en matière d'éducation et de lutte contre la pauvreté. Fin 2013, l'Iran a négocié, avec les cinq membres permanents du Conseil de sécurité de l'ONU et l'Allemagne, un accord intérimaire limitant le programme nucléaire du pays en échange d'une levée d'une partie des sanctions, ce qui permettrait à l'Iran de revenir sur la scène internationale. De nombreuses entreprises occidentales et chinoises tentent déjà de s'implanter dans le pays.

TOURISME

- **Recettes touristiques (2011) :** 3 055 millions de dollars

COMMERCE EXTÉRIEUR

- **Exportations de biens (2009) :** 70 614 millions de dollars
- **Importations de biens (2009) :** 57 159,0 millions de dollars

DÉFENSE

- **Forces armées (2011) :** 563 000 individus
- **Dépenses militaires (2008) :** 2,5 % du PIB

NIVEAU DE VIE

- **Nombre d'habitants pour un médecin (2011) :** 1 124
- **Apport journalier moyen en calories (2007) :** 3 044 (minimum FAO : 2 400)
- **Nombre d'automobiles pour 1 000 hab. (2009) :** 113
- **Téléphones portables (2012) :** 77 % de la population équipée

REPÈRES HISTORIQUES

L'Iran ancien

IIe millénaire : les Aryens progressent du nord-est à l'ouest de l'Iran.

IXe s. av. J.-C. : leurs descendants, les Perses et les Mèdes, atteignent le Zagros.

V. 612 - 550 : après l'effondrement de l'Assyrie, les Mèdes posent les bases de la puissance iranienne.

550 : l'Achéménide Cyrus II détruit l'Empire mède et fonde l'Empire perse, qui domine l'ensemble de l'Iran et une partie de l'Asie centrale.

490 - 479 : les guerres médiques entreprises par Darios Ier (522 - 486), puis par Xerxès Ier (486 - 465), se soldent par la défaite des Achéménides.

330 : après la mort de Darios III, Alexandre le Grand est le maître de l'Empire perse.

312 av. J.-C. : Séleucos fonde la dynastie séleucide, qui perd le contrôle de l'Iran.

250 av. J.-C. - 224 apr. J.-C. : la dynastie parthe des Arsacides règne sur les régions iraniennes.

224 : les Sassanides renversent les Arsacides.

224 - 651 : l'Empire sassanide, fortement centralisé, s'étend des confins de l'Inde à ceux de l'Arabie.

L'Iran musulman

642 : conquête arabe.

661 : l'Iran est intégré à l'empire musulman des Omeyyades, puis (750) à celui des Abbassides. Il est islamisé.

XIe - XVe s. : il passe ensuite aux mains de dynasties turques (Seldjoukides XIIe - XIIIe s.) et mongoles (XIIIe - XVe s.).

1501 - 1736 : la dysnastie séfévide règne sur l'Iran et fait du chiisme duodécimain la religion d'État.

1587 - 1629 : les Séfévides sont à leur apogée sous Abbas Ier.

1736 - 1747 : Nader Chah chasse les Afghans, qui s'étaient emparés d'Ispahan (1722), et entreprend de nombreuses conquêtes.

L'Iran contemporain

1796 : la dynastie qadjar (1796 - 1925) accède au pouvoir.

1813 - 1828 : l'Iran perd les provinces de la Caspienne, annexées par l'Empire russe.

1906 : l'opposition nationaliste, libérale et religieuse obtient l'octroi d'une Constitution.

1907 : un accord anglo-russe divise l'Iran en deux zones d'influence.

1925 : Reza Khan, au pouvoir depuis 1921, impose la modernisation, l'occidentalisation et la sécularisation du pays.

1941 : Soviétiques et Britanniques occupent une partie de l'Iran. Reza Chah abdique en faveur de son fils Mohammad Reza.

1963 : le chah lance un programme de modernisation.

1979 : l'opposition l'oblige à quitter le pays. Une république islamique est instaurée, dirigée par l'ayatollah Khomeyni.

1980 - 1988 : guerre contre l'Iraq.

1981 : l'Iran s'érige en guide de la « révolution islamique » à travers le monde.

Depuis 1989 : après la mort de Khomeyni, Ali Khamenei lui succède avec le titre de « guide de la révolution islamique ». Hachemi Rafsandjani dirige le pays. Lui succèdent le réformateur Mohammad Khatami (1997), l'ultraconservateur Mahmud Ahmadinejad (2005), le réformateur modéré Hassan Rohani (2013).

IRAQ

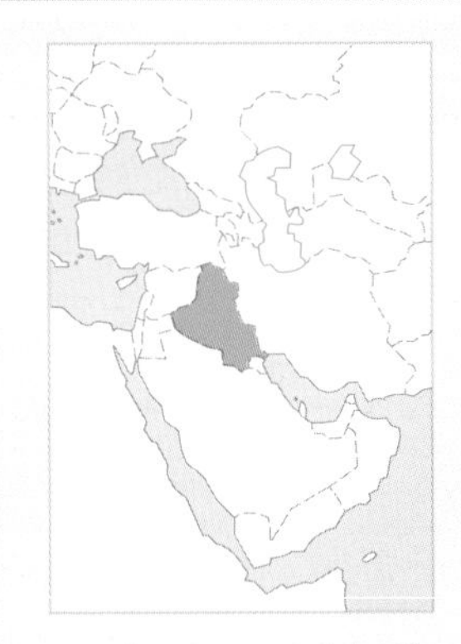

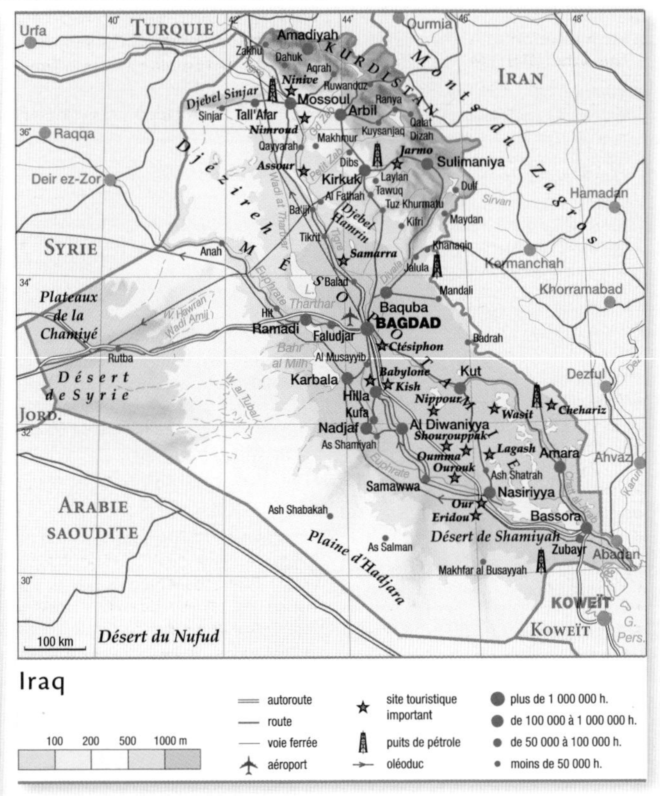

Occupant la majeure partie de la Mésopotamie, entre le Tigre et l'Euphrate, l'Iraq est un pays au relief monotone, semi-désertique, avec des étés torrides. Cette région est bordée à l'ouest par l'extrémité orientale du désert de Syrie et, au nord, au-delà de la Djézireh, par la terminaison du Taurus, à laquelle succède le piémont du Zagros.

Superficie : 438 317 km²
Population (2013) : 35 100 000 hab.
Capitale : Bagdad 6 035 580 hab. (e. 2011) dans l'agglomération
Nature de l'État et du régime politique : république
Chef de l'État : (président de la République) Djalal Talabani
Chef du gouvernement : (Premier ministre) Nuri al-Maliki
Organisation administrative : 18 gouvernorats
Langues officielles : arabe et kurde
Monnaie : dinar irakien

DÉMOGRAPHIE

- **Densité :** 80 hab./km²
- **Part de la population urbaine (2013) :** 71 %
- **Structure de la population par âge (2013) :** moins de 15 ans : 39 %, 15-65 ans : 58 %, plus de 65 ans : 3 %
- **Taux de natalité (2013) :** 31 ‰
- **Taux de mortalité (2013) :** 5 ‰
- **Taux de mortalité infantile (2013) :** 28 ‰
- **Espérance de vie (2013) :** hommes : 66 ans, femmes : 73 ans

La population, à dominante arabophone, comporte toutefois une importante minorité kurde dans le nord du pays (près d'un quart de la population totale). Elle est presque totalement islamisée, partagée entre une majorité chiite (présente surtout dans le Sud-Est) et une forte minorité sunnite. Avec près de 6 millions d'habitants, Bagdad demeure la principale ville, loin devant Bassora (900 000 habitants), sur le Golfe, Mossoul (1,2 million d'habitants) et Arbil (900 000 habitants), dans le nord kurde. Avec un indice de fécondité de 4,3 enfants par femme, un taux de natalité de 31 ‰ et une forte proportion de moins de 15 ans (plus de 39 % du total), le pays est en pleine transition démographique.

ÉCONOMIE

- **PNB (2012) :** 213 milliards de dollars
- **PNB/hab. (2012) :** 5 870 dollars
- **PNB/hab. PPA (2012) :** 4 230 dollars internationaux
- **IDH (2012) :** 0,59
- **Taux de croissance annuelle du PIB (2012) :** 8,4 %
- **Taux annuel d'inflation (2010) :** 2,9 %
- **Structure de la population active (2010) :** agriculture : 23,4 %, mines et industries : 18,2 %, services : 58,3 %
- **Structure du PIB (2003) :** agriculture : 9 %, mines et industries : 70 %, services : 21 %
- **Dette publique brute :** n.d.
- **Taux de chômage (2006) :** 17,5 %

Détenant les cinquièmes réserves mondiales de pétrole, l'Iraq ne fait pas partie des premiers pays exportateurs. L'or noir représente 90 % du budget de l'État, les deux tiers du PIB et l'essentiel de ses exportations. En signant plusieurs contrats avec les compagnies internationales qui se pressent toutes sur ce marché, le pays espère augmenter sa production, qui est aujourd'hui de 3 Mb/j. Si le niveau de violence reste élevé et si la population se mobilise pour exiger une accélération des réformes en vue de l'amélioration des services de base et des progrès tangibles dans la lutte contre la corruption, la reconstruction du pays se poursuit lentement avec une inflation galopante ramenée à moins de 3 %. La hausse des prix du brut et celle des exportations, associées à la crise libyenne, ont permis à l'État d'investir dans de nouvelles infrastructures électriques, mais qui restent insuffisantes aujourd'hui pour soutenir le secteur industriel. Le chômage, quant à lui, est élevé et l'économie souffre d'un manque de diversification. Il n'en demeure pas moins que le niveau de vie et la pauvreté dans ce pays détruit par la guerre, et qui a été longtemps soumis aux sanctions internationales, restent préoccupants. C'est pourquoi le gouvernement a lancé un plan de développement sur cinq ans où le secteur de la construction, l'agriculture, l'éducation, l'énergie, les transports et les télécommunications devraient bénéficier d'investissements importants, favorisant ainsi la création de nombreux emplois.

TOURISME

- **Recettes touristiques (2012) :** 1 558 millions de dollars

COMMERCE EXTÉRIEUR

- **Exportations de biens (2012) :** 94 207 millions de dollars
- **Importations de biens (2011) :** 40 632 millions de dollars

DÉFENSE

- **Forces armées (2011) :** 802 400 individus
- **Dépenses militaires (2012) :** 2,9 % du PIB

NIVEAU DE VIE

- **Nombre d'habitants pour un médecin (2011) :** 1 647
- **Apport journalier moyen en calories :** n.d.
- **Nombre d'automobiles pour 1 000 hab. :** n.d.
- **Téléphones portables (2012) :** 79 % de la population équipée

REPÈRES HISTORIQUES

De l'Antiquité à la conquête ottomane

L'Iraq actuel est constitué par l'ancienne Mésopotamie, berceau des civilisations de Sumer, d'Akkad, de Babylone et de l'Assyrie.

224 - 633 : les Sassanides dominent le pays où est située leur capitale, Ctésiphon.

633 - 642 : les Arabes le conquièrent.

661 - 750 : sous les Omeyyades, l'Iraq, islamisé, est le théâtre des luttes de ces derniers contre les Alides (mort de Husayn à Karbala, en 680).

750 - 1258 : les Abbassides règnent sur l'Empire musulman.

762 : ils fondent Bagdad.

1055 : les Turcs Seldjoukides s'emparent de Bagdad.

1258 : les Mongols de Hulagu détruisent Bagdad.

1258 - 1515 : le pays, ruiné, est dominé par des dynasties mongoles ou turkmènes.

1401 : Bagdad est mise à sac par Timur Lang (Tamerlan).

1515 - 1546 : les Ottomans conquièrent l'Iraq.

Le royaume hachémite

1914 - 1918 : la Grande-Bretagne occupe le pays.

1920 : elle obtient un mandat de la SDN.

1921 : l'émir hachémite Faysal devient roi d'Iraq (1921 - 1933).

1930 : le traité anglo-irakien accorde une indépendance nominale à l'Iraq.

1941 : un courant nationaliste arabe pro-allemand prend le pouvoir. La Grande-Bretagne occupe le pays et rétablit le roi, qui entre en guerre aux côtés des Alliés.

La république irakienne

1958 : après un coup d'État, la république est proclamée.

1961 : la rébellion kurde éclate.

1968 : le parti Baath s'empare du pouvoir par un putsch militaire.

1975 : un accord avec l'Iran entraîne l'arrêt de la rébellion kurde.

1979 : Saddam Husayn devient président de la République.

1980 - 1988 : guerre Iran-Iraq.

1990 - 1991 : guerre du Golfe. L'Iraq envahit puis annexe le Koweït (août 1990) et refuse de s'en retirer malgré la condamnation de l'ONU. À l'expiration de l'ultimatum fixé par l'ONU, une force multinationale, à prépondérance américaine, attaque l'Iraq (janvier 1991) et libère le Koweït (février).

1996 : l'ONU assouplit l'embargo sur le pétrole, imposé à l'Iraq en 1990, pour atténuer les pénuries frappant la population. Mais les relations de la communauté internationale avec le pouvoir irakien restent soumises à des crises récurrentes.

2003 : le régime irakien s'effondre à la suite d'une offensive militaire américano-britannique – contestée par une grande partie de la communauté internationale – contre l'Iraq. Les États-Unis assurent l'administration provisoire du pays. Par ailleurs, un gouvernement intérimaire irakien est mis en place.

2005 : alors qu'il reste en proie à une insécurité permanente et à de fortes tensions – ethniques, religieuses, politiques –, l'Iraq se dote d'une nouvelle Constitution.

Depuis 2011 : le départ des troupes étrangères (entamé en 2009) s'accompagne d'un regain de violence (insurrection sunnite contre le pouvoir central, contrôlé par les chiites ; emprise d'al-Qaida dans l'Ouest irakien).

ISRAËL

De la Méditerranée au fossé du Jourdain et à la mer Morte se succèdent, en retrait d'un littoral rectiligne, une plaine côtière puis une plus vaste région de collines (« monts » de Galilée et de Judée). Le climat, méditerranéen au nord (400 à 800 mm de pluies), devient plus sec vers le sud, semi-désertique même dans le Néguev, qui couvre plus de la moitié de la superficie.

Superficie : 21 056 km²
Population (2013) : 8 100 000 hab.
Capitale : Jérusalem 790 719 hab. (e. 2011)
Nature de l'État et du régime politique : république à régime parlementaire
Chef de l'État : (président de l'État) Shimon Peres
Chef du gouvernement : (Premier ministre) Benyamin Netanyahou
Organisation administrative : 6 districts
Langues officielles : hébreu et arabe
Monnaie : shekel

DÉMOGRAPHIE

- **Densité :** 385 hab./km²
- **Part de la population urbaine (2013) :** 91 %
- **Structure de la population par âge (2013) :** moins de 15 ans : 28 %, 15-65 ans : 62 %, plus de 65 ans : 10 %
- **Taux de natalité (2013) :** 22 ‰
- **Taux de mortalité (2013) :** 5 ‰
- **Taux de mortalité infantile (2013) :** 3,5 ‰
- **Espérance de vie (2013) :** hommes : 80 ans, femmes : 84 ans

La densité moyenne du pays est élevée (385 habitants au km²). La plupart de la population vit en ville, notamment dans les deux pôles que sont Jérusalem et surtout Tel-Aviv-Jaffa. Les Juifs représentent environ 75 % de la population, qui compte une notable minorité arabophone, en grande partie musulmane.

ÉCONOMIE

- **PNB (2011) :** 237 milliards de dollars
- **PNB/hab. (2011) :** 28 380 dollars
- **PNB/hab. PPA (2011) :** 28 070 dollars internationaux
- **IDH (2012) :** 0,9
- **Taux de croissance annuelle du PIB (2012) :** 3,4 %
- **Taux annuel d'inflation (2012) :** 1,7 %

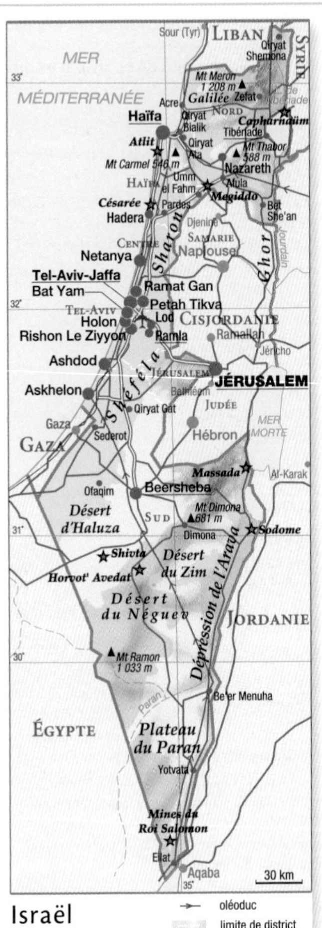

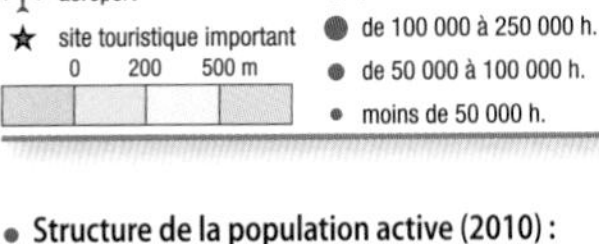

- **Structure de la population active (2010) :** agriculture : 1,7 %, mines et industries : 20,4 %, services : 77,9 %
- **Structure du PIB :** agriculture : n.d., mines et industries : n.d., services : n.d.
- **Dette publique brute (2009) :** 78,3 % du PIB
- **Taux de chômage (2012) :** 6,9 %

L'économie israélienne a connu une croissance soutenue depuis 2003, tirée par la demande intérieure et l'investissement, mais à cause de la conjoncture internationale, les exportations (60 % à destination des États-Unis et de l'UE) ont chuté en 2011. Ses domaines d'excellence – outre la taille de diamants et le tourisme – sont la chimie, la plasturgie et les secteurs de haute technologie : aéronautique, électronique, télécommunications, logiciels, biotechnologies. Grâce à l'exploitation récente de réserves de gaz naturel, la croissance s'est élevée à 3,5 % en 2013.

TOURISME

- **Recettes touristiques (2012) :** 5 598 M de $

COMMERCE EXTÉRIEUR

- **Exportations de biens (2012) :** 62 321 M de $
- **Importations de biens (2011) :** 92 955 M de $

DÉFENSE

- **Forces armées (2011) :** 184 550 individus
- **Dépenses militaires (2012) :** 5,7 % du PIB

NIVEAU DE VIE

- **Nombre d'habitants pour un médecin (2012) :** 322
- **Apport journalier moyen en calories (2007) :** 3 527 (minimum FAO : 2 400)
- **Nombre d'automobiles pour 1 000 hab. (2011) :** 272
- **Téléphones portables (2012) :** 100 % de la population équipée

REPÈRES HISTORIQUES

29 novembre 1947 : l'Assemblée générale de l'ONU adopte une résolution sur un « plan de partage » de la Palestine, qui est rejeté par les nations arabes limitrophes.
14 mai 1948 : l'État d'Israël est créé.
1948 - 1949 : Israël agrandit son territoire à l'issue de la première guerre israélo-arabe.
1956 : la deuxième guerre israélo-arabe est provoquée par la nationalisation par l'Égypte du canal de Suez.
1967 : au cours de la troisième guerre israélo-arabe (guerre des Six-Jours), Israël occupe le Sinaï, Gaza, la Cisjordanie et le Golan.
À partir de 1970 : Israël favorise l'implantation de colonies de peuplement juif dans les territoires occupés.
1973 : quatrième guerre israélo-arabe (guerre du Kippour).
1979 : aux termes du traité de Washington, l'Égypte reconnaît une frontière définitive avec Israël, qui lui restitue (en 1982) le Sinaï.
1981 : annexion du Golan.
1982 - 1983 : Israël occupe le Liban jusqu'à Beyrouth puis se retire dans le sud du pays.
À partir de 1987 : les territoires occupés (Cisjordanie et Gaza) sont le théâtre d'un soulèvement populaire palestinien (Intifada).
1993 : la reconnaissance mutuelle d'Israël et de l'OLP est suivie par la signature de l'accord israélo-palestinien de Washington.
1994 : conformément à cet accord, un régime d'autonomie est mis en place à Gaza et à Jéricho. Parallèlement, Israël signe un traité de paix avec la Jordanie.
1995 : l'autonomie est étendue aux grandes villes arabes de Cisjordanie.
1996 : le raidissement de la politique israélienne entraîne un blocage du processus de paix avec les Palestiniens.
2000 : l'armée israélienne se retire du Liban-Sud. Regain de tension entre Israéliens et Palestiniens (reprise de l'Intifada).
2004 : Israël décide unilatéralement de se retirer de la bande de Gaza.
2006 : échec de l'intervention militaire israélienne lancée contre le Liban (juillet-août).
2008 - 2009 : Israël lance une offensive éclair dans la bande de Gaza.

JAPON

Le pays est formé essentiellement de quatre îles (Honshu, Hokkaido, Shikoku et Kyushu). De dimension moyenne (environ les deux tiers de la superficie de la France), le Japon est densément peuplé (plus du double de la population française). Le milieu naturel est peu favorable : la montagne domine, les plaines ne couvrent que 16 % du territoire et la forêt en recouvre plus de la moitié. Le volcanisme est parfois actif, alors que les séismes sont souvent accompagnés de raz de marée. L'hiver est rigoureux dans le Nord ; la majeure partie de l'archipel, dans le domaine de la mousson, connaît un été doux et humide.

Superficie : 377 829 km²
Population (2013) : 127 300 000 hab.
Capitale : Tokyo 8 949 447 hab. (r. 2010), 37 217 388 hab. (e. 2011) dans l'agglomération
Nature de l'État et du régime politique : monarchie constitutionnelle à régime parlementaire
Chef de l'État : (empereur) Akihito
Chef du gouvernement : (Premier ministre) Abe Shinzo
Organisation administrative : 47 préfectures
Langue officielle : japonais
Monnaie : yen

DÉMOGRAPHIE

- **Densité :** 337 hab./km²
- **Part de la population urbaine (2013) :** 91 %
- **Structure de la population par âge (2013) :** moins de 15 ans : 13 %, 15-65 ans : 62 %, plus de 65 ans : 25 %
- **Taux de natalité (2013) :** 8 ‰
- **Taux de mortalité (2013) :** 10 ‰
- **Taux de mortalité infantile (2013) :** 2,2 ‰
- **Espérance de vie (2013) :** hommes : 79 ans, femmes : 86 ans

Le Japon occupe le dixième rang mondial pour la population. Le pays est densément peuplé (plus du double de la population française), d'autant qu'à peine le quart du territoire est utilisé. En ne prenant en compte que les 80 000 km² de plaines, cette densité s'élève à plus de 1 500 habitants au km², notamment sur le littoral du Pacifique. La population, qui a pratiquement doublé depuis la fin de la Seconde Guerre mondiale, a commencé à décroître en raison de la chute du taux de natalité et de la hausse de la mortalité liée au vieillissement de la population (25 % de la population a plus de 65 ans), alors que l'espérance de vie à la naissance se situe parmi les plus élevées du monde (83 ans). L'urbanisation croissante a abouti à la formation de quelques mégalopoles dont les centres sont Tokyo, Osaka, Yokohama, Nagoya. Tokyo, la capitale, dont l'agglomération s'étend sur 13 500 km² environ, compte plus de 37 millions d'habitants, ce qui en fait la plus grande agglomération du monde. Surtout, elle est à la tête de la mégalopole de Tokaido, ruban urbanisé de plus de 500 km de longueur. Avec une faible immigration et une émigration sensible, notamment vers les États-Unis, le Japon est aujourd'hui le seul grand pays développé dont le solde migratoire net est négatif.

ÉCONOMIE

- **PNB (2012) :** 6 150 milliards de dollars
- **PNB/hab. (2012) :** 47 880 dollars
- **PNB/hab. PPA (2012) :** 36 300 dollars internationaux
- **IDH (2012) :** 0,912
- **Taux de croissance annuelle du PIB (2012) :** 1,9 %
- **Taux annuel d'inflation (2012) :** 0 %
- **Structure de la population active (2010) :** agriculture : 3,7 %, mines et industries : 26,6 %, services : 69,7 %
- **Structure du PIB (2011) :** agriculture : 1,2 %, mines et industries : 26,2 %, services : 72,6 %
- **Dette publique brute (2011) :** 190 % du PIB
- **Taux de chômage (2012) :** 4,3 %

Distancé pour la première fois par la Chine en 2011 en termes de PIB, le Japon a connu un ralentissement de sa croissance et une stagnation de son économie depuis le milieu des années 1990, avant même que la crise de 2008 ne provoque une récession et que les effets catastrophiques du séisme de mars 2011 ne viennent brutalement remettre en cause la reprise plutôt vigoureuse de 2010, stimulée par la croissance chinoise (20 % des exportations du Japon). Contre toute attente, le pays a renoué avec la croissance dès le milieu de l'année 2011 et le bilan de 2012 a été plutôt bon. Outre le vieillissement de la population, le chômage est un sujet de préoccupation central pour les dirigeants nippons ; il est officiellement maintenu autour de 5 %, mais deux fois plus élevé chez les jeunes. Davantage inséré au sein de l'espace asiatique, le Japon doit désormais compter avec les puissances émergentes, en premier lieu desquelles la Chine (devenue son premier partenaire commercial, devant les États-Unis et l'UE) mais également la Corée du Sud. Leurs marchés en expansion sont aussi de précieux débouchés pour le principal moteur de l'économie japonaise, les exportations. Ainsi de l'Inde, par exemple, pour l'industrie automobile. Si ses échanges restent excédentaires et si son avance technologique (robotique, nanotechnologies, biotechnologies, moteurs hybrides et électriques, énergies renouvelables) se maintient, le Japon a connu un déclin relatif que le gouvernement aurait voulu enrayer par une « nouvelle stratégie de croissance » (juin 2010) fondée pour partie sur la protection de l'environnement, les réformes du système de santé, le tourisme et le renouvellement des infrastructures. Cette stratégie a été totalement remise en cause, la priorité étant donnée depuis le début 2011 à la reconstruction du pays. Le gouvernement s'est pleinement engagé dans cette reconstruction en allouant des budgets supplémentaires, non seulement pour financer l'aide aux sinistrés et la réhabilitation des zones détruites par le tsunami, mais aussi pour financer les entreprises qui se trouvent en difficulté depuis la crise européenne. Avec l'arrivée d'une nouvelle équipe au pouvoir, qui a initié une politique économique basée sur le soutien massif à l'activité, une politique monétaire combative, une régulation du marché du travail et une libéralisation de l'agriculture, le pays a réussi à maintenir son économie en 2013, avec une croissance de 2 %. Mais l'un des enjeux majeurs auxquels doit aussi s'atteler le gouvernement est la réduction de la dette du pays qui s'élève à environ 200 % du PIB.

TOURISME

- **Recettes touristiques (2012) :** 12 534 millions de dollars

COMMERCE EXTÉRIEUR

- **Exportations de biens (2012) :** 776 640 millions de dollars
- **Importations de biens (2011) :** 946 896 millions de dollars

DÉFENSE

- **Forces armées (2011) :** 260 086 individus
- **Dépenses militaires (2012) :** 1 % du PIB

NIVEAU DE VIE

- **Nombre d'habitants pour un médecin (2011) :** 467
- **Apport journalier moyen en calories (2007) :** 2 812 (minimum FAO : 2 400)
- **Nombre d'automobiles pour 1 000 hab. (2011) :** 453
- **Téléphones portables (2012) :** 100 % de la population équipée

REPÈRES HISTORIQUES

Les origines

IXᵉ millénaire : peuplement par des populations paléolithiques venues du continent nord-asiatique.

VIIᵉ millénaire : période pré-Jomon. Culture précéramique en voie de néolithisation.

VIᵉ millénaire - IIIᵉ s. av. J.-C. : période Jomon. Poteries décorées, outillage lithique poli, mortiers en pierre.

IIIᵉ s. av. J.-C. - IIIᵉ s. apr. J.-C. : période Yayoi. Culture du riz, métallurgie du

ASIE

bronze et du fer, tissage et tour de potier. Dans le même temps arrivent, dans l'extrême nord des îles, des populations venues de Sibérie, les Aïnous.

IIIe - VIe s. : période des kofuns, grands tumulus à chambre funéraire et décor mural évoquant la vie quotidienne ; autour, des haniwa en terre cuite en forme d'animaux, de guerriers. Architecture religieuse shintoïste : Ise et Izumo.

L'État antique

Ve - VIe s. : l'État de Yamato bénéficie de l'influence chinoise, qui lui parvient à travers les relais coréens.

V. 538 : introduction du bouddhisme, venu de Corée.

600 - 622 : le régent Shotoku Taishi crée le sanctuaire d'Horyu-ji.

645 : le clan des Nakatomi élimine celui des Soga et établit un gouvernement imité de celui de la Chine des Tang.

710 - 794 : période de Nara. Six sectes bouddhistes imposent leurs conceptions à la Cour, établie à Nara.

794 - 1185 : période de Heian. La nouvelle capitale, Heiankyo (Kyoto), est fondée. Des colons-guerriers s'établissent dans le nord de Honshu.

858 - milieu du XIIe s. : les Fujiwara détiennent le pouvoir.

1185 : les Taira sont vaincus par les Minamoto.

Le shogunat

1192 : le chef du clan Minamoto, Yoritomo, est nommé général (*shogun*). Désormais, il y a un double pouvoir central : celui de l'empereur (*tenno*) et de la Cour, et celui du shogun et de son gouvernement (*bakufu*).

1185/1192 - 1333 : période de Kamakura. Le bakufu, établi à Kamakura, est dominé par Yoritomo et ses fils, puis par les Hojo.

1274 - 1281 : les tentatives d'invasion mongoles sont repoussées.

1338 - 1573 : période de Muromachi. Les shoguns Ashikaga sont établis à Kyoto. Des guerres civiles ensanglantent le pays : guerre des Deux Cours (1336 - 1392), puis d'incessants conflits entre seigneurs (*daimyo*). Cependant, des marchands portugais pénètrent au Japon (1542), que François Xavier, arrivé en 1549, commence à évangéliser.

1582 : après neuf ans de luttes, Oda Nobunaga écarte les Ashikaga.

1585 - 1598 : Toyotomi Hideyoshi, Premier ministre de l'empereur, unifie le Japon en soumettant les daimyo indépendants.

1603 - 1616 : Tokugawa Ieyasu s'installe à Edo (Tokyo), se déclare shogun héréditaire et établit des institutions stables.

1616 - 1867 : période d'Edo ou des Tokugawa. Le pays est fermé aux étrangers (sauf aux Chinois et aux Néerlandais) après la rébellion de 1637. La classe des marchands et les villes se développent.

1854 - 1864 : les Occidentaux interviennent militairement pour obliger le Japon à s'ouvrir au commerce international.

Le Japon contemporain

1867 : le dernier shogun, Yoshinobu, démissionne et l'empereur Mutsuhito (1867 - 1912) s'installe à Tokyo.

1868 - 1912 : ère Meiji. Les techniques et les institutions occidentales sont adoptées (Constitution de 1889) afin de faire du Japon une grande puissance économique et politique. C'est une période d'expansion extérieure : au terme de la guerre sino-japonaise (1894 - 1895), le Japon acquiert Formose ; sorti vainqueur de la guerre russo-japonaise (1905), il s'impose en Mandchourie et en Corée, qu'il annexe en 1910.

1912 - 1926 : ère Taisho. Pendant le règne de Yoshihito, le Japon entre dans la Première Guerre mondiale aux côtés des Alliés et obtient les possessions allemandes du Pacifique.

1926 - 1989 : ère Showa. Hirohito succède à son père Yoshihito.

1931 : le Japon occupe la Mandchourie.

1937 - 1938 : il occupe le nord-est de la Chine.

1940 : il signe un traité tripartite avec l'Allemagne et l'Italie.

Déc. 1941 : l'aviation japonaise attaque la flotte américaine à Pearl Harbor.

1942 : le Japon occupe la majeure partie de l'Asie du Sud-Est et le Pacifique.

Août 1945 : il capitule après les bombardements atomiques d'Hiroshima et de Nagasaki.

1946 : une nouvelle Constitution instaure une monarchie constitutionnelle.

1951 : le traité de paix de San Francisco restaure la souveraineté du Japon. Dès lors, la vie politique est dominée par le Parti libéral-démocrate (PLD).

1960 : un traité d'alliance militaire avec les États-Unis est signé.

1960 - 1970 : le Japon devient une des premières puissances économiques du monde.

1978 : il signe avec la Chine un traité de paix et d'amitié.

1989 : à la mort d'Hirohito, son fils Akihito lui succède (ère Heisei).

2011 : le Japon est frappé par un très violent séisme suivi d'un tsunami dévastateur, entraînant un accident nucléaire majeur dans la centrale de Fukushima-Daiichi.

2012 : après une brève interruption, de 2009 à 2012, pendant laquelle il cède sa place au Parti démocrate du Japon (PDJ, centre gauche), le PLD revient au pouvoir.

les grandes îles du Japon

nom	superficie	nombre d'habitants*	ville(s) principale(s)
Hokkaido	78 500 km²	5 507 456	Sapporo
Honshu	230 000 km²	103 974 388	Tokyo, Osaka, Yokohama, Kyoto et Kobe
Kyushu	42 000 km²	13 216 568	Kita-kyushu et Fukuoka
Shikoku	18 800 km²	3 977 205	Matsuyama

* recensement de 2010.

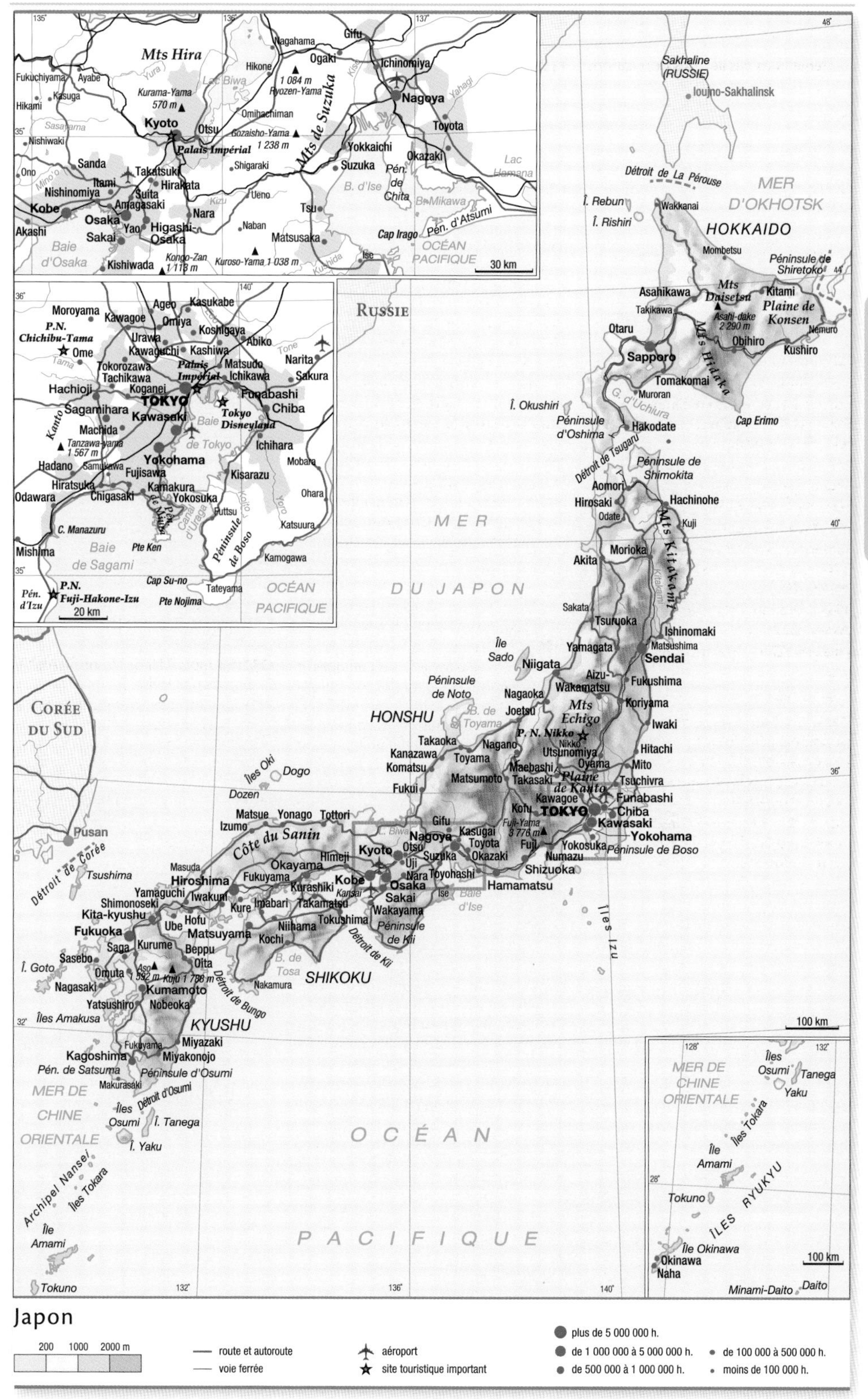
Japon
200
1000
2000 m
route et autoroute
voie ferrée
aéroport
site touristique important
plus de 5 000 000 h.
de 1 000 000 à 5 000 000 h.
de 500 000 à 1 000 000 h.
de 100 000 à 500 000 h.
moins de 100 000 h.
MER DU JAPON
OCÉAN PACIFIQUE
MER D'OKHOTSK
HOKKAIDO
HONSHU
SHIKOKU
KYUSHU
RUSSIE
CORÉE DU SUD
TOKYO
Sapporo
Sendai
Niigata
Nagoya
Kyoto
Osaka
Kobe
Hiroshima
Fukuoka
Kagoshima
Yokohama
Kawasaki
Chiba
Mts Hira
Mts de Suzuka
Baie d'Osaka
Baie de Sagami
ÎLES RYUKYU
Île Okinawa
Naha
MER DE CHINE ORIENTALE
30 km
20 km
100 km

JORDANIE

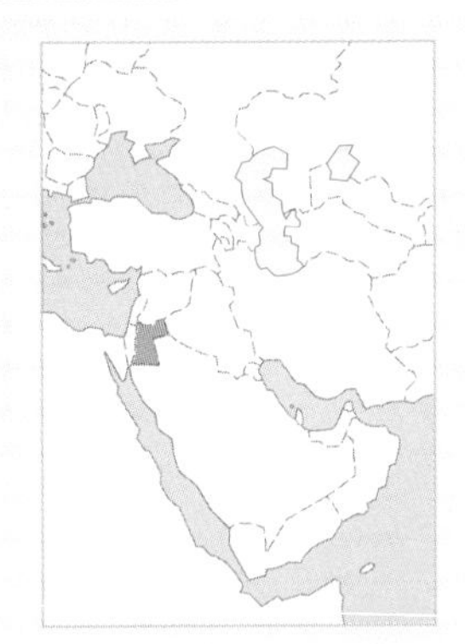

La Jordanie est un pays désertique, au sol aride et au climat chaud et sec. La dépression du Ghor et les hauteurs périphériques constituent les parties vitales du pays.

Superficie : 97 740 km²
Population (2013) : 7 300 000 hab.
Capitale : Amman 1 178 650 hab. (e. 2011), 1 824 177 hab. (r. 2004) dans l'agglomération
Nature de l'État et du régime politique : monarchie constitutionnelle à régime parlementaire
Chef de l'État : (roi) Abd Allah II
Chef du gouvernement : (Premier ministre) Abd Allah Ensour
Organisation administrative : 12 gouvernorats
Langue officielle : arabe
Monnaie : dinar jordanien

DÉMOGRAPHIE

- **Densité :** 75 hab./km²
- **Part de la population urbaine (2013) :** 83 %
- **Structure de la population par âge (2013) :** moins de 15 ans : 37 %, 15-65 ans : 60 %, plus de 65 ans : 3 %
- **Taux de natalité (2013) :** 27 ‰
- **Taux de mortalité (2013) :** 4 ‰
- **Taux de mortalité infantile (2013) :** 17 ‰
- **Espérance de vie (2013) :** hommes : 72 ans, femmes : 74 ans

Les habitants vivent surtout dans le Nord-Ouest, la majeure partie du pays étant désertique. Avec un indice de fécondité de 3,5 enfants par femme et une forte proportion de moins de 15 ans (37 %), le pays est en pleine transition démographique. Amman domine le réseau urbain, loin devant Zarqa (400 000 habitants) et Irbid (250 000 habitants).

ÉCONOMIE

- **PNB (2012) :** 31 milliards de dollars
- **PNB/hab. (2012) :** 4 670 dollars
- **PNB/hab. PPA (2012) :** 5 980 dollars internationaux
- **IDH (2012) :** 0,7
- **Taux de croissance annuelle du PIB (2012) :** 2,7 %
- **Taux annuel d'inflation (2012) :** 4,8 %
- **Structure de la population active (2012) :** agriculture : 2 %, mines et industries : 17,5 %, services : 80,5 %
- **Structure du PIB (2012) :** agriculture : 3,1 %, mines et industries : 30,1 %, services : 66,8 %
- **Dette publique brute (2012) :** 66,8 % du PIB
- **Taux de chômage (2012) :** 12,2 %

La Jordanie a connu une croissance vigoureuse dans les années 2000 (autour de 7 % par an entre 2004 et 2008), tirée surtout par la demande intérieure, le secteur tertiaire (67 % du PIB), le secteur financier, ainsi que par les exportations (phosphate, notamment), mais accompagnée de fortes tensions inflationnistes. Les exportations du pays (plus de 50 % du PIB) ont pour principales destinations la Turquie, le Liban, l'Inde, l'Iraq et les États-Unis. Le tourisme (facteur essentiel de développement) est en expansion depuis 2000, mais subit les conséquences du « printemps arabe » avec une diminution du nombre de touristes sur l'année 2011 et une reprise en 2012. Le gouvernement, ne souhaitant pas voir la révolution atteindre le pays, a mis en place des mesures économiques, sociales et politiques. En 2013, la dette publique a représenté 84 % du PIB et le pays est en proie à une crise économique et financière, à laquelle s'ajoute une crise humanitaire avec l'afflux de réfugiés syriens.

TOURISME

- **Recettes touristiques (2012) :** 3 859 millions de dollars

COMMERCE EXTÉRIEUR

- **Exportations de biens (2012) :** 7 887 millions de dollars
- **Importations de biens (2012) :** 22 917 millions de dollars

DÉFENSE

- **Forces armées (2011) :** 110 500 individus
- **Dépenses militaires (2012) :** 4,7 % du PIB

NIVEAU DE VIE

- **Nombre d'habitants pour un médecin (2011) :** 391
- **Apport journalier moyen en calories (2007) :** 3 015 (minimum FAO : 2 400)
- **Nombre d'automobiles pour 1 000 hab. (2011) :** 123
- **Téléphones portables (2012) :** 100 % de la population équipée

REPÈRES HISTORIQUES

1949 : le royaume de Jordanie est créé par la réunion de l'émirat hachémite de Transjordanie (créé en 1921) et de la Cisjordanie (qui faisait partie de l'État arabe prévu par le plan de partage de la Palestine de 1947).

1952 : Husayn devient roi.

1967 : au terme de la troisième guerre israélo-arabe, Israël occupe Jérusalem-Est et la Cisjordanie ; un pouvoir palestinien armé concurrence l'autorité royale.

1970 : les troupes royales interviennent contre les Palestiniens, qui sont expulsés vers le Liban et la Syrie.

1978 : à la suite des accords de Camp David entre Israël et l'Égypte, la Jordanie se rapproche des Palestiniens.

1994 : la Jordanie conclut un traité de paix avec Israël.

1999 : le roi Husayn meurt ; son fils aîné lui succède sous le nom d'Abd Allah II.

KAZAKHSTAN

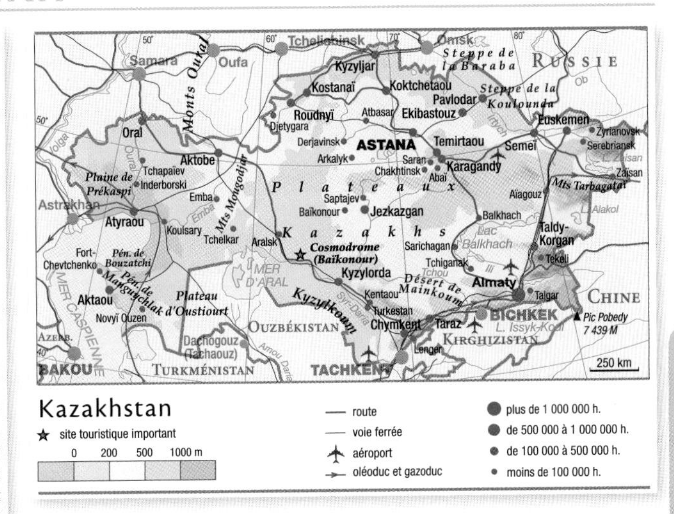

Le Kazakhstan est le plus vaste pays d'Asie centrale, grand comme cinq fois la France. Son territoire, dont le cœur est occupé par le plateau central kazakh, atteint au nord la plaine de Sibérie occidentale et au sud-ouest les semi-déserts des bords de la mer d'Aral. Il comporte néanmoins une bordure montagneuse dans sa partie orientale. L'ensemble a un climat aride, rude en hiver.

Superficie : 2 724 900 km²
Population (2013) : 17 000 000 hab.
Capitale : Astana 664 086 hab. (e. 2011)
Nature de l'État et du régime politique : république à régime semi-présidentiel
Chef de l'État : (président de la République) Noursoultan Nazarbaev
Chef du gouvernement : (Premier ministre) Karim Massimov
Organisation administrative : 14 régions et 3 municipalités
Langues officielles : kazakh et russe
Monnaie : tenge

DÉMOGRAPHIE

- **Densité :** 6 hab./km²
- **Part de la population urbaine (2013) :** 55 %
- **Structure de la population par âge (2013) :** moins de 15 ans : 25 %, 15-65 ans : 68 %, plus de 65 ans : 7 %
- **Taux de natalité (2013) :** 23 ‰
- **Taux de mortalité (2013) :** 8 ‰
- **Taux de mortalité infantile (2013) :** 28 ‰
- **Espérance de vie (2013) :** hommes : 64 ans, femmes : 74 ans

La population se répartit entre deux groupes principaux : les russophones (présents surtout dans les villes, notamment à Almaty, et dans le nord du pays), venus à la suite de la mise en valeur des terres vierges du pays par des fronts pionniers agricoles du temps de l'Union soviétique, et les Kazakhs, pour beaucoup d'anciens nomades en partie musulmans (40 % chacun). Almaty, l'ancienne capitale, est avec près de 1,4 million d'habitants la plus grande ville du pays, loin devant la capitale actuelle, Astana (664 000 habitants). La population du pays, qui diminuait lentement depuis 1990, augmente à nouveau depuis 2001. La population des moins de 15 ans représente le quart de la population totale.

ÉCONOMIE

- **PNB (2012) :** 175 milliards de dollars
- **PNB/hab. (2012) :** 9 780 dollars
- **PNB/hab. PPA (2012) :** 11 780 dollars internationaux
- **IDH (2012) :** 0,754
- **Taux de croissance annuelle du PIB (2012) :** 5 %
- **Taux annuel d'inflation (2012) :** 5,1 %
- **Structure de la population active (2012) :** agriculture : 25,5 %, mines et industries : 19,4 %, services : 55,1 %
- **Structure du PIB (2012) :** agriculture : 4,7 %, mines et industries : 39,5 %, services : 55,8 %
- **Dette publique brute (2011) :** 10 % du PIB
- **Taux de chômage (2012) :** 5,3 %

La croissance très forte de l'économie entre 2000 et 2008 (autour de 10 % par an en moyenne) s'explique en grande partie par les exportations de pétrole, principale ressource parmi de nombreuses richesses énergétiques (gaz) et minières (notamment uranium, dont le pays est devenu le premier producteur mondial, mais aussi bauxite, fer, cuivre...). Plus que jamais porté par les exportations de pétrole (1,8 % des réserves mondiales prouvées et deuxième importateur de brut au monde derrière la Russie), le commerce extérieur a été excédentaire en 2013. L'exploitation d'un nouveau gisement d'hydrocarbures dans la mer Caspienne devrait accroître encore les revenus liés à ce secteur dans les prochaines années. La part de l'industrie lourde (sidérurgie) reste importante et si les services sont en expansion, une diversification de l'économie s'impose. Le gouvernement envisage des privatisations dans divers secteurs. L'agriculture est essentiellement tournée vers la production céréalière et l'élevage. En attendant l'accord pour la création d'une zone de libre-échange, le Kazakhstan a conclu une union douanière avec la Russie et la Biélorussie.

TOURISME

- **Recettes touristiques (2012) :** 1 524 millions de dollars

COMMERCE EXTÉRIEUR

- **Exportations de biens (2012) :** 92 066 millions de dollars
- **Importations de biens (2012) :** 60 217 millions de dollars

DÉFENSE

- **Forces armées (2011) :** 70 500 individus
- **Dépenses militaires (2012) :** 1,2 % du PIB

NIVEAU DE VIE

- **Nombre d'habitants pour un médecin (2012) :** 260
- **Apport journalier moyen en calories (2007) :** 3 490 (minimum FAO : 2 400)
- **Nombre d'automobiles pour 1 000 hab. (2011) :** 189
- **Téléphones portables (2012) :** 100 % de la population équipée

REPÈRES HISTORIQUES

À partir du XVIIIe s. : la région est progressivement intégrée à l'Empire russe.

1920 : elle est érigée en république autonome de Kirghizie, au sein de la RSFS de Russie.

1925 : cette république prend le nom de Kazakhstan.

1936 : elle devient une république fédérée.

1991 : le Soviet suprême proclame l'indépendance du pays, qui adhère à la CEI. Noursoultan Nazarbaev est élu à la présidence de la République (constamment réélu depuis).

KIRGHIZISTAN

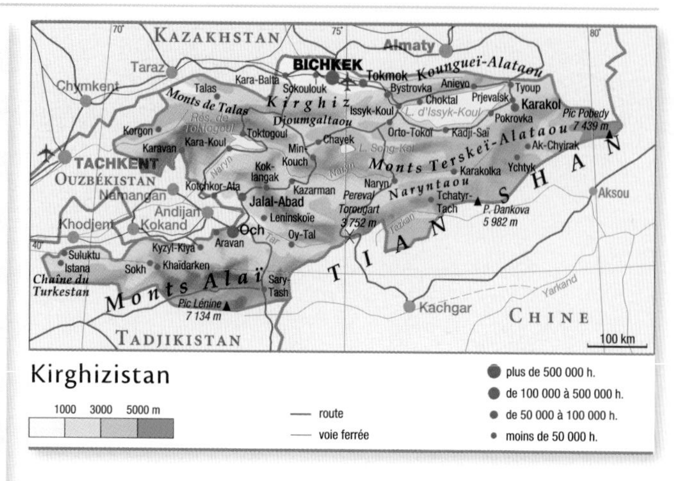

Enclavé et en grande partie montagneux (occupant une partie du Tian Shan), le Kirghizistan est un pays au climat continental avec de fortes amplitudes thermiques.

Superficie : 199 900 km²
Population (2013) : 5 700 000 hab.
Capitale : Bichkek 838 606 hab. (e. 2011)
Nature de l'État et du régime politique : république à régime semi-présidentiel
Chef de l'État : (président de la République) Almazbek Atambaïev
Chef du gouvernement : (Premier ministre par intérim) Djoomart Otorbaïev
Organisation administrative : 7 régions et 1 municipalité
Langues officielles : kirghiz et russe
Monnaie : som

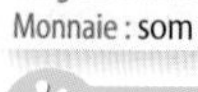

DÉMOGRAPHIE

- **Densité :** 29 hab./km²
- **Part de la population urbaine (2013) :** 34 %
- **Structure de la population par âge (2013) :** moins de 15 ans : 31 %, 15-65 ans : 65 %, plus de 65 ans : 4 %
- **Taux de natalité (2013) :** 27 ‰
- **Taux de mortalité (2013) :** 7 ‰
- **Taux de mortalité infantile (2013) :** 27 ‰
- **Espérance de vie (2013) :** hommes : 66 ans, femmes : 74 ans

Le piémont septentrional (site de Bichkek, la capitale et la plus grande ville du pays) et la dépression du Fergana regroupent l'essentiel de la population, en très large majorité musulmane, composée pour plus de la moitié de Kirghiz, aujourd'hui sédentarisés et au fort dynamisme démographique, ainsi que de minorités variées, dont des russophones et des peuples d'origine ouzbeke. La transition démographique n'est pas arrivée à son terme ; les taux de natalité et de mortalité infantile sont encore élevés et 31 % de la population a moins de 15 ans.

ÉCONOMIE

- **PNB (2012) :** 6 milliards de dollars
- **PNB/hab. (2012) :** 990 dollars
- **PNB/hab. PPA (2012) :** 2 230 dollars internationaux
- **IDH (2012) :** 0,622
- **Taux de croissance annuelle du PIB (2012) :** – 0,9 %
- **Taux annuel d'inflation (2012) :** 2,7 %
- **Structure de la population active (2010) :** agriculture : 34 %, mines et industries : 20,6 %, services : 45,4 %
- **Structure du PIB (2012) :** agriculture : 20,2 %, mines et industries : 26 %, services : 53,8 %
- **Dette publique brute :** n.d.
- **Taux de chômage (2011) :** 5,4 %

Les troubles politiques en avril-juin 2010 ont eu notamment pour effet la détérioration d'une situation économique déjà fragilisée par la récession après une croissance de plus de 8 % entre 2007 et 2008. La croissance semble s'installer puisqu'en 2013 elle a atteint 7,4 % ; les ressources hydrauliques, l'or (dont la production a repris) et les transferts de fonds des émigrés constituent les principales ressources du pays. Très dépendant des exportations ainsi que des importations d'hydrocarbures, dont il est totalement dépourvu, le Kirghizistan a vu ces dernières chuter avec la crise de 2009 et le déficit de sa balance commerciale continue de s'aggraver. Le secteur agricole, fondé essentiellement sur la production de céréales, de tabac, de pommes de terre et de betteraves à sucre, concentre la moitié des emplois et représente 20 % du PIB. L'économie bénéficie de l'aide financière des bailleurs internationaux et de l'afflux de capitaux russes, mais elle reste peu diversifiée et 43 % de la population (largement rurale) vit en dessous du seuil national de pauvreté. Alors que le pays envisageait une intégration de l'union douanière qui réunit déjà la Russie, le Kazakhstan et la Biélorussie, il se rapproche de la Chine avec, entre autre, la construction d'un gazoduc reliant le Turkménistan à la Chine.

TOURISME

- **Recettes touristiques (2012) :** 689 millions de dollars

COMMERCE EXTÉRIEUR

- **Exportations de biens (2012) :** 1 921 millions de dollars
- **Importations de biens (2011) :** 5 060 millions de dollars

DÉFENSE

- **Forces armées (2011) :** 20 400 individus
- **Dépenses militaires (2011) :** 3,7 % du PIB

NIVEAU DE VIE

- **Nombre d'habitants pour un médecin (2012) :** 405
- **Apport journalier moyen en calories (2007) :** 2 644 (minimum FAO : 2 400)
- **Nombre d'automobiles pour 1 000 hab. (2011) :** 63
- **Téléphones portables (2012) :** 100 % de la population équipée

REPÈRES HISTORIQUES

Conquise par les Russes, la région est intégrée au Turkestan organisé en 1865 - 1867.

1924 : elle est érigée en région autonome des Kara-Kirghiz, au sein de la RSFS de Russie.

1926 : elle devient la République autonome du Kirghizistan.

1936 : elle reçoit le statut de république fédérée.

Depuis 1991 : le Soviet suprême proclame l'indépendance du pays, qui adhère à la CEI. Dirigé par Askar Akaïev (1991 - 2005), Kourmanbek Bakiev (2005 - 2010) – tous deux renversés en raison de leur dérive autoritaire – et, depuis 2011, par Almazbek Atambaïev, le pays reste en proie à une grande instabilité.

KOWEÏT

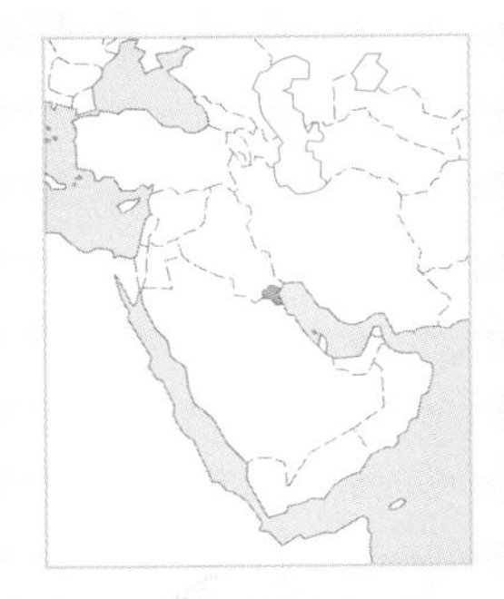

Situé sur le golfe Persique, le Koweït est une plaine désertique ponctuée de rares oasis.

Superficie : 17 818 km²
Population (2013) : 3 500 000 hab.
Capitale : Koweït 2 406 410 hab. (e. 2011) dans l'agglomération
Nature de l'État et du régime politique : monarchie
Chef de l'État : (émir) Sabah al-Ahmad al-Djabir al-Sabah
Chef du gouvernement : (Premier ministre) Djabir al-Mubarak al-Ahmad al-Sabah
Organisation administrative : 5 gouvernorats
Langue officielle : arabe
Monnaie : dinar koweïtien

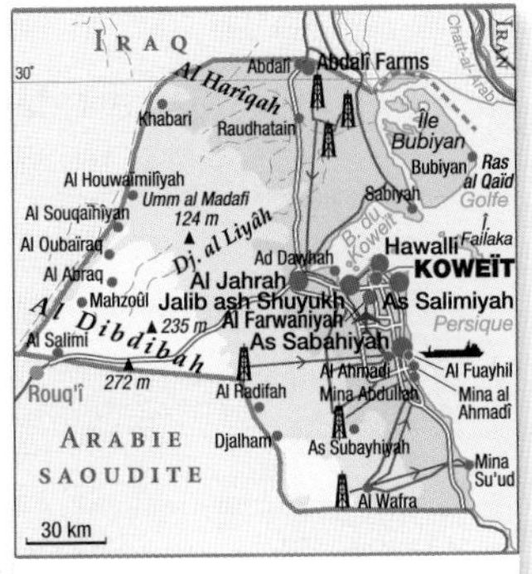

Koweït

- autoroute
- route
- aéroport
- 100 / 200 m
- plus de 100 000 h.
- de 50 000 à 100 000 h.
- moins de 50 000 h.
- puits de pétrole
- port pétrolier
- pipeline

DÉMOGRAPHIE

- **Densité :** 196 hab./km²
- **Part de la population urbaine (2013) :** 98 %
- **Structure de la population par âge (2013) :** moins de 15 ans : 23 %, 15-65 ans : 75 %, plus de 65 ans : 2 %
- **Taux de natalité (2013) :** 19 ‰
- **Taux de mortalité (2013) :** 2 ‰
- **Taux de mortalité infantile (2013) :** 8 ‰
- **Espérance de vie (2013) :** hommes : 74 ans, femmes : 76 ans

La capitale, Koweït, concentre plus des deux tiers de la population totale du pays, qui est musulmane et sunnite pour les deux tiers. La main-d'œuvre immigrée (venue du Moyen-Orient, du sous-continent indien ou des Philippines) est plus nombreuse que la population nationale. Quasiment toute la population, qui s'est accrue d'un quart en dix ans, vit dans les villes.

ÉCONOMIE

- **PNB (2010) :** 132 milliards de dollars
- **PNB/hab. (2010) :** 44 100 dollars
- **PNB/hab. PPA (2010) :** 47 770 dollars internationaux
- **IDH (2012) :** 0,79
- **Taux de croissance annuelle du PIB (2011) :** 6,3 %
- **Taux annuel d'inflation (2012) :** 2,9 %
- **Structure de la population active :** agriculture : n.d., mines et industries : n.d., services : n.d.
- **Structure du PIB (1995) :** agriculture : 0,4 %, mines et industries : 53,4 %, services : 46,2 %
- **Dette publique brute :** n.d.
- **Taux de chômage (2011) :** 1,6 %

L'économie du Koweït a retrouvé en 2011 son niveau d'avant la crise de 2008, mais la croissance a diminué en 2013 (0,8 %) alors qu'elle était de 6 % en 2012. La richesse du pays repose presque entièrement sur le pétrole, dont il possède 10 % des réserves mondiales prouvées et qui représente plus de 90 % des exportations. Ses principaux fournisseurs de produits manufacturés sont l'UE, la Chine, les États-Unis et le Japon. En dehors des hydrocarbures, les services financiers contribuent également fortement au PIB, mais le pays doit diversifier ses sources de revenus dans un contexte économique où le secteur privé est encore peu représenté.

TOURISME

- **Recettes touristiques (2012) :** 525 millions de dollars

COMMERCE EXTÉRIEUR

- **Exportations de biens (2012) :** 119 275 millions de dollars
- **Importations de biens (2011) :** 39 622 millions de dollars

DÉFENSE

- **Forces armées (2011) :** 22 600 individus
- **Dépenses militaires (2011) :** 3,4 % du PIB

NIVEAU DE VIE

- **Nombre d'habitants pour un médecin (2011) :** 558
- **Apport journalier moyen en calories (2007) :** 3 064 (minimum FAO : 2 400)
- **Nombre d'automobiles pour 1 000 hab. (2011) :** 439
- **Téléphones portables (2012) :** 100 % de la population équipée

REPÈRES HISTORIQUES

1914 : le protectorat britannique est établi.

1961 : le Koweït accède à l'indépendance.

1990 : envahi en août par l'Iraq, il est libéré en février 1991 à l'issue de la guerre du Golfe.

les rois du pétrole

Le Koweït est, eu égard à sa superficie, un puissant État pétrolier. Voici ses « concurrents ».

rang	pays	production (en milliers de tonnes par an)
1	Arabie saoudite	525 800
2	Russie	511 400
3	États-Unis	352 300
4	Iran	205 800
5	Chine	203 600
6	Canada	172 600
7	Émirats arabes unis	150 100
8	Mexique	145 100
9	Koweït	140 000
10	Venezuela	139 600
11	Iraq	136 900

rang	pays	production (en milliers de tonnes par an)
12	Nigeria	117 400
13	Brésil	114 600
14	Norvège	93 400
15	Angola	85 200
16	Kazakhstan	82 400
17	Algérie	74 300
18	Qatar	71 100
19	Grande-Bretagne	52 000
20	Indonésie	45 600
21	Oman	42 100
22	Libye	22 400

Données 2011

ASIE

LAOS

Couvert surtout par la forêt ainsi que par la savane, le Laos est un pays enclavé, étiré entre le Viêt Nam et la Thaïlande. Il est formé de plateaux et de montagnes recevant des pluies en été (mousson). Ces régions sont traversées par le Mékong, qui a édifié quelques plaines alluviales.

Superficie : 236 800 km²
Population (2013) : 6 700 000 hab.
Capitale : Vientiane 810 054 hab. (e. 2011) dans l'agglomération
Nature de l'État et du régime politique : république, régime socialiste
Chef de l'État : (président de la République) Choummaly Sayasone
Chef du gouvernement : (Premier ministre) Thongsing Thammavong
Organisation administrative : 16 provinces, 1 municipalité et 1 zone spéciale
Langue officielle : lao
Monnaie : kip

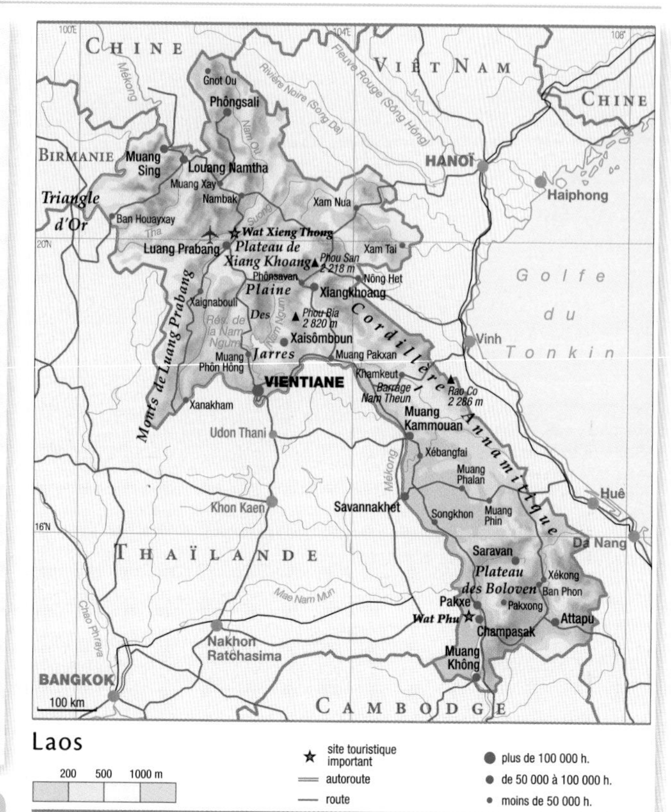

DÉMOGRAPHIE

- **Densité :** 28 hab./km²
- **Part de la population urbaine (2013) :** 27 %
- **Structure de la population par âge (2013) :** moins de 15 ans : 36 %, 15-65 ans : 60 %, plus de 65 ans : 4 %
- **Taux de natalité (2013) :** 26 ‰
- **Taux de mortalité (2013) :** 6 ‰
- **Taux de mortalité infantile (2013) :** 68 ‰
- **Espérance de vie (2013) :** hommes : 66 ans, femmes : 69 ans

La vallée du Mékong concentre la plus grande partie de la population du pays, avec notamment la capitale, Vientiane, et les autres villes principales : Luang Prabang, Savannakhet et Pakxe. Si le taux de fécondité a baissé pour s'établir à 3,2 enfants par femme, la population s'est accrue de 50 % depuis 1990. Le pays est en pleine transition démographique. La proportion des jeunes est importante, les moins de 15 ans représentant 36 % de la population totale.

ÉCONOMIE

- **PNB (2012) :** 9 milliards de dollars
- **PNB/hab. (2012) :** 1 270 dollars
- **PNB/hab. PPA (2012) :** 2 690 dollars internationaux
- **IDH (2012) :** 0,543
- **Taux de croissance annuelle du PIB (2012) :** 8,2 %
- **Taux annuel d'inflation (2012) :** 4,3 %
- **Structure de la population active :** agriculture : n.d., mines et industries : n.d., services : n.d.
- **Structure du PIB (2012) :** agriculture : 28 %, mines et industries : 36,2 %, services : 35,8 %
- **Dette publique brute :** n.d.
- **Taux de chômage (2005) :** 1,4 %

Malgré la crise de 2008, l'économie laotienne croît à un rythme de 7 à 8 % (8,3 % en 2013) et l'inflation est contenue. Cette dynamique s'explique par plusieurs facteurs : la croissance rapide des secteurs minier (cuivre et or) et hydroélectrique, ainsi que de la confection, les investissements publics dans les infrastructures et l'expansion du crédit, fruit de la politique d'ouverture du pays. L'agriculture (riz) reste le pilier de l'économie. Le tourisme et le secteur de la construction sont en plein essor.

TOURISME

- **Recettes touristiques (2012) :** 413 M de $

COMMERCE EXTÉRIEUR

- **Exportations de biens (2012) :** 2 271 M de $
- **Importations de biens (2011) :** 3 642 M de $

DÉFENSE

- **Forces armées (2011) :** 129 100 individus
- **Dépenses militaires (2011) :** 0,2 % du PIB

NIVEAU DE VIE

- **Nombre d'habitants pour un médecin (2011) :** 3 676
- **Apport journalier moyen en calories (2007) :** 2 240 (minimum FAO : 2 400)
- **Nombre d'automobiles pour 1 000 hab. (2007) :** 2
- **Téléphones portables (2012) :** 100 % de la population équipée

REPÈRES HISTORIQUES

Le pays lao a une histoire mal connue jusqu'au XIIIe s.

1353 : Fa Ngum fonde un royaume lao indépendant.

1574 - 1591 : suzeraineté birmane.

XVIIIe s. : après la restauration du XVIIe s., le pays est divisé en trois royaumes rivaux.

1778 : le Siam impose sa domination.

1893 - 1904 : il signe plusieurs traités reconnaissant le protectorat français sur le Laos.

1949 - 1954 : le Laos devient indépendant au sein de l'Union française (1949). Le Pathet Lao, mouvement d'indépendance soutenu par les communistes du Viêt-minh, occupe le nord du pays.

1954 - 1957 : lors des accords de Genève, le Pathet Lao obtient le contrôle de plusieurs provinces.

1964 - 1973 : le Laos est impliqué dans la guerre du Viêt Nam.

1975 : la République populaire démocratique du Laos est proclamée.

1997 : le Laos est admis au sein de l'ASEAN.

LIBAN

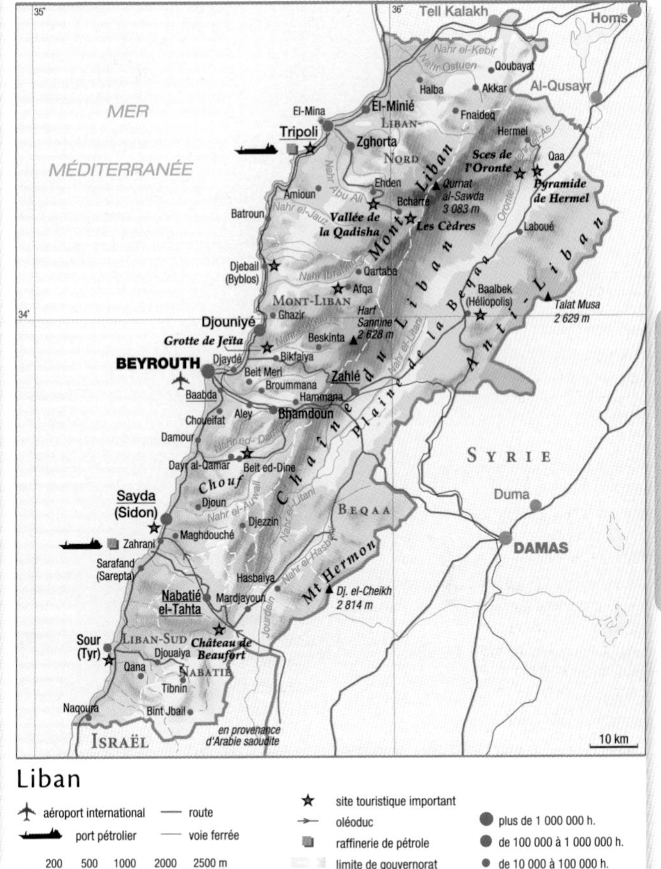

Le territoire est dominé par les massifs calcaires du mont Liban et de l'Anti-Liban (formant la frontière avec la Syrie), qui encadrent la dépression aride de la Beqaa. À l'ouest s'étire une plaine côtière étroite et discontinue (où se concentre l'essentiel de la population), bordée de plateaux étagés et intensément mise en valeur. Le climat, doux et humide sur la côte, devient plus rude et plus sec vers l'intérieur.

Superficie : 10 400 km²
Population (2013) : 4 800 000 hab.
Capitale : Beyrouth 2 022 350 hab. (e. 2011) dans l'agglomération
Nature de l'État et du régime politique : république à régime parlementaire
Chef de l'État : (président de la République) Michel Sleimane
Chef du gouvernement : (Premier ministre) Tammam Salam
Organisation administrative : 6 gouvernorats
Langue officielle : arabe
Monnaie : livre libanaise

DÉMOGRAPHIE

- **Densité :** 462 hab./km²
- **Part de la population urbaine (2013) :** 87 %
- **Structure de la population par âge (2013) :** moins de 15 ans : 23 %, 15-65 ans : 68 %, plus de 65 ans : 9 %
- **Taux de natalité (2013) :** 14 ‰
- **Taux de mortalité (2013) :** 4 ‰
- **Taux de mortalité infantile (2013) :** 9 ‰
- **Espérance de vie (2013) :** hommes : 77 ans, femmes : 82 ans

Plus de 60 % de la population est musulmane (chiites et sunnites surtout, Druzes). La communauté chrétienne est dominée par les maronites (environ un quart de la population), les Arméniens, les Grecs orthodoxes et les Grecs catholiques. Ces populations se regroupent selon leur appartenance communautaire depuis les migrations forcées de la guerre civile. Les habitants, majoritairement citadins (87 % de la population), se concentrent sur l'étroite plaine littorale.

ÉCONOMIE

- **PNB (2012) :** 42 milliards de dollars
- **PNB/hab. (2012) :** 9 190 dollars
- **PNB/hab. PPA (2012) :** 14 160 dollars internationaux
- **IDH (2012) :** 0,745
- **Taux de croissance annuelle du PIB (2012) :** 1,4 %
- **Taux annuel d'inflation (2010) :** 4 %
- **Structure de la population active :** agriculture : n.d., mines et industries : n.d., services : n.d.
- **Structure du PIB (2012) :** agriculture : 6,1 %, mines et industries : 20,5 %, services : 73,4 %
- **Dette publique brute :** n.d.
- **Taux de chômage (2007) :** 9 %

L'accord politique de Doha (2008) a probablement contribué à l'amélioration de la situation économique du pays. Le taux de croissance s'est ainsi maintenu autour de 8 % par an entre 2007 et 2011 malgré la crise de 2008. Si le déficit budgétaire reste important et si la dette publique est parmi les plus élevées du monde (154 % du PIB), les réserves d'argent ont fortement augmenté, ce rebond de l'économie libanaise s'expliquant largement par l'afflux de capitaux, l'expansion du secteur de la construction, des services financiers et du commerce. Cependant, les révolutions qui ont touché les pays voisins, notamment la Syrie, ont déstabilisé l'économie libanaise dont la croissance a chuté en 2011 (diminution des échanges commerciaux avec la Syrie). En 2013, l'afflux de réfugiés syriens a également eu des conséquences néfastes sur l'économie, notamment dans le secteur du tourisme (l'un de ses piliers) qui s'effondre, mais aussi sur le marché du travail. Le chômage, de l'ordre de 10 %, pourrait alors doubler en 2014. La faiblesse déjà existante des infrastructures éducatives et de santé, cumulée aux difficultés d'accès à l'eau et à la pénurie d'électricité, pourrait aggraver encore la situation.

TOURISME

- **Recettes touristiques (2012) :** 7 070 millions de dollars

COMMERCE EXTÉRIEUR

- **Exportations de biens (2012) :** 5 615 millions de dollars
- **Importations de biens (2012) :** 21 167 millions de dollars

DÉFENSE

- **Forces armées (2011) :** 80 000 individus

- **Dépenses militaires (2012) :** 4 % du PIB

NIVEAU DE VIE

- **Nombre d'habitants pour un médecin (2011) :** 282
- **Apport journalier moyen en calories (2007) :** 3 107 (minimum FAO : 2 400)
- **Nombre d'automobiles pour 1 000 hab. :** n.d.
- **Téléphones portables (2012) :** 93 % de la population équipée

REPÈRES HISTORIQUES

Des origines à l'indépendance

À partir du IIIe millénaire : la côte est occupée par les Cananéens, puis par les Phéniciens, qui fondent les cités-États de Byblos, Berytos (aujourd'hui Beyrouth), Sidon et Tyr.

Début du Ier millénaire : les Phéniciens dominent le commerce méditerranéen.

VIIe - Ier s. av. J.-C. : le pays connaît les dominations assyrienne, égyptienne, perse, babylonienne puis grecque.

64/63 av. J.-C. - 636 : le Liban fait partie de la province romaine puis byzantine de Syrie.

636 : il est conquis par les Arabes.

VIIe - XIe s. : la côte et la montagne servent de refuge à diverses communautés chrétiennes, chiites, puis druzes.

1099 - 1289/1291 : les Latins du royaume de Jérusalem et du comté de Tripoli dominent le littoral, conquis ensuite par les Mamelouks d'Égypte.

1516 : le Liban est annexé à l'Empire ottoman.

1593 - 1840 : les émirs druzes, notamment Fakhr al-Din (1593 - 1633) et Chihab Bachir II (1788 - 1840), unifient la montagne libanaise et cherchent à obtenir son autonomie.

1858 - 1860 : des affrontements opposent les druzes et les maronites (qui sont en plein essor démographique et économique).

1861 : la France obtient la création de la province du Mont-Liban, dotée d'une certaine autonomie.

1918 : le Liban est libéré des Turcs. Il forme avec la plaine de la Beqaa le « Grand-Liban ».

1920 - 1943 : il est placé par la SDN sous mandat français.

La République libanaise

1943 : l'indépendance est proclamée. Le « pacte national » institue un système politique confessionnel répartissant les pouvoirs entre les maronites, les sunnites, les chiites, les Grecs orthodoxes, les Druzes et les Grecs catholiques.

1952 - 1958 : Camille Chamoun pratique une politique pro-occidentale.

1958 : les nationalistes arabes favorables à Nasser déclenchent la guerre civile, que fait cesser l'intervention américaine.

1958 - 1970 : la République est présidée par Fouad Chehab (1958 - 1964) puis par Charles Hélou.

1967 : les Palestiniens, réfugiés au Liban depuis 1948, s'organisent de façon autonome.

1970 - 1976 : sous la présidence de Soleiman Frangié, des affrontements avec les Palestiniens se produisent.

1976 : ils dégénèrent en guerre civile ; la Syrie intervient. S'affrontent alors une coalition de « gauche » (favorable aux Palestiniens, en majorité sunnite, druze puis chiite et dont les principales forces armées sont les fedayins, les milices druzes et celles du mouvement Amal) et une coalition de « droite » (favorable à Israël, en majorité maronite et dont les principales forces sont les Phalanges et l'Armée du Liban-Sud, alliée à Israël).

1978 : création d'une Force intérimaire des Nations unies au Liban (FINUL).

1982 : l'armée israélienne fait le blocus de Beyrouth, dont elle chasse les forces armées palestiniennes. Amine Gemayel succède comme président de la République à son frère Bachir, assassiné.

1984 : un gouvernement d'union nationale est constitué, appuyé par la Syrie.

1985 : l'armée israélienne se retire du Liban, à l'exception de la partie sud du territoire, dite « zone de sécurité » (en dépit de la résolution 425 du Conseil de sécurité demandant son retrait inconditionnel). La guerre civile se poursuit, compliquée par des affrontements à l'intérieur de chaque camp, surtout entre diverses tendances musulmanes : sunnites, chiites modérés du mouvement Amal, chiites partisans de l'Iran (Hezbollah). Ces derniers, à partir de 1985, prennent en otages des Occidentaux (notamment Français et Américains). Cette situation provoque le retour, en 1987, des troupes syriennes à Beyrouth-Ouest.

1988 : le mandat d'Amine Gemayel s'achève sans que l'élection de son successeur ait eu lieu. Deux gouvernements sont mis en place : l'un, civil et musulman, à Beyrouth-Ouest, dirigé par Selim Hoss ; l'autre, militaire et chrétien, à Beyrouth-Est, présidé par le général Michel Aoun, hostile à la présence syrienne.

1989 : Elias Hraoui devient président de la République.

1990 : une nouvelle Constitution entérine les accords, signés à Taif en 1989, qui prévoient un rééquilibrage du pouvoir en faveur des musulmans. L'armée libanaise, aidée par la Syrie, met fin à la résistance du général Aoun.

1991 : le désarmement des milices et le déploiement de l'armée libanaise dans le Grand Beyrouth et le sud du pays (à l'exception de la « zone de sécurité », et malgré l'implantation du Hezbollah) marquent l'amorce d'une restauration de l'autorité de l'État, sous tutelle syrienne.

2000 : l'armée israélienne se retire du Liban-Sud (mai).

2005 : la Syrie retire ses troupes du pays.

2012 : la normalisation des relations entre le Liban et la Syrie, entamée en 2008, est mise à mal par la crise syrienne, qui, par ailleurs, exacerbe les tensions politiques et confessionnelles.

MALAISIE

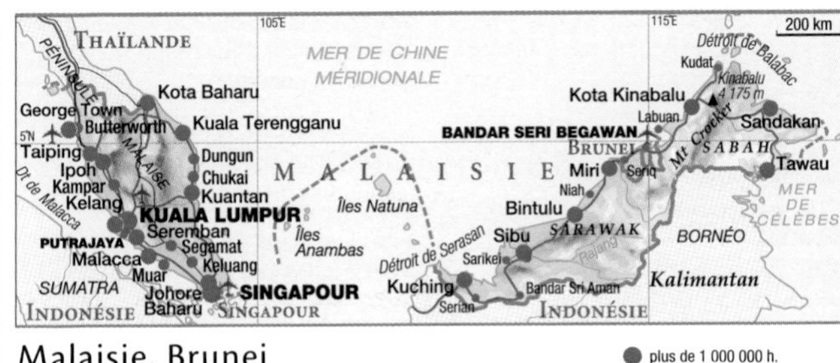

Malaisie, Brunei

200 500 1000 m

— route
— voie ferrée
aéroport

plus de 1 000 000 h.
de 100 000 à 1 000 000 h.
de 50 000 à 100 000 h.
moins de 50 000 h.

Le pays est formé d'une partie continentale (Malaisie occidentale ou péninsulaire) et d'une partie insulaire (Malaisie orientale, correspondant à deux régions de Bornéo, le Sabah et le Sarawak). À une latitude équatoriale, possédant un climat constamment chaud et souvent humide, il est recouvert en majeure partie par la forêt.

Superficie : 329 758 km²
Population (2013) : 29 800 000 hab.
Capitale institutionnelle : Kuala Lumpur 1 555 910 hab. (e. 2011)
Capitale administrative : Putrajaya 7 500 hab.
Nature de l'État et du régime politique : monarchie constitutionnelle à régime parlementaire
Chef de l'État : (Yang di-Pertuan Agong) Abdul Halim Muadzam Shah ibni al-Marhum Sultan Badlishah
Chef du gouvernement : (Premier ministre) Najib Razak
Organisation administrative : 13 États et 3 territoires fédéraux
Langue officielle : malais
Monnaie : ringgit (dollar de la Malaisie)

DÉMOGRAPHIE

- **Densité :** 90 hab./km²
- **Part de la population urbaine (2013) :** 64 %
- **Structure de la population par âge (2013) :** moins de 15 ans : 26 %, 15-65 ans : 69 %, plus de 65 ans : 5 %
- **Taux de natalité (2013) :** 18 ‰
- **Taux de mortalité (2013) :** 5 ‰
- **Taux de mortalité infantile (2013) :** 7 ‰
- **Espérance de vie (2013) :** hommes : 72 ans, femmes : 77 ans

À Sumatra, la population se concentre dans les plaines alluviales et les vallées qui bordent ou entaillent la montagne intérieure, la densité à Bornéo étant plus faible. La population du pays est composée d'une faible majorité de Malais (musulmans sunnites détenant le pouvoir politique) et de fortes minorités indiennes (hindouistes) et surtout chinoises. Celles-ci représentent le tiers de la population totale et possèdent un grand poids économique. Malgré la forte proportion de moins de 15 ans (26 % de la population totale), la croissance démographique devrait ralentir : l'indice de fécondité est de 2,1 enfants par femme et le taux de natalité a chuté d'un tiers en vingt ans.

ÉCONOMIE

- **PNB (2012) :** 293 milliards de dollars
- **PNB/hab. (2012) :** 9 820 dollars
- **PNB/hab. PPA (2012) :** 16 270 dollars internationaux
- **IDH (2012) :** 0,769
- **Taux de croissance annuelle du PIB (2012) :** 5,6 %
- **Taux annuel d'inflation (2012) :** 1,7 %
- **Structure de la population active (2012) :** agriculture : 12,6 %, mines et industries : 28,4 %, services : 59 %
- **Structure du PIB (2012) :** agriculture : 10,1 %, mines et industries : 40,8 %, services : 49,1 %
- **Dette publique brute (2012) :** 53,3 % du PIB
- **Taux de chômage (2012) :** 3 %

Avec des exportations représentant plus de 100 % de son PIB dans les années 2000 à 2009, la Malaisie est, après Singapour, l'un des pays d'Asie du Sud-Est dépendant le plus de la demande extérieure. Mais après une légère récession à la suite de la crise de 2008, la croissance a repris en 2010 (7 %) pour stagner en 2012 (5,6 %) et en 2013 (4,7 %). Outre ses ressources énergétiques et minières (pétrole, gaz, bauxite, minerai de fer), son caoutchouc (3e producteur et exportateur mondial après la Thaïlande et l'Indonésie) et sa production d'huile de palme (2e producteur mondial), le pays exporte surtout des produits manufacturés (environ 70 %), l'électronique et les appareils électriques étant ses secteurs d'excellence. Ses principaux partenaires commerciaux sont Singapour (1er client) devant la Chine, qui est son premier fournisseur, les États-Unis, l'UE et le Japon. L'expansion des marchés asiatiques devrait favoriser sa compétitivité, notamment dans le domaine des hautes technologies, dont le développement est récent.

TOURISME

- **Recettes touristiques (2012) :** 19 593 millions de dollars

COMMERCE EXTÉRIEUR

- **Exportations de biens (2012) :** 227 664 millions de dollars
- **Importations de biens (2012) :** 229 278 millions de dollars

DÉFENSE

- **Forces armées (2011) :** 133 600 individus
- **Dépenses militaires (2012) :** 1,5 % du PIB

NIVEAU DE VIE

- **Nombre d'habitants pour un médecin (2011) :** 835
- **Apport journalier moyen en calories (2007) :** 2 923 (minimum FAO : 2 400)
- **Nombre d'automobiles pour 1 000 hab. (2011) :** 325
- **Téléphones portables (2012) :** 100 % de la population équipée

REPÈRES HISTORIQUES

La péninsule malaise subit très tôt l'influence de l'Inde. L'islam y pénètre dès le début du XIVe s.

1511 : les Portugais s'emparent de Malacca.

1641 : les Néerlandais évincent les Portugais.

1795 : occupation britannique.

1830 : Malacca, Penang et Singapour constituent les établissements des Détroits, érigés en colonie en 1867.

1942 - 1945 : le Japon occupe la péninsule.

1948 : une première fédération de Malaisie est créée.

1957 : elle obtient son indépendance.

1963 : la fédération de Malaisie regroupe la Malaisie continentale, Singapour et les anciennes colonies britanniques de Sarawak et de Sabah. Le nouvel État est membre du Commonwealth.

1965 : Singapour se retire de la fédération.

1970 : la Malaisie est troublée par les conflits opposant les Malais et la communauté chinoise, ainsi que par l'afflux des réfugiés du Cambodge et du Viêt Nam.

BRUNEI

L'État de Brunei forme deux enclaves dans le nord-ouest de l'île de Bornéo (Tutong et Belait à l'ouest, Temburong à l'est). C'est une région basse et humide.

Superficie : 5 765 km²
Population (2013) : 400 000 hab.
Capitale : Bandar Seri Begawan 16 381 hab. (e. 2011), 64 000 hab. (e. 2005) dans l'agglomération
Nature de l'État et du régime politique : monarchie
Chef de l'État et du gouvernement : (sultan) Hassanal Bolkiah
Organisation administrative : 4 districts
Langue officielle : malais
Monnaie : dollar de Brunei

DÉMOGRAPHIE

- **Densité :** 69 hab./km²
- **Part de la population urbaine (2013) :** 72 %
- **Structure de la population par âge (2013) :** moins de 15 ans : 25 %, 15-65 ans : 71 %, plus de 65 ans : 4 %
- **Taux de natalité (2013) :** 17 ‰
- **Taux de mortalité (2013) :** 3 ‰
- **Taux de mortalité infantile (2013) :** 7 ‰
- **Espérance de vie (2013) :** hommes : 77 ans, femmes : 79 ans

Après une augmentation rapide, la population s'est aujourd'hui stabilisée et le remplacement des générations n'est plus assuré (1,6 enfant par femme). La principale ville de ce petit pays, peu peuplé, est la capitale. Les habitants sont essentiellement d'origine malaise. L'immigration est notable.

ÉCONOMIE

- **PNB (2009) :** 12 milliards de dollars
- **PNB/hab. (2009) :** 31 800 dollars
- **PNB/hab. PPA (2009) :** 50 180 dollars internationaux
- **IDH (2012) :** 0,855
- **Taux de croissance annuelle du PIB (2012) :** 2,2 %
- **Taux annuel d'inflation (2012) :** 0,5 %
- **Structure de la population active (2001) :** agriculture : 1,4 %, mines et industries : 21,4 %, services : 77,2 %
- **Structure du PIB (2012) :** agriculture : 0,7 %, mines et industries : 71,1 %, services : 28,2 %
- **Dette publique brute :** n.d.
- **Taux de chômage (2011) :** 3,7 %

L'économie du sultanat est presque entièrement fondée sur le pétrole et le gaz (4e exportateur mondial de gaz liquéfié), qui représentent plus de 97 % de ses exportations (vers le Japon, l'Indonésie, la Corée du Sud et l'Australie) et environ 65 % du PIB, dont la croissance reste modeste (de 1,5 à 2 % entre 2010 et 2013). Ses importations de produits manufacturés proviennent avant tout de la Malaisie, de Singapour et du Japon, devant l'UE et les États-Unis. Les réserves de pétrole et de gaz s'amenuisant, le pays doit songer à diversifier son économie, notamment dans les secteurs de la pétrochimie et du raffinage.

TOURISME

- **Recettes touristiques (2010) :** 254 millions de dollars

COMMERCE EXTÉRIEUR

- **Exportations de biens (2009) :** 7 172 millions de dollars
- **Importations de biens (2012) :** 5 286 millions de dollars

DÉFENSE

- **Forces armées (2011) :** 9 250 individus
- **Dépenses militaires (2012) :** 2,4 % du PIB

NIVEAU DE VIE

- **Nombre d'habitants pour un médecin (2011) :** 735
- **Apport journalier moyen en calories (2007) :** 2 968 (minimum FAO : 2 400)
- **Nombre d'automobiles pour 1 000 hab. (2009) :** 485
- **Téléphones portables (2012) :** 100 % de la population équipée

REPÈRES HISTORIQUES

1906 : le protectorat de la Couronne britannique est établi.

1984 : Brunei devient indépendant dans le cadre du Commonwealth. Il est dirigé depuis 1967 par le sultan Hassanal Bolkiah.

MALDIVES → INDE

MONGOLIE

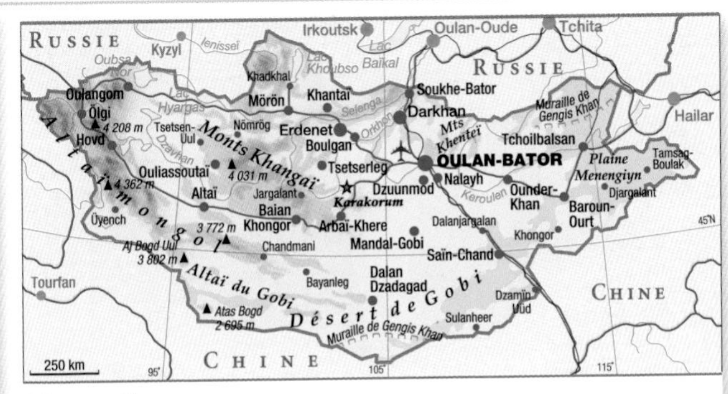

Mongolie

★ site touristique important

1000 2000 3000 m

— route

— voie ferrée

✈ aéroport

● plus de 500 000 h.

● de 50 000 à 500 000 h.

● de 10 000 à 50 000 h.

● moins de 10 000 h.

Enclavé, le pays a un climat continental accusé : très faibles précipitations, amplitudes thermiques annuelles élevées et fortes variations quotidiennes. Les massifs de la moitié occidentale (Khangaï et surtout Altaï), séparés par des lacs, sont les parties les plus arrosées. Le Sud et l'Est, constitués de dépressions, de plaines et de plateaux semi-désertiques ou désertiques, forment une partie du désert de Gobi.

Superficie : 1 566 500 km²

Population (2013) : 2 800 000 hab.

Capitale : Oulan-Bator 1 183 910 hab. (e. 2011)

Nature de l'État et du régime politique : république à régime semi-présidentiel

Chef de l'État : (président de la République) Tsakhiagyn Elbegdorj

Chef du gouvernement : (Premier ministre) Norov Altankhuyag

Organisation administrative : 21 provinces et 1 municipalité

Langue officielle : mongol (khalkha)

Monnaie : tugrik

DÉMOGRAPHIE

- **Densité :** 2 hab./km²
- **Part de la population urbaine (2013) :** 63 %
- **Structure de la population par âge (2013) :** moins de 15 ans : 27 %, 15-65 ans : 69 %, plus de 65 ans : 4 %
- **Taux de natalité (2013) :** 27 ‰
- **Taux de mortalité (2013) :** 6 ‰
- **Taux de mortalité infantile (2013) :** 36 ‰
- **Espérance de vie (2013) :** hommes : 65 ans, femmes : 72 ans

La population, alphabétisée en quasi-totalité, se compose à plus de 90 % d'habitants d'origine mongole et notamment de Khalkhas. Elle compte beaucoup de nomades, devenus semi-nomades, qui vivent dans les steppes. La religion dominante est le bouddhisme tantrique. La densité est extrêmement faible, d'autant qu'Oulan-Bator, la capitale et de loin la principale ville, concentre plus du tiers de la population totale du pays, surtout regroupée dans les régions montagneuses du Nord. La mortalité infantile est encore élevée dans ce pays où 27 % de la population a moins de 15 ans.

ÉCONOMIE

- **PNB (2012) :** 10 milliards de dollars
- **PNB/hab. (2012) :** 3 160 dollars
- **PNB/hab. PPA (2012) :** 5 020 dollars internationaux
- **IDH (2012) :** 0,675
- **Taux de croissance annuelle du PIB (2012) :** 12,3 %
- **Taux annuel d'inflation (2012) :** 15 %
- **Structure de la population active (2011) :** agriculture : 32,6 %, mines et industries : 17,6 %, services : 49,8 %
- **Structure du PIB (2012) :** agriculture : 17,1 %, mines et industries : 32,9 %, services : 50 %
- **Dette publique brute (2011) :** 47 % du PIB
- **Taux de chômage (2011) :** 3 %

La forte croissance de l'économie depuis 2003 (plus de 8 % par an en moyenne) est largement due à l'augmentation de la demande chinoise pour les produits miniers (plus de 80 % des exportations), dont le cuivre. Après le fléchissement de 2009, la croissance a repris en 2010 avec un taux de 6,3 % pour exploser en 2011 (15 %) et en 2012 (12,3 %) dû à l'ouverture aux investissements étrangers dans le développement du secteur minier, en particulier de l'or et du cuivre. Mais l'inflation qui l'accompagne (97 % en 2013), si elle n'est pas enrayée, pourrait annuler les effets de la lutte contre la pauvreté, qui touche environ un tiers de la population. Parmi les richesses minières actuelles ou potentielles du pays, outre le cuivre et l'or, figurent des réserves notables de charbon, de zinc, d'étain et d'uranium. La croissance a baissé en 2013 : 11,8 %.

TOURISME

- **Recettes touristiques (2012) :** 258 millions de dollars

COMMERCE EXTÉRIEUR

- **Exportations de biens (2012) :** 4 381 millions de dollars
- **Importations de biens (2012) :** 7 895 millions de dollars

DÉFENSE

- **Forces armées (2011) :** 17 200 individus
- **Dépenses militaires (2012) :** 1,1 % du PIB

NIVEAU DE VIE

- **Nombre d'habitants pour un médecin (2011) :** 362
- **Apport journalier moyen en calories (2007) :** 2 285 (minimum FAO : 2 400)
- **Nombre d'automobiles pour 1 000 hab. (2009) :** 48
- **Téléphones portables (2012) :** 100 % de la population équipée

REPÈRES HISTORIQUES

1911 : la Mongolie-Extérieure devient autonome.

1921 - 1945 : elle reçoit l'aide de la Russie soviétique.

1924 : la Mongolie-Extérieure devient une république populaire.

1945 : elle accède à l'indépendance.

1990 : le parti unique renonce au monopole du pouvoir.

1992 : une nouvelle Constitution consacre l'abandon de la référence au marxisme-léninisme.

1993 : première élection présidentielle au suffrage universel.

NÉPAL → BHOUTAN

OMAN → ARABIE SAOUDITE

OUZBÉKISTAN

L'Ouzbékistan s'étend du pourtour de la mer d'Aral aux montagnes du Tian Shan et du Pamir. Le territoire est formé en majeure partie de déserts (dont le Kyzylkoum). Son climat, continental, est souvent aride.

Superficie : 447 400 km²
Population (2013) : 30 200 000 hab.
Capitale : Tachkent 2 226 580 hab. (e. 2011)
Nature de l'État et du régime politique : république
Chef de l'État : (président de la République) Islam Karimov
Chef du gouvernement : (Premier ministre) Chavkat Mirzioïev
Organisation administrative : 12 régions, 1 république et 1 municipalité
Langue officielle : ouzbek
Monnaie : soum ouzbek

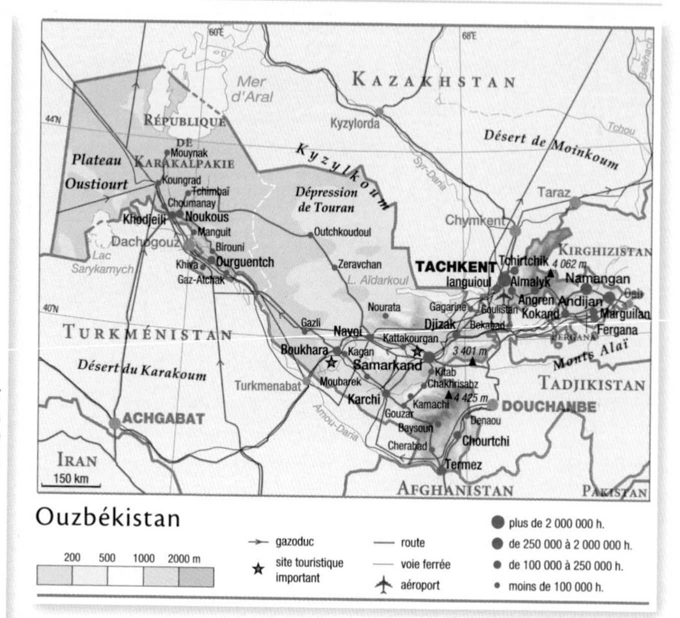

DÉMOGRAPHIE

- **Densité :** 68 hab./km²
- **Part de la population urbaine (2013) :** 51 %
- **Structure de la population par âge (2013) :** moins de 15 ans : 29 %, 15-65 ans : 67 %, plus de 65 ans : 4 %
- **Taux de natalité (2013) :** 21 ‰
- **Taux de mortalité (2013) :** 5 ‰
- **Taux de mortalité infantile (2013) :** 46 ‰
- **Espérance de vie (2013) :** hommes : 65 ans, femmes : 71 ans

La population est composée surtout d'habitants d'origine ouzbeke, musulmans sunnites influencés par le mysticisme soufi, et d'une minorité de russophones présente dans les villes. Faiblement urbanisée, elle se concentre dans le bassin du Fergana, arrosé par les eaux du Syr-Daria, dans l'oasis de Tachkent avec la capitale qui est de loin la plus grande ville du pays, dans les oasis du Zeravchan, où se trouvent Samarkand et Boukhara, et dans les oasis du bas Amou-Daria. Les déserts sont par endroits occupés par les nomades, aujourd'hui en partie sédentarisés. Le taux de mortalité infantile reste très élevé.

ÉCONOMIE

- **PNB (2012) :** 53 milliards de dollars
- **PNB/hab. (2012) :** 1 720 dollars
- **PNB/hab. PPA (2012) :** 3 670 dollars internationaux
- **IDH (2012) :** 0,654
- **Taux de croissance annuelle du PIB (2012) :** 8,2 %
- **Taux annuel d'inflation (2003) :** 14,8 %
- **Structure de la population active (1999) :** agriculture : 38,5 %, mines et industries : 19,4 %, services : 42,1 %
- **Structure du PIB (2012) :** agriculture : 18,9 %, mines et industries : 32,4 %, services : 48,7 %
- **Dette publique brute :** n.d.
- **Taux de chômage (2011) :** 0,2 %

Avec le coton, l'un des principaux postes d'exportation outre l'or, l'agriculture conserve un poids déterminant. Le commerce extérieur (40 % des revenus proviennent du gaz, excédentaire) est en partie à l'origine d'une croissance (officielle) d'environ 8 % par an depuis 2004 (7 % en 2013). Les échanges sont encore très contrôlés par l'État, qui applique une stratégie de substitution des importations visant l'autosuffisance énergétique (grâce au pétrole et surtout au gaz naturel) et alimentaire. Parmi les autres richesses minières figurent le cuivre, le zinc, l'argent ou l'uranium. Malgré sa vétusté, le secteur industriel est principalement performant dans la construction automobile et le matériel agricole. Cet essor n'a cependant permis qu'une réduction très lente de la pauvreté. Un accord entre l'Ouzbékistan et la Chine devrait permettre la mise en œuvre d'un raccordement du gazoduc Chine-Asie centrale à l'Ouzbékistan.

TOURISME

- **Recettes touristiques (2011) :** 121 millions de dollars

COMMERCE EXTÉRIEUR

- **Exportations de biens (2011) :** 10 734 millions de dollars
- **Importations de biens (2011) :** 14 167 millions de dollars

DÉFENSE

- **Forces armées (2011) :** 68 000 individus
- **Dépenses militaires (2007) :** 0,43 % du PIB

NIVEAU DE VIE

- **Nombre d'habitants pour un médecin (2011) :** 394
- **Apport journalier moyen en calories (2007) :** 2 581 (minimum FAO : 2 400)
- **Nombre d'automobiles pour 1 000 hab. :** n.d.
- **Téléphones portables (2012) :** 72 % de la population équipée

REPÈRES HISTORIQUES

1918 : une république autonome du Turkestan, rattachée à la république de Russie, est créée dans la partie occidentale de l'Asie centrale conquise par les Russes à partir des années 1860.

1924 : la république socialiste soviétique d'Ouzbékistan est instaurée sur le territoire de la république du Turkestan et sur la majeure partie des anciens khanats de Boukhara et de Khiva (Kharezm).

1929 : une république autonome constituée en son sein, le Tadjikistan, s'en sépare.

1991 : le Soviet suprême proclame l'indépendance de l'Ouzbékistan, qui adhère à la CEI. Islam Karimov est président de la République (constamment réélu depuis).

PAKISTAN

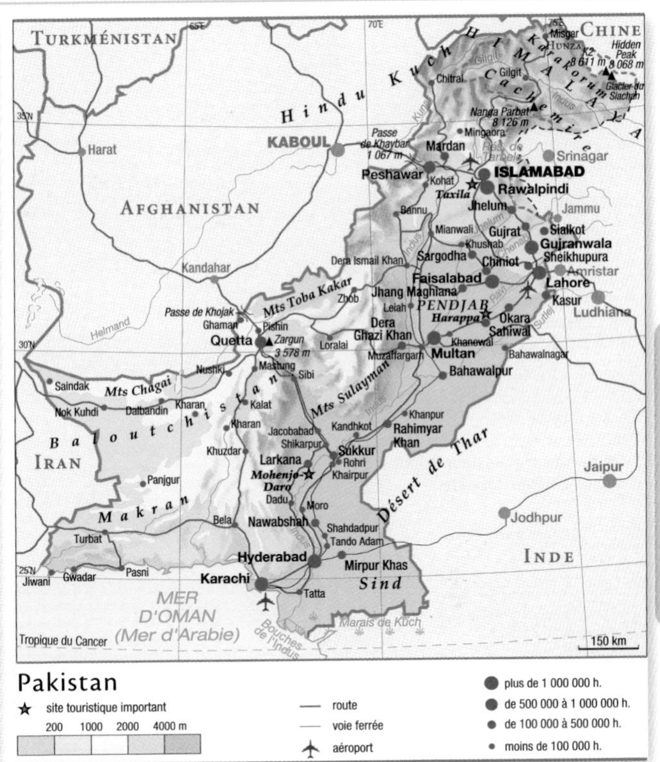

Le nord du pays est formé de montagnes qui dépassent souvent 7 000 m (Hindu Kuch, Karakorum et Himalaya proprement dit), puis la plaine alluviale de l'Indus et de ses affluents unit le Pendjab au Sind, qui constituent les parties vitales du Pakistan. L'Ouest est occupé par le Baloutchistan (partiellement iranien).

Superficie : 796 095 km²
Population (2013) : 190 700 000 hab.
Capitale : Islamabad 918 854 hab. (e. 2011) dans l'agglomération
Nature de l'État et du régime politique : république à régime parlementaire
Chef de l'État : (président de la République) Mamnoon Hussain
Chef du gouvernement : (Premier ministre) Nawaz Sharif
Organisation administrative : 1 territoire fédéral, 4 provinces, 1 territoire, 2 zones administrées
Langues officielles : ourdou et anglais
Monnaie : roupie pakistanaise

DÉMOGRAPHIE

- **Densité :** 240 hab./km²
- **Part de la population urbaine (2013) :** 35 %
- **Structure de la population par âge (2013) :** moins de 15 ans : 37 %, 15-65 ans : 59 %, plus de 65 ans : 4 %
- **Taux de natalité (2013) :** 30 ‰
- **Taux de mortalité (2013) :** 7 ‰
- **Taux de mortalité infantile (2013) :** 74 ‰
- **Espérance de vie (2013) :** hommes : 65 ans, femmes : 67 ans

La population, majoritairement musulmane sunnite, est composée d'une mosaïque de peuples, dont des Baloutches et des Pachtounes. Hormis Karachi, sur la côte, les villes sont localisées pour la plupart dans le Pendjab. La population est en pleine transition démographique, même si le taux de natalité reste soutenu et l'indice de fécondité élevé, avec 3,8 enfants par femme.

ÉCONOMIE

- **PNB (2012) :** 237 milliards de dollars
- **PNB/hab. (2012) :** 1 260 dollars
- **PNB/hab. PPA (2012) :** 2 880 dollars internationaux
- **IDH (2012) :** 0,515
- **Taux de croissance annuelle du PIB (2012) :** 4 %
- **Taux annuel d'inflation (2012) :** 9,7 %
- **Structure de la population active (2010) :** agriculture : 44,7 %, mines et industries : 20,1 %, services : 35,2 %
- **Structure du PIB (2012) :** agriculture : 24,4 %, mines et industries : 22 %, services : 53,6 %
- **Dette publique brute :** n.d.
- **Taux de chômage (2011) :** 6,2 %

Après une période de croissance de plus de 6 % par an en moyenne entre 2003 et 2008, l'économie pakistanaise (environ 2,4 % du PIB) reste fragilisée, alors que l'agriculture est son pilier (blé, riz, canne à sucre, tabac et coton). L'économie est affectée par ailleurs par une chute des investissements, une baisse de la production industrielle (fondée sur le textile, le raffinage du pétrole, la production d'engrais et de ciment) et des pénuries récurrentes d'énergie (malgré d'importantes ressources énergétiques et minières) qui pourraient compromettre une reprise durable. Si la demande intérieure est soutenue partiellement par les envois de fonds des travailleurs émigrés, l'inflation atteint directement la population, soumise aux hausses éventuelles des prix alimentaires et plus récemment de l'électricité. En 2013, la lutte contre l'inflation (près de 10 %) est l'une des priorités du nouveau gouvernement. Orienté vers une économie plus libérale, le Pakistan devrait faire l'objet, en 2014, d'un plan de privatisation très ambitieux. Le FMI a déjà réinjecté 6,6 milliards de dollars, ce qui devrait permettre au gouvernement de prendre les mesures qui s'imposent, notamment la réduction du déficit budgétaire et de la dette publique (166 % du PIB).

TOURISME

- **Recettes touristiques (2012) :** 1 123 M de $

COMMERCE EXTÉRIEUR

- **Exportations de biens (2012) :** 24 706 M de $
- **Importations de biens (2012) :** 47 686 M de $

DÉFENSE

- **Forces armées (2011) :** 946 000 individus
- **Dépenses militaires (2012) :** 3,1 % du PIB

NIVEAU DE VIE

- **Nombre d'habitants pour un médecin (2011) :** 1 230
- **Apport journalier moyen en calories (2007) :** 2 293 (minimum FAO : 2 400)
- **Nombre d'automobiles pour 1 000 hab. (2011) :** 13
- **Téléphones portables (2012) :** 67 % de la population équipée

REPÈRES HISTORIQUES

1947 : lors de l'indépendance et de la partition de l'Inde, le Pakistan est créé. Il est constitué de deux provinces : le Pakistan occidental et le Pakistan oriental.

1947 - 1949 : un conflit oppose l'Inde au Pakistan à propos du Cachemire.

1956 : la Constitution établit la République islamique du Pakistan, fédération des deux provinces qui la composent.

1965 : la deuxième guerre indo-pakistanaise éclate.

1971 : le Pakistan oriental fait sécession et devient le Bangladesh. L'Inde intervient militairement pour le soutenir.

PHILIPPINES

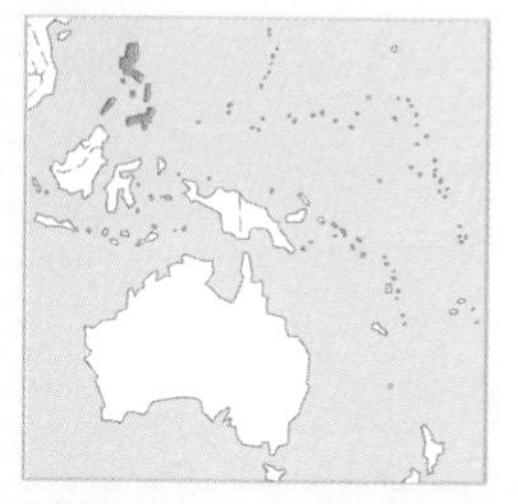

Les Philippines sont un archipel montagneux et volcanique formé de plus de 7 000 îles et îlots, Luçon et Mindanao regroupant les deux tiers de la superficie et de la population totales.

Superficie : 300 000 km²
Population (2013) : 96 200 000 hab.
Capitale : Manille 1 660 714 hab. (r. 2007), 11 861 588 hab. (e. 2011) dans l'agglomération
Nature de l'État et du régime politique : république à régime présidentiel
Chef de l'État et du gouvernement : (président de la République) Benigno, dit Noynoy Aquino
Organisation administrative : 15 régions et 1 région autonome
Langues officielles : filipino et anglais
Monnaie : peso philippin

DÉMOGRAPHIE

- **Densité :** 321 hab./km²
- **Part de la population urbaine (2013) :** 63 %
- **Structure de la population par âge (2013) :** moins de 15 ans : 33 %, 15-65 ans : 63 %, plus de 65 ans : 4 %
- **Taux de natalité (2013) :** 21 ‰
- **Taux de mortalité (2013) :** 5 ‰
- **Taux de mortalité infantile (2013) :** 22 ‰
- **Espérance de vie (2013) :** hommes : 66 ans, femmes : 72 ans

Très composite et très jeune, la population est en majorité catholique (avec une minorité musulmane, les Moro, à Mindanao) et est concentrée surtout dans les plaines. Les deux grandes îles du pays, Luçon et Mindanao, regroupent les deux tiers de la population totale, en accroissement rapide.

ÉCONOMIE

- **PNB (2012) :** 253 milliards de dollars
- **PNB/hab. (2012) :** 2 500 dollars
- **PNB/hab. PPA (2012) :** 4 380 dollars internationaux
- **IDH (2012) :** 0,654
- **Taux de croissance annuelle du PIB (2012) :** 6,8 %
- **Taux annuel d'inflation (2012) :** 3,2 %
- **Structure de la population active (2012) :** agriculture : 32,2 %, mines et industries : 15,4 %, services : 52,4 %
- **Structure du PIB (2012) :** agriculture : 11,8 %, mines et industries : 31,1 %, services : 57,1 %
- **Dette publique brute (2012) :** 51,5 % du PIB
- **Taux de chômage (2012) :** 7 %

Avec une croissance de plus de 7 % en 2010, les Philippines ont surmonté la crise de 2008, mais la croissance a diminué en 2012 (4 %) et ne devrait pas atteindre les 6 % espérés pour 2013, en raison du typhon qui a frappé l'archipel et qui a un coût très élevé, notamment pour les infrastructures et l'agriculture. La chute assez brutale de la production et des échanges en 2009 a été contrebalancée par l'adoption d'un plan de relance fondé sur des dépenses publiques mesurées pour cause de dette élevée. La part des exportations (électronique, textile) dans le PIB a augmenté depuis les années 1990, avec l'UE, les États-Unis et le Japon comme principaux clients, mais les échanges restent déficitaires. L'agriculture (canne à sucre, riz, noix de coco, maïs) et le secteur minier (houille, pétrole, nickel) contribuent à la croissance, l'économie reposant désormais largement sur le secteur tertiaire, qui s'est notamment développé dans les télécommunications et les services financiers. L'accélération du développement économique passe par l'amélioration du niveau d'investissement, la réduction du sous-emploi et de la corruption.

TOURISME

- **Recettes touristiques (2012) :** 3 796 M de $

COMMERCE EXTÉRIEUR

- **Exportations de biens (2012) :** 46 284 M de $
- **Importations de biens (2012) :** 85 026 M de $

DÉFENSE

- **Forces armées (2011) :** 165 500 individus
- **Dépenses militaires (2012) :** 1,2 % du PIB

NIVEAU DE VIE

- **Nombre d'habitants pour un médecin :** n.d.
- **Apport journalier moyen en calories (2007) :** 2 565 (minimum FAO : 2 400)
- **Nombre d'automobiles pour 1 000 hab. (2011) :** 9
- **Téléphones portables (2012) :** 100 % de la population équipée

REPÈRES HISTORIQUES

VIIIᵉ millénaire - XIIIᵉ s. apr. J.-C. : l'archipel est peuplé de Négritos, de Proto-Indonésiens et de Malais.
1521 : Magellan découvre l'archipel.
1565 : les Philippines passent sous la suzeraineté espagnole.
1896 : insurrection nationaliste.
1898 : les États-Unis, alliés aux insurgés, s'emparent de l'archipel à la faveur de la guerre hispano-américaine.
1944 - 1945 : les États-Unis reconquièrent le pays, après une brève occupation japonaise (1941 - 1942).
1946 : l'indépendance est proclamée.

QATAR → ARABIE SAOUDITE

SINGAPOUR

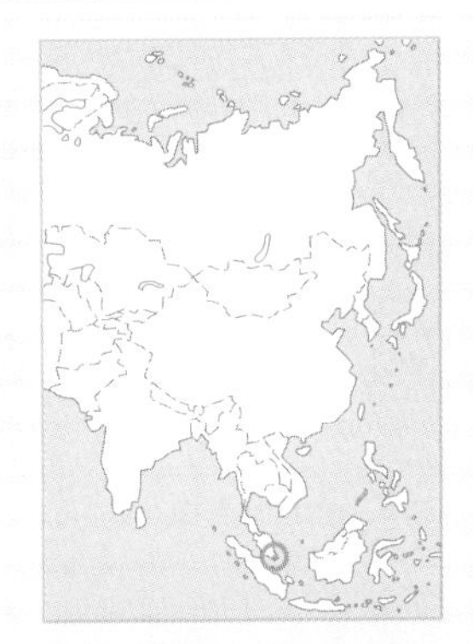

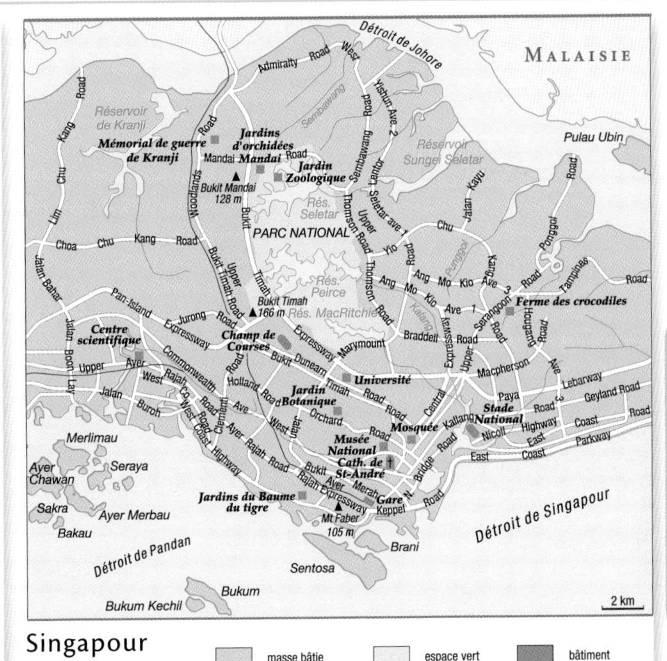

Singapour

masse bâtie — espace vert — bâtiment

Proche de l'équateur, cette cité-État est située au sud-est de la Malaisie occidentale. Singapour comprend 55 îles, dont la principale, Singapour, longue de 42 km, est reliée à la péninsule par un viaduc routier et ferroviaire. La population est très dense.

Superficie : 618 km²
Population (2013) : 5 400 000 hab.
Capitale : Singapour
Nature de l'État et du régime politique : république à régime semi-présidentiel
Chef de l'État : (président de la République) Tony Tan
Chef du gouvernement : (Premier ministre) Lee Hsien Loong
Organisation administrative : pas de division
Langues officielles : anglais, chinois, malais et tamoul
Monnaie : dollar de Singapour

DÉMOGRAPHIE

- **Densité :** 8 738 hab./km²
- **Part de la population urbaine (2013) :** 100 %
- **Structure de la population par âge (2013) :** moins de 15 ans : 16 %, 15-65 ans : 74 %, plus de 65 ans : 10 %
- **Taux de natalité (2013) :** 10 ‰
- **Taux de mortalité (2013) :** 5 ‰
- **Taux de mortalité infantile (2013) :** 1,8 ‰
- **Espérance de vie (2013) :** hommes : 80 ans, femmes : 84 ans

Formant un micro-État (ou une cité-État), Singapour est entièrement urbanisée. La population est très dense (plus de 8 700 habitants au km²), formée d'une forte majorité de Chinois (avec des minorités malaise et indienne). Le taux de fécondité n'assure plus la croissance de la population qui est vieillissante (l'espérance de vie des femmes à la naissance est une des plus élevées du monde).

ÉCONOMIE

- **PNB (2012) :** 272 milliards de dollars
- **PNB/hab. (2012) :** 47 210 dollars
- **PNB/hab. PPA (2012) :** 60 110 dollars internationaux
- **IDH (2012) :** 0,895
- **Taux de croissance annuelle du PIB (2012) :** 1,3 %
- **Taux annuel d'inflation (2012) :** 4,5 %
- **Structure de la population active (2010) :** agriculture : 1,2 %, mines et industries : 21,7 %, services : 77,1 %
- **Structure du PIB (2011) :** agriculture : 0 %, mines et industries : 26,7 %, services : 73,3 %
- **Dette publique brute (2011) :** 110 % du PIB
- **Taux de chômage (2012) :** 2,8 %

La prospérité de Singapour est fondée sur son commerce extérieur. Ses principaux clients sont la Chine (dont Hongkong), la Malaisie, l'Indonésie et l'UE, qui est son premier fournisseur devant les États-Unis. De l'ordre de 10 % par an en moyenne entre 2005 et 2007, la croissance a connu une chute assez brutale entre 2008 et 2009 mais a rebondi très fortement en 2010 (14,4 %), tirée par la reprise asiatique, pour retomber à 1,3 % en 2012 et se stabiliser à 3,8 % en 2013. La part des produits des secteurs de haute technologie est très élevée (plus de 50 % des produits manufacturés exportés) et leur développement est encouragé. Hautement industrialisée (électronique, chimie) mais également très financiarisée, l'économie de Singapour repose sur les services (73,3 % du PIB) tandis que l'État dépend entièrement des importations pour son approvisionnement énergétique.

TOURISME

- **Recettes touristiques (2012) :** 17 990 millions de dollars

COMMERCE EXTÉRIEUR

- **Exportations de biens (2012) :** 435 783 millions de dollars
- **Importations de biens (2012) :** 490 307 millions de dollars

DÉFENSE

- **Forces armées (2011) :** 147 600 individus
- **Dépenses militaires (2012) :** 3,5 % du PIB

NIVEAU DE VIE

- **Nombre d'habitants pour un médecin (2011) :** 521
- **Apport journalier moyen en calories :** n.d.
- **Nombre d'automobiles pour 1 000 hab. (2011) :** 117
- **Téléphones portables (2012) :** 100 % de la population équipée

REPÈRES HISTORIQUES

1819 : Singapour est occupée par les Britanniques.

1942 - 1945 : l'île subit l'occupation japonaise.

1963 : elle devient l'un des États de la fédération de Malaisie.

1965 : le pays accède à l'indépendance.

1990 : Premier ministre depuis 1959, Lee Kuan Yew cède ses fonctions à Goh Chok Tong.

2004 : Goh Chok Tong est remplacé par Lee Hsien Loong (fils de Lee Kuan Yew).

SRI LANKA

Île tropicale exposée à la mousson, le Sri Lanka est formé de plateaux et de collines entourant un massif montagneux central.

Superficie : 65 610 km²
Population (2013) : 20 500 000 hab.
Capitale : Colombo 693 470 hab. (e. 2011), 1 221 904 hab. (r. 2001) dans l'agglomération
Capitale administrative et législative : Sri Jayawardenapura Kotte 123 904 hab. (e. 2010)
Nature de l'État et du régime politique : république
Chef de l'État : (président de la République) Mahinda Rajapakse
Chef du gouvernement : (Premier ministre) Disanayaka Mudiyanselage, dit D. M. Jayaratne
Organisation administrative : 9 provinces
Langues officielles : cinghalais et tamoul
Monnaie : roupie du Sri Lanka

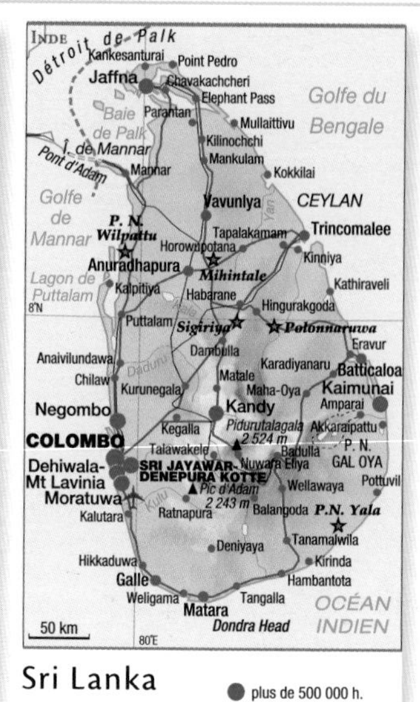

DÉMOGRAPHIE

- **Densité :** 312 hab./km²
- **Part de la population urbaine (2013) :** 15 %
- **Structure de la population par âge (2013) :** moins de 15 ans : 26 %, 15-65 ans : 66 %, plus de 65 ans : 8 %
- **Taux de natalité (2013) :** 17 ‰
- **Taux de mortalité (2013) :** 6 ‰
- **Taux de mortalité infantile (2013) :** 12 ‰
- **Espérance de vie (2013) :** hommes : 71 ans, femmes : 77 ans

La population, dont la croissance naturelle a diminué, est en majorité rurale et concentrée surtout dans le quart sud-est de l'île. Elle est divisée par un conflit entre la majorité cinghalaise, bouddhiste, et la minorité tamoule, hindouiste (environ un cinquième de la population, concentrée dans le Nord). Dans l'Est habitent des musulmans, qui se disent également tamouls. La répartition de la population est très disparate : on compte 800 habitants au km² dans les régions de Colombo et de Jaffna, tandis que le reste de l'île a moins de 100 habitants au km². Derrière Colombo, l'ancienne capitale, Jaffna, dans le Nord, et Kandy, dans une vallée des montagnes centrales, dominent le réseau urbain, avec chacune plus de 100 000 habitants, mais la population urbaine ne représente que 15 % de la population totale.

ÉCONOMIE

- **PNB (2012) :** 58 milliards de dollars
- **PNB/hab. (2012) :** 2 920 dollars
- **PNB/hab. PPA (2012) :** 6 030 dollars internationaux
- **IDH (2012) :** 0,715
- **Taux de croissance annuelle du PIB (2012) :** 6,4 %
- **Taux annuel d'inflation (2012) :** 7,5 %
- **Structure de la population active (2012) :** agriculture : 39,4 %, mines et industries : 19,1 %, services : 41,5 %
- **Structure du PIB (2012) :** agriculture : 11,1 %, mines et industries : 31,5 %, services : 57,4 %
- **Dette publique brute (2007) :** 85 % du PIB
- **Taux de chômage (2012) :** 4 %

En mai 2009, il a été mis fin à 26 ans de guerre qui ont dévasté le nord et l'est du pays. Le retour à la stabilité politique a favorisé une reprise économique en 2011, néanmoins fortement affectée par la crise internationale. La population est encore très majoritairement rurale, même si l'agriculture ne contribue que pour 11,1 % au PIB. Les principales productions sont le riz, le thé et la noix de coco. Plus que le secteur industriel (agroalimentaire, textile), c'est le secteur tertiaire qui tire l'économie (6,3 % en 2013), avec notamment les télécommunications, les services financiers et le tourisme. Les envois de fonds des émigrés, qui travaillent en majorité dans les pays du Golfe, fournissent un apport de l'ordre de 10 % au PIB. Un programme de rénovation des infrastructures portuaires et routières est mis en œuvre avec l'aide de la Banque mondiale.

TOURISME

- **Recettes touristiques (2012) :** 1 421 millions de dollars

COMMERCE EXTÉRIEUR

- **Exportations de biens (2012) :** 9 774 millions de dollars
- **Importations de biens (2011) :** 22 257 millions de dollars

DÉFENSE

- **Forces armées (2011) :** 223 100 individus
- **Dépenses militaires (2012) :** 2,4 % du PIB

NIVEAU DE VIE

- **Nombre d'habitants pour un médecin (2011) :** 2 033
- **Apport journalier moyen en calories (2007) :** 2 361 (minimum FAO : 2 400)
- **Nombre d'automobiles pour 1 000 hab. (2011) :** 20
- **Téléphones portables (2012) :** 96 % de la population équipée

REPÈRES HISTORIQUES

IIIᵉ s. av. J.-C. : le bouddhisme est introduit à Ceylan, à partir de la capitale Anuradhapura.

Fin du Xᵉ s. apr. J.-C. : la monarchie d'Anuradhapura est renversée par un roi cola.

1070 : l'île est reconquise par un prince cinghalais. À partir du XIVᵉ s., les Cinghalais refluent vers le sud, tandis que, au nord, les Tamoul constituent un royaume indépendant.

XVIᵉ s. : le Portugal occupe la côte tandis que le roi de Kandy domine le centre de Ceylan.

1658 : les Hollandais évincent les Portugais.

1796 : la Grande-Bretagne annexe l'île.

1948 : Ceylan accède à l'indépendance.

1948 - 1977 : les conservateurs et la gauche alternent au pouvoir.

Depuis 1974 : des organisations tamoules militent pour la création d'un État tamoul indépendant.

Depuis 1983 : les affrontements opposant Tamoul et Cinghalais menacent l'unité du pays.

2008 - 2009 : le gouvernement rompt officiellement la trêve signée en 2002 et écrase la rébellion tamoule.

SYRIE

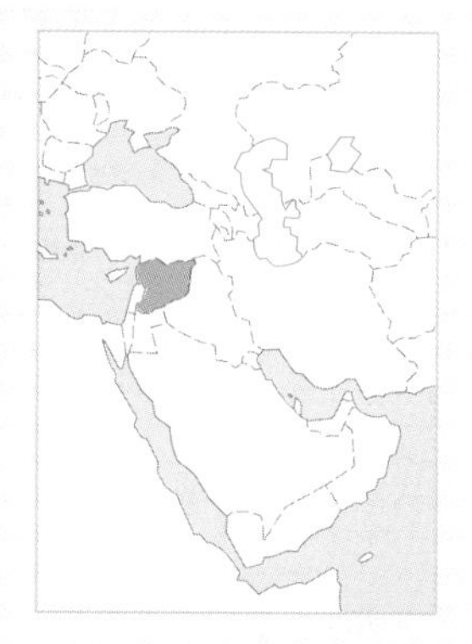

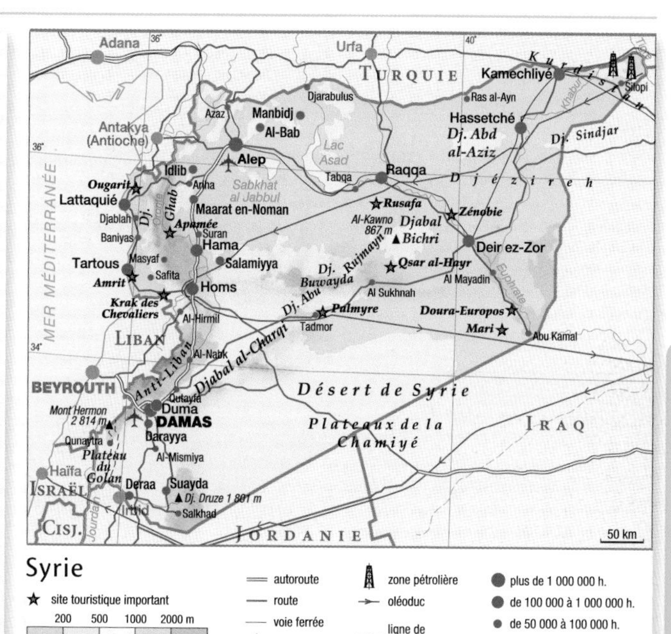

Une barrière montagneuse (djabal Ansariyya, prolongé au sud par les chaînons de l'Anti-Liban et de l'Hermon) sépare une étroite plaine littorale, au climat méditerranéen, des plateaux de l'Est, désertiques.

Superficie : 185 180 km²
Population (2013) : 21 900 000 hab.
Capitale : Damas 1 552 161 hab. (r. 2004), 2 649 860 hab. (e. 2011) dans l'agglomération
Nature de l'État et du régime politique : république à régime parlementaire
Chef de l'État : (président de la République) Bachar al-Asad ou Assad
Chef du gouvernement : (Premier ministre) Ahmed Saleh Touma
Organisation administrative : 14 gouvernorats
Langue officielle : arabe
Monnaie : livre syrienne

DÉMOGRAPHIE

- **Densité :** 118 hab./km²
- **Part de la population urbaine (2013) :** 54 %
- **Structure de la population par âge (2013) :** moins de 15 ans : 35 %, 15-65 ans : 61 %, plus de 65 ans : 4 %
- **Taux de natalité (2013) :** 25 ‰
- **Taux de mortalité (2013) :** 4 ‰
- **Taux de mortalité infantile (2013) :** 17 ‰
- **Espérance de vie (2013) :** hommes : 72 ans, femmes : 78 ans

La population, en majeure partie arabophone, compte une petite minorité kurde. Elle est très composite du point de vue religieux, avec une majorité de sunnites (les trois quarts de la population) et des minorités de Druzes, de chrétiens, d'alaouites. Les Syriens, aujourd'hui majoritairement urbains, se concentrent essentiellement dans l'ouest du pays et dans deux agglomérations : Damas, la capitale (2,6 millions d'habitants), et Alep (3 millions d'habitants), qui rassemblent, à elles seules, le quart de la population et plus de la moitié des citadins. Le pays a connu depuis plusieurs décennies une croissance démographique élevée et les moins de 15 ans représentent aujourd'hui plus du tiers de la population totale.

ÉCONOMIE

- **PNB (2012) :** 71 milliards de dollars
- **PNB/hab. (2010) :** 2 610 dollars
- **PNB/hab. PPA (2012) :** 5 120 dollars internationaux
- **IDH (2012) :** 0,648
- **Taux de croissance annuelle du PIB (2010) :** 3,2 %
- **Taux annuel d'inflation (2012) :** 36,7 %
- **Structure de la population active (2011) :** agriculture : 14,3 %, mines et industries : 32,7 %, services : 53 %
- **Structure du PIB (2009) :** agriculture : 23 %, mines et industries : 31 %, services : 46 %
- **Dette publique brute :** n.d.
- **Taux de chômage (2010) :** 8,4 %

La crise financière internationale n'a eu qu'un impact modéré sur l'économie syrienne, encore relativement peu ouverte, même si son taux de croissance qui devait se maintenir autour de 5 % en 2011 s'est effondré à la suite du mouvement de contestation populaire ayant agité le pays au mois de mars de cette même année. Dans le cadre d'une transition vers une « économie sociale de marché » et afin de relever le défi que représente l'épuisement des réserves de pétrole, dont la production est en baisse, le gouvernement souhaitait poursuivre sa politique de libéralisation, en favorisant notamment le développement d'un secteur bancaire privé et en opérant une refonte des subventions publiques, tout en veillant à maintenir des filets de protection sociale pour la population la plus démunie. Aujourd'hui, l'économie du pays est détruite et l'Union européenne ainsi que la Ligue arabe ont imposé un embargo et le gel des échanges commerciaux. Seuls ses deux principaux alliés, la Russie et l'Iran, lui octroient une aide financière qui permet à la Syrie de se fournir en armes et en pétrole. Alors que 2,3 millions de réfugiés se sont expatriés vers les pays voisins et que 5 millions de personnes se sont déplacées à l'intérieur du pays, la famine et la tuberculose sont apparues dans ce pays qui ne peut plus subventionner son système de santé ni les produits de base.

TOURISME

- **Recettes touristiques (2011) :** 6 308 millions de dollars

COMMERCE EXTÉRIEUR

- **Exportations de biens (2010) :** 12 273 millions de dollars
- **Importations de biens (2011) :** 26 329 millions de dollars

DÉFENSE

- **Forces armées (2011) :** 178 000 individus
- **Dépenses militaires (2010) :** 3,9 % du PIB

NIVEAU DE VIE

- **Nombre d'habitants pour un médecin (2011) :** 667
- **Apport journalier moyen en calories (2007) :** 3 034 (minimum FAO : 2 400)
- **Nombre d'automobiles pour 1 000 hab. (2011) :** 36
- **Téléphones portables (2012) :** 61 % de la population équipée

REPÈRES HISTORIQUES

La Syrie antique

IIe millénaire : par vagues successives s'infiltrent Cananéens (dont les Phéniciens sont un rameau), Amorrites, Hourrites,

Araméens (auxquels appartiennent les Hébreux) et Peuples de la Mer.

539 av. J.-C. : la prise de Babylone par Cyrus II met fin à la domination assyro-babylonienne et fait de la Syrie une satrapie perse.

332 : le pays est conquis par Alexandre le Grand. La Syrie est intégrée au royaume séleucide, dont la capitale, Antioche, est fondée en 301.

64/63 av. J.-C. : la Syrie devient une province romaine.

395 apr. J.-C. : elle est rattachée à l'Empire romain d'Orient.

La Syrie musulmane

636 : les Arabes, vainqueurs des Byzantins sur la rivière Yarmouk, conquièrent le pays.

661 - 750 : les Omeyyades font de la Syrie et de Damas le centre de l'Empire musulman.

VIIIe s. : sous les Abbassides, Bagdad devient la capitale de l'empire au détriment de Damas.

1076 - 1077 : les Turcs Seldjoukides prennent Damas puis Jérusalem.

XIe - XIIIe s. : les croisés organisent la principauté d'Antioche (1098 - 1268), le royaume de Jérusalem (1099 - 1291) et le comté de Tripoli (1109 - 1289). Saladin (1171 - 1193) et ses successeurs ayyubides entretiennent des relations pacifiques avec les Francs.

1260 - 1291 : les Mamelouks arrêtent les Mongols, puis reconquièrent les dernières possessions franques de Palestine et de Syrie. Ils gouvernent la région jusqu'à la conquête ottomane (1516).

La Syrie ottomane puis française

1516 : les Ottomans s'emparent de la Syrie, qu'ils conserveront jusqu'en 1918.

1831 - 1840 : ils sont momentanément chassés par Méhémet-Ali et Ibrahim Pacha.

1860 : la France intervient au Liban en faveur des maronites.

1916 : l'accord Sykes-Picot délimite les zones d'influence de la France et de la Grande-Bretagne au Moyen-Orient. Les Syriens rallient les forces anglo-françaises et hachémites.

1920 - 1943 : la France exerce le mandat que lui a confié la SDN, établissant une République syrienne (avec Damas et Alep), une république des Alaouites et un État druze.

La Syrie indépendante

1941 : le général Catroux, au nom de la France libre, proclame l'indépendance du pays.

1943 - 1944 : le mandat français sur la Syrie prend fin.

1946 : les dernières troupes françaises et britanniques quittent le pays.

1958 - 1961 : l'Égypte et la Syrie forment la République arabe unie.

1967 : la guerre des Six-Jours entraîne l'occupation du Golan par Israël.

À partir de 1976 : la Syrie intervient militairement au Liban et renforce, en 1985, sa tutelle sur le pays, consacrée en 1991 par un traité de fraternité syro-libanais.

2000 : Hafiz al-Asad meurt ; son fils Bachar lui succède.

2005 : la Syrie retire ses troupes du Liban.

2008 : les deux pays entament une normalisation de leurs relations. Le pouvoir syrien retrouve une place importante dans le jeu politique international.

Depuis 2011 : un soulèvement populaire et démocratique, sous l'effet de la répression par le régime de Bachar al-Asad et de l'ingérence de divers acteurs régionaux, se mue en une guerre civile très meurtrière.

TADJIKISTAN

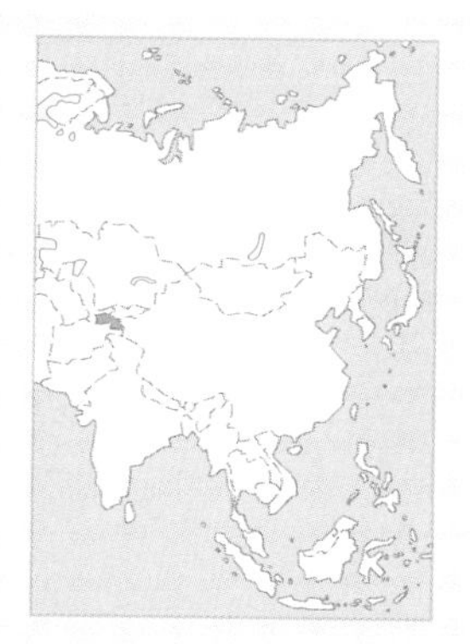

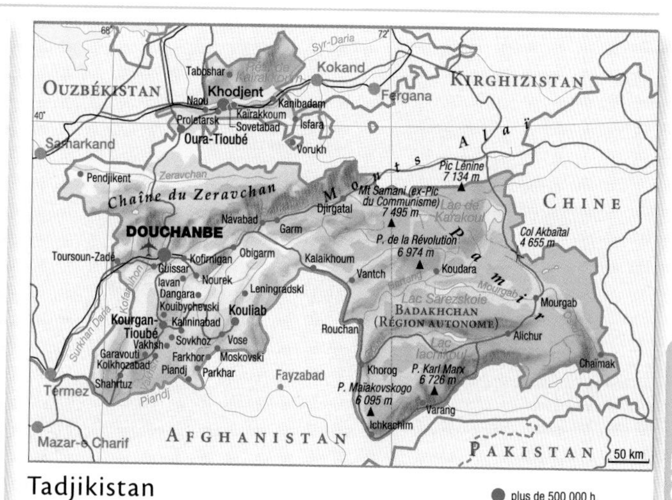

Tadjikistan

500 1000 2000 4000 m

aéroport
route
voie ferrée

plus de 500 000 h.
de 100 000 à 500 000 h.
de 50 000 à 100 000 h.
moins de 50 000 h.

Le Tadjikistan est un pays de hautes montagnes, particulièrement à l'est, où la chaîne du Pamir (pic Ismaïl-Samani, culminant à 7 495 m) forme la frontière avec la Chine et domine des plateaux pouvant atteindre 4 000 m. Le climat est rude, les hivers sont rigoureux et les étés souvent arides.

Superficie : 143 100 km²
Population (2013) : 8 100 000 hab.
Capitale : Douchanbe 738 883 hab. (e. 2011) dans l'agglomération
Nature de l'État et du régime politique : république
Chef de l'État : (président de la République) Emomali Rakhmonov
Chef du gouvernement : (président du Conseil des ministres) Kokhir Rasulzoda
Organisation administrative : 3 régions, 1 région autonome et 1 municipalité
Langue officielle : tadjik
Monnaie : somoni

DÉMOGRAPHIE

- **Densité :** 57 hab./km²
- **Part de la population urbaine (2013) :** 26 %
- **Structure de la population par âge (2013) :** moins de 15 ans : 36 %, 15-65 ans : 61 %, plus de 65 ans : 3 %
- **Taux de natalité (2013) :** 31 ‰
- **Taux de mortalité (2013) :** 6 ‰
- **Taux de mortalité infantile (2013) :** 34 ‰
- **Espérance de vie (2013) :** hommes : 64 ans, femmes : 71 ans

La population, musulmane sunnite, est principalement composée de Tadjiks (plus de 60 %), persanophones, et d'Ouzbeks (autour de 20 %), turcophones, regroupés dans les villes et la vallée de Fergana. Le sud du pays rassemble les deux tiers de la population. La population urbaine se concentre à Douchanbe, la capitale, et dans des villes petites ou moyennes, comme Khodjent (150 000 habitants), dans l'extrême nord. Le taux de mortalité infantile reste très élevé ainsi que la part des moins de 15 ans.

ÉCONOMIE

- **PNB (2012) :** 7 milliards de dollars
- **PNB/hab. (2012) :** 860 dollars
- **PNB/hab. PPA (2012) :** 2 180 dollars internationaux
- **IDH (2012) :** 0,622
- **Taux de croissance annuelle du PIB (2012) :** 7,5 %
- **Taux annuel d'inflation (2012) :** 5,8 %
- **Structure de la population active (2004) :** agriculture : 55,5 %, mines et industries : 17,9 %, services : 26,6 %
- **Structure du PIB (2012) :** agriculture : 26,5 %, mines et industries : 25,9 %, services : 47,6 %
- **Dette publique brute :** n.d.
- **Taux de chômage (2007) :** 2,5 %

La forte dépendance du pays à l'égard de ses deux principaux produits d'exportation, le coton et l'aluminium, aux prix très volatils détermine sa bonne santé économique (6,7 % en 2013). Celle-ci dépend également de l'envoi de fonds de ses travailleurs immigrés (en Russie et au Kazakhstan), qui représentent 52 % du PIB. Outre les programmes sociaux (le taux de pauvreté ayant été fortement réduit en une décennie, de plus de 80 % en 1999 à 47 % en 2009), le gouvernement axe notamment ses efforts sur l'amélioration de ses infrastructures, grâce aux investissements étrangers (notamment russes et chinois), et sur son approvisionnement en énergie hydroélectrique et en produits alimentaires.

TOURISME

- **Recettes touristiques (2012) :** 40 millions de dollars

COMMERCE EXTÉRIEUR

- **Exportations de biens (2012) :** 826 millions de dollars
- **Importations de biens (2011) :** 3 683 millions de dollars

DÉFENSE

- **Forces armées (2011) :** 16 300 individus
- **Dépenses militaires (2007) :** 2,4 % du PIB

NIVEAU DE VIE

- **Nombre d'habitants pour un médecin (2012) :** 527
- **Apport journalier moyen en calories (2007) :** 2 118 (minimum FAO : 2 400)
- **Nombre d'automobiles pour 1 000 hab. (2007) :** 29
- **Téléphones portables (2012) :** 92 % de la population équipée

REPÈRES HISTORIQUES

La frontière entre, d'une part, les régions du sud-est de l'Asie centrale conquises par les Russes (à partir de 1865) et le khanat de Boukhara, et, d'autre part, l'Afghanistan, est fixée de 1886 à 1895 par une commission anglo-russe.

1924 : la République autonome du Tadjikistan est créée au sein de l'Ouzbékistan.

1925 : le Pamir septentrional lui est rattaché.

1929 : le Tadjikistan devient une république fédérée de l'URSS.

1991 : le Soviet suprême proclame l'indépendance du Tadjikistan, qui adhère à la CEI.

1992 - 1997 : une guerre civile oppose islamistes et démocrates aux procommunistes. Ces derniers se maintiennent au pouvoir sous la conduite d'Emomali Rakhmonov (président de la République depuis 1992), mais la paix intérieure demeure fragile.

TAÏWAN

L'île, traversée par le tropique du Cancer et abondamment arrosée par la mousson en été, est formée, à l'est, de montagnes élevées (la chaîne des Zhongyang culmine à près de 4 000 m) et, à l'ouest, de collines et de grandes plaines alluviales intensément mises en valeur.

Superficie : 36 000 km²
Population (2013) : 23 400 000 hab.
Capitale : Taipei 2 654 039 hab. (e. 2010) dans l'agglomération
Nature de l'État et du régime politique : république à régime semi-présidentiel
Chef de l'État : (président de la République) Ma Ying-jeou
Chef du gouvernement : (président du Yuan exécutif) Jiang Yi-huah
Organisation administrative : 2 municipalités spéciales, 5 municipalités à statut particulier, 16 districts, 2 districts dépendant du gouvernement provincial du Fukien
Langue officielle : chinois
Monnaie : dollar de Taïwan

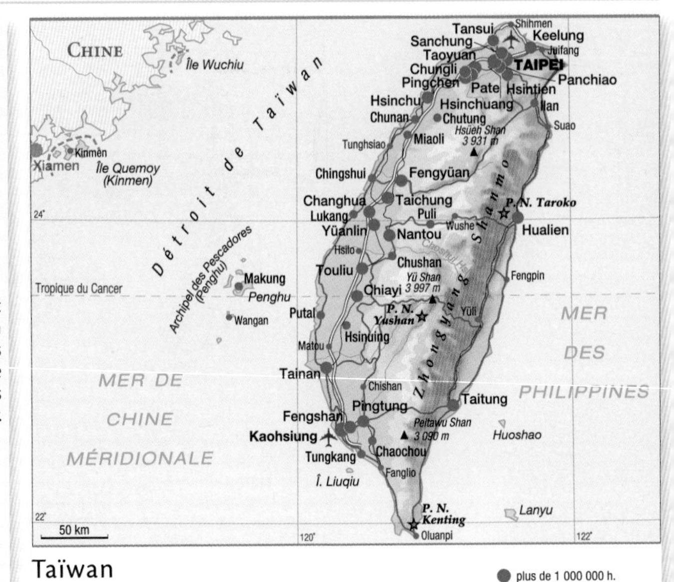

Taïwan

DÉMOGRAPHIE

- **Densité :** 650 hab./km²
- **Part de la population urbaine (2013) :** 78 %
- **Structure de la population par âge (2013) :** moins de 15 ans : 15 %, 15-65 ans : 74 %, plus de 65 ans : 11 %
- **Taux de natalité (2013) :** 10 ‰
- **Taux de mortalité (2013) :** 7 ‰
- **Taux de mortalité infantile (2013) :** 4,2 ‰
- **Espérance de vie (2013) :** hommes : 76 ans, femmes : 83 ans

Taïwan possède une des densités de population les plus élevées du monde : 650 habitants au km² en moyenne – 1 500 habitants au km² dans l'ouest de l'île, les terres montagneuses et forestières étant à peu près désertes. Les Chinois constituent l'essentiel du peuplement. Il existe des minorités proto-malaises sur les hauteurs. Le taux de fécondité n'assure plus la croissance de la population, vieillissante (l'espérance de vie des femmes à la naissance est une des plus élevées du monde). Taipei, la capitale, domine le réseau urbain, devant Kaohsiung (1,5 million d'habitants).

ÉCONOMIE

- **PNB :** n.d.
- **PNB/hab. :** n.d.
- **PNB/hab. PPA :** n.d.
- **IDH :** n.d.
- **Taux de croissance annuelle du PIB (2009) :** – 1,9 %
- **Taux annuel d'inflation (2003) :** – 0,3 %
- **Structure de la population active (2006) :** agriculture : 5,4 %, mines et industries : 36,6 %, services : 58 %
- **Structure du PIB (2006) :** agriculture : 1 %, mines et industries : 27 %, services : 72 %
- **Dette publique brute :** n.d.
- **Taux de chômage (2011) :** 4,9 %

L'amélioration des relations avec la Chine populaire – accord-cadre de coopération économique libéralisant les échanges commerciaux entre les deux pays en juin 2010 – a accéléré la réorientation du commerce extérieur de l'île, dont 40 % des exportations (produits de haute technologie, notamment ordinateurs portables) sont déjà à destination de ce marché prometteur, son deuxième client étant Hongkong, devant les États-Unis et l'UE. Très sensible à la conjoncture internationale, la croissance en 2013 n'a été que de 2,2 %. L'exportation des produits électroniques (leader mondial) est évaluée à près de 8 milliards de dollars en 2013, ce qui correspond à un record jamais atteint. Afin d'étendre le champ de ses exportations, le pays a signé, toujours en 2013, un traité de libre-échange avec la Nouvelle-Zélande et Singapour.

TOURISME

- **Recettes touristiques :** n.d.

COMMERCE EXTÉRIEUR

- **Exportations de biens (2009) :** 274 641 M de $
- **Importations de biens (2009) :** 174 582 M de $

DÉFENSE

- **Forces armées (2004) :** 290 000 individus
- **Dépenses militaires (2007) :** 3,25 % du PIB

NIVEAU DE VIE

- **Nombre d'habitants pour un médecin :** n.d.
- **Apport journalier moyen en calories :** n.d.
- **Nombre d'automobiles pour 1 000 hab. :** n.d.
- **Téléphones portables (2007) :** 100 % de la population équipée

REPÈRES HISTORIQUES

Depuis le XIIe s., des marchands et des pirates chinois fréquentent l'île.

XVIIe s. : celle-ci est peuplée par des immigrants chinois ; Hollandais et Espagnols s'y établissent.

1683 : l'île passe sous le contrôle des empereurs Qing.

1895 : le traité de Shimonoseki cède Formose au Japon.

1945 : l'île est restituée à la Chine.

1949 : elle sert de refuge au gouvernement du Guomindang, présidé par Jiang Jieshi (Tchang Kaï-chek).

1950 - 1971 : ce gouvernement représente la Chine au Conseil de sécurité de l'ONU.

1979 : l'île refuse l'« intégration pacifique » que lui propose la Chine populaire.

1991 : l'état de guerre avec la Chine est levé.

1996 : première élection présidentielle au suffrage universel.

2008 : le retour au pouvoir du Guomindang, après une interruption due à l'élection, en 2000, d'un candidat indépendantiste, entraîne une nette amélioration des relations avec la Chine.

THAÏLANDE

La Thaïlande possède une superficie et une population comparables à celles de la France. Caractérisée par un climat tropical humide, elle s'articule autour d'une plaine centrale drainée par le Chao Phraya et de régions montagneuses abondamment arrosées et recouvertes en grande partie par la forêt (teck).

Superficie : 513 115 km²
Population (2013) : 66 200 000 hab.
Capitale : Bangkok 8 426 080 hab. (e. 2011) dans l'agglomération
Nature de l'État et du régime politique : monarchie constitutionnelle à régime parlementaire
Chef de l'État : (roi) Bhumibol Adulyadej, roi sous le nom de Rama IX
Chef du gouvernement : (Premier ministre) Yingluck Shinawatra
Organisation administrative : 76 provinces
Langue officielle : thaï
Monnaie : baht

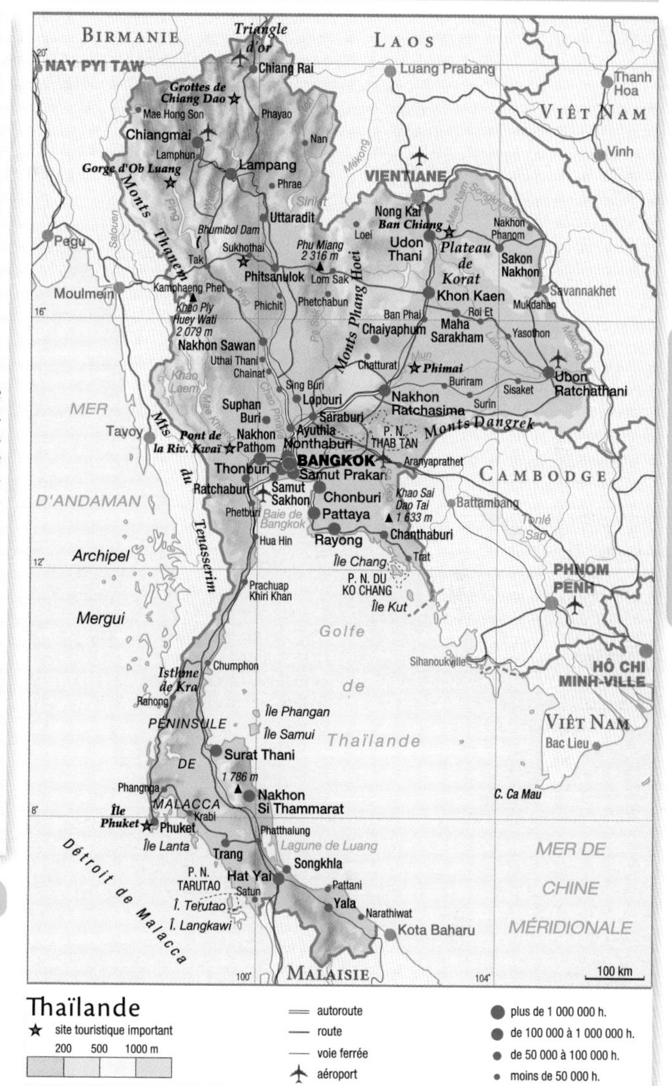

DÉMOGRAPHIE

- **Densité :** 129 hab./km²
- **Part de la population urbaine (2013) :** 46 %
- **Structure de la population par âge (2013) :** moins de 15 ans : 19 %, 15-65 ans : 71 %, plus de 65 ans : 10 %
- **Taux de natalité (2013) :** 12 ‰
- **Taux de mortalité (2013) :** 8 ‰
- **Taux de mortalité infantile (2013) :** 11 ‰
- **Espérance de vie (2013) :** hommes : 71 ans, femmes : 78 ans

La population, en quasi-totalité bouddhiste, est composée pour 80 % de Thaïs et comprend des minorités de Chinois, de Malais, de Khmers. Sa répartition spatiale est très inégale. Elle se concentre dans la plaine centrale, drainée par le Chao Phraya (ou Ménam), partie vitale du pays et site des grandes villes, parmi lesquelles émerge Bangkok. Des minorités vivent dans les régions montagneuses périphériques. Les montagnes du Nord et de l'Ouest, arrosées et couvertes de forêts, sont peuplées surtout de Karen, indépendantistes. Dans l'Est vivent des Lao. Une minorité malaise musulmane s'est regroupée dans le Sud. La population a longtemps connu une croissance soutenue, d'où une forte proportion de jeunes, mais aujourd'hui le taux de fécondité (1,6 enfant par femme) n'assure plus le renouvellement des générations. Bien que la Thaïlande fasse partie des pays faiblement urbanisés d'Asie, elle possède pourtant, avec Bangkok et sa conurbation, au développement démesuré, l'une des très grandes métropoles du continent.

ÉCONOMIE

- **PNB (2012) :** 351 milliards de dollars
- **PNB/hab. (2012) :** 5 210 dollars
- **PNB/hab. PPA (2012) :** 9 280 dollars internationaux
- **IDH (2012) :** 0,69
- **Taux de croissance annuelle du PIB (2012) :** 6,5 %
- **Taux annuel d'inflation (2012) :** 3 %
- **Structure de la population active (2012) :** agriculture : 39,6 %, mines et industries : 20,9 %, services : 39,5 %
- **Structure du PIB (2012) :** agriculture : 12,3 %, mines et industries : 43,5 %, services : 44,2 %
- **Dette publique brute (2011) :** 30 % du PIB
- **Taux de chômage (2012) :** 0,7 %

Comme la plupart des pays d'Asie du Sud-Est, la Thaïlande a connu une reprise vigoureuse en 2010 après la contraction des échanges due à la crise internationale de 2008. La mobilisation sociale révèle aussi la modernisation du pays, dont la population exige désormais une meilleure répartition des fruits de la croissance (5,5 % par an en moyenne entre 2002 et 2007, presque 8 % en 2010 et 3,1 % en 2013). Celle-ci est tirée notamment par les exportations (plus de 70 % du PIB) : produits de haute technologie (informatique, électronique), automobiles, produits chimiques, pierres précieuses et bijoux..., à destination des États-Unis, de la Chine, du Japon et de l'Europe. Outre l'industrie qui représente la moitié du PIB, , l'agriculture a un poids relativement important dans les échanges (plus de 18 %), notamment pour les exportations de caoutchouc (1er producteur et 2e exportateur mondial), de riz (1er exportateur) et plus récemment de crevettes (1er exportateur). Très touchée par les inondations de 2011, l'agriculture qui représente 12,3 % du PIB a vu ses productions chuter. Mais c'est aujourd'hui le secteur tertiaire, notamment le tourisme qui est le pilier de l'économie du pays.

TOURISME

- **Recettes touristiques (2012) :** 30 926 millions de dollars

COMMERCE EXTÉRIEUR

- **Exportations de biens (2012) :** 225 832 millions de dollars
- **Importations de biens (2012) :** 270 251 millions de dollars

DÉFENSE

- **Forces armées (2011) :** 474 550 individus
- **Dépenses militaires (2012) :** 1,5 % du PIB

NIVEAU DE VIE

- **Nombre d'habitants pour un médecin (2011) :** 3 135
- **Apport journalier moyen en calories (2007) :** 2 539 (minimum FAO : 2 400)
- **Nombre d'automobiles pour 1 000 hab. (2011) :** 67
- **Téléphones portables (2012) :** 100 % de la population équipée

REPÈRES HISTORIQUES

VIIe s. : le royaume de Dvaravati, de culture bouddhique et peuplé de Môn, se développe.

XIe - XIIe s. : les Khmers conquièrent la région.

XIIIe s. : les Thaïs, connus sous le nom de Syam (Siamois), fondent les royaumes de Sukhothai et de Lan Na (capitale Chiangmai).

V. 1350 : ils créent le royaume d'Ayuthia.

1569 - 1592 : le Siam est occupé par les Birmans.

XVIe - XVIIe s. : il entretient des relations avec l'Occident, notamment avec la France de Louis XIV.

1767 : les Birmans mettent à sac Ayuthia.

1782 : Rama Ier est couronné à Bangkok, la nouvelle capitale, et fonde la dynastie Chakri.

1782 - 1851 : le Siam domine en partie le Cambodge, le Laos et la Malaisie.

1893 - 1909 : il doit reculer ses frontières au profit de l'Indochine française et de la Malaisie.

1932 : un coup d'État provoque l'abdication de Rama VII (1935).

1938 : le pays prend le nom de Thaïlande.

1941 - 1944 : il s'allie au Japon.

1950 : Bhumibol Adulyadej est couronné roi sous le nom de Rama IX.

1962 : début de la guérilla communiste.

1976 : l'armée reprend le pouvoir.

1992 : des manifestations d'opposition au régime sont suivies par une révision constitutionnelle qui réduit le rôle des militaires.

Depuis 2004 : une insurrection se développe dans les provinces méridionales à majorité musulmane. Témoin de l'ancrage progressif mais mouvementé des institutions et des pratiques démocratiques, la société thaïlandaise est profondément divisée entre partisans de Thaksin Shinawatra (Premier ministre de 2001 à 2006) et l'élite conservatrice de Bangkok proche de l'armée et du pouvoir royal.

TIMOR ORIENTAL → INDONÉSIE

TURKMÉNISTAN

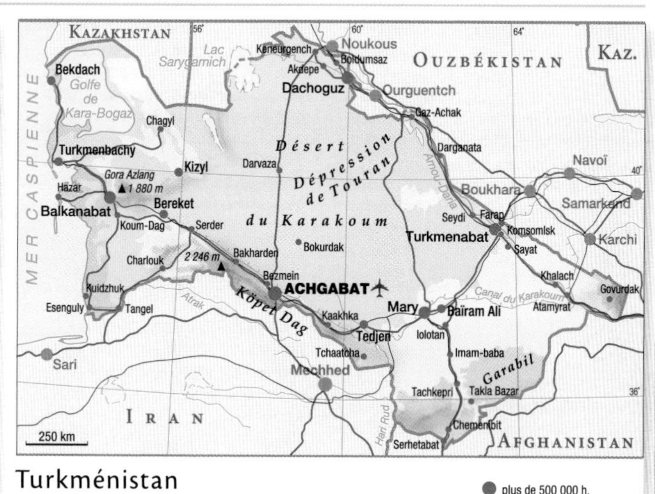

Turkménistan

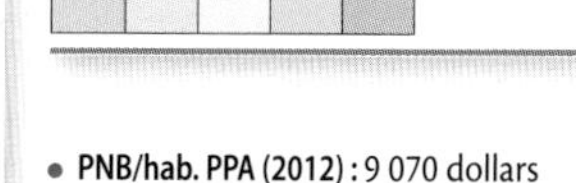

Connaissant un climat continental caractérisé par de fortes amplitudes thermiques, le Turkménistan est en grande partie désertique (Karakoum).

Superficie : 488 100 km²
Population (2013) : 5 200 000 hab.
Capitale : Achgabat 683 260 hab. (e. 2011)
Nature de l'État et du régime politique : république
Chef de l'État et du gouvernement : (président de la République) Gourbangouly Berdymoukhammedov
Organisation administrative : 5 régions
Langue officielle : turkmène
Monnaie : manat

DÉMOGRAPHIE

- **Densité :** 11 hab./km²
- **Part de la population urbaine (2013) :** 47 %
- **Structure de la population par âge (2013) :** moins de 15 ans : 32 %, 15-65 ans : 63 %, plus de 65 ans : 5 %
- **Taux de natalité (2013) :** 22 ‰
- **Taux de mortalité (2013) :** 8 ‰
- **Taux de mortalité infantile (2013) :** 49 ‰
- **Espérance de vie (2013) :** hommes : 61 ans, femmes : 69 ans

La population compte près de 75 % de turkménophones, musulmans, mais encore près de 10 % de russophones ainsi que des habitants d'origine ouzbeke. Elle se concentre dans le piémont du Kopet-Dag (autour d'Achgabat, la capitale), dans les oasis du Tedjen, de la Mourgab (dans le Sud-Est) et de l'Amou-Daria (dans le Nord-Est), sur les rives duquel se situe Turkmenabat, la deuxième plus grande ville (environ 240 000 habitants). Dans ce pays encore jeune (32 % de la population a moins de 15 ans), le taux de mortalité infantile reste très élevé.

ÉCONOMIE

- **PNB (2012) :** 31 milliards de dollars
- **PNB/hab. (2012) :** 5 410 dollars
- **PNB/hab. PPA (2012) :** 9 070 dollars internationaux
- **IDH (2012) :** 0,698
- **Taux de croissance annuelle du PIB (2012) :** 11,1 %
- **Taux annuel d'inflation (2003) :** 5,6 %
- **Structure de la population active :** agriculture : n.d., mines et industries : n.d., services : n.d.
- **Structure du PIB (2012) :** agriculture : 14,6 %, mines et industries : 48,4 %, services : 37 %
- **Dette publique brute :** n.d.
- **Taux de chômage :** n.d.

Selon les chiffres officiels, l'économie a connu une croissance de l'ordre de 14 % par an en moyenne depuis 2000 (12,2 % en 2013). Ce qui s'explique par la production de pétrole et de gaz naturel, dont les recettes ont permis d'importants investissements publics dans le raffinage, l'industrie textile et agroalimentaire, les transports, les télécommunications et divers projets immobiliers. Les hydrocarbures contribuent pour plus de 80 % aux exportations qui représentent 75 % du PIB et ont permis d'assurer une croissance de 9,9 % en 2011 ; le gaz naturel (9,3 % des réserves mondiales prouvées) est désormais également exporté par gazoducs vers la Chine et l'Iran, d'où une hausse des exportations. L'agriculture (blé et coton) conserve un poids important et, comme les autres secteurs de l'économie, reste contrôlée par l'État malgré une libéralisation partielle et le début d'une ouverture commerciale, destinées à attirer les investissements étrangers, notamment chinois.

TOURISME

- **Recettes touristiques (1998) :** 192 millions de dollars

COMMERCE EXTÉRIEUR

- **Exportations de biens (2009) :** 6 737 millions de dollars
- **Importations de biens (2011) :** 12 726 millions de dollars

DÉFENSE

- **Forces armées (2011) :** 22 000 individus
- **Dépenses militaires (2007) :** 1,7 % du PIB

NIVEAU DE VIE

- **Nombre d'habitants pour un médecin (2011) :** 419
- **Apport journalier moyen en calories (2007) :** 2 731 (minimum FAO : 2 400)
- **Nombre d'automobiles pour 1 000 hab. (2009) :** 80
- **Téléphones portables (2012) :** 76 % de la population équipée

REPÈRES HISTORIQUES

1863 - 1885 : l'est de la Caspienne est conquis par les Russes.
1897 : il est intégré au Turkestan.
1924 : la république socialiste soviétique du Turkménistan est créée.
1991 : le Soviet suprême proclame l'indépendance du pays, qui adhère à la CEI. Saparmourad Niazov, élu président en 1990, exerce un pouvoir de plus en plus autocratique.
2007 : après sa mort (décembre 2006), Gourbangouly Berdymoukhammedov est élu à la tête de l'État.

TURQUIE

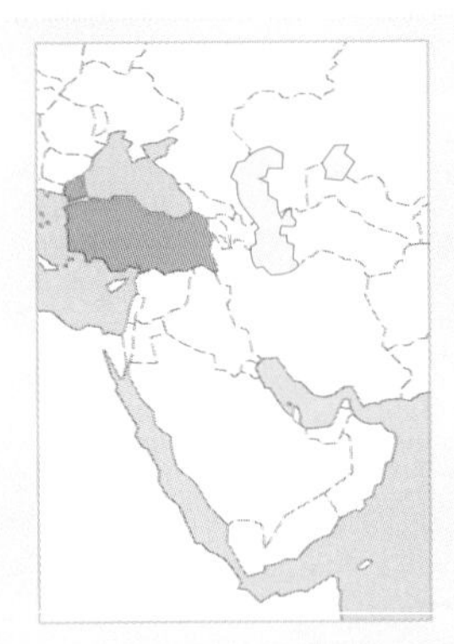

Excepté dans sa partie européenne (moins du trentième de la superficie totale), la Turquie est un pays de hautes terres. Les chaînes Pontiques, au nord, et le Taurus, au sud, enserrent le plateau anatolien, qui s'élève par gradins au-dessus de la mer Égée et cède la place, vers l'est, au massif arménien, affecté par le volcanisme (mont Ararat). En dehors du littoral, souvent méditerranéen, le climat est caractérisé par des hivers rudes et des étés chauds et, la plupart du temps, secs.

Superficie : 774 815 km²
Population (2013) : 76 100 000 hab.
Capitale : Ankara 4 193 850 hab. (e. 2011) dans l'agglomération
Nature de l'État et du régime politique : république à régime parlementaire
Chef de l'État : (président de la République) Abdullah Gül
Chef du gouvernement : (Premier ministre) Recep Tayyip Erdogan
Organisation administrative : 81 départements
Langue officielle : turc
Monnaie : livre turque

DÉMOGRAPHIE

- **Densité :** 98 hab./km²
- **Part de la population urbaine (2013) :** 77 %
- **Structure de la population par âge (2013) :** moins de 15 ans : 25 %, 15-65 ans : 67 %, plus de 65 ans : 8 %
- **Taux de natalité (2013) :** 17 ‰
- **Taux de mortalité (2013) :** 5 ‰
- **Taux de mortalité infantile (2013) :** 21 ‰
- **Espérance de vie (2013) :** hommes : 71 ans, femmes : 76 ans

La Turquie est le pays le plus peuplé du Bassin méditerranéen. La population est en grande partie musulmane sunnite. Les Kurdes en constituent la seule minorité importante (ils sont majoritaires dans le sud-est du pays). Les petites minorités chrétiennes (Grecs, Arméniens) et juives sont concentrées à Istanbul et à Izmir. Des zones de fort peuplement (région d'Istanbul, côtes égéenne et méditerranéenne, Anatolie du Sud-Est) s'opposent à des zones faiblement peuplées (Anatolie centrale et orientale, côtes de la mer Noire). La persistance de flux migratoires depuis le plateau anatolien vers Istanbul et les villes côtières vient encore accentuer ces écarts. Le taux d'accroissement naturel reste relativement important : le pays est en pleine transition démographique. Istanbul (plus de 10 millions d'habitants) et Ankara, la capitale, sont les deux plus grandes villes, suivies par Izmir (2,7 millions d'habitants), Bursa et Adana (plus d'un million d'habitants chacune).

ÉCONOMIE

- **PNB (2012) :** 782 milliards de dollars
- **PNB/hab. (2012) :** 10 830 dollars
- **PNB/hab. PPA (2012) :** 18 190 dollars internationaux
- **IDH (2012) :** 0,722
- **Taux de croissance annuelle du PIB (2012) :** 2,2 %
- **Taux annuel d'inflation (2012) :** 8,9 %
- **Structure de la population active (2012) :** agriculture : 23,6 %, mines et industries : 26 %, services : 50,4 %
- **Structure du PIB (2012) :** agriculture : 9,1 %, mines et industries : 27 %, services : 63,9 %
- **Dette publique brute (2011) :** 46 % du PIB
- **Taux de chômage (2012) :** 9,2 %

L'intégration au commerce international de la Turquie l'a rendue sensible au choc financier de 2008. Mais après une forte chute de sa croissance, l'économie a repris avec vigueur en 2010 (9 %) et en 2011 (8,5 %) pour s'essouffler en 2013 avec 3,5 %. Malgré le gel des négociations en vue de l'adhésion à l'Union européenne, le pays poursuit dans la voie d'une harmonisation avec ses partenaires européens. Ces derniers, avec au premier rang l'Allemagne, absorbent environ 40 % de ses exportations, malgré la crise de l'UE, loin devant ses autres marchés que sont l'Iraq, les États-Unis et la Russie, et fournissent environ 40 % de ses importations. Bien que les finances publiques aient été assainies durant les années qui ont précédé 2013, aujourd'hui le déficit de la balance des comptes courants se creuse et l'endettement des ménages augmente. La dette privée extérieure est en hausse et la balance commerciale s'avère très déficitaire. Cependant, l'économie de la Turquie est très diversifiée : automobile, textile (premiers secteurs exportateurs), agroalimentaire, machines, équipements électroniques, sidérurgie, chimie. Le pays souffre toutefois de sa dépendance aux importations d'hydrocarbures (Russie et Iran) en dépit de ressources minières importantes (lignite et charbon principalement, chrome, fer, zinc et bauxite). Son système bancaire est solide, mais les investissements directs étrangers ont ralenti. Le secteur tertiaire est en pleine expansion, notamment le tourisme qui a profité de la perte enregistrée en ce domaine par la Grèce, la Tunisie et l'Égypte. L'économie turque pâtit de plusieurs handicaps, parmi lesquels la faiblesse de l'investissement dans la R&D, le développement inégal entre régions, la dégradation du pouvoir d'achat, l'inflation et le taux de chômage qui reste assez élevé.

TOURISME

- **Recettes touristiques (2012) :** 28 059 millions de dollars

COMMERCE EXTÉRIEUR

- **Exportations de biens (2012) :** 163 313 millions de dollars
- **Importations de biens (2012) :** 249 045 millions de dollars

DÉFENSE

- **Forces armées (2011) :** 612 800 individus
- **Dépenses militaires (2012) :** 2,3 % du PIB

NIVEAU DE VIE

- **Nombre d'habitants pour un médecin (2012) :** 584
- **Apport journalier moyen en calories (2007) :** 3 517 (minimum FAO : 2 400)
- **Nombre d'automobiles pour 1 000 hab. (2011) :** 104
- **Téléphones portables (2012) :** 91 % de la population équipée

REPÈRES HISTORIQUES

L'Anatolie antique

L'Anatolie est peuplée dès les temps préhistoriques. Elle possède, à Çatal Höyük, la plus vieille agglomération urbaine du monde (entre 6500 et 5500 av. J.-C.).

V. 3000 av. J.-C. : apparition de cités-États avec lesquelles commercent Mésopotamiens et Syriens.

XVIIIe - XIIe s. av. J.-C. : divers royaumes (Hittites, Hourrites, Louvites) et les établissements grecs (Troie, Milet) se partagent l'Anatolie.

V. 1200 - 900 av. J.-C. : l'invasion des Barbares du Nord ouvre une période obscure.

IXe s. av. J.-C. : l'Anatolie renaît avec les royaumes d'Ourartou (IXe - VIe s. av. J.-C.), de Phrygie et de Lydie (VIIe - VIe s. av. J.-C.).

2de moitié du IIe millénaire : les Grecs s'installent en Asie Mineure.

V. 283 - 133 av. J.-C. : celle-ci revient aux Attalides de Pergame.

Des Romains aux Byzantins

133 av. J.-C. : Attalos lègue ses possessions à Rome qui en fait la province d'Asie (129).

324 - 330 : Constantin fonde Constantinople sur le site de Byzance.

395 : à la mort de Théodose, l'Orient échoit à son fils Arcadius, et l'Occident, à son autre fils, Honorius : ainsi naît l'Empire byzantin.

867 - 1057 : l'Empire connaît son apogée sous la dynastie macédonienne.

1071 : les Seldjoukides, d'un clan de Turcs Oghouz, battent l'armée byzantine à Malazgirt (Mantzikert). Les nomades turcs se répandent en Asie Mineure.

1077 - 1307/1308 : les Seldjoukides créent le sultanat de Rum.

1243 : victoire des Mongols en Anatolie.

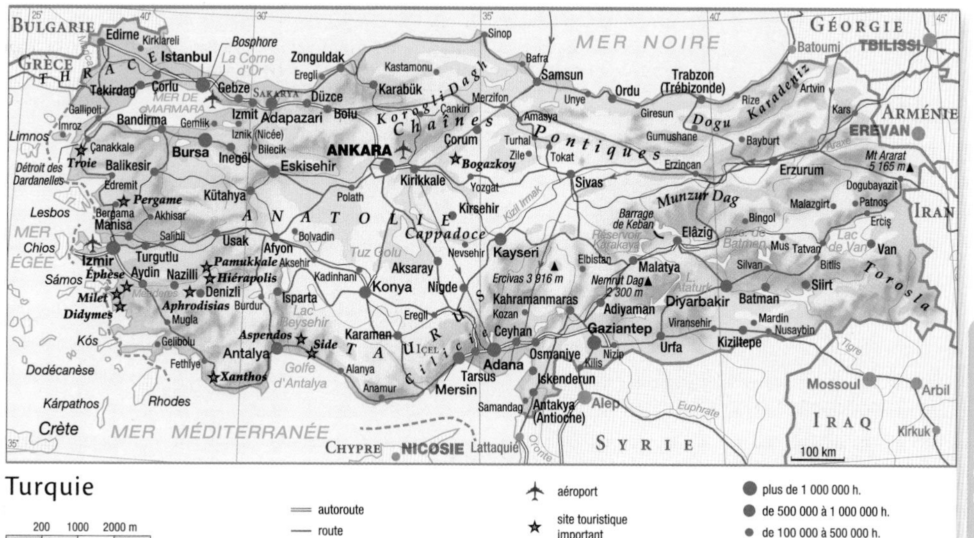

Turquie

L'Empire ottoman

1299 : Osman Ier Gazi se rend indépendant des Seldjoukides et fonde la dynastie ottomane.

1326 : son fils Ohran Gazi conquiert Bursa, dont il fait sa capitale. Il crée l'armée régulière des janissaires.

1359 - 1389 : ses successeurs s'emparent d'Andrinople, de la Thrace, de la Macédoine et de la Bulgarie.

1402 : l'empire ainsi constitué est ébranlé par l'assaut de Timur Lang.

1451 - 1481 : Mehmed II s'empare de Constantinople (1453), dont il fait sa capitale, avant de conquérir la Serbie (1459), l'empire de Trébizonde (1461), la Bosnie (1463), et de vassaliser la Crimée (1475).

1514 - 1517 : Selim Ier conquiert l'Anatolie orientale, la Syrie, l'Égypte.

1520 - 1566 : avec Soliman le Magnifique, l'Empire est à son apogée : domination établie sur la Hongrie (victoire de Mohács, 1526), sur l'Algérie, la Tunisie et la Tripolitaine, siège de Vienne (1529).

1571 : défaite de Lépante contre une coalition de princes chrétiens.

1699 : le traité de Karlowitz marque le premier recul des Ottomans.

1826 : suppression du corps des janissaires.

1830 : l'Empire doit reconnaître l'indépendance de la Grèce et la perte de l'Algérie.

1839 : début de l'ère des réformes (*Tanzimat*).

1840 : l'Égypte devient autonome.

1856 : le traité de Paris place l'Empire sous la garantie des puissances européennes.

1878 : le congrès de Berlin consacre la perte de la Roumanie et de la Serbie.

1908 : les Jeunes-Turcs, nationalistes partisans d'une modernisation de l'État, prennent le pouvoir.

1912 - 1913 : guerres balkaniques à l'issue desquelles les Ottomans ne conservent plus en Europe que la Thrace orientale.

1918 : l'Empire s'engage dans la Première Guerre mondiale aux côtés de l'Allemagne.

La Turquie moderne

1918 - 1920 : l'Empire est défait et occupé par les Alliés, qui imposent le traité de Sèvres.

1922 : Mustafa Kemal abolit le sultanat.

1923 : le traité de Lausanne fixe les frontières de la Turquie. La république est instaurée ; Mustafa Kemal en devient le président et gouverne avec le parti républicain du Peuple. Il entreprend la « révolution nationale » pour faire de la Turquie un État laïque, moderne et occidentalisé.

1924 : le califat est aboli.

1938 : à la mort de Mustafa Kemal, dit *Atatürk*, Ismet Inönü devient président de la République.

1947 : restée neutre jusqu'en 1945, la Turquie bénéficie du plan Marshall.

1950 : A. Menderes, à la tête du Parti démocratique, accède au pouvoir. Il rompt avec le dirigisme étatique et tolère le retour aux traditions islamiques.

1952 : la Turquie devient membre de l'OTAN.

1960 : le général Gürsel prend le pouvoir et demeure à la présidence de la République de 1961 à 1966.

1961 - 1971 : des gouvernements de coalition sont formés par I. Inönü (1961 - 1965), puis S. Demirel (1965 - 1971).

1970 - 1972 : des troubles graves éclatent ; l'ordre est restauré par l'armée.

1974 : Bülent Ecevit, Premier ministre, fait débarquer les forces turques à Chypre.

1975 - 1980 : Demirel et Ecevit alternent au pouvoir.

1980 : l'aggravation des troubles, causés par la double agitation des marxistes et des intégristes musulmans, ainsi que par les séparatistes kurdes, provoque un coup d'État militaire, dirigé par Kenan Evren.

1983 : les partis politiques sont à nouveau autorisés et un gouvernement civil est formé par Turgut Özal.

1991 : les Kurdes accentuent leurs revendications.

1996 : vainqueurs des élections (décembre 1995), les islamistes dirigent le gouvernement.

1997 : sous la pression des tenants de la laïcité, ils doivent se retirer, et leur parti est dissous (1998).

1999 : le chef de la rébellion kurde, Abdullah Öcalan, est arrêté.

2002 : le parti musulman AKP obtient la majorité.

2005 : début des négociations avec l'Union européenne.

2009 : la Turquie engage un processus de normalisation de ses relations avec l'Arménie et, à l'intérieur, pratique une politique d'apaisement envers les Kurdes.

★ VIÊT NAM

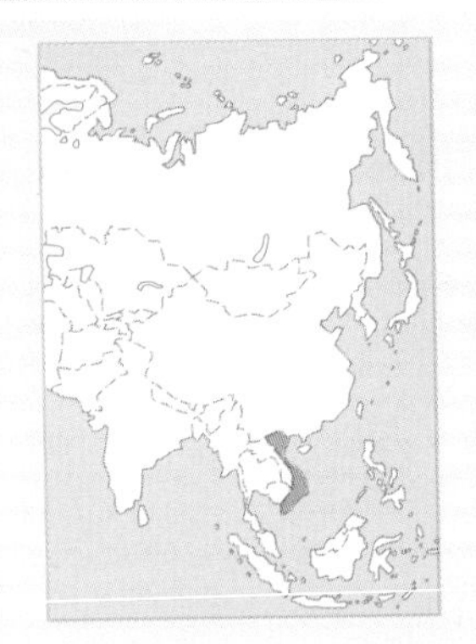

Le pays s'étire sur plus de 1 500 km. Une étroite bande de plateaux et de montagnes (l'Annam) sépare les deltas du fleuve Rouge (Tonkin) et du Mékong (Cochinchine). C'est dans les régions basses, chaudes et arrosées en été (par la mousson) que se concentre la majeure partie de la population.

Superficie : 331 689 km^2
Population (2013) : 89 700 000 hab.
Capitale : Hanoï 2 955 130 hab. (e. 2011), 4 378 000 hab. (e. 2007) dans l'agglomération
Nature de l'État et du régime politique : république, régime socialiste
Chef de l'État : (président de la République) Truong Tân Sang
Chef du gouvernement : (Premier ministre) Nguyên Tân Dung
Organisation administrative : 64 provinces
Langue officielle : vietnamien
Monnaie : dông

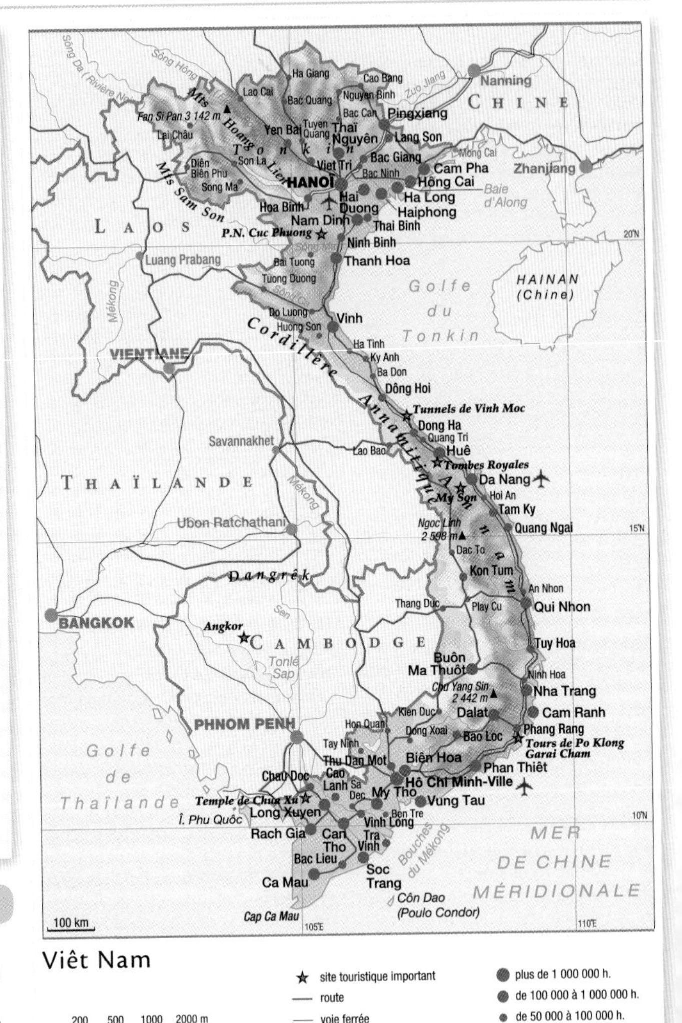

Viêt Nam

200 | 500 | 1000 | 2000 m

★ site touristique important
— route
— voie ferrée
✈ aéroport
● plus de 1 000 000 h.
● de 100 000 à 1 000 000 h.
● de 50 000 à 100 000 h.
• moins de 50 000 h.

DÉMOGRAPHIE

- **Densité :** 270 hab./km^2
- **Part de la population urbaine (2013) :** 32 %
- **Structure de la population par âge (2013) :** moins de 15 ans : 24 %, 15-65 ans : 69 %, plus de 65 ans : 7 %
- **Taux de natalité (2013) :** 17 ‰
- **Taux de mortalité (2013) :** 7 ‰
- **Taux de mortalité infantile (2013) :** 16 ‰
- **Espérance de vie (2013) :** hommes : 70 ans, femmes : 76 ans

Sur moins de la moitié du territoire, les plaines, chaudes et arrosées en été (par la mousson), regroupent plus des trois quarts de la population. Les densités dans le delta du Sông Hông (fleuve Rouge), tout au nord, où se situe Hanoï, la capitale, supérieures à 1 000 habitants au km^2, sont bien plus élevées que celles du delta du Mékong (500 habitants au km^2), dans le sud du pays. Si les Viets constituent l'immense majorité de la population, les hautes terres sont peuplées de minorités, qui représentent 10 à 15 % des habitants. Le contrôle des naissances a réduit l'accroissement naturel de la population, toujours majoritairement rurale et en majeure partie bouddhiste. La ville la plus peuplée est Hô Chi Minh-Ville (6,2 millions d'habitants), avant Hanoï (4,4 millions d'habitants) et Haiphong (2 millions d'habitants).

ÉCONOMIE

- **PNB (2012) :** 149 milliards de dollars
- **PNB/hab. (2012) :** 1 550 dollars
- **PNB/hab. PPA (2012) :** 3 620 dollars internationaux
- **IDH (2012) :** 0,617
- **Taux de croissance annuelle du PIB (2012) :** 5,2 %
- **Taux annuel d'inflation (2012) :** 9,1 %
- **Structure de la population active (2012) :** agriculture : 47,4 %, mines et industries : 21,1 %, services : 31,5 %
- **Structure du PIB (2012) :** agriculture : 19,7 %, mines et industries : 38,6 %, services : 41,7 %
- **Dette publique brute :** n.d.
- **Taux de chômage (2012) :** 1,8 %

Fort de son intégration sur les marchés internationaux grâce aux réformes structurelles engagées dans le but de libéraliser l'économie, le Viêt Nam s'est rapidement développé ces deux dernières décennies. Tirée par la consommation intérieure, l'investissement – dont une part croissante a été d'origine privée (37 % en 2010) – et les exportations, la croissance économique du Viêt Nam, membre de l'OMC depuis 2006, a été l'une des plus fortes et soutenues d'Asie du Sud-Est, aussi bien avant qu'après la crise financière de 2008. En 2013, l'économie n'est plus aussi florissante (5,3 %). Les secteurs les plus touchés sont l'agriculture (20 % du PIB, riz, canne à sucre, manioc), la construction, l'immobilier et le secteur bancaire, qui nécessite une restructuration urgente, et les entreprises privées sont de plus en plus nombreuses à faire faillite. Les services – en particulier le commerce de détail, les transports et le tourisme – sont en expansion. Le pétrole est un atout, mais sa part (autour de 20 % entre 2004 et 2008) dans les exportations diminue fortement au profit des produits manufacturés (vêtements et chaussures, électronique et informatique) venant s'ajouter aux produits agricoles et à ceux de la mer (plus de 18 %). Les principaux clients du pays sont l'UE, les États-Unis et le Japon, mais ses premiers fournisseurs sont asiatiques (Chine, Singapour, Taïwan, Japon, Corée du Sud). Le Viêt Nam a par ailleurs accompli des progrès remarquables en matière de développement humain depuis les années 1990.

TOURISME

- **Recettes touristiques (2012) :** 5 620 millions de dollars

COMMERCE EXTÉRIEUR

- **Exportations de biens (2012) :** 114 573 millions de dollars
- **Importations de biens (2012) :** 127 809 millions de dollars

DÉFENSE

- **Forces armées (2011) :** 522 000 individus
- **Dépenses militaires (2012) :** 2,2 % du PIB

NIVEAU DE VIE

- **Nombre d'habitants pour un médecin (2011) :** 817
- **Apport journalier moyen en calories (2007) :** 2 816 (minimum FAO : 2 400)
- **Nombre d'automobiles pour 1 000 hab. (2007) :** 13
- **Téléphones portables (2012) :** 100 % de la population équipée

REPÈRES HISTORIQUES

Des origines à l'empire du Viêt Nam

Au néolithique, le brassage des Muong, des Viêt et d'éléments chinois dans le bassin du fleuve Rouge donne naissance au peuple vietnamien.

208 av. J.-C. : le royaume du Nam Viêt est créé.

111 av. J.-C. : il est annexé à l'empire chinois des Han.

IIe s. apr. J.-C. : le pays est pénétré par le bouddhisme.

939 apr. J.-C. : Ngô Quyên fonde la première dynastie nationale.

968 - 980 : la dynastie des Dinh règne sur le pays, appelé Dai Cô Viêt, encore vassal de la Chine.

980 - 1225 : sous les dynasties impériales des Lê antérieurs (980 - 1009) puis des Ly (1010 - 1225), le pays, devenu le Dai Viêt (1054), s'organise et adopte des structures mandarinales et féodales. Il s'étend vers le sud au détriment du Champa.

1225 - 1413 : sous la dynastie des Trân, les Mongols sont repoussés (1257, 1287), mais la Chine rétablit sa domination (1406).

1428 : Lê Loi reconquiert l'indépendance et fonde la dynastie des Lê postérieurs (1428 - 1789).

1471 : le Dai Viêt remporte une victoire décisive sur le Champa.

XVIe - XVIIe s. : les clans seigneuriaux rivaux, Mac, Nguyên (qui gouvernent le Sud) et Trinh (qui domine le Nord), s'affrontent. Les jésuites diffusent le catholicisme et latinisent la langue vietnamienne.

1773 - 1792 : les trois frères Tây Son dirigent la révolte contre les Nguyên et les Trinh.

L'empire du Viêt Nam et la domination française

Nguyên Anh, survivant de la famille Nguyên, reconquiert la Cochinchine, la région de Huê et celle de Hanoï avec l'aide des Français.

1802 : devenu empereur sous le nom de Gia Long, il fonde l'empire du Viêt Nam.

1859 - 1883 : la France conquiert la Cochinchine, qu'elle érige en colonie, et impose son protectorat à l'Annam et au Tonkin.

1885 : la Chine reconnaît ces conquêtes au traité de Tianjin.

1885 - 1896 : un soulèvement nationaliste agite le pays, qui est intégré à l'Union indochinoise, formée par la France en 1887.

1930 : Hô Chi Minh crée le Parti communiste indochinois.

1932 : Bao Dai devient empereur.

1941 : le Front de l'indépendance du Viêt Nam (Viêt-minh) est fondé.

1945 : les Japonais mettent fin à l'autorité française : Bao Dai abdique et une république indépendante est proclamée. La France reconnaît le nouvel État mais refuse d'y inclure la Cochinchine.

1946 - 1954 : la guerre d'Indochine oppose la France, qui a rappelé Bao Dai et reconnu l'indépendance du Viêt Nam au sein de l'Union française, au Viêt-minh.

1954 : la défaite française de Diên Biên Phu conduit aux accords de Genève, qui partagent le pays en deux de part et d'autre du 17e parallèle.

Nord et Sud Viêt Nam

1955 : dans le Sud, l'empereur Bao Dai est déposé par Ngô Dinh Diêm. La république du Viêt Nam est instaurée à Saigon. Elle bénéficie de l'aide américaine. Dans le Nord, la République démocratique du Viêt Nam (capitale Hanoï) est dirigée par Hô Chi Minh.

1956 : les communistes rallient les opposants au régime de Ngô Dinh Diêm au sein du Viêt-cong.

1960 : le Front national de libération du Viêt Nam du Sud est créé.

1963 : assassinat de Ngô Dinh Diêm.

1964 : les États-Unis interviennent directement dans la guerre du Viêt Nam aux côtés des Sud-Vietnamiens.

1973 - 1975 : en dépit des accords de Paris et du retrait américain, la guerre continue.

1975 : les troupes du Nord prennent Saigon.

Le Viêt Nam réunifié

1976 : le Viêt Nam devient une république socialiste que des milliers d'opposants tentent de fuir (*boat people*).

1978 : le Viêt Nam signe un traité d'amitié avec l'URSS et envahit le Cambodge, dont le régime des Khmers rouges était soutenu par la Chine.

1979 : un conflit armé éclate avec la Chine.

1989 : les troupes vietnamiennes se retirent totalement du Cambodge.

1991 : la signature de l'accord de paix sur le Cambodge est suivie par la normalisation des relations avec la Chine.

1992 : une nouvelle Constitution est adoptée.

1994 : l'embargo imposé par les États-Unis depuis 1975 est levé.

1995 : le Viêt Nam devient membre de l'ASEAN.

YÉMEN → ARABIE SAOUDITE

AFRIQUE

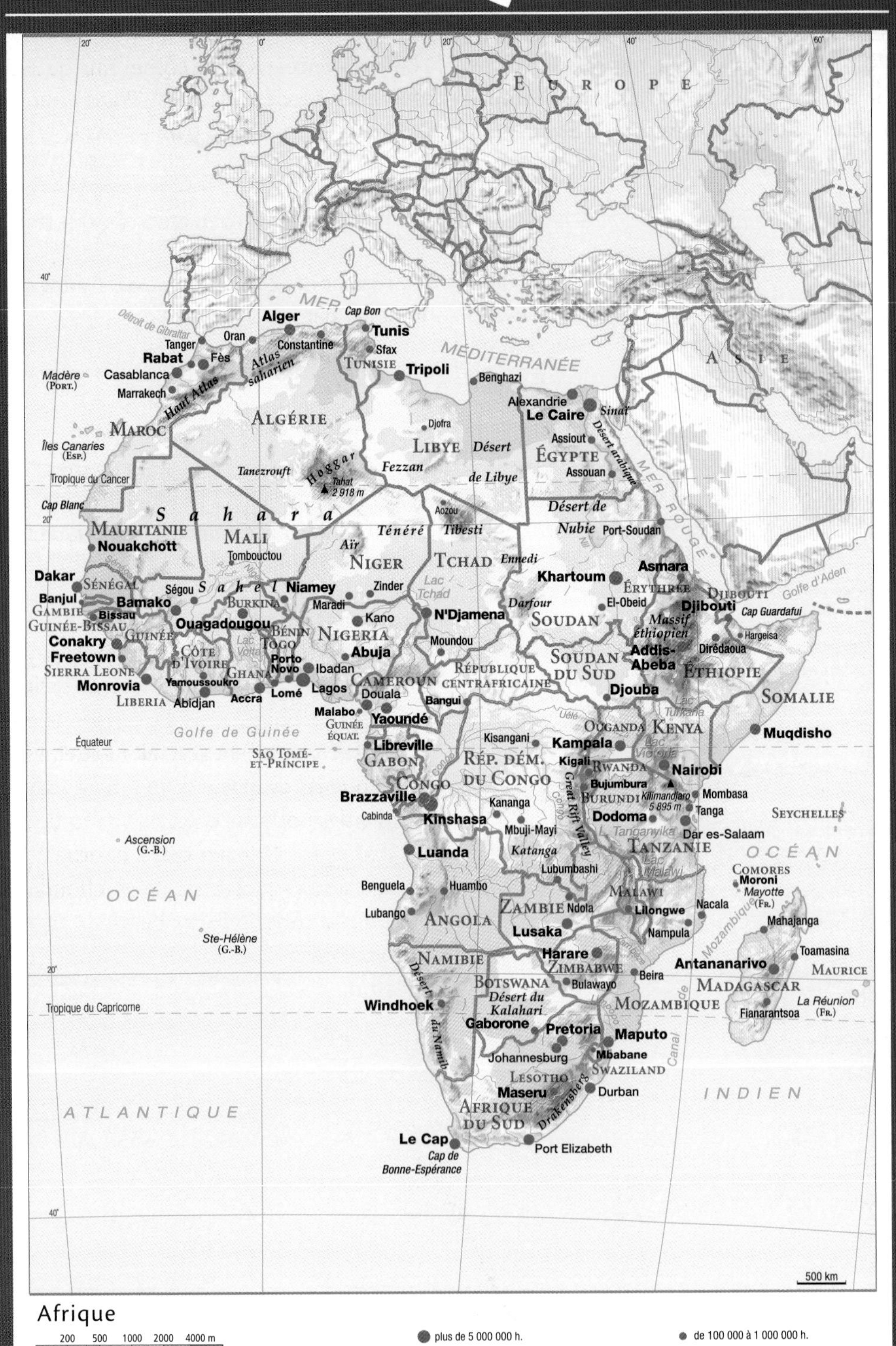

EUROPE
ASIE
MER MÉDITERRANÉE
Cap Bon
Détroit de Gibraltar
Alger
Tunis
Oran
Constantine
Sfax
Tanger
Rabat
Fès
Casablanca
Marrakech
Madère (PORT.)
Atlas saharien
Haut Atlas
TUNISIE
Tripoli
Benghazi
Alexandrie
Le Caire
Sinaï
MAROC
ALGÉRIE
Djofra
LIBYE
Désert de Libye
Assiout
ÉGYPTE
Désert arabique
Assouan
Îles Canaries (ESP.)
Tanezrouft
Hoggar
Tahat 2 918 m
Fezzan
MER ROUGE
Tropique du Cancer
Cap Blanc
Aozou
Tibesti
Désert de Nubie
Port-Soudan
Sahara
MAURITANIE
Nouakchott
MALI
Tombouctou
Ténéré
Aïr
NIGER
TCHAD
Ennedi
Asmara
Khartoum
ÉRYTHRÉE
DJIBOUTI
Golfe d'Aden
Dakar
SÉNÉGAL
Ségou
Sahel
Niamey
Zinder
Lac Tchad
Banjul
GAMBIE
Bissau
GUINÉE-BISSAU
Bamako
BURKINA
Maradi
Darfour
El-Obeid
Djibouti
Cap Guardafui
Massif éthiopien
Hargeisa
Conakry
Ouagadougou
GUINÉE
Lac Volta
BÉNIN
NIGERIA
Kano
N'Djamena
SOUDAN
Freetown
CÔTE D'IVOIRE
TOGO
Porto Novo
Abuja
Moundou
Addis-Abeba
Dirédaoua
SOUDAN DU SUD
ÉTHIOPIE
SIERRA LEONE
GHANA
Ibadan
CAMEROUN
RÉPUBLIQUE CENTRAFRICAINE
Monrovia
Yamoussoukro
Accra
Lomé
Lagos
Douala
Bangui
Djouba
SOMALIE
LIBERIA
Abidjan
Malabo
Yaoundé
Lac Turkana
Golfe de Guinée
GUINÉE ÉQUAT.
OUGANDA
KENYA
Muqdisho
Équateur
Kisangani
Kampala
SÃO TOMÉ-ET-PRINCIPE
Libreville
Lac Victoria
GABON
RÉP. DÉM. DU CONGO
Kigali
RWANDA
Nairobi
CONGO
Bujumbura
Kilimandjaro 5 895 m
Mombasa
Brazzaville
BURUNDI
Great Rift Valley
Cabinda
Kinshasa
Kananga
Tanga
Mbuji-Mayi
Dodoma
SEYCHELLES
Ascension (G.-B.)
Lac Tanganyika
Dar es-Salaam
Luanda
Katanga
TANZANIE
OCÉAN
Lubumbashi
Lac Malawi
COMORES
Moroni
Benguela
Huambo
MALAWI
Mayotte (FR.)
Nacala
OCÉAN
Lubango
ZAMBIE
Ndola
Lilongwe
ANGOLA
Nampula
Mahajanga
Lusaka
Ste-Hélène (G.-B.)
Harare
NAMIBIE
ZIMBABWE
Toamasina
Antananarivo
MAURICE
Beira
BOTSWANA
Bulawayo
MADAGASCAR
Désert du Namib
Désert du Kalahari
Tropique du Capricorne
Windhoek
MOZAMBIQUE
La Réunion (FR.)
Fianarantsoa
Gaborone
Pretoria
Maputo
Johannesburg
Mbabane
Canal de Mozambique
SWAZILAND
LESOTHO
Maseru
Drakensberg
Durban
INDIEN
ATLANTIQUE
AFRIQUE DU SUD
Le Cap
Port Elizabeth
Cap de Bonne-Espérance
500 km
Afrique
200
500
1000
2000
4000 m
plus de 5 000 000 h.
de 1 000 000 à 5 000 000 h.
de 100 000 à 1 000 000 h.
moins de 100 000 h.

30 310 000 km²
1,110 milliard d'habitants*

*estimation pour 2013

Troisième continent par sa superficie, 30,31 millions de km², l'Afrique compte 54 États (depuis la création du Soudan du Sud en juillet 2011) et dépasse le milliard d'habitants.

Traversée presque en son milieu par l'équateur et comprise dans sa majeure partie dans la zone intertropicale, l'Afrique, qui s'étend du nord au sud sur plus de 8 000 km et, pour sa partie la plus large, sur 7 500 km d'est en ouest, est le plus chaud des continents ; les températures moyennes annuelles y dépassent les 20 °C, mis à part les régions tempérées (méditerranéennes) à l'extrême nord et l'extrême sud du continent.

La population se caractérise par sa jeunesse : la part de la population des moins de 15 ans dépasse dans un certain nombre de pays 40 % de la population totale. Tous les pays africains n'en sont pas au même stade dans leur transition démographique. La Tunisie, le Maroc ou bien l'Afrique du Sud sont à la fin du processus ; les taux de fécondité ou les taux de mortalité infantile y avoisinent ceux des pays européens, tandis qu'à l'inverse les pays subsahariens ont encore des taux de fécondité et de mortalité infantile très élevés (7,6 enfants par femme au Niger et une mortalité infantile de 128 enfants pour 1 000 naissances en Sierra Leone), ainsi qu'une espérance de vie très faible (47 ans pour le Botswana contre 75 ans pour la Tunisie).

Parmi les 49 pays les moins avancés listés par l'ONU, 33 sont africains. Ce qui veut dire, entre autres, que plus de 30 % de la population de ces pays vit avec moins de un dollar par jour.

Pour autant, les ressources de l'Afrique ne sont pas négligeables ; les pays émergents dont la Chine, l'Inde et le Brésil, afin de sécuriser leurs approvisionnements en ressources énergétiques, minières et agricoles pour les décennies à venir, ont investi en Afrique au cours des années 2000.

En 2011, des changements politiques importants sont intervenus dans plusieurs pays, portés par une jeunesse en quête de justice sociale et de démocratie. En Égypte et en Tunisie le changement s'est fait rapidement tandis que les avancées se sont faites dans le cadre des pouvoirs en place au Maroc et en Algérie. En 2014, en Libye, la situation politique est toujours instable, et l'effondrement de l'autorité centrale depuis la chute de Khadafi est un problème majeur pour l'avenir du pays.

AFRIQUE DU SUD
ALGÉRIE
ANGOLA
BÉNIN
BOTSWANA
BURKINA
BURUNDI
CAMEROUN
CAP-VERT
CENTRAFRICAINE (République)
COMORES
CONGO
CONGO (République démocratique du)
CÔTE D'IVOIRE
DJIBOUTI
ÉGYPTE
ÉRYTHRÉE
ÉTHIOPIE
GABON
GAMBIE
GHANA
GUINÉE
GUINÉE-BISSAU
GUINÉE ÉQUATORIALE
KENYA
LESOTHO
LIBERIA
LIBYE
MADAGASCAR
MALAWI
MALI
MAROC
MAURICE
MAURITANIE
MOZAMBIQUE
NAMIBIE
NIGER
NIGERIA
OUGANDA
RWANDA
SÃO TOMÉ-ET-PRÍNCIPE
SÉNÉGAL
SEYCHELLES
SIERRA LEONE
SOMALIE
SOUDAN
SOUDAN DU SUD
SWAZILAND
TANZANIE
TCHAD
TOGO
TUNISIE
ZAMBIE
ZIMBABWE

AFRIQUE DU SUD

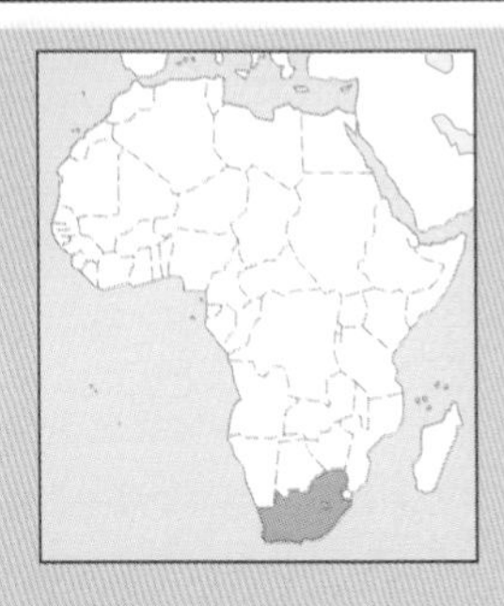

Par la latitude, l'Afrique du Sud échappe largement à la zone tropicale, et l'altitude (haut plateau intérieur entre 1 200 et 1 800 m, bordé de régions basses) modère les températures. Les précipitations sont plus abondantes sur le versant de l'océan Indien. La barrière du Drakensberg provoque la semi-aridité d'une grande partie du bassin de l'Orange.

Superficie : 1 221 037 km²
Population (2013) : 53 000 000 hab.
Capitale (siège du gouvernement) : Pretoria 927 818 hab. (r. 2001), 1 500 960 hab. (e. 2011) dans l'agglomération
Capitale (siège du Parlement) : Le Cap 2 893 232 hab. (r. 2001), 3 562 470 hab. (e. 2011) dans l'agglomération
Nature de l'État et du régime politique : république à régime parlementaire
Chef de l'État et du gouvernement : (président de la République) Jacob Zuma
Organisation administrative : 9 provinces
Langues officielles : afrikaans, anglais, ndebele, pedi, sotho, swati, tsonga, tswana, venda, xhosa et zoulou
Monnaie : rand

AFRIQUE

DÉMOGRAPHIE

- **Densité :** 43 hab./km²
- **Part de la population urbaine (2013) :** 62 %
- **Structure de la population par âge (2013) :** moins de 15 ans : 30 %, 15-65 ans : 65 %, plus de 65 ans : 5 %
- **Taux de natalité (2013) :** 22 ‰
- **Taux de mortalité (2013) :** 11 ‰
- **Taux de mortalité infantile (2013) :** 45 ‰
- **Espérance de vie (2013) :** hommes : 56 ans, femmes : 60 ans

Cinquième pays le plus peuplé d'Afrique, l'Afrique du Sud se caractérise par le poids important de ses minorités. Si les Noirs sont très largement majoritaires (les trois quarts du total), les Blancs constituent plus de 10 % de la population. Le pays compte d'autres minorités, métis et Asiatiques. En dehors de la conurbation de Johannesburg-Pretoria, toutes les grandes villes sont des ports (Le Cap, Port Elizabeth, Durban). Le pays est l'un des plus touchés au monde par le sida ; l'espérance de vie à la naissance n'est que de 58 ans et la mortalité infantile reste élevée.

ÉCONOMIE

- **PNB (2012) :** 376 milliards de dollars
- **PNB/hab. (2012) :** 7 610 dollars
- **PNB/hab. PPA (2012) :** 11 010 dollars internationaux
- **IDH (2012) :** 0,629
- **Taux de croissance annuelle du PIB (2012) :** 2,5 %
- **Taux annuel d'inflation (2012) :** 5,4 %
- **Structure de la population active (2011) :** agriculture : 4,6 %, mines et industries : 25,1 %, services : 69,3 %
- **Structure du PIB (2012) :** agriculture : 2,6 %, mines et industries : 28,4 %, services : 69 %
- **Dette publique brute :** n.d.
- **Taux de chômage (2012) :** 25 %

Première économie émergente du continent, l'Afrique du Sud, étant mieux intégrée sur les marchés mondiaux, a moins bien traversé la crise de 2008 que d'autres États d'Afrique subsaharienne. Le pays recèle de considérables ressources minières (métaux platinoïdes [80 % des réserves mondiales], or [5ᵉ producteur], diamants, chrome, manganèse, plomb, nickel, argent, uranium…), qui représentent plus de la moitié de ses exportations. Le commerce extérieur s'effectue avec la Chine, devenue le premier partenaire commercial, l'UE, les États-Unis, le Japon et l'Arabie saoudite. Depuis 2011, le pays fait partie du cercle politique des BRICS (Brésil, Russie, Inde, Chine, Afrique du Sud). Face à l'industrie, le secteur tertiaire est désormais prédominant. Parmi les ombres au tableau figurent cependant un chômage élevé, un état sanitaire préoccupant (prévalence du sida) et de fortes inégalités sociales que le gouvernement veut éradiquer d'ici à 2030 en créant 11 millions d'emplois.

TOURISME

- **Recettes touristiques (2012) :** 10 707 millions de dollars

COMMERCE EXTÉRIEUR

- **Exportations de biens (2012) :** 93 480 millions de dollars
- **Importations de biens (2012) :** 120 315 millions de dollars

DÉFENSE

- **Forces armées (2011) :** 77 582 individus
- **Dépenses militaires (2012) :** 1,2 % du PIB

NIVEAU DE VIE

- **Nombre d'habitants pour un médecin (2012) :** 1 319
- **Apport journalier moyen en calories (2007) :** 2 999 (minimum FAO : 2 400)
- **Nombre d'automobiles pour 1 000 hab. (2011) :** 112
- **Téléphones portables (2012) :** 100 % de la population équipée

REPÈRES HISTORIQUES

Peuplée très tôt dans la préhistoire, l'Afrique du Sud est occupée par les Bochimans, les Hottentots (XIIᵉ s.), puis les Bantous (XVIᵉ s.).

XVIᵉ s. : les Portugais découvrent le pays sans s'y fixer.

1652 : les Hollandais fondent Le Cap.

1685 : les colons (Boers) sont rejoints par les huguenots français, après la révocation de l'édit de Nantes. L'esclavage se développe. Les Hottentots et les Bochimans sont exterminés.

La domination britannique

1814 : la colonie hollandaise du Cap passe sous administration britannique.

1834 : l'abolition de l'esclavage (1833) mécontente les Boers, qui migrent vers l'est et le nord (« Grand Trek »). Ceux-ci sont évincés du Natal par les Britanniques et établissent deux républiques, Transvaal et Orange, qui consolident leur indépendance après un premier conflit avec la Grande-Bretagne (1877 - 1881). Les Xhosa s'opposent à la pénétration européenne (neuf guerres « cafres », 1779 - 1877) tandis que les Zoulous affrontent les Boers (bataille de Bloodriver, 1838) et les Britanniques (à Isandhlwana, 1879).

1899 - 1902 : la guerre des Boers s'achève par la victoire des Britanniques sur le Transvaal et l'Orange, qui sont annexés.

1910 : création de l'Union sud-africaine (États du Cap, Natal, Orange et Transvaal), qui sera membre du Commonwealth.

1913 : premières lois de ségrégation raciale (apartheid).

1920 : l'ancienne colonie allemande du Sud-Ouest africain est confiée à l'Union sud-africaine par la SDN, puis par l'ONU.

1948 : le gouvernement du Dʳ Malan (Parti national, afrikaner) durcit les lois d'apartheid.

La république d'Afrique du Sud

1961 : l'Union se transforme en république indépendante, puis se retire du Commonwealth. Après 1966, B. J. Vorster et P. Botha poursuivent la politique d'apartheid, au prix d'un isolement grandissant du pays.

1976 : graves émeutes à Soweto.

1985 - 1986 : l'instauration de l'état d'urgence et la violence de la répression sont condamnées par plusieurs pays occidentaux.

1988 : l'Afrique du Sud conclut un accord avec l'Angola et Cuba, qui entraîne un cessez-le-feu en Namibie.

1990 : Frederik De Klerk met en œuvre une politique d'ouverture vers la majorité noire. La Namibie accède à l'indépendance.

Depuis 1994 : les premières élections multiraciales sont largement remportées par l'ANC (Congrès national africain) de Nelson Mandela, qui devient le premier président noir du pays (1994 - 1999). L'Afrique du Sud retrouve sa place dans le concert des nations. Une nouvelle Constitution est adoptée (1996).

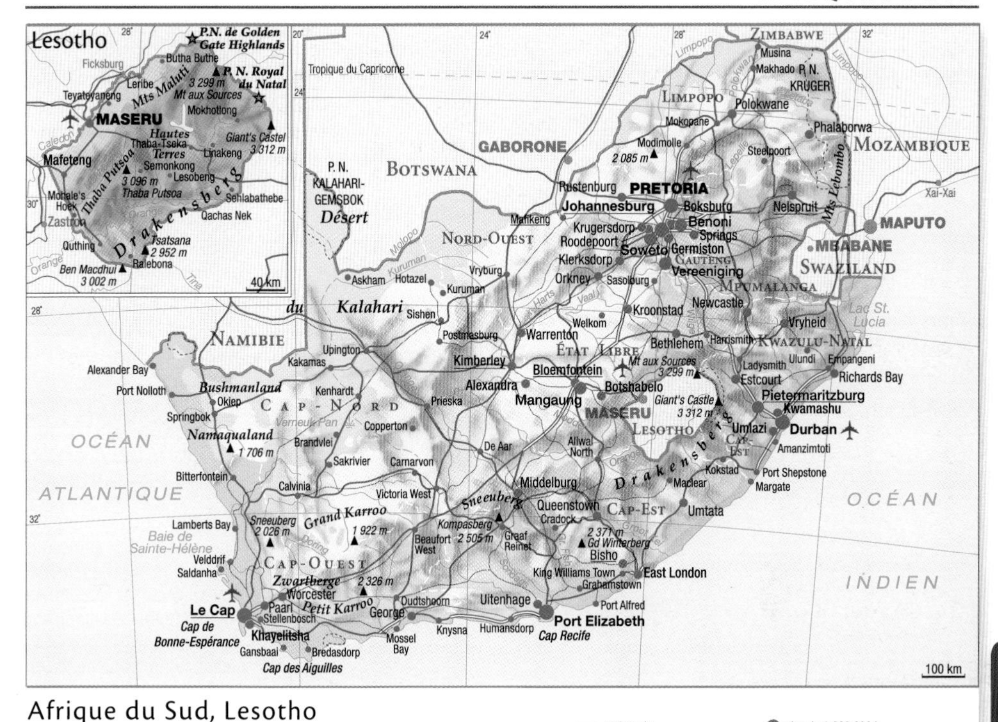

Afrique du Sud, Lesotho

★ site touristique important

500 1000 1500 2000 m

Le Cap capitale de province
limite de province

autoroute
route
voie ferrée
aéroport

plus de 1 000 000 h.
de 500 000 à 1 000 000 h.
de 100 000 à 500 000 h.
moins de 100 000 h.

LESOTHO

Le Lesotho est un pays montagneux totalement enclavé dans l'Afrique du Sud.

Superficie : 30 355 km²
Population (2013) : 2 200 000 hab.
Capitale : Maseru 238 553 hab. (e. 2011)
Nature de l'État et du régime politique : monarchie
Chef de l'État : (roi) Letsie III
Chef du gouvernement : (Premier ministre) Thomas Motsoahae, dit Tom Thabane
Organisation administrative : 10 districts
Langues officielles : sotho et anglais
Monnaies : loti et rand

DÉMOGRAPHIE

- **Densité :** 72 hab./km²
- **Part de la population urbaine (2013) :** 28 %
- **Structure de la population par âge (2013) :** moins de 15 ans : 37 %, 15-65 ans : 59 %, plus de 65 ans : 4 %
- **Taux de natalité (2013) :** 28 ‰
- **Taux de mortalité (2013) :** 16 ‰
- **Taux de mortalité infantile (2013) :** 65 ‰
- **Espérance de vie (2013) :** hommes : 48 ans, femmes : 48 ans

La population se concentre dans l'Ouest, sur les basses terres, où la densité dépasse parfois les 500 habitants au km². Le taux de mortalité infantile est un des plus élevés au monde et l'espérance de vie l'une des plus basses.

ÉCONOMIE

- **PNB (2012) :** 3 milliards de dollars
- **PNB/hab. (2012) :** 1 380 dollars
- **PNB/hab. PPA (2012) :** 2 170 dollars internationaux
- **IDH (2012) :** 0,461
- **Taux de croissance annuelle du PIB (2012) :** 4 %
- **Taux annuel d'inflation (2012) :** 6,1 %
- **Structure de la population active :** agriculture : n.d., mines et industries : n.d., services : n.d.
- **Structure du PIB (2012) :** agriculture : 7,4 %, mines et industries : 34,6 %, services : 58 %
- **Dette publique brute :** n.d.
- **Taux de chômage (2011) :** n.d

« Château d'eau » de l'Afrique du Sud, le pays a signé avec cette dernière en 2011 un accord pour un projet hydroélectrique et éolien qui devrait permettre de relancer l'économie et de créer des emplois d'ici une dizaine d'années. En attendant, l'économie repose pour l'essentiel sur l'agriculture, le textile et le secteur minier.

TOURISME

- **Recettes touristiques (2012) :** 26 millions de dollars

COMMERCE EXTÉRIEUR

- **Exportations de biens (2012) :** 972 millions de dollars
- **Importations de biens (2012) :** 2 644 millions de dollars

DÉFENSE

- **Forces armées (2011) :** 2 000 individus
- **Dépenses militaires (2012) :** 1,9 % du PIB

NIVEAU DE VIE

- **Nombre d'habitants pour un médecin :** n.d.
- **Apport journalier moyen en calories (2007) :** 2 476 (minimum FAO : 2 400)
- **Nombre d'automobiles pour 1 000 hab. :** n.d.
- **Téléphones portables (2012) :** 59 % de la population équipée

REPÈRES HISTORIQUES

1868 : le royaume du Lesotho, créé au XIXe s., devient protectorat britannique en 1868 sous le nom de Basutoland.

1966 : il acquiert son indépendance et reprend le nom de Lesotho.

AFRIQUE

ALGÉRIE

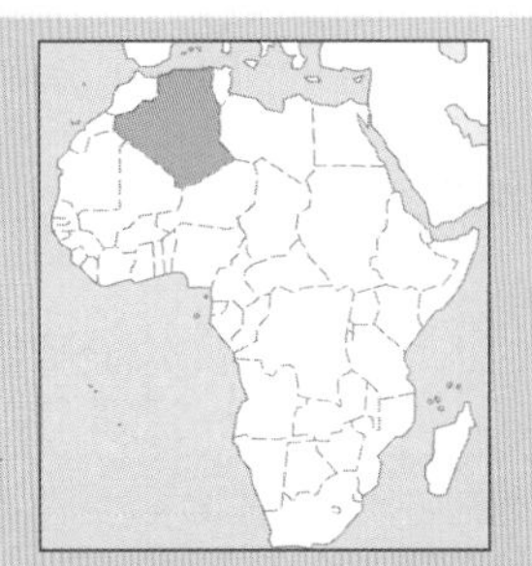

Le pays est formé au nord par un ensemble de hautes terres dont la largeur s'amenuise vers l'est. Les chaînons de l'Atlas saharien (djebel Amour, monts du Zab, Aurès) constituent la limite avec le désert. Le climat méditerranéen règne sur cet ensemble. Dans le Sud, l'Algérie possède une partie importante du Sahara. Cette vaste étendue désertique comprend des régions au relief varié : plateaux pierreux (regs), cuvettes tapissées de dunes (ergs) et massifs montagneux (Hoggar).

Superficie : 2 381 741 km²
Population (2013) : 38 300 000 hab.
Capitale : Alger 2 915 650 hab. (e. 2011) dans l'agglomération
Nature de l'État et du régime politique : république à régime semi-présidentiel
Chef de l'État : (président de la République) Abdelaziz Bouteflika
Chef du gouvernement : (Premier ministre) Youcef Yufsi
Organisation administrative : 48 wilaya
Langues officielles : arabe et tamazight
Monnaie : dinar algérien

DÉMOGRAPHIE

- **Densité :** 16 hab./km²
- **Part de la population urbaine (2013) :** 73 %
- **Structure de la population par âge (2013) :** moins de 15 ans : 28 %, 15-65 ans : 66 %, plus de 65 ans : 6 %
- **Taux de natalité (2013) :** 26 ‰
- **Taux de mortalité (2013) :** 5 ‰
- **Taux de mortalité infantile (2013) :** 23 ‰
- **Espérance de vie (2013) :** hommes : 76 ans, femmes : 77 ans

Très vaste (plus de quatre fois la France), l'Algérie est encore globalement peu peuplée. La population, en majorité musulmane, juxtapose arabophones (largement majoritaires) et berbérophones (Aurès, Kabylie). Les habitants se concentrent sur le littoral, au climat méditerranéen, ou à proximité. Le Sahara est quasiment vide, excepté les oasis et les zones d'exploitation de pétrole et de gaz. Le taux de natalité, très élevé jusqu'au milieu des années 1980, explique la grande jeunesse de la population (plus du quart des habitants a moins de 15 ans). Ce taux a aujourd'hui beaucoup baissé et le pays termine sa transition démographique. Désormais, la majorité de la population est citadine et se concentre dans les grandes agglomérations (Alger, Oran, Constantine, Annaba). Plus de 2 millions d'Algériens vivent à l'étranger, dont la moitié en France.

ÉCONOMIE

- **PNB (2012) :** 204 milliards de dollars
- **PNB/hab. (2012) :** 5 020 dollars
- **PNB/hab. PPA (2012) :** 8 360 dollars internationaux
- **IDH (2012) :** 0,713
- **Taux de croissance annuelle du PIB (2012) :** 3,3 %
- **Taux annuel d'inflation (2012) :** 8,9 %
- **Structure de la population active (2011) :** agriculture : 10,8 %, mines et industries : 30,8 %, services : 58,4 %
- **Structure du PIB (2012) :** agriculture : 9,3 %, mines et industries : 48,5 %, services : 42,2 %
- **Dette publique brute :** n.d.
- **Taux de chômage (2011) :** 9,8 %

Le gaz naturel (9e producteur mondial) et le pétrole représentent chacun la moitié des exportations algériennes. L'Algérie est l'un des principaux fournisseurs des marchés européens, italien et espagnol notamment. Ces hydrocarbures génèrent la plus grande partie des recettes de l'État dont la redistribution est un enjeu politique majeur. Si, encouragée par des mesures fiscales, l'industrie s'est récemment développée hors du secteur de l'énergie, l'économie est encore peu diversifiée tandis que les services représentent environ 42 % du PIB. Sensible aux chocs exogènes, la croissance, de l'ordre de 2,8 % en 2013, a été principalement alimentée par les investissements dans le secteur public. Par ailleurs, le chômage, s'il a diminué de moitié depuis 2000, reste élevé, en particulier parmi les jeunes.

TOURISME

- **Recettes touristiques (2012) :** 302 millions de dollars

COMMERCE EXTÉRIEUR

- **Exportations de biens (2012) :** 71 558 millions de dollars
- **Importations de biens (2011) :** 44 832 millions de dollars

DÉFENSE

- **Forces armées (2011) :** 317 200 individus
- **Dépenses militaires (2012) :** 4,6 % du PIB

NIVEAU DE VIE

- **Nombre d'habitants pour un médecin (2011) :** 829
- **Apport journalier moyen en calories (2007) :** 3 153 (minimum FAO : 2 400)
- **Nombre d'automobiles pour 1 000 hab. (2011) :** 76
- **Téléphones portables (2012) :** 100 % de la population équipée

REPÈRES HISTORIQUES

De l'Algérie antique à la régence d'Alger

Peuplée par les Berbères, l'Algérie est influencée par les civilisations phénicienne (fin du IIe millénaire) puis carthaginoise (VIIe-IIe s. av. J.-C.). Les Berbères, les Maures et les Numides organisent des royaumes puissants en Numidie et en Mauritanie.

IIe s. av. J.-C. : sous la domination romaine (victoire de Marius sur Jugurtha en 105 av. J.-C.), l'Algérie connaît un réel essor (Timgad, Tébessa). Elle est christianisée.

Ve s. : les Vandales dévastent le pays.

VIe - VIIe s. : domination de Byzance.

VIIe s. : arrivée des Arabes (raids d'Uqba ibn Nafi, 681 - 682). L'Algérie est islamisée et gouvernée de Damas par des califes omeyyades, puis de Bagdad par des califes abbassides. Les Berbères résistent à la domination arabe.

Xe - XIe s. : suzeraineté des Fatimides (dynastie chiite).

XIe - XIIe s. : deux dynasties berbères, les Almoravides puis les Almohades, dominent le Maghreb et une partie de l'Espagne.

XIIIe - XVIe s. : le pays est morcelé en de nombreuses principautés (dont une des plus importantes à Tlemcen), confédérations tribales ou ports libres. Le littoral s'ouvre à la civilisation andalouse.

1518 : face à la menace espagnole, les Algérois font appel aux corsaires turcs. L'un d'eux, Barberousse, place Alger sous la protection ottomane.

1587 : l'Algérie forme la régence d'Alger. Elle est gouvernée par les deys à partir du XVIIe s. et vit essentiellement de la course des navires corsaires en Méditerranée.

La colonisation française

Juillet 1830 : le gouvernement de Charles X fait occuper Alger.

1832 - 1847 : résistance d'Abd el-Kader, qui déclare la guerre à la France (1839) et qui est vaincu par le général Bugeaud.

1852 - 1870 : la conquête est achevée avec l'occupation de la Kabylie et des confins sahariens. De nombreux colons s'installent surtout après 1870 (environ 984 000 « pieds-noirs » en 1954).

1870 - 1940 : l'économie connaît un certain essor, mais la situation des indigènes ne s'améliore pas.

1er novembre 1954 : insurrection algérienne qui marque le début de la guerre d'Algérie.

1962 : l'Algérie devient indépendante.

L'Algérie indépendante

1963 : A. Ben Bella, président de la nouvelle république, établit un régime socialiste à parti unique (FLN).

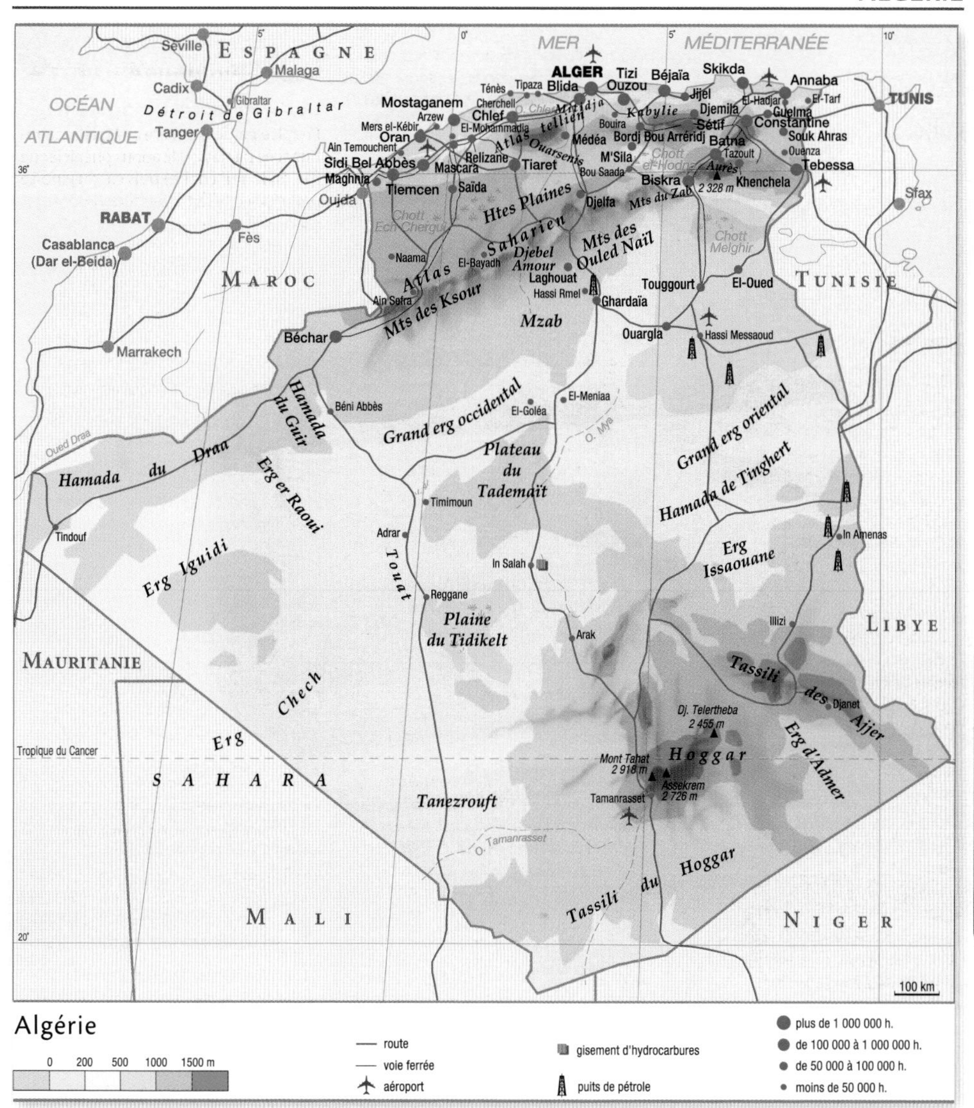

1965 : il est renversé par H. Boumediene, qui oriente la politique extérieure dans le sens du non-alignement.
1989 : le multipartisme est instauré.
1992 - 1999 : le pays est en proie aux violences liées au terrorisme islamiste.
1999 - 2005 : Abdelaziz Bouteflika est élu à la présidence de la République (régulièrement réélu depuis). Une Charte pour la paix et la réconciliation nationale est approuvée par référendum (2005).

ANGOLA

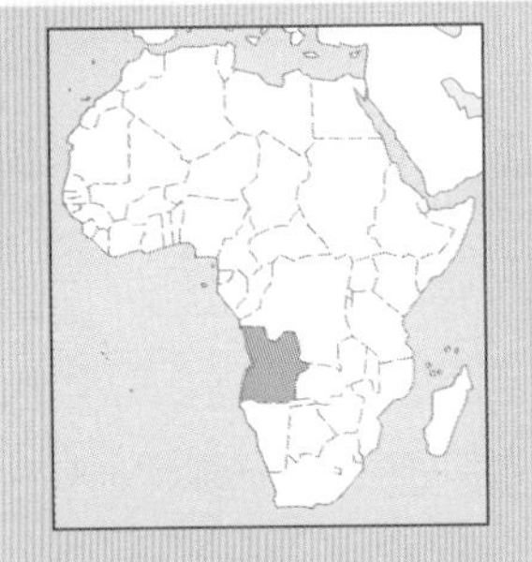

Occupant plus du double de la superficie de la France, l'Angola est formé d'un haut plateau, relativement arrosé et couvert de savanes, qui domine une étroite plaine côtière aride.

Superficie : 1 246 700 km²
Population (2013) : 21 600 000 hab.
Capitale : Luanda 5 067 530 hab. (e. 2011) dans l'agglomération
Nature de l'État et du régime politique : république à régime semi-présidentiel
Chef de l'État et du gouvernement : (président de la République) José Eduardo Dos Santos
Organisation administrative : 18 provinces
Langue officielle : portugais
Monnaie : kwanza

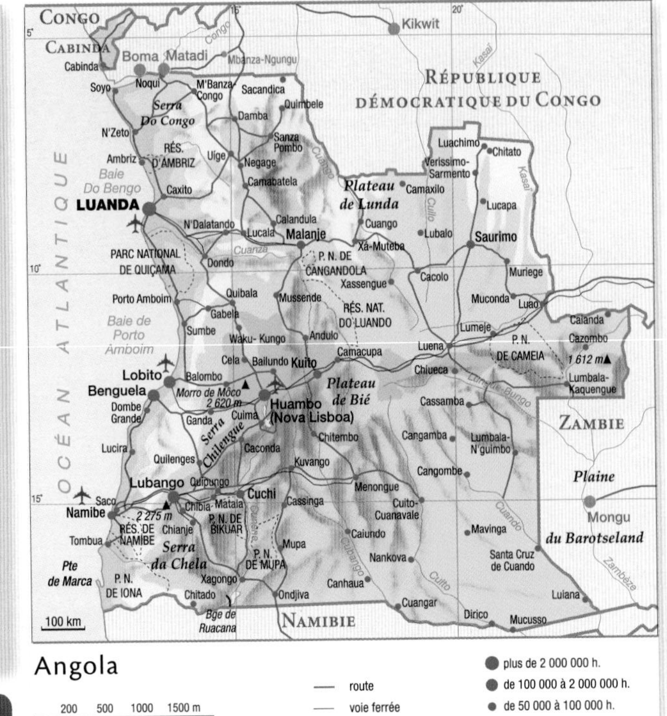

DÉMOGRAPHIE

- **Densité :** 16 hab./km²
- **Part de la population urbaine (2013) :** 59 %
- **Structure de la population par âge (2013) :** moins de 15 ans : 48 %, 15-65 ans : 50 %, plus de 65 ans : 2 %
- **Taux de natalité (2013) :** 47 ‰
- **Taux de mortalité (2013) :** 15 ‰
- **Taux de mortalité infantile (2013) :** 98 ‰
- **Espérance de vie (2013) :** hommes : 50 ans, femmes : 53 ans

L'Angola est peu densément peuplé, sinon autour des ports de Luanda, Lobito, Benguela, Cabinda. Les densités s'affaiblissent vers l'est et le sud. La population, composée en quasi-totalité de Bantous, est en pleine transition démographique ; l'indice de fécondité (6,3 enfants par femme) tout comme le taux de natalité et le taux de mortalité infantile restent très élevés, alors que l'espérance de vie est une des plus faibles du monde.

ÉCONOMIE

- **PNB (2012) :** 103 milliards de dollars
- **PNB/hab. (2012) :** 4 580 dollars
- **PNB/hab. PPA (2012) :** 5 400 dollars internationaux
- **IDH (2012) :** 0,508
- **Taux de croissance annuelle du PIB (2012) :** 6,8 %
- **Taux annuel d'inflation (2012) :** 10,3 %
- **Structure de la population active :** agriculture : n.d., mines et industries : n.d., services : n.d.
- **Structure du PIB (2012) :** agriculture : 10 %, mines et industries : 59,7 %, services : 30,3 %
- **Dette publique brute :** n.d.
- **Taux de chômage :** n.d.

Le retour à la paix civile (2002) a permis une forte croissance de l'économie (jusqu'à 20 % en 2005 et 2007), laquelle repose pour l'essentiel sur le pétrole (45 % du PIB et 95 % des exportations). Grâce à la récente exploitation de la plate-forme off-shore « Pazflor », l'exploitation est repartie à la hausse et la croissance atteint 6,8 % en 2012 pour fléchir à 5,6 % en 2013. Le premier secteur employeur de main-d'œuvre reste cependant l'agriculture (manioc). Outre le pétrole, le pays est un très grand producteur de diamants.

TOURISME

- **Recettes touristiques (2012) :** 653 millions de dollars

COMMERCE EXTÉRIEUR

- **Exportations de biens (2012) :** 71 091 millions de dollars
- **Importations de biens (2011) :** 45 089 millions de dollars

DÉFENSE

- **Forces armées (2011) :** 117 000 individus
- **Dépenses militaires (2012) :** 3,6 % du PIB

NIVEAU DE VIE

- **Nombre d'habitants pour un médecin (2010) :** 6 024
- **Apport journalier moyen en calories (2007) :** 1 973 (minimum FAO : 2 400)
- **Nombre d'automobiles pour 1 000 hab. (2007) :** 40
- **Téléphones portables (2012) :** 49 % de la population équipée

REPÈRES HISTORIQUES

1482 : le Portugais Diogo Cão découvre le pays.

1580 - 1625 : la traite est la première activité du pays.

1889 - 1901 : des traités fixent les limites de la colonie portugaise.

1961 : l'insurrection de Luanda inaugure la guerre d'indépendance, mais le mouvement nationaliste est divisé.

1975 : l'indépendance est proclamée.

1976 - 1988 : Cuba soutient le gouvernement dans sa lutte contre la guérilla (Union nationale pour l'indépendance totale de l'Angola, ou UNITA).

1991 : le multipartisme est instauré. Un accord de paix est signé avec l'UNITA.

1992 : le parti gouvernemental remporte les premières élections libres. Mais le refus de l'UNITA de reconnaître sa défaite entraîne une reprise de la guerre civile, qui se poursuit malgré un nouvel accord de paix en 1994.

2002 : signature d'un cessez-le-feu entre l'armée gouvernementale et l'UNITA, qui se transforme en parti légal d'opposition.

2010 : le pays adopte sa première Constitution.

BÉNIN

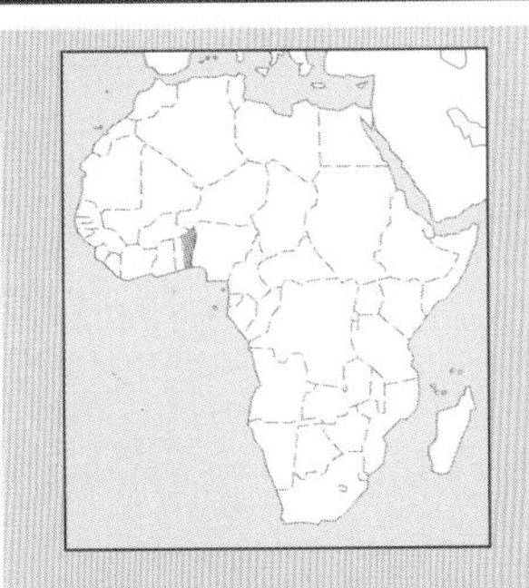

Le pays est formé d'une étroite bande de terre, étirée sur près de 700 km du golfe de Guinée au fleuve Niger. Le Sud, au climat équatorial, est le domaine des plaines ; le Centre, plus sec, domaine de la savane, comprend des plateaux, tandis que le Nord est accidenté par les modestes hauteurs de l'Atakora.

Superficie : 112 622 km²
Population (2013) : 9 600 000 hab.
Capitale : Porto-Novo 314 496 hab. (e. 2011)
Nature de l'État et du régime politique : république à régime présidentiel
Chef de l'État et du gouvernement : (président de la République) Thomas Boni Yayi
Organisation administrative : 12 départements
Langue officielle : français
Monnaie : franc CFA

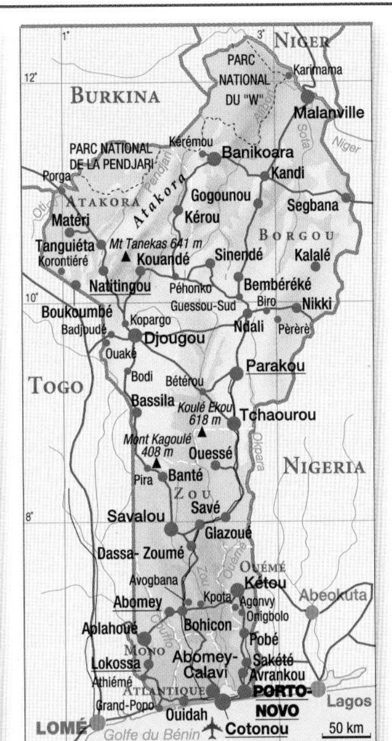

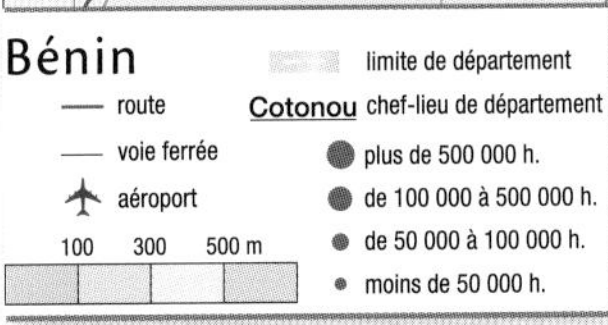

DÉMOGRAPHIE

- **Densité :** 85 hab./km²
- **Part de la population urbaine (2013) :** 45 %
- **Structure de la population par âge (2013) :** moins de 15 ans : 43 %, 15-65 ans : 54 %, plus de 65 ans : 3 %
- **Taux de natalité (2013) :** 39 ‰
- **Taux de mortalité (2013) :** 10 ‰
- **Taux de mortalité infantile (2013) :** 70 ‰
- **Espérance de vie (2013) :** hommes : 58 ans, femmes : 60 ans

La population, assez dense en moyenne, est inégalement répartie. De nombreuses agglomérations se concentrent sur le littoral du sud du pays, dont Porto-Novo, la capitale, et surtout Cotonou (près d'un million d'habitants). Le Bénin est, en effet, l'un des pays les plus urbanisés de l'Afrique subsaharienne. L'indice de fécondité (5,2 enfants par femme) tout comme le taux de mortalité infantile restent très élevés, alors que l'espérance de vie des hommes est encore réduite.

ÉCONOMIE

- **PNB (2012) :** 8 milliards de dollars
- **PNB/hab. (2012) :** 750 dollars
- **PNB/hab. PPA (2012) :** 1 550 dollars internationaux
- **IDH (2012) :** 0,436
- **Taux de croissance annuelle du PIB (2012) :** 5,4 %
- **Taux annuel d'inflation (2012) :** 6,8 %
- **Structure de la population active :** agriculture : n.d., mines et industries : n.d., services : n.d.
- **Structure du PIB (2010) :** agriculture : 32,4 %, mines et industries : 13,2 %, services : 54,4 %
- **Dette publique brute :** n.d.
- **Taux de chômage :** n.d.

Le Bénin, dont l'économie repose essentiellement sur la production et l'exportation de coton, a souffert de la crise de 2009 à laquelle se sont ajoutées les pires inondations qu'il ait connues depuis cinquante ans. Le taux de croissance s'est élevé à 5,4 % en 2012 et se stabilise en 2013 à 5 % grâce, aussi, aux activités maritimes du port de Cotonou, qui représentent plus de 50 % du PIB. La dernière stratégie de réduction de la pauvreté pour 2011 - 2015 met l'accent sur le soutien à l'emploi par le renforcement du secteur privé, notamment dans l'énergie et les télécommunications, et par une diversification de l'économie du pays.

TOURISME

- **Recettes touristiques (2012) :** 188 millions de dollars

COMMERCE EXTÉRIEUR

- **Exportations de biens (2010) :** 1 282 millions de dollars
- **Importations de biens (2011) :** 1 967 millions de dollars

DÉFENSE

- **Forces armées (2011) :** 9 450 individus
- **Dépenses militaires (2012) :** 1 % du PIB

NIVEAU DE VIE

- **Nombre d'habitants pour un médecin (2011) :** 16 949
- **Apport journalier moyen en calories (2007) :** 2 533 (minimum FAO : 2 400)
- **Nombre d'automobiles pour 1 000 hab. (2007) :** 18
- **Téléphones portables (2012) :** 90 % de la population équipée

REPÈRES HISTORIQUES

Une migration adja-fon venue du royaume de Tado (Togo actuel) est à l'origine de la création du royaume d'Allada (XVIe s. ?) dont sont issus les royaumes de Porto-Novo et d'Abomey.

V. 1720 : ce dernier (le Dan Homé ou Dahomey) conquiert le port de Ouidah qui lui donne accès au commerce atlantique.

XIXe s. : l'influence française s'accroît malgré les efforts du roi Glélé et de son fils Béhanzin, fait prisonnier en 1894.

1895 : la colonie du Dahomey est incluse dans l'Afrique-Occidentale française.

1946 : elle devient un territoire d'outre-mer.

1958 : elle est membre de la Communauté.

1960 : le pays accède à l'indépendance.

1975 : dirigé à partir de 1972 par Mathieu Kérékou, qui met en place un régime marxiste-léniniste, le pays prend le nom de République populaire du Bénin.

Depuis 1990 : un processus démocratique est engagé. À Nicéphore Soglo (1991 - 1996) succèdent M. Kérékou (1996 - 2006), puis Thomas Boni Yayi (depuis 2006).

BOTSWANA

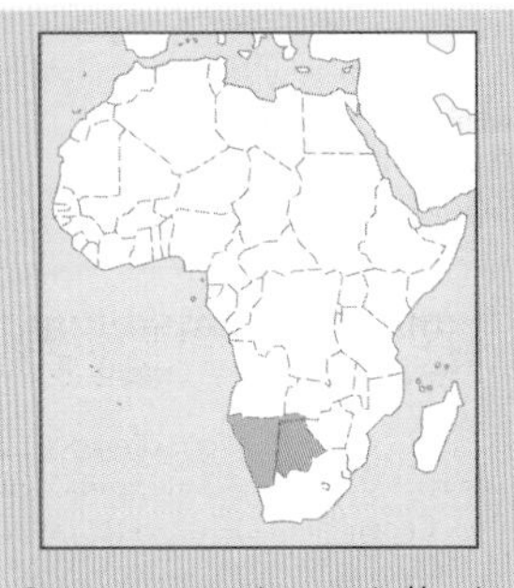

Le Botswana est en majeure partie désertique (désert du Kalahari) avec, au nord-ouest, le delta de l'Okavango, fleuve dont le pays tire l'essentiel de ses ressources.

Superficie : 581 730 km²
Population (2013) : 1 900 000 hab.
Capitale : Gaborone 227 333 hab. (r. 2011)
Nature de l'État et du régime politique : république à régime parlementaire
Chef de l'État et du gouvernement : (président de la République) Ian Khama
Organisation administrative : 9 districts
Langue officielle : anglais
Monnaie : pula

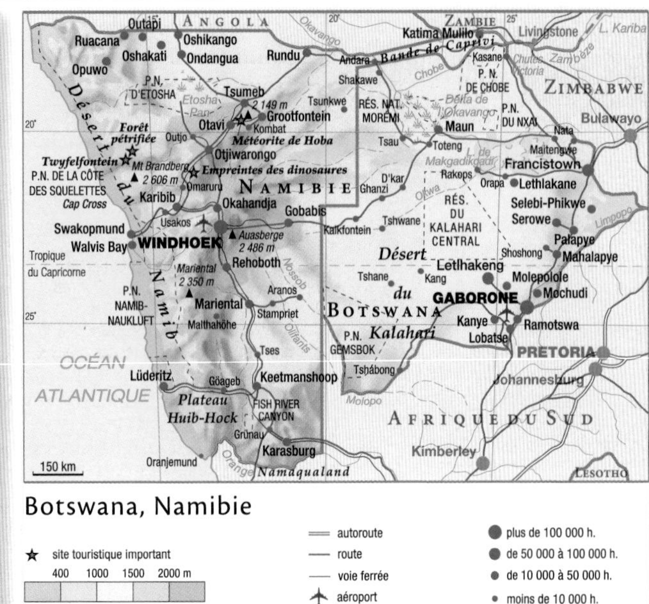

Botswana, Namibie

DÉMOGRAPHIE

- **Densité :** 3 hab./km²
- **Part de la population urbaine (2013) :** 24 %
- **Structure de la population par âge (2013) :** moins de 15 ans : 34 %, 15-65 ans : 62 %, plus de 65 ans : 4 %
- **Taux de natalité (2013) :** 24 ‰
- **Taux de mortalité (2013) :** 17 ‰
- **Taux de mortalité infantile (2013) :** 33 ‰
- **Espérance de vie (2013) :** hommes : 47 ans, femmes : 46 ans

Plus vaste que la France, le Botswana, en grande partie désertique, est très peu peuplé et sa densité de population est très faible. La plupart des habitants vivent regroupés dans la frange orientale du pays, le long de la frontière de l'Afrique du Sud et du fleuve Limpopo. Outre les Tswana, qui constituent le peuple le plus important du Botswana, la population comprend également, dans le Nord, les Bochimans. Le pays, dont la population est très jeune, est l'un des plus touchés au monde par le sida.

ÉCONOMIE

- **PNB (2012) :** 14 milliards de dollars
- **PNB/hab. (2012) :** 7 650 dollars
- **PNB/hab. PPA (2012) :** 16 060 dollars internationaux
- **IDH (2012) :** 0,634
- **Taux de croissance annuelle du PIB (2012) :** 4,2 %
- **Taux annuel d'inflation (2012) :** 7,5 %
- **Structure de la population active (2005) :** agriculture : 29,9 %, mines et industries : 15,4 %, services : 54,7 %
- **Structure du PIB (2012) :** agriculture : 2,9 %, mines et industries : 35,2 %, services : 61,9 %
- **Dette publique brute :** n.d.
- **Taux de chômage (2006) :** 17,6 %

Outre les diamants (3e production mondiale en volume), le pays recèle notamment de l'or, du cuivre, du nickel, du carbonate de sodium, du charbon... des richesses qui ont attiré les investisseurs étrangers. Fragilisé par la crise mondiale, le secteur des diamants s'accroît à nouveau avec la demande en provenance de la Chine et de l'Inde. Mais les réserves de diamants s'épuisent (fin prévue en 2025) et, malgré la source importante de revenus que génère le tourisme (2e secteur économique), le pays doit chercher à diversifier son économie : services financiers offshore, agroalimentaire, développement énergétique (charbon) et infrastructures de transport. Des progrès assez sensibles ont été accomplis également en matière de développement humain (d'éducation), mais 47 % de la population vit avec moins de 1 dollar par jour et la prévalence du sida est très importante (23 % des adultes).

TOURISME

- **Recettes touristiques (2011) :** 222 millions de dollars

COMMERCE EXTÉRIEUR

- **Exportations de biens (2012) :** 6 011 millions de dollars
- **Importations de biens (2012) :** 7 253 millions de dollars

DÉFENSE

- **Forces armées (2011) :** 10 500 individus
- **Dépenses militaires (2012) :** 2,3 % du PIB

NIVEAU DE VIE

- **Nombre d'habitants pour un médecin (2011) :** 2 976
- **Apport journalier moyen en calories (2007) :** 2 264 (minimum FAO : 2 400)
- **Nombre d'automobiles pour 1 000 hab. (2010) :** 69
- **Téléphones portables (2012) :** 100 % de la population équipée

REPÈRES HISTORIQUES

1885 : le Bechuanaland devient un protectorat britannique.
1966 : il accède à l'indépendance et prend le nom de Botswana. Il est présidé par Seretse Khama (1966 - 1980), Quett Masire (1980 - 1998), Festus Mogae (1998 - 2008) puis Ian Khama (depuis 2008).

Une haute muraille, le Grand Escarpement, sépare le désert côtier du Namib, dont la largeur varie de 150 à 300 km, des hautes terres de l'Est (plus de 1 350 m), qui occupent environ les 4/5 du territoire et s'abaissent doucement vers la cuvette du Kalahari.

Superficie : 824 292 km^2
Population (2013) : 2 400 000 hab.
Capitale : Windhoek 380 103 hab. (e. 2011) dans l'agglomération
Nature de l'État et du régime politique : république à régime semi-présidentiel
Chef de l'État et du gouvernement : (président de la République) Hifikepunye Pohamba
Premier ministre : Hage Geingob
Organisation administrative : 13 régions
Langue officielle : anglais
Monnaies : dollar namibien et rand

DÉMOGRAPHIE

- **Densité :** 3 hab./km^2
- **Part de la population urbaine (2013) :** 38 %
- **Structure de la population par âge (2013) :** moins de 15 ans : 37 %, 15-65 ans : 60 %, plus de 65 ans : 3 %
- **Taux de natalité (2013) :** 27 ‰
- **Taux de mortalité (2013) :** 8 ‰
- **Taux de mortalité infantile (2013) :** 36 ‰
- **Espérance de vie (2013) :** hommes : 61 ans, femmes : 66 ans

Bien que comptant parmi les pays au monde dont la densité est la plus faible, la Namibie présente une certaine diversité de population. Les plus nombreux sont les peuples de langue bantoue, dont les Ovambo, qui représentent plus de la moitié de la population totale, les Herero et les Kavango, tandis que survivent des minorités autochtones (Bochimans et Hottentots, dont les Damara), notamment dans les zones désertiques. La population n'ayant pas encore terminé sa transition démographique, le taux de natalité reste élevé et les moins de 15 ans représentent 37 % de la population totale.

ÉCONOMIE

- **PNB (2012) :** 13 milliards de dollars
- **PNB/hab. (2012) :** 5 610 dollars
- **PNB/hab. PPA (2012) :** 7 240 dollars internationaux
- **IDH (2012) :** 0,608
- **Taux de croissance annuelle du PIB (2012) :** 5 %
- **Taux annuel d'inflation (2012) :** 6,5 %
- **Structure de la population active (2012) :** agriculture : 27,4 %, mines et industries : 13,8 %, services : 58,8 %
- **Structure du PIB (2012) :** agriculture : 9,6 %, mines et industries : 30,9 %, services : 59,5 %
- **Dette publique brute :** n.d.
- **Taux de chômage (2012) :** 16,7 %

Grâce à la production d'uranium (5e au monde) et à l'extraction de diamants offshore (1er au monde), l'économie de la Namibie est stable et son taux de croissance s'élève, en 2013, à 4,4 %. L'équilibre budgétaire et commercial est rétabli et le pays bénéficie à nouveau de recettes tirées de l'Union douanière d'Afrique australe. Outre le secteur minier, les services sont en pleine expansion, le tourisme notamment, et l'agriculture, touchée par des inondations durant trois années consécutives et par une très grande sécheresse en 2013, fait l'objet d'un plan de relance. Toutefois, les inégalités de revenus restent parmi les plus fortes au monde.

TOURISME

- **Recettes touristiques (2012) :** 645 millions de dollars

COMMERCE EXTÉRIEUR

- **Exportations de biens (2011) :** 4 373 millions de dollars
- **Importations de biens (2012) :** 6 857 millions de dollars

DÉFENSE

- **Forces armées (2011) :** 15 200 individus
- **Dépenses militaires (2012) :** 3,1 % du PIB

NIVEAU DE VIE

- **Nombre d'habitants pour un médecin (2011) :** 2 674
- **Apport journalier moyen en calories (2007) :** 2 383 (minimum FAO : 2 400)
- **Nombre d'automobiles pour 1 000 hab. (2011) :** 48
- **Téléphones portables (2012) :** 100 % de la population équipée

REPÈRES HISTORIQUES

Fin du XVe - XVIIIe s. : quelques Européens, Portugais puis Hollandais, s'aventurent sur les côtes. Cependant, l'intérieur est occupé par les Bantous (Herero et Hottentots), qui refoulent Bochimans et Namaqua.

1892 : l'Allemagne s'assure la domination de la région (sauf une enclave devenue colonie britannique en 1878), qu'elle baptise Sud-Ouest africain.

1904 - 1906 : elle doit lutter contre le soulèvement des Herero.

1914 - 1915 : l'Union sud-africaine (aujourd'hui Afrique du Sud) conquiert la région.

1920 : elle la reçoit en mandat de la SDN.

1922 : l'enclave britannique est rattachée au Sud-Ouest africain.

1949 : l'ONU refuse l'annexion de la région à l'Union sud-africaine, qui conserve son mandat sur elle et y étend le système de l'apartheid.

1966 : l'ONU révoque le mandat de l'Afrique du Sud.

1968 : l'ONU change le nom du Sud-Ouest africain en Namibie. L'Afrique du Sud ignore cette décision, mais ne peut empêcher la formation d'un parti indépendantiste, la SWAPO (South West Africa People's Organization).

1974 : celle-ci engage des opérations de guérilla contre l'Afrique du Sud.

1988 : des accords entre l'Afrique du Sud, l'Angola et Cuba entraînent un cessez-le-feu dans le nord de la Namibie et ouvrent la voie à l'indépendance du territoire.

1990 : la Namibie accède à l'indépendance. La vie politique est dominée par la SWAPO.

BURKINA

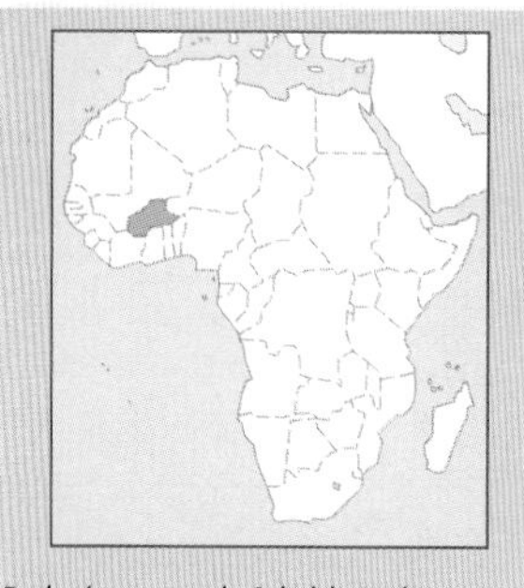

Enclavé au cœur du Sahel, le Burkina est un pays pauvre, souvent aride, domaine d'une agriculture médiocre.

Superficie : 274 000 km²
Population (2013) : 18 000 000 hab.
Capitale : Ouagadougou 2 052 530 hab. (e. 2011) dans l'agglomération
Nature de l'État et du régime politique : république à régime semi-présidentiel
Chef de l'État : (président du Faso) Blaise Compaoré
Chef du gouvernement : (Premier ministre) Luc Adolphe Tiao
Organisation administrative : 45 provinces
Langue officielle : français
Monnaie : franc CFA

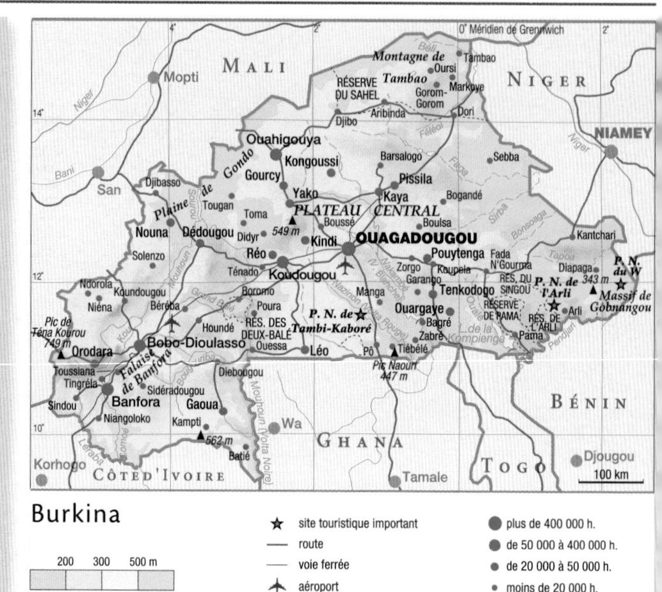

 DÉMOGRAPHIE

- **Densité :** 66 hab./km²
- **Part de la population urbaine (2013) :** 27 %
- **Structure de la population par âge (2013) :** moins de 15 ans : 46 %, 15-65 ans : 52 %, plus de 65 ans : 2 %
- **Taux de natalité (2013) :** 43 ‰
- **Taux de mortalité (2013) :** 12 ‰
- **Taux de mortalité infantile (2013) :** 73 ‰
- **Espérance de vie (2013) :** hommes : 55 ans, femmes : 56 ans

La population, principalement musulmane, est composée pour moitié environ de Mossi et comprend de nombreuses minorités (Peuls au nord, Bobo à l'ouest, Bissa et Gourmantché à l'est). Les habitants sont inégalement répartis sur le territoire : peu nombreux dans le Nord et dans l'Est, ils se concentrent dans le centre-sud du pays, notamment sur le plateau mossi. L'indice de fécondité, de 6 enfants par femme, est l'un des plus élevés du monde et l'espérance de vie des hommes une des plus faibles. 46 % de la population a moins de 15 ans.

 ÉCONOMIE

- **PNB (2012) :** 10 milliards de dollars
- **PNB/hab. (2012) :** 670 dollars
- **PNB/hab. PPA (2012) :** 1 490 dollars internationaux
- **IDH (2012) :** 0,343
- **Taux de croissance annuelle du PIB (2012) :** 10 %
- **Taux annuel d'inflation (2012) :** 3,8 %
- **Structure de la population active :** agriculture : n.d., mines et industries : n.d., services : n.d.
- **Structure du PIB (2011) :** agriculture : 33,8 %, mines et industries : 24,3 %, services : 41,9 %
- **Dette publique brute :** n.d.
- **Taux de chômage (2007) :** 3,3 %

Le Burkina, pays membre de l'Union économique et monétaire ouest-africaine (UEMOA), présente de bonnes perspectives de croissance pour 2013 (6,5 %). Basée sur l'agriculture et les exportations de coton (1er producteur africain) et d'or (1er produit d'exportation), l'économie est trop sujette aux fluctuations des cours et à des chocs exogènes. Une diversification dans le secteur minier (zinc, manganèse, phosphate), très attractif pour les investisseurs des compagnies étrangères, et dans le secteur agricole (tomates, oignons) s'impose alors que les indicateurs sociaux restent très faibles (malnutrition) et que la moitié de la population vit en dessous du seuil de pauvreté.

TOURISME

- **Recettes touristiques (2011) :** 105 millions de dollars

COMMERCE EXTÉRIEUR

- **Exportations de biens (2010) :** 1 591 millions de dollars
- **Importations de biens (2011) :** 2 971 millions de dollars

DÉFENSE

- **Forces armées (2011) :** 11 450 individus
- **Dépenses militaires (2012) :** 1,4 % du PIB

NIVEAU DE VIE

- **Nombre d'habitants pour un médecin (2011) :** 21 277
- **Apport journalier moyen en calories (2007) :** 2 677 (minimum FAO : 2 400)
- **Nombre d'automobiles pour 1 000 hab. (2011) :** 7
- **Téléphones portables (2012) :** 57 % de la population équipée

 REPÈRES HISTORIQUES

Le pays est peuplé en majorité par les Mossi, qui fondent au XVe s. le royaume de Ouagadougou, d'où sont issus à diverses époques d'autres royaumes mossi.

XVIIIe s. : les Dioula du royaume de Kong (actuelle Côte d'Ivoire) unifient l'ouest du pays en créant le Gwiriko, autour de Bobo-Dioulasso.

1898 : après les explorations de Binger (1886 - 1888) et de Monteil (1890 - 1891), la France, victorieuse de Samory Touré, occupe Bobo-Dioulasso.

1919 : d'abord incluse dans le Haut-Sénégal-Niger (1904), la Haute-Volta devient colonie particulière.

1932 : elle est partagée entre le Soudan, la Côte d'Ivoire et le Niger.

1960 : la Haute-Volta acquiert son indépendance.

1966 - 1983 : elle est secouée par divers coups d'État militaires, dont celui de Thomas Sankara en 1983.

1984 : la Haute-Volta devient le Burkina.

Depuis 1991 : le multipartisme est instauré. Les élections présidentielles de 1991 et 1998 (boycottées par l'opposition) et celles de 2005 et 2010 maintiennent Blaise Compaoré au pouvoir.

BURUNDI

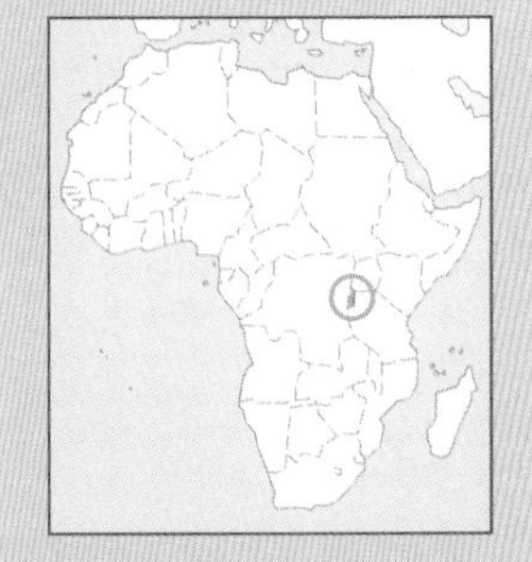

Pays de hauts plateaux et proche de l'équateur, le Burundi a un climat tempéré par l'altitude, rarement inférieure à 1 000 m.

Superficie : 27 834 km²
Population (2013) : 10 900 000 hab.
Capitale : Bujumbura 604 732 hab. (e. 2011)
Nature de l'État et du régime politique : république
Chef de l'État et du gouvernement : (président de la République) Pierre Nkurunziza
Organisation administrative : 16 provinces
Langues officielles : français et kirundi
Monnaie : franc du Burundi

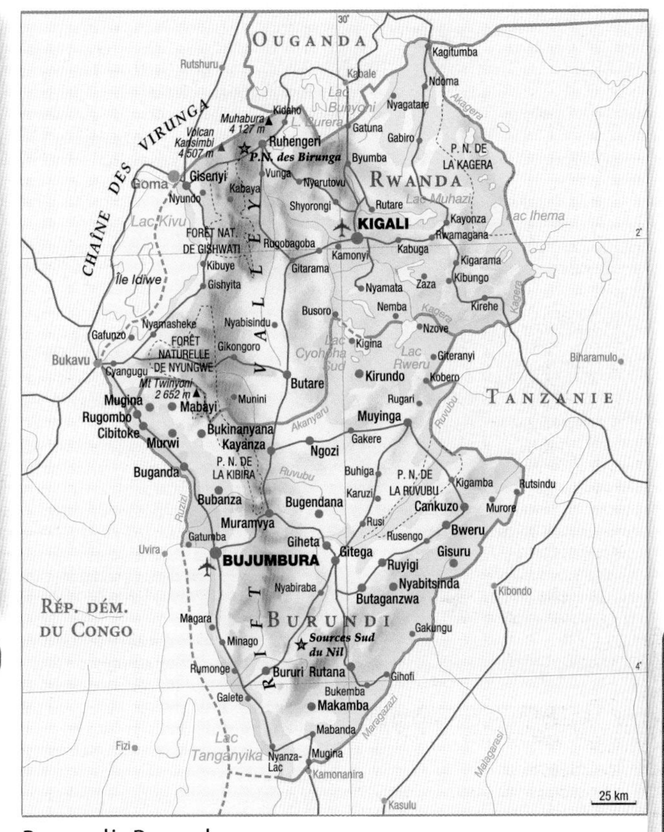

Burundi, Rwanda

500 1000 1500 m

— route
aéroport
★ site touristique important
plus de 200 000 h.
de 20 000 à 200 000 h.
moins de 20 000 h.

DÉMOGRAPHIE

- **Densité :** 392 hab./km²
- **Part de la population urbaine (2013) :** 11 %
- **Structure de la population par âge (2013) :** moins de 15 ans : 44 %, 15-65 ans : 54 %, plus de 65 ans : 2 %
- **Taux de natalité (2013) :** 45 ‰
- **Taux de mortalité (2013) :** 13 ‰
- **Taux de mortalité infantile (2013) :** 89 ‰
- **Espérance de vie (2013) :** hommes : 51 ans, femmes : 55 ans

Deux peuples principaux composent la population, en grande partie catholique : les Tutsi, souvent éleveurs, d'origine nilotique, et les Hutu, agriculteurs bantous, les plus nombreux. Les caractéristiques démographiques sont celles des pays d'Afrique subsaharienne : très faible taux d'urbanisation, forte croissance démographique, indice de fécondité (6,4 enfants par femme) et taux de mortalité infantile très élevés, faible espérance de vie.

ÉCONOMIE

- **PNB (2012) :** 2 milliards de dollars
- **PNB/hab. (2012) :** 240 dollars
- **PNB/hab. PPA (2012) :** 550 dollars internationaux
- **IDH (2012) :** 0,355
- **Taux de croissance annuelle du PIB (2012) :** 4 %
- **Taux annuel d'inflation (2012) :** 18 %
- **Structure de la population active :** agriculture : n.d., mines et industries : n.d., services : n.d.
- **Structure du PIB (2012) :** agriculture : 40,6 %, mines et industries : 16,9 %, services : 42,5 %
- **Dette publique brute :** n.d.
- **Taux de chômage :** n.d.

Sorti de dix-sept ans de guerre civile, le Burundi affronte quatre défis majeurs : la reconstruction des infrastructures avec l'aide internationale ; la restructuration de la filière café qui représente 75 % des exportations du pays et dont la privatisation est demandée par le FMI ; l'intégration au sein de la Communauté d'Afrique de l'Est afin de diversifier ses échanges ; la réduction de la pauvreté dans un pays présentant un développement humain parmi les plus bas du monde.

TOURISME

- **Recettes touristiques (2012) :** 4 millions de dollars

COMMERCE EXTÉRIEUR

- **Exportations de biens (2012) :** 135 millions de dollars
- **Importations de biens (2011) :** 887 millions de dollars

DÉFENSE

- **Forces armées (2011) :** 51 050 individus
- **Dépenses militaires (2012) :** 2,4 % du PIB

NIVEAU DE VIE

- **Nombre d'habitants pour un médecin (2007) :** 33 333
- **Apport journalier moyen en calories (2007) :** 1 685 (minimum FAO : 2 400)
- **Nombre d'automobiles pour 1 000 hab. (2007) :** 2
- **Téléphones portables (2012) :** 26 % de la population équipée

REPÈRES HISTORIQUES

Le Burundi est un royaume africain fondé peut-être à la fin du XVIIe s.

1890 : le pays est annexé par l'Afrique-Orientale allemande.

1916 - 1962 : il est, avec le Ruanda-Urundi, sous mandat, puis sous tutelle belge.

1962 : le Burundi accède à l'indépendance.

1966 : la royauté y est abolie au profit de la république. La vie politique est dominée par des conflits intercommunautaires permanents entre les Hutu (85 % de la population) et les Tutsi, minoritaires mais qui, traditionnellement, détiennent le pouvoir.

À partir de 1988 : un processus de démocratisation est engagé : nouvelle Constitution instaurant le multipartisme (1992), alternance des communautés à la tête de l'État (2000).

RWANDA

Petit pays enclavé, le Rwanda est formé de hauts plateaux où l'altitude modère les températures équatoriales.

Superficie : 26 338 km²
Population (2013) : 11 100 000 hab.
Capitale : Kigali 1 003 570 hab. (e. 2011)
Nature de l'État et du régime politique : république à régime semi-présidentiel
Chef de l'État : (président de la République) Paul Kagame
Chef du gouvernement : (Premier ministre) Pierre Damien Habumuremyi
Organisation administrative : 5 régions
Langues officielles : anglais, français et kinyarwanda
Monnaie : franc rwandais

DÉMOGRAPHIE

- **Densité :** 421 hab./km²
- **Part de la population urbaine (2013) :** 19 %
- **Structure de la population par âge (2013) :** moins de 15 ans : 45 %, 15-65 ans : 53 %, plus de 65 ans : 2 %
- **Taux de natalité (2013) :** 36 ‰
- **Taux de mortalité (2013) :** 8 ‰
- **Taux de mortalité infantile (2013) :** 51 ‰
- **Espérance de vie (2013) :** hommes : 61 ans, femmes : 65 ans

Les deux principaux groupes qui composent la population, les Hutu et les Tutsi, coexistent difficilement, surtout depuis le génocide de 1994. Les caractéristiques démographiques sont celles des pays d'Afrique subsaharienne : très faible taux d'urbanisation, forte croissance démographique, indice de fécondité (4,7 enfants par femme) parmi les plus élevés du monde, taux de mortalité infantile très élevé, faible espérance de vie, à quoi s'ajoute une forte densité de population.

ÉCONOMIE

- **PNB (2012) :** 7 milliards de dollars
- **PNB/hab. (2012) :** 600 dollars
- **PNB/hab. PPA (2012) :** 1 320 dollars internationaux
- **IDH (2012) :** 0,434
- **Taux de croissance annuelle du PIB (2012) :** 8 %
- **Taux annuel d'inflation (2012) :** 6,3 %
- **Structure de la population active :** agriculture : n.d., mines et industries : n.d., services : n.d.
- **Structure du PIB (2012) :** agriculture : 33 %, mines et industries : 15,9 %, services : 51,1 %
- **Dette publique brute :** n.d.
- **Taux de chômage :** n.d.

La forte croissance économique (8 % en moyenne entre 2005 et 2008) est à nouveau à l'ordre du jour depuis 2010 (7,5 % en 2013), tirée par l'agriculture, le secteur du bâtiment et les services (télécommunications), et l'inflation a été réduite, mais, comme dans la plupart des pays africains non exportateurs de pétrole, la faible diversification des exportations (café, thé) creuse le déficit commercial. Cependant, le pays est un producteur de tantale, minerai qui représente une source de revenus non négligeable. Le gouvernement, qui a signé un accord avec Visa Inc. en 2011, souhaiterait dans un futur proche diversifier les secteurs des services et se positionner en tant que chef de file régional de la finance, du tourisme (1 million de visiteurs par an), du commerce mais aussi des transports aériens et des nouvelles technologies de l'information et de la communication. Si les dépenses sociales ont augmenté, environ 60 % de la population vit en dessous du seuil de pauvreté et le pays reste encore très dépendant de l'aide internationale.

TOURISME

- **Recettes touristiques (2011) :** 218 millions de dollars

COMMERCE EXTÉRIEUR

- **Exportations de biens (2012) :** 591 millions de dollars
- **Importations de biens (2012) :** 2 333 millions de dollars

DÉFENSE

- **Forces armées (2011) :** 35 000 individus
- **Dépenses militaires (2012) :** 1,1 % du PIB

NIVEAU DE VIE

- **Nombre d'habitants pour un médecin (2011) :** 17 857
- **Apport journalier moyen en calories (2007) :** 2 085 (minimum FAO : 2 400)
- **Nombre d'automobiles pour 1 000 hab. (2011) :** 2
- **Téléphones portables (2012) :** 50 % de la population équipée

REPÈRES HISTORIQUES

XIVe - XIXe s. : le Rwanda entre dans l'histoire avec la dynastie des rois Nyiginya, issus du groupe pastoral et guerrier des Tutsi.
Fin du XIXe s. : le pays est difficilement contrôlé par les Allemands.
1923 : la Belgique reçoit un mandat sur la région, qui prend le nom de Ruanda-Urundi.
1962 : le Rwanda devient indépendant. De graves conflits opposent les Hutu aux Tutsi, qui émigrent ou sont totalement évincés des affaires.
1973 : coup d'État du général Juvénal Habyarimana (hutu).
1991 : une nouvelle Constitution restaure le multipartisme.
1994 : en dépit de l'accord de paix conclu en 1993 entre le gouvernement et les rebelles tutsi, la mort du président Habyarimana dans un attentat est suivie d'atroces massacres (environ 800 000 victimes). Tandis que la minorité tutsi est victime d'un véritable génocide, organisé par les milices extrémistes hutu, les populations hutu, elles-mêmes victimes de tueries, fuient devant la progression du FPR (Front patriotique rwandais). Ce dernier, sous la conduite de Paul Kagame – qui deviendra président de la République en 2000 (confirmé à la tête de l'État par une élection au suffrage universel en 2003 et réélu en 2010) – prend le contrôle du pays.
2009 : le Rwanda devient membre du Commonwealth.

CAMEROUN

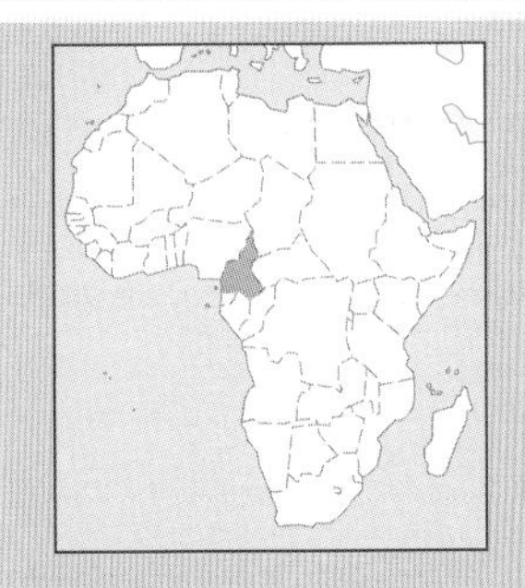

Le Cameroun est formé de plaines (sur le littoral), de hauteurs volcaniques isolées (mont Cameroun : 4 070 m), de chaînes massives au centre (Adamaoua), de collines et de plateaux aux extrémités sud et nord. Toujours chaud, le climat devient plus sec vers le nord.

Superficie : 475 442 km²

Population (2013) : 21 500 000 hab.

Capitale : Yaoundé 2 431 680 hab. (e. 2011) dans l'agglomération

Nature de l'État et du régime politique : république à régime semi-présidentiel

Chef de l'État : (président de la République) Paul Biya

Chef du gouvernement : (Premier ministre) Philémon Yang

Organisation administrative : 10 régions

Langues officielles : anglais et français

Monnaie : franc CFA

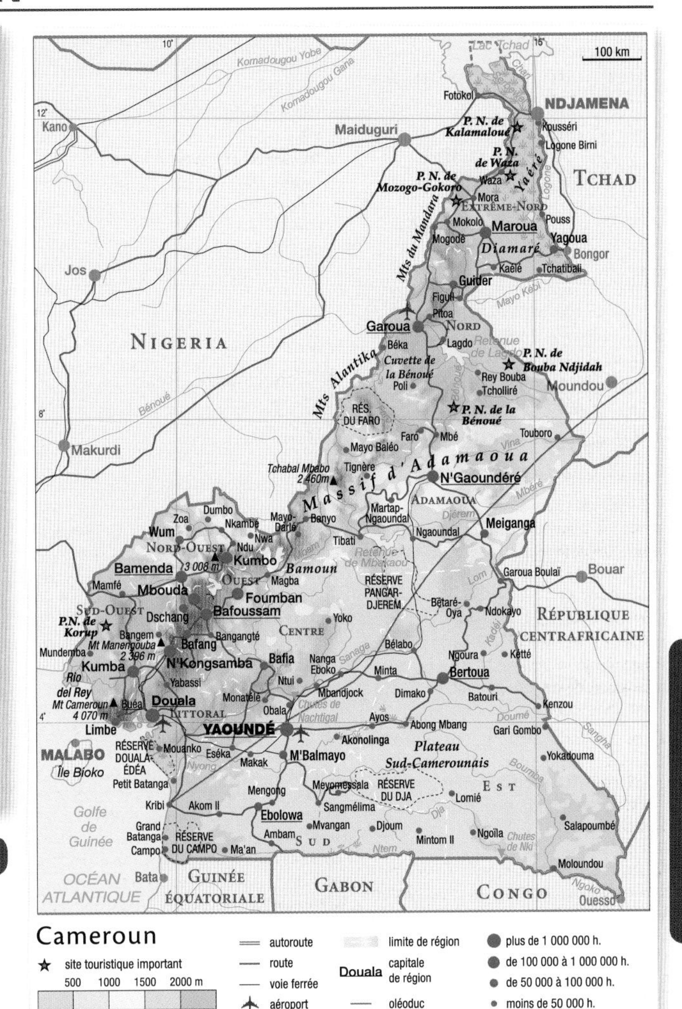

 DÉMOGRAPHIE

- **Densité :** 45 hab./km²
- **Part de la population urbaine (2013) :** 52 %
- **Structure de la population par âge (2013) :** moins de 15 ans : 43 %, 15-65 ans : 54 %, plus de 65 ans : 3 %
- **Taux de natalité (2013) :** 39 ‰
- **Taux de mortalité (2013) :** 12 ‰
- **Taux de mortalité infantile (2013) :** 62 ‰
- **Espérance de vie (2013) :** hommes : 53 ans, femmes : 55 ans

Le pays est marqué par la diversité de ses habitants. Au sud vivent des Bantous, dont des Bamiléké, et des Pygmées. Au nord dominent les Soudanais et les Peuls. Les densités sont nettement moins fortes dans le Nord et l'Est, où de vastes régions (Adamaoua, savanes du Sud, forêt du Sud-Est) sont moins peuplées, que dans le Sud-Ouest, où se situent les deux villes principales du pays, Yaoundé, la capitale, et Douala, la plus grande ville du pays et port sur l'Atlantique, avec plus de 2 millions d'habitants. Avec un taux d'accroissement naturel élevé, de l'ordre de 2,7 % par an, et un indice de fécondité de 5,1 enfants par femme, la population camerounaise se caractérise par son dynamisme démographique et sa jeunesse (43 % des habitants sont âgés de moins de 15 ans).

 ÉCONOMIE

- **PNB (2012) :** 25 milliards de dollars
- **PNB/hab. (2012) :** 1 170 dollars
- **PNB/hab. PPA (2012) :** 2 270 dollars internationaux
- **IDH (2012) :** 0,495
- **Taux de croissance annuelle du PIB (2012) :** 4,6 %
- **Taux annuel d'inflation (2012) :** 2,9 %
- **Structure de la population active (2010) :** agriculture : 53,3 %, mines et industries : 12,6 %, services : 34,1 %
- **Structure du PIB (2007) :** agriculture : 20 %, mines et industries : 31 %, services : 49 %
- **Dette publique brute :** n.d.
- **Taux de chômage (2010) :** 3,8 %

L'économie du Cameroun est relativement diversifiée : produits manufacturés ; construction ; pétrole et secteur minier ; agriculture ; forêts et cheptel ; services. Outre le pétrole (50 % des exportations), le Cameroun exporte de l'aluminium et des produits primaires : bois, coton, cacao, café, banane et caoutchouc. Mais, en dépit de ces atouts et alors que l'économie pourrait être l'une des plus florissantes de la région, la croissance a été médiocre depuis le début des années 2000 (autour de 1 % par an en moyenne), négative en 2010 et seulement de 4,6 % en 2013. Pour l'accélérer, plusieurs mesures s'avèrent nécessaires, parmi lesquelles une modernisation des infrastructures dans les secteurs de l'énergie et des télécommunications, l'assainissement des finances publiques (avec notamment le règlement des arriérés dus par l'État), le recul du secteur informel et la consolidation du système bancaire. Les inégalités sociales s'aggravent (40 % de la population vit en dessous du seuil de pauvreté), dans un pays où la classe dirigeante est accusée de corruption et où l'alternative politique ne semble pas être un sujet d'actualité.

TOURISME

- **Recettes touristiques (2011) :** 171 millions de dollars

COMMERCE EXTÉRIEUR

- **Exportations de biens (2012) :** 5 753 millions de dollars
- **Importations de biens (2011) :** 8 822 millions de dollars

DÉFENSE

- **Forces armées (2011) :** 23 100 individus
- **Dépenses militaires (2012) :** 1,4 % du PIB

NIVEAU DE VIE

- **Nombre d'habitants pour un médecin (2010) :** 12 987
- **Apport journalier moyen en calories (2007) :** 2 269 (minimum FAO : 2 400)
- **Nombre d'automobiles pour 1 000 hab. (2007) :** 10
- **Téléphones portables (2012) :** 64 % de la population équipée

REPÈRES HISTORIQUES

Avant la colonisation

XIIIe s. : la première vague d'immigrants bantous arrive du sud (notamment les Douala), suivie par celle des Fang. Au nord se trouvent des locuteurs de langue soudanaise (Sao, Peuls), venus de la vallée du Niger en deux vagues (XIe et XIXe s.). Au sud, les Bamiléké et les Bamoum fondent des chefferies et des royaumes. Les Pygmées sont les plus anciens habitants de la forêt.

L'époque coloniale et l'indépendance

1860 : les Européens (Britanniques, Allemands) interviennent ; des missionnaires arrivent et les premières factoreries s'installent.

1884 : G. Nachtigal obtient le premier traité de protectorat sur le Cameroun, qui devient colonie allemande.

1911 : un traité franco-allemand étend les possessions allemandes.

1916 : les Alliés expulsent les Allemands.

1919 - 1922 : le Cameroun est divisé en deux zones, sous mandats britannique et français.

1946 : les mandats sont transformés en tutelles.

1959 : le Cameroun sous tutelle française acquiert la pleine autonomie interne.

1960 : il est proclamé indépendant. Ahmadou Ahidjo devient président de la République.

1961 : après le rattachement du Sud de l'ex-Cameroun britannique (le Nord est réuni au Nigeria), la république devient fédérale.

1966 : Ahidjo instaure un régime à parti unique.

1972 : la fédération devient une république unitaire.

1982 : Paul Biya succède à Ahidjo (il est régulièrement réélu depuis).

1990 : le multipartisme est rétabli.

1995 : le Cameroun devient membre du Commonwealth.

CAP-VERT → SÉNÉGAL

CENTRAFRICAINE (RÉPUBLIQUE)

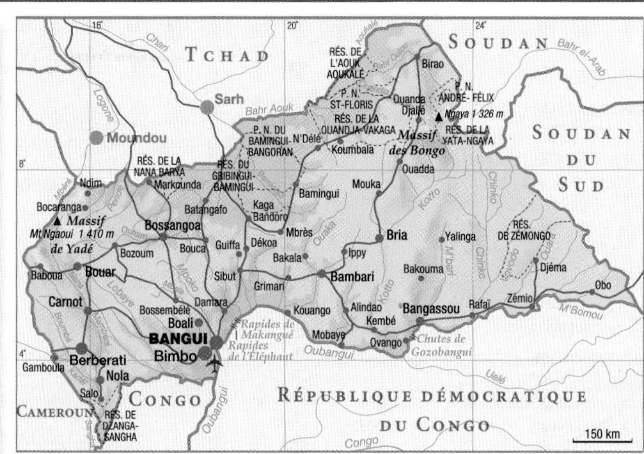

République centrafricaine

Plus vaste que la France, le pays possède une faible densité de population. Assez abondamment arrosé au sud, proche de l'équateur, il est plus sec et plus chaud vers le nord, où domine la forêt claire ou la savane arborée.

Superficie : 622 984 km²
Population (2013) : 4 700 000 hab.
Capitale : Bangui 531 763 hab. (r. 2003), 740 062 hab. (e. 2011) dans l'agglomération
Nature de l'État et du régime politique : république à régime semi-présidentiel
Chef de l'État : (présidente de la République) Catherine Samba-Panza
Chef du gouvernement : (Premier ministre) André Nzapayeké
Organisation administrative : 1 commune autonome et 16 préfectures
Langues officielles : français et sango
Monnaie : franc CFA

DÉMOGRAPHIE

- **Densité :** 8 hab./km²
- **Part de la population urbaine (2013) :** 39 %
- **Structure de la population par âge (2013) :** moins de 15 ans : 40 %, 15-65 ans : 56 %, plus de 65 ans : 4 %
- **Taux de natalité (2013) :** 47 ‰
- **Taux de mortalité (2013) :** 16 ‰
- **Taux de mortalité infantile (2013) :** 116 ‰
- **Espérance de vie (2013) :** hommes : 47 ans, femmes : 51 ans

L'Ouest et le Sud accueillent les quatre cinquièmes de la population, principalement chrétienne. C'est là que se situent la capitale et les principales villes secondaires. La population est encore en pleine transition démographique ; les taux de natalité et de mortalité infantile sont très élevés et l'espérance de vie à la naissance est de 49 ans.

ÉCONOMIE

- **PNB (2012) :** 2 milliards de dollars
- **PNB/hab. (2012) :** 510 dollars
- **PNB/hab. PPA (2012) :** 1 080 dollars internationaux
- **IDH (2012) :** 0,352
- **Taux de croissance annuelle du PIB (2012) :** 6,9 %
- **Taux annuel d'inflation (2012) :** 5,8 %
- **Structure de la population active :** agriculture : n.d., mines et industries : n.d., services : n.d.
- **Structure du PIB (2012) :** agriculture : 54,3 %, mines et industries : 13,7 %, services : 32 %
- **Dette publique brute :** n.d.
- **Taux de chômage :** n.d.

Dans le cadre du programme d'aide du FMI en faveur des pays pauvres très endettés (PPTE), la République centrafricaine applique avec difficulté les réformes structurelles exigées, en particulier en matière de finances publiques et d'administration fiscale. Avec la crise politique et le renversement du régime en place, la situation économique du pays est catastrophique et seules quelques activités, comme la production de cigarettes et la téléphonie mobile, fonctionnent encore. Les échanges extérieurs sont relativement restreints, les produits d'exportation étant notamment les diamants et le bois, mais le pays recèle d'autres richesses minières non exploitées (or, minerai de fer, étain, cuivre) ou en voie de l'être (uranium). Le secteur primaire est réduit à une agriculture de subsistance et à l'élevage (bovins).

TOURISME

- **Recettes touristiques (2011) :** 7 millions de dollars

COMMERCE EXTÉRIEUR

- **Exportations de biens (2009) :** 118,2 millions de dollars
- **Importations de biens (2011) :** 511 millions de dollars

DÉFENSE

- **Forces armées (2011) :** 3 150 individus
- **Dépenses militaires (2010) :** 2,6 % du PIB

NIVEAU DE VIE

- **Nombre d'habitants pour un médecin (2010) :** 20 833
- **Apport journalier moyen en calories (2007) :** 1 986 (minimum FAO : 2 400)
- **Nombre d'automobiles pour 1 000 hab. (2009) :** 1
- **Téléphones portables (2012) :** 23 % de la population équipée

REPÈRES HISTORIQUES

Le pays est peuplé anciennement par des Pygmées et par quelques Bantous puis, massivement au XIXe s., par d'autres Bantous (Baya, Banda) venus du Soudan, du Congo et du Tchad pour fuir la traite esclavagiste.

1877 : la descente du Congo par Stanley ouvre la voie à l'exploration européenne.

1889 - 1910 : soucieuse de s'ouvrir les routes du Tchad et du Nil, la France crée le poste de Bangui, renforce son implantation avec la mission Marchand (1896 - 1898), constitue l'Oubangui-Chari en colonie (1905) et l'intègre dans l'Afrique-Équatoriale française.

1946 : l'Oubangui-Chari devient territoire d'outre-mer.

1960 : la République centrafricaine, proclamée en 1958, devient indépendante.

1965 : un coup d'État amène au pouvoir Bokassa, président à vie (1972), puis empereur (1976).

1979 : avec l'aide de la France, Bokassa est renversé, et la république est rétablie.

À partir de 1996 : le pays connaît une crise militaire (mutineries) et politique permanente.

COMORES → MADAGASCAR

CONGO (RÉPUBLIQUE DÉMOCRATIQUE DU)

Traversé par l'équateur, le pays s'étend sur la cuvette forestière humide et chaude qui correspond à la majeure partie du bassin du fleuve Congo et sur les plateaux ou hauteurs de l'Est.

Superficie : 2 344 858 km²
Population (2013) : 71 100 000 hab.
Capitale : Kinshasa 8 797 730 hab. (e. 2011) dans l'agglomération
Nature de l'État et du régime politique : république à régime semi-présidentiel
Chef de l'État : (président de la République) Joseph Kabila
Chef du gouvernement : (Premier ministre) Augustin Matata Ponyo Mapon
Organisation administrative : 10 provinces et 1 municipalité
Langue officielle : français
Monnaie : franc congolais

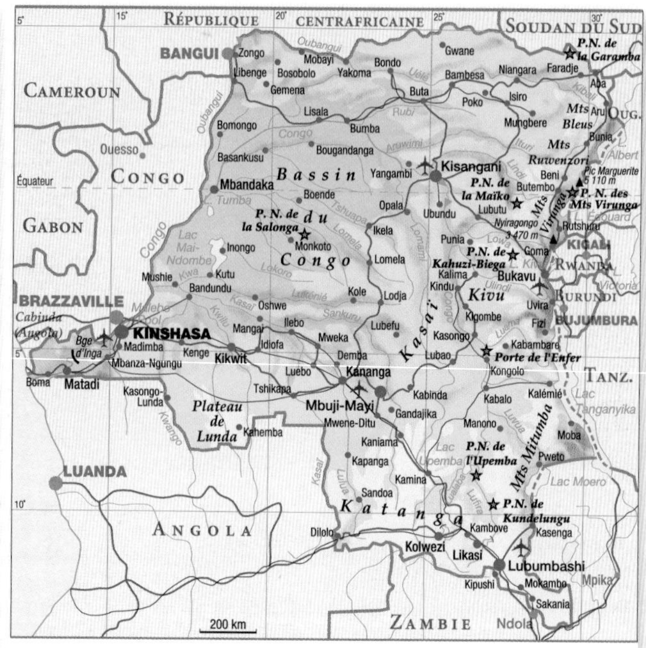

République démocratique du Congo

★ site touristique important — route — voie ferrée — aéroport
500 — 1000 — 2000 m
● plus de 1 000 000 h. ● de 500 000 à 1 000 000 h. ● de 100 000 à 500 000 h. ● moins de 100 000 h.

DÉMOGRAPHIE

- **Densité :** 30 hab./km²
- **Part de la population urbaine (2013) :** 34 %
- **Structure de la population par âge (2013) :** moins de 15 ans : 45 %, 15-65 ans : 52 %, plus de 65 ans : 3 %
- **Taux de natalité (2013) :** 45 ‰
- **Taux de mortalité (2013) :** 16 ‰
- **Taux de mortalité infantile (2013) :** 111 ‰
- **Espérance de vie (2013) :** hommes : 48 ans, femmes : 51 ans

La population, très inégalement répartie, compte plus de 500 groupes, qui utilisent, outre le français, plusieurs langues véhiculaires. Les caractéristiques démographiques sont celles d'une population qui est en pleine transition démographique : forts taux de natalité et de mortalité infantile et un indice de fécondité qui dépasse 6,3 enfants par femme. L'espérance de vie à la naissance est inférieure à 50 ans.

ÉCONOMIE

- **PNB (2012) :** 16 milliards de dollars
- **PNB/hab. (2012) :** 230 dollars
- **PNB/hab. PPA (2012) :** 390 dollars internationaux
- **IDH (2012) :** 0,304
- **Taux de croissance annuelle du PIB (2012) :** 7,2 %
- **Taux annuel d'inflation (2010) :** 85,1 %
- **Structure de la population active :** agriculture : n.d., mines et industries : n.d., services : n.d.
- **Structure du PIB (2012) :** agriculture : 44,8 %, mines et industries : 21,8 %, services : 33,4 %
- **Dette publique brute :** n.d.
- **Taux de chômage :** n.d.

La croissance de plus de 7 % entre 2010 et 2013 s'explique par l'essor du secteur minier (dont la gestion reste opaque), du BTP et des services. La RDC recèle des ressources minières en quantité, les principales étant le cobalt (1re réserve mondiale), le cuivre, le pétrole et les diamants. La Chine est actuellement le premier partenaire commercial du pays, qui compte sur les investissements chinois pour développer ses infrastructures, notamment le réseau routier. Sa dette a été réduite contre un programme de réformes structurelles visant notamment à améliorer les rentrées fiscales sans trop sacrifier les dépenses sociales – essentielles à la réduction d'un taux de pauvreté estimé à plus de 60 %, la population ne tirant aucun profit des richesses dans un pays où l'État est corrompu.

TOURISME

- **Recettes touristiques (2012) :** 11 M de $

COMMERCE EXTÉRIEUR

- **Exportations de biens (2009) :** 3 200 M de $
- **Importations de biens (2011) :** 12 211 M de $

DÉFENSE

- **Forces armées (2011) :** 134 250 individus
- **Dépenses militaires (2012) :** 1,8 % du PIB

NIVEAU DE VIE

- **Nombre d'habitants pour un médecin :** n.d.
- **Apport journalier moyen en calories (2007) :** 2 512 (minimum FAO : 2 400)
- **Nombre d'automobiles pour 1 000 hab. (2007) :** 5
- **Téléphones portables (2012) :** 28 % de la population équipée

REPÈRES HISTORIQUES

La région est occupée par les Pygmées et les Bantous.

XVIIe - XVIIIe s. : le royaume kuba est créé sur la rivière Kasaï, tandis qu'au Katanga le royaume luba est à son apogée ; le royaume lunda s'en détache vers 1750.

1885 : la conférence de Berlin reconnaît au roi des Belges Léopold II la propriété personnelle de l'État indépendant du Congo.

1908 : la Belgique assume l'héritage de Léopold II.

1960 : le Congo belge accède à l'indépendance sous le nom de république du Congo.

1965 - 1997 : Sese Seko Mobutu instaure une ère de relative stabilité dans le pays qui prend le nom de Zaïre (1971).

1997 : le pays, rebaptisé République démocratique du Congo, reste menacé par les conflits internes et les ingérences des pays voisins.

2006 : une nouvelle Constitution est promulguée.

CONGO

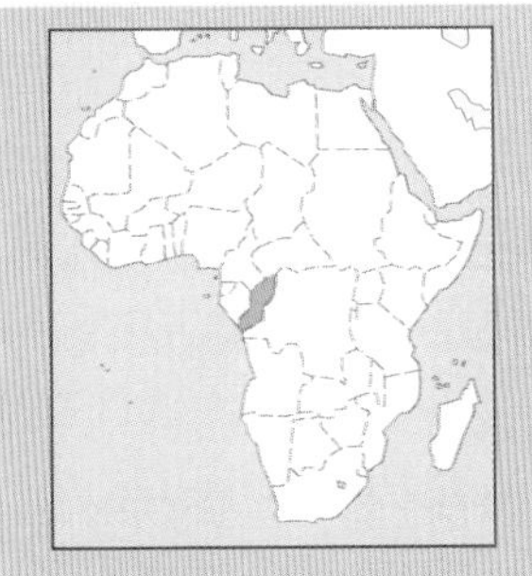

Vaste, mais cependant peu peuplé, sinon au sud des plateaux Batéké, où se concentrent plus des deux tiers de la population, le pays, traversé par l'équateur, possède un climat chaud et humide qui explique l'extension de la forêt.

Superficie : 342 000 km²
Population (2013) : 4 400 000 hab.
Capitale : Brazzaville 1 610 760 hab. (e. 2011)
Nature de l'État et du régime politique : république à régime présidentiel
Chef de l'État et du gouvernement : (président de la République) Denis Sassou-Nguesso
Organisation administrative : 10 régions et la capitale
Langue officielle : français
Monnaie : franc CFA

Congo

200 400 600 800 m

route
voie ferrée
aéroport

plus de 1 000 000 h.
de 100 000 à 1 000 000 h.
de 50 000 à 100 000 h.
moins de 50 000 h.

DÉMOGRAPHIE

- **Densité :** 13 hab./km²
- **Part de la population urbaine (2013) :** 64 %
- **Structure de la population par âge (2013) :** moins de 15 ans : 42 %, 15-65 ans : 55 %, plus de 65 ans : 3 %
- **Taux de natalité (2013) :** 38 ‰
- **Taux de mortalité (2013) :** 11 ‰
- **Taux de mortalité infantile (2013) :** 66 ‰
- **Espérance de vie (2013) :** hommes : 56 ans, femmes : 59 ans

Le Congo est peu densément peuplé, excepté au sud des plateaux Batéké, où se concentrent plus des deux tiers de la population, autour des deux principales villes, Brazzaville, la capitale, et Pointe-Noire. La population du pays, en pleine transition démographique, s'accroît rapidement avec un indice de fécondité de 5 enfants par femme.

ÉCONOMIE

- **PNB (2012) :** 11 milliards de dollars
- **PNB/hab. (2012) :** 2 550 dollars
- **PNB/hab. PPA (2012) :** 3 450 dollars internationaux
- **IDH (2012) :** 0,534
- **Taux de croissance annuelle du PIB (2012) :** 3,8 %
- **Taux annuel d'inflation (2012) :** 3,9 %
- **Structure de la population active :** agriculture : n.d., mines et industries : n.d., services : n.d.
- **Structure du PIB (2011) :** agriculture : 3,4 %, mines et industries : 76,6 %, services : 20 %
- **Dette publique brute :** n.d.
- **Taux de chômage :** n.d.

Grâce à sa production de pétrole (plus de 90 % de ses exportations et 66 % des revenus de l'État), le Congo connaît une forte croissance de son PIB depuis 2010 avec un taux de 5,8 % en 2013. Si le FMI lui accorde son satisfecit pour ses réformes structurelles, les indicateurs en matière de développement humain sont très médiocres. Le pays dispose cependant d'une grande ressource forestière (pas assez exploitée) et d'un potentiel agricole qui ne demande qu'à être développé.

TOURISME

- **Recettes touristiques (2002) :** 25 M de $

COMMERCE EXTÉRIEUR

- **Exportations de biens (2009) :** 6 520,3 M de $
- **Importations de biens (2011) :** 5 021 M de $

DÉFENSE

- **Forces armées (2011) :** 12 000 individus
- **Dépenses militaires (2010) :** 1,1 % du PIB

NIVEAU DE VIE

- **Nombre d'habitants pour un médecin (2011) :** 10 526
- **Apport journalier moyen en calories (2007) :** 1 605 (minimum FAO : 2 400)
- **Nombre d'automobiles pour 1 000 hab. (2007) :** 16
- **Téléphones portables (2012) :** 100 % de la population équipée

REPÈRES HISTORIQUES

XVe s. - XVIIIe s. : deux royaumes existent, celui des Téké, dans le Nord ; celui du Loango, dans le Sud.

1875 : le Français P. Savorgnan de Brazza explore la région.

1910 : la colonie du Moyen-Congo, créée dans le cadre du Congo français (1891), est intégrée dans l'AEF (capitale Brazzaville).

1940 : à Brazzaville, le gouverneur général Félix Éboué choisit la France libre.

1958 : le Congo devient république autonome. Il accède à l'indépendance en 1960.

À partir de 1963 : le régime s'oriente vers le socialisme.

1969 - 1977 : le pays devient la République populaire du Congo.

À partir de 1990 : un processus de démocratisation est engagé : retour au multipartisme, abandon des références au marxisme, nouvelle Constitution (1992).

CÔTE D'IVOIRE

Des plateaux recouverts par la savane apparaissent au nord, en arrière de la région littorale, bordée par des lagunes et occupée partiellement par la forêt dense.

Superficie : 322 463 km²
Population (2013) : 21 000 000 hab.
Capitale : Yamoussoukro 966 394 hab. (e. 2011)
Nature de l'État et du régime politique : république à régime présidentiel
Chef de l'État : (président de la République) Alassane Ouattara
Chef du gouvernement : (Premier ministre) Daniel Kablan Duncan
Organisation administrative : 16 régions
Langue officielle : français
Monnaie : franc CFA

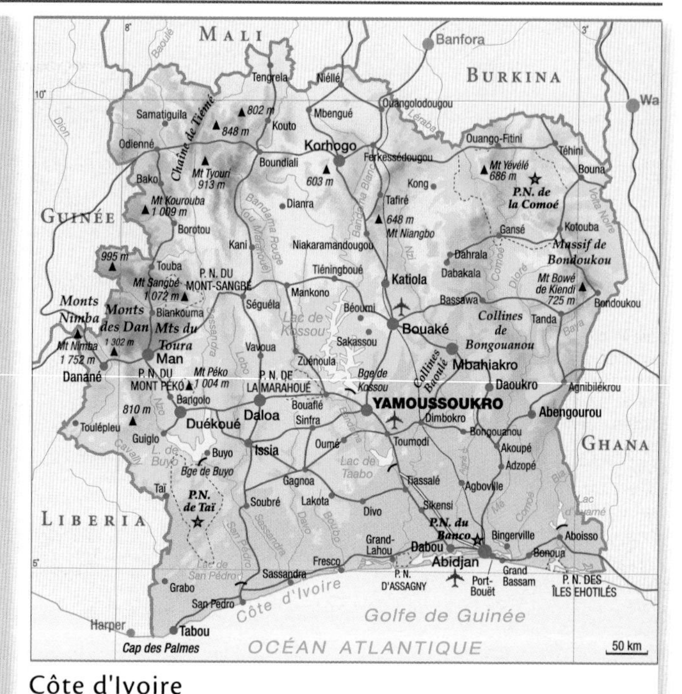

Côte d'Ivoire

★ site touristique important
200 300 400 500 m

autoroute
route
voie ferrée
aéroport

plus de 2 000 000 h.
de 100 000 à 2 000 000 h.
de 50 000 à 100 000 h.
moins de 50 000 h.

DÉMOGRAPHIE

- **Densité :** 65 hab./km²
- **Part de la population urbaine (2013) :** 51 %
- **Structure de la population par âge (2013) :** moins de 15 ans : 42 %, 15-65 ans : 55 %, plus de 65 ans : 3 %
- **Taux de natalité (2013) :** 37 ‰
- **Taux de mortalité (2013) :** 15 ‰
- **Taux de mortalité infantile (2013) :** 68 ‰
- **Espérance de vie (2013) :** hommes : 49 ans, femmes : 51 ans

La population est composée de quatre grands groupes : mandé, kru, voltaïque et akan (dont les Baoulé). Elle est chrétienne (dans le Sud), musulmane (dans le Nord) ou animiste. Jeune (42 % des habitants ont moins de 15 ans) et s'accroissant rapidement, elle se concentre dans le Sud-Est, vers Abidjan, seule grande ville, malgré le développement de Yamoussoukro, capitale créée dans le centre du pays.

ÉCONOMIE

- **PNB (2012) :** 24 milliards de dollars
- **PNB/hab. (2012) :** 1 220 dollars
- **PNB/hab. PPA (2012) :** 1 920 dollars internationaux
- **IDH (2012) :** 0,432
- **Taux de croissance annuelle du PIB (2012) :** 9,5 %
- **Taux annuel d'inflation (2012) :** 1,3 %
- **Structure de la population active :** agriculture : n.d., mines et industries : n.d., services : n.d.
- **Structure du PIB (2011) :** agriculture : 24 %, mines et industries : 30 %, services : 46 %
- **Dette publique brute :** n.d.
- **Taux de chômage :** n.d.

Le retour à la stabilité politique en 2011 a permis au pays de renouer avec une croissance de 9,5 % en 2012 et 6,4 % en 2013, favorisée par la hausse des cours du cacao et une production de pétrole élevée. Ces deux ressources (en passe de subir des réformes) contribuent pour 64 % aux exportations qui représentent 40 % du PIB. Le pays produit également du gaz naturel, du manganèse et de l'or, et recèle des richesses minières non exploitées : bauxite, cobalt, cuivre, minerai de fer, nickel, sable siliceux… La levée des sanctions et l'aide financière internationale, n'ont pas encore permis un véritable retour des investisseurs étrangers. Le nouveau gouvernement mise sur le développement du tourisme et a entrepris l'amélioration de ses infrastructures de transport.

TOURISME

- **Recettes touristiques (2011) :** 213 M de $

COMMERCE EXTÉRIEUR

- **Exportations de biens (2010) :** 11 410 M de $
- **Importations de biens (2010) :** 7 957 M de $

DÉFENSE

- **Forces armées (2009) :** 18 550 individus
- **Dépenses militaires (2012) :** 1,7 % du PIB

NIVEAU DE VIE

- **Nombre d'habitants pour un médecin (2011) :** 6 944
- **Apport journalier moyen en calories (2007) :** 2 528 (minimum FAO : 2 400)
- **Nombre d'automobiles pour 1 000 hab. (2007) :** 16
- **Téléphones portables (2012) :** 96 % de la population équipée

REPÈRES HISTORIQUES

Les plus anciennes populations sont les Kru (au sud-ouest), puis les Sénoufo (au nord-est). Vers le XVe s., les Kru se replient sous la poussée des Mandé, qui fonderont le royaume de Kong. Les Akan (Agni, Baoulé), implantés au début du XVIIIe s., fondent des chefferies ou royaumes (au sud-est).

1893 : présents dès la fin du XVIIe s., les Français créent la colonie de Côte d'Ivoire, bientôt rattachée à l'AOF.

1958 : territoire d'outre-mer depuis 1946, la Côte d'Ivoire devient république autonome.

1960 : elle accède à l'indépendance, avec pour président Félix Houphouët-Boigny, fidèle à la coopération avec la France.

1990 : une grave crise politique et sociale conduit le pouvoir à ouvrir le pays au multipartisme.

À partir de 1993 : après la mort d'Houphouët-Boigny, la situation économique, sociale et politique se dégrade.

DJIBOUTI → ÉTHIOPIE

ÉGYPTE

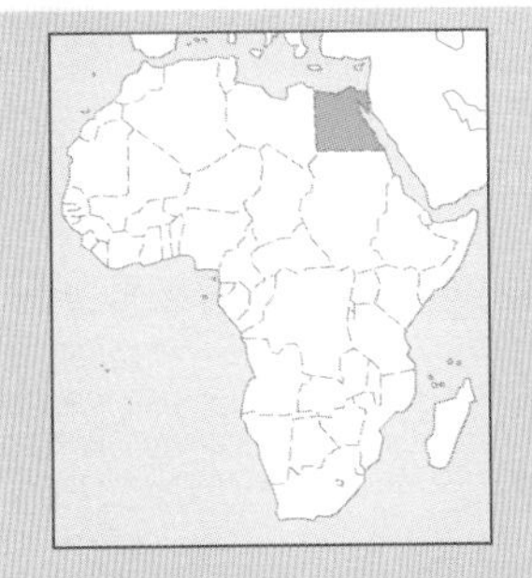

Situé à une latitude subtropicale, le pays constitue l'extrémité orientale du Sahara. La quasi-totalité de la population se concentre dans la vallée du Nil, qui représente moins de 5 % de la superficie du pays, dont le reste est formé de déserts parsemés d'oasis. La chaleur est torride en été, s'accroissant vers le sud, où disparaissent pratiquement les précipitations, déjà très faibles dans le delta (50 mm par an).

Superficie : 1 001 449 km²
Population (2013) : 84 700 000 hab.
Capitale : Le Caire 7 771 617 hab. (r. 2006), 11 168 959 hab. (e. 2011) dans l'agglomération
Nature de l'État et du régime politique : république à régime présidentiel
Chef de l'État : (président de la République) Adli Mansour
Chef du gouvernement : (Premier ministre) Ibrahim Mahlab
Organisation administrative : 26 gouvernorats
Langue officielle : arabe
Monnaie : livre égyptienne

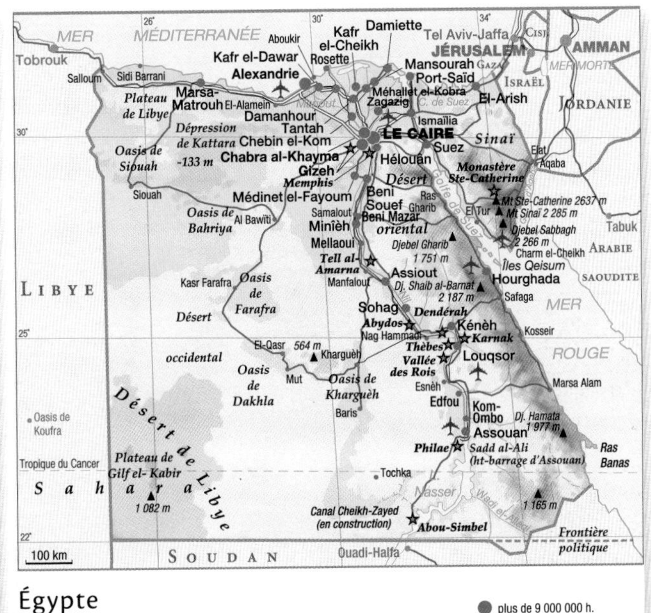

Égypte

★ site touristique important

0 200 500 1000 m

autoroute
route
voie ferrée
aéroport

plus de 9 000 000 h.
de 1 000 000 à 9 000 000 h.
de 100 000 à 1 000 000 h.
de 50 000 à 100 000 h.
moins de 50 000 h.

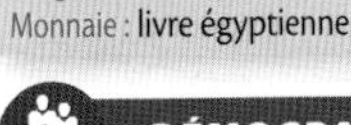

DÉMOGRAPHIE

- **Densité :** 85 hab./km²
- **Part de la population urbaine (2013) :** 43 %
- **Structure de la population par âge (2013) :** moins de 15 ans : 31 %, 15-65 ans : 63 %, plus de 65 ans : 6 %
- **Taux de natalité (2013) :** 25 ‰
- **Taux de mortalité (2013) :** 6 ‰
- **Taux de mortalité infantile (2013) :** 24 ‰
- **Espérance de vie (2013) :** hommes : 69 ans, femmes : 72 ans

L'Égypte est le troisième pays le plus peuplé d'Afrique. La quasi-totalité des habitants vit dans la vallée du Nil, où la densité de population dépasse les 1 500 habitants au km², voire plus dans le delta. La population, en grande partie musulmane, avec une minorité chrétienne, s'accroît toujours rapidement (le tiers de la population a moins de 15 ans) et le problème du surpeuplement est préoccupant, notamment au Caire, la plus grande ville d'Afrique, et à Alexandrie.

ÉCONOMIE

- **PNB (2012) :** 256 milliards de dollars
- **PNB/hab. (2012) :** 2 980 dollars
- **PNB/hab. PPA (2012) :** 6 450 dollars internationaux
- **IDH (2012) :** 0,662
- **Taux de croissance annuelle du PIB (2012) :** 2,2 %
- **Taux annuel d'inflation (2012) :** 7,1 %
- **Structure de la population active (2011) :** agriculture : 29,2 %, mines et industries : 23,5 %, services : 47,3 %
- **Structure du PIB (2012) :** agriculture : 14,5 %, mines et industries : 39,2 %, services : 46,3 %
- **Dette publique brute (2007) :** 86 % du PIB
- **Taux de chômage (2012) :** 12,7 %

L'économie égyptienne reposait moins sur l'industrie (textile, sidérurgie, BTP) que sur les services (tourisme, dont les recettes avaient été multipliées presque par trois dans les années 2000, représentant plus de 20 % des revenus d'exportation), mais les droits de passage sur le canal de Suez et l'agriculture (riz, maïs, blé, tomates, coton, canne à sucre) y tenaient aussi une place importante. Depuis la révolution de 2011, le nouveau pouvoir a tenté de mettre l'accent, outre le maintien des subventions aux produits de première nécessité et le contrôle de l'inflation, sur la lutte contre le chômage des jeunes et la réduction des inégalités, l'Égypte étant classée parmi les pays à développement humain moyen. La croissance, de l'ordre de 6 % par an en moyenne depuis 2005, a baissé en 2011 et se stabilise à 1,8 % en 2013. Une chute sans précédent (– 35 %) des revenus du tourisme (due à la situation politique) a encore aggravé les difficultés de ce pays. La dégradation de la situation économique est telle que l'armée, soutenue par une grande partie de la population, a renversé le gouvernement en place en juillet 2013. Les défis économiques restent nombreux : créer des emplois alors que le taux de chômage est très élevé (20 millions de personnes travaillent dans le secteur informel), rétablir l'équilibre budgétaire, réduire la dette et attirer de nouveau les investisseurs étrangers. Pour cela, le nouveau gouvernement doit renouer avec la stabilité politique et rétablir un climat de sécurité.

TOURISME

- **Recettes touristiques (2012) :** 9 333 millions de dollars

COMMERCE EXTÉRIEUR

- **Exportations de biens (2012) :** 26 835 millions de dollars
- **Importations de biens (2012) :** 67 412 millions de dollars

DÉFENSE

- **Forces armées (2011) :** 835 500 individus
- **Dépenses militaires (2012) :** 1,7 % du PIB

NIVEAU DE VIE

- **Nombre d'habitants pour un médecin (2011) :** 353
- **Apport journalier moyen en calories (2007) :** 3 195 (minimum FAO : 2 400)
- **Nombre d'automobiles pour 1 000 hab. (2010) :** 33
- **Téléphones portables (2012) :** 100 % de la population équipée

REPÈRES HISTORIQUES

Au IVe millénaire, l'Égypte est divisée entre deux royaumes : Basse-Égypte au nord et Haute-Égypte au sud.

3150 - 2700 av. J.-C. : époque thinite, Ire et IIe dynasties. Ménès (ou Narmer) unifie l'Égypte. Apparition du relief (palette de Narmer) et de l'écriture hiéroglyphique.

2700 - 2190 : Ancien Empire, IIIe - VIe dynastie. Memphis devient capitale de l'Égypte. Temps des pyramides : pyramide à degrés de Djoser à Saqqarah (IIIe dynastie) ; pyramides de Kheops, Khephren et Mykerinus à Gizeh (IVe dynastie). Nécropoles des dignitaires aux mastabas ornés de reliefs polychromes.

Vers 2160 - vers 2060 : première période intermédiaire, VIIe ? - XIe dynastie. Période de troubles politiques et sociaux.

Vers 2060 - 1785 : Moyen Empire, ou premier Empire thébain, fin de la XIe - XIIe dynastie. L'Égypte conquiert la Syrie et la Nubie. La XIIe dynastie favorise le culte d'Amon. Constructions du complexe funéraire de Deir el-Bahari, mise en valeur du Fayoum.

Vers 1780 - vers 1550 : seconde période intermédiaire, XIIIe - XVIIe dynastie. Invasion des Hyksos venus d'Asie.

Vers 1580 - 1085 : Nouvel Empire, ou second Empire thébain, XVIIIe - XXe dynastie. Avec Thèbes pour capitale, l'Égypte est une des grandes puissances du Proche-Orient. Sous les règnes de Thoutmosis III, d'Aménophis IV, initiateur du culte d'Aton (sous le nom d'Akhenaton), et de Ramsès II, elle connaît un épanouissement artistique inégalé avec la construction de grands ensembles architecturaux : Karnak, temples funéraires d'Hatshepsout, de Ramsès II et de Ramsès III à Deir el-Bahari, hypogées royaux de la Vallée des Rois ; aboutissement architectural du temple divin (Louqsor).

1085 - VIe s. av. J.-C. : Basse Époque, XXe - XXVIe dynastie. 1085 marque la fin de l'unité égyptienne. Des dynasties étrangères ou nationales alternent au pouvoir (XXIe - XXVe dynastie, dynastie saïte) ; grande activité architecturale (temples de Philae, Dendérah, Edfou). Le pays subit l'invasion assyrienne. En 525, le roi perse Cambyse conquiert l'Égypte.

VIe - IVe s. av. J.-C. : XXVIIe - XXXe dynastie. Des rois perses et indigènes se succèdent.

L'Égypte hellénistique, romaine et byzantine

332 : Alexandre Ier le Grand s'empare de l'Égypte.

305 - 30 : les Lagides, dynastie grecque, règnent sur le pays.

30 av. J.-C. - 395 apr. J.-C. : l'Égypte est dans la dépendance romaine. Le christianisme se développe.

395 - 639 : l'Égypte est dans la mouvance byzantine. Les chrétiens forment l'Église copte.

L'Égypte musulmane jusqu'à Méhémet-Ali

640 - 642 : les Arabes conquièrent le pays.

642 - 868 : intégrée à l'Empire musulman des Omeyyades puis des Abbassides, l'Égypte est islamisée. Les Coptes ne représentent plus qu'un quart de la population en 750.

868 - 905 : les Tulunides, affranchis de la tutelle abbasside, gouvernent le pays.

969 - 1171 : les Fatimides, dynastie chiite ismaélienne, fondent Le Caire et l'université d'al-Azhar (973).

1171 - 1250 : la dynastie ayyubide fondée par Saladin s'empare de la quasi-totalité des États latins du Levant et restaure le sunnisme.

1250 - 1517 : la caste militaire des Mamelouks domine le pays.

1517 : l'Égypte devient une province ottomane.

1798 - 1801 : elle est occupée par les troupes françaises commandées par Bonaparte.

L'Égypte moderne

1805 - 1848 : Méhémet-Ali, qui s'est déclaré pacha à vie, massacre les Mamelouks (1811) et modernise le pays. Il conquiert le Soudan (1820).

1867 : Ismaïl Pacha obtient le titre de khédive (vice-roi).

1869 : le canal de Suez est inauguré. Endettée, l'Égypte doit accepter la tutelle des Français et des Britanniques, puis celle de ces derniers seulement. Les Britanniques établissent une domination de fait sur le pays dès 1882.

1914 - 1922 : mettant fin à la suzeraineté ottomane, le protectorat britannique est établi.

1922 : il est supprimé, et l'Égypte devient un royaume.

1936 : le traité anglo-égyptien confirme l'indépendance de l'Égypte, qui accepte le stationnement de troupes britanniques sur son territoire.

1936 - 1952 : les Frères musulmans radicalisent le mouvement nationaliste, qui se renforce encore après la défaite infligée aux armées arabes par Israël (1948 - 1949).

L'Égypte républicaine

1953 : la république est proclamée.

1954 : Nasser devient le seul maître du pays.

1956 : il obtient des Soviétiques le financement du haut barrage d'Assouan et nationalise le canal de Suez, ce qui provoque un conflit avec Israël et l'intervention militaire franco-britannique.

1958 - 1961 : l'Égypte et la Syrie forment la République arabe unie, présidée par Nasser.

1967 : la guerre des « Six-Jours » entraîne la fermeture du canal de Suez et l'occupation du Sinaï par Israël.

1970 : Sadate succède à Nasser.

1973 : « guerre du Kippour » : l'Égypte récupère le contrôle du canal de Suez.

1979 : le traité de paix avec Israël est signé à Washington conformément aux accords de Camp David.

1981 : Sadate est assassiné par des extrémistes islamistes. Hosni Moubarak devient président de la République.

1982 : l'Égypte récupère le Sinaï.

1989 : elle est intégrée au sein de la Ligue arabe (dont elle avait été exclue à la suite de l'accord de paix avec Israël).

Depuis 2011 : H. Moubarak doit démissionner sous la pression de grandes manifestations populaires.

ÉRYTHRÉE

L'Érythrée se compose d'une étroite plaine côtière, aride et dominée par un plateau plus arrosé.

Superficie : 117 600 km²
Population (2013) : 5 800 000 hab.
Capitale : Asmara 711 605 hab. (e. 2011)
Nature de l'État et du régime politique : république à régime parlementaire
Chef de l'État et du gouvernement : (président de la République) Issayas Afeworki
Organisation administrative : 6 provinces
Langues officielles : tigrigna et arabe
Monnaie : nakfa

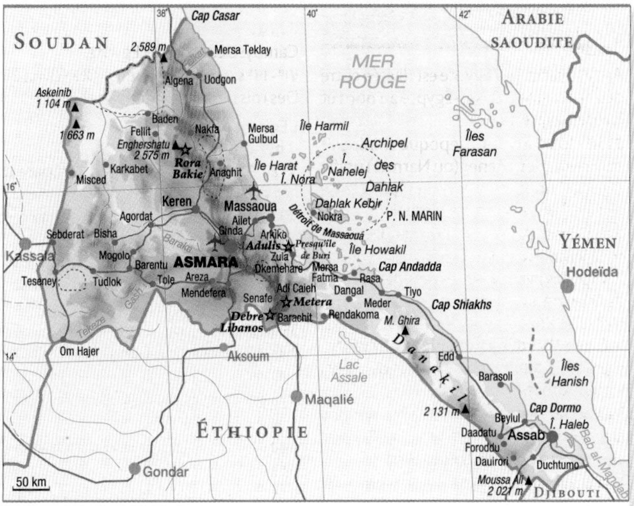

Érythrée

★ site touristique important
0 200 500 1000 m
— route
— voie ferrée
aéroport
plus de 300 000 h.
de 50 000 à 300 000 h.
de 20 000 à 50 000 h.
moins de 20 000 h.

DÉMOGRAPHIE

- **Densité :** 49 hab./km²
- **Part de la population urbaine (2013) :** 21 %
- **Structure de la population par âge (2013) :** moins de 15 ans : 43 %, 15-65 ans : 55 %, plus de 65 ans : 2 %
- **Taux de natalité (2013) :** 38 ‰
- **Taux de mortalité (2013) :** 7 ‰
- **Taux de mortalité infantile (2013) :** 46 ‰
- **Espérance de vie (2013) :** hommes : 59 ans, femmes : 64 ans

La population juxtapose des musulmans sunnites, pasteurs nomades de langue couchitique, principalement concentrés aux abords du Soudan et sur le littoral, et des chrétiens coptes, qui parlent le tigré et le tigrigna et qui habitent sur les hauts plateaux. La population a augmenté considérablement depuis le début des années 2000 et s'accroît toujours rapidement (43 % des habitants ont moins de 15 ans).

ÉCONOMIE

- **PNB (2012) :** 3 milliards de dollars
- **PNB/hab. (2012) :** 450 dollars
- **PNB/hab. PPA (2012) :** 550 dollars internationaux
- **IDH (2012) :** 0,351
- **Taux de croissance annuelle du PIB (2012) :** 7 %
- **Taux annuel d'inflation (2003) :** 22,7 %
- **Structure de la population active :** agriculture : n.d., mines et industries : n.d., services : n.d.
- **Structure du PIB (2009) :** agriculture : 15 %, mines et industries : 22 %, services : 63 %
- **Dette publique brute :** n.d.
- **Taux de chômage :** n.d.

Après une forte récession en 2008 (– 11 % environ), accompagnée d'une inflation estimée à 30 %, l'Érythrée peine à sortir du marasme économique (seulement + 1,1 % en 2013 grâce à l'exploitation de l'or) en raison essentiellement d'une instabilité politique qui décourage les investisseurs. Les sécheresses, les dépenses militaires et surtout l'arrêt de l'approvisionnement de pétrole par la Libye aggravent une situation économique déjà dramatique. Les échanges extérieurs du pays sont réduits, avec un effondrement de ses exportations, et sa dette reste très élevée. L'agriculture, dominée par l'élevage, est le seul secteur économique actif avec l'exploitation de l'or, les secteurs industriel et tertiaire étant quasi inexistants.

TOURISME

- **Recettes touristiques (2010) :** 26 millions de dollars

COMMERCE EXTÉRIEUR

- **Exportations de biens (2009) :** 15 millions de dollars
- **Importations de biens (2011) :** 604 millions de dollars

DÉFENSE

- **Forces armées (2011) :** 201 750 individus
- **Dépenses militaires (2005) :** 6,3 % du PIB

NIVEAU DE VIE

- **Nombre d'habitants pour un médecin :** n.d.
- **Apport journalier moyen en calories (2007) :** 1 605 (minimum FAO : 2 400)
- **Nombre d'automobiles pour 1 000 hab. (2007) :** 6
- **Téléphones portables (2012) :** 5 % de la population équipée

REPÈRES HISTORIQUES

L'Érythrée a longtemps constitué la seule province maritime de l'Éthiopie.

1890 : elle devient une colonie italienne.

1941 - 1952 : les Britanniques occupent la région, puis l'administrent après la guerre.

1952 : l'Érythrée est réunie à l'Éthiopie avec le statut d'État fédéré.

1962 : devenue une province de l'Éthiopie, elle s'oppose à la politique autoritaire du gouvernement d'Addis-Abeba, contre lequel se bat le Front populaire de libération de l'Érythrée (FPLE), fondé en 1970.

1991 : après la chute de Mengistu, le nouveau régime éthiopien accepte le principe d'un référendum d'autodétermination.

1993 : le pays accède à l'indépendance.

1998 - 2000 : un conflit frontalier oppose l'Érythrée à l'Éthiopie.

Depuis 2008 : un autre litige frontalier provoque de fortes tensions avec Djibouti. L'Érythrée est régulièrement accusée par la communauté internationale de soutenir les insurgés islamistes et de jouer un rôle déstabilisateur dans la région.

ÉTHIOPIE

En dehors des plateaux de l'Est (Ogaden) et de la dépression Danakil, plus au nord, l'Éthiopie est un pays essentiellement montagneux (Massif éthiopien), ce qui lui vaut, à cette latitude, de ne pas être désertique.

Superficie : 1 104 300 km²
Population (2013) : 89 200 000 hab.
Capitale : Addis-Abeba 2 979 100 hab. (e. 2011)
Nature de l'État et du régime politique : république à régime parlementaire
Chef de l'État : (président de la République) Wirtu Mulatu Teshome
Chef du gouvernement : (Premier ministre) Hailé Mariam Desalegn
Organisation administrative : 9 États régionaux et 2 municipalités
Langue officielle : amharique
Monnaie : birr éthiopien

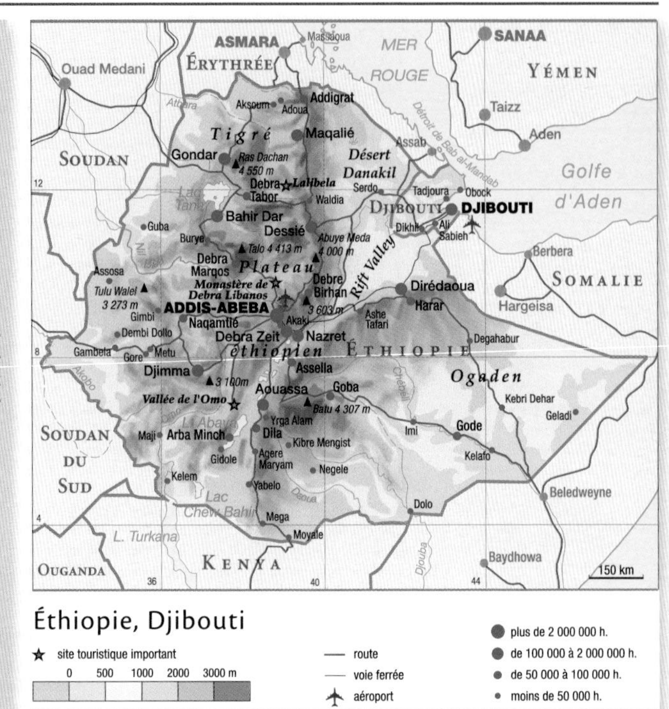

Éthiopie, Djibouti

DÉMOGRAPHIE

- **Densité :** 81 hab./km²
- **Part de la population urbaine (2013) :** 17 %
- **Structure de la population par âge (2013) :** moins de 15 ans : 44 %, 15-65 ans : 53 %, plus de 65 ans : 3 %
- **Taux de natalité (2013) :** 34 ‰
- **Taux de mortalité (2013) :** 8 ‰
- **Taux de mortalité infantile (2013) :** 52 ‰
- **Espérance de vie (2013) :** hommes : 61 ans, femmes : 64 ans

L'Éthiopie est le deuxième pays le plus peuplé d'Afrique. La population comprend une quarantaine de groupes, qui parlent au total plusieurs dizaines de langues. Au centre vivent les Amhara (40 % de la population totale), des chrétiens monophysites, agriculteurs. Dans le Nord et l'Est vivent les Galla (le tiers de la population totale), souvent musulmans et éleveurs. La grande majorité de la population du pays, très jeune (44 % des habitants ont moins de 15 ans), est rurale.

ÉCONOMIE

- **PNB (2012) :** 42 milliards de dollars
- **PNB/hab. (2012) :** 380 dollars
- **PNB/hab. PPA (2012) :** 1 110 dollars internationaux
- **IDH (2012) :** 0,396
- **Taux de croissance annuelle du PIB (2012) :** 8,5 %
- **Taux annuel d'inflation (2012) :** 22,8 %
- **Structure de la population active (2006) :** agriculture : 8,6 %, mines et industries : 22,8 %, services : 68,6 %
- **Structure du PIB (2012) :** agriculture : 48,8 %, mines et industries : 10,1 %, services : 41,1 %
- **Dette publique brute :** n.d.
- **Taux de chômage (2009) :** 20,5 %

Les trois secteurs de l'économie – l'industrie, avec le textile en particulier – ont contribué à la croissance, de l'ordre de 10 % par an en moyenne depuis 2005 (7 % en 2013), l'investissement est en augmentation (Arabie saoudite et Chine) et l'inflation a été contenue. Le commerce extérieur est encore restreint, les exportations représentant environ 10 % du PIB, dont plus de 70 % de produits agricoles (café et sésame). Le pays est le 1er producteur africain de café mais souhaite diversifier ses exportations, notamment avec la production de coton et de fleurs soutenue par des investissements indiens. Le développement humain de l'Éthiopie reste cependant l'un des plus bas du monde et en dessous de la moyenne en Afrique : 44 % de la population est sous-alimentée et le taux de pauvreté est d'environ 40 %.

TOURISME

- **Recettes touristiques (2012) :** 1 998 millions de dollars

COMMERCE EXTÉRIEUR

- **Exportations de biens (2012) :** 3 258 millions de dollars
- **Importations de biens (2011) :** 10 089 millions de dollars

DÉFENSE

- **Forces armées (2011) :** 138 000 individus
- **Dépenses militaires (2012) :** 0,9 % du PIB

NIVEAU DE VIE

- **Nombre d'habitants pour un médecin (2011) :** 45 455
- **Apport journalier moyen en calories (2007) :** 1 980 (minimum FAO : 2 400)
- **Nombre d'automobiles pour 1 000 hab. (2007) :** 1
- **Téléphones portables (2012) :** 24 % de la population équipée

REPÈRES HISTORIQUES

Ier - IXe s. apr. J.-C. : le royaume d'Aksoum étend sa domination jusqu'au Nil Bleu. Christianisé par l'Église égyptienne (copte) au IVe s., il connaît sa période la plus brillante au VIe s. avant de sombrer sous les coups de l'islam au Xe s.

XVIe s. : les Portugais découvrent le pays et le libèrent (1543) de l'occupation musulmane imposée en 1527.

XVIIe - XVIIIe s. : le pays est pénétré par des populations païennes et sombre bientôt dans des luttes entre seigneurs féodaux.

1869 : après l'ouverture du canal de Suez, l'Éthiopie est convoitée par les puissances européennes.

1889 - 1909 : Ménélik II bat les Italiens à Adoua (1896) et fonde Addis-Abeba.

1917 : les Européens, maîtres des côtes, imposent Tafari comme régent.

1930 : Tafari, négus depuis 1928, devient empereur (Hailé Sélassié Ier).

1935 - 1936 : guerre contre l'Italie. Vaincue, l'Éthiopie constitue, avec l'Érythrée et la Somalie, l'Afrique-Orientale italienne.
1941 : les troupes franco-anglaises libèrent le pays.
1962 : l'Érythrée, réunie à l'Éthiopie en 1952 avec le statut d'État fédéré, forme alors une province. La rébellion s'y développe.
1974 : l'armée dépose le négus et instaure un régime de type socialiste.
1977 - 1998 : soutenue par l'URSS et Cuba, l'Éthiopie est engagée dans un conflit frontalier contre la Somalie à propos de l'Ogaden.
1987 : l'Éthiopie devient une république populaire et démocratique, à parti unique.
1991 : confronté à la montée de la guerre civile, Mengistu doit abandonner le pouvoir.
1993 : l'Érythrée accède à l'indépendance.
1998 - 2000 : un conflit frontalier oppose l'Éthiopie à l'Érythrée.
Déc. 2006 - début 2009 : l'Éthiopie est engagée militairement en Somalie.

DJIBOUTI

À l'entrée de la mer Rouge, Djibouti est un petit pays au relief contrasté mais unifié par un climat chaud et aride.

Superficie : 23 200 km^2
Population (2013) : 900 000 hab.
Capitale : Djibouti 495 804 hab. (e. 2011) dans l'agglomération
Nature de l'État et du régime politique : république à régime présidentiel
Chef de l'État et du gouvernement : (président de la République) Ismaïl Omar Guelleh
Chef de gouvernement : (Premier ministre) Abdoulkader Kamil Mohamed
Organisation administrative : 6 régions
Langues officielles : arabe et français
Monnaie : franc de Djibouti

DÉMOGRAPHIE

- **Densité :** 39 hab./km^2
- **Part de la population urbaine (2013) :** 77 %
- **Structure de la population par âge (2013) :** moins de 15 ans : 34 %, 15-65 ans : 62 %, plus de 65 ans : 4 %
- **Taux de natalité (2013) :** 29 ‰
- **Taux de mortalité (2013) :** 9 ‰
- **Taux de mortalité infantile (2013) :** 58 ‰
- **Espérance de vie (2013) :** hommes : 59 ans, femmes : 62 ans

La population, musulmane, se compose à parts presque égales de deux peuples, parfois rivaux, Issas et Afars. Plus de la moitié de la population se concentre à Djibouti, la capitale.

ÉCONOMIE

- **PNB (2009) :** 1 milliard de dollars
- **PNB/hab. (2009) :** 1 270 dollars
- **PNB/hab. PPA (2009) :** 2 460 dollars internationaux
- **IDH (2012) :** 0,445
- **Taux de croissance annuelle du PIB (2009) :** 5 %
- **Taux annuel d'inflation (2012) :** 7,9 %
- **Structure de la population active :** agriculture : n.d., mines et industries : n.d., services : n.d.
- **Structure du PIB (2007) :** agriculture : 4 %, mines et industries : 17 %, services : 79 %
- **Dette publique brute :** n.d.
- **Taux de chômage :** n.d.

Avec une forte croissance au cours des années 2000 et après avoir bien traversé la crise de 2008, Djibouti ambitionne de devenir un important carrefour commercial (nouveau complexe portuaire) et financier en collaboration notamment avec Dubai et en attirant des capitaux étrangers. Le pays a également signé, avec l'Éthiopie et le Soudan du Sud, un accord de coopération : de nouvelles infrastructures de transport (routes, chemin de fer, oléoduc) et de communication devraient voir le jour. Son économie est très liée à celle de l'Éthiopie, qui bénéficie, grâce à son port, d'un débouché sur la mer. La croissance économique (5 % en 2013) ne profite pas à la population, qui reste très pauvre.

TOURISME

- **Recettes touristiques (2012) :** 19 millions de dollars

COMMERCE EXTÉRIEUR

- **Exportations de biens (2012) :** 111 millions de dollars
- **Importations de biens (2011) :** 511 millions de dollars

DÉFENSE

- **Forces armées (2011) :** 12 950 individus
- **Dépenses militaires (2008) :** 4,1 % du PIB

NIVEAU DE VIE

- **Nombre d'habitants pour un médecin (2011) :** 4 367
- **Apport journalier moyen en calories (2007) :** 2 291 (minimum FAO : 2 400)
- **Nombre d'automobiles pour 1 000 hab. :** n.d.
- **Téléphones portables (2012) :** 23 % de la population équipée

REPÈRES HISTORIQUES

1896 : création de la « Côte française des Somalis ».
1946 : elle reçoit le statut de territoire d'outre-mer.
1967 : celui-ci devient le Territoire français des Afars et des Issas.
1977 : il accède à l'indépendance et prend le nom de république de Djibouti, présidée par Hassan Gouled Aptidon (qui reste à la tête de l'État jusqu'en 1999), puis par Ismaïl Omar Guelleh.

GABON

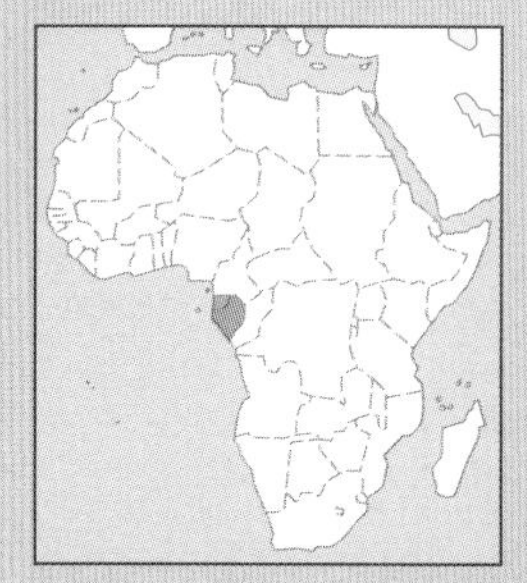

Vaste comme la moitié de la France et correspondant au bassin de l'Ogooué, le Gabon est un pays peu peuplé, au climat équatorial, chaud et humide. Il est recouvert par la forêt dense.

Superficie : 267 668 km²
Population (2013) : 1 600 000 hab.
Capitale : Libreville 686 356 hab. (e. 2011)
Nature de l'État et du régime politique : république à régime semi-présidentiel
Chef de l'État : (président de la République) Ali Bongo
Chef du gouvernement : (Premier ministre) Daniel Ona Ondo
Organisation administrative : 9 provinces
Langue officielle : français
Monnaie : franc CFA

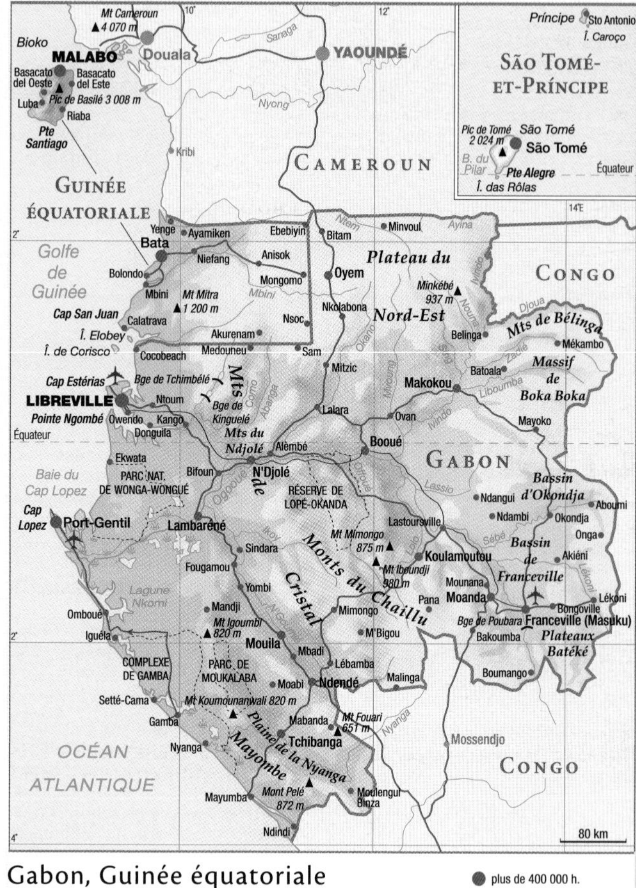

Gabon, Guinée équatoriale

DÉMOGRAPHIE

- **Densité :** 6 hab./km²
- **Part de la population urbaine (2013) :** 86 %
- **Structure de la population par âge (2013) :** moins de 15 ans : 39 %, 15-65 ans : 56 %, plus de 65 ans : 5 %
- **Taux de natalité (2013) :** 32 ‰
- **Taux de mortalité (2013) :** 9 ‰
- **Taux de mortalité infantile (2013) :** 43 ‰
- **Espérance de vie (2013) :** hommes : 62 ans, femmes : 64 ans

Plus des trois quarts des habitants vivent en milieu urbain, principalement à Libreville et à Port-Gentil. La croissance démographique a été très soutenue ces dernières années, mais l'espérance de vie reste faible (63 ans).

ÉCONOMIE

- **PNB (2012) :** 16 milliards de dollars
- **PNB/hab. (2012) :** 10 040 dollars
- **PNB/hab. PPA (2012) :** 14 090 dollars internationaux
- **IDH (2012) :** 0,683
- **Taux de croissance annuelle du PIB (2012) :** 5,6 %
- **Taux annuel d'inflation (2012) :** 2,7 %
- **Structure de la population active :** agriculture : n.d., mines et industries : n.d., services : n.d.
- **Structure du PIB (2012) :** agriculture : 3,9 %, mines et industries : 62,2 %, services : 33,9 %
- **Dette publique brute :** n.d.
- **Taux de chômage :** n.d.

Le pétrole et le manganèse représentent environ 90 % des exportations du Gabon et 54 % du PIB. Après les États-Unis et l'UE, la Chine est devenue le troisième client du pays, la France restant son premier fournisseur. Tirée par le secteur minier, l'exploitation du bois (2e secteur économique du pays) et les investissements publics, la croissance a été soutenue en 2013 (+ 6,6 %). Le volontarisme économique du pays se manifeste par une diversification de ses activités (les réserves de pétrole s'amenuisent), notamment dans l'agriculture, le secteur du développement durable, des infrastructures, dans le secteur tertiaire et la santé.

TOURISME

- **Recettes touristiques (2001) :** 7 M de $

COMMERCE EXTÉRIEUR

- **Exportations de biens (2009) :** 5 218 M de $
- **Importations de biens (2009) :** 2 022 M de $

DÉFENSE

- **Forces armées (2011) :** 6 700 individus
- **Dépenses militaires (2012) :** 1,4 % du PIB

NIVEAU DE VIE

- **Nombre d'habitants pour un médecin :** n.d.
- **Apport journalier moyen en calories (2007) :** 2 755 (minimum FAO : 2 400)
- **Nombre d'automobiles pour 1 000 hab. :** n.d.
- **Téléphones portables (2012) :** 100 % de la population équipée

REPÈRES HISTORIQUES

Les premiers habitants sont probablement les Pygmées, vivant dans l'arrière-pays. Le groupe bantou le plus nombreux est celui des Fang, au nord.

1471 ou 1473 : les Portugais atteignent la côte.

XVIIe - début du XIXe s. : les Européens pratiquent la traite des Noirs, ainsi que le commerce de l'ivoire et de l'ébène.

1843 : la France s'établit définitivement au Gabon, d'où les Fang venus du nord-est refoulent les populations locales.

1886 : le Gabon devient colonie française. Il fusionne avec le Congo (1888 - 1904), puis est intégré dans l'AEF (1910).

1960 : le Gabon devient une république indépendante.

1990 : instauration du multipartisme.

GUINÉE ÉQUATORIALE

GABON

Une partie du pays regroupe diverses îles, dont Bioko et Annóbon ; l'autre partie correspond au territoire oriental du Mbini, entre le Cameroun et le Gabon. La forêt couvre une grande partie du territoire.

Superficie : 28 051 km²
Population (2013) : 800 000 hab.
Capitale : Malabo 136 971 hab. (e. 2011) dans l'agglomération
Nature de l'État et du régime politique : république
Chef de l'État : (président de la République) Teodoro Obiang Nguema Mbasogo
Chef du gouvernement : (Premier ministre) Vicente Ehate Tomi
Organisation administrative : 2 régions
Langues officielles : espagnol et français
Monnaie : franc CFA

DÉMOGRAPHIE

- **Densité :** 29 hab./km²
- **Part de la population urbaine (2013) :** 39 %
- **Structure de la population par âge (2013) :** moins de 15 ans : 39 %, 15-65 ans : 58 %, plus de 65 ans : 3 %
- **Taux de natalité (2013) :** 37 ‰
- **Taux de mortalité (2013) :** 14 ‰
- **Taux de mortalité infantile (2013) :** 65 ‰
- **Espérance de vie (2013) :** hommes : 51 ans, femmes : 54 ans

La population de l'unique pays hispanophone d'Afrique est principalement d'origine bantoue. Concentrée sur le littoral et dans l'île de Bioko, elle est jeune et s'accroît rapidement.

ÉCONOMIE

- **PNB (2012) :** 11 milliards de dollars
- **PNB/hab. (2012) :** 13 560 dollars
- **PNB/hab. PPA (2012) :** 18 570 dollars internationaux
- **IDH (2012) :** 0,554
- **Taux de croissance annuelle du PIB (2012) :** 2,5 %
- **Taux annuel d'inflation (2012) :** 6,1 %
- **Structure de la population active :** agriculture : n.d., mines et industries : n.d., services : n.d.
- **Structure du PIB (2009) :** agriculture : 3,2 %, mines et industries : 92,6 %, services : 4,2 %
- **Dette publique brute :** n.d.
- **Taux de chômage :** n.d.

La Guinée équatoriale doit désormais relever le défi de la diversification d'une économie basée exclusivement sur le boom pétrolier qui a permis des investissements publics massifs et une très forte croissance, mais sans grand effet sur les conditions de vie de la majorité de la population (75 % vit sous le seuil de pauvreté). Le pays est entré en récession en 2013 (– 1,5 %).

TOURISME

- **Recettes touristiques (1998) :** 2 M de $

COMMERCE EXTÉRIEUR

- **Exportations de biens (2009) :** 8 842 M de $
- **Importations de biens (2011) :** 9 382 M de $

DÉFENSE

- **Forces armées (2011) :** 1 320 individus
- **Dépenses militaires (2007) :** 0,08 % du PIB

NIVEAU DE VIE

- **Nombre d'habitants pour un médecin :** n.d.
- **Apport journalier moyen en calories :** n.d.
- **Nombre d'automobiles pour 1 000 hab. :** n.d.
- **Téléphones portables (2012) :** 68 % de la population équipée

REPÈRES HISTORIQUES

1777 - 1778 : noyau de la Guinée équatoriale, les îles d'Annobón et de Fernando Poo sont cédées à l'Espagne par le Portugal, qui les occupait depuis le XVe s.

XIXe s. : à partir de 1840, la province continentale (le Río Muni) est convoitée par la France et l'Espagne.

1900 : les frontières du pays sont définitivement fixées ; l'intérieur du Río Muni n'est occupé qu'en 1926.

1959 : la colonie devient une province espagnole.

1968 : elle accède à l'indépendance et est soumise à un régime despotique.

1979 : rétablissement des relations avec l'Espagne et l'Occident.

1992 : le pays s'engage sur la voie du multipartisme.

SÃO TOMÉ-ET-PRÍNCIPE

À 300 km au large du Gabon, le pays est formé de deux îles, São Tomé, qui regroupe plus de 95 % de la population totale, et Príncipe (ou île du Prince). Le relief est montagneux, avec des sommets à 2 000 m. Le climat est chaud et humide.

Superficie : 964 km²
Population (2013) : 200 000 hab.
Capitale : São Tomé 63 952 hab. (e. 2011) dans l'agglomération
Nature de l'État et du régime politique : république à régime semi-présidentiel
Chef de l'État : (président de la République) Manuel Pinto da Costa
Chef du gouvernement : (Premier ministre) Gabriel Ferreira da Costa
Organisation administrative : 2 provinces
Langue officielle : portugais
Monnaie : dobra

DÉMOGRAPHIE

- **Densité :** 207 hab./km²
- **Part de la population urbaine (2013) :** 63 %
- **Structure de la population par âge (2013) :** moins de 15 ans : 42 %, 15-65 ans : 54 %, plus de 65 ans : 4 %
- **Taux de natalité (2013) :** 38 ‰
- **Taux de mortalité (2013) :** 7 ‰
- **Taux de mortalité infantile (2013) :** 44 ‰
- **Espérance de vie (2013) :** hommes : 64 ans, femmes : 68 ans

La population de ce micro-État insulaire, créolisée et descendant en partie de colons portugais, est en croissance rapide.

ÉCONOMIE

- **PNB (2012) :** 0,3 milliard de dollars
- **PNB/hab. (2012) :** 1 310 dollars
- **PNB/hab. PPA (2012) :** 1 810 dollars internationaux
- **IDH (2012) :** 0,525
- **Taux de croissance annuelle du PIB (2012) :** 4 %
- **Taux annuel d'inflation (2012) :** 10,4 %
- **Structure de la population active (2000) :** agriculture : 28 %, mines et industries : 19,6 %, services : 52,4 %
- **Structure du PIB (2003) :** agriculture : 17 %, mines et industries : 16 %, services : 67 %
- **Dette publique brute :** n.d.
- **Taux de chômage (2011) :** 12 %

L'économie repose principalement sur les exportations de cacao (88 %) et sur le secteur du tourisme. Elle devait être relancée avant 2016 grâce à des réserves de pétrole dans sa zone maritime, encore inexploitées, mais les premiers forages ne sont pas à la hauteur des résultats espérés.

TOURISME

- **Recettes touristiques (2012) :** 16 M de $

COMMERCE EXTÉRIEUR

- **Exportations de biens (2012) :** 12 M de $
- **Importations de biens (2011) :** 142 M de $

DÉFENSE

- **Forces armées :** n.d.
- **Dépenses militaires :** n.d.

NIVEAU DE VIE

- **Nombre d'habitants pour un médecin :** n.d.
- **Apport journalier moyen en calories (2007) :** 2 684 (minimum FAO : 2 400)
- **Nombre d'automobiles pour 1 000 hab. (2007) :** 2
- **Téléphones portables (2012) :** 71 % de la population équipée

REPÈRES HISTORIQUES

1471 : les deux îles sont découvertes par João de Santarém et Pedro Escobar.

1493 : les premiers colons venus de Madère introduisent la canne à sucre et l'esclavage pour mettre en valeur de grandes plantations.

1975 : São Tomé-et-Príncipe accède à l'indépendance.

GAMBIE → SÉNÉGAL

GHANA

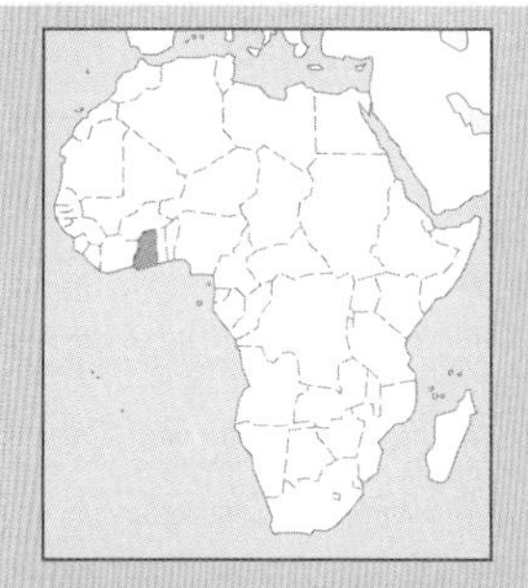

Pays au climat tropical, le Ghana se compose d'un littoral formé d'une chaîne de grands plateaux, couverts par la forêt dense. Le Nord est recouvert par la savane.

Superficie : 238 533 km²
Population (2013) : 26 100 000 hab.
Capitale : Accra 2 573 220 hab. (e. 2011) dans l'agglomération
Nature de l'État et du régime politique : république
Chef de l'État et du gouvernement : (président de la République) John Dramani Mahama
Organisation administrative : 10 régions
Langue officielle : anglais
Monnaie : cedi

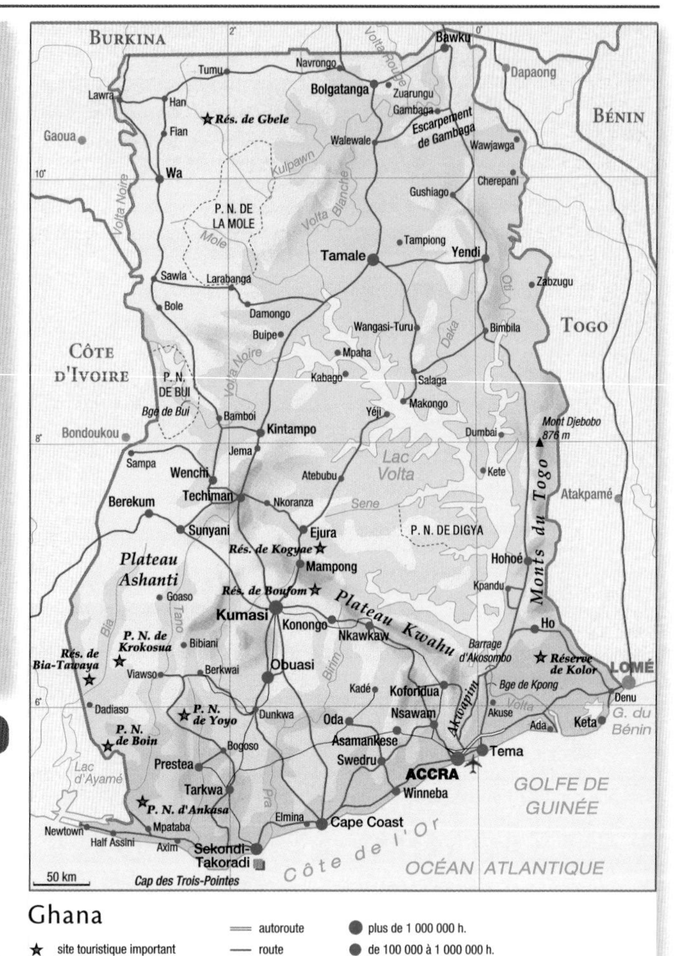

DÉMOGRAPHIE

- **Densité :** 109 hab./km²
- **Part de la population urbaine (2013) :** 52 %
- **Structure de la population par âge (2013) :** moins de 15 ans : 39 %, 15-65 ans : 57 %, plus de 65 ans : 4 %
- **Taux de natalité (2013) :** 33 ‰
- **Taux de mortalité (2013) :** 9 ‰
- **Taux de mortalité infantile (2013) :** 53 ‰
- **Espérance de vie (2013) :** hommes : 60 ans, femmes : 62 ans

La densité moyenne est assez élevée, mais la répartition de la population est très inégale. Au nord de l'escarpement du plateau, les densités chutent à moins de 20 hab./km², sauf dans l'extrême Nord-Est, alors qu'au sud les campagnes sont beaucoup plus peuplées. L'agglomération d'Accra, la capitale, ne concentre que 10 % de la population totale du pays. Celle-ci, en pleine transition démographique, s'accroît rapidement et les moins de 15 ans représentent près de 39 % des habitants.

ÉCONOMIE

- **PNB (2012) :** 39 milliards de dollars
- **PNB/hab. (2012) :** 1 550 dollars
- **PNB/hab. PPA (2012) :** 1 910 dollars internationaux
- **IDH (2012) :** 0,558
- **Taux de croissance annuelle du PIB (2012) :** 7,9 %
- **Taux annuel d'inflation (2012) :** 9,2 %
- **Structure de la population active (2010) :** agriculture : 41,5 %, mines et industries : 15,4 %, services : 43,1 %
- **Structure du PIB (2012) :** agriculture : 22,7 %, mines et industries : 27,3 %, services : 50 %
- **Dette publique brute :** n.d.
- **Taux de chômage (2010) :** 4,2 %

Modèle de démocratie et de « bonne gouvernance » en Afrique, le Ghana a connu une croissance forte et équilibrée, favorisée par les prix du cacao et de l'or. Ses exportations représentent 35 % de son PIB, ses principaux partenaires étant l'Afrique du Sud, l'UE et la Chine. En 2013, le taux de croissance se maintient à 7,9 %, tiré autant par l'exploitation récente du pétrole et du gaz que par les secteurs agricole (3ᵉ producteur mondial de cacao) et minier (2ᵉ producteur africain d'or). Le secteur des services se porte bien avec une participation de plus de 50 % au PIB. Le pays est sorti de la catégorie des pays à faible revenu et fait partie dorénavant des pays à revenu intermédiaire. La bonne santé économique a permis au gouvernement de consacrer son budget au développement des infrastructures – notamment la construction d'un gazoduc financé par la Chine – et à l'exploitation d'un premier gisement de pétrole. L'un des objectifs majeurs du gouvernement est de réduire de moitié la pauvreté pour 2015 (30 % de la population vit en dessous du seuil de pauvreté).

TOURISME

- **Recettes touristiques (2012) :** 797 millions de dollars

COMMERCE EXTÉRIEUR

- **Exportations de biens (2012) :** 13 543 millions de dollars
- **Importations de biens (2012) :** 22 890 millions de dollars

DÉFENSE

- **Forces armées (2011) :** 15 500 individus
- **Dépenses militaires (2012) :** 0,3 % du PIB

NIVEAU DE VIE

- **Nombre d'habitants pour un médecin (2011) :** 11 765
- **Apport journalier moyen en calories (2007) :** 2 907 (minimum FAO : 2 400)

- **Nombre d'automobiles pour 1 000 hab. (2010) :** 18
- **Téléphones portables (2012) :** 100 % de la population équipée

REPÈRES HISTORIQUES

1471 : les Portugais atteignent la côte du futur Ghana, qui recevra ensuite le nom de Côte-de-l'Or, ou Gold Coast. Ils y construisent le fort d'Elmina et parviennent à garder pendant un siècle et demi le monopole du commerce de l'or.

XVIIe - XVIIIe s. : ils sont évincés par les Hollandais, qui se partagent le littoral avec les Britanniques et d'autres marchands européens. À partir du milieu du XVIIe s., le commerce de l'or est supplanté par celui des esclaves. À l'intérieur s'édifient de puissants États akan : en 1701, à l'hégémonie denkyéra succède celle des Ashanti.

XIXe s. : nombreuses guerres entre les Ashanti et les Britanniques, auxquels les Fanti se sont ralliés (conquête de Kumasi par les Britanniques, 1896). La Grande-Bretagne domine seule le pays, qui passe petit à petit sous son protectorat. La traite étant abolie depuis 1807, l'expansion économique, remarquable, s'appuie sur les ressources minières et le cacao.

1957 : la Gold Coast devient indépendante, sous le nom de Ghana, dans le cadre du Commonwealth.

Depuis 1960 : après plusieurs coups d'État, une Constitution adoptée par référendum (1992) restaure le multipartisme. Dirigé par Jerry Rawlings (1981 - 2001), John Kufuor (2001 - 2009), John Atta Mills (2009 - 2011) puis John Dramani Mahama (depuis 2012), le Ghana connaît l'alternance démocratique.

GUINÉE

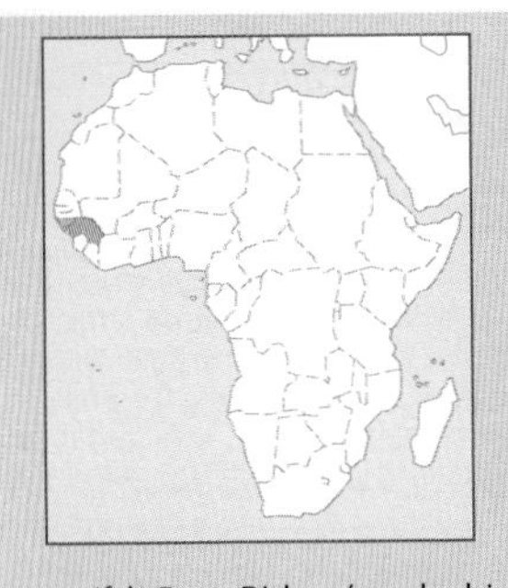

Le massif du Fouta-Djalon sépare la plaine côtière, très humide, et la haute Guinée intérieure, juxtaposant une région de dépression au nord (bassin de Siguiri) et des moyennes montagnes au sud-est (monts Nimba). Le climat est chaud, mais parfois tempéré par l'altitude, et comporte souvent une saison sèche marquée, expliquant la présence de la savane.

Superficie : 245 857 km²
Population (2013) : 11 800 000 hab.
Capitale : Conakry 1 786 300 hab. (e. 2011) dans l'agglomération
Nature de l'État et du régime politique : république
Chef de l'État : (président de la République) Alpha Condé
Chef du gouvernement : (Premier ministre) Mohamed Saïd Fofana
Organisation administrative : 7 gouvernorats et 1 municipalité
Langue officielle : français
Monnaie : franc guinéen

Guinée, Guinée-Bissau

★ site touristique important
200 500 1000 m
— route
— voie ferrée
✈ aéroport
● plus de 500 000 h.
● de 50 000 à 500 000 h.
● de 10 000 à 50 000 h.
● moins de 10 000 h.

DÉMOGRAPHIE

- **Densité :** 48 hab./km²
- **Part de la population urbaine (2013) :** 35 %
- **Structure de la population par âge (2013) :** moins de 15 ans : 43 %, 15-65 ans : 54 %, plus de 65 ans : 3 %
- **Taux de natalité (2013) :** 38 ‰
- **Taux de mortalité (2013) :** 12 ‰
- **Taux de mortalité infantile (2013) :** 67 ‰
- **Espérance de vie (2013) :** hommes : 55 ans, femmes : 56 ans

La population, composée de peuples variés (dont les Mandingues, appelés Malinké en Guinée, et les Peuls), est plus dense dans la moitié occidentale (dans le Fouta-Djalon et, ponctuellement, sur le littoral, où se trouve la capitale et seule ville importante, Conakry) que dans la partie orientale. La grande majorité de la population du pays, très jeune (43 % des habitants ont moins de 15 ans), est rurale. Le taux de mortalité infantile reste très élevé. L'espérance de vie n'est que de 56 ans.

ÉCONOMIE

- **PNB (2012) :** 5 milliards de dollars
- **PNB/hab. (2012) :** 440 dollars
- **PNB/hab. PPA (2012) :** 970 dollars internationaux
- **IDH (2012) :** 0,355
- **Taux de croissance annuelle du PIB (2012) :** 3,9 %
- **Taux annuel d'inflation (2012) :** 15,2 %
- **Structure de la population active :** agriculture : n.d., mines et industries : n.d., services : n.d.
- **Structure du PIB (2012) :** agriculture : 22 %, mines et industries : 44,8 %, services : 33,2 %
- **Dette publique brute :** n.d.
- **Taux de chômage :** n.d.

Si la situation économique a été marquée en 2010 par le recul de la production dans plusieurs secteurs (cacao, café, pêche), en revanche, en 2011, avec l'arrivée d'un nouveau gouvernement, le budget a pu être stabilisé, ce qui a redonné confiance aux institutions financières qui y voient une perspective de croissance soutenue pour les années à venir (près de 4 % en 2012 et 2,9 % en 2013). L'économie guinéenne est en grande partie fondée sur les exportations de bauxite (1er exportateur mondial), d'or et de diamants. Parmi les richesses non exploitées figurent l'uranium, le pétrole, le nickel, le manganèse ou le minerai de fer. Malgré ces richesses, 53 % de la population vit en dessous du seuil de pauvreté.

TOURISME

- **Recettes touristiques (2012) :** 2 millions de dollars

COMMERCE EXTÉRIEUR

- **Exportations de biens (2012) :** 1 928 millions de dollars
- **Importations de biens (2011) :** 2 452 millions de dollars

DÉFENSE

- **Forces armées (2011) :** 12 300 individus
- **Dépenses militaires (2007) :** 1 % du PIB

NIVEAU DE VIE

- **Nombre d'habitants pour un médecin (2011) :** 10 000
- **Apport journalier moyen en calories (2007) :** 2 568 (minimum FAO : 2 400)
- **Nombre d'automobiles pour 1 000 hab. :** n.d.
- **Téléphones portables (2012) :** 46 % de la population équipée

REPÈRES HISTORIQUES

XIIe s. : la haute Guinée, peuplée de Malinké, appartient en partie à l'empire du Mali.

1461 - 1462 : l'arrivée des Portugais inaugure la traite des Noirs, qui persistera au-delà de 1850.

XVIIIe s. : les Peuls, venus au XVIe s. des régions périphériques, instituent dans le centre du pays un État théocratique, le Fouta-Djalon.

Seconde moitié du XIXe s. : la France entreprend la conquête de la région.

1889 - 1893 : la Guinée devient colonie française, englobée dans l'AOF en 1895.

1958 : la Guinée opte pour l'indépendance immédiate, rompant tout lien avec la France. Le président Sékou Touré impose un régime autoritaire.

1984 : à la mort de Sékou Touré, le pays est confronté à de graves difficultés économiques.

1990 : une nouvelle Constitution met fin au régime militaire et introduit le multipartisme. Mais le pays est déstabilisé par l'impact des conflits régionaux (afflux de réfugiés du Liberia et de la Sierra Leone) et connaît des crises sociales et politiques récurrentes.

GUINÉE-BISSAU

Une plaine littorale très découpée, marécageuse (mangrove), précède des plateaux et des collines, plus secs, qui sont le domaine de l'élevage.

Superficie : 36 125 km²
Population (2013) : 1 700 000 hab.
Capitale : Bissau 422 811 hab. (e. 2011)
Nature de l'État et du régime politique : république
Chef de l'État : (président de la République) Manuel Serifo Nhamadjo
Chef du gouvernement : (Premier ministre) Rui Duarte de Barros
Organisation administrative : 8 régions et 1 secteur autonome
Langue officielle : portugais
Monnaie : franc CFA

DÉMOGRAPHIE

- **Densité :** 47 hab./km²
- **Part de la population urbaine (2013) :** 44 %
- **Structure de la population par âge (2013) :** moins de 15 ans : 42 %, 15-65 ans : 55 %, plus de 65 ans : 3 %
- **Taux de natalité (2013) :** 38 ‰
- **Taux de mortalité (2013) :** 13 ‰
- **Taux de mortalité infantile (2013) :** 96 ‰
- **Espérance de vie (2013) :** hommes : 52 ans, femmes : 55 ans

Ce pays peu peuplé se caractérise par sa forte croissance démographique, avec 5 enfants par femme, des taux de natalité et de mortalité infantile très élevés et une espérance de vie de 54 ans.

ÉCONOMIE

- **PNB (2012) :** 1 milliard de dollars
- **PNB/hab. (2012) :** 510 dollars
- **PNB/hab. PPA (2012) :** 1 100 dollars internationaux
- **IDH (2012) :** 0,364
- **Taux de croissance annuelle du PIB (2012) :** – 6,7 %
- **Taux annuel d'inflation (2012) :** 2,1 %
- **Structure de la population active :** agriculture : n.d., mines et industries : n.d., services : n.d.
- **Structure du PIB (2012) :** agriculture : 55,5 %, mines et industries : 12,9 %, services : 31,6 %
- **Dette publique brute :** n.d.
- **Taux de chômage :** n.d.

Tirée par les exportations de noix de cajou (95 % des exportations) et le BTP, l'économie, qui dépend en grande partie du secteur agricole (55,5 % du PIB), connaît une croissance modérée en 2013 (5,3 %) après une récession en 2012 (– 6,7 %). Le relèvement du pays pourrait venir de la Chine, déjà engagée dans la reconstruction d'infrastructures et intéressée par les richesses minières non exploitées (bauxite, phosphate, diamants, or...), par le bois et le pétrole. L'indice de développement humain est l'un des plus faibles au monde et plus de 90 % de la dette extérieure a été annulée par le FMI et la Banque mondiale en échange de mesures économiques indispensables au relèvement du pays.

TOURISME

- **Recettes touristiques (2011) :** 14 millions de dollars

COMMERCE EXTÉRIEUR

- **Exportations de biens (2010) :** 127 millions de dollars
- **Importations de biens (2010) :** 197 millions de dollars

DÉFENSE

- **Forces armées (2011) :** 6 450 individus
- **Dépenses militaires (2012) :** 2 % du PIB

NIVEAU DE VIE

- **Nombre d'habitants pour un médecin (2011) :** 22 222
- **Apport journalier moyen en calories (2007) :** 2 306 (minimum FAO : 2 400)
- **Nombre d'automobiles pour 1 000 hab. (2009) :** 27
- **Téléphones portables (2012) :** 69 % de la population équipée

REPÈRES HISTORIQUES

1446 : les Portugais découvrent le pays, peuplé de Mandingues musulmans et de populations animistes.

Fin du XVIe s. : ils y installent des comptoirs.

1879 : la Guinée portugaise devient une colonie, détachée administrativement du Cap-Vert.

1941 : Bissau devient le chef-lieu de la colonie.

1956 : Amilcar Cabral prend la tête du mouvement nationaliste.

1962 : guérilla antiportugaise.

1973 : la république de Guinée-Bissau est proclamée par Luís de Almeida Cabral, frère d'Amilcar, lequel vient d'être assassiné.

1974 : l'indépendance du pays est reconnue par le Portugal.

1991 : le régime, d'inspiration marxiste-léniniste, instaure le multipartisme.

Depuis 1998 : en proie à une guerre civile en 1998, le pays est déstabilisé par des coups d'État militaires récurrents.

GUINÉE ÉQUATORIALE → GABON

KENYA

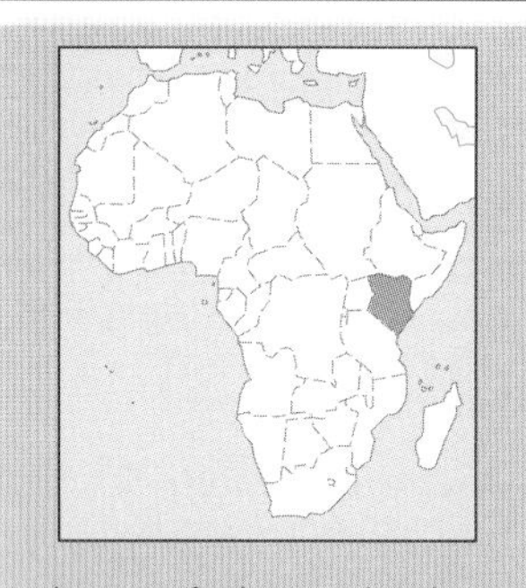

Les hauts massifs volcaniques du Sud-Ouest, humides, sont bien peuplés car l'altitude modère les températures de latitude équatoriale. Les bas plateaux et les plaines du Nord et du Nord-Est, steppiques, sont presque vides. Le pays est traversé par la zone d'effondrement de l'Afrique orientale (la Rift Valley), jalonnée de lacs.

Superficie : 580 367 km²

Population (2013) : 44 200 000 hab.

Capitale : Nairobi 3 363 130 hab. (e. 2011)

Nature de l'État et du régime politique : république

Chef de l'État : (président de la République) Uhuru Kenyatta

Chef du gouvernement : (Premier ministre) Raila Odinga

Organisation administrative : 7 provinces et 1 municipalité

Langues officielles : anglais et swahili

Monnaie : shilling du Kenya

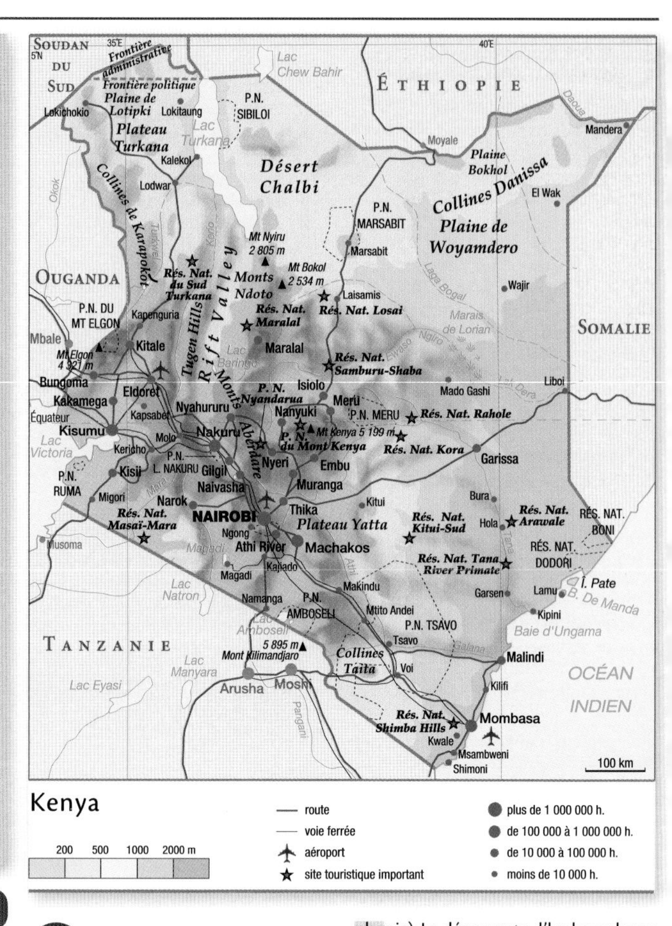

DÉMOGRAPHIE

- **Densité :** 76 hab./km²
- **Part de la population urbaine (2013) :** 24 %
- **Structure de la population par âge (2013) :** moins de 15 ans : 42 %, 15-65 ans : 55 %, plus de 65 ans : 3 %
- **Taux de natalité (2013) :** 36 ‰
- **Taux de mortalité (2013) :** 9 ‰
- **Taux de mortalité infantile (2013) :** 54 ‰
- **Espérance de vie (2013) :** hommes : 59 ans, femmes : 62 ans

La population juxtapose de nombreux peuples, parmi lesquels émergent les Kikuyu et les Luhya, de langue bantoue, les Masai, les Luo et les Kalenjin. La population, chrétienne pour un tiers, se concentre sur les hautes terres du Sud-Ouest, sur la côte et dans la région du lac Victoria. Les villes les plus importantes sont la capitale, Nairobi (3,4 millions d'hab.), Mombasa (1 million d'hab.), premier port de l'Afrique orientale, et Kisumu (200 000 hab.). Les caractéristiques démographiques sont celles des pays d'Afrique subsaharienne : très faible taux d'urbanisation, forte croissance démographique, indice de fécondité (4,5 enfants par femme) et taux de mortalité infantile élevés, faible espérance de vie.

ÉCONOMIE

- **PNB (2012) :** 41 milliards de dollars
- **PNB/hab. (2012) :** 860 dollars
- **PNB/hab. PPA (2012) :** 1 730 dollars internationaux
- **IDH (2012) :** 0,519
- **Taux de croissance annuelle du PIB (2012) :** 4,6 %
- **Taux annuel d'inflation (2012) :** 9,4 %
- **Structure de la population active :** agriculture : n.d., mines et industries : n.d., services : n.d.
- **Structure du PIB (2012) :** agriculture : 29,9 %, mines et industries : 17,4 %, services : 52,7 %
- **Dette publique brute :** n.d.
- **Taux de chômage :** n.d.

L'amélioration de l'environnement politique depuis l'adoption de la nouvelle Constitution, en août 2010, est favorable à la croissance du Kenya qui souffre cependant d'une forte vulnérabilité aux chocs exogènes et aux variations climatiques. Le pays dépend en grande partie des transferts de fonds de sa diaspora mais aussi de son agriculture (thé, café, horticulture), qui compte pour 30 % du PIB, et du secteur tertiaire, en pleine expansion (tourisme, banque, transports, téléphonie). La découverte d'hydrocarbures (pétrole) laisse présager une exploitation de brut pour 2016. Le gouvernement prévoit des investissements publics dans les infrastructures, notamment dans le secteur des énergies renouvelables (géothermie).

TOURISME

- **Recettes touristiques (2012) :** 1 844 millions de dollars

COMMERCE EXTÉRIEUR

- **Exportations de biens (2012) :** 6 165 millions de dollars
- **Importations de biens (2012) :** 16 613 millions de dollars

DÉFENSE

- **Forces armées (2011) :** 29 100 individus
- **Dépenses militaires (2012) :** 2 % du PIB

NIVEAU DE VIE

- **Nombre d'habitants pour un médecin (2012) :** 5 525
- **Apport journalier moyen en calories (2007) :** 2 089 (minimum FAO : 2 400)
- **Nombre d'automobiles pour 1 000 hab. (2011) :** 14
- **Téléphones portables (2012) :** 72 % de la population équipée

REPÈRES HISTORIQUES

Pays où l'on a découvert les plus anciens restes de préhominiens, le Kenya est occupé à l'origine par des populations proches des Bochimans.

500 av. J.-C. - XVIe s. apr. J.-C. : des populations bantoues venues du nord se substituent à ce peuplement primitif ; les Arabes puis les Portugais (après 1497) installent des comptoirs sur le littoral.

1888 : la Grande-Bretagne obtient du sultan de Zanzibar une concession sur l'essentiel du pays.

1895 : le Kenya devient protectorat britannique.

1920 : il forme une colonie de la Couronne.

1925 : Jomo Kenyatta se place à la tête du mouvement nationaliste, qui exige la restitution des terres aux Kikuyu.

1952 - 1956 : la « révolte des Mau-Mau » (rébellion des Kikuyu) est sévèrement réprimée ; Kenyatta est arrêté.

1961 : libération de Kenyatta.

1963 : le Kenya devient indépendant dans le cadre du Commonwealth.

1964 - 1978 : Kenyatta est président de la République.

1991 : abrogé en 1982, le multipartisme est rétabli.

2007 - 2008 : la réélection contestée (décembre 2007) de Mwai Kibaki (à la tête de l'État depuis 2002) est suivie d'une explosion de violence, la crise politique se doublant d'affrontements interethniques. Un accord de partage du pouvoir est conclu avec l'opposition, dont le chef devient Premier ministre.

2010 : une nouvelle Constitution est adoptée.

2011 : le Kenya lance une offensive militaire en Somalie.

LESOTHO → AFRIQUE DU SUD

LIBERIA

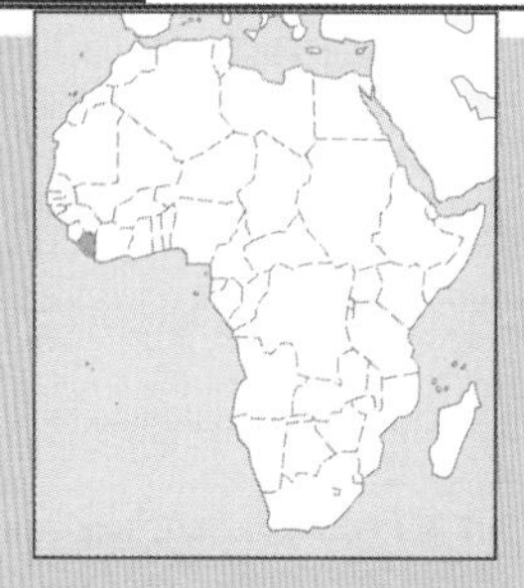

Le pays s'élève progressivement vers les monts Nimba. Le climat chaud et humide a favorisé le développement d'une forêt dense dans l'intérieur, couvrant un tiers du territoire.

Superficie : 111 369 km²
Population (2013) : 4 400 000 hab.
Capitale : Monrovia 750 376 hab. (e. 2011) dans l'agglomération
Nature de l'État et du régime politique : république
Chef de l'État et du gouvernement : (présidente de la République) Ellen Johnson Sirleaf
Organisation administrative : 13 comtés
Langue officielle : anglais
Monnaie : dollar libérien

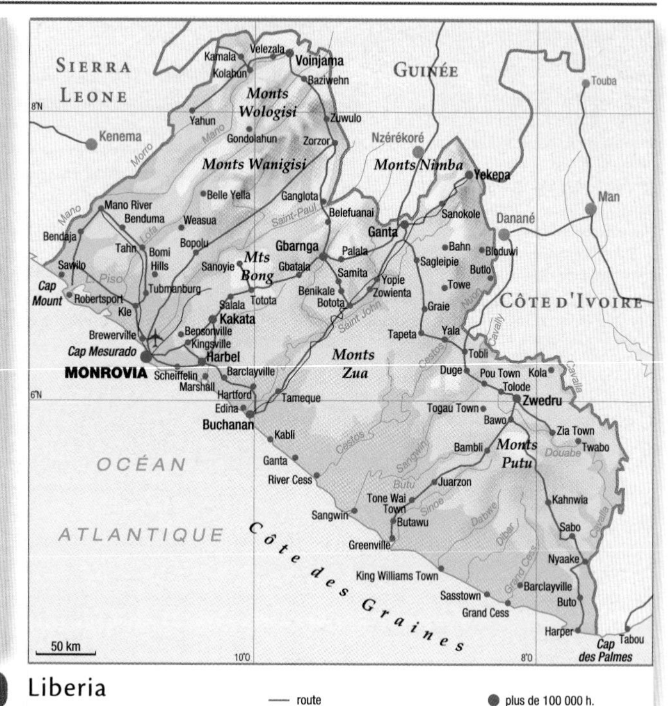

Liberia

200 500 1000 m

— route
— voie ferrée
aéroport

plus de 100 000 h.
de 20 000 à 100 000 h.
moins de 20 000 h.

DÉMOGRAPHIE

- **Densité :** 40 hab./km²
- **Part de la population urbaine (2013) :** 48 %
- **Structure de la population par âge (2013) :** moins de 15 ans : 43 %, 15-65 ans : 54 %, plus de 65 ans : 3 %
- **Taux de natalité (2013) :** 42 ‰
- **Taux de mortalité (2013) :** 9 ‰
- **Taux de mortalité infantile (2013) :** 63 ‰
- **Espérance de vie (2013) :** hommes : 59 ans, femmes : 61 ans

La population, en forte croissance, très jeune, se répartit en une vingtaine de groupes (notamment Mandingues [Mandés], Kru, peuple de marins, et Kissi), aux côtés de descendants des émigrés afro-américains.

ÉCONOMIE

- **PNB (2012) :** 2 milliards de dollars
- **PNB/hab. (2012) :** 370 dollars
- **PNB/hab. PPA (2012) :** 580 dollars internationaux
- **IDH (2012) :** 0,388
- **Taux de croissance annuelle du PIB (2012) :** 10,2 %
- **Taux annuel d'inflation (2012) :** 6,8 %
- **Structure de la population active (2010) :** agriculture : 48,9 %, mines et industries : 9,2 %, services : 41,9 %
- **Structure du PIB (2012) :** agriculture : 38,8 %, mines et industries : 16,4 %, services : 44,8 %
- **Dette publique brute :** n.d.
- **Taux de chômage (2010) :** 3,7 %

L'économie, ruinée par la guerre civile, se relève progressivement depuis les élections de 2006. Si les échanges restent lourdement déficitaires malgré l'augmentation des exportations de caoutchouc, un programme ambitieux de reconstruction vise notamment à relancer le secteur minier (minerai de fer, or, diamants, potentiel pétrolier) et à attirer les investisseurs étrangers dans la filière de l'huile de palme.

TOURISME

- **Recettes touristiques (2012) :** 232 millions de dollars

COMMERCE EXTÉRIEUR

- **Exportations de biens (2011) :** 646 millions de dollars
- **Importations de biens (2011) :** 1 442 millions de dollars

DÉFENSE

- **Forces armées (2011) :** 2 050 individus
- **Dépenses militaires (2012) :** 0,8 % du PIB

NIVEAU DE VIE

- **Nombre d'habitants pour un médecin (2011) :** 71 429
- **Apport journalier moyen en calories (2007) :** 2 204 (minimum FAO : 2 400)
- **Nombre d'automobiles pour 1 000 hab. (2007) :** 2
- **Téléphones portables (2012) :** 56 % de la population équipée

REPÈRES HISTORIQUES

XVᵉ - XVIIIᵉ s. : la région est occupée par des populations de langues mandé et kru, pour l'essentiel.

1822 : la Société américaine de colonisation, fondée en 1816, commence à y établir des esclaves noirs libérés.

1847 : la république du Liberia, indépendante, est proclamée ; la capitale est nommée Monrovia en l'honneur du président américain J. Monroe.

1857 : fusion avec l'établissement voisin du Maryland.

1926 : début des grandes concessions aux entreprises américaines.

1980 : un coup d'État militaire amène au pouvoir le sergent-chef Samuel K. Doe.

1984 : une Constitution, prévoyant le retour à un régime civil, est approuvée par référendum.

1990 : le développement de la guérilla, conduite notamment par Charles Taylor, aboutit à la guerre civile (Doe est tué au cours des combats), qui s'achève en 1996.

1996 : C. Taylor est élu président de la République. Mais le Liberia reste un pays agité par des troubles intérieurs et générateur d'instabilité au niveau régional.

2003 : sous la pression des rebelles et de la communauté internationale, C. Taylor doit quitter le pouvoir. Un gouvernement de transition est mis en place.

2006 : Ellen Johnson Sirleaf devient présidente de la République, première femme élue (en novembre 2005) à la tête d'un État africain (réélue en 2011).

LIBYE

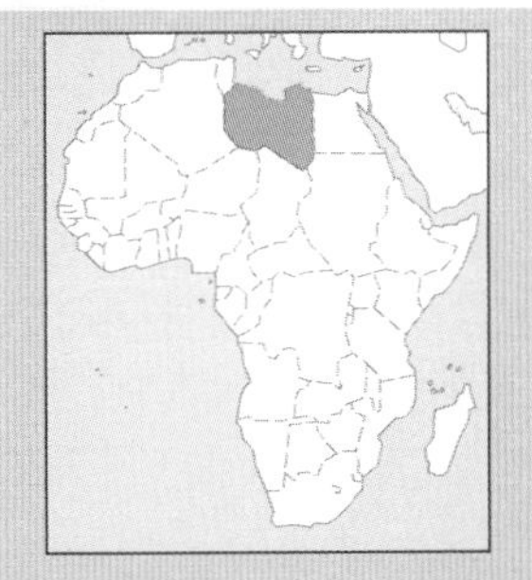

Plat et désertique, le pays est parsemé d'oasis. Séparées par 500 km de côte aride (golfe de Syrte), les régions côtières de la Tripolitaine, à l'ouest, et de la Cyrénaïque, à l'est, sont moins arides et concentrent l'essentiel de la population.

Superficie : 1 759 540 km²
Population (2013) : 6 500 000 hab.
Capitale : Tripoli 1 126 950 hab. (e. 2011)
Nature de l'État et du régime politique : république
Chef de l'État : (président du Congrès général national) Nouri Abousahmain
Chef du gouvernement : (Premier ministre) Abdallah al-Thani
Organisation administrative : 34 municipalités
Langue officielle : arabe
Monnaie : dinar libyen

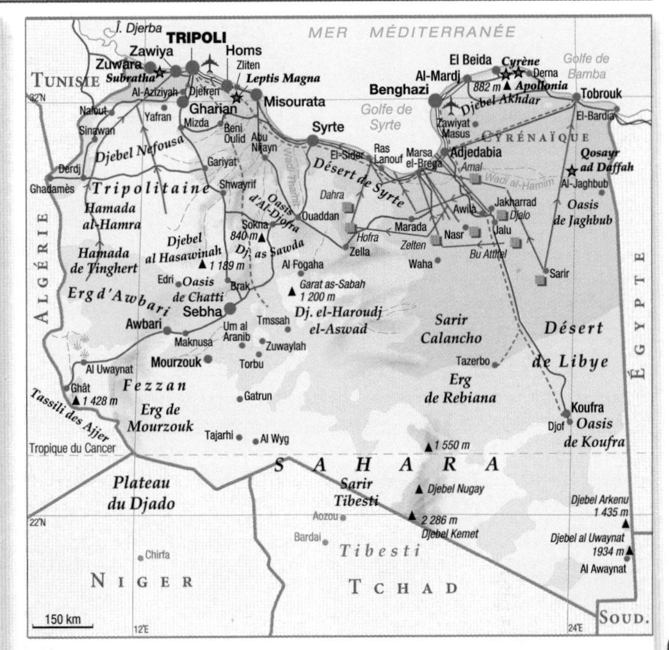

Libye

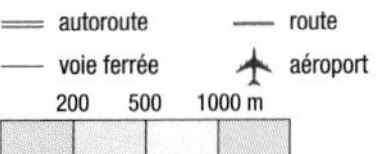

DÉMOGRAPHIE

- **Densité :** 4 hab./km²
- **Part de la population urbaine (2013) :** 78 %
- **Structure de la population par âge (2013) :** moins de 15 ans : 29 %, 15-65 ans : 66 %, plus de 65 ans : 5 %
- **Taux de natalité (2013) :** 22 ‰
- **Taux de mortalité (2013) :** 4 ‰
- **Taux de mortalité infantile (2013) :** 15 ‰
- **Espérance de vie (2013) :** hommes : 73 ans, femmes : 77 ans

Avec l'un des taux d'urbanisation les plus élevés d'Afrique, la population, musulmane, comprend une proportion importante d'étrangers. Elle se concentre ponctuellement sur le littoral, notamment à Tripoli, la capitale, et à Benghazi, deux agglomérations qui dépassent le million d'habitants.

ÉCONOMIE

- **PNB (2009) :** 77 milliards de dollars
- **PNB/hab. (2009) :** 12 320 dollars
- **PNB/hab. PPA (2009) :** 16 880 dollars internationaux
- **IDH (2012) :** 0,769
- **Taux de croissance annuelle du PIB (2009) :** 1,8 %
- **Taux annuel d'inflation (2012) :** 6,1 %
- **Structure de la population active :** agriculture : n.d., mines et industries : n.d., services : n.d.
- **Structure du PIB (2008) :** agriculture : 2 %, mines et industries : 78 %, services : 20 %
- **Dette publique brute :** n.d.
- **Taux de chômage :** n.d.

Le pétrole (2,7 % des réserves et 1,7 % de la production mondiale) et, dans une moindre mesure, le gaz naturel représentaient, jusqu'en 2010, entre 55 % et 65 % du PIB de la Libye, près de 90 % des recettes de l'État et la quasi-totalité des exportations. L'année 2013 a vu une aggravation du climat d'insécurité et une persistance des conflits politiques entre les régions. La production d'hydrocarbures (pétrole et gaz) a chuté en raison des blocus pratiqués par les différents groupes armés.

TOURISME

- **Recettes touristiques (2011) :** 170 millions de dollars

COMMERCE EXTÉRIEUR

- **Exportations de biens (2012) :** 61 026 millions de dollars
- **Importations de biens (2011) :** 11 200 millions de dollars

DÉFENSE

- **Forces armées (2009) :** 76 000 individus
- **Dépenses militaires (2008) :** 1,1 % du PIB

NIVEAU DE VIE

- **Nombre d'habitants pour un médecin (2011) :** 526
- **Apport journalier moyen en calories (2007) :** 3 143 (minimum FAO : 2 400)
- **Nombre d'automobiles pour 1 000 hab. (2007) :** 225
- **Téléphones portables (2012) :** 100 % de la population équipée

REPÈRES HISTORIQUES

XIIIe s. av. J.-C. : les habitants de la région, appelés « Libyens » par les Grecs, participent aux invasions des Peuples de la Mer en Égypte.

VIIe s. av. J.-C. : les Grecs fondent en Cyrénaïque les cinq colonies de la Pentapole.

106 - 19 av. J.-C. : l'ensemble du pays est conquis par Rome.

642 - 643 : conquête arabe.

1517 : les Ottomans conquièrent la Cyrénaïque, puis la Tripolitaine (1551).

1934 : création de la colonie italienne de Libye.

1940 - 1943 : à l'issue de la campagne de Libye, la France administre le Fezzan ; la Grande-Bretagne, la Tripolitaine et la Cyrénaïque.

1951 : la Libye devient un royaume indépendant, dont Idris Ier est le souverain.

1969 - 2011 : tombeur d'Idris Ier, Mouammar Kadhafi nationalise les compagnies pétrolières (1971), promeut la « révolution culturelle islamique » (1973) et poursuit en vain une politique d'expansion au Tchad (1973 - 1994) ; renversé et tué (2011), il laisse la Libye en proie à la guerre civile.

MADAGASCAR

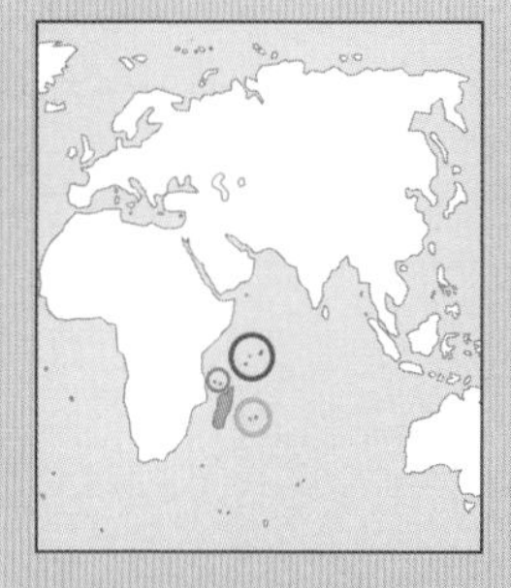

L'île est formée, au centre, de hauts plateaux, parfois surmontés de massifs volcaniques, au climat tempéré par l'altitude et qui retombent brutalement à l'est sur une étroite plaine littorale, chaude, humide et forestière. L'Ouest est occupé par des plateaux et des collines, au climat plus sec, qui sont le domaine de la forêt claire, de la savane et de la brousse.

Superficie : 587 041 km²
Population (2013) : 22 500 000 hab.
Capitale : Antananarivo 1 052 835 hab. (e. 2000), 1 986 710 hab. (e. 2011) dans l'agglomération
Nature de l'État et du régime politique : république à régime semi-présidentiel
Chef de l'État : (président de la République) Hery Rajaonarimampianina
Chef du gouvernement : (Premier ministre) Omer Beriziky
Organisation administrative : 6 provinces
Langues officielles : malgache et français
Monnaie : ariary malgache

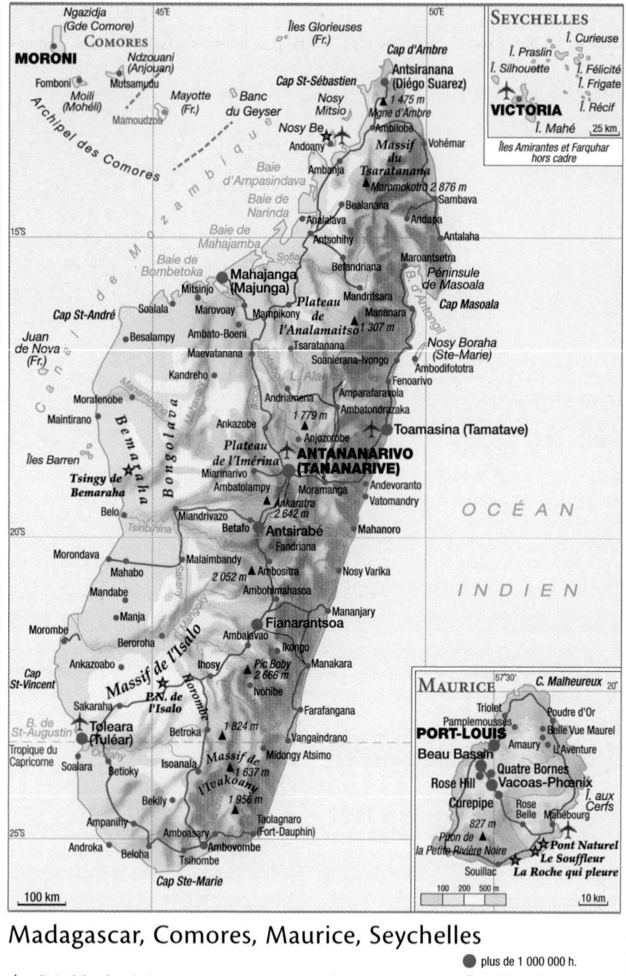

Madagascar, Comores, Maurice, Seychelles

DÉMOGRAPHIE

- **Densité :** 38 hab./km²
- **Part de la population urbaine (2013) :** 33 %
- **Structure de la population par âge (2013) :** moins de 15 ans : 43 %, 15-65 ans : 54 %, plus de 65 ans : 3 %
- **Taux de natalité (2013) :** 35 ‰
- **Taux de mortalité (2013) :** 7 ‰
- **Taux de mortalité infantile (2013) :** 39 ‰
- **Espérance de vie (2013) :** hommes : 62 ans, femmes : 65 ans

Madagascar demeure relativement peu peuplée malgré les apports extérieurs de population (Indiens, Indonésiens, Arabes, Africains). En revanche, les plateaux du Centre, où se trouve Antananarivo, sont particulièrement peuplés, tout comme le Nord, le Nord-Ouest et la côte orientale. Il n'en est pas de même de l'Ouest et du Sud. La population, encore en forte croissance, est en pleine transition démographique et 43 % des habitants ont moins de 15 ans.

ÉCONOMIE

- **PNB (2012) :** 10 milliards de dollars
- **PNB/hab. (2012) :** 430 dollars
- **PNB/hab. PPA (2012) :** 930 dollars internationaux
- **IDH (2012) :** 0,483
- **Taux de croissance annuelle du PIB (2012) :** 3,1 %
- **Taux annuel d'inflation (2012) :** 6,4 %
- **Structure de la population active (2005) :** agriculture : 82 %, mines et industries : 3,4 %, services : 14,6 %
- **Structure du PIB (2009) :** agriculture : 29 %, mines et industries : 16 %, services : 55 %
- **Dette publique brute :** n.d.
- **Taux de chômage (2005) :** 2,6 %

Malgré la suspension de l'aide internationale due à la crise politique, l'économie ne s'est pas effondrée entre 2009 et 2010, mais l'année 2011 a été particulièrement difficile : chute de la production de riz, baisse des recettes liées à la culture de la vanille et du café et augmentation des prix en relation avec la hausse du pétrole. Les richesses (bauxite, chrome, cobalt, nickel, pierres précieuses…) d'un secteur minier sous-exploité pourraient attirer les investisseurs étrangers (notamment la Chine) ; en outre, le sous-sol marin est susceptible de receler du pétrole, de l'or, du chrome et de l'uranium. Quant au tourisme (260 000 visiteurs en 2013), c'est l'une des ressources importantes du pays. Mais c'est surtout d'une diversification agricole et industrielle hors des productions traditionnelles (textile, riz, vanille) dont le pays a besoin pour sortir la population de la pauvreté (92 %). L'aide internationale, notamment l'Union européenne, envisage un nouveau partenariat avec Madagascar et le FMI prévoit une croissance de 3,8 % pour 2014.

TOURISME

- **Recettes touristiques (2011) :** 633 M de $

COMMERCE EXTÉRIEUR

- **Exportations de biens (2009) :** 1 095 M de $
- **Importations de biens (2011) :** 3 678 M de $

DÉFENSE
- **Forces armées (2011) :** 21 600 individus
- **Dépenses militaires (2012) :** 0,7 % du PIB

NIVEAU DE VIE
- **Nombre d'habitants pour un médecin (2011) :** 6 211
- **Apport journalier moyen en calories (2007) :** 2 160 (minimum FAO : 2 400)
- **Nombre d'automobiles pour 1 000 hab. (2010) :** 7
- **Téléphones portables (2012) :** 39 % de la population équipée

REPÈRES HISTORIQUES

XIVe s. - XVIIe s. : à partir du XIVe s., des commerçants arabes s'installent sur les côtes de l'île, peuplée d'un mélange de Négro-Africains et d'Indonésiens. Les Européens ne parviennent pas à créer des établissements durables.

XVIIIe s. : le royaume merina (capitale Antananarivo) s'étend sur la quasi-totalité de l'île.

1817 : son souverain, Radama Ier (1810 - 1828), reçoit de la Grande-Bretagne le titre de roi de Madagascar.

1885 : Rainilaiarivony doit accepter le protectorat français.

1895 - 1896 : l'expédition Duchesne aboutit à la déchéance de la reine Ranavalona III et à l'annexion de l'île par la France, qui abolit l'esclavage.

1896 - 1905 : Gallieni, gouverneur, travaille à la pacification.

1947 - 1948 : une violente rébellion est durement réprimée.

1960 : la République malgache, proclamée en 1958, obtient son indépendance.

1972 : à la suite de troubles importants, le président Tsiranana (au pouvoir depuis 1958) doit se retirer.

1975 : Didier Ratsiraka devient président de la République démocratique de Madagascar. Après l'échec d'une expérience socialiste de plus de dix ans, le régime est confronté à une opposition croissante, qui accède au pouvoir en 1993.

Depuis 2002 : le pays est déstabilisé par des crises politiques récurrentes.

COMORES

Situé dans l'océan Indien, au nord-ouest de Madagascar, cet État comprend les îles de Ngazidja (anc. Grande Comore), de Moili (anc. Mohéli) et de Ndzouani (anc. Anjouan). La quatrième île de l'archipel, Mayotte, a choisi, en 1976, le maintien dans le cadre français.

Superficie : 2 235 km²
Population (2013) : 800 000 hab.
Capitale : Moroni 53 819 hab. (e. 2011)
Nature de l'État et du régime politique : république
Chef de l'État et du gouvernement : (président de l'Union) Ikililou Dhoinine
Organisation administrative : 3 gouvernorats
Langues officielles : arabe et français
Monnaie : franc comorien

DÉMOGRAPHIE

- **Densité :** 358 hab./km²
- **Part de la population urbaine (2013) :** 28 %
- **Structure de la population par âge (2013) :** moins de 15 ans : 42 %, 15-65 ans : 55 %, plus de 65 ans : 3 %
- **Taux de natalité (2013) :** 23 ‰
- **Taux de mortalité (2013) :** 9 ‰
- **Taux de mortalité infantile (2013) :** 69 ‰
- **Espérance de vie (2013) :** hommes : 59 ans, femmes : 62 ans

La densité de population est élevée, surtout sur l'île de Ndzouani (anciennement Anjouan). Les habitants sont en majorité d'origine swahilie. Plus de 42 % de la population, qui s'accroît rapidement, a moins de 15 ans et le taux de natalité reste très élevé.

ÉCONOMIE

- **PNB (2012) :** 1 milliard de dollars
- **PNB/hab. (2012) :** 840 dollars
- **PNB/hab. PPA (2012) :** 1 210 dollars internationaux
- **IDH (2012) :** 0,429
- **Taux de croissance annuelle du PIB (2012) :** 3 %
- **Taux annuel d'inflation (2012) :** 1,8 %
- **Structure de la population active :** agriculture : n.d., mines et industries : n.d., services : n.d.
- **Structure du PIB (2009) :** agriculture : 46 %, mines et industries : 12 %, services : 42 %
- **Dette publique brute :** n.d.
- **Taux de chômage :** n.d.

Admissible à l'allégement de sa dette (juillet 2010), le pays dépend largement des bailleurs de fonds ainsi que des transferts de fonds de la communauté comorienne de France (25 % du PIB). Grâce à la bonne santé du secteur agricole (46 % du PIB), à l'ouverture du secteur bancaire, à l'afflux d'investissements étrangers et aux dépenses publiques allouées au tourisme, le pays devrait poursuivre sa croissance en 2014 (estimée à 4 %), amorcée en 2013 (3,5 %).

TOURISME
- **Recettes touristiques (2010) :** 34 M de $

COMMERCE EXTÉRIEUR
- **Exportations de biens (2009) :** 11 M de $
- **Importations de biens (2011) :** 316 M de $

DÉFENSE
- **Forces armées :** n.d.
- **Dépenses militaires :** n.d.

NIVEAU DE VIE
- **Nombre d'habitants pour un médecin :** n.d.
- **Apport journalier moyen en calories (2007) :** 1 884 (minimum FAO : 2 400)
- **Nombre d'automobiles pour 1 000 hab. (2007) :** 31
- **Téléphones portables (2012) :** 32 % de la population équipée

REPÈRES HISTORIQUES

1886 : établissement du protectorat français.

1958 - 1975 : les Comores forment un territoire français d'outre-mer.

1978 : la République fédérale islamique est proclamée. Elle est confrontée à des mouvements séparatistes.

2001 : instauration de l'Union des Comores, fédération dans laquelle chaque île est largement autonome (réduite par la révision constitutionnelle de 2009).

MAURICE

L'île, d'origine volcanique, au climat subtropical, est humide.

Superficie : 2 040 km²
Population (2013) : 1 300 000 hab.
Capitale : Port-Louis 150 697 hab. (e. 2011)
Nature de l'État et du régime politique : république à régime parlementaire
Chef de l'État : (président de la République) Rajkeswur, dit aussi Kailash Purryag
Chef du gouvernement : (Premier ministre) Navinchandra Ramgoolam
Organisation administrative : 9 districts et 3 dépendances
Langue officielle : anglais
Monnaie : roupie mauricienne

DÉMOGRAPHIE

- **Densité :** 637 hab./km²
- **Part de la population urbaine (2013) :** 42 %
- **Structure de la population par âge (2013) :** moins de 15 ans : 21 %, 15-65 ans : 72 %, plus de 65 ans : 7 %
- **Taux de natalité (2013) :** 11 ‰
- **Taux de mortalité (2013) :** 7 ‰
- **Taux de mortalité infantile (2013) :** 12,9 ‰
- **Espérance de vie (2013) :** hommes : 70 ans, femmes : 77 ans

La population, hétérogène, est aux deux tiers d'origine indienne, avec une nette majorité hindouiste, mais aussi d'origine européenne, africaine et chinoise. L'indice de fécondité (1,4 enfant par femme) est inférieur au seuil de renouvellement des générations.

ÉCONOMIE

- **PNB (2012) :** 11 milliards de dollars
- **PNB/hab. (2012) :** 8 570 dollars
- **PNB/hab. PPA (2012) :** 15 060 dollars internationaux
- **IDH (2012) :** 0,737
- **Taux de croissance annuelle du PIB (2012) :** 3,2 %
- **Taux annuel d'inflation (2012) :** 3,9 %
- **Structure de la population active (2012) :** agriculture : 7,8 %, mines et industries : 27,6 %, services : 64,6 %
- **Structure du PIB (2012) :** agriculture : 3,5 %, mines et industries : 24,7 %, services : 71,8 %
- **Dette publique brute (2011) :** 36 % du PIB
- **Taux de chômage (2012) :** 8,7 %

En dehors des secteurs traditionnels comme la pêche, la canne à sucre, le textile et surtout le tourisme (8 % du PIB), l'économie mauricienne (à revenu intermédiaire et en croissance) se diversifie dans de nouvelles filières : technologies de l'information et de la communication (centres d'appel), services financiers, immobilier de luxe. Le secteur tertiaire représente environ 72 % du PIB. Considérée depuis peu comme un pays favorable au climat des affaires grâce à la bonne gestion du gouvernement et aux réformes fiscales, l'île Maurice a réussi à attirer les investisseurs étrangers.

TOURISME

- **Recettes touristiques (2012) :** 1 813 M de $

COMMERCE EXTÉRIEUR

- **Exportations de biens (2012) :** 2 673 M de $
- **Importations de biens (2011) :** 7 466 M de $

DÉFENSE

- **Forces armées (2011) :** 2 500 individus
- **Dépenses militaires (2012) :** 0,2 % du PIB

NIVEAU DE VIE

- **Nombre d'habitants pour un médecin :** n.d.
- **Apport journalier moyen en calories (2007) :** 2 965 (minimum FAO : 2 400)
- **Nombre d'automobiles pour 1 000 hab. (2011) :** 137
- **Téléphones portables (2012) :** 100 % de la population équipée

REPÈRES HISTORIQUES

Début du XVIe s. : l'île est reconnue par les Portugais (Afonso de Albuquerque).

1598 : les Néerlandais en prennent possession et lui donnent son nom, en l'honneur de Maurice de Nassau.

1638 - 1710 : un établissement néerlandais est fondé dans l'île, qui devient un centre de déportation.

1715 : l'île tombe sous la domination française et prend le nom d'*île de France*.

1810 : la Grande-Bretagne s'empare de l'île.

1814 : le traité de Paris confirme la domination britannique sur l'île, qui redevient l'*île Maurice*.

1833 : l'affranchissement des esclaves a pour conséquence l'immigration massive de travailleurs indiens.

1968 : l'île constitue un État indépendant, membre du Commonwealth.

1992 : l'île Maurice devient une république.

SEYCHELLES

C'est un archipel comprenant une trentaine d'îles et une soixantaine d'îlots. L'île principale est Mahé. Ce sont des îles coralliennes ou granitiques, au climat chaud, saisonnièrement humide.

Superficie : 455 km^{2}
Population (2013) : 100 000 hab.
Capitale : Victoria 26 609 hab. (e. 2011) dans l'agglomération
Nature de l'État et du régime politique : république à régime semi-présidentiel
Chef de l'État et du gouvernement : (président de la République) James Michel
Organisation administrative : 23 districts
Langues officielles : anglais, créole et français
Monnaie : roupie des Seychelles

DÉMOGRAPHIE

- **Densité :** 220 hab./km^{2}
- **Part de la population urbaine (2013) :** 54 %
- **Structure de la population par âge (2013) :** moins de 15 ans : 20 %, 15-65 ans : 73 %, plus de 65 ans : 7 %
- **Taux de natalité (2013) :** 19 ‰
- **Taux de mortalité (2013) :** 8 ‰
- **Taux de mortalité infantile (2013) :** 9,8 ‰
- **Espérance de vie (2013) :** hommes : 69 ans, femmes : 78 ans

Les trois quarts des habitants, catholiques, de ce petit pays vivent sur l'île principale de Mahé, où se trouve la capitale, Victoria.

ÉCONOMIE

- **PNB (2012) :** 1 milliard de dollars
- **PNB/hab. (2012) :** 12 260 dollars
- **PNB/hab. PPA (2012) :** 25 740 dollars internationaux
- **IDH (2012) :** 0,806
- **Taux de croissance annuelle du PIB (2012) :** 2,8 %
- **Taux annuel d'inflation (2012) :** 7,1 %
- **Structure de la population active :** agriculture : n.d., mines et industries : n.d., services : n.d.
- **Structure du PIB (2012) :** agriculture : 1,9 %, mines et industries : 14,1 %, services : 84 %
- **Dette publique brute (2012) :** 73,3 % du PIB
- **Taux de chômage (2011) :** 4,1 %

Fondée sur le tourisme (qui représente 25 % du PIB et qui emploie 30 % de la population), les exportations de thon (2e secteur économique), l'agriculture, l'activité portuaire (en baisse à cause de la piraterie) et les transferts pétroliers, l'économie est en croissance, mais le gouvernement doit encore résorber son déficit commercial et sa dette et doit envisager une réforme du système fiscal et la réglementation du système financier.

TOURISME

- **Recettes touristiques (2012) :** 378 millions de dollars

COMMERCE EXTÉRIEUR

- **Exportations de biens (2012) :** 36 millions de dollars
- **Importations de biens (2011) :** 1 050 millions de dollars

DÉFENSE

- **Forces armées (2011) :** 870 individus
- **Dépenses militaires (2012) :** 0,8 % du PIB

NIVEAU DE VIE

- **Nombre d'habitants pour un médecin :** n.d.
- **Apport journalier moyen en calories (2007) :** 2 463 (minimum FAO : 2 400)
- **Nombre d'automobiles pour 1 000 hab. (2011) :** 140
- **Téléphones portables (2012) :** 100 % de la population équipée

REPÈRES HISTORIQUES

XVIe s. : les Portugais découvrent les Seychelles.

1756 : l'archipel est cédé à la France.

1814 : les Seychelles passent sous contrôle britannique.

1976 : elles forment un État indépendant, membre du Commonwealth.

MALAWI

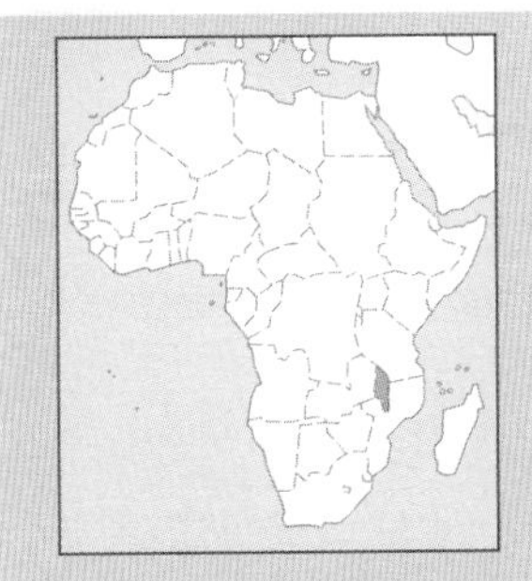

Formé de hauts plateaux dans le Nord et le Centre, plus contrasté dans le Sud, le pays s'étend sur 900 km du nord au sud, surtout sur la rive ouest du lac Malawi. Le climat est tropical, avec une saison sèche de mai à octobre.

Superficie : 118 484 km²
Population (2013) : 16 300 000 hab.
Capitale : Lilongwe 771 503 hab. (e. 2011)
Nature de l'État et du régime politique : république à régime présidentiel
Chef de l'État et du gouvernement : (président de la République) Joyce Banda
Organisation administrative : 3 régions
Langues officielles : anglais et chichewa
Monnaie : kwacha

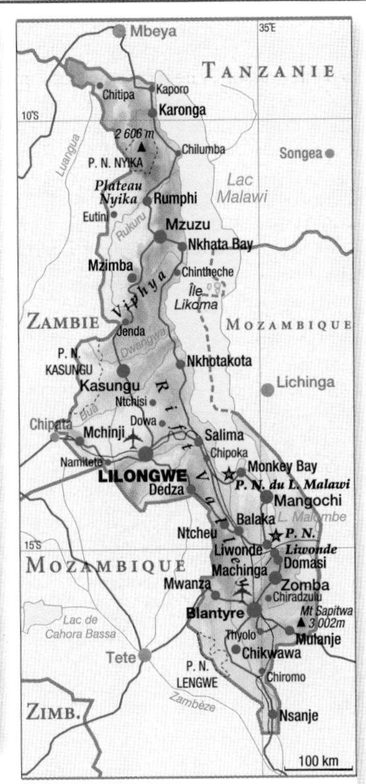

Malawi

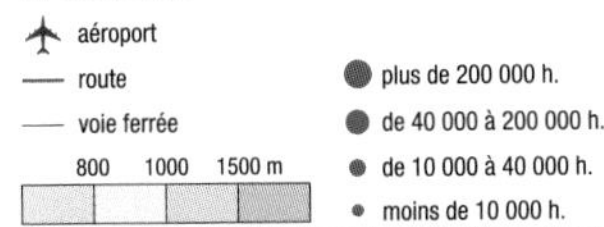

DÉMOGRAPHIE

- **Densité :** 138 hab./km²
- **Part de la population urbaine (2013) :** 16 %
- **Structure de la population par âge (2013) :** moins de 15 ans : 46 %, 15-65 ans : 51 %, plus de 65 ans : 3 %
- **Taux de natalité (2013) :** 40 ‰
- **Taux de mortalité (2013) :** 12 ‰
- **Taux de mortalité infantile (2013) :** 89 ‰
- **Espérance de vie (2013) :** hommes : 54 ans, femmes : 54 ans

Les deux seules grandes villes sont Lilongwe, la capitale, et Blantyre. Aux populations bantoues locales (Chewa, Tumbuka, Chipeta, notamment) se sont d'abord ajoutés les Yao, convertis à l'islam, puis les Ngoni, guerriers zoulous. Le pays compte environ 50 % de chrétiens et 30 % de musulmans. La population est en croissance rapide, avec un taux de fécondité de 5,6 enfants par femme, un taux de natalité élevé et une forte densité. Les moins de 15 ans représentent un peu moins de la moitié de la population totale.

ÉCONOMIE

- **PNB (2012) :** 4 milliards de dollars
- **PNB/hab. (2012) :** 320 dollars
- **PNB/hab. PPA (2012) :** 730 dollars internationaux
- **IDH (2012) :** 0,418
- **Taux de croissance annuelle du PIB (2012) :** 1,9 %
- **Taux annuel d'inflation (2012) :** 21,3 %
- **Structure de la population active :** agriculture : n.d., mines et industries : n.d., services : n.d.
- **Structure du PIB (2011) :** agriculture : 30,2 %, mines et industries : 19,3 %, services : 50,5 %
- **Dette publique brute :** n.d.
- **Taux de chômage :** n.d.

Après une croissance ininterrompue depuis 2002 (jusqu'à 9,7 % en 2008), le pays a obtenu un allégement intégral de sa dette de la part du FMI en 2010. Sa forte dépendance vis-à-vis des bailleurs de fonds et de son agriculture (tabac, sucre, thé) rend sa situation fragile (un tiers du PIB). Le Malawi a vécu une grave crise économique en 2011 faute de réserves de change. En 2013, l'agriculture repose sur la production de tabac (70 % des exportations et 15 % du PIB) et le taux de croissance est à la hausse (5 % du PIB). L'accès à la mer, inauguré en 2010, devrait permettre au pays d'augmenter le volume de ses exportations. Une diversification de l'économie s'impose, notamment dans le secteur minier (uranium) et dans le domaine des infrastructures. Encore 40 % de la population vit en dessous du seuil de pauvreté.

TOURISME

- **Recettes touristiques (2012) :** 43 millions de dollars

COMMERCE EXTÉRIEUR

- **Exportations de biens (2012) :** 1 285 millions de dollars
- **Importations de biens (2011) :** 2 220 millions de dollars

DÉFENSE

- **Forces armées (2011) :** 6 800 individus
- **Dépenses militaires (2012) :** 0,9 % du PIB

NIVEAU DE VIE

- **Nombre d'habitants pour un médecin (2011) :** 52 632
- **Apport journalier moyen en calories (2007) :** 2 172 (minimum FAO : 2 400)
- **Nombre d'automobiles pour 1 000 hab. (2007) :** 4
- **Téléphones portables (2012) :** 28 % de la population équipée

REPÈRES HISTORIQUES

Le pays est occupé par des populations bantoues qui subissent à partir de 1840 les razzias des négriers du Zanzibar.

1859 : Livingstone découvre le lac Malawi.

1889 : un protectorat britannique d'Afrique-Centrale est constitué.

1907 : il prend le nom de Nyassaland.

1953 : la Grande-Bretagne fédère le Nyassaland et la Rhodésie. Le Nyassaland African Congress, parti dirigé par Hastings Kamuzu Banda, réclame l'indépendance.

1962 : le Nyassaland quitte la fédération.

1964 : il accède à l'indépendance sous le nom de Malawi.

1966 : la république est proclamée. Le président instaure un système de parti unique ; le Malawi entretient des relations étroites avec l'Afrique du Sud.

1993 : confronté à une contestation intérieure grandissante, le chef de l'État doit rétablir le multipartisme.

1994 : premières élections pluralistes.

MALI

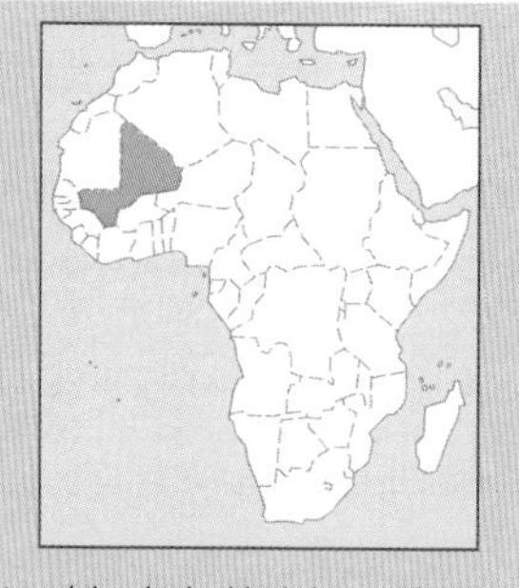

Vaste (plus du double de la superficie de la France), mais enclavé et situé, en majeure partie, dans la zone sèche sahélienne ou même saharienne, le Mali est l'un des pays les plus pauvres du monde.

Superficie : 1 240 192 km²
Population (2013) : 15 500 000 hab.
Capitale : Bamako 2 036 520 hab. (e. 2011)
Nature de l'État et du régime politique : république à régime semi-présidentiel
Chef de l'État : (président de la République) Ibrahim Boubacar Keita
Chef du gouvernement : (Premier ministre) Oumar Tatam Ly
Organisation administrative : 8 régions et le district de Bamako
Langue officielle : français
Monnaie : franc CFA

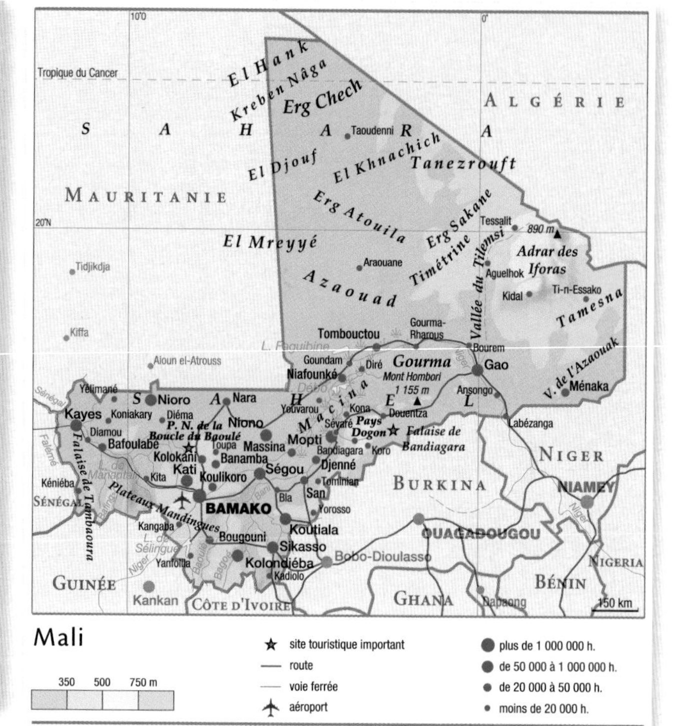

Mali

DÉMOGRAPHIE

- **Densité :** 12 hab./km²
- **Part de la population urbaine (2013) :** 35 %
- **Structure de la population par âge (2013) :** moins de 15 ans : 48 %, 15-65 ans : 49 %, plus de 65 ans : 3 %
- **Taux de natalité (2013) :** 46 ‰
- **Taux de mortalité (2013) :** 15 ‰
- **Taux de mortalité infantile (2013) :** 58 ‰
- **Espérance de vie (2013) :** hommes : 52 ans, femmes : 56 ans

La population, d'une densité moyenne très faible, se concentre dans le Centre-Sud et se caractérise par une forte croissance démographique, une fécondité très élevée (6,1 enfants par femme), une population très jeune (près de la moitié de la population a moins de 15 ans), un taux de mortalité infantile élevé, une faible espérance de vie.

ÉCONOMIE

- **PNB (2012) :** 10 milliards de dollars
- **PNB/hab. (2012) :** 660 dollars
- **PNB/hab. PPA (2012) :** 1 140 dollars internationaux
- **IDH (2012) :** 0,344
- **Taux de croissance annuelle du PIB (2012) :** – 1,2 %
- **Taux annuel d'inflation (2012) :** 5,4 %
- **Structure de la population active :** agriculture : n.d., mines et industries : n.d., services : n.d.
- **Structure du PIB (2007) :** agriculture : 37 %, mines et industries : 24 %, services : 39 %
- **Dette publique brute :** n.d.
- **Taux de chômage (2004) :** 8,8 %

Si le Mali a accompli d'appréciables progrès en matière de sécurité alimentaire, il reste très en retard du point de vue du développement humain (160e sur 169). Le pays connaît pourtant une croissance continue depuis le début des années 2000 (4,8 % en 2013), tirée par l'expansion des services (télécommunications) et par la production d'or (3e producteur africain) et de coton. D'importants investissements chinois sont réalisés dans le secteur des infrastructures (ponts, routes). La contribution de l'agriculture (riz, millet, sorgho, coton) à la croissance reste cependant essentielle et le développement rural, allié à la diversification des productions, fait partie des conditions de l'évolution future de l'économie. Fin 2013, le FMI a accordé un plan d'aide de 46 millions de dollars.

TOURISME

- **Recettes touristiques (2012) :** 274 M de $

COMMERCE EXTÉRIEUR

- **Exportations de biens (2010) :** 2 053 M de $
- **Importations de biens (2011) :** 3 862 M de $

DÉFENSE

- **Forces armées (2011) :** 12 150 individus
- **Dépenses militaires (2012) :** 1,4 % du PIB

NIVEAU DE VIE

- **Nombre d'habitants pour un médecin (2011) :** 12 048
- **Apport journalier moyen en calories (2007) :** 2 614 (minimum FAO : 2 400)
- **Nombre d'automobiles pour 1 000 hab. (2010) :** 8
- **Téléphones portables (2012) :** 90 % de la population équipée

REPÈRES HISTORIQUES

VIIe - XVIe s. : le pays est le berceau des grands empires du Ghana, du Mali, puis de l'empire Songhaï (capitale Gao).

XVIIe - XIXe s. : divers pouvoirs se succèdent, celui du Maroc, des Touareg, des Bambara et des Peuls (capitale Ségou). À partir de 1857, les Français entreprennent l'occupation du pays.

1904 : la colonie du Haut-Sénégal-Niger est créée dans le cadre de l'AOF.

1920 : amputé de la Haute-Volta, le Haut-Sénégal-Niger devient le Soudan français.

1958 : la République soudanaise est proclamée.

1959 : avec le Sénégal, elle forme la fédération du Mali.

1960 : la fédération se dissout. L'ex-Soudan français devient la république du Mali.

1974 : une nouvelle Constitution établit un régime présidentiel et un parti unique.

À partir de 1990 : le gouvernement doit faire face à la rébellion touareg.

1992 : le multipartisme est restauré.

Depuis 2002 : le pays est confronté au développement du terrorisme islamiste et à la reprise de la rébellion touareg au nord.

MAROC

Le Maroc offre des paysages variés. Les chaînes de l'Atlas séparent le Maroc oriental, plateau dominant la dépression de la Moulouya, du Maroc atlantique, formé de plateaux et de plaines (en bordure du littoral). Le Nord est occupé par la chaîne du Rif, qui retombe brutalement sur la Méditerranée. Le Sud appartient déjà au Sahara. La latitude et les reliefs expliquent la relative humidité du Maroc atlantique et l'aridité de la partie orientale et méridionale.

Superficie : 446 550 km²
Population (2013) : 33 000 000 hab.
Capitale : Rabat 627 932 hab. (r. 2004), 1 842 850 hab. (e. 2011) dans l'agglomération
Nature de l'État et du régime politique : monarchie constitutionnelle à régime parlementaire
Chef de l'État : (roi) Muhammad VI
Chef du gouvernement : (Premier ministre) Abdelilah Benkirane
Organisation administrative : 16 régions économiques
Langues officielles : arabe et amazigh (berbère)
Monnaie : dirham marocain

DÉMOGRAPHIE

- **Densité :** 74 hab./km²
- **Part de la population urbaine (2013) :** 59 %
- **Structure de la population par âge (2013) :** moins de 15 ans : 30 %, 15-65 ans : 64 %, plus de 65 ans : 6 %
- **Taux de natalité (2013) :** 22 ‰
- **Taux de mortalité (2013) :** 6 ‰
- **Taux de mortalité infantile (2013) :** 28 ‰
- **Espérance de vie (2013) :** hommes : 69 ans, femmes : 72 ans

La population, musulmane sunnite, est composée de berbérophones et, surtout, d'arabophones, qui sont en majorité des Berbères arabisés. Le taux d'accroissement naturel est encore assez élevé et 30 % de la population a moins de 15 ans, mais la baisse de l'indice de fécondité (2,7 enfants par femme) et la chute de la

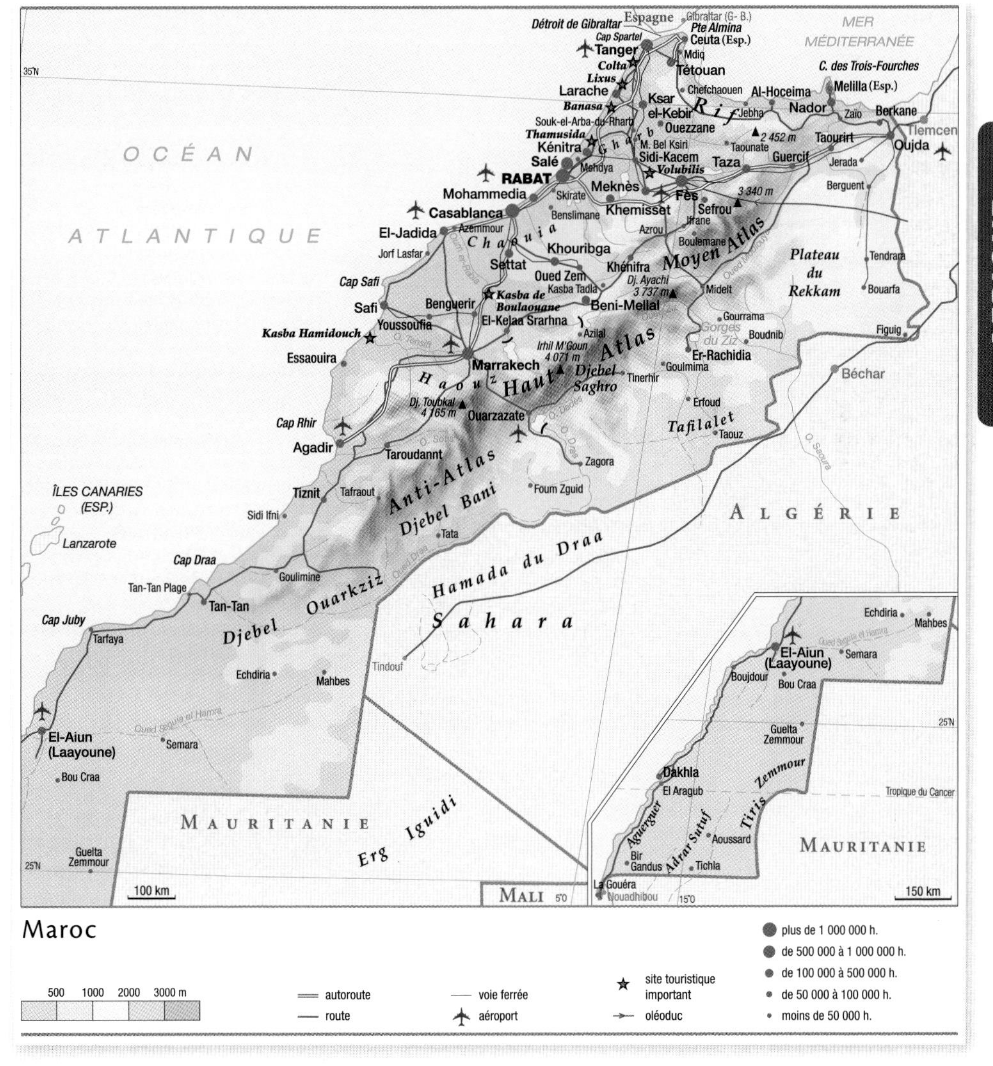

Maroc

mortalité infantile sont des indicateurs qui montrent que la population arrive à la fin de sa transition démographique. La population se concentre sur le littoral et dans les plaines méditerranéennes ou atlantiques du Nord et du Nord-Ouest. Elle est en majeure partie urbanisée : Casablanca est, devant Alger, la plus grande ville du Maghreb, et les autres villes de plus d'un million d'habitants sont Rabat, la capitale, et Fès. Une part de la population a émigré en France et en Espagne.

ÉCONOMIE

- **PNB (2012) :** 93 milliards de dollars
- **PNB/hab. (2012) :** 2 960 dollars
- **PNB/hab. PPA (2012) :** 5 060 dollars internationaux
- **IDH (2012) :** 0,591
- **Taux de croissance annuelle du PIB (2012) :** 4,2 %
- **Taux annuel d'inflation (2012) :** 1,3 %
- **Structure de la population active (2012) :** agriculture : 39,2 %, mines et industries : 21,4 %, services : 39,4 %
- **Structure du PIB (2012) :** agriculture : 14,6 %, mines et industries : 29,6 %, services : 55,8 %
- **Dette publique brute (2011) :** 57 % du PIB
- **Taux de chômage (2012) :** 9 %

La croissance ininterrompue depuis le début des années 2000, la maîtrise de l'inflation et la volonté de réforme ont contribué à la relative stabilité politique du Maroc malgré un taux de chômage assez élevé, notamment parmi les jeunes. L'agriculture (céréales, agrumes, fruits et légumes), qui représente plus de 20 % des exportations, a permis de limiter le recul de la croissance. L'industrie (près de 65 % des exportations) repose sur des filières traditionnelles comme le textile, le cuir, l'agroalimentaire, le phosphate (3e producteur et 1re réserve mondiale). Les échanges extérieurs sont assez lourdement déficitaires. Cependant, l'activité économique tend à se diversifier et de nouveaux secteurs apparaissent, tels que l'aéronautique, la chimie, les équipements automobiles, l'informatique et l'électronique. Les recettes touristiques ont été multipliées par quatre depuis 2000. Le roi a réussi à contenir les manifestations qui ont découlé des révolutions arabes en imposant des réformes politiques (révision de la Constitution) et sociales (hausse des salaires des fonctionnaires et promesses d'embauche pour les jeunes). Après une baisse notable en 2009 des investissements étrangers, ceux-ci reprennent, entre autres, dans le secteur des énergies renouvelables (installation de centrales solaires et éoliennes) qui devraient participer pour plus de 40 % à l'énergie consommée en 2020. Une reprise de l'exploration pétrolière et gazière est prévue pour 2014 - 2015.

TOURISME

- **Recettes touristiques (2012) :** 9 101 millions de dollars

COMMERCE EXTÉRIEUR

- **Exportations de biens (2012) :** 16 992 millions de dollars
- **Importations de biens (2012) :** 48 383 millions de dollars

DÉFENSE

- **Forces armées (2011) :** 245 800 individus
- **Dépenses militaires (2012) :** 3,5 % du PIB

NIVEAU DE VIE

- **Nombre d'habitants pour un médecin (2011) :** 1 613
- **Apport journalier moyen en calories (2007) :** 3 236 (minimum FAO : 2 400)
- **Nombre d'automobiles pour 1 000 hab. (2011) :** 62
- **Téléphones portables (2012) :** 100 % de la population équipée

REPÈRES HISTORIQUES

Le Maroc antique

IXe - VIIIe s. av. J.-C. : les Phéniciens créent des comptoirs sur le littoral.

VIe s. av. J.-C. : ceux-ci passent sous le contrôle de Carthage.

Ve s. av. J.-C. : création du royaume de Mauritanie.

40 apr. J.-C. : la Mauritanie est annexée par Rome.

435 - 442 : invasion des Vandales.

Le Maroc islamique

700 - 710 : les Arabes conquièrent le pays et imposent l'islam aux tribus berbères, chrétiennes, juives ou animistes.

789 - 985 : la dynastie idriside gouverne le pays.

1061 - 1147 : les Almoravides unifient le Maghreb et l'Andalousie en un vaste empire.

1147 - 1269 : sous le gouvernement des Almohades, une brillante civilisation arabo-andalouse s'épanouit.

1269 - 1465 : le Maroc est aux mains des Marinides, qui doivent renoncer à l'Espagne (1340).

1415 : les Portugais conquièrent Ceuta.

1472 - 1554 : sous les Wattassides, la vie urbaine recule. Le nomadisme, les particularismes tribaux et la dévotion pour les marabouts se développent.

1554 - 1659 : sous les Sadiens, les Portugais sont défaits à Alcaçar Quivir (1578) par al-Mansur.

1591 : Tombouctou est conquise.

1666 : Mulay al-Rachid fonde la dynastie alawite, qui règne dès lors sur le Maroc.

XVIIe - XVIIIe s. : le pays connaît des querelles successorales et une sévère décadence économique.

XIXe s. : la Grande-Bretagne, l'Espagne et la France obligent les sultans à ouvrir le pays à leurs produits. Mais leur rivalité permet au Maroc de sauvegarder son indépendance.

Des protectorats français et espagnols à nos jours

1906 - 1912 : après les accords d'Algésiras, la France occupe la majeure partie du pays.

1912 : le traité de Fès établit le protectorat français. L'Espagne obtient une zone nord (le Rif) et une zone sud (Ifni).

1912 - 1925 : Lyautey, résident général, entreprend la pacification du pays.

1921 - 1926 : Abd el-Krim anime la guerre du Rif.

1933 - 1934 : fin de la résistance des Berbères du Haut Atlas ; la France contrôle l'ensemble du pays. Le sultan Muhammad V a un pouvoir purement religieux.

1944 : le parti de l'Istiqlal, soutenu par Muhammad V, réclame l'indépendance.

1953 - 1955 : ce dernier est déposé et exilé par les autorités françaises.

1956 : l'indépendance est proclamée ; le Maroc est érigé en royaume (1957).

1961 : Hasan II accède au trône.

1975 - 1979 : le Maroc recouvre l'ex-Sahara espagnol revendiqué par le Front Polisario.

1999 : Hasan II meurt ; son fils aîné devient roi sous le nom de Muhammad VI.

2011 : une réforme constitutionnelle introduit une certaine ouverture politique.

MAURICE → MADAGASCAR

MAURITANIE

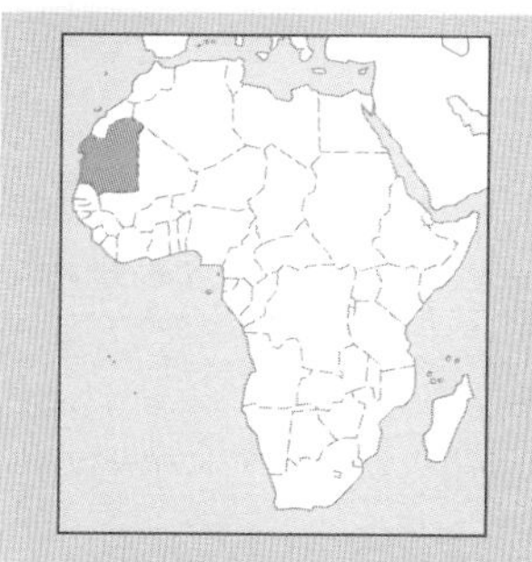

Le pays, à peu près deux fois grand comme la France, est en majeure partie saharien; les températures y sont élevées et les pluies n'atteignent pas 100 mm par an. Seul le tiers sud, sahélien, reçoit environ 500 mm d'eau par an.

Superficie : 1 025 520 km²
Population (2013) : 3 700 000 hab.
Capitale : Nouakchott 786 226 hab. (e. 2011)
Nature de l'État et du régime politique : république à régime semi-présidentiel
Chef de l'État : (président de la République) Mohamed Ould Abdel Aziz
Chef du gouvernement : (Premier ministre) Moulaye Ould Mohamed Laghdaf
Organisation administrative : 12 wilayas et 1 district urbain
Langues officielles : arabe
Monnaie : ouguiya

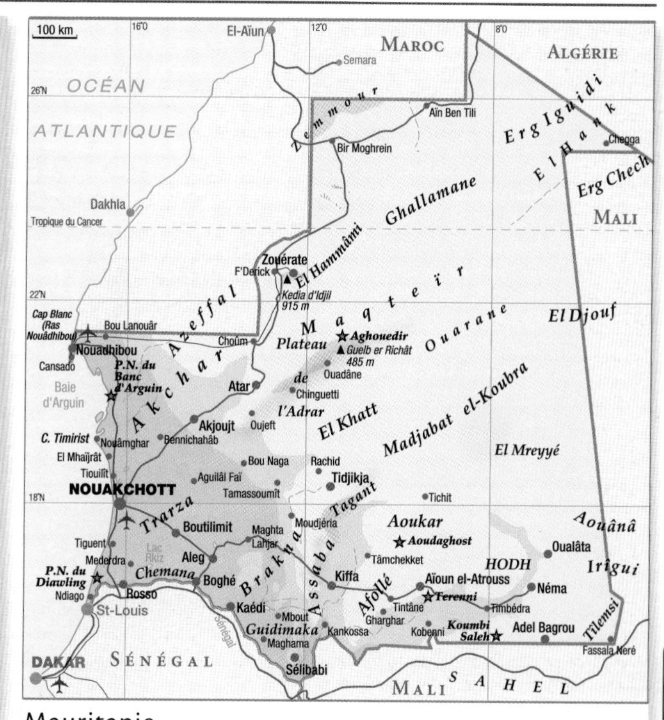

Mauritanie

★ site touristique important
100 200 500 m
— route
— voie ferrée
✈ aéroport
● plus de 500 000 h.
● de 10 000 à 500 000 h.
• moins de 10 000 h.

DÉMOGRAPHIE

- **Densité :** 4 hab./km²
- **Part de la population urbaine (2013) :** 41 %
- **Structure de la population par âge (2013) :** moins de 15 ans : 40 %, 15-65 ans : 57 %, plus de 65 ans : 3 %
- **Taux de natalité (2013) :** 35 ‰
- **Taux de mortalité (2013) :** 9 ‰
- **Taux de mortalité infantile (2013) :** 73 ‰
- **Espérance de vie (2013) :** hommes : 60 ans, femmes : 63 ans

La population, musulmane, est composée en majorité de Maures, d'origine berbère et arabe, ainsi que de Toucouleur et de Soninké. Elle se concentre dans le Sud et sur le littoral. La fécondité demeure élevée et 40 % des habitants ont moins de 15 ans.

ÉCONOMIE

- **PNB (2012) :** 4 milliards de dollars
- **PNB/hab. (2012) :** 1 110 dollars
- **PNB/hab. PPA (2012) :** 2 480 dollars internationaux
- **IDH (2012) :** 0,467
- **Taux de croissance annuelle du PIB (2012) :** 7,6 %
- **Taux annuel d'inflation (2012) :** 4,9 %
- **Structure de la population active :** agriculture : n.d., mines et industries : n.d., services : n.d
- **Structure du PIB (2012) :** agriculture : 17 %, mines et industries : 46,1 %, services : 36,9 %
- **Dette publique brute :** n.d.
- **Taux de chômage (2003) :** 10,2 %

L'économie mauritanienne repose très fortement, d'une part, sur le secteur minier – minerai de fer (2e production en Afrique), or, pétrole, cuivre –, où les investissements sont importants et qui représente environ 75 % des exportations (la Chine est le principal partenaire commercial), mais moins de 3 % des emplois, et, d'autre part, sur le BTP et sur les industries manufacturières. Une diversification du secteur industriel s'impose, conditionnée par le développement des infrastructures et la modernisation du pays. L'agriculture, secteur très dépendant des conditions climatiques, repose sur l'élevage nomade et le commerce régional. La moitié de la population vit sous le seuil de pauvreté. L'économie est en plein essor avec une croissance de 6,7 % en 2013.

TOURISME

- **Recettes touristiques (1999) :** 28 M de $

COMMERCE EXTÉRIEUR

- **Exportations de biens (2009) :** 1 370 M de $
- **Importations de biens (2012) :** 3 958 M de $

DÉFENSE

- **Forces armées (2011) :** 20 850 individus
- **Dépenses militaires (2009) :** 3,8 % du PIB

NIVEAU DE VIE

- **Nombre d'habitants pour un médecin (2011) :** 7 692
- **Apport journalier moyen en calories (2007) :** 2 841 (minimum FAO : 2 400)
- **Nombre d'automobiles pour 1 000 hab. :** n.d.
- **Téléphones portables (2012) :** 100 % de la population équipée

REPÈRES HISTORIQUES

Fin du néolithique : le dessèchement de la région entraîne la migration des premiers habitants, négroïdes, vers le sud.

Début de l'ère chrétienne : pénétration de pasteurs berbères (notamment Sanhadja).

VIIIe - IXe s. : la Mauritanie est convertie à l'islam.

XIe s. : création de l'Empire almoravide, qui propage un islam austère.

XVe - XVIIIe s. : les Arabes Hassan organisent le pays en émirats ; les Européens s'installent sur les côtes.

1900 - 1912 : conquête française.

1920 : la Mauritanie devient colonie au sein de l'AOF.

1960 : la République islamique de Mauritanie, proclamée en 1958, accède à l'indépendance.

1979 : entraînée dans des difficultés croissantes par la décolonisation du Sahara espagnol, elle renonce à la zone qu'elle avait occupée en 1976.

1991 : le multipartisme est instauré, mais le pays est confronté à l'instabilité politique et au développement du terrorisme islamiste.

MOZAMBIQUE

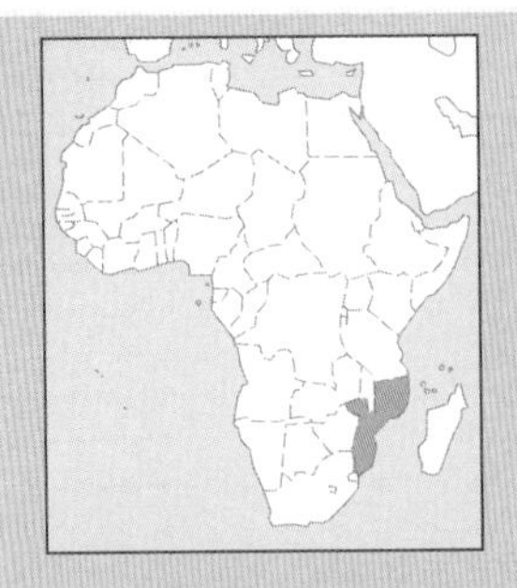

Pays en grande partie recouvert par la forêt et au climat humide, le Mozambique est formé d'une vaste plaine côtière, généralement bien arrosée, s'élevant vers l'intérieur.

Superficie : 801 590 km²
Population (2013) : 24 300 000 hab.
Capitale : Maputo 1 099 102 hab. (r. 2007)
Nature de l'État et du régime politique : république à régime semi-présidentiel
Chef de l'État et du gouvernement : (président de la République) Armando Guebuza
Premier ministre : Alberto Vaquina
Organisation administrative : 10 provinces et 1 municipalité
Langue officielle : portugais
Monnaie : metical

Mozambique, Swaziland

200 500 1000 m

— route
— voie ferrée
aéroport

plus de 1 000 000 h.
de 100 000 à 1 000 000 h.
de 50 000 à 100 000 h.
moins de 50 000 h.

DÉMOGRAPHIE

- **Densité :** 30 hab./km²
- **Part de la population urbaine (2013) :** 31 %
- **Structure de la population par âge (2013) :** moins de 15 ans : 45 %, 15-65 ans : 52 %, plus de 65 ans : 3 %
- **Taux de natalité (2013) :** 44 ‰
- **Taux de mortalité (2013) :** 15 ‰
- **Taux de mortalité infantile (2013) :** 64 ‰
- **Espérance de vie (2013) :** hommes : 49 ans, femmes : 50 ans

Les habitants sont surtout des Bantous. La densité est globalement faible et l'urbanisation reste très limitée. Les villes principales (sauf Nampula) sont aussi des ports (Maputo, la capitale, Beira, Quelimane). Les caractéristiques démographiques sont celles des pays d'Afrique subsaharienne : population très jeune, faible taux d'urbanisation, forte croissance démographique, indice de fécondité (5,9 enfants par femme) très élevé, fort taux de mortalité infantile et faible espérance de vie des hommes.

ÉCONOMIE

- **PNB (2012) :** 14 milliards de dollars
- **PNB/hab. (2012) :** 510 dollars
- **PNB/hab. PPA (2012) :** 1 000 dollars internationaux
- **IDH (2012) :** 0,327
- **Taux de croissance annuelle du PIB (2012) :** 7,4 %
- **Taux annuel d'inflation (2012) :** 2,1 %
- **Structure de la population active :** agriculture : n.d., mines et industries : n.d., services : n.d.
- **Structure du PIB (2012) :** agriculture : 30,3 %, mines et industries : 22,9 %, services : 46,8 %
- **Dette publique brute :** n.d.
- **Taux de chômage :** n.d.

La forte croissance (de l'ordre de 7 % depuis 2004), tirée par tous les secteurs, dont les « mégaprojets » à capitaux étrangers dans le secteur minier (ouverture de gisements de charbon) et l'énergie (gaz, biocarburants), s'est accompagnée d'une brusque hausse des prix des produits alimentaires et du carburant. Le gouvernement a dû répondre aux émeutes de 2010 en maintenant ses subventions aux biens de première nécessité mais les a aujourd'hui supprimées. De nombreuses ressources minières restent cependant inexploitées – ressources pour lesquelles la Chine, déjà très présente sur le sol africain (2ᵉ partenaire commercial), a des projets d'investissement. Un gisement considérable de gaz a été découvert récemment, ce qui devrait attirer les investisseurs étrangers, notamment la Chine, l'Inde et le Brésil. Si le Mozambique a accompli d'importants progrès en matière de sécurité alimentaire depuis la fin de la guerre civile, son indice de développement humain reste l'un des plus faibles au monde (165ᵉ sur 169). Le gouvernement investit peu dans l'agriculture vivrière, qui est le principal secteur de l'économie (un tiers du PIB), et préfère concéder des terres arables à des entreprises privées étrangères, ce qui ne génère que très peu d'emplois pour la population locale. La population qui, pour plus de la moitié vit en dessous du seuil de pauvreté, est écartée des bénéfices liés à la croissance économique, laquelle devrait atteindre 8,5 % en 2014 selon les prévisions du FMI (7 % en 2013). Dans les années à venir, les exportations de gaz et de charbon sont amenées à exploser, grâce à la découverte de gisements de grande envergure (10 % des réserves mondiales de charbon).

TOURISME

- **Recettes touristiques (2012) :** 270 M de $

COMMERCE EXTÉRIEUR

- **Exportations de biens (2012) :** 3 856 M de $
- **Importations de biens (2011) :** 5 812 M de $

DÉFENSE

- **Forces armées (2011) :** 11 200 individus
- **Dépenses militaires (2010) :** 0,9 % du PIB

NIVEAU DE VIE

- **Nombre d'habitants pour un médecin (2011) :** 38 462
- **Apport journalier moyen en calories (2007) :** 2 067 (minimum FAO : 2 400)
- **Nombre d'automobiles pour 1 000 hab. (2010) :** 9
- **Téléphones portables (2012) :** 33 % de la population équipée

REPÈRES HISTORIQUES

X^e - XVe s. : le pays, peuplé de Bantous, est organisé en petites chefferies dirigées par des dynasties héréditaires, les royaumes Maravi. Il exporte vers le sud l'ivoire local.

1490 : les Portugais s'installent le long des côtes.

XVIIe - XVIIIe s. : l'influence portugaise s'affirme dans les basses vallées orientales.

1886 - 1893 : les frontières de la nouvelle colonie portugaise sont fixées par des accords avec l'Allemagne et la Grande-Bretagne.

1951 : le Mozambique devient « province portugaise » d'outre-mer.

1964 : le Front de libération du Mozambique (Frelimo) entame la guérilla contre la domination portugaise.

1975 : l'indépendance est proclamée. À partir de 1979, une rébellion armée anticommuniste se développe avec le soutien de l'Afrique du Sud.

1990 : une nouvelle Constitution instaure le pluralisme.

1992 : accord de paix mettant fin à la guerre civile.

1995 : le Mozambique devient membre du Commonwealth.

SWAZILAND

Montagneux et verdoyant, le Swaziland est un pays enclavé, entouré principalement par l'Afrique du Sud. Il jouxte aussi le Mozambique.

Superficie : 17 364 km²
Population (2013) : 1 200 000 hab.
Capitale : Mbabane 65 536 hab. (e. 2011)
Nature de l'État et du régime politique : monarchie
Chef de l'État : (roi) Mswati III
Chef du gouvernement : (Premier ministre) Barnabas Sibusiso Dlamini
Organisation administrative : 4 districts
Langues officielles : swati et anglais
Monnaie : lilangeni

DÉMOGRAPHIE

- **Densité :** 69 hab./km²
- **Part de la population urbaine (2013) :** 21 %
- **Structure de la population par âge (2013) :** moins de 15 ans : 38 %, 15-65 ans : 59 %, plus de 65 ans : 3 %
- **Taux de natalité (2013) :** 31 ‰
- **Taux de mortalité (2013) :** 14 ‰
- **Taux de mortalité infantile (2013) :** 68 ‰
- **Espérance de vie (2013) :** hommes : 49 ans, femmes : 48 ans

La population est composée surtout de Swazi, un peuple bantou. Fortement touchée par le sida, elle est en baisse et l'espérance de vie à la naissance est l'une des plus faibles du monde.

ÉCONOMIE

- **PNB (2012) :** 3 milliards de dollars
- **PNB/hab. (2012) :** 2 860 dollars
- **PNB/hab. PPA (2012) :** 4 760 dollars internationaux
- **IDH (2012) :** 0,536
- **Taux de croissance annuelle du PIB (2012) :** – 1,5 %
- **Taux annuel d'inflation (2012) :** 8,9 %
- **Structure de la population active :** agriculture : n.d., mines et industries : n.d., services : n.d.
- **Structure du PIB (2011) :** agriculture : 7,5 %, mines et industries : 47,7 %, services : 44,8 %
- **Dette publique brute :** n.d.
- **Taux de chômage (2011) :** 30 %

Dépendant de l'Afrique du Sud et de l'Union douanière d'Afrique australe, le pays, au bord de la faillite en 2011,souffre du manque de compétitivité de son industrie (sucre, textile, bois), de la détérioration des finances publiques, du manque de réformes économiques mais aussi de la situation très précaire de sa population (sida, tuberculose, chômage élevé) touchée par la malnutrition – plus des deux tiers des habitants vivent en dessous du seuil de pauvreté et un quart d'entre eux sont atteints du sida.

TOURISME

- **Recettes touristiques (2011) :** 51 millions de dollars

COMMERCE EXTÉRIEUR

- **Exportations de biens (2010) :** 1 805 millions de dollars
- **Importations de biens (2011) :** 2 965 millions de dollars

DÉFENSE

- **Forces armées :** n.d.
- **Dépenses militaires (2012) :** 3,2 % du PIB

NIVEAU DE VIE

- **Nombre d'habitants pour un médecin (2010) :** 5 882
- **Apport journalier moyen en calories (2007) :** 2 292 (minimum FAO : 2 400)
- **Nombre d'automobiles pour 1 000 hab. (2007) :** 45
- **Téléphones portables (2012) :** 66 % de la population équipée

REPÈRES HISTORIQUES

1815 : fondation d'un royaume bantou indépendant, le Swaziland.

1902 : le Swaziland passe sous protectorat britannique.

1968 : il redevient indépendant.

1983 : à Sobhuza II, proclamé roi en 1921, reconnu par la Grande-Bretagne en 1967 et décédé en 1982, ont succédé la reine Ntombi (1983 - 1986) puis Mswati III.

NAMIBIE → BOTSWANA

NIGER

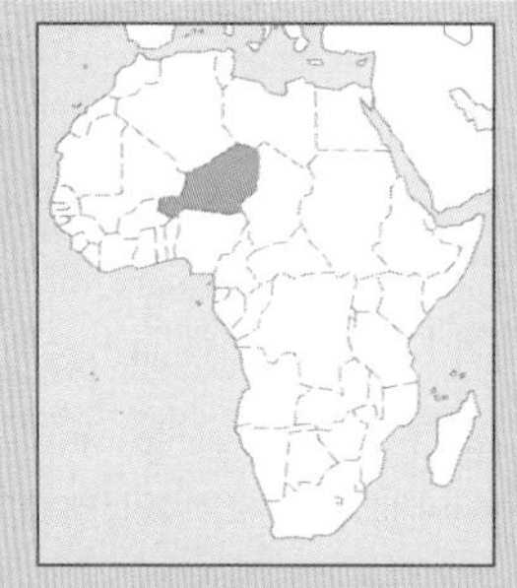

En dehors de la vallée du Niger où se concentre la majorité de la population, le Niger est un pays désertique ou steppique, très vaste mais enclavé.

Superficie : 1 267 000 km²
Population (2013) : 16 900 000 hab.
Capitale : Niamey 1 048 000 hab. (e. 2010)
Nature de l'État et du régime politique : république à régime semi-présidentiel
Chef de l'État : (président de la République) Mahamadou Issoufou
Chef du gouvernement : (Premier ministre) Brigi Rafini
Organisation administrative : 7 départements et 1 communauté urbaine
Langue officielle : français
Monnaie : franc CFA

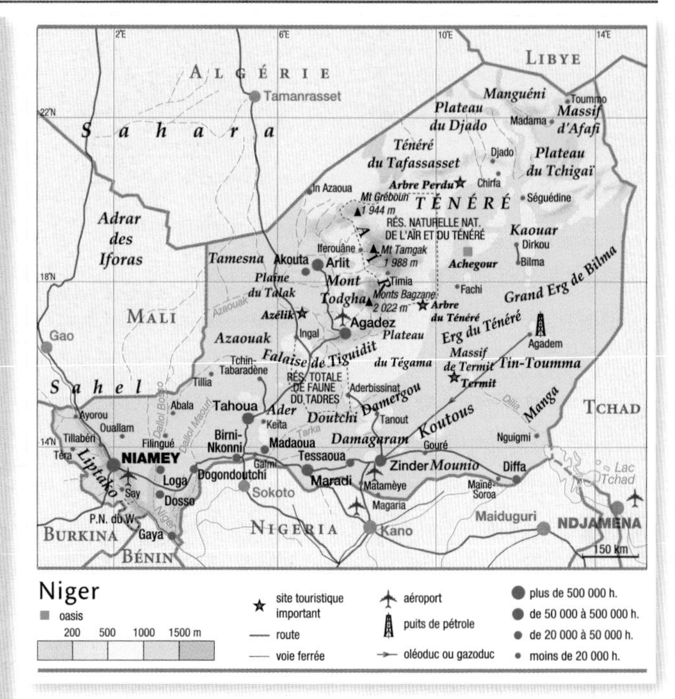

AFRIQUE

DÉMOGRAPHIE

- **Densité :** 13 hab./km²
- **Part de la population urbaine (2013) :** 18 %
- **Structure de la population par âge (2013) :** moins de 15 ans : 50 %, 15-65 ans : 47 %, plus de 65 ans : 3 %
- **Taux de natalité (2013) :** 50 ‰
- **Taux de mortalité (2013) :** 12 ‰
- **Taux de mortalité infantile (2013) :** 51 ‰
- **Espérance de vie (2013) :** hommes : 57 ans, femmes : 58 ans

Malgré une croissance démographique comptant parmi les plus fortes au monde, la population, musulmane, se concentre surtout dans le Sud-Ouest. Elle est composée de Songhaï et surtout de Haoussa au sud, de Touareg et de Peuls (encore souvent nomades) plus au nord. La population, au seuil de sa transition démographique, détient le record mondial du taux de natalité.

ÉCONOMIE

- **PNB (2012) :** 7 milliards de dollars
- **PNB/hab. (2012) :** 390 dollars
- **PNB/hab. PPA (2012) :** 760 dollars internationaux
- **IDH (2012) :** 0,304
- **Taux de croissance annuelle du PIB (2012) :** 10,8 %
- **Taux annuel d'inflation (2012) :** 0,5 %
- **Structure de la population active :** agriculture : n.d., mines et industries : n.d., services : n.d.
- **Structure du PIB (2012) :** agriculture : 38,2 %, mines et industries : 20,4 %, services : 41,4 %
- **Dette publique brute :** n.d.
- **Taux de chômage :** n.d.

Le secteur énergétique (uranium en premier lieu [4e producteur mondial], exploité notamment par l'entreprise nucléaire française AREVA) représente déjà environ 47 % des exportations du Niger, encore réduites (5 % du PIB). Avec l'exploitation de nouveaux sites ainsi que l'entrée en production des gisements de pétrole d'Agadem (en partenariat avec la Chine), le secteur est appelé à se développer et le Niger pourrait devenir en 2016 le 2e producteur mondial de pétrole, doublant ainsi son taux de croissance (6,2 % en 2013). La transparence dans la gestion de cette rente et sa redistribution, que le gouvernement s'est engagé à respecter, sont des enjeux essentiels alors que la pauvreté touche plus de 90 % de la population.

TOURISME

- **Recettes touristiques (2012) :** 86 millions de dollars

COMMERCE EXTÉRIEUR

- **Exportations de biens (2010) :** 1 151 millions de dollars
- **Importations de biens (2011) :** 3 206 millions de dollars

DÉFENSE

- **Forces armées (2011) :** 10 700 individus
- **Dépenses militaires (2012) :** 1 % du PIB

NIVEAU DE VIE

- **Nombre d'habitants pour un médecin (2011) :** 52 632
- **Apport journalier moyen en calories (2007) :** 2 376 (minimum FAO : 2 400)
- **Nombre d'automobiles pour 1 000 hab. (2010) :** 6
- **Téléphones portables (2012) :** 32 % de la population équipée

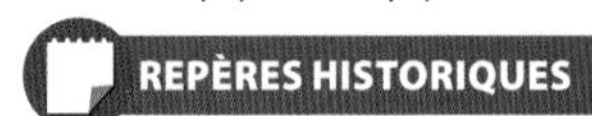

REPÈRES HISTORIQUES

L'occupation humaine de la région est fort ancienne.

Ier millénaire av. J.-C. : les Berbères s'introduisent par une des routes transsahariennes, refoulant vers le sud les populations sédentaires ou se métissant avec elles.

VIIe s. apr. J.-C. : l'empire des Songhaï, bientôt islamisé, se constitue.

Xe s. : il a pour capitale Gao.

1591 : il est détruit par les Marocains.

XVIIe - XIXe s. : Touareg et Peuls contrôlent le pays.

1897 : amorcée à partir de 1830, la pénétration française s'affirme.

1922 : la résistance des Touareg apaisée, le Niger devient colonie de l'AOF.

1960 : autonome depuis 1956, république depuis 1958, il accède à l'indépendance. Le président s'appuie sur un parti unique.

1990 : le pouvoir engage la transition vers le multipartisme. Parallèlement, il doit faire face à la rébellion touareg et à une situation économique catastrophique.

Depuis 1996 : : en proie à une grande instabilité politique, le Niger est confronté, depuis 2011, au développement du terrorisme islamiste sur son sol.

NIGERIA

Le Nigeria se compose d'une région littorale humide, densément peuplée et urbanisée (domaine de la forêt dense), et d'un Nord plus sec (domaine de la savane).

Superficie : 923 768 km²
Population (2013) : 173 600 000 hab.
Capitale : Abuja 2 152 770 hab. (e. 2011) dans l'agglomération
Nature de l'État et du régime politique : république
Chef de l'État et du gouvernement : (président de la République) Goodluck Jonathan
Organisation administrative : 36 États et 1 territoire fédéral
Langue officielle : anglais
Monnaie : naira

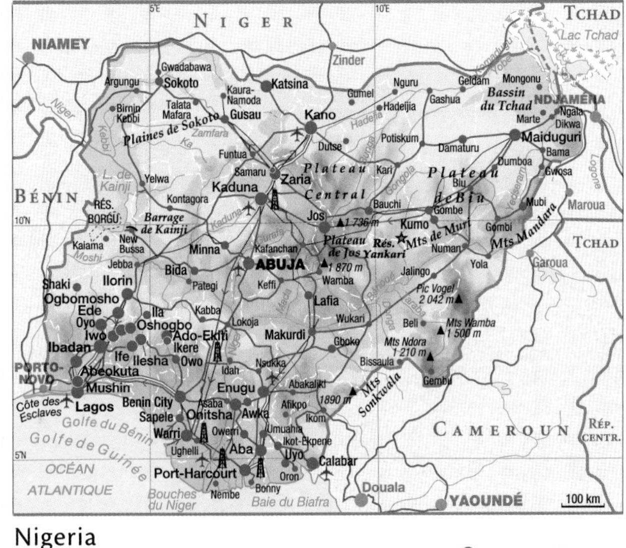

DÉMOGRAPHIE

- **Densité :** 188 hab./km²
- **Part de la population urbaine (2013) :** 50 %
- **Structure de la population par âge (2013) :** moins de 15 ans : 44 %, 15-65 ans : 53 %, plus de 65 ans : 3 %
- **Taux de natalité (2013) :** 42 ‰
- **Taux de mortalité (2013) :** 13 ‰
- **Taux de mortalité infantile (2013) :** 97 ‰
- **Espérance de vie (2013) :** hommes : 51 ans, femmes : 52 ans

Le Nigeria est le pays le plus peuplé du continent africain. La partie médiane du pays, le Middle Belt, est beaucoup moins peuplée que les régions périphériques, où vivent les ethnies dominantes (pays haoussa, pays yoruba, pays ibo). C'est dans le Sud que la population est la plus dense. Le delta du Niger et, surtout, le Sud-Ouest sont même fortement urbanisés. Lagos est devenue l'une des principales mégapoles du monde, avec plus de 10 millions d'habitants. La population, dont les caractéristiques démographiques sont celles des pays subsahariens, est fortement touchée par le sida.

ÉCONOMIE

- **PNB (2012) :** 241 milliards de dollars
- **PNB/hab. (2012) :** 1 440 dollars
- **PNB/hab. PPA (2012) :** 2 450 dollars internationaux
- **IDH (2012) :** 0,471
- **Taux de croissance annuelle du PIB (2012) :** 6,5 %
- **Taux annuel d'inflation (2012) :** 12,2 %
- **Structure de la population active :** agriculture : n.d., mines et industries : n.d., services : n.d.
- **Structure du PIB (2012) :** agriculture : 33,1 %, mines et industries : 40,6 %, services : 26,3 %
- **Dette publique brute (2008) :** 3 % du PIB
- **Taux de chômage (2011) :** 4,5 %

Le Nigeria connaît une croissance robuste (6,2 % en 2013), y compris dans les secteurs non pétroliers de son économie (BTP, commerce de gros, télécommunications et hôtellerie), et pourrait devenir la première économie d'Afrique, devant l'Afrique du Sud. Malgré la rébellion endémique dans le delta du Niger, la production de pétrole et de gaz représente l'essentiel de ses exportations et des revenus de l'État. En vue d'accélérer l'industrialisation du pays, le gouvernement a lancé d'importants investissements dans le secteur gazier, notamment en partenariat avec la Russie. L'agriculture (manioc, ignames, cacao, arachides, mil) occupe encore une place majeure avec plus de 30 % du PIB et emploierait autour de 70 % de la population. Le pays manque cruellement d'infrastructures à la hauteur de ses ambitions et va devoir investir lourdement s'il veut entrer dans le cercle très convoité des plus grandes économies mondiales d'ici à 2020. Aux tensions religieuses s'ajoute le climat d'insécurité dû aux violences et aux sabotages qui visent notamment les installations pétrolières.

TOURISME

- **Recettes touristiques (2012) :** 688 M de $

COMMERCE EXTÉRIEUR

- **Exportations de biens (2012) :** 95 677 M de $
- **Importations de biens (2011) :** 86 914 M de $

DÉFENSE

- **Forces armées (2011) :** 162 000 individus
- **Dépenses militaires (2012) :** 0,9 % du PIB

NIVEAU DE VIE

- **Nombre d'habitants pour un médecin (2011) :** 2 532
- **Apport journalier moyen en calories (2007) :** 2 741 (minimum FAO : 2 400)
- **Nombre d'automobiles pour 1 000 hab. (2007) :** 31
- **Téléphones portables (2012) :** 68 % de la population équipée

REPÈRES HISTORIQUES

900 av. J.-C. - 200 apr. J.-C. : la civilisation de Nok s'épanouit.

VIIe - XIe s. : les Haoussa s'installent dans le Nord, les Yoruba dans le Sud-Ouest.

XIe - XVIe s. : dans le Nord s'organisent les brillants royaumes du Kanem (apogée au XIVe s.), puis du Kanem-Bornou (XVIe s.). Dans le Sud, Ife constitue le centre religieux et culturel commun du royaume d'Oyo et de celui du Bénin, qui entre en relation avec les Portugais au XVe s.

1553 : l'Angleterre élimine le Portugal.

Début du XIXe s. : les Peuls musulmans, dirigés par Ousmane dan Fodio, forment un empire dans le nord du pays (Sokoto).

1851 : les Britanniques occupent Lagos.

1900 : le Nigeria passe sous la juridiction du Colonial Office.

1960 : il accède à l'indépendance.

1967 - 1970 : les Ibo du Sud-Est, en majorité chrétiens, font sécession, formant la république du Biafra, qui capitule en janvier 1970 à l'issue d'une guerre meurtrière. Dès lors, sauf une brève période de retour à la démocratie (1979 - 1983), les coups d'État militaires se succèdent.

1999 : avec le retour à un pouvoir civil, le Nigeria retrouve sa place sur la scène internationale.

OUGANDA

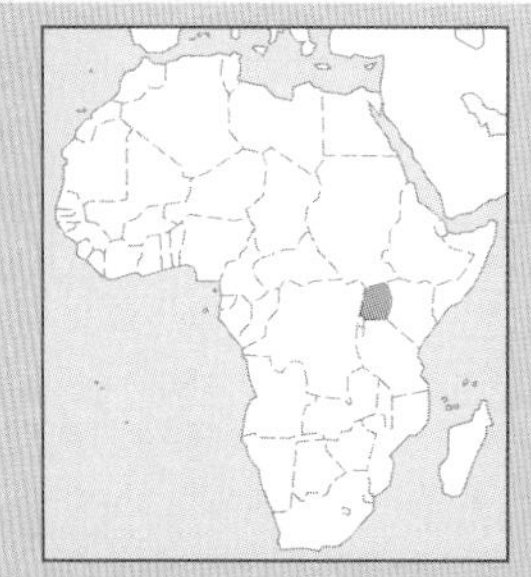

Traversé par l'équateur, le pays est formé par un haut plateau dominé par de hauts reliefs (Ruwenzori, Elgon). La savane domine, sauf dans le Nord-Est, steppique, et sur les massifs boisés.

Superficie : 241 038 km²
Population (2013) : 36 900 000 hab.
Capitale : Kampala 1 659 480 hab. (e. 2011) dans l'agglomération
Nature de l'État et du régime politique : république à régime semi-présidentiel
Chef de l'État : (président de la République) Yoweri Kaguta Museveni
Chef du gouvernement : (Premier ministre) Amama Mbabazi
Organisation administrative : 56 districts
Langue officielle : anglais
Monnaie : shilling ougandais

DÉMOGRAPHIE

- **Densité :** 153 hab./km²
- **Part de la population urbaine (2013) :** 16 %
- **Structure de la population par âge (2013) :** moins de 15 ans : 49 %, 15-65 ans : 49 %, plus de 65 ans : 2 %
- **Taux de natalité (2013) :** 45 ‰
- **Taux de mortalité (2013) :** 10 ‰
- **Taux de mortalité infantile (2013) :** 54 ‰
- **Espérance de vie (2013) :** hommes : 57 ans, femmes : 59 ans

La population, composée aux deux tiers de Bantous (dont les Ganda sont le groupe le plus important), se divise entre chrétiens et animistes. Les caractéristiques démographiques sont celles des pays d'Afrique subsaharienne : faible taux d'urbanisation, forte croissance démographique, indice de fécondité (6,2 enfants par femme) parmi les plus élevés du monde, taux de mortalité infantile élevé, faible espérance de vie à la naissance. Le sida est considéré comme un fléau dans ce pays où le taux d'alphabétisation, en progression notable, recouvre près de 70 % de la population.

ÉCONOMIE

- **PNB (2012) :** 17 milliards de dollars
- **PNB/hab. (2012) :** 440 dollars
- **PNB/hab. PPA (2012) :** 1 120 dollars internationaux
- **IDH (2012) :** 0,456
- **Taux de croissance annuelle du PIB (2012) :** 3,4 %
- **Taux annuel d'inflation (2012) :** 14 %
- **Structure de la population active (2009) :** agriculture : 65,6 %, mines et industries : 6 %, services : 28,4 %
- **Structure du PIB (2011) :** agriculture : 23,4 %, mines et industries : 25,4 %, services : 51,2 %
- **Dette publique brute (2011) :** 43 % du PIB
- **Taux de chômage (2009) :** 4,2 %

En attendant que l'exploitation du pétrole du lac Albert (prévue pour 2017), ne change la donne l'agriculture (café, thé, sucre, coton) représente un tiers des exportations et environ 23 % du PIB. Le secteur industriel (BTP, énergie) progresse et le pays est riche en ressources naturelles (cobalt, cuivre et pétrole). La part des services (environ 51 % du PIB, dont le tourisme) est en croissance régulière. Depuis les années 1990, le pays a accompli des progrès importants dans la lutte contre le sida, dans l'éducation et dans la réduction de la pauvreté qui touche toutefois toujours entre le tiers et la moitié de la population.

TOURISME

- **Recettes touristiques (2012) :** 974 M de $

COMMERCE EXTÉRIEUR

- **Exportations de biens (2012) :** 2 810 M de $
- **Importations de biens (2011) :** 5 801 M de $

DÉFENSE

- **Forces armées (2011) :** 46 800 individus
- **Dépenses militaires (2012) :** 1,4 % du PIB

NIVEAU DE VIE

- **Nombre d'habitants pour un médecin (2011) :** 8 547
- **Apport journalier moyen en calories (2007) :** 2 211 (minimum FAO : 2 400)
- **Nombre d'automobiles pour 1 000 hab. (2010) :** 3
- **Téléphones portables (2012) :** 46 % de la population équipée

REPÈRES HISTORIQUES

La population de l'actuel Ouganda résulte du métissage ancien de Bantous et de peuples nilotiques.

XVIe - XIXe s. : ces populations constituent de petits États faiblement structurés, mais, au XVIIe s., le royaume du Buganda s'impose aux autres États.

1894 : la Grande-Bretagne établit son protectorat sur l'Ouganda.

1962 : l'Ouganda devient un État fédéral indépendant.

1966 : Milton Obote devient chef de l'État et met fin à la fédération des royaumes.

1967 : la république est proclamée.

1971 - 1979 : régime tyrannique d'Idi Amin Dada.

1980 : Obote retrouve le pouvoir.

1985 - 1986 : après plusieurs années d'anarchie, de rébellions tribales et de répression, deux coups d'État se succèdent.

1995 : la nouvelle Constitution maintient une démocratie autoritaire.

RWANDA → BURUNDI

SÃO TOMÉ-ET-PRÍNCIPE → GABON

SÉNÉGAL

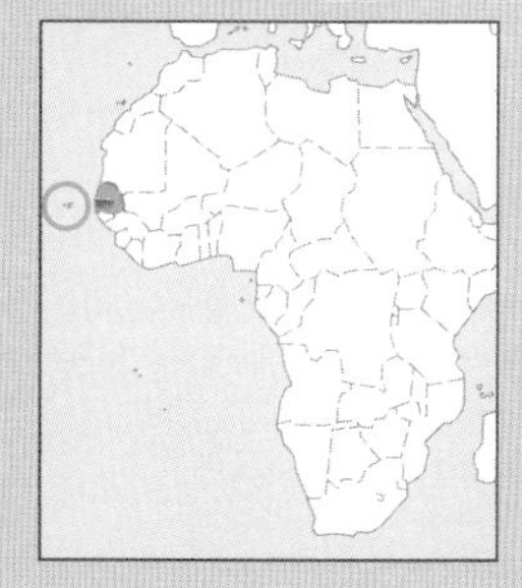

En dehors du Sud-Est, contrefort du Fouta-Djalon, le Sénégal est formé de plateaux peu élevés. La côte est sableuse. Les températures, élevées dans l'intérieur, s'abaissent un peu sur le littoral, tandis que les pluies diminuent du sud vers le nord. Les grandes forêts du sud font place à la savane au centre et au sud-est, puis à la steppe au nord.

Superficie : 196 722 km²
Population (2013) : 13 500 000 hab.
Capitale : Dakar 955 987 hab. (r. 2002)
3 035 470 hab. (e. 2011) dans l'agglomération
Nature de l'État et du régime politique : république à régime semi-présidentiel
Chef de l'État : (président de la République) Macky Sall
Chef du gouvernement : (Premier ministre) Aminata Touré
Organisation administrative : 11 régions
Langue officielle : français
Monnaie : franc CFA

Sénégal, Gambie, Cap-Vert

50 100 200 m

— route
— voie ferrée
★ site touristique important
✈ aéroport
● plus de 1 500 000 h.
● de 100 000 à 1 500 000 h.
● de 20 000 à 100 000 h.
● moins de 20 000 h.

DÉMOGRAPHIE

- **Densité :** 69 hab./km²
- **Part de la population urbaine (2013) :** 47 %
- **Structure de la population par âge (2013) :** moins de 15 ans : 44 %, 15-65 ans : 53 %, plus de 65 ans : 3 %
- **Taux de natalité (2013) :** 38 ‰
- **Taux de mortalité (2013) :** 8 ‰
- **Taux de mortalité infantile (2013) :** 51 ‰
- **Espérance de vie (2013) :** hommes : 62 ans, femmes : 65 ans

La population, formée de groupes variés (les Wolof constituant le peuple dominant, parmi la vingtaine que compte le pays) et musulmane dans sa grande majorité, est concentrée dans l'ouest du pays. L'indice de fécondité reste élevé (5 enfants par femme), l'espérance de vie à la naissance augmente très faiblement et le taux d'analphabétisme (50 %) est préoccupant malgré la mise en place de réformes en matière d'éducation au début des années 2000.

ÉCONOMIE

- **PNB (2012) :** 14 milliards de dollars
- **PNB/hab. (2012) :** 1 030 dollars
- **PNB/hab. PPA (2012) :** 1 880 dollars internationaux
- **IDH (2012) :** 0,47
- **Taux de croissance annuelle du PIB (2012) :** 3,5 %
- **Taux annuel d'inflation (2012) :** 1,4 %
- **Structure de la population active (2006) :** agriculture : 39,8 %, mines et industries : 17,5 %, services : 42,7 %
- **Structure du PIB (2012) :** agriculture : 16,7 %, mines et industries : 24,3 %, services : 59 %
- **Dette publique brute :** n.d.
- **Taux de chômage (2006) :** 10 %

Un secteur tertiaire en expansion (télécommunications, Internet, tourisme, commerce), un secteur du bâtiment financé par la diaspora, une dette extérieure et une inflation maîtrisées sont parmi les points forts d'une économie qui connaît une croissance modérée, l'agroalimentaire et l'extraction des phosphates étant les fers de lance du secteur industriel. Le pays dépend cependant toujours de l'aide internationale. L'Inde et la Chine sont devenues d'importants partenaires commerciaux du pays. La politique de réduction de la pauvreté a donné des résultats tangibles et un programme de modernisation des infrastructures est en cours de réalisation (accès à l'eau, à l'école et aux services de santé).

TOURISME

- **Recettes touristiques (2011) :** 464 M de $

COMMERCE EXTÉRIEUR

- **Exportations de biens (2010) :** 2 153 M de $
- **Importations de biens (2011) :** 6 323 M de $

DÉFENSE

- **Forces armées (2011) :** 18 600 individus
- **Dépenses militaires (2010) :** 1,5 % du PIB

NIVEAU DE VIE

- **Nombre d'habitants pour un médecin (2011) :** 16 949
- **Apport journalier moyen en calories (2007) :** 2 348 (minimum FAO : 2 400)
- **Nombre d'automobiles pour 1 000 hab. (2011) :** 17
- **Téléphones portables (2012) :** 88 % de la population équipée

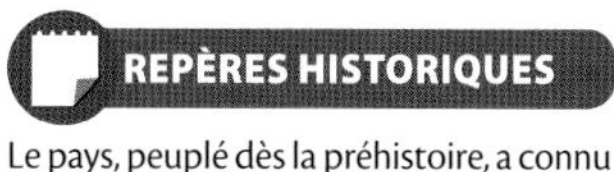

REPÈRES HISTORIQUES

Le pays, peuplé dès la préhistoire, a connu le passage de populations successives et des métissages.

IXe s. : formation du royaume de Tekrour, progressivement islamisé et vassalisé par le Mali.

XIVe s. : constitution du royaume Dyolof.

Vers 1456 : les Portugais installent des comptoirs sur la côte.

XVIe s. : le royaume Dyolof se morcelle en plusieurs États.

XVIIe s. : la France fonde Saint-Louis (1659) et occupe Gorée (1677).

1854 - 1865 : le général Faidherbe mène une politique d'expansion.

1879 - 1890 : la France achève la conquête du Sénégal.

1895 : le pays, intégré dans l'AOF, dont le gouvernement général est fixé à Dakar, est doté d'un statut privilégié.

1958 : le Sénégal devient république autonome au sein de la Communauté.

1959 - 1960 : il forme avec le Mali une fédération éphémère.

1960 : il devient indépendant. Son président, Léopold S. Senghor, instaure en 1963 un régime à parti unique, remplacé par un régime tripartite en 1976.

À partir de 1980 : un mouvement séparatiste se développe en Casamance.

1981 : Senghor se retire du pouvoir ; le multipartisme est légalisé.

1982 - 1989 : le pays forme avec la Gambie la confédération de Sénégambie.

AFRIQUE

GAMBIE

La Gambie est constituée, de part et d'autre du fleuve Gambie, d'une bande de terre de 20 à 50 km de largeur sur une longueur de 300 km.

Superficie : 11 295 km²
Population (2013) : 1 900 000 hab.
Capitale : Banjul 506 277 hab. (e. 2011) dans l'agglomération
Nature de l'État et du régime politique : république à régime semi-présidentiel
Chef de l'État et du gouvernement : (président de la République) Yahya Jammeh
Organisation administrative : 5 divisions et 1 municipalité
Langue officielle : anglais
Monnaie : dalasi

DÉMOGRAPHIE

- **Densité :** 168 hab./km²
- **Part de la population urbaine (2013) :** 57 %
- **Structure de la population par âge (2013) :** moins de 15 ans : 46 %, 15-65 ans : 52 %, plus de 65 ans : 2 %
- **Taux de natalité (2013) :** 43 ‰
- **Taux de mortalité (2013) :** 10 ‰
- **Taux de mortalité infantile (2013) :** 81 ‰
- **Espérance de vie (2013) :** hommes : 57 ans, femmes : 60 ans

Composée surtout de Mandingues (40 %), de Peuls (25 %) et de Wolof (plus de 10 %), la population est musulmane dans sa grande majorité. Banjul est la seule véritable ville du pays. La population se caractérise par sa jeunesse et par un indice de fécondité élevé (5,8 enfants par femme).

ÉCONOMIE

- **PNB (2012) :** 1 milliard de dollars
- **PNB/hab. (2012) :** 510 dollars
- **PNB/hab. PPA (2012) :** 1 830 dollars internationaux
- **IDH (2012) :** 0,439
- **Taux de croissance annuelle du PIB (2012) :** 6 %
- **Taux annuel d'inflation (2011) :** 4,8 %
- **Structure de la population active :** agriculture : n.d., mines et industries : n.d., services : n.d.
- **Structure du PIB (2011) :** agriculture : 18,9 %, mines et industries : 13,5 %, services : 67,6 %
- **Dette publique brute :** n.d.
- **Taux de chômage :** n.d.

Malgré la croissance (6,4 % en 2013) et les allégements de la dette, le poids de cette dernière reste important, le paiement des intérêts absorbant environ 20 % des revenus de l'État, alors que la sous-alimentation a augmenté depuis 1990 - 1992 et que plus de 67 % de la population vit sous le seuil national de pauvreté. L'économie, peu diversifiée, est essentiellement tournée vers le tourisme, les télécommunications, les activités portuaires, le commerce de transit et l'agriculture (arachide).

TOURISME

- **Recettes touristiques (2012) :** 102 millions de dollars

COMMERCE EXTÉRIEUR

- **Exportations de biens (2012) :** 182 millions de dollars
- **Importations de biens (2011) :** 424 millions de dollars

DÉFENSE

- **Forces armées (2011) :** 800 individus
- **Dépenses militaires (2007) :** 0,6 % du PIB

NIVEAU DE VIE

- **Nombre d'habitants pour un médecin (2011) :** 26 316
- **Apport journalier moyen en calories (2007) :** 2 385 (minimum FAO : 2 400)
- **Nombre d'automobiles pour 1 000 hab. (2011) :** 5
- **Téléphones portables (2012) :** 84 % de la population équipée

REPÈRES HISTORIQUES

XIIIᵉ - XVIIᵉ s. : vassale du Mali, l'actuelle Gambie est découverte par les Portugais en 1455 - 1456.

XVIIᵉ s. : les marchands européens d'esclaves s'y installent.

XIXᵉ s. : la Gambie devient possession britannique.

1965 : indépendance dans le cadre du Commonwealth.

1970 : la république est proclamée.

1982 - 1989 : confédération avec le Sénégal (Sénégambie).

CAP-VERT

État insulaire, à l'ouest du Sénégal, le Cap-Vert compte une dizaine d'îles habitées et de nombreux îlots.

Superficie : 4 033 km²
Population (2013) : 500 000 hab.
Capitale : Praia 132 029 hab. (e. 2011)
Nature de l'État et du régime politique : république à régime semi-présidentiel
Chef de l'État : (président de la République) Jorge Carlos Fonseca
Chef du gouvernement : (Premier ministre) José Maria Neves
Organisation administrative : 2 districts
Langue officielle : portugais
Monnaie : escudo du Cap-Vert

DÉMOGRAPHIE

- **Densité :** 124 hab./km²
- **Part de la population urbaine (2013) :** 63 %
- **Structure de la population par âge (2013) :** moins de 15 ans : 31 %, 15-65 ans : 63 %, plus de 65 ans : 6 %
- **Taux de natalité (2013) :** 21 ‰
- **Taux de mortalité (2013) :** 5 ‰
- **Taux de mortalité infantile (2013) :** 18 ‰
- **Espérance de vie (2013) :** hommes : 70 ans, femmes : 78 ans

La population est très inégalement répartie sur l'ensemble de l'archipel. L'île de São Tiago (ou Santiago), où se trouve la capitale, Praia, accueille plus de la moitié des habitants.

ÉCONOMIE

- **PNB (2012) :** 2 milliards de dollars
- **PNB/hab. (2012) :** 3 830 dollars
- **PNB/hab. PPA (2012) :** 4 930 dollars internationaux
- **IDH (2012) :** 0,586
- **Taux de croissance annuelle du PIB (2012) :** 2,5 %
- **Taux annuel d'inflation (2012) :** 2,5 %
- **Structure de la population active :** agriculture : n.d., mines et industries : n.d., services : n.d.
- **Structure du PIB (2011) :** agriculture : 7,8 %, mines et industries : 17,8 %, services : 74,4 %
- **Dette publique brute :** n.d.
- **Taux de chômage (2011) :** 17 %

La croissance économique, soutenue depuis la fin des années 1990, s'essouffle. Tirée par le tourisme, le BTP, le développement des infrastructures, les investissements directs étrangers et l'aide extérieure, elle n'est que de 1,5 % en 2013.

TOURISME

- **Recettes touristiques (2012) :** 438 M de $

COMMERCE EXTÉRIEUR

- **Exportations de biens (2012) :** 173 M de $
- **Importations de biens (2011) :** 1 379 M de $

DÉFENSE

- **Forces armées (2011) :** 1 200 individus
- **Dépenses militaires (2011) :** 0,5 % du PIB

NIVEAU DE VIE

- **Nombre d'habitants pour un médecin (2011) :** 3 390
- **Apport journalier moyen en calories (2007) :** 2 572 (minimum FAO : 2 400)
- **Nombre d'automobiles pour 1 000 hab. (2007) :** 73
- **Téléphones portables (2012) :** 84 % de la population équipée

REPÈRES HISTORIQUES

1460 : l'archipel, découvert par le Portugais Diogo Gomes et le Génois Antonio da Noli, devient une possession portugaise.

1975 : il accède à l'indépendance.

SEYCHELLES → MADAGASCAR

SIERRA LEONE

Ce pays au climat chaud et humide est principalement formé de plaines et de plateaux.

Superficie : 71 740 km²
Population (2013) : 6 200 000 hab.
Capitale : Freetown 940 683 hab. (e. 2011)
Nature de l'État et du régime politique : république
Chef de l'État et du gouvernement : (président de la République) Ernest Bai Koroma
Organisation administrative : 3 provinces et 1 territoire
Langue officielle : anglais
Monnaie : leone

Sierra Leone

200 500 1000 m

route
voie ferrée
aéroport

plus de 400 000 h.
de 50 000 à 400 000 h.
de 10 000 à 50 000 h.
moins de 10 000 h.

DÉMOGRAPHIE

- **Densité :** 86 hab./km²
- **Part de la population urbaine (2013) :** 41 %
- **Structure de la population par âge (2013) :** moins de 15 ans : 42 %, 15-65 ans : 55 %, plus de 65 ans : 3 %
- **Taux de natalité (2013) :** 38 ‰
- **Taux de mortalité (2013) :** 18 ‰
- **Taux de mortalité infantile (2013) :** 128 ‰
- **Espérance de vie (2013) :** hommes : 45 ans, femmes : 45 ans

Deux peuples, les Mendé (au nord) et les Temné (au sud), constituent environ 60 % de la population, qui se caractérise par une forte croissance démographique, un indice de fécondité et un taux de mortalité infantile très élevés, ainsi que par une très faible espérance de vie.

ÉCONOMIE

- **PNB (2012) :** 4 milliards de dollars
- **PNB/hab. (2012) :** 580 dollars
- **PNB/hab. PPA (2012) :** 1 340 dollars internationaux
- **IDH (2012) :** 0,359
- **Taux de croissance annuelle du PIB (2012) :** 15,2 %
- **Taux annuel d'inflation (2012) :** 12,9 %
- **Structure de la population active :** agriculture : n.d., mines et industries : n.d., services : n.d.
- **Structure du PIB (2011) :** agriculture : 56,7 %, mines et industries : 8,3 %, services : 35 %
- **Dette publique brute :** n.d.
- **Taux de chômage :** n.d.

L'économie connaît une forte croissance depuis 2000, tirée par les exportations de diamants et d'aluminium, par l'essor du secteur tertiaire (téléphonie mobile) et, plus récemment, par l'exportation du minerai de fer qui est, aujourd'hui, le principal moteur de la croissance. Des investissements massifs dans les infrastructures sont encore nécessaires pour que le pays puisse tirer profit d'autres sources d'enrichissement potentiel : agriculture (57 % du PIB et deux tiers de la population active), or et bauxite, et pétrole récemment découvert.

TOURISME

- **Recettes touristiques (2012) :** 44 millions de dollars

COMMERCE EXTÉRIEUR

- **Exportations de biens (2012) :** 1 162 millions de dollars
- **Importations de biens (2011) :** 1 576 millions de dollars

DÉFENSE

- **Forces armées (2011) :** 10 500 individus
- **Dépenses militaires (2012) :** 0,7 % du PIB

NIVEAU DE VIE

- **Nombre d'habitants pour un médecin (2011) :** 45 455
- **Apport journalier moyen en calories (2007) :** 2 170 (minimum FAO : 2 400)
- **Nombre d'automobiles pour 1 000 hab. (2009) :** 5
- **Téléphones portables (2012) :** 36 % de la population équipée

REPÈRES HISTORIQUES

1462 : les Portugais découvrent la péninsule et s'y livrent au commerce (or, esclaves).

XVIIe s. : ils sont évincés par les Britanniques.

1787 : le gouvernement britannique crée Freetown et y accueille des esclaves libérés de la Nouvelle-Angleterre et des Antilles.

1808 : la Sierra Leone devient colonie de la Couronne.

XIXe s. : l'intérieur du pays constitue un protectorat, distinct de la colonie.

1961 : la Sierra Leone devient indépendante dans le cadre du Commonwealth.

1971 : la république est proclamée.

À partir de 1992 : le pays connaît plusieurs coups d'État militaires. Il est ravagé par les combats opposant rebelles et forces gouvernementales.

2002 : un accord de paix est conclu avec la rébellion.

SOMALIE

Au nord, des montagnes dominent le golfe d'Aden, tandis que la large plaine côtière de l'océan Indien se prolonge vers l'intérieur par un plateau. Le pays est semi-aride, sauf dans le Sud, que traversent deux fleuves, le Chébéli et le Djouba.

Superficie : 637 657 km²
Population (2013) : 10 400 000 hab.
Capitale : Muqdisho 1 554 260 hab. (e. 2011) dans l'agglomération
Nature de l'État et du régime politique : république (Constitution de transition)
Chef de l'État : Hassan Mohamoud
Chef du gouvernement : Abdiweli Ahmed
Organisation administrative : 18 régions
Langues officielles : somali et arabe
Monnaie : shilling somalien

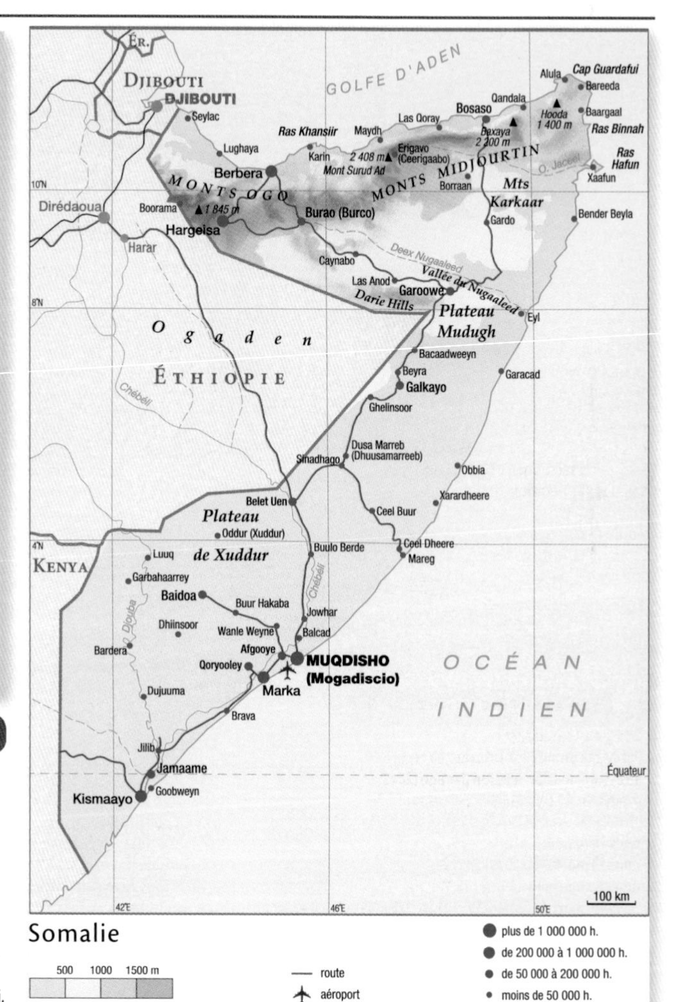

Somalie

DÉMOGRAPHIE

- **Densité :** 16 hab./km²
- **Part de la population urbaine (2013) :** 38 %
- **Structure de la population par âge (2013) :** moins de 15 ans : 48 %, 15-65 ans : 49 %, plus de 65 ans : 3 %
- **Taux de natalité (2013) :** 45 ‰
- **Taux de mortalité (2013) :** 13 ‰
- **Taux de mortalité infantile (2013) :** 83 ‰
- **Espérance de vie (2013) :** hommes : 53 ans, femmes : 56 ans

La population est homogène : les Somali, en majorité musulmans, parlent pratiquement tous la même langue couchitique. Elle se caractérise par une forte croissance démographique, un indice de fécondité et un taux de mortalité infantile très élevés, ainsi que par une très faible espérance de vie.

ÉCONOMIE

- **PNB (1990) :** 0,83 milliard de dollars
- **PNB/hab. (1990) :** 120 dollars
- **PNB/hab. PPA :** n.d.
- **IDH :** n.d.
- **Taux de croissance annuelle du PIB (2009) :** 2,6 %
- **Taux annuel d'inflation :** n.d.
- **Structure de la population active :** agriculture : n.d., mines et industries : n.d., services : n.d.
- **Structure du PIB :** agriculture : n.d., mines et industries : n.d., services : n.d.
- **Dette publique brute :** n.d.
- **Taux de chômage :** n.d.

Ruinée par vingt ans de guerre civile, l'économie somalienne repose sur le secteur informel, l'agriculture et l'élevage, les envois de fonds de sa diaspora, et sa dégradation encourage la piraterie au large de ses côtes. Selon les Nations unies, plusieurs millions de Somaliens ont besoin d'une aide humanitaire d'urgence en raison des troubles politiques et de la sécheresse qui a engendré une terrible famine en 2011. Les conditions sanitaires, démographiques et sociales sont catastrophiques.

TOURISME

- **Recettes touristiques :** n.d.

COMMERCE EXTÉRIEUR

- **Exportations de biens (2007) :** 439 M de $
- **Importations de biens (2007) :** 931 M de $

DÉFENSE

- **Forces armées (2011) :** 3 200 individus
- **Dépenses militaires :** n.d.

NIVEAU DE VIE

- **Nombre d'habitants pour un médecin (2011) :** 28 571
- **Apport journalier moyen en calories :** n.d.
- **Nombre d'automobiles pour 1 000 hab. :** n.d.
- **Téléphones portables (2012) :** 7 % de la population équipée

REPÈRES HISTORIQUES

IXe - XIIe s. apr. J.-C. : des commerçants musulmans, puis des pasteurs, les Somali, peuplent le pays.
XVe - XVIe s. : les royaumes musulmans combattent l'Éthiopie chrétienne.
XIXe s. : la Somalie britannique (Somaliland, 1887) et la Somalie italienne (Somalia, 1905) sont constituées.
1950 : la tutelle de la Somalie, qui a été incluse dans l'Afrique-Orientale italienne en 1936, puis reconquise par la Grande-Bretagne en 1941, est confiée par l'ONU à l'Italie (hormis l'Ogaden [Éthiopie]).
1960 : la république est proclamée.
1977 - 1988 : un conflit oppose l'Éthiopie à la Somalie, qui revendique l'Ogaden.
1991 : le pays est déchiré par la guerre civile et ravagé par la famine. Une république indépendante (Somaliland) est proclamée dans le nord du pays.
À partir de 2000 : les institutions de transition subissent l'hostilité des chefs de guerre et (en 2006) des islamistes.

SOUDAN

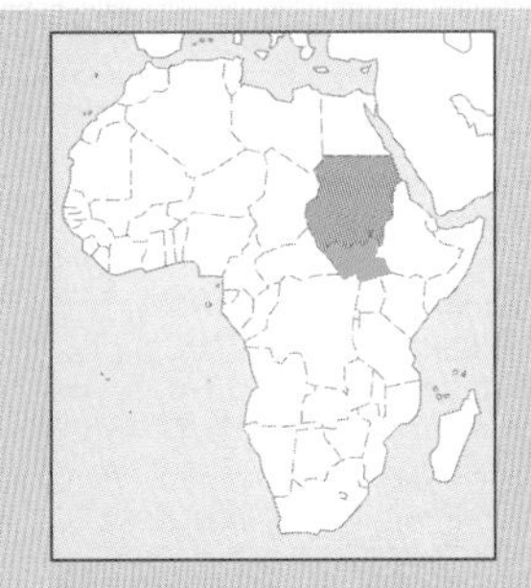

Le Soudan est en majeure partie plat. À part les monts Nuba, les hauteurs se situent à la périphérie. Le Nil le traverse du sud au nord.

Superficie : 1 861 484 km²
Population (2013) : 34 200 000 hab.
Capitale : Khartoum 4 632 310 hab. (e. 2011) dans l'agglomération
Nature de l'État et du régime politique : république à régime semi-présidentiel
Chef de l'État et du gouvernement : (président de la République) Umar Hasan Ahmad al-Bachir
Organisation administrative : 15 États
Langue officielle : arabe
Monnaie : livre du Soudan

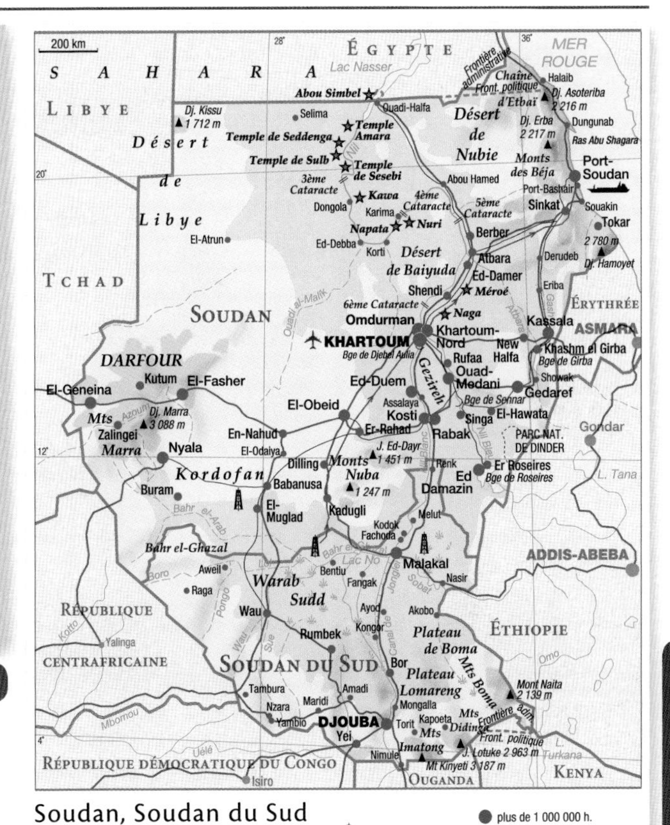

Soudan, Soudan du Sud

★ site touristique important — route — voie ferrée ✈ aéroport — puits de pétrole — oléoduc — port pétrolier
500 1000 2000 m
● plus de 1 000 000 h. ● de 100 000 à 1 000 000 h. ● de 10 000 à 100 000 h. • moins de 10 000 h.

DÉMOGRAPHIE

- **Densité :** 18 hab./km²
- **Part de la population urbaine (2013) :** 33 %
- **Structure de la population par âge (2013) :** moins de 15 ans : 42 %, 15-65 ans : 55 %, plus de 65 ans : 3 %
- **Taux de natalité (2013) :** 34 ‰
- **Taux de mortalité (2013) :** 9 ‰
- **Taux de mortalité infantile (2013) :** 56 ‰
- **Espérance de vie (2013) :** hommes : 60 ans, femmes : 63 ans

La population se compose de plusieurs centaines de peuples, musulmans et arabophones. Elle se caractérise par un faible taux d'urbanisation, une forte croissance démographique, un indice de fécondité (4,6 enfants par femme) en baisse et un taux d'analphabétisme très important.

ÉCONOMIE

- **PNB (2012) :** 56 milliards de dollars
- **PNB/hab. (2012) :** 1 500 dollars
- **PNB/hab. PPA (2012) :** 2 070 dollars internationaux
- **IDH (2012) :** 0,414
- **Taux de croissance annuelle du PIB (2012) :** – 10,1 %
- **Taux annuel d'inflation (2012) :** 37,4 %
- **Structure de la population active :** agriculture : n.d., mines et industries : n.d., services : n.d.
- **Structure du PIB (2012) :** agriculture : 27,7 %, mines et industries : 31,2 %, services : 41,1 %
- **Dette publique brute :** n.d.
- **Taux de chômage (2011) :** 12,6 %

La viabilité du Soudan du Sud dépend en partie d'un accord entre les gouvernements du Soudan et Soudan du Sud sur le partage des gisements de pétrole. Leur exploitation – par un consortium rassemblant des entreprises publiques chinoise, indienne, malaisienne et l'État soudanais – représentait environ 18 % du PIB et plus de 80 % des exportations avant la partition. Aujourd'hui, les réserves pétrolières sont situées au Soudan du Sud, mais les structures permettant la production et l'exportation du pétrole sont au Soudan. Par conséquent, un accord devrait être trouvé entre les deux pays afin de répartir au mieux les revenus pétroliers. Depuis la cession, le Soudan est entré en récession. Alors que le taux de croissance s'élevait à 4,4 % en 2010, il a été négatif en 2011 (– 10,1 %), 2012 (– 11 %) et 2013 (– 0,6 %).

TOURISME

- **Recettes touristiques (2012) :** 91 M de $

COMMERCE EXTÉRIEUR

- **Exportations de biens (2012) :** 3 368 M de $
- **Importations de biens (2011) :** 10 465 M de $

DÉFENSE

- **Forces armées (2011) :** 264 300 individus
- **Dépenses militaires (2006) :** 1,5 % du PIB

NIVEAU DE VIE

- **Nombre d'habitants pour un médecin (2011) :** 3 571
- **Apport journalier moyen en calories (2007) :** 2 282 (minimum FAO : 2 400)
- **Nombre d'automobiles pour 1 000 hab. (2007) :** 19
- **Téléphones portables (2012) :** 60 % de la population équipée

REPÈRES HISTORIQUES

Antiquité : l'histoire du Soudan se confond avec celle de la Nubie.
V. 350 apr. J.-C. : Méroé est détruite par les Éthiopiens.
VIIe - XIVe s. : converti au christianisme, le pays paie tribut aux Arabes.
XVIe - XIXe s. : des sultanats se constituent ; la traite dépeuple le pays.
1820 - 1840 : Méhémet-Ali, vice-roi d'Égypte, conquiert la région.
1883 : la Grande-Bretagne, qui a occupé l'Égypte en 1882, doit affronter l'insurrection du Mahdi.
1899 : le Soudan devient condominium anglo-égyptien.
1956 : la république indépendante du Soudan est proclamée.
2011 : le Soudan du Sud, région qui a mené deux guerres contre Khartoum pour obtenir davantage d'autonomie, proclame son indépendance (président : Salva Kiir).

SOUDAN DU SUD

Le Soudan du Sud est un pays enclavé de l'Afrique de l'Est. La vaste plaine qui le caractérise est riche en gisements de pétrole et en gisements de gaz naturel.

Superficie : 644 329 km²
Population (2013) : 9 800 000 hab.
Capitale : Djouba 115 000 hab.
Nature de l'État : n.d.
Chef de l'État : Salva Kiir
Organisation administrative : n.d.
Langue officielle : anglais
Monnaie : livre du Soudan du Sud

DÉMOGRAPHIE

- **Densité :** 15 hab./km²
- **Part de la population urbaine (2013) :** 18 %
- **Structure de la population par âge (2013) :** moins de 15 ans : 43 %, 15-65 ans : 54 %, plus de 65 ans : 3 %
- **Taux de natalité (2013) :** 37 ‰
- **Taux de mortalité (2013) :** 12 ‰
- **Taux de mortalité infantile (2013) :** 81 ‰
- **Espérance de vie (2013) :** hommes : 53 ans, femmes : 55 ans

La population, peu dense (sauf dans la vallée du Nil), se compose de plusieurs centaines de peuples, animistes ou chrétiens. Elle se caractérise par un faible taux d'urbanisation, une forte croissance démographique, un indice de fécondité en baisse, un taux de mortalité infantile élevé, une faible espérance de vie à la naissance et un taux d'analphabétisme très important.

ÉCONOMIE

- **PNB (2012) :** 9 milliards de dollars
- **PNB/hab. (2012) :** 790 dollars
- **PNB/hab. PPA :** n.d.
- **IDH :** n.d.
- **Taux de croissance annuelle du PIB (2012) :** – 47,6 %
- **Taux annuel d'inflation (2010) :** 1,2 %
- **Structure de la population active :** n.d.
- **Structure du PIB :** agriculture : n.d., mines et industries : n.d., services : n.d.
- **Dette publique brute :** n.d.
- **Taux de chômage :** n.d.

Proclamée le 9 juillet 2011, l'indépendance du Soudan du Sud a donné naissance au 196ᵉ pays du monde, agité par de graves problèmes économiques et politiques. Des rébellions internes ainsi que des combats avec le Soudan dans certaines zones pétrolifères n'ont guère donné le temps au gouvernement d'entreprendre des mesures politiques, économiques et sociales dans ce pays qui est l'un des plus pauvres du monde (51 % de la population vit en dessous du seuil de pauvreté). Si les réserves pétrolières se situent sur son territoire, le Soudan du Sud va devoir négocier avec le Soudan qui possède quant à lui toutes les infrastructures permettant l'exploitation et l'exportation du pétrole.

TOURISME

- **Recettes touristiques :** n.d.

COMMERCE EXTÉRIEUR

- **Exportations de biens :** n.d.
- **Importations de biens (2011) :** 5 614 M de $

DÉFENSE

- **Forces armées (2011) :** 210 000 individus
- **Dépenses militaires (2012) :** 9,4 % du PIB

NIVEAU DE VIE

- **Nombre d'habitants pour un médecin :** n.d.
- **Apport journalier moyen en calories :** n.d.
- **Nombre d'automobiles pour 1 000 hab. :** n.d.
- **Téléphones portables (2012) :** 19 % de la population équipée

REPÈRES HISTORIQUES

1956 - 1972 : dès la proclamation de l'indépendance du Soudan, une guerre civile éclate entre le Nord, à majorité musulmane, et le Sud, à majorité chrétienne et animiste.
1983 - 2005 : l'imposition de la charia provoque une rébellion dans le Sud, dirigée par le colonel John Garang.
2011 : après la tenue d'un référendum d'autodétermination, le Soudan du Sud proclame son indépendance mais demeure confronté à une situation chaotique.

SWAZILAND → MOZAMBIQUE

TANZANIE

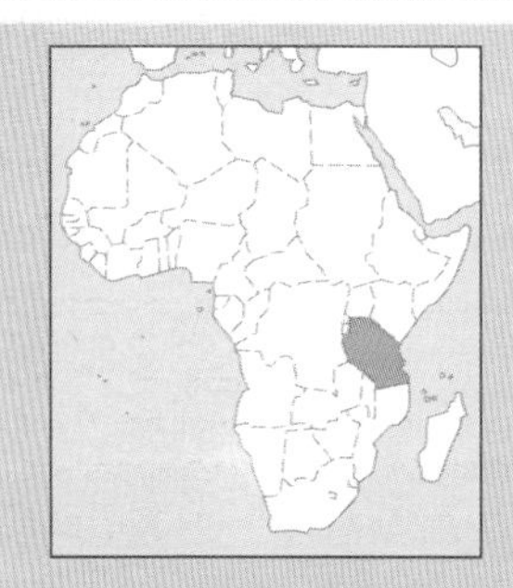

La partie continentale de l'État (l'ancien Tanganyika) est formée d'une plaine côtière, limitée par un vaste plateau coupé de fossés d'effondrement et dominée par de hauts massifs volcaniques (Kilimandjaro).

Superficie : 883 749 km²
Population (2013) : 49 100 000 hab.
Capitale : Dar es Salam 3 349 000 hab. (e. 2010)
Capitale désignée du pays : Dodoma 226 139 hab. (e. 2011)
Nature de l'État et du régime politique : république
Chef de l'État : (président de la République) Jakaya Kikwete
Chef du gouvernement : (Premier ministre) Mizengo Pinda
Organisation administrative : 26 régions
Langues officielles : swahili et anglais
Monnaie : shilling tanzanien

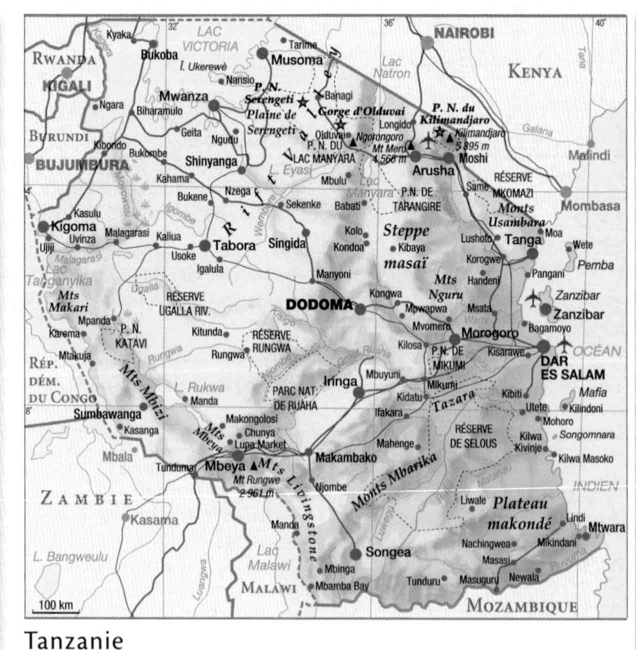

Tanzanie

★ site touristique important	aéroport	plus de 1 000 000 h.
500 / 1000 / 2000 / 3000 m	route	de 100 000 à 1 000 000 h.
	voie ferrée	de 50 000 à 100 000 h.
		moins de 50 000 h.

TANZANIE

DÉMOGRAPHIE

- **Densité :** 56 hab./km²
- **Part de la population urbaine (2013) :** 27 %
- **Structure de la population par âge (2013) :** moins de 15 ans : 45 %, 15-65 ans : 52 %, plus de 65 ans : 3 %
- **Taux de natalité (2013) :** 40 ‰
- **Taux de mortalité (2013) :** 9 ‰
- **Taux de mortalité infantile (2013) :** 52 ‰
- **Espérance de vie (2013) :** hommes : 59 ans, femmes : 61 ans

La population, en majorité bantoue, se compose d'environ 120 groupes, dont des peuples bantous (Sukuma, Chagga, Nyamwezi, Makonde) et Nilotiques (Masai). Elle se partage entre chrétiens, musulmans et animistes. Inégalement répartie et faiblement urbanisée, cette population se concentre sur les rives du lac Victoria, les basses pentes du Kilimandjaro et la partie nord du littoral. Les indicateurs démographiques reflètent une forte croissance, un indice de fécondité et un taux de mortalité infantile élevés et une faible espérance de vie à la naissance.

ÉCONOMIE

- **PNB (2012) :** 28 milliards de dollars
- **PNB/hab. (2012) :** 570 dollars
- **PNB/hab. PPA (2012) :** 1 560 dollars internationaux
- **IDH (2012) :** 0,476
- **Taux de croissance annuelle du PIB (2012) :** 6,9 %
- **Taux annuel d'inflation (2012) :** 16 %
- **Structure de la population active (2006) :** agriculture : 74,6 %, mines et industries : 5 %, services : 20,4 %
- **Structure du PIB (2012) :** agriculture : 27,6 %, mines et industries : 25 %, services : 47,4 %
- **Dette publique brute :** n.d.
- **Taux de chômage (2006) :** 4,3 %

Si la part des services (télécommunications, transports et finance) augmente dans le PIB, qui connaît une croissance de 7 % en moyenne depuis 2005, l'économie repose largement sur le secteur minier, en pleine expansion grâce à l'extraction de l'or (4ᵉ producteur d'Afrique), et sur l'agriculture, cette dernière fournissant plus de 30 % des exportations de marchandises (café, coton, tabac) et plus d'un quart du PIB. Le tourisme est une filière importante (+ 40 % en 2013), tandis que le secteur minier est diversifié – or, gaz, uranium, diamants, pierres précieuses, cuivre et pétrole découvert récemment. Il est considéré comme un vecteur potentiel de croissance par le gouvernement qui a lancé par ailleurs un ambitieux programme de lutte contre la pauvreté, dans le cadre de l'initiative du FMI en faveur des pays pauvres très endettés. Forte de la découverte d'un immense gisement de gaz, de la réévaluation à la hausse de ses réserves de charbon et de la possible découverte de nappes de pétrole, la Tanzanie prévoit de mettre en place un investissement estimé entre 15 et 20 milliards d'euros dans les infrastructures afin d'exploiter au mieux cette manne d'hydrocarbures. Malgré le taux de croissance soutenu des deux dernières années, le déficit commercial s'est aggravé et le FMI impose à la Tanzanie une meilleure gestion de ses finances publiques.

TOURISME

- **Recettes touristiques (2012) :** 1 487 M de $

COMMERCE EXTÉRIEUR

- **Exportations de biens (2012) :** 5 912 M de $
- **Importations de biens (2011) :** 11 988 M de $

DÉFENSE

- **Forces armées (2011) :** 28 400 individus
- **Dépenses militaires (2012) :** 1,1 % du PIB

NIVEAU DE VIE

- **Nombre d'habitants pour un médecin (2011) :** 125 000
- **Apport journalier moyen en calories (2007) :** 2 032 (minimum FAO : 2 400)
- **Nombre d'automobiles pour 1 000 hab. (2007) :** 4
- **Téléphones portables (2012) :** 57 % de la population équipée

REPÈRES HISTORIQUES

XIIᵉ s. : le pays est peuplé de Bantous et la côte est animée par des ports prospères, Kilwa et Zanzibar.

1498 : découverte du pays par Vasco de Gama.

1652 - fin du XVIIIᵉ s. : la domination arabe remplace celle du Portugal.

XIXᵉ s. : le sultanat d'Oman s'établit à Zanzibar et sur la côte ; les Arabes contrôlent les routes commerciales de l'intérieur, où s'aventurent des explorateurs britanniques.

1891 : l'Allemagne impose son protectorat (Afrique-Orientale allemande).

1920 - 1946 : amputée de la région nord-ouest (Ruanda-Urundi), l'Afrique-Orientale allemande, rebaptisée « territoire du Tanganyika », est donnée par la SDN en mandat à la Grande-Bretagne.

1961 : l'indépendance est proclamée (elle exclut le sultanat de Zanzibar, qui reste protectorat britannique jusqu'en 1963).

1964 : la Tanzanie est créée, par réunion de Zanzibar et du Tanganyika.

1977 : une nouvelle Constitution instaure un régime plus libéral.

TCHAD

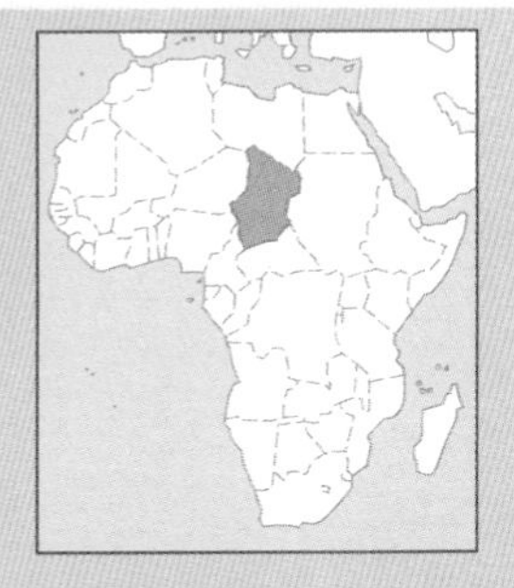

Au nord, le Tchad s'étend sur le Sahara méridional, partiellement montagneux et volcanique (Tibesti).

Superficie : 1 284 000 km²
Population (2013) : 12 200 000 hab.
Capitale : Ndjamena 1 078 640 hab. (e. 2011)
Nature de l'État et du régime politique : république à régime semi-présidentiel
Chef de l'État : (président de la République) Idriss Déby
Chef du gouvernement : (Premier ministre) Kalzeubé Pahimi Deubet
Organisation administrative : 14 préfectures
Langues officielles : arabe et français
Monnaie : franc CFA

DÉMOGRAPHIE

- **Densité :** 10 hab./km²
- **Part de la population urbaine (2013) :** 22 %
- **Structure de la population par âge (2013) :** moins de 15 ans : 49 %, 15-65 ans : 49 %, plus de 65 ans : 2 %
- **Taux de natalité (2013) :** 51 ‰
- **Taux de mortalité (2013) :** 15 ‰
- **Taux de mortalité infantile (2013) :** 106 ‰
- **Espérance de vie (2013) :** hommes : 49 ans, femmes : 51 ans

Au sud vivent les Soudanais (Sara, Massa, Mundang, Toupouri), paysans et sédentaires, animistes ou christianisés ; au nord se trouvent les musulmans (Kotoko, Ouaddaïens, Kanembou). Près de la moitié de la population est installée dans le Sud-Ouest, à l'ouest du Chari et dans la vallée du Logone. La population se caractérise par sa jeunesse (49 % de la population a moins de 15 ans), par un faible taux d'urbanisation, une forte croissance démographique, un indice de fécondité (7 enfants par femme) parmi les plus élevés du monde, un taux de mortalité infantile élevé, une très faible espérance de vie à la naissance.

ÉCONOMIE

- **PNB (2012) :** 10 milliards de dollars
- **PNB/hab. (2012) :** 770 dollars
- **PNB/hab. PPA (2012) :** 1 620 dollars internationaux
- **IDH (2012) :** 0,34
- **Taux de croissance annuelle du PIB (2012) :** 8,9 %
- **Taux annuel d'inflation (2012) :** 10,2 %
- **Structure de la population active :** agriculture : n.d., mines et industries : n.d., services : n.d.
- **Structure du PIB (2012) :** agriculture : 55,8 %, mines et industries : 12,7 %, services : 31,5 %
- **Dette publique brute :** n.d.
- **Taux de chômage :** n.d.

TCHAD

L'exploitation, à partir de 2003, des réserves de pétrole – limitées cependant à vingt ans – a créé une très forte croissance pendant deux ans. Un mirage dissipé dès 2006 avec la baisse de la production, l'augmentation des dépenses publiques, dont le budget militaire, contribuant par ailleurs à l'inflation. L'augmentation du prix du brut en 2010 a généré une élévation ponctuelle du taux de croissance (13 %), qui n'est plus que de 3,9 % en 2013. L'exploitation prochaine de deux nouveaux gisements pétroliers devrait améliorer la croissance des recettes liées aux hydrocarbures. Depuis 2008, le gouvernement a revu sa politique et a mis en place une nouvelle stratégie de réduction de la pauvreté dans le cadre de l'initiative du FMI en faveur des pays pauvres très endettés. L'un des défis du gouvernement est le développement à court terme du secteur agricole afin de parvenir rapidement à l'autosuffisance alimentaire.

TOURISME

- **Recettes touristiques :** n.d.

COMMERCE EXTÉRIEUR

- **Exportations de biens (2009) :** 2 650 M de $
- **Importations de biens (2011) :** 2 695 M de $

DÉFENSE

- **Forces armées (2011) :** 34 850 individus
- **Dépenses militaires (2011) :** 2 % du PIB

NIVEAU DE VIE

- **Nombre d'habitants pour un médecin :** n.d.
- **Apport journalier moyen en calories (2007) :** 2 056 (minimum FAO : 2 400)
- **Nombre d'automobiles pour 1 000 hab. :** n.d.
- **Téléphones portables (2012) :** 35 % de la population équipée

REPÈRES HISTORIQUES

Les origines et l'époque coloniale

Des populations de chasseurs et éleveurs, qui ont laissé des gravures rupestres, vivent dans la région. Elles en sont chassées après 7000 av. J.-C. par l'assèchement du climat.

Fin du IXe s. apr. J.-C. : création du royaume du Kanem, rapidement islamisé. Après un premier apogée au XIIIe s., il renaît au XVIe avec pour centre le Bornou. Il vassalise les autres royaumes, notamment celui, esclavagiste, du Baguirmi, apparu au XVIe s. Les Arabes s'implantent dans le pays.

XIXe s. : le lac Tchad est le point de convergence des explorateurs européens. Les ambitions des pays occidentaux se heurtent à celles des négriers arabes (notamment de Rabah) et l'emportent finalement : entre 1884 et 1899, les frontières du Tchad sont artificiellement fixées (accords franco-allemand et franco-britannique) ; entre 1895 et 1900, les missions françaises de Lamy, Foureau et Gentil éliminent les dernières résistances.

1920 : le Tchad devient colonie française.

1940 : avec son gouverneur, Félix Éboué, il se rallie à la France libre.

1958 : le Tchad devient république autonome, au sein de la Communauté.

L'État indépendant

1960 : l'indépendance du Tchad est proclamée.

1968 : le Nord islamisé fait sécession, conduit par le Front de libération nationale du Tchad (Frolinat).

1969 : la France apporte son aide au gouvernement contre la rébellion soutenue par la Libye.

1979 : une guerre civile touche tout le pays et particulièrement la capitale, Ndjamena.

1981 : un accord de fusion est signé entre la Libye et le Tchad.

1982 : les forces de Hissène Habré occupent Ndjamena évacuée par la Libye. H.Habré devient président de la République.

1983 : la France reporte son aide sur Hissène Habré, alors que la Libye occupe les palmeraies du nord du pays.

1984 : les forces françaises se retirent en vertu d'un accord franco-libyen, que la Libye ne respecte pas.

1986 : la France met en place un dispositif de protection militaire du Tchad au sud du 16e parallèle. Une partie de l'opposition tchadienne se rallie au président.

1987 : les troupes de H. Habré remportent d'importantes victoires sur les Libyens (reconquête de Faya-Largeau).

1988 : le Tchad et la Libye rétablissent leurs relations diplomatiques, mais la paix intérieure reste fragile.

1990 : H. Habré est renversé par Idriss Déby.

1994 : la bande d'Aozou, occupée par la Libye depuis 1973, est rendue au Tchad.

1996 : I. Déby remporte l'élection présidentielle (réélu en 2001, 2006 et 2011). Mais le pouvoir central est confronté à d'importants mouvements rebelles, basés au Soudan.

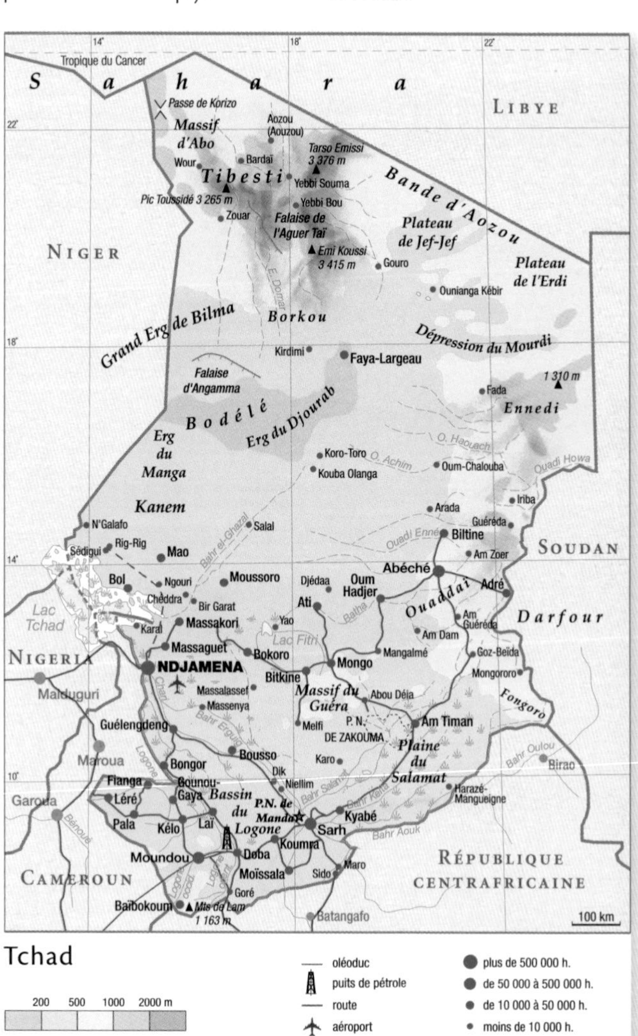

TOGO

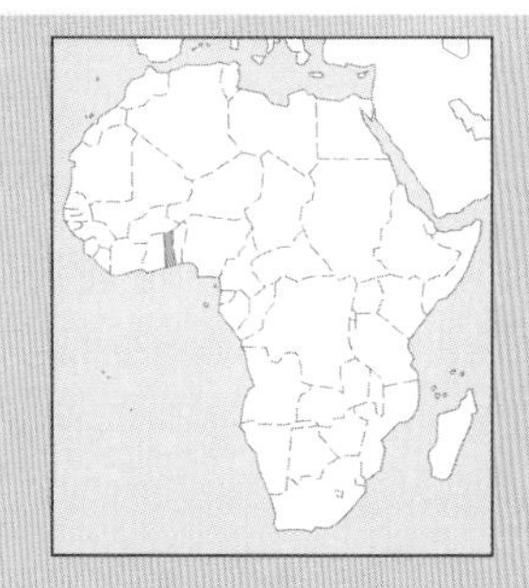

Étiré sur 600 km et large seulement d'une centaine de kilomètres, le Togo est un pays au climat tropical, de moins en moins humide du sud (forêts) au nord (savanes).

Superficie : 56 785 km²
Population (2013) : 6 200 000 hab.
Capitale : Lomé 837 437 hab. (r. 2011), 1 523 930 hab. (e. 2011) dans l'agglomération
Nature de l'État et du régime politique : république à régime semi-présidentiel
Chef de l'État : (président de la République) Faure Gnassingbé
Chef du gouvernement : (Premier ministre) Arthème Kwesi Séléagodji Ahoomey-Zunu
Organisation administrative : 5 régions
Langue officielle : français
Monnaie : franc CFA

DÉMOGRAPHIE

- **Densité :** 109 hab./km²
- **Part de la population urbaine (2013) :** 38 %
- **Structure de la population par âge (2013) :** moins de 15 ans : 42 %, 15-65 ans : 55 %, plus de 65 ans : 3 %
- **Taux de natalité (2013) :** 37 ‰
- **Taux de mortalité (2013) :** 11 ‰
- **Taux de mortalité infantile (2013) :** 69 ‰
- **Espérance de vie (2013) :** hommes : 55 ans, femmes : 57 ans

Au sud, plus christianisé, vivent les Kwa, chez lesquels prédominent les Ewé ; dans le Centre et le Nord habitent les Gour, groupe dominé par les Kabyé. La densité de peuplement, moyenne à l'échelle du pays, est particulièrement forte dans le Sud. La population se caractérise par sa jeunesse, une forte croissance démographique, un fort indice de fécondité, un taux de mortalité infantile élevé, une faible espérance de vie à la naissance. Lomé est la seule véritable ville.

ÉCONOMIE

- **PNB (2012) :** 3 milliards de dollars
- **PNB/hab. (2012) :** 500 dollars
- **PNB/hab. PPA (2012) :** 900 dollars internationaux
- **IDH (2012) :** 0,459

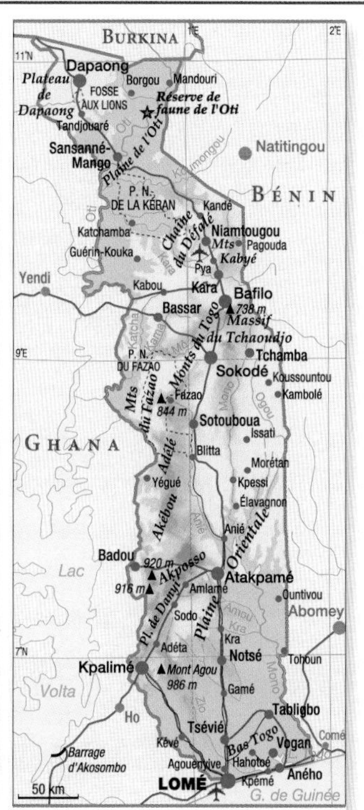

- **Taux de croissance annuelle du PIB (2012) :** 5,6 %
- **Taux annuel d'inflation (2012) :** 2,6 %
- **Structure de la population active :** agriculture : n.d., mines et industries : n.d., services : n.d
- **Structure du PIB (2011) :** agriculture : 31,4 %, mines et industries : 15,8 %, services : 52,8 %
- **Dette publique brute :** n.d.
- **Taux de chômage :** n.d

Bénéficiant de l'initiative du FMI en faveur des pays pauvres très endettés, le Togo a mis en œuvre une stratégie de réduction de la pauvreté ouvrant droit à un allégement de sa dette de 1,4 milliard d'euros. Les principaux facteurs de la croissance du pays sont l'agriculture (avec notamment le coton, dont la production est en hausse, et les céréales), le phosphate, le tourisme, les activités portuaires de Lomé, les industries des matériaux de construction (ciment et brique) et le BTP. Son secteur minier est en cours de restructuration (phosphate) ou non exploité (bauxite, minerai de fer, manganèse...) faute d'investissements.

TOURISME

- **Recettes touristiques (2011) :** 105 millions de dollars

COMMERCE EXTÉRIEUR

- **Exportations de biens (2010) :** 976 millions de dollars
- **Importations de biens (2011) :** 2 116 millions de dollars

DÉFENSE

- **Forces armées (2011) :** 9 300 individus
- **Dépenses militaires (2011) :** 1,6 % du PIB

NIVEAU DE VIE

- **Nombre d'habitants pour un médecin (2011) :** 18 868
- **Apport journalier moyen en calories (2007) :** 2 161 (minimum FAO : 2 400)
- **Nombre d'automobiles pour 1 000 hab. (2007) :** 2
- **Téléphones portables (2012) :** 56 % de la population équipée

REPÈRES HISTORIQUES

Avant le XVe s., l'histoire du Togo, peuplé de populations mêlées, n'est dominée par aucun grand royaume.

XVe - XVIe s. : des missionnaires portugais arrivent, mais un protectorat de fait est exercé par le Danemark.

1884 : le protectorat allemand est établi sur le pays.

1914 : les Alliés le conquièrent aisément.

1919 : le Togo est partagé entre la France (qui obtient la côte de Lomé) et la Grande-Bretagne (qui obtient les terres de l'Ouest).

1922 : ce partage est confirmé par l'octroi de mandats de la SDN.

1946 : le pays passe sous la tutelle de l'ONU.

1956 - 1957 : le nord du Togo britannique est rattaché à la Côte-de-l'Or, qui devient l'État indépendant du Ghana. Le reste du pays forme une république autonome.

1960 : cette république devient indépendante.

1967 : un coup d'État amène au pouvoir le lieutenant-colonel Étienne Gnassingbé Eyadema, qui gouverne avec un parti unique.

Depuis 1991 : le multipartisme est restauré. Au général Eyadema (1993 - 2005) succède son fils Faure Gnassingbé (2005).

TUNISIE

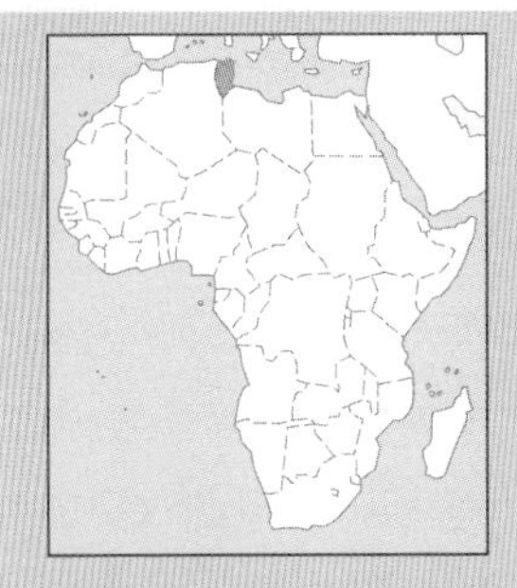

À la partie septentrionale, assez bien arrosée, essentiellement montagneuse, ouverte par la vallée de la Medjerda, s'opposent le Centre et le Sud, formés de plateaux et de plaines steppiques désertiques.

Superficie : 163 610 km²
Population (2013) : 10 900 000 hab.
Capitale : Tunis 790 205 hab. (e. 2011), 1 996 000 hab. (e. 2003) dans l'agglomération
Nature de l'État et du régime politique : république à régime semi-présidentiel
Chef de l'État : (président de la République) Moncef Marzouki
Chef du gouvernement : (Premier ministre) Mehdi Jomaâ
Organisation administrative : 24 gouvernorats
Langue officielle : arabe
Monnaie : dinar tunisien

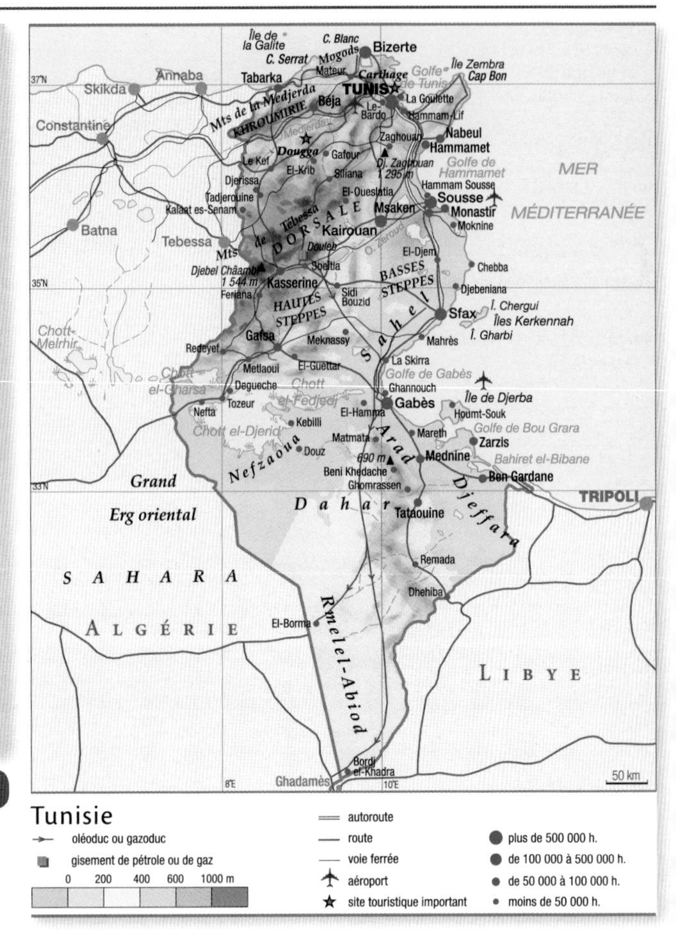

DÉMOGRAPHIE

- **Densité :** 67 hab./km²
- **Part de la population urbaine (2013) :** 66 %
- **Structure de la population par âge (2013) :** moins de 15 ans : 23 %, 15-65 ans : 70 %, plus de 65 ans : 7 %
- **Taux de natalité (2013) :** 19 ‰
- **Taux de mortalité (2013) :** 6 ‰
- **Taux de mortalité infantile (2013) :** 16 ‰
- **Espérance de vie (2013) :** hommes : 73 ans, femmes : 77 ans

La majorité de la population se concentre sur le littoral du Nord-Est, entre Bizerte et Sfax. Très homogène, pratiquant l'islam sunnite, elle est urbaine aux deux tiers. À part Kairouan, les principales villes sont des ports (Tunis, Sfax, Sousse, Bizerte, Gabès). Le nombre d'habitants a plus que doublé depuis l'indépendance, mais la croissance de la population a aujourd'hui beaucoup diminué, tout comme le taux de fécondité, et les moins de 15 ans ne représentent plus que 23 % de la population totale.

ÉCONOMIE

- **PNB (2012) :** 44 milliards de dollars
- **PNB/hab. (2012) :** 4 150 dollars
- **PNB/hab. PPA (2012) :** 9 210 dollars internationaux
- **IDH (2012) :** 0,712
- **Taux de croissance annuelle du PIB (2012) :** 3,6 %
- **Taux annuel d'inflation (2012) :** 5,5 %
- **Structure de la population active (2011) :** agriculture : 16,6 %, mines et industries : 33,8 %, services : 49,6 %
- **Structure du PIB (2012) :** agriculture : 8,7 %, mines et industries : 29,9 %, services : 61,4 %
- **Dette publique brute (2011) :** 44 % du PIB
- **Taux de chômage (2011) :** 13,1 %

La Tunisie s'est développée grâce à son secteur industriel (textile, chimie, sidérurgie, métallurgie, agroalimentaire), ses services (tourisme), son agriculture (fruits et légumes, olives), ses ressources énergétiques et minières (phosphate et pétrole surtout, gaz naturel dans une moindre mesure). Disposant d'une main-d'œuvre qualifiée et d'infrastructures de qualité, la croissance du pays dissimule d'importants écarts entre les zones touristiques côtières et l'intérieur du pays. Depuis la révolution tunisienne de 2011, la redistribution des richesses en vue de corriger ces déséquilibres est devenue l'un des défis économiques et sociaux majeurs à relever. Si la révolution a permis la chute du président Ben Ali, ses conséquences ont plongé le pays dans une grave crise économique. Le chômage est très élevé (15 % en 2013). Le principal partenaire commercial de la Tunisie est l'UE – France en tête –, avec laquelle elle a des accords de libre-échange, et ses exportations représentent plus de 50 % de son PIB. Alors que les exportations se sont maintenues malgré la crise, c'est le secteur du tourisme qui est le plus sinistré avec une baisse d'environ 40 % du nombre des visiteurs européens. En 2013, dans un climat d'incertitude politique et économique, les aides financières internationales ont été revues à la baisse, ce qui a eu pour conséquences le ralentissement de la croissance (2,6 %) et un ajournement des réformes.

TOURISME

- **Recettes touristiques (2012) :** 2 529 millions de dollars

COMMERCE EXTÉRIEUR

- **Exportations de biens (2012) :** 17 071 millions de dollars
- **Importations de biens (2012) :** 26 762 millions de dollars

DÉFENSE

- **Forces armées (2011) :** 47 800 individus
- **Dépenses militaires (2012) :** 1,6 % du PIB

NIVEAU DE VIE

- **Nombre d'habitants pour un médecin (2011) :** 818
- **Apport journalier moyen en calories (2007) :** 3 326 (minimum FAO : 2 400)
- **Nombre d'automobiles pour 1 000 hab. (2011) :** 87
- **Téléphones portables (2012) :** 100 % de la population équipée

REPÈRES HISTORIQUES

La Tunisie antique

Vers 814 av. J.-C. : les Phéniciens fondent Utique et Carthage.

146 av. J.-C. : Carthage est détruite et la province romaine d'Afrique est constituée.

193 - 235 apr. J.-C. : celle-ci connaît une grande prospérité sous le règne des Sévères.

IIIe - IVe s. : le christianisme est florissant.

429 - 533 : les Vandales occupent le pays.

533 : les Byzantins rétablissent leur domination sur la région de Carthage.

La Tunisie musulmane

669 - 705 : les Arabes conquièrent le pays et fondent Kairouan (670), où résident les gouverneurs omeyyades de l'Ifriqiya.

800 - 909 : les Aghlabides gouvernent le pays.

909 : ils sont éliminés par les Fatimides.

969 : ceux-ci conquièrent l'Égypte et laissent l'Ifriqiya à leurs vassaux zirides.

Seconde moitié du XIe s. : les invasions des Banu Hilal ruinent le pays.

1160 - 1229 : les Almohades règnent sur la Tunisie.

1229 - 1574 : sous les Hafsides, la capitale, Tunis, se développe grâce au commerce et aux établissements fondés par diverses nations chrétiennes. Conquise par Charles Quint en 1535, elle est reprise en 1556 - 1558 par les corsaires turcs.

1574 : la Tunisie est intégrée à l'Empire ottoman ; la régence de Tunis est gouvernée par un dey, puis, à partir du XVIIIe s., par un bey.

1869 : l'endettement conduit à la banqueroute, et une commission financière anglo-franco-italienne est créée.

La Tunisie indépendante

1881 : le bey Muhammad al-Saduq (1859 - 1882) signe le traité du Bardo, qui établit le protectorat français sur la Tunisie.

1920 : le Destour est fondé.

1934 : le Néo-Destour d'Habib Bourguiba, nationaliste et laïque, s'en sépare.

Novembre 1942 - mai 1943 : le pays est occupé par les Allemands.

1956 : la Tunisie accède à l'indépendance. Bourguiba promulgue le code du statut personnel, moderniste et laïque.

1957 : il proclame la république, en devient le président et sera régulièrement réélu.

1963 : la France évacue Bizerte.

1964 : le Néo-Destour prend le nom de Parti socialiste destourien. Les terres des colons sont nationalisées.

1970 - 1978 : l'opposition syndicale et étudiante au régime de parti unique de Bourguiba (élu président à vie en 1975) se développe ; des grèves et des émeutes éclatent.

1983 : le multipartisme est instauré officiellement.

1987 : le gouvernement doit faire face à la montée de l'islamisme. Bourguiba est destitué par son Premier ministre, Zine el-Abidine Ben Ali, qui le remplace à la tête de l'État.

1988 : le Parti socialiste destourien devient le Rassemblement constitutionnel démocratique (RCD).

1989 : Ben Ali est élu à la présidence de la République. Le gouvernement renforce la répression à l'égard des islamistes.

1994, 1999, 2004 et 2009 : Ben Ali est plébiscité à la tête de l'État et les élections législatives confirment la position de quasi-monopole du RCD.

2011 : Ben Ali s'enfuit sous la pression d'un vaste mouvement populaire contestant la dérive autoritaire du pouvoir et sa corruption. Le RCD est dissous. Le pays est confronté à de fortes tensions internes.

ZAMBIE

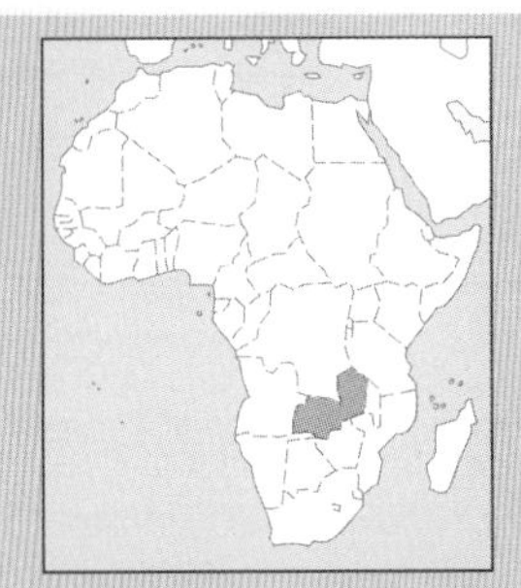

La Zambie, au climat tropical tempéré par l'altitude, est formée surtout de collines et de plateaux. Le Zambèze et ses affluents drainent la majeure partie du pays ; seul le Nord-Nord-Est appartient au bassin du Congo. La végétation naturelle est la forêt claire, souvent dégradée en savane.

Superficie : 752 618 km²
Population (2013) : 14 200 000 hab.
Capitale : Lusaka 1 802 470 hab. (e. 2011) dans l'agglomération
Nature de l'État et du régime politique : république à régime semi-présidentiel
Chef de l'État et du gouvernement : (président de la République) Michael Chilufya Sata
Organisation administrative : 9 provinces
Langue officielle : anglais
Monnaie : kwacha

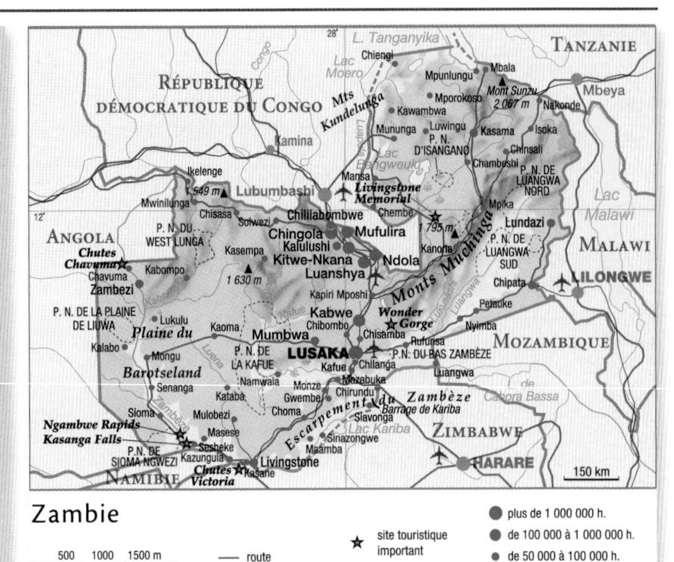

 DÉMOGRAPHIE

- **Densité :** 19 hab./km²
- **Part de la population urbaine (2013) :** 39 %
- **Structure de la population par âge (2013) :** moins de 15 ans : 47 %, 15-65 ans : 50 %, plus de 65 ans : 3 %
- **Taux de natalité (2013) :** 44 ‰
- **Taux de mortalité (2013) :** 11 ‰
- **Taux de mortalité infantile (2013) :** 69 ‰
- **Espérance de vie (2013) :** hommes : 54 ans, femmes : 57 ans

La population, qui comprend plus de 70 peuples, essentiellement bantous, est très inégalement répartie et vit majoritairement dans les plus grandes agglomérations, notamment celles de la région minière (Copper Belt), entre Chingola et Ndola, qui concentre plus de la moitié de la population urbaine totale. Elle se caractérise par un indice de fécondité (5,9 enfants par femme) très élevé, alors que l'espérance de vie à la naissance est une des plus faibles du monde. Le sida touche environ 20 % des adultes.

 ÉCONOMIE

- **PNB (2012) :** 20 milliards de dollars
- **PNB/hab. (2012) :** 1 350 dollars
- **PNB/hab. PPA (2012) :** 1 590 dollars internationaux
- **IDH (2012) :** 0,448
- **Taux de croissance annuelle du PIB (2012) :** 7,3 %
- **Taux annuel d'inflation (2012) :** 6,6 %
- **Structure de la population active :** agriculture : n.d., mines et industries : n.d., services : n.d.
- **Structure du PIB (2011) :** agriculture : 19,5 %, mines et industries : 37,3 %, services : 43,2 %
- **Dette publique brute :** n.d.
- **Taux de chômage (2005) :** 15,9 %

La Zambie, au 164ᵉ rang mondial pour son indice de développement humain (26ᵉ rang sur les 43 pays de l'Afrique subsaharienne), fait partie de la vingtaine de pays africains qui bénéficient d'un allègement substantiel de leur dette. La croissance est tirée par le secteur de la construction, par la production agricole, notamment du maïs, et minière (cobalt [9ᵉ producteur mondial], or, argent et plomb). L'excédent de la balance commerciale résulte des exportations de cuivre dont la production explose (7ᵉ producteur mondial et 70 % des recettes d'exportation), même si l'exploitation, contrôlée par des entreprises étrangères, bénéficie très peu à l'État. La croissance économique est stable (6 % en 2013) et les échanges commerciaux se sont intensifiés avec la Chine qui a l'intention de s'implanter durablement dans le pays. Le nouveau gouvernement a instauré de nouvelles mesures, parmi lesquelles l'augmentation des dépenses d'éducation et de santé, et un investissement substantiel dans les infrastructures (routes et centrales hydroélectriques) qui sont essentielles au bon développement du pays. Depuis 2011, la Zambie fait partie de la catégorie des pays à revenu intermédiaire.

TOURISME

- **Recettes touristiques (2012) :** 146 M de $

COMMERCE EXTÉRIEUR

- **Exportations de biens (2012) :** 9 413 M de $
- **Importations de biens (2011) :** 7 112 M de $

DÉFENSE

- **Forces armées (2011) :** 16 500 individus
- **Dépenses militaires (2012) :** 1,5 % du PIB

NIVEAU DE VIE

- **Nombre d'habitants pour un médecin (2011) :** 15 152
- **Apport journalier moyen en calories (2007) :** 1 873 (minimum FAO : 2 400)
- **Nombre d'automobiles pour 1 000 hab. (2009) :** 13
- **Téléphones portables (2012) :** 76 % de la population équipée

 REPÈRES HISTORIQUES

Le pays, peuplé sans doute d'abord par des Pygmées puis par des Bantous, est divisé en chefferies jusqu'à l'arrivée des Européens.

1853 - 1873 : Livingstone explore la région.

1899 : le pays est entièrement occupé par les Britanniques.

1911 : la zone d'occupation britannique est divisée en deux régions, la Rhodésie du Nord (actuelle Zambie) et la Rhodésie du Sud (actuel Zimbabwe).

1924 : un an après l'accession à l'autonomie de la Rhodésie du Sud, la Rhodésie du Nord devient colonie de la Couronne.

1953 - 1963 : une fédération d'Afrique-Centrale est instaurée, unissant les deux Rhodésies et le Nyassaland.

1964 : la Rhodésie du Nord accède à l'indépendance sous le nom de Zambie dans le cadre du Commonwealth.

Depuis 1990 : après le régime de parti unique instauré en 1972 par Kenneth Kaunda, le multipartisme est rétabli. À K. Kaunda succèdent Frederick Chiluba (1991 - 2002), Levy Mwanawasa (2002 - 2008), Rupiah Banda (2008 - 2011) et Michael Sata (depuis 2011).

ZIMBABWE

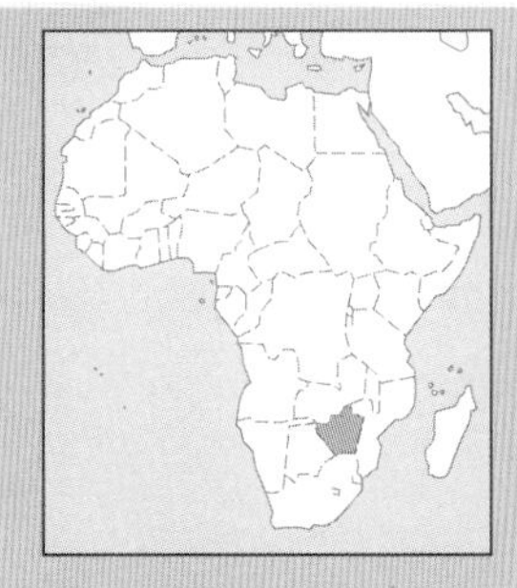

Pays enclavé, le Zimbabwe est une région de plateaux, domaine de la forêt claire et de la savane.

Superficie : 390 757 km²
Population (2013) : 13 000 000 hab.
Capitale : Harare 1 541 570 hab. (e. 2011) dans l'agglomération
Nature de l'État et du régime politique : république à régime semi-présidentiel
Chef de l'État et du gouvernement : (président de la République) Robert Gabriel Mugabe
Organisation administrative : 10 provinces
Langue officielle : anglais
Monnaie : dollar du Zimbabwe (suspendu pour l'instant)

Zimbabwe

500 1000 1500 m

★ site touristique important
— route
— voie ferrée
✈ aéroport

● plus de 1 000 000 h.
● de 100 000 à 1 000 000 h.
● de 10 000 à 100 000 h.
• moins de 10 000 h.

DÉMOGRAPHIE

- **Densité :** 33 hab./km²
- **Part de la population urbaine (2013) :** 39 %
- **Structure de la population par âge (2013) :** moins de 15 ans : 41 %, 15-65 ans : 55 %, plus de 65 ans : 4 %
- **Taux de natalité (2013) :** 33 ‰
- **Taux de mortalité (2013) :** 11 ‰
- **Taux de mortalité infantile (2013) :** 41 ‰
- **Espérance de vie (2013) :** hommes : 55 ans, femmes : 56 ans

Les habitants se répartissent en deux groupes principaux : les Shona (les trois quarts de la population) et les Ndébélé (20 % du total). L'animisme est répandu, aux côtés du christianisme. La densité reste assez faible, sauf dans le plateau central, autour d'Harare et de Bulawayo. La population se caractérise par sa jeunesse (41 % des habitants ont moins de 15 ans), un indice de fécondité (3,8 enfants par femme) et un taux de mortalité infantile élevés, alors que l'espérance de vie à la naissance est une des plus faibles du monde, la prévalence du sida étant très importante.

ÉCONOMIE

- **PNB (2012) :** 9 milliards de dollars
- **PNB/hab. (2012) :** 650 dollars
- **PNB/hab. PPA (2007) :** 1 950 dollars internationaux
- **IDH (2012) :** 0,397
- **Taux de croissance annuelle du PIB (2012) :** 4,4 %
- **Taux annuel d'inflation :** n.d.
- **Structure de la population active :** agriculture : n.d., mines et industries : n.d., services : n.d.
- **Structure du PIB (2012) :** agriculture : 14,1 %, mines et industries : 35,2 %, services : 50,7 %
- **Dette publique brute :** n.d.
- **Taux de chômage :** n.d.

Après dix ans de marasme économique, la situation du Zimbabwe s'est améliorée en 2010 grâce notamment à la réforme monétaire (le dollar américain a remplacé le dollar zimbabwéen). Alors que l'État a entrepris en 2011 de nationaliser partiellement son secteur minier (diamants, or, platine, charbon, fer…), la levée de l'interdiction de la vente des diamants a facilité cette même année la reprise économique. La pénurie alimentaire menace cependant toujours la population. Le secteur agricole se porte bien (tabac, maïs) et les investissements sont prioritairement chinois (tabac, diamants) et indiens (diamants, industrie métallurgique).

TOURISME

- **Recettes touristiques (2012) :** 664 M de $

COMMERCE EXTÉRIEUR

- **Exportations de biens (2009) :** 2 268,9 M de $
- **Importations de biens (2011) :** 8 482 M de $

DÉFENSE

- **Forces armées (2011) :** 50 800 individus
- **Dépenses militaires (2012) :** 3,2 % du PIB

NIVEAU DE VIE

- **Nombre d'habitants pour un médecin (2010) :** 16 129
- **Apport journalier moyen en calories (2007) :** 2 238 (minimum FAO : 2 400)
- **Nombre d'automobiles pour 1 000 hab. (2007) :** 98
- **Téléphones portables (2012) :** 97 % de la population équipée

REPÈRES HISTORIQUES

Peuplé par des Bochimans puis par des Bantous, le pays fournit au XVᵉ s. le cadre de l'empire du Monomotapa.

XVIᵉ s. : les Portugais supplantent progressivement les musulmans dans le commerce des minerais.

1885 - 1886 : la Grande-Bretagne occupe de vastes régions.

1911 : ces territoires sont morcelés entre la Rhodésie du Nord (actuelle Zambie) et la Rhodésie du Sud (actuel Zimbabwe).

1923 : la Rhodésie du Sud devient colonie de la Couronne britannique, dotée de l'autonomie interne.

1953 - 1963 : une fédération unit le Nyassaland et les deux Rhodésies.

1965 : le Premier ministre Ian Smith, chef de la minorité blanche, proclame unilatéralement l'indépendance de la Rhodésie du Sud.

1970 : instauration de la République rhodésienne. La communauté internationale condamne la politique raciale du nouvel État.

1979 : un gouvernement multiracial est constitué.

1980 : l'indépendance du Zimbabwe est reconnue.

2003 : le Zimbabwe quitte le Commonwealth.

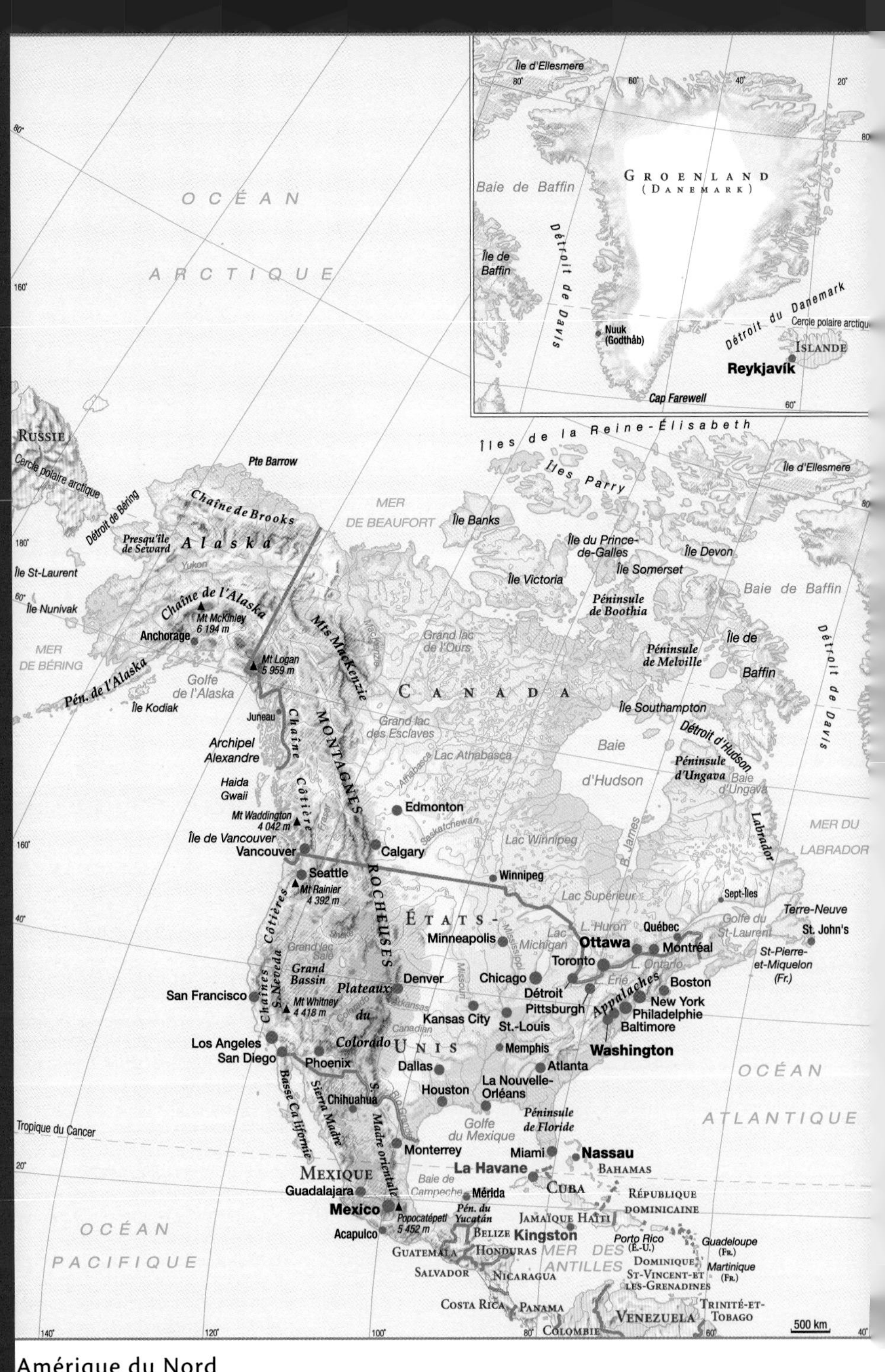

Amérique du Nord

200 500 1000 2000 4000 m

- plus de 5 000 000 h.
- de 1 000 000 à 5 000 000 h.
- de 100 000 à 1 000 000 h.
- moins de 100 000 h.

Vaste continent qui s'étend sur plus de 42 millions de km^2 et qui abrite environ 972 millions d'habitants, l'Amérique se caractérise par la variété de ses paysages et par la présence de grands ensembles tels que le Grand Nord canadien, la Patagonie, les Rocheuses, la Prairie ou l'Amazonie. Peuplée à l'origine par les Amérindiens, l'Amérique subit durant plusieurs siècles les vastes migrations européennes puis l'arrivée d'esclaves originaires d'Afrique. Aujourd'hui, les Amérindiens sont majoritaires au Mexique, dans les pays d'Amérique centrale et dans les pays andins, et les Noirs constituent une minorité importante aux États-Unis.

Majoritairement, les pays sont arrivés à la fin de leur transition démographique. L'Amérique est le continent le plus urbanisé (voir carte p. 19), avec une part de population urbaine supérieure à 75 % aux États-Unis, au Canada, au Mexique, au Brésil et en Argentine et supérieure à 60 % dans les pays d'Amérique centrale et andins. Les trois grandes métropoles, New York, Mexico et Sao Paulo dépassent les 10 millions d'habitants sans toutefois atteindre les chiffres des métropoles asiatiques.

Les effets de la récession aux États-Unis ont engendré une crise mondiale. Directement soumis aux fluctuations économiques de par la forte intégration de son économie avec celle des États-Unis, le Mexique est entré plus rapidement dans une phase de récession que le Canada.

Frappés plus tardivement par la crise économique mondiale que les pays d'Amérique centrale, les pays d'Amérique du Sud sont moins liés économiquement au grand géant américain, leurs marchés d'exportation étant répartis entre l'Europe et les pays de la zone Asie-Pacifique.

L'Amérique est le continent qui abrite le pays le plus riche au monde, mais aussi des pays à des niveaux de développement très divers selon qu'ils appartiennent à l'Amérique du Nord, à l'Amérique centrale ou à l'Amérique du Sud. Les pays d'Amérique centrale et les Antilles peuvent être classés dans la catégorie des pays en développement, tandis que l'Argentine, le Venezuela, la Colombie, le Chili, le Pérou ou le Brésil constituent un groupe de pays « émergents » (fort taux de croissance du PIB). Quant au Brésil, une classe moyenne s'y développe entre la population pauvre et la minorité possédante, riches propriétaires terriens ou riches hommes d'affaires concentrant le pouvoir économique et politique.

ANTIGUA-ET-BARBUDA
ARGENTINE
BAHAMAS
BARBADE
BELIZE
BOLIVIE
BRÉSIL
CANADA
CHILI
COLOMBIE
COSTA RICA
CUBA
DOMINICAINE (République)
DOMINIQUE
ÉQUATEUR
ÉTATS-UNIS
GRENADE
GUATEMALA
GUYANA
HAÏTI
HONDURAS
JAMAÏQUE
MEXIQUE
NICARAGUA
PANAMA
PARAGUAY
PÉROU
SAINT-KITTS-ET-NEVIS
SAINT-VINCENT-ET-LES-GRENADINES
SAINTE-LUCIE
SALVADOR
SURINAME
TRINITÉ-ET-TOBAGO
URUGUAY
VENEZUELA

La Havane
Cuba
Tropique du Cancer
Mexique
Haïti
Port-au-Prince
Porto Rico (É.-U.)
Belmopan
Kingston
St-Domingue
San Juan
Guat.
Belize
Jamaïque
République dominicaine
Guadeloupe (Fr.)
Guatemala
Honduras
Dominique
Tegucigalpa
Mer des Antilles
Ste-Lucie
Martinique (Fr.)
Petites Antilles
Salvador
San Salvador
Managua
Nicaragua
St-Vincent-et les-Grenadines
Barbade
Océan
Barranquilla
Maracaibo
Caracas
Trinité-et-Tobago
San José
Valencia
Port of Spain
Costa Rica
Panama
Ciudad Bolivar
Atlantique
Panama
Llanos
Georgetown
Medellín
Venezuela
Paramaribo
Guyana
Cayenne
Bogota
Plateaux des Guyanes
Cali
Suriname
Guyane (Fr.)
Colombie
Équateur
Quito
Baie de Marajó
Chimborazo 6 310 m
Cotopaxi 5 897 m
Putumayo
Japura
Baie de São Marcos
Équateur
Manaus
Belém
Guayaquil
Amazone
Tapajos
Iquitos
Fortaleza
Marañon
Juruá
Madeira
Xingu
Cap de São Roque
Cordillère
Amazonie
Brésil
Caatinga
Recife
Trujillo
Ucayali
Teles Pires
Tocantins
São Francisco
Huascarán 6 768 m
La Montaña
Lima
Cuzco
Bolivie
Mato Grosso
Salvador
Pérou
Ancohuma 6 550 m
Brasilia
Plateaux du Mato Grosso
Plateau Brésilien
Arequipa
Cochabamba
Océan
La Paz
Santa Cruz
Grand Chaco
Sajama 6 542 m
Altiplano
Sucre
Belo Horizonte
Désert d'Atacama
Andes
Campinas
Rio de Janeiro
Paraguay
Paraná
Sao Paulo
Tropique du Capricorne
Llullaillaco 6 723 m
Asunción
Curitiba
Ciudad del Este
Î. de San Félix (Chili)
Î. San Ambrosio (Chili)
Ojos del Salado 6 880 m
San Miguel de Tucumán
Pissis 6 779 m
Pacifique
Salado
Bonete 6 872 m
Porto Alegre
Salto
Uruguay
Aconcagua 6 959 m
Córdoba
Îles Juan Fernández (Chili)
Viñas del Mar
Mendoza
Rosario
Uruguay
Valparaíso
Tupungato 6 800 m
Montevideo
Santiago
Buenos Aires
Î. Alejandro Selkirk
Î. Robinson Crusoe
La Plata
Río de la Plata
Concepción
Argentine
Pampa
Chili
Colorado
Bahía Blanca
Océan
Golfe San Matías
Arch. de Los Chonos
Patagonie
Atlantique
Golfe San Jorge
Archipel de la Reine-Adélaïde
Bahía Grande
Îles Falkland (Îles Malouines) (G.-B.)
Détroit de Magellan
Punta Arenas
Terre de Feu
Détroit de Magellan
Cap Horn
500 km
Amérique du Sud
200 500 1000 2000 4000 m
plus de 5 000 000 h.
de 1 000 000 à 5 000 000 h.
de 100 000 à 1 000 000 h.
moins de 100 000 h.

ANTIGUA-ET-BARBUDA

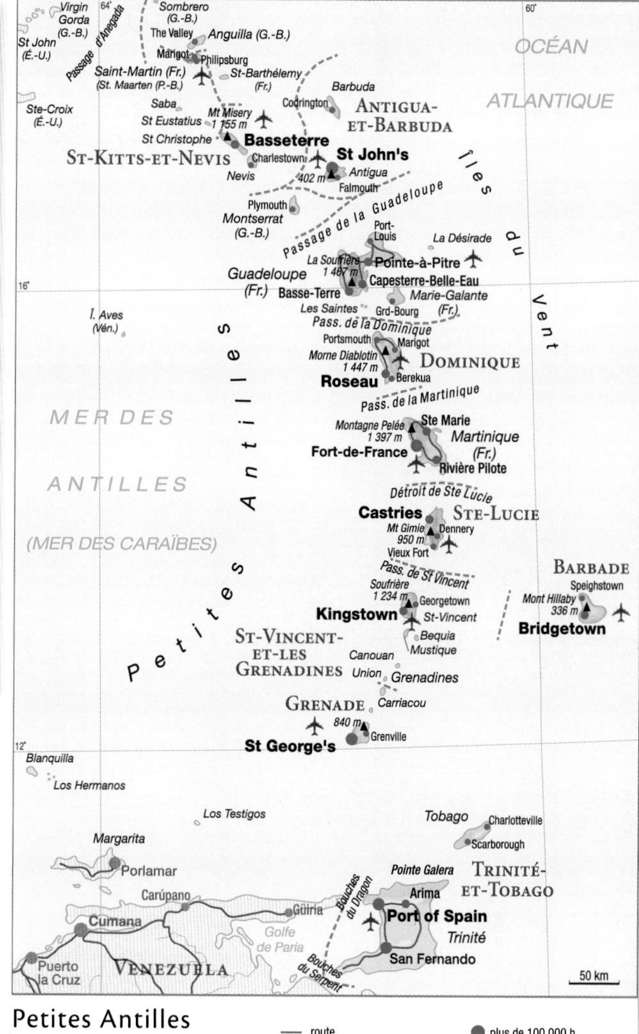

Petites Antilles

Situé au nord de la Guadeloupe, le pays est formé par les îles d'Antigua, de Barbuda et de Redonda. L'archipel a un climat tropical.

Superficie : 442 km²
Population (2013) : 100 000 hab.
Capitale : Saint John's 22 193 hab. (r. 2011)
Nature de l'État et du régime politique : monarchie constitutionnelle à régime parlementaire
Chef de l'État : (reine) Élisabeth II, représentée par la gouverneure générale Louise Lake-Tack
Chef du gouvernement : (Premier ministre) Baldwin Spencer
Organisation administrative : 6 paroisses
Langue officielle : anglais
Monnaie : dollar des Caraïbes orientales

DÉMOGRAPHIE

- **Densité :** 226 hab./km²
- **Part de la population urbaine (2013) :** 30 %
- **Structure de la population par âge (2013) :** moins de 15 ans : 26 %, 15-65 ans : 67 %, plus de 65 ans : 7 %
- **Taux de natalité (2013) :** 14 ‰
- **Taux de mortalité (2013) :** 5 ‰
- **Taux de mortalité infantile (2013) :** 16 ‰
- **Espérance de vie (2013) :** hommes : 74 ans, femmes : 80 ans

La population, dense, est d'origine amérindienne et africaine. Le quart des habitants vit dans la capitale, Saint John's, la seule ville importante, sur le littoral.

ÉCONOMIE

- **PNB (2012) :** 1 milliard de dollars
- **PNB/hab. (2012) :** 12 480 dollars
- **PNB/hab. PPA (2012) :** 18 920 dollars internationaux
- **IDH (2012) :** 0,76
- **Taux de croissance annuelle du PIB (2012) :** 2,8 %
- **Taux annuel d'inflation (2012) :** 3,4 %
- **Structure de la population active (2010) :** agriculture : 2,8 %, mines et industries : 15,6 %, services : 81,6 %
- **Structure du PIB (2012) :** agriculture : 2,3 %, mines et industries : 19,6 %, services : 78,1 %
- **Dette publique brute :** n.d.
- **Taux de chômage :** n.d.

Plus de la moitié des ressources de l'archipel proviennent du tourisme (de séjour et de croisière). S'y ajoutent quelques zones franches industrielles. Très fortement affecté par la crise, le pays a été en récession pendant trois ans, mais la reprise se confirme en 2013.

TOURISME

- **Recettes touristiques (2012) :** 312 M de $

COMMERCE EXTÉRIEUR

- **Exportations de biens (2012) :** 57 M de $
- **Importations de biens (2011) :** 644 M de $

DÉFENSE

- **Forces armées (2011) :** 180 individus
- **Dépenses militaires (2007) :** 0,5 % du PIB

NIVEAU DE VIE

- **Nombre d'habitants pour un médecin :** n.d.
- **Apport journalier moyen en calories (2007) :** 2 368 (minimum FAO : 2 400)
- **Nombre d'automobiles pour 1 000 hab. (2010) :** 153
- **Téléphones portables (2012) :** 100 % de la population équipée

REPÈRES HISTORIQUES

XVIIᵉ s. : les Britanniques colonisent Antigua.

1860 : ils annexent Barbuda.

1967 : Antigua et Barbuda forment un État associé à la Grande-Bretagne.

1981 : le pays accède à l'indépendance dans le cadre du Commonwealth.

BARBADE

La Barbade, la plus orientale des Petites Antilles, tire ses ressources de la production de la canne à sucre et du tourisme.

Superficie : 430 km²
Population (2013) : 300 000 hab.
Capitale : Bridgetown 5 996 hab. (r. 2000), 121 657 hab. (e. 2011) dans l'agglomération
Nature de l'État et du régime politique : monarchie constitutionnelle à régime parlementaire
Chef de l'État : (reine) Élisabeth II, représentée par le gouverneur général Elliot Belgrave
Chef du gouvernement : (Premier ministre) Freundel Stuart
Organisation administrative : 11 paroisses
Langue officielle : anglais
Monnaie : dollar de la Barbade

DÉMOGRAPHIE

- **Densité :** 698 hab./km²
- **Part de la population urbaine (2013) :** 44 %
- **Structure de la population par âge (2013) :** moins de 15 ans : 22 %, 15-65 ans : 66 %, plus de 65 ans : 12 %
- **Taux de natalité (2013) :** 12 ‰
- **Taux de mortalité (2013) :** 8 ‰
- **Taux de mortalité infantile (2013) :** 12 ‰
- **Espérance de vie (2013) :** hommes : 73 ans, femmes : 77 ans

L'île est aujourd'hui peuplée de descendants d'esclaves africains (80 % de la population), d'Européens, d'Asiatiques et de métis. La capitale regroupe près de 40 % de la population totale du pays.

ÉCONOMIE

- **PNB (2012) :** 4 milliards de dollars
- **PNB/hab. (2012) :** 15 080 dollars
- **PNB/hab. PPA (2012) :** 25 670 dollars internationaux
- **IDH (2012) :** 0,825
- **Taux de croissance annuelle du PIB (2012) :** 0 %
- **Taux annuel d'inflation (2012) :** 4,5 %
- **Structure de la population active (2012) :** agriculture : 2,8 %, mines et industries : 19,4 %, services : 72,6 %
- **Structure du PIB (2012) :** agriculture : 1,5 %, mines et industries : 15,7 %, services : 82,9 %
- **Dette publique brute (2010) :** 97 % du PIB
- **Taux de chômage (2012) :** 11,6 %

Le niveau de vie de la Barbade est parmi l'un des plus élevés de la région, et son indice de développement humain se situait, en 2012, au 38e rang mondial. Aux minces ressources agricoles s'ajoute la production de gaz naturel et de pétrole. Le secteur industriel (assemblage pour l'exportation) s'est étoffé, mais le tourisme (en hausse), souvent haut de gamme, et l'activité bancaire, maintenant régulée, fournissent les contributions majeures. L'économie, très affectée par la crise de 2008, se rétablit difficilement avec un taux de croissance de 1,8 % en 2013 et la dette publique atteint, en 2013, 105 % du PIB.

TOURISME

- **Recettes touristiques (2011) :** 1 074 M de $

COMMERCE EXTÉRIEUR

- **Exportations de biens (2010) :** 431 M de $
- **Importations de biens (2012) :** 2 295 M de $

DÉFENSE

- **Forces armées (2011) :** 610 individus
- **Dépenses militaires (2007) :** 0,8 % du PIB

NIVEAU DE VIE

- **Nombre d'habitants pour un médecin (2011) :** 552
- **Apport journalier moyen en calories (2007) :** 3 056 (minimum FAO : 2 400)
- **Nombre d'automobiles pour 1 000 hab. (2007) :** 407
- **Téléphones portables (2012) :** 100 % de la population équipée

REPÈRES HISTORIQUES

XVIe s. : l'île est découverte par les Espagnols.
À partir de 1627 : la Barbade est progressivement occupée par les Britanniques.
1966 : le pays accède à l'indépendance dans le cadre du Commonwealth.

DOMINIQUE

La Dominique est constituée par une île volcanique.

Superficie : 751 km²
Population (2013) : 100 000 hab.
Capitale : Roseau 14 725 hab. (r. 2011)
Nature de l'État et du régime politique : république à régime parlementaire
Chef de l'État : (président de la République) Charles Savarin
Chef du gouvernement : (Premier ministre) Roosevelt Skerrit
Organisation administrative : 10 paroisses
Langue officielle : anglais
Monnaie : dollar des Caraïbes orientales

DÉMOGRAPHIE

- **Densité :** 133 hab./km²
- **Part de la population urbaine (2013) :** 67 %
- **Structure de la population par âge (2013) :** moins de 15 ans : 22 %, 15-65 ans : 67 %, plus de 65 ans : 11 %
- **Taux de natalité (2013) :** 13 ‰
- **Taux de mortalité (2013) :** 8 ‰
- **Taux de mortalité infantile (2013) :** 15 ‰
- **Espérance de vie (2013) :** hommes : 71 ans, femmes : 77 ans

La croissance démographique de ce petit pays, principalement peuplé de descendants d'esclaves africains et dans lequel 22 % de la population a moins de 15 ans, est tempérée par une forte émigration. La population se concentre sur le littoral et notamment dans la capitale, Roseau.

ÉCONOMIE

- **PNB (2012) :** 0,5 milliard de dollars
- **PNB/hab. (2012) :** 6 440 dollars
- **PNB/hab. PPA (2012) :** 11 980 dollars internationaux
- **IDH (2012) :** 0,745
- **Taux de croissance annuelle du PIB (2012) :** – 1,7 %
- **Taux annuel d'inflation (2012) :** 1,4 %
- **Structure de la population active (2001) :** agriculture : 21,4 %, mines et industries : 19,8 %, services : 58,8 %
- **Structure du PIB (2012) :** agriculture : 15,5 %, mines et industries : 15,9 %, services : 68,6 %
- **Dette publique brute :** n.d.
- **Taux de chômage (2001) :** 11 %

Le secteur agricole, où les agrumes dépassent maintenant en valeur les bananes, constitue la ressource essentielle de l'île, accompagné par une industrie de transformation (savon, cosmétiques). Le tourisme se développe, sous la forme d'écotourisme, fondé sur l'abondance des richesses naturelles, tandis que des projets de fourniture d'énergie alternative se mettent en place. La présence de banques offshore constitue un handicap pour le pays, qui a un commerce extérieur déficitaire et une importante dette publique.

TOURISME

- **Recettes touristiques (2012) :** 98 M de $

COMMERCE EXTÉRIEUR

- **Exportations de biens (2012) :** 41 M de $
- **Importations de biens (2011) :** 261 M de $

DÉFENSE

- **Forces armées :** n.d.
- **Dépenses militaires :** n.d.

NIVEAU DE VIE

- **Nombre d'habitants pour un médecin :** n.d.
- **Apport journalier moyen en calories (2007) :** 3 157 (minimum FAO : 2 400)
- **Nombre d'automobiles pour 1 000 hab. :** n.d.
- **Téléphones portables (2012) :** 100 % de la population équipée

REPÈRES HISTORIQUES

1763 : la Dominique devient une colonie britannique.
1978 : elle devient indépendante dans le cadre du Commonwealth.

GRENADE

L'État est formé de l'île de la Grenade et d'îles des Grenadines (dont Carriacou).

Superficie : 344 km²
Population (2013) : 100 000 hab.
Capitale : Saint George's 41 054 hab. (e. 2011) dans l'agglomération
Nature de l'État et du régime politique : monarchie constitutionnelle à régime parlementaire
Chef de l'État : (reine) Élisabeth II, représentée par la gouverneure générale Cecile La Grenade
Chef du gouvernement : (Premier ministre) Keith Mitchell
Organisation administrative : 6 paroisses
Langue officielle : anglais
Monnaie : dollar des Caraïbes orientales

DÉMOGRAPHIE

- **Densité :** 291 hab./km²
- **Part de la population urbaine (2013) :** 39 %
- **Structure de la population par âge (2013) :** moins de 15 ans : 27 %, 15-65 ans : 66 %, plus de 65 ans : 7 %
- **Taux de natalité (2013) :** 17 ‰
- **Taux de mortalité (2013) :** 8 ‰
- **Taux de mortalité infantile (2013) :** 5 ‰
- **Espérance de vie (2013) :** hommes : 70 ans, femmes : 75 ans

Ce petit pays, principalement peuplé de descendants d'esclaves africains et dans lequel 27 % de la population a moins de 15 ans, est sujet à une forte émigration. La plupart des habitants vivent sur le littoral, dont 40 % dans la capitale, Saint George's.

ÉCONOMIE

- **PNB (2012) :** 1 milliard de dollars
- **PNB/hab. (2012) :** 7 220 dollars
- **PNB/hab. PPA (2012) :** 10 350 dollars internationaux
- **IDH (2012) :** 0,77
- **Taux de croissance annuelle du PIB (2012) :** 0,6 %
- **Taux annuel d'inflation (2012) :** 2,4 %
- **Structure de la population active :** agriculture : n.d., mines et industries : n.d., services : n.d.
- **Structure du PIB (2012) :** agriculture : 5,7 %, mines et industries : 11,7 %, services : 82,6 %
- **Dette publique brute :** n.d.
- **Taux de chômage :** n.d.

L'archipel, qui tire une large part de ses ressources du tourisme de croisière, a souffert de la baisse d'activité dans ce secteur ainsi que de celle des transferts de fonds de ses émigrés. Les productions agricoles (noix de muscade et avocats), les activités manufacturières, la construction et les services bancaires offshore complètent les ressources du pays, très endetté, dont 40 % environ de la population vit sous le seuil de pauvreté.

TOURISME

- **Recettes touristiques (2012) :** 105 millions de dollars

COMMERCE EXTÉRIEUR

- **Exportations de biens (2012) :** 40 millions de dollars
- **Importations de biens (2011) :** 392 millions de dollars

DÉFENSE

- **Forces armées :** n.d.
- **Dépenses militaires :** n.d.

NIVEAU DE VIE

- **Nombre d'habitants pour un médecin :** n.d.
- **Apport journalier moyen en calories (2007) :** 2 454 (minimum FAO : 2 400)
- **Nombre d'automobiles pour 1 000 hab. :** n.d.
- **Téléphones portables (2012) :** 100 % de la population équipée

REPÈRES HISTORIQUES

1762 : d'abord colonisée par la France, la Grenade devient une colonie britannique.
1974 : elle devient indépendante.
1983 : l'intervention militaire des États-Unis met fin à un régime placé dans l'orbite de Cuba.

SAINTE-LUCIE

État insulaire des Petites Antilles, Sainte-Lucie est une île volcanique.

Superficie : 622 km²
Population (2013) : 200 000 hab.
Capitale : Castries 3 661 hab. (r. 2010), 20 645 hab. (e. 2011) dans l'agglomération
Nature de l'État et du régime politique : monarchie constitutionnelle à régime parlementaire
Chef de l'État : (reine) Élisabeth II, représentée par la gouverneure générale Pearlette Louisy
Chef du gouvernement : (Premier ministre) Kenny Anthony
Organisation administrative : 11 quartiers
Langue officielle : anglais
Monnaie : dollar des Caraïbes orientales

DÉMOGRAPHIE

- **Densité :** 322 hab./km²
- **Part de la population urbaine (2013) :** 18 %
- **Structure de la population par âge (2013) :** moins de 15 ans : 25 %, 15-65 ans : 66 %, plus de 65 ans : 9 %
- **Taux de natalité (2013) :** 16 ‰
- **Taux de mortalité (2013) :** 7 ‰
- **Taux de mortalité infantile (2013) :** 11 ‰
- **Espérance de vie (2013) :** hommes : 72 ans, femmes : 77 ans

La population, composée en grande partie de descendants d'esclaves africains, se concentre sur le littoral. Le quart des habitants a moins de 15 ans.

ÉCONOMIE

- **PNB (2012) :** 1 milliard de dollars
- **PNB/hab. (2012) :** 6 890 dollars
- **PNB/hab. PPA (2012) :** 11 300 dollars internationaux
- **IDH (2012) :** 0,725
- **Taux de croissance annuelle du PIB (2012) :** 0,5 %
- **Taux annuel d'inflation (2012) :** 4,2 %
- **Structure de la population active (2004) :** agriculture : 16,4 %, mines et industries : 20,8 %, services : 62,8 %
- **Structure du PIB (2012) :** agriculture : 3,9 %, mines et industries : 16 %, services : 80,1 %
- **Dette publique brute :** n.d.
- **Taux de chômage (2010) :** 20,6 %

L'économie de l'île est largement tributaire de l'activité bancaire offshore et du tourisme. Les exportations concernent principalement les fruits, en premier lieu les bananes. Dépendant de l'étranger pour ses ressources énergétiques, le pays a rejoint l'accord Pétrocaribe pour les Amériques.

TOURISME

- **Recettes touristiques (2012) :** 317 millions de dollars

COMMERCE EXTÉRIEUR

- **Exportations de biens (2012) :** 190 millions de dollars
- **Importations de biens (2011) :** 823 millions de dollars

DÉFENSE

- **Forces armées :** n.d.
- **Dépenses militaires :** n.d.

NIVEAU DE VIE

- **Nombre d'habitants pour un médecin :** n.d.
- **Apport journalier moyen en calories (2007) :** 2 738 (minimum FAO : 2 400)
- **Nombre d'automobiles pour 1 000 hab. (2007) :** 202
- **Téléphones portables (2012) :** 100 % de la population équipée

REPÈRES HISTORIQUES

1814 : l'île devient colonie de la Couronne britannique.
1979 : Sainte-Lucie accède à l'indépendance dans le cadre du Commonwealth.

SAINT-KITTS-ET-NEVIS

L'État est formé des îles de Saint-Kitts (176 km²) et de Nevis.

Superficie : **261 km²**
Population (2013) : **100 000 hab.**
Capitale : **Basseterre 12 496 hab. (e. 2011)**
Nature de l'État et du régime politique : **monarchie constitutionnelle à régime parlementaire**
Chef de l'État : **(reine) Élisabeth II, représentée par le gouverneur général Edmund Lawrence**
Chef du gouvernement : **(Premier ministre) Denzil Douglas**
Organisation administrative : **2 îles**
Langue officielle : **anglais**
Monnaie : **dollar des Caraïbes orientales**

DÉMOGRAPHIE

- **Densité :** 383 hab./km²
- **Part de la population urbaine (2013) :** 32 %
- **Structure de la population par âge (2013) :** moins de 15 ans : 23 %, 15-65 ans : 69 %, plus de 65 ans : 8 %
- **Taux de natalité (2013) :** 13 ‰
- **Taux de mortalité (2013) :** 7 ‰
- **Taux de mortalité infantile (2013) :** 18 ‰
- **Espérance de vie (2013) :** hommes : 72 ans, femmes : 77 ans

La population, composée en grande partie de descendants d'esclaves africains, se concentre sur le littoral, dont 12 % dans la capitale.

ÉCONOMIE

- **PNB (2012) :** 1 milliard de dollars
- **PNB/hab. (2012) :** 13 610 dollars
- **PNB/hab. PPA (2012) :** 17 630 dollars internationaux
- **IDH (2012) :** 0,745
- **Taux de croissance annuelle du PIB (2012) :** 6,9 %
- **Taux annuel d'inflation (2012) :** 1,4 %
- **Structure de la population active :** agriculture : n.d., mines et industries : n.d., services : n.d.
- **Structure du PIB (2012) :** agriculture : 1,6 %, mines et industries : 23,7 %, services : 74,7 %
- **Dette publique brute :** n.d.
- **Taux de chômage :** n.d.

Le tourisme vient en tête des ressources des deux îles, suivi des activités bancaires offshore, de la construction et des activités des zones franches. L'agriculture est encore dominée par la canne à sucre. Après quatre années de récession, la croissance est de retour en 2013 (1,9 %).

TOURISME

- **Recettes touristiques (2012) :** 93 M de $

COMMERCE EXTÉRIEUR

- **Exportations de biens (2012) :** 69 millions de dollars
- **Importations de biens (2011) :** 315 millions de dollars

DÉFENSE

- **Forces armées (1994) :** 50 individus
- **Dépenses militaires :** n.d.

NIVEAU DE VIE

- **Nombre d'habitants pour un médecin (2000) :** 909
- **Apport journalier moyen en calories (2007) :** 2 513 (minimum FAO : 2 400)
- **Nombre d'automobiles pour 1 000 hab. :** n.d.
- **Téléphones portables (2012) :** 100 % de la population équipée

REPÈRES HISTORIQUES

1625 - 1713 : l'île de Saint-Kitts est colonisée simultanément par les Français et les Anglais, puis cédée en totalité à l'Angleterre.
1967 : elle forme un État associé au Commonwealth avec Nevis et Anguilla.
1983 : Saint-Kitts-et-Nevis accède à l'indépendance dans le cadre du Commonwealth.

SAINT-VINCENT-ET-LES-GRENADINES

État formé de l'île de Saint-Vincent (345 km²) et d'une partie des Grenadines.

Superficie : **388 km²**
Population (2013) : **100 000 hab.**
Capitale : **Kingstown 30 863 hab. (e. 2011) dans l'agglomération**
Nature de l'État et du régime politique : **monarchie constitutionnelle à régime parlementaire**
Chef de l'État : **(reine) Élisabeth II, représentée par le gouverneur général Frederick Ballantyne**
Chef du gouvernement : **(Premier ministre) Ralph Gonsalves**
Organisation administrative : **6 paroisses**
Langue officielle : **anglais**
Monnaie : **dollar des Caraïbes orientales**

DÉMOGRAPHIE

- **Densité :** 258 hab./km²
- **Part de la population urbaine (2013) :** 49 %
- **Structure de la population par âge (2013) :** moins de 15 ans : 26 %, 15-65 ans : 67 %, plus de 65 ans : 7 %
- **Taux de natalité (2013) :** 19 ‰
- **Taux de mortalité (2013) :** 8 ‰
- **Taux de mortalité infantile (2013) :** 17 ‰
- **Espérance de vie (2013) :** hommes : 70 ans, femmes : 74 ans

La population, composée en grande partie de descendants d'esclaves africains, se concentre sur le littoral, dont le tiers dans la capitale.

ÉCONOMIE

- **PNB (2012) :** 1 milliard de dollars
- **PNB/hab. (2012) :** 6 400 dollars
- **PNB/hab. PPA (2012) :** 10 870 dollars internationaux
- **IDH (2012) :** 0,733
- **Taux de croissance annuelle du PIB (2012) :** 2,3 %
- **Taux annuel d'inflation (2012) :** 2,6 %
- **Structure de la population active (2001) :** agriculture : 15,4 %, mines et industries : 19,7 %, services : 64,9 %
- **Structure du PIB (2012) :** agriculture : 7,3 %, mines et industries : 19,9 %, services : 72,8 %
- **Dette publique brute :** n.d.
- **Taux de chômage :** n.d.

L'archipel, qui connaît une forte émigration, doit la majorité de son activité économique au tourisme, aux activités bancaires offshore (maintenant régulées) et à quelques ressources agricoles (bananes, taro). Une large part de la population vit sous le seuil de pauvreté et la dette publique est de l'ordre de 90 % du PIB.

TOURISME

- **Recettes touristiques (2012) :** 90 millions de dollars

COMMERCE EXTÉRIEUR

- **Exportations de biens (2012) :** 49 millions de dollars
- **Importations de biens (2011) :** 386 millions de dollars

DÉFENSE

- **Forces armées :** n.d.
- **Dépenses militaires :** n.d.

NIVEAU DE VIE

- **Nombre d'habitants pour un médecin :** n.d.
- **Apport journalier moyen en calories (2007) :** 2 821 (minimum FAO : 2 400)
- **Nombre d'automobiles pour 1 000 hab. (2009) :** 85
- **Téléphones portables (2012) :** 100 % de la population équipée

REPÈRES HISTORIQUES

XVIIIe s. : les îles Saint-Vincent et l'archipel des Grenadines constituent une possession britannique.
1979 : l'ensemble accède à l'indépendance dans le cadre du Commonwealth.

ARGENTINE

En dehors de sa bordure occidentale, montagneuse, appartenant à la cordillère des Andes, l'Argentine, grande comme cinq fois la France, est formée de plateaux au sud (Patagonie), de plaines à l'est (Pampa) et au nord (Chaco). Le climat, subtropical au nord, tempéré vers le Río de la Plata, devient froid en Patagonie et dans la Terre de Feu.

Superficie : 2 780 400 km²
Population (2013) : 41 300 000 hab.
Capitale : Buenos Aires 2 890 151 hab. (r. 2010), 13 527 848 hab. (e. 2011) dans l'agglomération
Nature de l'État et du régime politique : république à régime semi-présidentiel
Chef de l'État et du gouvernement : (présidente de la République) Cristina Fernández de Kirchner
Chef du gouvernement : (chef du Conseil des ministres) Jorge Capitanich
Organisation administrative : 22 provinces et 2 districts fédéraux
Langue officielle : espagnol
Monnaie : peso argentin

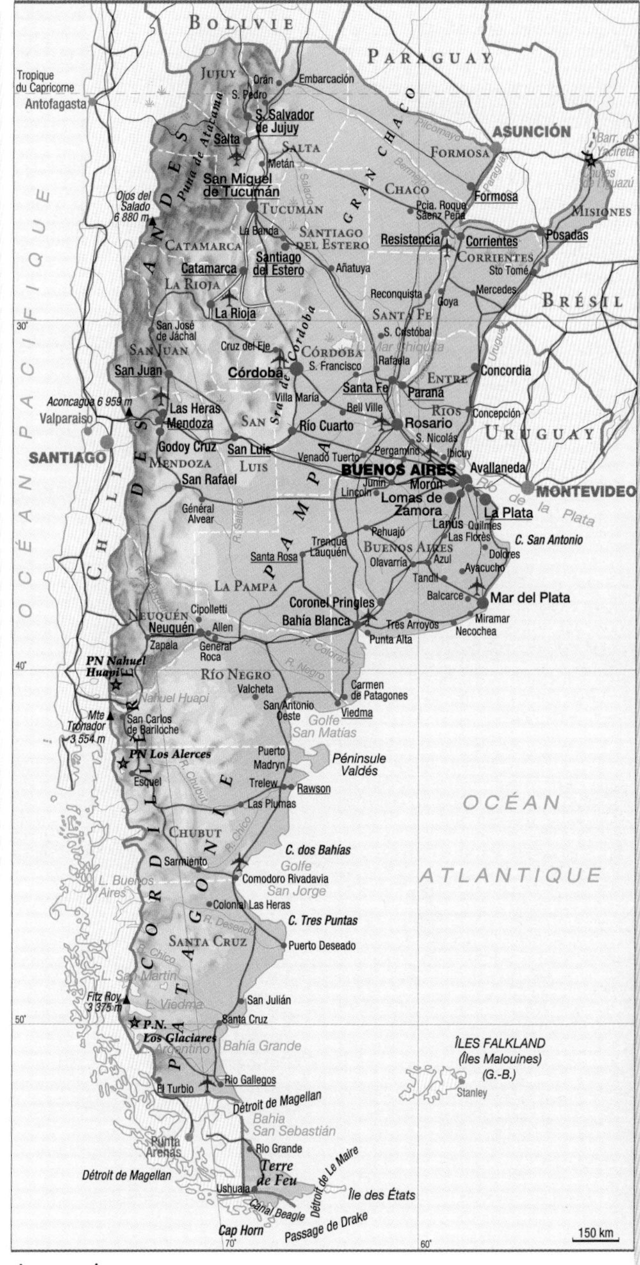

Argentine

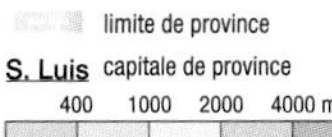

DÉMOGRAPHIE

- **Densité :** 15 hab./km²
- **Part de la population urbaine (2013) :** 93 %
- **Structure de la population par âge (2013) :** moins de 15 ans : 25 %, 15-65 ans : 64 %, plus de 65 ans : 11 %
- **Taux de natalité (2013) :** 19 ‰
- **Taux de mortalité (2013) :** 8 ‰
- **Taux de mortalité infantile (2013) :** 11,7 ‰
- **Espérance de vie (2013) :** hommes : 72 ans, femmes : 80 ans

L'Argentine est le troisième pays le plus peuplé d'Amérique du Sud, loin derrière le Brésil et juste derrière la Colombie, mais sa densité est faible : cinq fois plus vaste que la France, l'Argentine est presque dix fois moins densément peuplée et d'immenses espaces sont quasiment vides. La population s'accroît aujourd'hui plus en raison d'un notable excédent naturel (le taux de natalité est encore de 19 ‰) que de l'immigration (qui fut intense au XIXe siècle et au début du XXe siècle et a constitué la base du peuplement, qui est donc en majeure partie d'origine européenne). Elle se concentre sur le littoral, la Pampa et l'embouchure du Río de la Plata, et notamment dans les villes : l'urbanisation concerne plus de 90 % des habitants. Buenos Aires (débouché maritime du pays), qui, avec ses 13 millions d'habitants, regroupe le tiers de la population totale de l'Argentine, est l'une des plus grandes agglomérations du monde. Les autres villes principales sont Córdoba (1,5 million d'hab.), dans la Pampa, Rosario (1,2 million d'hab.), à l'embouchure du Paraná, ainsi que les cités du piémont andin (San Miguel de Tucumán [800 000 hab.], Mendoza [900 000 hab.], au centre du vignoble) et les ports (Bahía Blanca [300 000 hab.]) ou stations (Mar del Plata [600 000 hab.]) du littoral.

ÉCONOMIE

- **PNB (2012) :** 465 milliards de dollars
- **PNB/hab. (2011) :** 9 740 dollars
- **PNB/hab. PPA (2011) :** 17 130 dollars internationaux
- **IDH (2012) :** 0,811
- **Taux de croissance annuelle du PIB (2011) :** 8,9 %
- **Taux annuel d'inflation (2011) :** 9,5 %
- **Structure de la population active (2012) :** agriculture : 0,9 %, mines et industries : 23,4 %, services : 75,7 %
- **Structure du PIB (2012) :** agriculture : 9,1 %, mines et industries : 30,5 %, services : 60,4 %
- **Dette publique brute :** n.d.
- **Taux de chômage (2012) :** 7,2 %

En générant plus de 55 % des exportations, l'agriculture – principalement soja (1er exportateur de produits dérivés du soja et 3e producteur mondial), canne à sucre, maïs, blé, agrumes, tournesol, viande, vin – tient une place particulière dans l'économie et les échanges (excédentaires) de l'Argentine. Les taxes à l'exportation de céréales et d'oléagineux, indexées sur les cours internationaux, génèrent des recettes essentielles pour l'État, engagé dans une politique à la fois de redistribution et de désendettement. Les services, qui représentent plus de la moitié du PIB, sont spécialisés dans les secteurs de pointe, la téléphonie et le tourisme (5 millions de visiteurs par an). La production de pétrole (4e producteur d'Amérique latine) et de gaz (2e producteur d'Amérique latine) souffre d'un manque d'investissements, essentiels à l'exploitation d'immenses gisements de gaz et de pétrole. Le pays mise également sur une diversification des sources d'énergie. Alors que la croissance de l'Argentine rivalisait ces dernières années avec celle de la Chine, le pays n'a pas réussi à mettre en œuvre les grandes réformes nécessaires au système de santé et de l'éducation. Si, d'autre part, la pauvreté et le chômage ont reculé et si les retraites ont augmenté, le système est encore gangrené par la corruption et l'économie grise.

TOURISME

- **Recettes touristiques (2012) :** 6 059 millions de dollars

COMMERCE EXTÉRIEUR

- **Exportations de biens (2012) :** 80 897 millions de dollars
- **Importations de biens (2012) :** 81 892 millions de dollars

DÉFENSE

- **Forces armées (2011) :** 104 350 individus
- **Dépenses militaires (2012) :** 0,9 % du PIB

NIVEAU DE VIE

- **Nombre d'habitants pour un médecin (2011) :** 312
- **Apport journalier moyen en calories (2007) :** 2 941 (minimum FAO : 2 400)
- **Nombre d'automobiles pour 1 000 hab. (2007) :** 314
- **Téléphones portables (2012) :** 100 % de la population équipée

REPÈRES HISTORIQUES

La domination espagnole et l'indépendance

1516 : l'Espagnol Díaz de Solís pénètre dans le Río de la Plata.

1580 : fondation de Buenos Aires.

1776 : la région, d'abord dans la vice-royauté du Pérou, est intégrée à la vice-royauté du Río de la Plata, avec Buenos Aires comme capitale.

XVIIIe s. : le port et son arrière-pays, qui se peuplent lentement, connaissent un essor économique important.

1806 - 1807 : les milices locales repoussent deux offensives britanniques sur Buenos Aires.

1810 : le vice-roi est déposé par une junte de notables.

1816 : le congrès de Tucumán proclame l'indépendance de l'Argentine.

Les luttes politiques et le développement démographique et économique

1820 - 1829 : les fédéralistes – dirigés par des caudillos provinciaux – et les centralistes – à Buenos Aires – se livrent une bataille acharnée.

1835 - 1852 : dictature du caudillo fédéraliste Juan Manuel de Rosas.

1853 : l'Argentine se dote d'une Constitution fédérale et libérale.

1862 : avec l'élection de Bartolomé Mitre à la présidence, l'unité du pays est enfin réalisée.

1862 - 1880 : les conditions du développement économique se mettent en place, celui-ci étant fondé sur l'expansion de l'élevage bovin et ovin et sur la construction d'un réseau de chemin de fer. Les Indiens sont soumis ou éliminés.

1865 - 1870 : guerre de la Triple-Alliance contre le Paraguay.

1874 - 1879 : guerres indiennes en Patagonie et dans la Pampa.

1880 - 1930 : parallèlement à l'arrivée massive d'immigrants européens (en majorité italiens), l'économie connaît un essor remarquable, mais elle dépend étroitement des capitaux et des marchés étrangers (britanniques surtout). Face à la domination de l'oligarchie libérale, constituée de grands propriétaires terriens et d'exportateurs, l'opposition des classes moyennes et populaires (radicalisme) s'affirme. Le président Hipólito Yrigoyen (1916 - 1922 et 1928 - 1930), radical, impose une législation sociale sans toucher aux structures agraires.

Les régimes militaires et le retour à la démocratie

1929 : la crise mondiale favorise la mise en place de régimes militaires conservateurs.

1943 : le président Ramón Castillo est déposé par une junte d'officiers nationalistes, dont fait partie Juan Domingo Perón. Devenu président de la République (1946 - 1955), celui-ci applique, avec sa femme, Eva Duarte, une doctrine populiste dite « justicialiste ».

1955 : Perón est écarté par une junte militaire. Une période de crise permanente s'ensuit.

1973 : Perón redevient président. À sa mort (1974), sa deuxième femme, Isabel, lui succède.

1976 : une junte militaire, présidée par le général Videla, impose un régime d'exception, marqué par une répression sanglante.

1982 : la défaite de la guerre des Malouines ramène les civils au pouvoir.

1989 - 2003 : le pays est confronté à une très grave crise financière et sociale.

Depuis 2003 : il s'engage sur la voie de la reconnaissance et de la condamnation des crimes commis lors de la dictature militaire.

BAHAMAS → ÉTATS-UNIS

BARBADE → ANTIGUA-ET-BARBUDA

BELIZE

Le pays, montagneux au sud (monts Maya), bas et souvent marécageux au nord, est chaud et humide, et recouvert à plus de 40 % de forêts.

Superficie : 22 696 km²
Population (2013) : 300 000 hab.
Capitale : Belmopan 14 472 hab. (e. 2011)
Nature de l'État et du régime politique : monarchie constitutionnelle à régime parlementaire
Chef de l'État : (reine) Élisabeth II, représentée par le gouverneur général Colville Young
Chef du gouvernement : (Premier ministre) Dean Barrow
Organisation administrative : 6 districts
Langue officielle : anglais
Monnaie : dollar du Belize

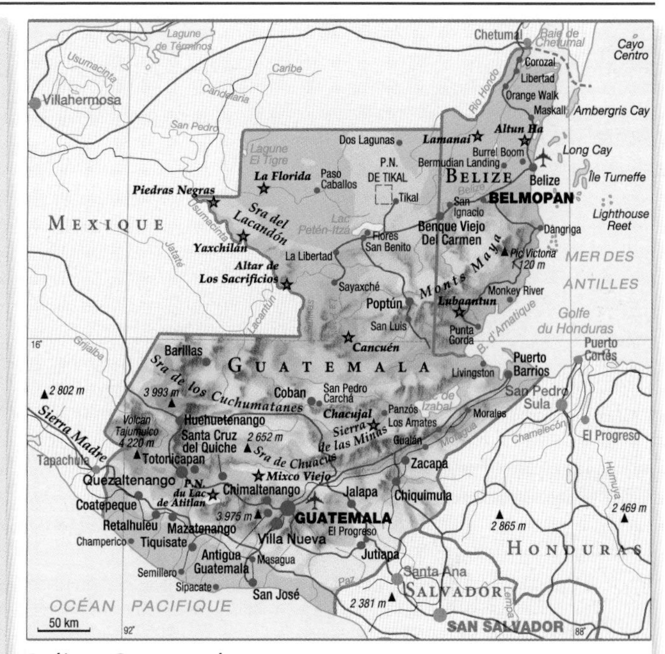

Belize, Guatemala

DÉMOGRAPHIE

- **Densité :** 13 hab./km²
- **Part de la population urbaine (2013) :** 45 %
- **Structure de la population par âge (2013) :** moins de 15 ans : 35 %, 15-65 ans : 61 %, plus de 65 ans : 4 %
- **Taux de natalité (2013) :** 22 ‰
- **Taux de mortalité (2013) :** 4 ‰
- **Taux de mortalité infantile (2013) :** 14 ‰
- **Espérance de vie (2013) :** hommes : 71 ans, femmes : 77 ans

Ce petit pays peu peuplé est pour l'essentiel composé de métis, d'Amérindiens et d'Espagnols (40 %), de créoles (Afro-Cubains, 30 %) et d'Amérindiens mayas (10 %). La majeure partie des habitants vit sur la côte et l'agglomération de Belize compte près du quart de la population. Celle-ci s'accroît encore rapidement et plus du tiers de la population a moins de 15 ans.

ÉCONOMIE

- **PNB (2011) :** 1 milliard de dollars
- **PNB/hab. (2011) :** 4 490 dollars
- **PNB/hab. PPA (2012) :** 7 630 dollars internationaux
- **IDH (2012) :** 0,702
- **Taux de croissance annuelle du PIB (2012) :** 5,3 %
- **Taux annuel d'inflation (2012) :** 1,3 %
- **Structure de la population active (2005) :** agriculture : 19,5 %, mines et industries : 17,8 %, services : 62,7 %
- **Structure du PIB (2011) :** agriculture : 13,1 %, mines et industries : 22,9 %, services : 64 %
- **Dette publique brute :** n.d.
- **Taux de chômage (2011) :** 12,9 %

Les produits de l'agriculture (canne à sucre, agrumes, bananes, papayes) et de la pêche, le pétrole et, surtout, le tourisme (croisières) constituent les ressources du Belize, dont les États-Unis sont maintenant le premier partenaire commercial, devant la Grande-Bretagne. Le pays a été durement touché par la crise et la reprise économique est timide (+ 2,5 % en 2013). Près d'un tiers de la population vit sous le seuil de pauvreté et la dette extérieure reste très élevée (environ 83 % du PIB) alors que les exportations de pétrole sont en baisse et que le déficit commercial se creuse.

TOURISME

- **Recettes touristiques (2012) :** 253 millions de dollars

COMMERCE EXTÉRIEUR

- **Exportations de biens (2012) :** 628 millions de dollars
- **Importations de biens (2011) :** 945 millions de dollars

DÉFENSE

- **Forces armées (2011) :** 1 050 individus
- **Dépenses militaires (2012) :** 0,9 % du PIB

NIVEAU DE VIE

- **Nombre d'habitants pour un médecin (2011) :** 1 208
- **Apport journalier moyen en calories (2007) :** 2 718 (minimum FAO : 2 400)
- **Nombre d'automobiles pour 1 000 hab. (2007) :** 178
- **Téléphones portables (2012) :** 51 % de la population équipée

REPÈRES HISTORIQUES

XVIIIe s. : la région est longtemps contestée entre la Grande-Bretagne et l'Espagne.

1862 : elle devient une colonie britannique.

1973 : le territoire prend le nom de Belize.

1981 : ce dernier accède à l'indépendance.

1991 : le Guatemala reconnaît le nouvel État.

GUATEMALA

Pays formé de montagnes, en partie volcaniques, au sud et de bas plateaux au nord, le Guatemala est l'État le plus peuplé d'Amérique centrale.

Superficie : 108 889 km²
Population (2013) : 15 400 000 hab.
Capitale : Guatemala 1 168 420 hab. (e. 2011)
Nature de l'État et du régime politique : république à régime présidentiel
Chef de l'État et du gouvernement : (président de la République) Otto Pérez Molina
Organisation administrative : 22 départements
Langue officielle : espagnol
Monnaie : quetzal

DÉMOGRAPHIE

- **Densité :** 141 hab./km²
- **Part de la population urbaine (2013) :** 50 %
- **Structure de la population par âge (2013) :** moins de 15 ans : 41 %, 15-65 ans : 55 %, plus de 65 ans : 4 %
- **Taux de natalité (2013) :** 32 ‰
- **Taux de mortalité (2013) :** 5 ‰
- **Taux de mortalité infantile (2013) :** 25 ‰
- **Espérance de vie (2013) :** hommes : 68 ans, femmes : 75 ans

État le plus peuplé d'Amérique centrale, la population du Guatemala est restée profondément amérindienne : les Indiens représentent plus de la moitié des habitants, aux côtés des Latinos, métis et/ou descendants des conquérants espagnols. Le Nord est peu peuplé, tandis que les vallées centrales sont assez densément occupées : là se situent les principales villes, dont la capitale. L'indice de fécondité (3,9 enfants par femme) reste élevé et la population s'accroît encore rapidement.

ÉCONOMIE

- **PNB (2012) :** 49 milliards de dollars
- **PNB/hab. (2012) :** 3 120 dollars
- **PNB/hab. PPA (2012) :** 4 880 dollars internationaux
- **IDH (2012) :** 0,581
- **Taux de croissance annuelle du PIB (2012) :** 3 %
- **Taux annuel d'inflation (2012) :** 3,8 %
- **Structure de la population active (2012) :** agriculture : 32,3 %, mines et industries : 19,5 %, services : 48,2 %
- **Structure du PIB (2012) :** agriculture : 11,6 %, mines et industries : 29,2 %, services : 59,2 %
- **Dette publique brute (2011) :** 24 % du PIB
- **Taux de chômage (2012) :** 2,9 %

Avec environ 51 % de sa population vivant en dessous du seuil national de pauvreté (dont la communauté indienne en particulier) et une forte concentration de la propriété foncière et des richesses, le Guatemala connaît un développement instable depuis des décennies, aggravé par la guerre civile de 1960 à 1996 tout autant que la corruption et la violence. Les transferts de capitaux des travailleurs émigrés (de 9 à 10 % du PIB) et les exportations (produits agricoles – café, sucre, bananes – pour plus de 47 %) contribuent à une croissance modérée de l'économie (3,3 % en 2013), mais le déficit commercial s'est creusé au cours des années 2000 alors que les échanges s'effectuent pour une grande part dans le cadre de l'accord de libre-échange d'Amérique centrale (CAFTA). Le secteur secondaire, qui représente environ un tiers du PIB, est spécialisé dans le textile, la transformation de caoutchouc et les produits pharmaceutiques. Le secteur tertiaire, qui représente près de 60 % du PIB, est le secteur dominant de l'économie grâce au tourisme. Un grand projet de « canal sec » est à l'étude ; il regroupe la construction d'un oléoduc, d'une ligne de chemin de fer et d'une route reliant deux ports, situés chacun sur les deux océans.

TOURISME

- **Recettes touristiques (2012) :** 1 350 millions de dollars

COMMERCE EXTÉRIEUR

- **Exportations de biens (2012) :** 10 107 millions de dollars
- **Importations de biens (2012) :** 18 128 millions de dollars

DÉFENSE

- **Forces armées (2011) :** 42 300 individus
- **Dépenses militaires (2012) :** 0,4 % du PIB

NIVEAU DE VIE

- **Nombre d'habitants pour un médecin (2010) :** 1 073
- **Apport journalier moyen en calories (2007) :** 2 159 (minimum FAO : 2 400)
- **Nombre d'automobiles pour 1 000 hab. (2011) :** 37
- **Téléphones portables (2012) :** 100 % de la population équipée

REPÈRES HISTORIQUES

Le Guatemala est, durant le Ier millénaire, l'un des lieux où s'épanouit la civilisation maya.

1524 : conquête du territoire par les Espagnols.

1821 - 1823 : le Guatemala s'unit au Mexique sous l'autorité d'Agustín de Iturbide.

1824 - 1839 : il fait partie des Provinces-Unies de l'Amérique centrale.

1839 : le pays reprend son indépendance sous la direction de Rafael Carrera.

1873 - 1885 : libéral, Justo Rufino Barrios modernise le pays.

1898 - 1920 : son successeur, Manuel Estrada, poursuit son œuvre, tandis que se constitue l'empire bananier de l'United Fruit Company.

1931 - 1944 : dictature du général Jorge Ubico.

1951 - 1954 : le progressiste Jacobo Arbenz est renversé par des généraux appuyés par les États-Unis.

1970 - 1982 : le pays, ravagé en 1976 par des tremblements de terre, est confronté à une guerre civile larvée qu'animent des guérilleros de type castriste ou sandiniste.

À partir de 1987 : le Guatemala participe à l'effort de paix en Amérique centrale (signature d'accords en 1987 et en 1989 avec le Costa Rica, le Honduras, le Nicaragua et le Salvador).

1996 : un accord de paix est conclu entre le pouvoir central et la guérilla.

BOLIVIE

L'Est (Oriente), à la population très clairsemée, appartient à l'Amazonie forestière. L'Ouest, andin, région de hauts plateaux (3 000 et 4 000 m), concentre la majeure partie de la population (amérindienne ou métissée) et les principales villes (dont La Paz).

Superficie : 1 098 581 km²
Population (2013) : 11 000 000 hab.
Capitale (siège du gouvernement) : La Paz 793 293 hab. (r. 2001), 1 714 530 hab. (e. 2011) dans l'agglomération
Capitale constitutionnelle : Sucre 306 597 hab. (e. 2011)
Nature de l'État et du régime politique : république à régime présidentiel
Chef de l'État et du gouvernement : (président de la République) Evo Morales Ayma
Organisation administrative : 9 départements
Langues officielles : espagnol, aymara et quechua
Monnaie : boliviano

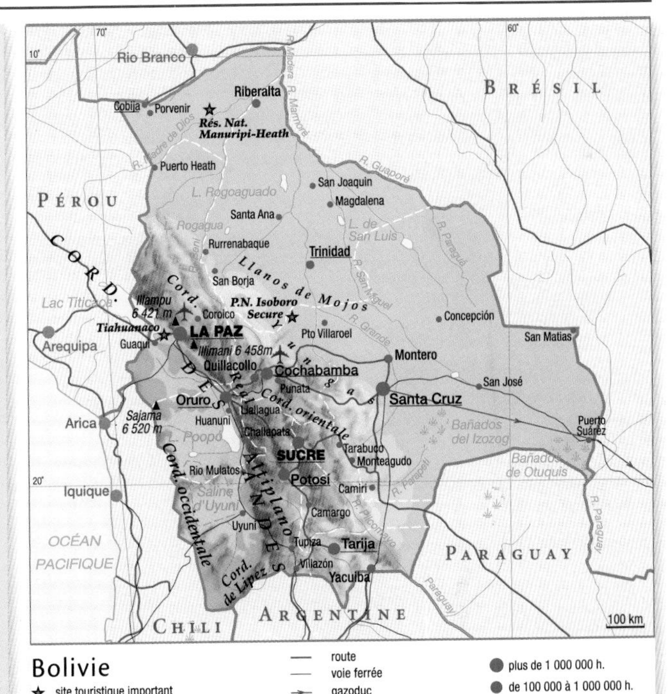

DÉMOGRAPHIE

- **Densité :** 10 hab./km²
- **Part de la population urbaine (2013) :** 67 %
- **Structure de la population par âge (2013) :** moins de 15 ans : 35 %, 15-65 ans : 60 %, plus de 65 ans : 5 %
- **Taux de natalité (2013) :** 26 ‰
- **Taux de mortalité (2013) :** 7 ‰
- **Taux de mortalité infantile (2013) :** 40 ‰
- **Espérance de vie (2013) :** hommes : 65 ans, femmes : 69 ans

La Bolivie est le plus indien des pays de la cordillère des Andes (les Quechua représentent 25 % de la population totale, avant les Aymara). À l'ouest, l'Altiplano concentre la majeure partie de la population et les principales villes, dont La Paz, Cochabamba (500 000 hab.) et Sucre (306 000 hab.), alors que Santa Cruz, à l'est des Andes, est aussi peuplée que La Paz. L'indice de fécondité (3,2 enfants par femme) reste élevé et plus du tiers de la population a moins de 15 ans.

ÉCONOMIE

- **PNB (2012) :** 25 milliards de dollars
- **PNB/hab. (2012) :** 2 220 dollars
- **PNB/hab. PPA (2012) :** 4 880 dollars internationaux
- **IDH (2012) :** 0,675
- **Taux de croissance annuelle du PIB (2012) :** 5,2 %
- **Taux annuel d'inflation (2012) :** 4,6 %
- **Structure de la population active (2002) :** agriculture : 39,6 %, mines et industries : 18,8 %, services : 41,6 %
- **Structure du PIB (2012) :** agriculture : 13 %, mines et industries : 38,7 %, services : 48,3 %
- **Dette publique brute :** n.d.
- **Taux de chômage (2007) :** 5,2 %

La Bolivie a renoué avec une forte croissance depuis 2004 (6,7 % en 2013) et, de ce fait, le PIB a triplé en l'espace de huit ans (de 9 à 27 milliards de dollars). Le pétrole et surtout le gaz (4ᵉ producteur d'Amérique latine) y ont contribué, ce secteur (nationalisé) représentant environ la moitié des exportations. La production minière (zinc, étain, plomb, antimoine, argent) contribue pour près de 10 % au PIB, la ressource d'avenir encore non exploitée étant le lithium, qui attire investisseurs russes et chinois. Environ 45 % de la population vit en dessous du seuil de pauvreté, contre 60 % il y a dix ans. Le gouvernement a mis en place en 2012 un plan étalé sur trois ans dans le but de relancer l'économie et, surtout, de lutter contre l'économie informelle qui représente 50 % du PIB.

TOURISME

- **Recettes touristiques (2012) :** 499 millions de dollars

COMMERCE EXTÉRIEUR

- **Exportations de biens (2012) :** 11 110 millions de dollars
- **Importations de biens (2012) :** 10 233 millions de dollars

DÉFENSE

- **Forces armées (2011) :** 83 200 individus
- **Dépenses militaires (2012) :** 1,5 % du PIB

NIVEAU DE VIE

- **Nombre d'habitants pour un médecin :** n.d.
- **Apport journalier moyen en calories (2007) :** 2 064 (minimum FAO : 2 400)
- **Nombre d'automobiles pour 1 000 hab. (2007) :** 18
- **Téléphones portables (2012) :** 93 % de la population équipée

REPÈRES HISTORIQUES

1535 - 1538 : les conquérants espagnols, sous la conduite de Pizarro, s'établissent dans la région du Haut-Pérou, incorporée à l'État inca depuis 1438.
1544 : la découverte des mines d'argent du Potosí fait de la région la plus riche province de l'Empire espagnol.
1824 - 1825 : après la victoire d'Ayacucho, remportée par Sucre sur les partisans de l'Espagne, l'indépendance de la Bolivie est proclamée.
1836 - 1839 : le Pérou et la Bolivie constituent une confédération.
1879 - 1883 : guerre du Pacifique. La Bolivie perd, au profit du Chili, tout accès à la mer.
1932 - 1935 : vaincue lors de la guerre meurtrière du Chaco, la Bolivie doit céder cette région au Paraguay.
1952 : le Mouvement nationaliste révolutionnaire (MNR) parvient au pouvoir par une révolution, nationalise les mines et entreprend une réforme agraire.
1964 - 1982 : les coups d'État militaires et les régimes d'exception se succèdent jusqu'à l'élection d'un nouveau président.

BRÉSIL

En dehors de l'immense cuvette amazonienne, le Brésil est surtout un pays de plateaux, relevés en serras qui retombent directement sur l'Atlantique ou limitent un liseré de plaines côtières. Le climat, équatorial dans l'Amazonie, constamment chaude et humide, recouverte par la forêt dense permanente, devient plus sec vers le sud. Commence alors le domaine des campos, savanes parfois parsemées d'arbres, et de la steppe, notamment dans l'intérieur du Nordeste.

Superficie : 8 547 403 km²
Population (2013) : 195 500 000 hab.
Capitale : Brasilia 2 469 489 hab. (r. 2010), 3 813 010 hab. (e. 2011) dans l'agglomération
Nature de l'État et du régime politique : république à régime présidentiel
Chef de l'État et du gouvernement : (président de la République) Dilma Rousseff
Organisation administrative : 26 États et 1 district fédéral
Langue officielle : portugais
Monnaie : real brésilien

DÉMOGRAPHIE

- **Densité :** 23 hab./km²
- **Part de la population urbaine (2013) :** 85 %
- **Structure de la population par âge (2013) :** moins de 15 ans : 25 %, 15-65 ans : 68 %, plus de 65 ans : 7 %
- **Taux de natalité (2013) :** 15 ‰
- **Taux de mortalité (2013) :** 6 ‰
- **Taux de mortalité infantile (2013) :** 21 ‰
- **Espérance de vie (2013) :** hommes : 71 ans, femmes : 78 ans

Le Brésil occupe la moitié de la superficie et regroupe une part égale de la population de l'Amérique du Sud. La population brésilienne, dont la croissance s'est ralentie (0,9 % par an), est très composite, mêlant Blancs, Noirs, Indiens, Asiatiques, le plus souvent métissés. Elle se concentre pour 85 % dans les villes, dont une quinzaine dépassent le million d'habitants. Derrière les grandes métropoles de Sao Paulo et de Rio de Janeiro viennent Belo Horizonte, Salvador, Fortaleza et Recife sur le littoral du Nordeste, Porto Alegre et Curitiba dans le Sud. Les ruraux affluent dans les grandes villes alors que sévit le sous-emploi et que les bidonvilles (favelas) se sont multipliés aux périphéries. La population est plus dense sur le littoral. L'intérieur (au nord-ouest, Amazonie forestière, chaude et humide ; plus à l'est et au sud, plateaux souvent arides et aux sols médiocres) est souvent vide, hors des sites miniers et des fronts de colonisation des routes transamazoniennes.

ÉCONOMIE

- **PNB (2012) :** 2 217 milliards de dollars
- **PNB/hab. (2012) :** 11 630 dollars
- **PNB/hab. PPA (2012) :** 11 530 dollars internationaux
- **IDH (2012) :** 0,73
- **Taux de croissance annuelle du PIB (2012) :** 0,9 %
- **Taux annuel d'inflation (2012) :** 5,4 %
- **Structure de la population active (2011) :** agriculture : 15,3 %, mines et industries : 21,9 %, services : 62,8 %
- **Structure du PIB (2012) :** agriculture : 5,2 %, mines et industries : 26,3 %, services : 68,5 %
- **Dette publique brute (2011) :** 53 % du PIB
- **Taux de chômage (2011) :** 7,5 %

Puissance économique émergente majeure, le Brésil, après vingt ans de croissance ininterrompue, est en proie à des difficultés structurelles liées à la vétusté de ses infrastructures, à un système fiscal très contraignant, à un coût de la vie très élevé, à une administration sclérosée et à une corruption chronique. Son économie a atteint une croissance de 7,5 % en 2010 (contre 0 % en 2009) mais, avec la crise monétaire de l'Union européenne et le ralentissement de la croissance mondiale, elle est retombée à 0,9 % en 2012. Ses exportations (plus de 37 % de celles de l'ensemble de l'Amérique du Sud et 70 % de celles du Mercosur) ne représentent toutefois encore que 12 % de son PIB (contre 24 % pour l'Argentine), ses principaux partenaires étant l'Argentine, le Paraguay, l'Uruguay, la Chine, les États-Unis, l'UE et le Japon. Les services (dont le tourisme) sont devenus prépondérants (68 % du PIB), mais l'industrie brésilienne, très diversifiée (textile, aéronautique, pharmacie, automobile, sidérurgie, chimie), est aussi en expansion (émergence de multinationales) tandis que l'agriculture est dominée par les grandes cultures exportatrices – soja, maïs (OGM notamment), café (1er producteur mondial), canne à sucre (1er producteur mondial), oranges (jus) – ainsi que par la production de biocarburants. Les produits miniers (minerai de fer, nickel, bauxite, tantale, cuivre, aluminium, manganèse) et les combustibles (pétrole et gaz avec l'entreprise Petrobras) représentent environ 20 % des exportations. Si une classe moyenne s'est fortement développée ces dernières années et si la pauvreté a diminué (programme « Bolsa Familia »), le pays reste cependant marqué par de fortes inégalités de revenus. Il pâtit de la faiblesse de ses infrastructures qui devraient toutefois bénéficier de 15 milliards d'euros d'investissements à l'occasion de l'organisation de la Coupe du monde de football en 2014 et des jeux Olympiques en 2016.

TOURISME

- **Recettes touristiques (2012) :** 6 830 millions de dollars

COMMERCE EXTÉRIEUR

- **Exportations de biens (2012) :** 242 580 millions de dollars
- **Importations de biens (2012) :** 315 071 millions de dollars

DÉFENSE

- **Forces armées (2011) :** 713 480 individus
- **Dépenses militaires (2012) :** 1,5 % du PIB

NIVEAU DE VIE

- **Nombre d'habitants pour un médecin (2011) :** 567
- **Apport journalier moyen en calories (2007) :** 3 113 (minimum FAO : 2 400)
- **Nombre d'automobiles pour 1 000 hab. (2010) :** 178
- **Téléphones portables (2012) :** 100 % de la population équipée

REPÈRES HISTORIQUES

La période coloniale

1500 : Pedro Álvares Cabral découvre le Brésil, qui devient possession portugaise.

1532 - 1560 : les tentatives françaises d'installation se terminent par la victoire des Portugais.

1624 - 1654 : attirés par la richesse sucrière du pays, les Hollandais occupent les côtes brésiliennes, avant d'être rejetés à la mer.

1720 - 1770 : la recherche de l'or provoque la création du Brésil intérieur, domaine des métis, qui laissent la côte aux Blancs. Les grandes plantations se développent (culture du coton, du cacao et du tabac) et assurent le renouveau économique du pays.

1775 : l'esclavage indien est aboli, l'appel de la main-d'œuvre noire est accru.

1808 - 1821 : la famille royale portugaise, en fuite devant les armées napoléoniennes, s'installe à Rio de Janeiro.

1815 : Jean VI élève le Brésil au rang de royaume.

L'Empire brésilien

1822 - 1889 : sous Pierre Ier (1822 - 1831) et Pierre II (1831 - 1889), le Brésil, empire indépendant, connaît un considérable essor démographique (immigration) et économique (café, voies ferrées) ; ses frontières sont rectifiées après la guerre contre le Paraguay. L'abolition de l'esclavage noir mécontente l'aristocratie foncière (1888).

La république des « coronels » et l'ère Vargas

1889 : Pierre II est renversé par l'armée, et une république fédéraliste est proclamée. La réalité du pouvoir appartient cependant aux oligarchies qui possèdent la terre et les hommes. La culture du café reste prépondérante, assurant la prospérité, mais la production du blé et du caoutchouc se développe.

1917 : le Brésil déclare la guerre à l'Allemagne.

1930 : la crise économique entraîne la chute du régime. Getúlio Vargas accède au pouvoir ; élu président en 1934, il instaure en 1937 un régime dictatorial.

1942 : la participation du Brésil à la Seconde Guerre mondiale aux côtés des Alliés stimule l'essor économique du pays.

1945 : Vargas est déposé par les militaires.

1950 : Vargas est réélu président. Mais l'opposition, liée aux intérêts étrangers, l'accule au suicide (1954).

Le Brésil contemporain

1956 - 1964 : des gouvernements réformistes se succèdent, en butte à l'emprise des sociétés multinationales.

1960 : Brasilia devient la capitale du Brésil.

1964 - 1985 : à la suite d'un coup d'État militaire, les généraux accèdent au pouvoir. L'économie est largement subordonnée à la domination nord-américaine.

Depuis 1985 : les civils reviennent au pouvoir. Après avoir surmonté une grave crise économique et financière, le Brésil devient, à partir des années 2000, un des fleurons du Sud émergent.

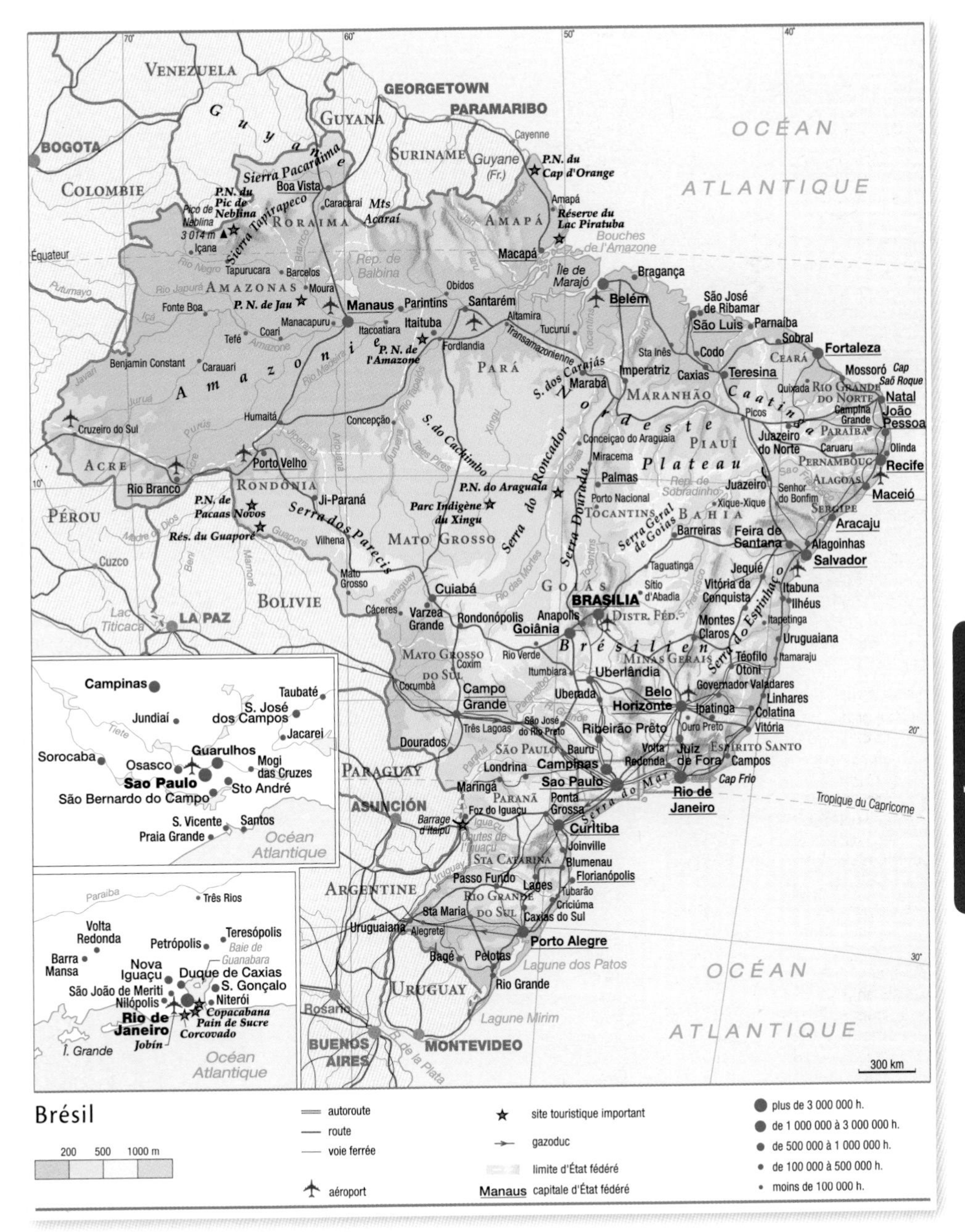

CANADA

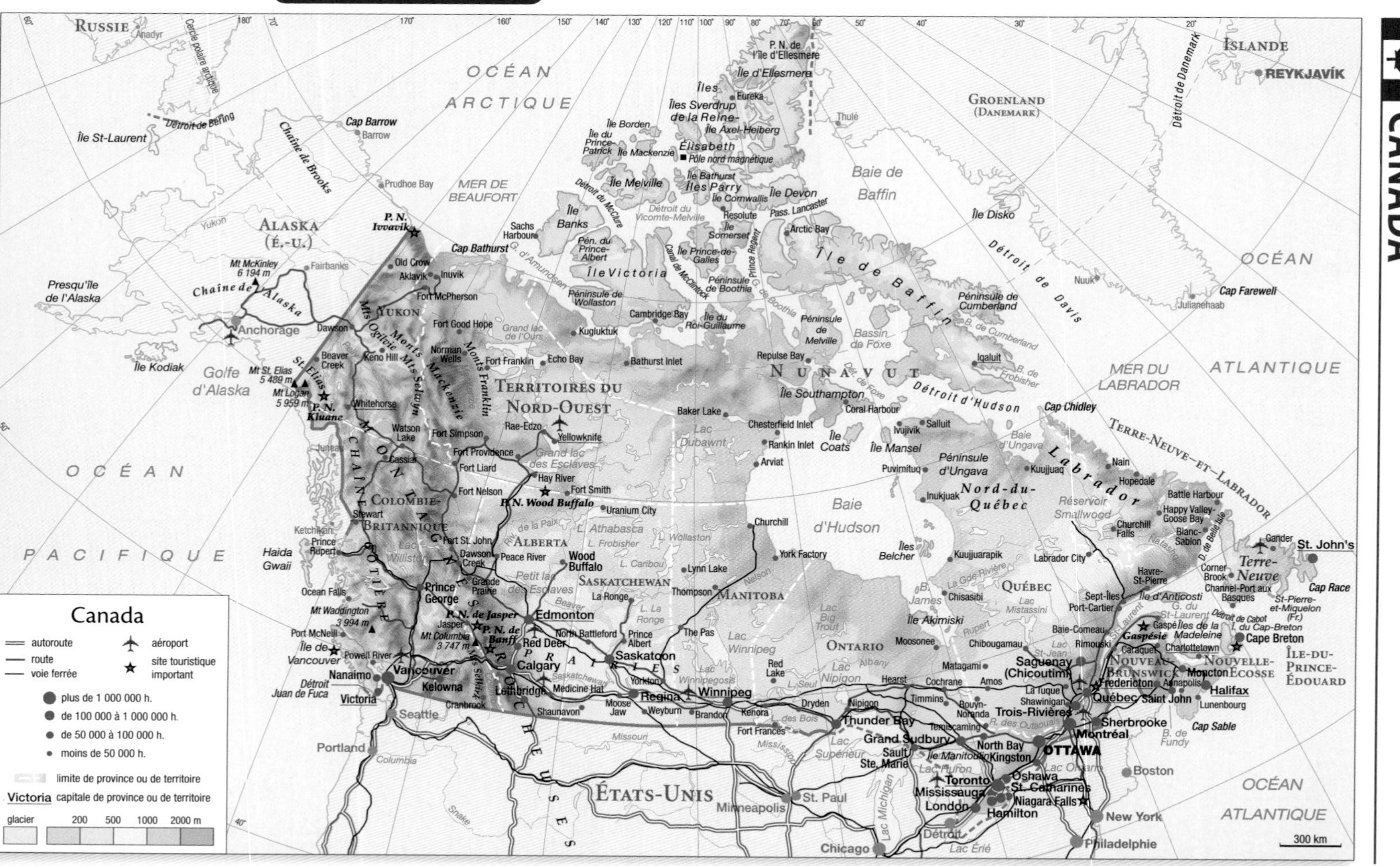
Canada
autoroute
route
voie ferrée
aéroport
site touristique important
plus de 1 000 000 h.
de 100 000 à 1 000 000 h.
de 50 000 à 100 000 h.
moins de 50 000 h.
limite de province ou de territoire
Victoria capitale de province ou de territoire
glacier
200
500
1000
2000 m
300 km
RUSSIE
OCÉAN ARCTIQUE
OCÉAN ATLANTIQUE
OCÉAN PACIFIQUE
MER DE BEAUFORT
MER DU LABRADOR
Baie de Baffin
Baie d'Hudson
Détroit de Davis
Détroit d'Hudson
Détroit de Béring
Golfe d'Alaska
GROENLAND (DANEMARK)
ISLANDE
REYKJAVÍK
ALASKA (É.-U.)
ÉTATS-UNIS
YUKON
TERRITOIRES DU NORD-OUEST
NUNAVUT
COLOMBIE-BRITANNIQUE
ALBERTA
SASKATCHEWAN
MANITOBA
ONTARIO
QUÉBEC
TERRE-NEUVE-ET-LABRADOR
NOUVEAU-BRUNSWICK
NOUVELLE-ÉCOSSE
ÎLE-DU-PRINCE-ÉDOUARD
Île de Baffin
Île Victoria
Île d'Ellesmere
Île Devon
Île Banks
Île Melville
Île Southampton
Île Kodiak
Île St-Laurent
Labrador
Nord-du-Québec
Terre-Neuve
Chaîne Côtière
Montagnes Rocheuses
Monts Mackenzie
Monts Franklin
Mts Selwyn
Chaîne de Brooks
Chaîne de l'Alaska
Mt McKinley 6 194 m
Mt Logan 5 959 m
Mt St. Elias 5 489 m
Mt Waddington 3 994 m
Mt Columbia 3 747 m
P. N. Kluane
P. N. Ivvavik
P. N. Wood Buffalo
P. N. de Jasper
P. N. de Banff
OTTAWA
Toronto
Montréal
Québec
Vancouver
Victoria
Calgary
Edmonton
Winnipeg
Regina
Saskatoon
Halifax
St. John's
Whitehorse
Yellowknife
Iqaluit
Hamilton
London
Kingston
Sherbrooke
Trois-Rivières
Saguenay (Chicoutimi)
Thunder Bay
Grand Sudbury
Anchorage
Seattle
Portland
Chicago
Minneapolis
St. Paul
Boston
New York
Philadelphie
Détroit
Cap Farewell
Cap Race
Cap Chidley
Cap Barrow
Cap Bathurst
Cap Sable

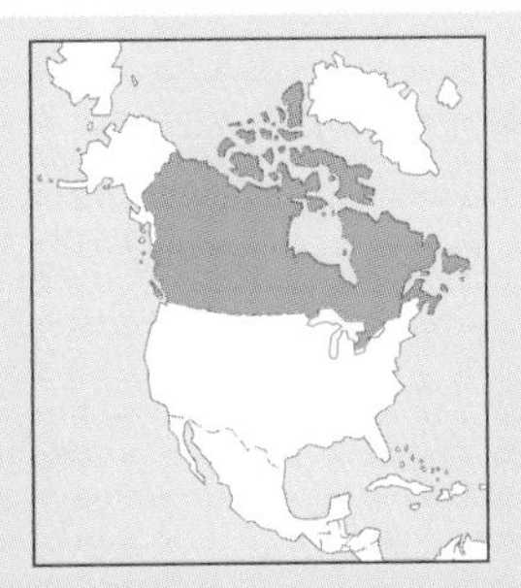

Pays le plus vaste du monde après la Russie, le Canada possède une population guère supérieure à la moitié de celle de la France. Le paysage de plateaux domine dans l'Est et le Centre. À l'ouest, les Rocheuses opposent une barrière aux influences pluvieuses et adoucissantes du Pacifique, mais surtout la latitude entraîne une rigueur croissante de l'hiver vers le nord. Les feuillus des basses terres laurentiennes cèdent rapidement la place aux conifères, auxquels succèdent la toundra et parfois, dans l'extrême nord du pays, insulaire, les glaces.

Superficie : 9 970 610 km²
Population (2013) : 35 300 000 hab.
Capitale : Ottawa 883 391 hab. (r. 2011), 1 236 324 hab. (r. 2011) dans l'agglomération
Nature de l'État et du régime politique : monarchie constitutionnelle à régime parlementaire
Chef de l'État : (reine) Élisabeth II, représentée par le gouverneur général David Johnston
Chef du gouvernement : (Premier ministre) Stephen Harper
Organisation administrative : 10 provinces et 3 territoires
Langues officielles : anglais et français
Monnaie : dollar canadien

DÉMOGRAPHIE

- **Densité :** 4 hab./km²
- **Part de la population urbaine (2013) :** 80 %
- **Structure de la population par âge (2013) :** moins de 15 ans : 16 %, 15-65 ans : 69 %, plus de 65 ans : 15 %
- **Taux de natalité (2013) :** 11 ‰
- **Taux de mortalité (2013) :** 7 ‰
- **Taux de mortalité infantile (2013) :** 4,9 ‰
- **Espérance de vie (2013) :** hommes : 79 ans, femmes : 83 ans

Au deuxième rang dans le monde pour la superficie, précédé par la Russie, le Canada se situe seulement autour de la trentième place pour la population. Ainsi, bien que plus vaste que les États-Unis (Alaska inclus), le Canada est neuf fois moins peuplé. Occupant environ 7 % des terres émergées, il compte moins de 0,5 % de la population mondiale. Cette opposition l'individualise : seule l'Australie peut lui être comparée. Le climat, de plus en plus rude vers le nord au-delà du 50e parallèle (sur le bouclier à l'est, dans les Rocheuses à l'ouest), explique cette faiblesse de la densité moyenne (3 hab. km²). La population se concentre sur 15 % du territoire, surtout dans la vallée du Saint-Laurent et sur le pourtour des lacs Huron et Ontario (provinces de l'Ontario et du Québec). Le peuplement est plus diffus ailleurs : rural dans la prairie centrale, limité à quelques villes dans les montagnes Rocheuses et sur le littoral pacifique. Cette population est urbanisée à 80 %, avec notamment trois agglomérations millionnaires (Toronto, Montréal et Vancouver). Son accroissement est plus lent en raison du ralentissement de l'immigration et surtout de la chute du taux de natalité. Héritage de l'histoire, cette population se caractérise par le dualisme anglophones (globalement largement majoritaires) / francophones (près de 30 % de la population totale, mais plus de 80 % au Québec).

ÉCONOMIE

- **PNB (2012) :** 1 821 milliards de dollars
- **PNB/hab. (2012) :** 50 970 dollars
- **PNB/hab. PPA (2012) :** 42 530 dollars internationaux
- **IDH (2012) :** 0,911
- **Taux de croissance annuelle du PIB (2012) :** 1,7 %
- **Taux annuel d'inflation (2012) :** 1,5 %
- **Structure de la population active (2010) :** agriculture : 2,4 %, mines et industries : 21,5 %, services : 76,1 %
- **Structure du PIB (2008) :** agriculture : 2 %, mines et industries : 32 %, services : 66 %
- **Dette publique brute (2011) :** 53 % du PIB
- **Taux de chômage (2012) :** 7,2 %

L'économie canadienne a renoué avec un taux de croissance positif en 2010 (3,2 %) et en 2011 ((2,5 %), tirée par la demande intérieure, les investissements et les exportations (+ 14,6 %). Mais l'absence de la reprise annoncée aux États-Unis et la mauvaise conjoncture économique internationale ont fait chuter le taux de croissance à 1,6 % en 2013. Ces exportations représentent plus de 35 % du PIB et s'effectuent pour l'essentiel à destination des États-Unis (75 %), qui sont également son premier fournisseur (plus de 50 % des importations). Outre ses produits manufacturés, agricoles (colza, blé, soja) et agroalimentaires, le Canada exporte des combustibles (pétrole et gaz, 25 % de ses exportations) et de nombreuses ressources minières : le pays fait partie des cinq premiers producteurs mondiaux de potasse (1er rang), uranium (2e rang), aluminium, cobalt, nickel, diamants, zinc et métaux du groupe platine. Son économie repose largement sur les services (télécommunications, informatique, Internet, tourisme), l'industrie canadienne (un tiers du PIB) s'illustrant notamment dans les secteurs à haute technologie comme l'aéronautique (Bombardier) et l'aérospatiale ou les biotechnologies. La stabilité de l'économie permet au pays de pouvoir envisager une progression du PIB pour les années à venir, associée à une importante réforme de l'État et à l'assainissement des finances publiques.

TOURISME

- **Recettes touristiques (2012) :** 19 901 millions de dollars

COMMERCE EXTÉRIEUR

- **Exportations de biens (2012) :** 462 883 millions de dollars
- **Importations de biens (2011) :** 562 358 millions de dollars

DÉFENSE

- **Forces armées (2011) :** 65 700 individus
- **Dépenses militaires (2012) :** 1,2 % du PIB

NIVEAU DE VIE

- **Nombre d'habitants pour un médecin (2011) :** 483
- **Apport journalier moyen en calories (2007) :** 3 532 (minimum FAO : 2 400)
- **Nombre d'automobiles pour 1 000 hab. (2010) :** 420
- **Téléphones portables (2012) :** 76 % de la population équipée

REPÈRES HISTORIQUES

La Nouvelle-France

Le premier peuplement du Canada est constitué par des tribus amérindiennes.

1534 : Jacques Cartier prend possession du Canada au nom du roi de France.

1535 - 1536 : il remonte le Saint-Laurent.

1604 - 1605 : S. de Champlain entreprend la colonisation de l'Acadie (création de Port-Royal).

1608 : il fonde Québec.

1627 : Richelieu crée la Compagnie des Cent-Associés, chargée de coloniser le pays. Mais l'immigration est faible, et les Français et leurs alliés indiens doivent faire face aux incursions des Iroquois.

1663 - 1664 : Louis XIV réintègre le Canada dans le domaine royal et le dote d'une nouvelle administration.

1665 - 1672 : sous l'impulsion de l'intendant Jean Talon, la Nouvelle-France connaît un brillant essor et la colonisation se développe le long du Saint-Laurent.

1672 : les Anglais, établis sur la côte atlantique, se sentent menacés. Ils combattent les Français.

1713 : au traité d'Utrecht, les Français perdent la baie d'Hudson, l'Acadie et l'essentiel de Terre-Neuve.

1756 - 1763 (guerre de Sept Ans) : les Anglais s'emparent de Québec après la défaite de Montcalm aux plaines d'Abraham (1759) et prennent Montréal (1760).

1763 : par le traité de Paris, la France cède tout le Canada à la Grande-Bretagne.

Le Canada britannique

1783 : la signature du traité de Versailles, reconnaissant l'indépendance des États-Unis, provoque l'arrivée massive de loyalistes américains.

1812 - 1814 : guerre avec les États-Unis : les troupes de ces derniers sont repoussées.

1820 - 1836 : les parlementaires s'affirment, avec, dans le Haut-Canada, William Lyon Mackenzie et, dans le Bas-Canada, Louis Joseph Papineau. Ils exigent un vrai régime parlementaire contrôlant le budget et votant les lois.

1837 : le refus de Londres provoque une rébellion dans les deux colonies.

1840 : la révolte écrasée, le gouvernement britannique réunit les deux Canada sous un même Parlement et impose l'anglais comme langue unique.

1848 : le français est restauré au rang de langue officielle.

La Confédération canadienne

1867 : l'Acte de l'Amérique du Nord britannique crée le dominion du Canada, qui regroupe l'Ontario (anciennement Haut-Canada), le Québec (anciennement Bas-Canada), la Nouvelle-Écosse et le Nouveau-Brunswick.

1870 : après la révolte des métis conduite par Louis Riel, la Confédération crée la province du Manitoba, tandis que la Colombie-Britannique (1871) et l'Île-du-Prince-Édouard (1873) se joignent à elle.

1905 : les provinces de la Saskatchewan et de l'Alberta sont instituées.

1896 - 1911 : le Premier ministre Wilfrid Laurier resserre les liens commerciaux avec la Grande-Bretagne tout en renforçant l'autonomie du dominion.

1914 - 1918 : le Canada accède au rang de puissance internationale par sa participation à la Première Guerre mondiale aux côtés des Alliés.

1921 - 1948 : William Lyon Mackenzie King, chef du Parti libéral, préside presque sans interruption aux destinées du pays.

1926 : la Conférence impériale reconnaît l'indépendance du Canada au sein du Commonwealth, sanctionnée par le Statut de Westminster (1931).

1940 - 1945 : le Canada déclare la guerre à l'Allemagne et développe une puissante industrie de guerre.

1949 : l'île de Terre-Neuve devient une province canadienne.

1948 - 1984 : sous la direction des libéraux, le Canada pratique une politique de rapprochement de plus en plus étroit avec les États-Unis. Mais la Confédération doit constamment faire face aux revendications autonomistes de la province francophone de Québec, qui trouvent leur aboutissement dans un référendum sur l'indépendance du Québec (1980).

1982 : dans la foulée de l'échec des indépendantistes, le Premier ministre Pierre Elliott Trudeau obtient le rapatriement de la Constitution canadienne, qui pourra être modifiée sans l'autorisation du Parlement britannique. Les autochtones obtiennent d'importantes garanties, tandis que les revendications québécoises sont ignorées. Le Québec refuse d'adhérer à la loi constitutionnelle de 1982.

1984 : le conservateur Brian Mulroney accède au pouvoir.

1988 : il est reconduit à la tête du gouvernement après la victoire des conservateurs aux élections qui consacrent l'accord de libre-échange avec les États-Unis.

1989 : le Canada adhère à l'OEA.

1990 : l'échec du projet d'accord constitutionnel (dit « du lac Meech »), destiné à satisfaire les demandes minimales du Québec, ouvre une crise politique sans précédent, aggravée par des revendications territoriales amérindiennes.

1992 : un nouveau projet de réforme constitutionnelle (Charlottetown) comportant, entre autres, un nouveau statut pour les autochtones est rejeté par référendum.

1993 : lors des élections générales, le Bloc québécois, parti indépendantiste, arrive en deuxième position ; il constitue désormais l'opposition officielle.

1994 : l'accord de libre-échange (ALENA), négocié en 1992 avec les États-Unis et le Mexique, entre en vigueur.

1995 : le référendum sur la souveraineté du Québec, qui voit les partisans du maintien de la province dans l'ensemble canadien l'emporter d'extrême justesse sur les indépendantistes, ébranle fortement la Confédération.

1999 : les Territoires du Nord-Ouest voient leur partie orientale se détacher et former le Nunavut, peuplé majoritairement d'Inuits.

2006 : aux libéraux Jean Chrétien (1993 - 2003) puis Paul Martin (2003 - 2006) succède le conservateur Stephen Harper à la tête du pays.

les Provinces

Provinces et Territoires	superficie (en km²)	nombre d'habitants*	capitale
Alberta	661 000	3 645 257	Edmonton
Colombie-Britannique	950 000	4 400 057	Victoria
Île-du-Prince-Édouard	5 657	140 204	Charlottetown
Manitoba	600 000	1 208 268	Winnipeg
Nouveau-Brunswick	73 437	751 171	Fredericton
Nouvelle-Écosse	55 490	921 727	Halifax
Nunavut *	1 900 000	31 906	Iqaluit
Ontario	1 068 582	12 851 821	Toronto
Québec	1 540 680	7 903 001	Québec
Saskatchewan	652 000	1 033 381	Regina
Terre-Neuve–et–Labrador	406 000	514 536	Saint John's
Territoires du Nord-Ouest*	1 480 000	41 462	Yellowknife
Yukon *	482 515	33 897	Whitehorse

* recensement de 2011.

CHILI

Étiré sur plus de 4 000 km du nord au sud, large seulement de 100 à 200 km en moyenne, le Chili est formé d'une dépression centrale discontinue, entre les Andes proprement dites, à l'est, et une chaîne côtière, à l'ouest. L'extension en latitude explique en partie la succession des climats et des paysages végétaux : désert de l'Atacama au nord ; climat méditerranéen de la région de Santiago, océanique vers Osorno, froid et humide plus au sud, où la forêt disparaît progressivement.

Superficie : 756 626 km²
Population (2013) : 17 600 000 hab.
Capitale : Santiago 4 658 687 hab. (r. 2002), 6 034 480 hab. (e. 2011) dans l'agglomération
Nature de l'État et du régime politique : république à régime présidentiel
Chef de l'État et du gouvernement : (président de la République) Sebastián Piñera Echenique
Organisation administrative : 13 régions
Langue officielle : espagnol
Monnaie : peso chilien

DÉMOGRAPHIE

- **Densité :** 23 hab./km²
- **Part de la population urbaine (2013) :** 87 %
- **Structure de la population par âge (2013) :** moins de 15 ans : 22 %, 15-65 ans : 68 %, plus de 65 ans : 10 %
- **Taux de natalité (2013) :** 15 ‰
- **Taux de mortalité (2013) :** 6 ‰
- **Taux de mortalité infantile (2013) :** 7,4 ‰
- **Espérance de vie (2013) :** hommes : 76 ans, femmes : 82 ans

Le Chili, le plus long pays du monde, demeure sous-peuplé, avec une densité moyenne faible. L'essentiel de la population – 80 % – se concentre sur les 1 000 km de vallées côtières situées entre les 30ᵉ et 40ᵉ parallèles, de Coquimbo à Valdivia, les conurbations constituées par Santiago (environ le tiers des habitants), Valparaíso-Viña del Mar et Concepción-Talcahuano regroupant, à elles seules, la majorité de la population. En dehors d'Antofagasta, le Nord, d'Arica à Copiapó, est désertique : c'est l'Atacama. Bien que la population soit encore jeune (22 % des habitants ont moins de 15 ans), les indicateurs démographiques font du Chili un pays qui a quasiment terminé sa transition démographique et où la population ne s'accroît plus que très lentement.

ÉCONOMIE

- **PNB (2012) :** 257 milliards de dollars
- **PNB/hab. (2012) :** 14 310 dollars
- **PNB/hab. PPA (2012) :** 21 310 dollars internationaux
- **IDH (2012) :** 0,819
- **Taux de croissance annuelle du PIB (2012) :** 5,6 %
- **Taux annuel d'inflation (2012) :** 3 %
- **Structure de la population active (2011) :** agriculture : 10,2 %, mines et industries : 23,4 %, services : 66,4 %
- **Structure du PIB (2012) :** agriculture : 3,6 %, mines et industries : 35,5 %, services : 60,9 %
- **Dette publique brute (2009) :** 6,1 % du PIB
- **Taux de chômage (2012) :** 6,4 %

Après avoir subi la crise de 2008 puis le séisme de février 2010, le Chili a renoué avec une forte croissance depuis 2011, en baisse en 2013 (environ 4 %) en raison du ralentissement économique de la Chine et de la baisse du coût du cuivre sur les marchés. Les exportations représentent environ 40 % du PIB et ont pour première destination la Chine, suivie de l'UE et des États-Unis (principal investisseur). L'industrie (chimie, bois, agroalimentaire) et l'exploitation minière, notamment le cuivre (1er producteur mondial) qui tient une place prépondérante dans l'économie (50 % des exportations), sont les principaux secteurs d'activité du pays. L'agriculture (vin, fruits, notamment) fournit plus de 27 % des exportations bien que son poids soit réduit dans une économie de services où les technologies de l'information sont fortement encouragées. Le secteur touristique est en plein essor avec une augmentation du nombre annuel de visiteurs étrangers d'environ 11 %. La solidité financière du pays rassure les investisseurs étrangers, attirés par un fort potentiel de croissance soutenue par un milieu des affaires stable et sain. L'économie reste marquée par de fortes inégalités de revenus et une pauvreté qui touche encore autour de 14 % de la population alors que le chômage dépasse tout juste les 6 % de la population active.

TOURISME

- **Recettes touristiques (2012) :** 2 706 millions de dollars

COMMERCE EXTÉRIEUR

- **Exportations de biens (2012) :** 78 277 millions de dollars
- **Importations de biens (2012) :** 90 807 millions de dollars

DÉFENSE

- **Forces armées (2011) :** 103 750 individus
- **Dépenses militaires (2012) :** 2 % du PIB

NIVEAU DE VIE

- **Nombre d'habitants pour un médecin (2011) :** 975
- **Apport journalier moyen en calories (2007) :** 2 920 (minimum FAO : 2 400)
- **Nombre d'automobiles pour 1 000 hab. (2011) :** 127
- **Téléphones portables (2012) :** 100 % de la population équipée

REPÈRES HISTORIQUES

La période coloniale

Le Chili précolombien est peuplé de groupes ethniques qui résistent à la conquête inca, puis, pendant trois siècles, à la conquête espagnole.

1541 : Pedro de Valdivia fonde Santiago.

1553 : il est vaincu et tué par les Araucans.

1778 : le Chili, qui dépendait jusqu'alors de la vice-royauté du Pérou, devient capitainerie générale.

L'indépendance et le XIXe siècle

1810 : une junte patriotique se forme à Santiago.

1814 : les insurgés chiliens, commandés par Bernardo O'Higgins et José Miguel Carrera, sont vaincus par les Espagnols à Rancagua.

1817 : San Martín bat les Espagnols à Chacabuco ; O'Higgins reçoit le titre de directeur suprême du Chili.

1818 : la victoire de Maipú libère définitivement le pays. La république est instaurée.

1823 - 1831 : une période d'anarchie succède à la dictature de O'Higgins.

1831 - 1871 : les conservateurs sont au pouvoir et promulguent une Constitution (1833).

1871 - 1891 : une coalition de libéraux et de radicaux dirige le pays et engage la guerre du Pacifique (1879 - 1884) contre le Pérou et la Bolivie ; vainqueur, le Chili s'empare de toute la façade maritime de la Bolivie et des provinces de Tarapacá, Tacna et Arica, appartenant au Pérou.

Le XXe siècle

1891 - 1925 : la guerre civile de 1891 aboutit au triomphe du régime parlementaire sur le régime présidentiel. Pendant la Première Guerre mondiale, le Chili connaît une période de prospérité due à l'exploitation de ses richesses minières (cuivre, nitrates).

1925 : l'armée rétablit le régime présidentiel.

1938 - 1952 : l'entrée dans la vie politique des classes moyennes amène au pouvoir des gouvernements de front populaire, puis de centre gauche.

1964 - 1970 : à la réaction oligarchique du conservateur Jorge Alessandri (1958 - 1964) succède le gouvernement du démocrate-chrétien Eduardo Frei.

1970 : le candidat de la gauche, Salvador Allende, remporte les élections présidentielles. Il entreprend la nationalisation des mines et des banques.

1973 : il est éliminé par une junte militaire. Le général Pinochet, « chef suprême de la nation », instaure un régime d'exception.

1980 : une nouvelle Constitution confirme le caractère autoritaire du régime, confronté à une contestation grandissante.

1988 : Pinochet organise un plébiscite visant à assurer la reconduction du régime en place. Le « non » l'emporte, mais Pinochet décide de rester à la tête de l'État jusqu'en 1990, terme légal de son mandat.

1998 : l'arrestation et la détention (jusqu'en 2000), à Londres, du général Pinochet relancent le débat intérieur sur les années 1970 - 1980.

2004 : l'État chilien reconnaît officiellement ses responsabilités dans les exactions commises lors de la dictature militaire.

COLOMBIE

Aux confins de l'Amérique centrale, largement ouverte sur la mer des Antilles et le Pacifique, avec plus de la moitié de sa superficie recouverte par la forêt amazonienne ou, surtout, par les savanes des Llanos, la Colombie demeure cependant d'abord un État andin.

Superficie : 1 138 914 km²
Population (2013) : 48 000 000 hab.
Capitale : Bogota 6 763 325 hab. (r. 2005), 8 743 500 hab. (e. 2011) dans l'agglomération
Nature de l'État et du régime politique : république à régime présidentiel
Chef de l'État et du gouvernement : (président de la République) Juan Manuel Santos Calderón
Organisation administrative : 32 départements et 1 district de la capitale
Langue officielle : espagnol
Monnaie : peso colombien

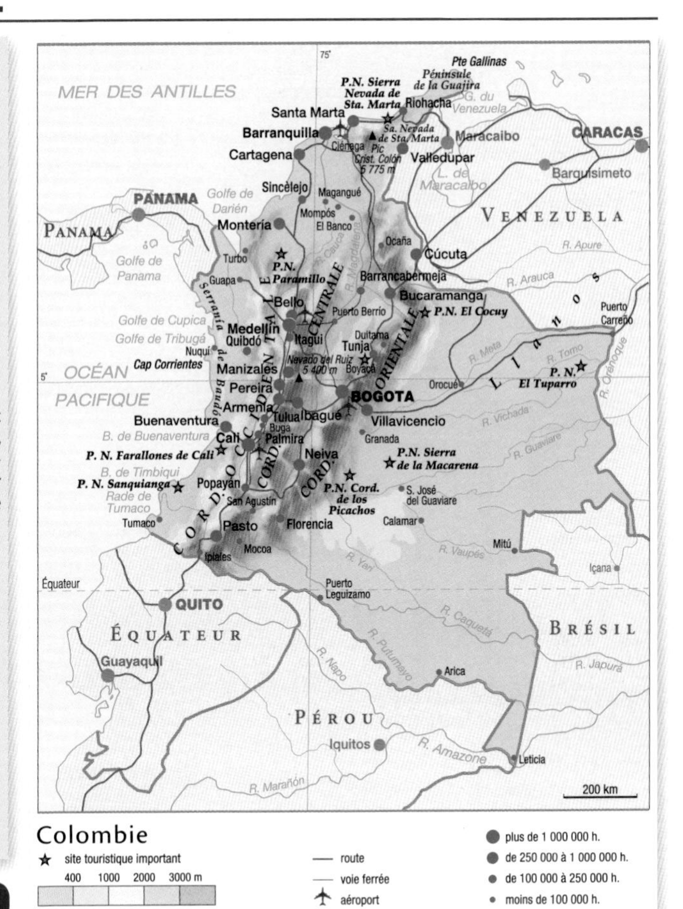

DÉMOGRAPHIE

- **Densité :** 42 hab./km²
- **Part de la population urbaine (2013) :** 76 %
- **Structure de la population par âge (2013) :** moins de 15 ans : 28 %, 15-65 ans : 66 %, plus de 65 ans : 6 %
- **Taux de natalité (2013) :** 19 ‰
- **Taux de mortalité (2013) :** 6 ‰
- **Taux de mortalité infantile (2013) :** 17 ‰
- **Espérance de vie (2013) :** hommes : 70 ans, femmes : 77 ans

La Colombie est le deuxième pays le plus peuplé d'Amérique du Sud, loin derrière le Brésil et juste devant l'Argentine. Les Andes, qui couvrent le quart de la superficie du pays, concentrent encore plus de la moitié de la population, malgré l'essor démographique du littoral caraïbe et du piémont oriental. La région possède les trois principales villes (Bogota, Medellín et Cali), qui regroupent plus du quart de la population. Le littoral pacifique et les régions orientales, dont les Llanos et la forêt amazonienne, sont beaucoup moins peuplés. Urbanisée pour environ les trois quarts et fortement métissée, la population connaît une croissance démographique encore notable, malgré une baisse du taux de natalité. Les moins de 15 ans représentent 28 % de la population totale.

ÉCONOMIE

- **PNB (2012) :** 354 milliards de dollars
- **PNB/hab. (2012) :** 7 020 dollars
- **PNB/hab. PPA (2012) :** 9 990 dollars internationaux
- **IDH (2012) :** 0,719
- **Taux de croissance annuelle du PIB (2012) :** 4,2 %
- **Taux annuel d'inflation (2012) :** 3,2 %
- **Structure de la population active (2012) :** agriculture : 16,9 %, mines et industries : 20,9 %, services : 62,2 %
- **Structure du PIB (2012) :** agriculture : 6,5 %, mines et industries : 37,5 %, services : 56 %
- **Dette publique brute (2011) :** 53 % du PIB
- **Taux de chômage (2012) :** 10,6 %

L'économie a rebondi fortement depuis 2010 et poursuit sa lancée en 2013 avec un taux de croissance de 4 % grâce aux secteurs minier et énergétique (hydrocarbures) qui attirent de plus en plus d'investisseurs étrangers. Engagé dans une politique de consolidation budgétaire et de désendettement progressif, le gouvernement veut aussi poursuivre l'insertion du pays dans les échanges internationaux. Comme avec les États-Unis, le pays a signé avec l'UE et la Corée du Sud un traité de libre-échange. Près de la moitié des exportations concernent les hydrocarbures et les produits miniers (pétrole, charbon, ferronickel notamment), devant les produits manufacturés (textile, chimie) et agricoles (café, bananes, fleurs). Les principaux partenaires commerciaux de ces échanges sont les États-Unis (environ 40 % des exportations et 30 % des importations), l'UE, le Venezuela et la Chine dont les besoins en matières premières ont augmenté la part des exportations de 50 %. L'agriculture, avec 75 % des terres cultivables appartenant à seulement 7 % des propriétaires, repose sur la production de café, canne à sucre, pomme de terre, banane plantain, manioc. Une réforme agraire devrait restituer 4 millions d'hectares à des centaines de milliers de paysans. En dépit d'une diminution depuis le début des années 2000, le taux de pauvreté national reste très élevé (37 %), aggravé par les déplacements de population dus à la violence politique et sociale (guérillas, corruption et trafic de drogue), mais le chômage, passé, en fin d'année 2011, en dessous de 10 %, est repassé en 2012 au-dessus de la barre fatidique des 10 %.

TOURISME

- **Recettes touristiques (2012) :** 3 083 millions de dollars

COMMERCE EXTÉRIEUR

- **Exportations de biens (2012) :** 61 356 millions de dollars
- **Importations de biens (2011) :** 66 573 millions de dollars

DÉFENSE

- **Forces armées (2011) :** 440 224 individus
- **Dépenses militaires (2012) :** 3,3 % du PIB

NIVEAU DE VIE

- **Nombre d'habitants pour un médecin (2011) :** 6 803
- **Apport journalier moyen en calories (2007) :** 2 685 (minimum FAO : 2 400)
- **Nombre d'automobiles pour 1 000 hab. (2010) :** 53
- **Téléphones portables (2012) :** 100 % de la population équipée

REPÈRES HISTORIQUES

La colonisation

1500 : les Espagnols entreprennent la conquête du pays, habité par les Indiens Muisca (Chibcha).

1538 : Gonzalo Jiménez de Quesada fonde Bogota.

1739 : la vice-royauté de Nouvelle-Grenade est créée. La colonie connaît une certaine prospérité grâce à l'exportation de produits miniers vers la métropole.

L'indépendance

1810 - 1815 : l'insurrection pour l'indépendance est réprimée par les Espagnols.

1817 - 1819 : Bolívar reprend la lutte et remporte la victoire de Boyacá (1819), ce qui lui permet, au congrès d'Angostura (décembre), de proclamer la république de Grande-Colombie (Venezuela et Nouvelle-Grenade), à laquelle il annexe l'Équateur en 1822.

1830 : à la mort de Bolívar, le Venezuela et l'Équateur font sécession.

Libéraux et conservateurs au pouvoir

1833 - 1849 : après la présidence autoritaire de Santander (1833 - 1837), les conservateurs, centralistes, exercent le pouvoir.

1849 - 1852 : les libéraux, fédéralistes et anticléricaux, accomplissent un certain nombre de réformes.

1861 - 1864 : sous la présidence de T.C. Mosquera, les biens du clergé sont confisqués et une Constitution fédérale est adoptée (1863).

1880 - 1888 : le président Núñez renoue avec l'Église (concordat de 1883) et dote le pays d'une Constitution unitaire (1886).

1899 - 1903 : la « guerre des Mille Jours » ravage le pays.

Le XXe siècle

1903 : la Colombie abandonne Panama, sous la pression des États-Unis.

1904 - 1930 : la stabilité politique accompagne l'expansion économique (café, pétrole).

1930 - 1948 : les libéraux reviennent au pouvoir et tentent une politique réformiste.

1948 - 1958 : l'assassinat du libéral Gaitán est suivi d'une guerre civile larvée.

1958 - 1970 : libéraux et conservateurs constituent un Front national et alternent au pouvoir, tandis qu'apparaissent des mouvements de guérilla (dont les Forces armées révolutionnaires de Colombie [FARC], d'inspiration castriste).

1978 : l'aggravation de la situation provoque l'adoption de lois d'exception.

1982 : malgré la promulgation d'une loi d'amnistie, le pouvoir doit faire face à la montée de la violence liée aux tensions politiques – prise d'otages par la guérilla ; exactions de groupes paramilitaires – et au trafic de drogue.

2012 : le pouvoir engage des négociations avec les FARC.

COSTA RICA

C'est un pays en partie forestier, montagneux au centre (foyer de peuplement) et formé de plaines en bordure de la mer des Antilles.

Superficie : 51 100 km²
Population (2013) : 4 700 000 hab.
Capitale : San José 309 672 hab. (r. 2000), 1 515 140 hab. (e. 2011) dans l'agglomération
Nature de l'État et du régime politique : république à régime présidentiel
Chef de l'État et du gouvernement : (présidente de la République) Laura Chinchilla Miranda
Organisation administrative : 7 provinces
Langue officielle : espagnol
Monnaie : colon costaricain

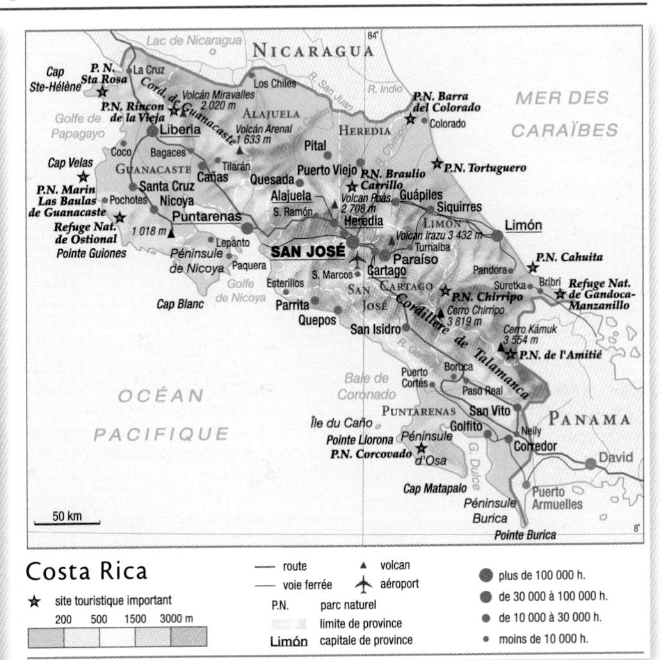

DÉMOGRAPHIE

- **Densité :** 92 hab./km²
- **Part de la population urbaine (2013) :** 73 %
- **Structure de la population par âge (2013) :** moins de 15 ans : 25 %, 15-65 ans : 68 %, plus de 65 ans : 7 %
- **Taux de natalité (2013) :** 16 ‰
- **Taux de mortalité (2013) :** 4 ‰
- **Taux de mortalité infantile (2013) :** 9,1 ‰
- **Espérance de vie (2013) :** hommes : 77 ans, femmes : 81 ans

Les habitants du Costa Rica sont dans leur grande majorité originaires d'Europe. Les hautes terres centrales autour de la capitale, la seule grande ville, sont le principal foyer de peuplement de ce pays dont la densité de population est l'une des plus faibles de l'Amérique centrale. Bien que les moins de 15 ans représentent encore le quart de la population totale, le taux de natalité a beaucoup baissé et le renouvellement des générations n'est plus assuré (1,9 enfant par femme).

ÉCONOMIE

- **PNB (2012) :** 44 milliards de dollars
- **PNB/hab. (2012) :** 8 820 dollars
- **PNB/hab. PPA (2012) :** 12 500 dollars internationaux
- **IDH (2012) :** 0,773
- **Taux de croissance annuelle du PIB (2012) :** 5,1 %
- **Taux annuel d'inflation (2012) :** 4,5 %
- **Structure de la population active (2012) :** agriculture : 13,6 %, mines et industries : 19,5 %, services : 66,9 %
- **Structure du PIB (2012) :** agriculture : 6,3 %, mines et industries : 25,1 %, services : 68,6 %
- **Dette publique brute :** n.d.
- **Taux de chômage (2012) :** 7,8 %

Le Costa Rica a une agriculture qui s'est diversifiée et permet des exportations (café, bananes, curcuma). Son environnement naturel, préservé et protégé (parcs nationaux), en fait une destination pour l'écotourisme, le tourisme en général représentant plus de 10 % du PIB. Son secteur industriel est important et fournit une large part des exportations (électronique, matériel médical, textile), vers les États-Unis notamment, premier partenaire commercial et, plus récemment, vers la Chine (+ 18 % entre 2012 et 2013). Les exportations ont cependant stagné pour les produits de haute technologie en raison de la baisse de la consommation aux États-Unis depuis 2011. Après la signature d'un accord de libre-échange avec la Chine et Singapour en 2010, le pays, qui souhaite poursuivre la diversification de ses échanges, a signé un nouvel accord de libre-échange avec l'Alliance du Pacifique en 2013. Environ 20 % de la population vit sous le seuil de pauvreté.

TOURISME

- **Recettes touristiques (2012) :** 2 374 millions de dollars

COMMERCE EXTÉRIEUR

- **Exportations de biens (2012) :** 5 314 millions de dollars
- **Importations de biens (2012) :** 18 836 millions de dollars

DÉFENSE

- **Forces armées (2011) :** 9 800 individus
- **Dépenses militaires (2007) :** 0,66 % du PIB

NIVEAU DE VIE

- **Nombre d'habitants pour un médecin :** n.d.
- **Apport journalier moyen en calories (2007) :** 2 840 (minimum FAO : 2 400)
- **Nombre d'automobiles pour 1 000 hab. (2011) :** 135
- **Téléphones portables (2012) :** 100 % de la population équipée

REPÈRES HISTORIQUES

1502 : le Costa Rica est découvert par Christophe Colomb.

1569 : il est rattaché à la capitainerie générale du Guatemala.

1822 - 1823 : sans insurrection, le pays accède à l'indépendance.

1824 - 1838 : il devient l'une des cinq républiques des Provinces-Unies de l'Amérique centrale, avant d'être un État souverain (1839).

1840 : l'expansion de la culture du café apporte la prospérité économique et permet une vie démocratique durable.

1871 : installation de l'United Fruit Company ; le pays passe sous la dépendance économique des États-Unis.

1949 - 1974 : la vie politique est dominée par la personnalité de José Figueres.

1987 et 1989 : des accords, visant à rétablir la paix en Amérique centrale, sont signés par le Costa Rica, le Guatemala, le Honduras, le Nicaragua et le Salvador.

CUBA

Située à moins de 250 km de la Floride, l'île de Cuba est la plus étendue des Antilles. C'est un pays de plaines et de plateaux calcaires, la montagne apparaissant au sud-est. La situation en latitude explique un climat tropical avec une température constante (voisine de 25 °C), des pluies relativement abondantes (1 200 mm), concentrées entre juin et décembre.

Superficie : **110 861 km²**
Population (2013) : **11 300 000 hab.**
Capitale : **La Havane 2 116 470 hab. (e. 2011) dans l'agglomération**
Nature de l'État et du régime politique : **république à régime socialiste**
Chef de l'État et du gouvernement : **(président du Conseil d'État) Raúl Castro Ruz**
Organisation administrative : **14 provinces et 1 municipalité spéciale**
Langue officielle : **espagnol**
Monnaies : **peso cubain et peso convertible**

DÉMOGRAPHIE

- **Densité :** 102 hab./km²
- **Part de la population urbaine (2013) :** 75 %
- **Structure de la population par âge (2013) :** moins de 15 ans : 17 %, 15-65 ans : 70 %, plus de 65 ans : 13 %
- **Taux de natalité (2013) :** 12 ‰
- **Taux de mortalité (2013) :** 8 ‰
- **Taux de mortalité infantile (2013) :** 4,9 ‰
- **Espérance de vie (2013) :** hommes : 76 ans, femmes : 80 ans

La population est issue d'un métissage très important entre descendants d'esclaves africains et Européens. Sa structure diffère de celle de la plupart des pays voisins des Antilles : le taux de croissance démographique est quasiment nul (0,4 %), situation qui s'explique par un taux de natalité très modéré (12 ‰) et un indice de fécondité (1,8 enfant par femme) en dessous du seuil de renouvellement des générations. De même, le poids de la jeunesse (17 % des habitants sont âgés de moins de 15 ans) est peu élevé pour un pays des Antilles. La population est majoritairement urbaine : La Havane concentre un peu moins d'un cinquième des Cubains. Plus d'un million de Cubains vivent aujourd'hui à l'étranger, principalement en Floride et sur la côte est des États-Unis.

ÉCONOMIE

- **PNB (2011) :** 67 milliards de dollars
- **PNB/hab. (2011) :** 5 890 dollars
- **PNB/hab. PPA :** n.d.
- **IDH (2012) :** 0,78
- **Taux de croissance annuelle du PIB (2011) :** 2,7 %
- **Taux annuel d'inflation :** n.d.
- **Structure de la population active (2011) :** agriculture : 19,7 %, mines et industries : 17,1 %, services : 63,2 %
- **Structure du PIB (2011) :** agriculture : 5 %, mines et industries : 20,5 %, services : 74,5 %
- **Dette publique brute :** n.d.
- **Taux de chômage (2010) :** 2,5 %

Après une forte croissance entre 2003 et 2008, grâce notamment au tourisme et aux exportations de nickel, Cuba a fortement souffert de la crise internationale et le taux de croissance atteint 2,7 % en 2013. La production agricole a été inférieure aux prévisions attendues, notamment dans la production sucrière (1,6 million de tonnes en 2013 contre 7 millions dans les années 1980). L'embargo commercial imposé par les États-Unis, mais assoupli, est en partie compensé par les échanges avec l'Amérique latine (Venezuela, Brésil, Mexique), ainsi qu'avec la Chine, 2ᵉ fournisseur après l'UE, dont l'Espagne. Le Venezuela fournit au pays du pétrole contre une coopération dans le secteur de la santé et, par ailleurs, finance des travaux importants, en particulier dans les infrastructures (aéroport, raffinerie). Outre le nickel, qui est aujourd'hui, grâce à la Chine, le premier produit destiné à l'exportation devant le sucre, l'île exporte surtout du tabac et des produits de la pêche, mais les secteurs de l'industrie pharmaceutique et des biotechnologies, en pleine expansion, ont dépassé la part des exportations des produits traditionnels. Depuis 2010 - 2011, le régime castriste révise les principes de son économie administrée et autorise les initiatives privées. Par ailleurs, l'exploration de pétrole offshore est décevante. L'inauguration du « méga-port » de Mariel (à 45 km de La Havane), en janvier 2014, mise sur l'extension du canal de Panama, prévue pour 2015, et sur la distribution de marchandises venues d'Asie à destination de l'Amérique du Nord, de l'Europe et de l'Afrique. Le passage d'un million de conteneurs par an est prévu. Une position stratégique au milieu des routes commerciales dans la région des Caraïbes, qui devrait attirer les investisseurs étrangers.

TOURISME

- **Recettes touristiques (2012) :** 2 503 millions de dollars

COMMERCE EXTÉRIEUR

- **Exportations de biens (2009) :** 3 109 millions de dollars

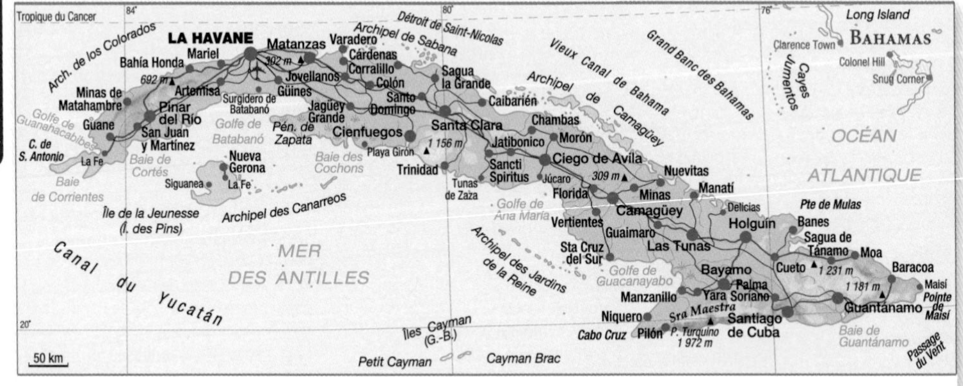

Cuba

200 500 1000 m

— route
— voie ferrée
aéroport
● plus de 1 000 000 h.
● de 100 000 à 1 000 000 h.
● de 10 000 à 100 000 h.
• moins de 10 000 h.

- **Importations de biens (2009) :** 9 622 millions de dollars

DÉFENSE

- **Forces armées (2011) :** 75 500 individus
- **Dépenses militaires (2010) :** 3,3 % du PIB

NIVEAU DE VIE

- **Nombre d'habitants pour un médecin (2011) :** 149
- **Apport journalier moyen en calories (2007) :** 3 274 (minimum FAO : 2 400)
- **Nombre d'automobiles pour 1 000 hab. (2009) :** 21
- **Téléphones portables (2012) :** 15 % de la population équipée

REPÈRES HISTORIQUES

La période coloniale

1492 : peuplée à l'origine par les Indiens Arawak, l'île est découverte par Christophe Colomb.

1511 - 1513 : Cuba est conquise par Diego Velázquez. Dès les premiers temps de la colonisation, les esclaves noirs remplacent les Indiens, exterminés.

XVIIIe s. : riche colonie de plantation (tabac), l'île devient grand producteur de canne à sucre.

1818 : les Cubains obtiennent la liberté générale du commerce. Redoutant une révolte des esclaves noirs, l'élite créole reste fidèle à l'Espagne.

1868 - 1878 : les abus de l'administration coloniale provoquent une insurrection générale. L'île obtient une autonomie relative.

1880 : l'esclavage est aboli.

1895 : à l'instigation du poète Martí et des généraux Máximo Gómez et Antonio Maceo, la guerre d'indépendance est déclenchée.

1898 : à la suite de l'explosion de leur cuirassé *Maine* en rade de La Havane, les États-Unis entrent en guerre contre l'Espagne, qui doit renoncer à Cuba (traité de Paris).

1898 - 1901 : un gouvernement militaire américain s'installe dans l'île.

L'indépendance

1901 : la République cubaine reçoit une Constitution de type présidentiel, mais reste étroitement dépendante des États-Unis, qui interviennent dans l'île en 1906, 1912 et 1917, en renforçant leur domination économique.

1925 - 1933 : le pays est gouverné par un dictateur, Gerardo Machado, qui est renversé par l'armée.

1933 - 1944 : le général Batista, protégé par les États-Unis, exerce la réalité du pouvoir jusqu'en 1940, puis devient président.

1952 : revenu au pouvoir à la suite d'un coup d'État, Batista suspend la Constitution.

1953 : après l'échec d'une première rébellion, Fidel Castro est emprisonné, puis s'exile.

1956 : Castro débarque à Cuba et prend le maquis dans la sierra Maestra.

1959 : l'offensive générale des guérilleros aboutit au départ de Batista. Manuel Urrutia est proclamé président de la République.

Le régime castriste

Devenu Premier ministre, Fidel Castro entreprend une politique de nationalisations qui provoque l'embargo des États-Unis sur le commerce cubain, tandis que l'URSS apporte son soutien au nouveau régime.

1961 : une tentative de débarquement de Cubains anticastristes, soutenue par les États-Unis, est repoussée (baie des Cochons).

1962 : l'installation de fusées soviétiques dans l'île provoque une crise internationale.

1965 - 1972 : le durcissement du régime (nationalisation du commerce privé ; entraînement militaire dans les écoles) s'accompagne d'une émigration massive ; Cuba adhère au Comecon et s'aligne sur la politique de l'URSS.

1976 : F. Castro devient président de la République cubaine et concentre en ses mains tous les pouvoirs. Cuba intervient militairement en Afrique (Angola, 1975 ; Éthiopie, 1977).

1979 : Cuba accède à la présidence du mouvement des pays non alignés, dont la conférence se tient à La Havane.

1980 : détente avec les États-Unis et nouvelle émigration de Cubains en Floride.

1989 - 1990 : Cuba se désengage du continent africain (retrait d'Éthiopie et d'Angola).

1994 : une nouvelle vague d'émigration de Cubains vers la Floride provoque des tensions avec les États-Unis. Affaibli par l'effondrement des pays de l'Est et par la désintégration de l'URSS, le régime persiste dans l'orthodoxie marxiste, malgré quelques concessions à l'économie de marché.

1998 : la visite du pape Jean-Paul II dans l'île marque le retour de Cuba sur la scène internationale.

1999 : à l'intérieur, le régime se durcit.

À partir de 2004 : abandon de la relative libéralisation économique engagée dans les années 1990.

2008 : Raúl Castro succède à son frère Fidel à la présidence du Conseil d'État.

Depuis 2011 : l'État, confronté à de graves difficultés budgétaires, réoriente l'économie du pays en engageant une réduction drastique du secteur public. Les restrictions sur les possibilités de voyager sont en partie levées.

DOMINIQUE → ANTIGUA-ET-BARBUDA

ÉQUATEUR

Les Andes forment de hauts plateaux dominés par des volcans et séparent la plaine côtière, plus large et plus humide au nord, de la région orientale, amazonienne, recouverte par la forêt dense.

Superficie : 283 561 km²
Population (2013) : 15 800 000 hab.
Capitale : Quito 1 622 390 hab. (e. 2011)
Nature de l'État et du régime politique : république à régime présidentiel
Chef de l'État et du gouvernement : (président de la République) Rafael Correa Delgado
Organisation administrative : 22 provinces
Langue officielle : espagnol
Monnaie : dollar des États-Unis

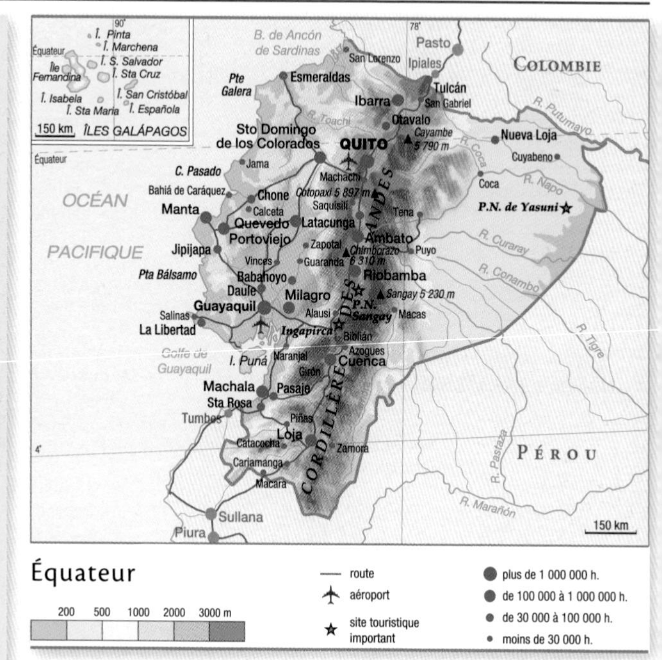

Équateur

route
aéroport
site touristique important
plus de 1 000 000 h.
de 100 000 à 1 000 000 h.
de 30 000 à 100 000 h.
moins de 30 000 h.

200 500 1000 2000 3000 m

DÉMOGRAPHIE

- **Densité :** 56 hab./km²
- **Part de la population urbaine (2013) :** 67 %
- **Structure de la population par âge (2013) :** moins de 15 ans : 32 %, 15-65 ans : 62 %, plus de 65 ans : 6 %
- **Taux de natalité (2013) :** 22 ‰
- **Taux de mortalité (2013) :** 5 ‰
- **Taux de mortalité infantile (2013) :** 20 ‰
- **Espérance de vie (2013) :** hommes : 72 ans, femmes : 78 ans

L'Équateur est le pays le plus densément peuplé d'Amérique du Sud. La population, composée pour 80 % de métis et d'Amérindiens, augmente rapidement ; l'indice de fécondité (2,5 enfants par femme) reste élevé et le tiers des habitants a moins de 15 ans. Les deux tiers des habitants vivent dans des villes, dont les principales sont Guayaquil (2,7 millions d'hab.) et Quito, la capitale.

ÉCONOMIE

- **PNB (2012) :** 83 milliards de dollars
- **PNB/hab. (2012) :** 5 170 dollars
- **PNB/hab. PPA (2012) :** 9 490 dollars internationaux
- **IDH (2012) :** 0,724
- **Taux de croissance annuelle du PIB (2012) :** 5,1 %
- **Taux annuel d'inflation (2012) :** 5,1 %
- **Structure de la population active (2012) :** agriculture : 27,8 %, mines et industries : 17,8 %, services : 54,4 %
- **Structure du PIB (2012) :** agriculture : 9,9 %, mines et industries : 36,9 %, services : 53,2 %
- **Dette publique brute :** n.d.
- **Taux de chômage (2012) :** 4,1 %

Avec la reprise du commerce extérieur et de la demande intérieure, l'Équateur a renoué avec la croissance depuis 2010 (4 % en 2013). Environ un quart du PIB provient du pétrole et des mines (or, pouzzolane), les autres produits exportés étant notamment les bananes (1er exportateur mondial), les crevettes, les fleurs, le cacao et la pêche. Les nouveaux partenaires économiques sont la Chine, la Russie et l'Iran, derrière les État-Unis et le Venezuela. Autre secteur en plein essor, le tourisme, avec notamment les îles Galápagos. L'une des priorités du gouvernement est la réduction de la pauvreté, qui affecte encore un peu moins du tiers de la population.

TOURISME

- **Recettes touristiques (2012) :** 843 millions de dollars

COMMERCE EXTÉRIEUR

- **Exportations de biens (2012) :** 24 648 millions de dollars
- **Importations de biens (2012) :** 27 901 millions de dollars

DÉFENSE

- **Forces armées (2011) :** 58 983 individus
- **Dépenses militaires (2012) :** 2,8 % du PIB

NIVEAU DE VIE

- **Nombre d'habitants pour un médecin (2011) :** 593
- **Apport journalier moyen en calories (2007) :** 2 301 (minimum FAO : 2 400)
- **Nombre d'automobiles pour 1 000 hab. (2011) :** 41
- **Téléphones portables (2012) :** 100 % de la population équipée

REPÈRES HISTORIQUES

1534 : annexé par les Incas au XVe s., le pays est conquis par Sebastián de Belalcázar.

1563 : les Espagnols créent l'*audiencia* de Quito, rattachée à la vice-royauté du Pérou, puis à celle de la Nouvelle-Grenade (1739).

1822 : le général Sucre libère le pays des forces espagnoles.

1830 : création de la république d'Équateur, dirigée par le général Juan Flores jusqu'en 1845.

1845 - 1859 : les libéraux accèdent au pouvoir.

1861 - 1895 : les conservateurs dominent la vie politique.

1895 - 1930 : de retour au pouvoir, les libéraux laïcisent l'État. L'Équateur devient le premier producteur mondial de cacao.

1934 : élection de José María Velasco Ibarra qui, quatre fois réélu, gouvernera jusqu'en 1972.

1941 - 1942 : en conflit avec le Pérou, l'Équateur perd sa province amazonienne.

1972 : coup d'État militaire.

1979 : après une réforme constitutionnelle, les civils reviennent au pouvoir.

1998 : un accord règle le conflit frontalier opposant l'Équateur au Pérou.

ÉTATS-UNIS

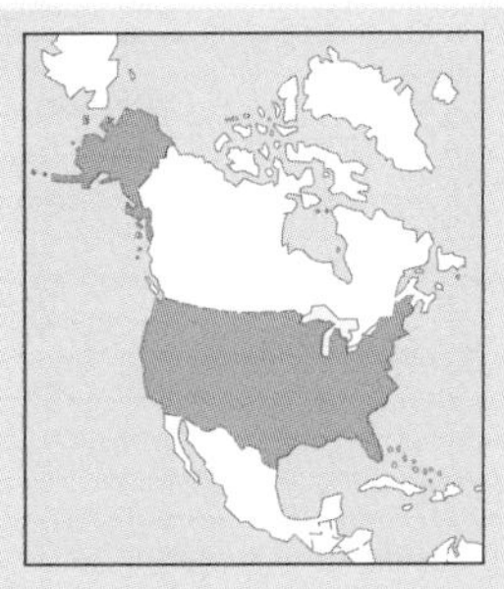

Les types de paysages sont à l'échelle d'un continent : le pays est presque aussi vaste que l'ensemble de l'Europe, de l'Atlantique à l'Oural. À l'ouest, les Rocheuses, formées d'une série de chaînes nord-sud, dominant de hauts plateaux ou des bassins intérieurs. Elles représentent une barrière climatique, réduisant surtout les précipitations vers l'est, vers les Grandes Plaines. Celles-ci, correspondant approximativement au bassin de l'ensemble du Mississippi-Missouri, constituent un domaine encore plus vaste, étiré des Grands Lacs au golfe du Mexique, atteignant les Appalaches à l'est. Ce Midwest possède un climat continental aux hivers froids et aux étés parfois torrides, avec des précipitations croissant vers l'est. Des pluies abondantes, parfois liées au passage de cyclones, associées à des températures élevées, caractérisent le Sud-Est, subtropical (la Floride notamment).

Superficie : 9 363 520 km²
Population (2013) : 316 200 000 hab.
Capitale : Washington 601 723 hab. (r. 2010), 4 705 070 hab. (e. 2011) dans l'agglomération
Nature de l'État et du régime politique : république à régime présidentiel
Chef de l'État et du gouvernement : (président de la République) Barack Hussein Obama
Organisation administrative : 50 États, 1 district fédéral, 2 États associés, 3 territoires et 9 possessions
Langue officielle : anglais
Monnaie : dollar des États-Unis

DÉMOGRAPHIE

- **Densité :** 34 hab./km²
- **Part de la population urbaine (2013) :** 81 %
- **Structure de la population par âge (2013) :** moins de 15 ans : 19 %, 15-65 ans : 67 %, plus de 65 ans : 14 %
- **Taux de natalité (2013) :** 13 ‰
- **Taux de mortalité (2013) :** 8 ‰
- **Taux de mortalité infantile (2013) :** 5,9 ‰
- **Espérance de vie (2013) :** hommes : 76 ans, femmes : 81 ans

Les États-Unis se situent au troisième rang mondial pour la population. L'Est et la région des Grands Lacs demeurent encore les régions les plus densément peuplées, malgré le rapide accroissement de la Californie (l'État le plus peuplé) et du Sud-Ouest intérieur (Arizona, Nouveau-Mexique), au climat ensoleillé. La population d'origine européenne (britannique notamment) domine largement. Les Noirs représentent plus de 12 % du total. Plus de la moitié d'entre eux sont encore

les États des États-Unis

État	superficie (en km²)	nombre d'habitants*	capitale
Alabama	131 427	4 779 736	Montgomery
Alaska	1 481 354	710 231	Juneau
Arizona	294 314	6 392 017	Phoenix
Arkansas	134 857	2 915 918	Little Rock
Californie	403 935	37 253 956	Sacramento
Caroline du Nord	126 161	9 535 483	Raleigh
Caroline du Sud	77 984	4 625 364	Columbia
Colorado	268 628	5 029 196	Denver
Connecticut	12 548	3 574 097	Hartford
Dakota du Nord	178 648	672 591	Bismarck
Dakota du Sud	196 541	814 180	Pierre
Delaware	5 060	897 934	Dover
Floride	139 670	18 801 310	Tallahassee
Géorgie	149 977	9 687 653	Atlanta
Hawaii	16 635	1 360 301	Honolulu
Idaho	214 315	1 567 582	Boise
Illinois	143 961	12 830 632	Springfield
Indiana	92 895	6 483 802	Indianapolis
Iowa	144 772	3 046 355	Des Moines
Kansas	211 901	2 853 118	Topeka
Kentucky	102 896	4 339 367	Frankfort
Louisiane	112 825	4 533 372	Bâton-Rouge
Maine	79 931	1 328 361	Augusta
Maryland	25 314	5 773 552	Annapolis
Massachusetts	20 306	6 547 629	Boston
Michigan	147 122	9 883 640	Lansing
Minnesota	206 190	5 303 925	Saint Paul
Mississippi	121 489	2 967 297	Jackson
Missouri	178 415	5 988 927	Jefferson City
Montana	376 981	989 415	Helena
Nebraska	199 100	1 826 341	Lincoln
Nevada	284 449	2 700 551	Carson City
New Hampshire	23 227	1 316 470	Concord
New Jersey	19 211	8 791 894	Trenton
New York	122 284	19 378 102	Albany
Nouveau-Mexique	314 311	2 059 179	Santa Fe
Ohio	106 056	11 536 504	Columbus
Oklahoma	177 848	3 751 351	Oklahoma City
Oregon	248 632	3 831 074	Salem
Pennsylvanie	116 075	12 702 379	Harrisburg
Rhode Island	2 706	1 052 567	Providence
Tennessee	106 752	6 346 105	Nashville
Texas	678 055	25 145 561	Austin
Utah	212 752	2 763 885	Salt Lake City
Vermont	23 956	625 741	Montpelier
Virginie	102 549	8 001 024	Richmond
Virginie-Occidentale	62 361	1 852 994	Charleston
Washington	172 349	6 724 540	Olympia
Wisconsin	140 663	5 686 986	Madison
Wyoming	251 490	563 626	Cheyenne
District fédéral			
District de Columbia	159	601 723	Washington
Dépendance			
Porto Rico	8 897	3 725 789	San Juan

* recensement de 2010.

AMÉRIQUE

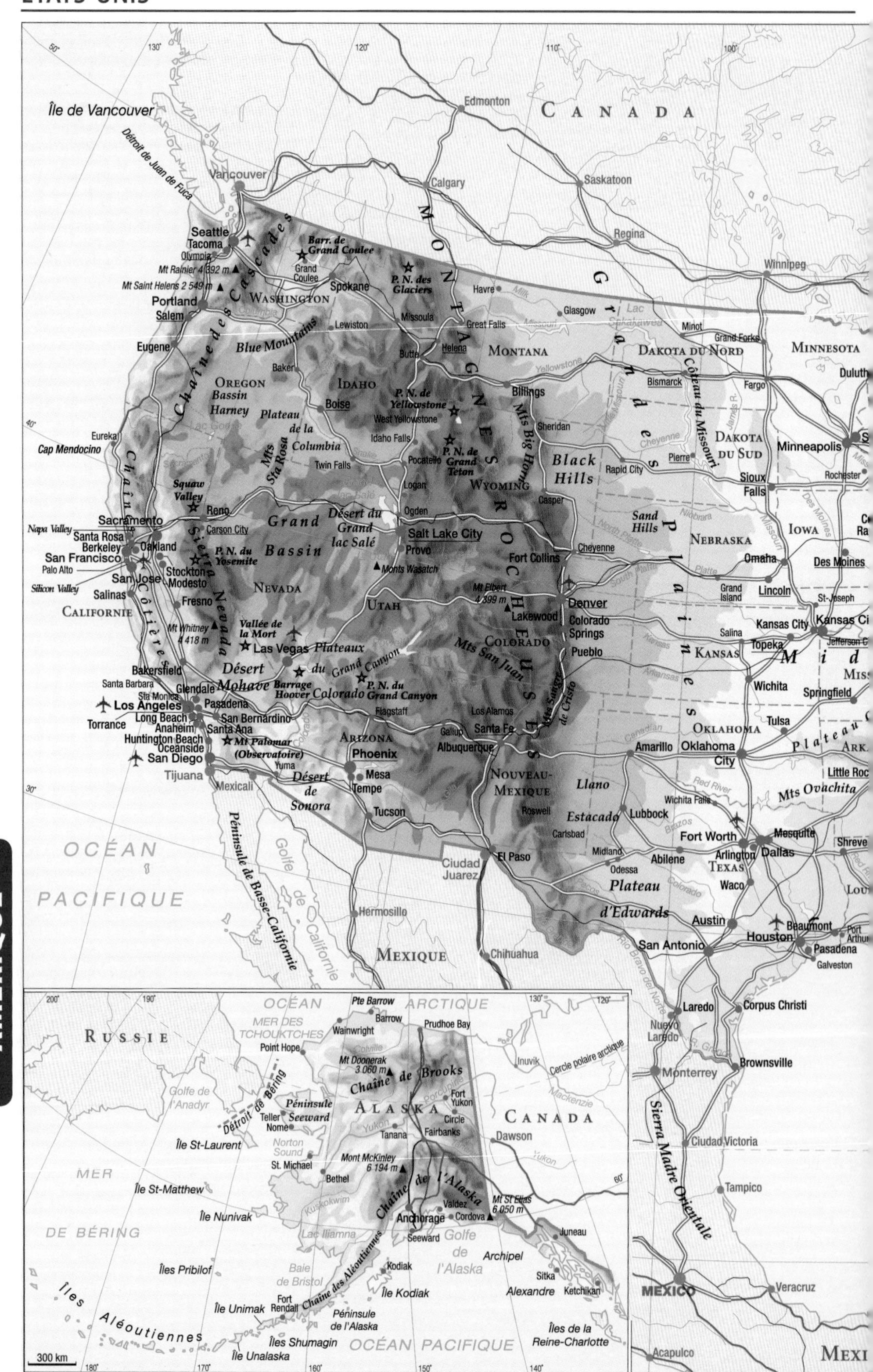

CANADA
Île de Vancouver
Détroit de Juan de Fuca
Edmonton
Vancouver
Calgary
Saskatoon
Regina
Winnipeg
Seattle
Tacoma
Olympia
Mt Rainier 4 392 m
Mt Saint Helens 2 549 m
Portland
Salem
Eugene
Chaîne des Cascades
Barr. de Grand Coulee
Grand Coulee
Spokane
WASHINGTON
P. N. des Glaciers
Havre
Glasgow
Lac Sakakawea
Minot
Grand Forks
MINNESOTA
Duluth
Lewiston
Missoula
Great Falls
Helena
Butte
MONTANA
DAKOTA DU NORD
Bismarck
Fargo
Blue Mountains
Baker
OREGON
Bassin Harney
IDAHO
P. N. de Yellowstone
West Yellowstone
Billings
Sheridan
Plateau de la Columbia
Boise
Idaho Falls
Mts Big Horn
Côteau du Missouri
DAKOTA DU SUD
Minneapolis
Eureka
Cap Mendocino
Mts Sta Rosa
Twin Falls
Pocatello
P. N. de Grand Teton
Black Hills
Rapid City
Pierre
Sioux Falls
Rochester
Squaw Valley
Logan
WYOMING
Casper
MONTAGNES ROCHEUSES
Grandes Plaines
Reno
Carson City
Grand Bassin
Désert du Grand lac Salé
Ogden
Sand Hills
NEBRASKA
IOWA
Napa Valley
Sacramento
Santa Rosa
Berkeley
Oakland
San Francisco
Palo Alto
San Jose
Silicon Valley
Salt Lake City
Provo
Monts Wasatch
Cheyenne
Fort Collins
Omaha
Des Moines
P. N. du Yosemite
Stockton
Modesto
Salinas
Fresno
NEVADA
UTAH
Mt Elbert 4 399 m
Denver
Lakewood
Colorado Springs
Pueblo
Grand Island
Lincoln
St-Joseph
Kansas City
CALIFORNIE
Chaîne Côtière
Sierra Nevada
Mt Whitney 4 418 m
Vallée de la Mort
Las Vegas
Plateaux du Grand Canyon
COLORADO
Mts San Juan
Salina
Topeka
Jefferson C.
KANSAS
Bakersfield
Santa Barbara
Désert Mohave
Barrage Hoover
Colorado
P. N. du Grand Canyon
Wichita
Springfield
Glendale
Sta Monica
Pasadena
Los Angeles
Long Beach
Torrance
Anaheim
Huntington Beach
San Bernardino
Santa Ana
Flagstaff
Los Alamos
Santa Fe
Mts Sangre de Cristo
Tulsa
OKLAHOMA
Mt Palomar (Observatoire)
Oceanside
San Diego
Tijuana
Mexicali
Yuma
ARIZONA
Phoenix
Mesa
Tempe
Gallup
Albuquerque
Amarillo
Oklahoma City
Plateau
Little Rock
Désert de Sonora
Tucson
NOUVEAU-MEXIQUE
Roswell
Llano Estacado
Wichita Falls
Lubbock
Mts Ovachita
Carlsbad
Fort Worth
Mesquite
Arlington
Dallas
Shreveport
OCÉAN PACIFIQUE
Péninsule de Basse-Californie
Golfe de Californie
Ciudad Juarez
El Paso
Midland
Odessa
Abilene
TEXAS
Waco
Plateau d'Edwards
Hermosillo
Austin
Beaumont
Port Arthur
Houston
San Antonio
Pasadena
Galveston
MEXIQUE
Chihuahua
Rio Bravo del Norte
Laredo
Nuevo Laredo
Corpus Christi
Brownsville
Monterrey
Sierra Madre Orientale
Ciudad Victoria
Tampico
MEXICO
Veracruz
Acapulco
RUSSIE
OCÉAN ARCTIQUE
MER DES TCHOUKTCHES
Pte Barrow
Barrow
Wainwright
Prudhoe Bay
Point Hope
Mt Doonerak 3 060 m
Chaîne de Brooks
Inuvik
Cercle polaire arctique
Golfe de l'Anadyr
Détroit de Béring
Péninsule Seeward
Teller
Nome
ALASKA
Fort Yukon
Circle
Fairbanks
Tanana
Yukon
CANADA
Dawson
Norton Sound
Île St-Laurent
St. Michael
Mont McKinley 6 194 m
MER DE BÉRING
Île St-Matthew
Bethel
Kuskokwim
Chaîne de l'Alaska
Mt St Elias 6 050 m
Valdez
Anchorage
Cordova
Île Nunivak
Lac Iliamna
Seeward
Golfe de l'Alaska
Juneau
Archipel Alexandre
Îles Pribilof
Baie de Bristol
Kodiak
Île Kodiak
Sitka
Ketchikan
Îles Aléoutiennes
Chaîne des Aléoutiennes
Île Unimak
Fort Rendall
Péninsule de l'Alaska
Îles de la Reine-Charlotte
Îles Shumagin
Île Unalaska
OCÉAN PACIFIQUE
300 km

AMÉRIQUE

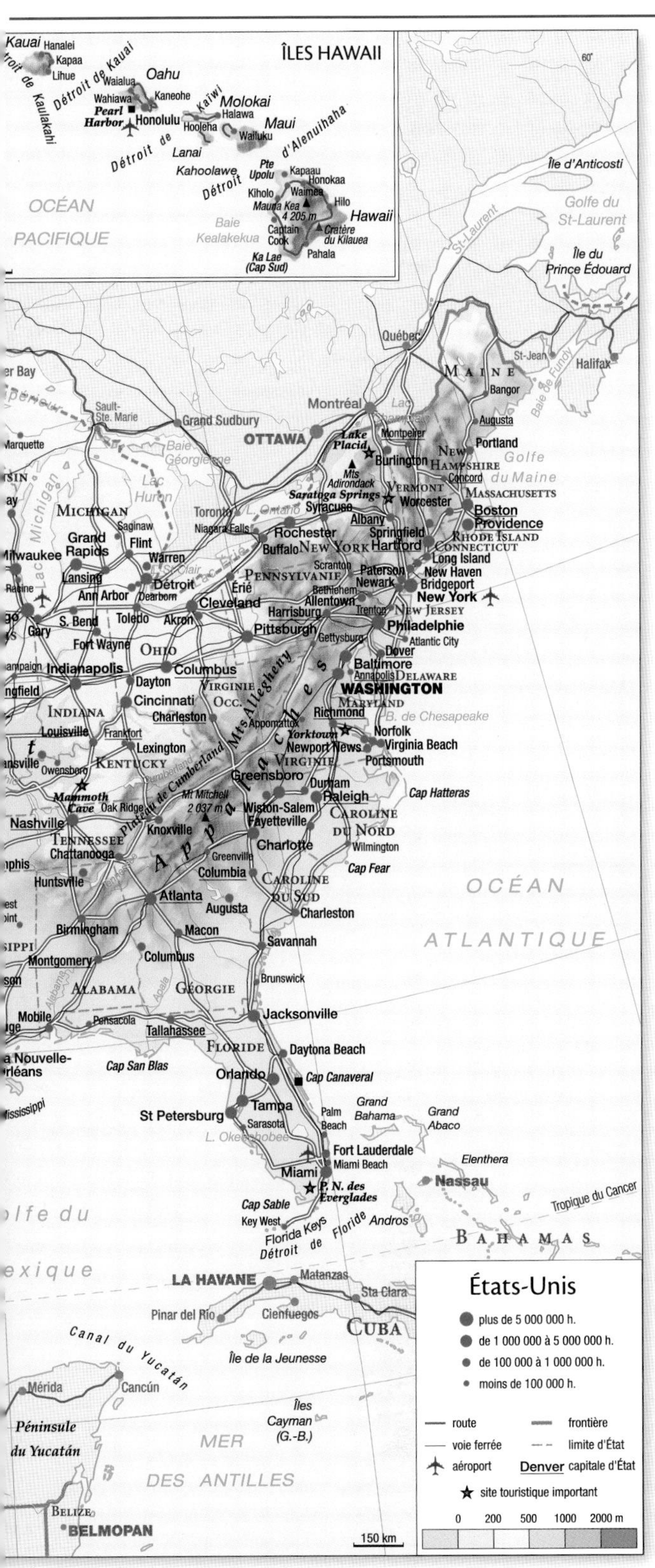

concentrés dans le Sud historique. Les Hispaniques sont aujourd'hui aussi, voire plus, nombreux, mais leur recensement reste imprécis en raison d'une notable immigration clandestine, à partir du Mexique en particulier. Ils habitent surtout dans l'Ouest et dans le Sud-Ouest. Les Amérindiens sont présents surtout dans le Sud-Ouest. Les 4 millions d'Asiatiques résident dans l'Ouest, Californie en tête. La population s'accroît au rythme encore soutenu de plus de 2 millions d'individus par an. Les quatre cinquièmes vivent dans des villes, parfois très étendues, et les deux tiers se concentrent dans plus d'une quarantaine d'agglomérations millionnaires. Les plus peuplées sont, sur la côte atlantique, New York (l'une des plus grandes villes du monde, avec 18 millions d'hab.), Boston, Philadelphie et Washington, dans la région des Grands Lacs, Chicago et Detroit, en Californie, Los Angeles et San Francisco. Elles dominent un ensemble de plus de 200 villes de plus de 100 000 habitants.

ÉCONOMIE

- **PNB (2012) :** 16 515 milliards de dollars
- **PNB/hab. (2012) :** 52 340 dollars
- **PNB/hab. PPA (2012) :** 52 610 dollars internationaux
- **IDH (2012) :** 0,937
- **Taux de croissance annuelle du PIB (2012) :** 2,8 %
- **Taux annuel d'inflation (2012) :** 2,1 %
- **Structure de la population active (2010) :** agriculture : 1,6 %, mines et industries : 17,2 %, services : 81,2 %
- **Structure du PIB (2011) :** agriculture : 1,2 %, mines et industries : 19,4 %, services : 79,4 %
- **Dette publique brute (2011) :** 79 % du PIB
- **Taux de chômage (2012) :** 8,1 %

Après la forte hausse du chômage en 2008, puis la crise financière de 2010 et la crise de la dette en 2011, les États-Unis, après deux années de récession, semblent timidement sortir peu à peu de la crise. Le taux de croissance s'est effondré en 2011, en raison d'une baisse des exportations et de la production de biens, de l'augmentation des prix des produits de base et des problèmes structurels que sont l'emploi, la santé et les retraites. Le plan de relance lancé en février 2009 a échoué, ce dernier étant notamment axé sur le développement des énergies renouvelables afin de créer des emplois et de réduire la consommation et l'importation d'énergie fossile : l'un des principaux producteurs de pétrole, de gaz naturel, de charbon et d'énergie nucléaire est aussi le premier consommateur d'énergie primaire avec la Chine. Cependant, les investissements importants consacrés aux infrastructures et l'aide accordée à la consommation des ménages, associés au plan pour l'emploi initié par B. Obama, sont une source d'espoir pour la population de sortir définitivement de la crise. Le plan de relance budgétaire de l'automne 2013, contesté par l'opposition, a secoué la classe politique et n'en a pas moins engendré des conséquences sur la croissance économique du pays. Par ailleurs, depuis janvier 2010, l'Initiative nationale d'exportation vise à doubler les exportations américaines (environ 11 % du PIB) en cinq ans alors que l'économie s'appuie traditionnellement sur la demande intérieure et que la balance commerciale est structurellement déficitaire, notamment vis-à-vis de la Chine, premier fournisseur devant l'UE, les autres grands partenaires étant le Canada, le Mexique et le Japon. Si la part de l'agriculture dans le PIB est marginale, les États-Unis sont l'une des toutes premières puissances agricoles au monde (soja, maïs, blé, coton, tabac, vin) et l'industrie agroalimentaire est, avec la chimie, l'informatique, l'électronique et l'automobile, l'une des principales filières industrielles du pays. Mais outre la distribution, la finance, les assurances et les services aux entreprises, la construction et l'immobilier sont des secteurs essentiels, et leur évolution, après la crise des subprimes, est observée avec attention.

TOURISME

- **Recettes touristiques (2012) :** 185 886 millions de dollars

COMMERCE EXTÉRIEUR

- **Exportations de biens (2012) :** 1 561 909 millions de dollars
- **Importations de biens (2011) :** 2 662 300 millions de dollars

DÉFENSE

- **Forces armées (2011) :** 1 520 100 individus
- **Dépenses militaires (2012) :** 4,2 % du PIB

NIVEAU DE VIE

- **Nombre d'habitants pour un médecin (2011) :** 413
- **Apport journalier moyen en calories (2007) :** 3 748 (minimum FAO : 2 400)
- **Nombre d'automobiles pour 1 000 hab. (2011) :** 423
- **Téléphones portables (2012) :** 98 % de la population équipée

REPÈRES HISTORIQUES

L'époque coloniale et l'indépendance

À partir du XVIe s. : le territoire, occupé par des Amérindiens semi-nomades, est exploré par des navigateurs français, espagnols puis anglais.

XVIIe s. : les Anglais y émigrent en masse, fuyant les bouleversements politiques et religieux de leur pays. Ils s'installent sur la côte est, alors que les Français poursuivent leur expansion le long du Mississippi, fondant la Louisiane. Par fondations successives ou par annexion des territoires hollandais, treize colonies britanniques sont créées.

XVIIIe s. : colonies et métropole sont unies dans la lutte contre les Indiens et, surtout, contre la France.

1763 : le traité de Paris écarte définitivement la menace française et ouvre l'Ouest aux colons anglais.

1763 - 1773 : les colonies supportent mal l'autorité de la Grande-Bretagne et se révoltent contre les monopoles commerciaux de la métropole.

1774 : un premier congrès continental se réunit à Philadelphie.

1775 : le blocus de Boston inaugure la guerre de l'Indépendance, marquée par l'alliance avec la France.

4 juillet 1776 : le Congrès proclame l'indépendance des États-Unis.

1783 : la paix de Paris reconnaît l'existence de la République fédérée des États-Unis.

De l'indépendance à la guerre de Sécession

1787 : une Constitution fédérale, toujours en vigueur, est élaborée par la Convention de Philadelphie.

1789 - 1797 : George Washington devient le premier président des États-Unis.

1803 : les États-Unis achètent la Louisiane à la France.

1812 - 1815 : les Américains sortent victorieux de la seconde guerre de l'Indépendance, suscitée par la Grande-Bretagne.

1819 : la Floride est achetée aux Espagnols.

1823 : le républicain James Monroe (1817 - 1825) réaffirme la volonté de neutralité des États-Unis et leur opposition à toute ingérence européenne dans le continent américain.

1846 - 1848 : à l'issue de la guerre contre le Mexique, les États-Unis annexent le Texas, le Nouveau-Mexique et la Californie.

1853 - 1861 : l'antagonisme entre le Sud, agricole et libre-échangiste, et le Nord, en voie d'industrialisation et protectionniste, est aggravé par le problème de l'esclavage, désavoué par le Nord.

1860 : le républicain Abraham Lincoln est élu à la présidence. Les sudistes font alors sécession et se constituent en États confédérés d'Amérique.

1861 - 1865 : les nordistes l'emportent dans la guerre de Sécession et abolissent l'esclavage. Lincoln est assassiné.

L'essor des États-Unis

1867 : l'Alaska est acheté à la Russie.

1869 - 1877 : Ulysses Grant devient président de l'Union.

1890 : massacre des Sioux par l'armée américaine, à Wounded Knee. Fin des « guerres indiennes », au cours desquelles les Indiens, pendant la seconde moitié du XIXe s., se sont opposés à la conquête systématique de leur territoire par les Blancs.

1898 : les États-Unis aident Cuba à accéder à l'indépendance, mais lui imposent leur tutelle et annexent Guam, Porto Rico et les Philippines.

1901 - 1909 : le républicain Theodore Roosevelt radicalise l'action gouvernementale contre les trusts. Le Panama naît sous la tutelle des États-Unis, qui se font céder la zone du canal (achevé en 1914).

1913 - 1921 : sous la présidence du démocrate Thomas W. Wilson, les États-Unis interviennent au Mexique (1914) et à Haïti (1915).

1917 : la guerre est déclarée à l'Allemagne.

1929 : le krach boursier de Wall Street (« jeudi noir ») inaugure une crise économique et sociale sans précédent.

1933 - 1945 : le démocrate Franklin D. Roosevelt accède à la présidence. Sa politique de New Deal (« Nouvelle Donne ») s'efforce de porter remède par des mesures dirigistes aux maux de l'économie américaine.

1941 - 1945 : les États-Unis entrent dans la Seconde Guerre mondiale et accomplissent un formidable effort économique et militaire.

1945 : ils ratifient la charte de l'ONU.

Les États-Unis depuis 1945

1945 - 1953 : sous la présidence du démocrate Harry S. Truman, les États-Unis affirment leur volonté de s'opposer à l'expansion soviétique. C'est le début de la guerre froide.

1948 : un plan d'aide économique à l'Europe (plan Marshall) est adopté.

1949 : la signature du traité de l'Atlantique Nord (OTAN) renforce l'alliance des puissances occidentales.

1950 - 1953 : guerre de Corée.

1961 - 1969 : les démocrates John F. Kennedy (assassiné en 1963) et Lyndon B. Johnson s'efforcent de lutter contre la pauvreté et la ségrégation raciale.

1962 : crise de Cuba.

1964 : les États-Unis interviennent directement au Viêt Nam.

1969 - 1974 : le républicain Richard Nixon se rapproche de la Chine (voyage à Pékin) et améliore ses relations avec l'URSS (accords SALT).

1973 : il retire les troupes américaines du Viêt Nam, mais le scandale du Watergate l'oblige à démissionner.

1983 : intervention militaire à la Grenade.

1989 : intervention militaire au Panama.

1991 : les États-Unis s'engagent dans la guerre du Golfe.

1994 : l'accord de libre-échange avec le Canada et le Mexique (ALENA) entre en vigueur.

11 septembre 2001 : les États-Unis sont frappés par des attentats spectaculaires et meurtriers (ayant pour cibles les tours jumelles du World Trade Center, à New York, et le Pentagone, à Washington), imputés à l'homme d'affaires saoudien Oussama Ben Laden, réfugié en Afghanistan, et à son réseau terroriste islamiste al-Qaida. Les États-Unis ripostent par une intervention militaire en Afghanistan.

2003 : les États-Unis, appuyés principalement par la Grande-Bretagne, lancent une offensive militaire contre l'Iraq, sans avoir obtenu l'aval de l'ONU.

2009 : le démocrate Barack Obama (élu en novembre 2008) est le premier Afro-Américain à accéder à la présidence du pays (réélu en 2012).

BAHAMAS

Le pays compte environ sept cents îles, dont deux (Grand Bahama et surtout New Providence qui possède la capitale) concentrent la majeure partie de la population.

Superficie : 13 878 km^2
Population (2013) : 300 000 hab.
Capitale : Nassau 254 000 hab. (e. 2011) dans l'agglomération
Nature de l'État et du régime politique : monarchie constitutionnelle à régime parlementaire
Chef de l'État : (reine) Élisabeth II, représentée par le gouverneur général Arthur Alexander Foulkes
Chef du gouvernement : (Premier ministre) Perry Christie
Organisation administrative : 21 districts
Langue officielle : anglais
Monnaie : dollar des Bahamas

DÉMOGRAPHIE

- **Densité :** 22 hab./km^2
- **Part de la population urbaine (2013) :** 84 %
- **Structure de la population par âge (2013) :** moins de 15 ans : 26 %, 15-65 ans : 68 %, plus de 65 ans : 6 %
- **Taux de natalité (2013) :** 13 ‰
- **Taux de mortalité (2013) :** 6 ‰
- **Taux de mortalité infantile (2013) :** 16 ‰
- **Espérance de vie (2013) :** hommes : 72 ans, femmes : 78 ans

La population, dont 26 % a moins de 15 ans, est aux trois quarts d'origine africaine et se regroupe principalement à Nassau, la capitale.

ÉCONOMIE

- **PNB (2012) :** 8 milliards de dollars
- **PNB/hab. (2012) :** 20 600 dollars
- **PNB/hab. PPA (2012) :** 29 020 dollars internationaux
- **IDH (2012) :** 0,794
- **Taux de croissance annuelle du PIB (2012) :** 1,8 %
- **Taux annuel d'inflation (2012) :** 2 %
- **Structure de la population active (2011) :** agriculture : 3,7 %, mines et industries : 12,9 %, services : 83,4 %
- **Structure du PIB (2012) :** agriculture : 2,1 %, mines et industries : 17,9 %, services : 80 %
- **Dette publique brute (2010) :** 44 % du PIB
- **Taux de chômage (2012) :** 14 %

Le tourisme, de séjour et de croisière, représente près des trois quarts du PIB et occupe environ la moitié de la population active. D'importants projets touristiques ont été mis en œuvre, dont l'ouverture, en 2014, d'un complexe touristique (« Baha Mar ») et la modernisation de l'aéroport de la capitale, dans le but d'attirer encore plus de visiteurs. Les activités bancaires viennent ensuite ; dans ce secteur, les Bahamas tentent de sortir de la « liste grise » des paradis fiscaux. Les États-Unis sont le principal partenaire de l'archipel.

TOURISME

- **Recettes touristiques (2012) :** 2 269 millions de dollars

COMMERCE EXTÉRIEUR

- **Exportations de biens (2012) :** 984 millions de dollars
- **Importations de biens (2011) :** 4 522 millions de dollars

DÉFENSE

- **Forces armées (2011) :** 850 individus
- **Dépenses militaires (2008) :** 0,7 % du PIB

NIVEAU DE VIE

- **Nombre d'habitants pour un médecin :** n.d.
- **Apport journalier moyen en calories (2007) :** 2 713 (minimum FAO : 2 400)
- **Nombre d'automobiles pour 1 000 hab. (2007) :** 82
- **Téléphones portables (2012) :** 72 % de la population équipée

REPÈRES HISTORIQUES

1783 : objet d'une lutte entre la France, l'Espagne et l'Angleterre, les Bahamas sont définitivement attribuées à cette dernière.
1973 : le pays accède à l'indépendance, dans le cadre du Commonwealth.

GRENADE → ANTIGUA-ET-BARBUDA

GUATEMALA → BELIZE

GUYANA

Sous un climat tropical, chaud et humide, le pays est aux trois quarts couvert de forêts, coupées de fleuves puissants, qui servent de voies de communication. L'altitude s'élève vers le Sud (plus sec) et surtout dans l'Ouest.

Superficie : 214 969 km²
Population (2013) : 800 000 hab.
Capitale : Georgetown 127 150 hab. (e. 2011)
Nature de l'État et du régime politique : république à régime parlementaire
Chef de l'État : (président de la République) Donald Ramotar
Chef du gouvernement : (Premier ministre) Samuel Hinds
Organisation administrative : 10 régions
Langue officielle : anglais
Monnaie : dollar de la Guyana

Guyana, Suriname

100 200 500 1000 m
— route
aéroport
plus de 200 000 h.
de 10 000 à 200 000 h.
moins de 10 000 h.

DÉMOGRAPHIE

- **Densité :** 4 hab./km²
- **Part de la population urbaine (2013) :** 28 %
- **Structure de la population par âge (2013) :** moins de 15 ans : 37 %, 15-65 ans : 60 %, plus de 65 ans : 3 %
- **Taux de natalité (2013) :** 21 ‰
- **Taux de mortalité (2013) :** 7 ‰
- **Taux de mortalité infantile (2013) :** 29 ‰
- **Espérance de vie (2013) :** hommes : 63 ans, femmes : 69 ans

Le Guyana, grand comme la moitié de la France, est presque vide et sa densité de population est la plus faible de toute l'Amérique latine. La population est composée pour moitié de descendants d'immigrants venus de l'Inde, de près d'un tiers de descendants d'esclaves venus d'Afrique, et de minorités de métis et d'Amérindiens. Elle est concentrée pour un quart à Georgetown et pour plus des trois quarts sur le littoral. Plus du tiers des habitants a moins de 15 ans.

ÉCONOMIE

- **PNB (2012) :** 3 milliards de dollars
- **PNB/hab. (2012) :** 3 410 dollars
- **PNB/hab. PPA (2012) :** 3 340 dollars internationaux
- **IDH (2012) :** 0,636
- **Taux de croissance annuelle du PIB (2012) :** 4,8 %
- **Taux annuel d'inflation (2012) :** 2,4 %
- **Structure de la population active (2002) :** agriculture : 22,2 %, mines et industries : 25,4 %, services : 52,4 %
- **Structure du PIB (2012) :** agriculture : 21,5 %, mines et industries : 33,9 %, services : 44,6 %
- **Dette publique brute :** n.d.
- **Taux de chômage :** n.d.

Forestier pour les trois quarts de sa superficie (la Norvège investit financièrement dans la préservation de la forêt), le Guyana compte seulement 2,2 % de sa superficie en terres cultivables. Ses ressources viennent surtout de ses exportations (en constante augmentation) : sucre et riz, pêche (crevettes), or (en forte augmentation) et bauxite. Son économie, en difficulté, est soutenue par les institutions financières internationales et le pays poursuit sa croissance depuis 2010 avec un taux de 5,3 % en 2013.

TOURISME

- **Recettes touristiques (2011) :** 80 millions de dollars

COMMERCE EXTÉRIEUR

- **Exportations de biens (2012) :** 1 396 millions de dollars
- **Importations de biens (2010) :** 1 299 millions de dollars

DÉFENSE

- **Forces armées (2011) :** 1 100 individus
- **Dépenses militaires (2012) :** 1,1 % du PIB

NIVEAU DE VIE

- **Nombre d'habitants pour un médecin (2011) :** 4 673
- **Apport journalier moyen en calories (2007) :** 2 759 (minimum FAO : 2 400)
- **Nombre d'automobiles pour 1 000 hab. (2009) :** 59
- **Téléphones portables (2012) :** 72 % de la population équipée

REPÈRES HISTORIQUES

1621 - 1791 : la Compagnie des Indes occidentales, hollandaise, assure le développement des Guyanes (canne à sucre, coton).

1814 : les Britanniques, qui l'occupaient depuis 1796, reçoivent la partie occidentale des Guyanes, baptisée Guyane britannique en 1831.

1953 : un statut d'autonomie est accordé à la région.

1966 : le pays devient indépendant.

1970 : il constitue, dans le cadre du Commonwealth, une « république coopérative ».

SURINAME

Le territoire, au climat équatorial, occupe l'extrémité orientale du plateau des Guyanes, bordée au nord par une plaine marécageuse. La forêt occupe 95 % du territoire.

Superficie : 163 265 km²
Population (2013) : 600 000 hab.
Capitale : Paramaribo 277 802 hab. (e. 2011) dans l'agglomération
Nature de l'État et du régime politique : république à régime parlementaire
Chef de l'État et du gouvernement : (président de la République) Desiré, dit Desi Bouterse
Organisation administrative : 10 districts
Langue officielle : néerlandais
Monnaie : dollar du Suriname

DÉMOGRAPHIE

- **Densité :** 4 hab./km²
- **Part de la population urbaine (2013) :** 70 %
- **Structure de la population par âge (2013) :** moins de 15 ans : 28 %, 15-65 ans : 65 %, plus de 65 ans : 7 %
- **Taux de natalité (2013) :** 18 ‰
- **Taux de mortalité (2013) :** 7 ‰
- **Taux de mortalité infantile (2013) :** 19 ‰
- **Espérance de vie (2013) :** hommes : 67 ans, femmes : 74 ans

Le Suriname est presque vide et sa densité de population est la plus faible de toute l'Amérique latine, mais la population est très inégalement répartie : la capitale, Paramaribo, concentre la moitié des habitants. La population est composée pour un tiers d'Amérindiens, pour un tiers de descendants d'esclaves venus d'Afrique et de 10 % d'Indonésiens. Un fort mouvement d'émigration s'est développé en direction des Pays-Bas. 28 % des habitants ont moins de 15 ans.

ÉCONOMIE

- **PNB (2012) :** 5 milliards de dollars
- **PNB/hab. (2012) :** 8 680 dollars
- **PNB/hab. PPA (2012) :** 8 380 dollars internationaux
- **IDH (2012) :** 0,684
- **Taux de croissance annuelle du PIB (2012) :** 3,9 %
- **Taux annuel d'inflation (2012) :** 5 %
- **Structure de la population active (2004) :** agriculture : 8 %, mines et industries : 23 %, services : 69 %
- **Structure du PIB (2012) :** agriculture : 9,3 %, mines et industries : 38,5 %, services : 52,2 %
- **Dette publique brute :** n.d.
- **Taux de chômage (1999) :** 14 %

Les ressources minières du pays permettent des exportations : bauxite, or, pétrole (qui recouvre les besoins du pays) essentiellement. S'y ajoutent la production d'alumine et le raffinage du pétrole ainsi que quelques produits agricoles (bananes pour le marché européen et bois tropicaux). Les transferts de fonds des émigrés sont significatifs. Les finances publiques sont en déficit, mais la situation économique est stable et la croissance, de l'ordre de 4 % en 2012 et 4,7 % en 2013, a été relancée grâce à l'augmentation des principaux produits destinés à l'exportation. Le secteur tertiaire ne participant pas assez au développement économique, l'essor du tourisme est dorénavant privilégié. L'agriculture ne représente que 8 % du PIB. La croissance du secteur informel lié à des activités illégales (drogue, blanchiment d'argent) est préoccupante.

TOURISME

- **Recettes touristiques (2012) :** 69 millions de dollars

COMMERCE EXTÉRIEUR

- **Exportations de biens (2012) :** 2 564 millions de dollars
- **Importations de biens (2011) :** 1 679 millions de dollars

DÉFENSE

- **Forces armées (2011) :** 1 840 individus
- **Dépenses militaires (2007) :** 1 % du PIB

NIVEAU DE VIE

- **Nombre d'habitants pour un médecin (2007) :** 2 222
- **Apport journalier moyen en calories (2007) :** 2 492 (minimum FAO : 2 400)
- **Nombre d'automobiles pour 1 000 hab. (2011) :** 227
- **Téléphones portables (2012) :** 100 % de la population équipée

REPÈRES HISTORIQUES

1667 : occupée par les Anglais, la région est cédée aux Hollandais en échange de La Nouvelle-Amsterdam.

XVIIIe s. : elle se développe grâce aux plantations de canne à sucre.

1796 - 1816 : occupation anglaise.

1863 : l'esclavage est aboli. Le pays se peuple d'Indiens et d'Indonésiens.

1948 : il prend le nom de Suriname.

1975 : le Suriname accède à l'indépendance.

1982 : une guérilla se développe dans le sud et l'est du pays.

1992 : un accord de paix est signé entre le gouvernement et la guérilla.

HAÏTI

Tropical, le pays est plus arrosé à l'est qu'à l'ouest, souvent ravagé par des cyclones. Du nord au sud se succèdent chaînes montagneuses et fossés remblayés d'alluvions.

Superficie : 27 750 km²
Population (2013) : 10 400 000 hab.
Capitale : Port-au-Prince 703 023 hab. (r. 2003), 2 207 110 hab. (e. 2011) dans l'agglomération
Nature de l'État et du régime politique : république à régime semi-présidentiel
Chef de l'État : (président de la République) Michel Martelly
Chef du gouvernement : (Premier ministre) Laurent Lamothe
Organisation administrative : 9 départements
Langues officielles : créole haïtien et français
Monnaies : gourde et dollar des États-Unis

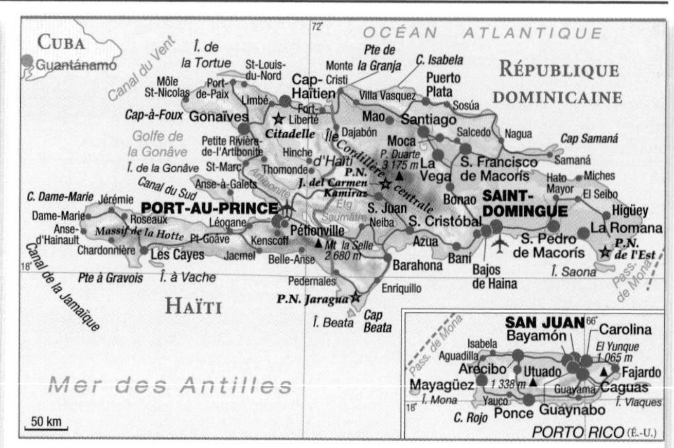

Haïti, République dominicaine

200	500	1000	2000 m

★ site touristique important
— route
✈ aéroport

● plus de 1 000 000 h.
● de 100 000 à 1 000 000 h.
● de 30 000 à 100 000 h.
• moins de 30 000 h.

DÉMOGRAPHIE

- **Densité :** 375 hab./km²
- **Part de la population urbaine (2013) :** 53 %
- **Structure de la population par âge (2013) :** moins de 15 ans : 36 %, 15-65 ans : 60 %, plus de 65 ans : 4 %
- **Taux de natalité (2013) :** 26 ‰
- **Taux de mortalité (2013) :** 9 ‰
- **Taux de mortalité infantile (2013) :** 59 ‰
- **Espérance de vie (2013) :** hommes : 61 ans, femmes : 64 ans

La densité de population (375 hab. km²) est l'une des plus fortes de toute l'Amérique latine. Principalement rurale, la population haïtienne est profondément marquée par le poids de la jeunesse (36 % de moins de 15 ans). L'espérance de vie à la naissance (61 ans pour les hommes) y est plus basse que partout ailleurs dans la région. Le taux de natalité (26 ‰) et l'indice de fécondité (3,5 enfants par femme), élevés, stimulent l'accroissement naturel (1,7 %), qui est compensé par une forte émigration. Le taux de mortalité infantile (59 ‰) est élevé. Un cinquième de la population vit à Port-au-Prince, la capitale, dont une partie dans des bidonvilles.

ÉCONOMIE

- **PNB (2012) :** 8 milliards de dollars
- **PNB/hab. (2012) :** 760 dollars
- **PNB/hab. PPA (2012) :** 1 220 dollars internationaux
- **IDH (2012) :** 0,456
- **Taux de croissance annuelle du PIB (2012) :** 2,8 %
- **Taux annuel d'inflation (2012) :** 6,3 %
- **Structure de la population active :** agriculture : n.d., mines et industries : n.d., services : n.d.
- **Structure du PIB (2004) :** agriculture : 27 %, mines et industries : 17 %, services : 56 %
- **Dette publique brute :** n.d.
- **Taux de chômage :** n.d.

Le pays, qui fait partie des plus pauvres au monde, a été très durement touché ces dernières années, d'abord par les tempêtes de 2008, ensuite par le tremblement de terre de janvier 2010 (faisant plus de 200 000 morts, détruisant les récoltes et la majorité des infrastructures), puis par une épidémie de choléra en octobre 2010. Seulement 7 des 10 milliards alloués à la reconstruction du pays ont été effectifs et plusieurs milliers de personnes vivent encore dans des camps de fortune, d'autant que les aides ont diminué en 2013. Alors que les productions agricoles avaient été pénalisées par l'érosion importante des sols, les exportations agricoles reprennent doucement. La majorité des ressources vient actuellement de la diaspora (20 % du PIB) et surtout de l'aide internationale, sous l'égide de la Commission intérimaire pour la reconstruction d'Haïti, et la dette extérieure a été annulée mais croît à nouveau, dépassant 20 % du PIB. Les objectifs d'éducation gratuite ont été renforcés pour fonder un futur développement dans un pays où les infrastructures de base ne sont pas encore reconstruites.

TOURISME

- **Recettes touristiques (2012) :** 162 millions de dollars

COMMERCE EXTÉRIEUR

- **Exportations de biens (2012) :** 785 millions de dollars
- **Importations de biens (2011) :** 4 048 millions de dollars

DÉFENSE

- **Forces armées (2011) :** 50 individus
- **Dépenses militaires (2005) :** 0,4 % du PIB

NIVEAU DE VIE

- **Nombre d'habitants pour un médecin :** n.d.
- **Apport journalier moyen en calories (2007) :** 1 870 (minimum FAO : 2 400)
- **Nombre d'automobiles pour 1 000 hab. :** n.d.
- **Téléphones portables (2012) :** 59 % de la population équipée

REPÈRES HISTORIQUES

1492 : l'île est découverte par Christophe Colomb, qui lui donne le nom d'Hispaniola.

XVIIIe s. : la région, peuplée à 90 % d'esclaves noirs, devient la plus prospère des colonies françaises.

1791 : Toussaint Louverture prend la tête de la révolte des esclaves.

1795 : l'Espagne cède la partie orientale de l'île à la France.

AMÉRIQUE

1804 : après avoir expulsé les Français, le Noir Jean-Jacques Dessalines se proclame empereur d'Haïti.

1806 - 1818 : tandis que l'Espagne réoccupe l'est de l'île, une sécession oppose le royaume du Nord à la république du Sud.

1822 : réunification de l'île.

1844 : la partie orientale reprend sa liberté pour former la République dominicaine.

1915 - 1934 : les États-Unis occupent militairement le pays.

1957 - 1971 : le président François Duvalier exerce un pouvoir dictatorial.

1971-1986 : lui succède son fils, Jean-Claude, obligé de s'exiler à la suite d'une grave crise politique.

1991 : au pouvoir de façon presque ininterrompue depuis 1986, les militaires renversent le père Jean-Bertrand Aristide, élu à la présidence en 1990.

1994 : une intervention militaire américaine rétablit J.-B. Aristide.

1995 : René Préval, un de ses proches, remporte l'élection présidentielle.

2001 : J.-B. Aristide revient à la tête de l'État. Mais la dérive autoritaire du régime plonge le pays dans la guerre civile.

2004 : sous la pression de l'opposition, d'une rébellion armée et de la communauté internationale, J.-B. Aristide démissionne.

2006 : R. Préval est réélu à la tête du pays.

2010 : un séisme, suivi par une épidémie de choléra et des inondations, fait basculer le pays dans le chaos.

Depuis 2011 : le nouveau pouvoir peine à s'imposer et la reconstruction du pays reste en panne.

DOMINICAINE (RÉPUBLIQUE)

À l'Ouest, montagneux, ouvert par des fossés d'effondrement, s'oppose l'Est, formé surtout de plaines et de collines.

Superficie : 48 511 km²
Population (2013) : 10 300 000 hab.
Capitale : Saint-Domingue 2 190 990 hab. (e. 2011) dans l'agglomération
Nature de l'État et du régime politique : république à régime présidentiel
Chef de l'État et du gouvernement : (président de la République) Danilo Medina Sánchez
Organisation administrative : 29 provinces et 1 district national
Langue officielle : espagnol
Monnaie : peso dominicain

DÉMOGRAPHIE

- **Densité :** 212 hab./km²
- **Part de la population urbaine (2013) :** 67 %
- **Structure de la population par âge (2013) :** moins de 15 ans : 31 %, 15-65 ans : 63 %, plus de 65 ans : 6 %
- **Taux de natalité (2013) :** 22 ‰
- **Taux de mortalité (2013) :** 6 ‰
- **Taux de mortalité infantile (2013) :** 27 ‰
- **Espérance de vie (2013) :** hommes : 70 ans, femmes : 76 ans

Les trois quarts des habitants de la République dominicaine sont des mulâtres. Comme dans les autres pays des Antilles, la population dominicaine est jeune (31 % des habitants sont âgés de moins de 15 ans). Le taux de natalité (22 ‰) et l'indice de fécondité (2,6 enfants par femme), élevés, stimulent l'accroissement naturel (1,6 %), qui est compensé par une forte émigration. Les deux tiers de la population sont urbanisés. La capitale, Saint-Domingue, regroupe un cinquième de la population. Les autres grandes villes sont San Pedro de Macorís et La Romana, dans le sud du pays, ainsi que Santiago de los Caballeros (Santiago), dans le Nord.

ÉCONOMIE

- **PNB (2012) :** 57 milliards de dollars
- **PNB/hab. (2012) :** 5 470 dollars
- **PNB/hab. PPA (2012) :** 9 660 dollars internationaux
- **IDH (2012) :** 0,702
- **Taux de croissance annuelle du PIB (2012) :** 3,9 %
- **Taux annuel d'inflation (2012) :** 3,7 %
- **Structure de la population active (2011) :** agriculture : 14,5 %, mines et industries : 17,8 %, services : 67,7 %
- **Structure du PIB (2012) :** agriculture : 6,1 %, mines et industries : 31,7 %, services : 62,2 %
- **Dette publique brute :** n.d.
- **Taux de chômage (2011) :** 13,5 %

L'économie de la République dominicaine s'est diversifiée : aux productions agricoles (café, sucre, tabac) et minières (ferronickel, or, charbon) se sont ajoutés les activités d'une cinquantaine de zones franches industrielles et le développement d'infrastructures de tourisme. Le secteur touristique, qui a engendré 4,7 milliards de dollars en 2013, emploie plus de 550 000 personnes. La perte des touristes européens a été compensée par l'arrivée de Sud-Américains et de Russes. Le pays reste marqué par de très fortes inégalités sociales, une présence significative de la corruption et de l'économie de la drogue, avec par ailleurs un déficit dans les domaines de l'éducation et de la santé. Les échanges se font majoritairement avec les États-Unis.

TOURISME

- **Recettes touristiques (2012) :** 4 353 M de $

COMMERCE EXTÉRIEUR

- **Exportations de biens (2012) :** 4 091 M de $
- **Importations de biens (2012) :** 20 044 M de $

DÉFENSE

- **Forces armées (2011) :** 39 500 individus
- **Dépenses militaires (2012) :** 0,6 % du PIB

NIVEAU DE VIE

- **Nombre d'habitants pour un médecin :** n.d.
- **Apport journalier moyen en calories (2007) :** 2 295 (minimum FAO : 2 400)
- **Nombre d'automobiles pour 1 000 hab. (2010) :** 87
- **Téléphones portables (2012) :** 89 % de la population équipée

REPÈRES HISTORIQUES

1492 : Christophe Colomb atteint l'île d'Haïti, qu'il baptise Hispaniola.

XVIe - XVIIIe s. : la première colonisation espagnole entraîne la disparition des populations autochtones (Indiens Arawak).

1697 : l'île est partagée entre la France (Haïti) et l'Espagne.

1795 : la colonie espagnole est cédée à la France.

1822 - 1844 : l'ensemble de l'île est sous domination haïtienne.

1844 : la République dominicaine est proclamée.

1861 : pour parer la menace haïtienne, le retour de la république à l'Espagne est déclaré.

1865 : le pays accède définitivement à l'indépendance.

1916 - 1924 : le pays est occupé militairement par les États-Unis, qui favorisent l'arrivée au pouvoir de Rafael Leónidas Trujillo.

1930 - 1961 : celui-ci exerce une dictature absolue. Il est assassiné en 1961.

1962 - 1963 : Juan Bosch, élu président, est renversé par les militaires.

1965 : les États-Unis interviennent militairement.

Depuis 1966 : se succèdent à la tête de l'État : Joaquín Balaguer (1966 - 1978 et 1986 - 1996), Antonio Guzmán (1978 - 1982), Jorge Blanco (1982 - 1986), Leonel Fernández (1996 - 2000 et 2004 - 2012), Hipólito Mejía (2000 - 2004), Danilo Medina (2012).

HONDURAS

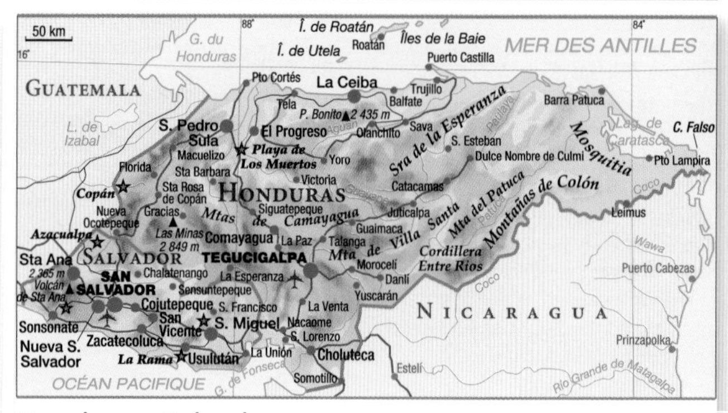

Honduras, Salvador

200 500 1500 m

— route
— voie ferrée

★ site touristique important
✈ aéroport

● plus de 500 000 h.
● de 100 000 à 500 000 h.
● de 50 000 à 100 000 h.
● moins de 50 000 h.

Le Honduras est un pays montagneux en grande partie recouvert par la forêt, au climat relativement humide et tempéré.

Superficie : 112 088 km²
Population (2013) : 8 600 000 hab.
Capitale : Tegucigalpa 1 088 470 hab. (e. 2011)
Nature de l'État et du régime politique : république à régime présidentiel
Chef de l'État et du gouvernement : (président de la République) Juan Orlando Hernández
Organisation administrative : 18 départements
Langue officielle : espagnol
Monnaie : lempira

DÉMOGRAPHIE

- **Densité :** 77 hab./km²
- **Part de la population urbaine (2013) :** 52 %
- **Structure de la population par âge (2013) :** moins de 15 ans : 38 %, 15-65 ans : 58 %, plus de 65 ans : 4 %
- **Taux de natalité (2013) :** 26 ‰
- **Taux de mortalité (2013) :** 5 ‰
- **Taux de mortalité infantile (2013) :** 24 ‰
- **Espérance de vie (2013) :** hommes : 71 ans, femmes : 76 ans

Le Honduras est à la fois l'un des plus étendus et l'un des moins peuplés des États d'Amérique centrale. Sa population, surtout rurale, est fortement métissée : les deux tiers sont des métis de Blancs et d'Amérindiens, ces derniers représentant encore le cinquième de la population. Le pays connaît une croissance démographique relativement soutenue, de l'ordre de 2,2 % par an, avec un indice de fécondité de 2,9 enfants par femme. Les plaines proches du littoral, qui concentrent plus du quart de la population, s'opposent au Honduras intérieur, peu peuplé. Les deux grandes villes sont Tegucigalpa, la capitale, dans le Centre, et San Pedro Sula, dans le Nord-Ouest.

ÉCONOMIE

- **PNB (2012) :** 17 milliards de dollars
- **PNB/hab. (2012) :** 2 120 dollars
- **PNB/hab. PPA (2012) :** 3 880 dollars internationaux
- **IDH (2012) :** 0,632
- **Taux de croissance annuelle du PIB (2012) :** 3,9 %
- **Taux annuel d'inflation (2012) :** 5,2 %
- **Structure de la population active (2011) :** agriculture : 35,3 %, mines et industries : 19,8 %, services : 44,9 %
- **Structure du PIB (2012) :** agriculture : 14,8 %, mines et industries : 27,9 %, services : 57,3 %
- **Dette publique brute :** n.d.
- **Taux de chômage (2011) :** 4,3 %

Avec une croissance du PIB de 3 % en moyenne, l'économie du Honduras se relève peu à peu. Le pays, où plus du tiers de la population vit sous le seuil de pauvreté et où le chômage progresse, est très dépendant des États-Unis tant pour son commerce extérieur que pour les envois de fonds de ses émigrés (3 milliards de dollars). Ses ressources sont agricoles (café [principal produit d'exportation], cacao, bananes), minières et industrielles (textile). Après sa radiation en 2009 de la coopération énergétique régionale Petrocaribe (échange de pétrole avec le Venezuela contre des produits agricoles), le pays l'a réintégrée en 2013 dans le but de favoriser son économie. Un projet de ligne ferroviaire est à l'étude afin de relier les deux océans. Le taux élevé de criminalité (pays le plus violent de la planète), la corruption de la police et l'instabilité politique handicapent fortement le pays, soutenu malgré tout par les institutions financières internationales.

TOURISME

- **Recettes touristiques (2012) :** 704 millions de dollars

COMMERCE EXTÉRIEUR

- **Exportations de biens (2012) :** 4 439 millions de dollars
- **Importations de biens (2012) :** 13 005 millions de dollars

DÉFENSE

- **Forces armées (2011) :** 20 000 individus
- **Dépenses militaires (2012) :** 1,1 % du PIB

NIVEAU DE VIE

- **Nombre d'habitants pour un médecin :** n.d.
- **Apport journalier moyen en calories (2007) :** 2 623 (minimum FAO : 2 400)
- **Nombre d'automobiles pour 1 000 hab. (2009) :** 29
- **Téléphones portables (2012) :** 93 % de la population équipée

REPÈRES HISTORIQUES

1502 : Christophe Colomb reconnaît la côte du Honduras.

1523 : peuplé d'Indiens Miskito, le pays est conquis par Pedro de Alvarado.

1544 : il est rattaché à la capitainerie générale du Guatemala.

1821 : le Honduras est incorporé au Mexique d'Iturbide.

1824 - 1838 : le pays fait partie des Provinces-Unies d'Amérique centrale.

1838 : devenu indépendant, il voit son intégrité menacée par la présence britannique.

Fin du XIXe - début du XXe s. : le Honduras est divisé entre des oligarchies locales rivales. Il subit l'emprise de l'United Fruit Company.

1932 - 1948 : dictature de Tiburcio Carías Andino.

1969 - 1970 : la « guerre du football » avec le Salvador favorise l'agitation intérieure.

1987 et 1989 : signature avec le Costa Rica, le Guatemala, le Nicaragua et le Salvador des accords visant à rétablir la paix dans la région.

À partir de 1990 : conservateurs et libéraux alternent à la présidence de la République.

SALVADOR

Ouvert seulement sur le Pacifique, le Salvador est un pays montagneux et volcanique. Le climat, chaud et humide, a toutefois une saison sèche de 4 à 5 mois.

Superficie : 21 041 km²
Population (2013) : 6 300 000 hab.
Capitale : San Salvador 316 090 hab. (r. 2007), 1 604 650 hab. (e. 2011) dans l'agglomération
Nature de l'État et du régime politique : république à régime présidentiel
Chef de l'État et du gouvernement : (président de la République) Mauricio Funes
Organisation administrative : 14 départements
Langue officielle : espagnol
Monnaies : colon salvadorien et dollar des États-Unis

DÉMOGRAPHIE

- **Densité :** 299 hab./km²
- **Part de la population urbaine (2013) :** 65 %
- **Structure de la population par âge (2013) :** moins de 15 ans : 31 %, 15-65 ans : 62 %, plus de 65 ans : 7 %
- **Taux de natalité (2013) :** 18 ‰
- **Taux de mortalité (2013) :** 5 ‰
- **Taux de mortalité infantile (2013) :** 8 ‰
- **Espérance de vie (2013) :** hommes : 67 ans, femmes : 77 ans

Le Salvador est le plus petit pays d'Amérique centrale et le plus densément peuplé des États d'Amérique latine. La population est essentiellement formée de métis, de langue et de culture espagnoles. Le pays connaît une croissance démographique de l'ordre de 1,2 % par an, avec un indice de fécondité de 2,2 enfants par femme. Le tiers des habitants a moins de 15 ans. Le peuplement se concentre dans le plateau de l'intérieur et les régions côtières sont délaissées. Les principales villes sont la capitale, San Salvador, loin devant Santa Ana et San Miguel. Environ trois millions de Salvadoriens vivent aux États-Unis.

ÉCONOMIE

- **PNB (2012) :** 23 milliards de dollars
- **PNB/hab. (2012) :** 3 590 dollars
- **PNB/hab. PPA (2012) :** 6 720 dollars internationaux
- **IDH (2012) :** 0,68
- **Taux de croissance annuelle du PIB (2012) :** 1,9 %
- **Taux annuel d'inflation (2012) :** 1,7 %
- **Structure de la population active (2012) :** agriculture : 21 %, mines et industries : 21,1 %, services : 57,9 %
- **Structure du PIB (2012) :** agriculture : 11,8 %, mines et industries : 27,2 %, services : 61 %
- **Dette publique brute (2011) :** 48 % du PIB
- **Taux de chômage (2012) :** 6,1 %

Le plus petit pays d'Amérique centrale est très dépendant des États-Unis, avec lesquels il fait plus de la moitié de ses échanges et où vit la majeure partie de ses émigrés (3 millions), dont les transferts de fonds représentent 16 % du PIB. Ses productions agricoles sont exportées (tabac, canne à sucre et surtout café dont les exportations ont fortement augmenté) et sa production industrielle est diversifiée (agroalimentaire, pétrochimie, ciment, métallurgie, pharmacie) mais est basée sur l'industrie textile qui représente 40 % des exportations du pays. En 2011, la majeure partie des récoltes de maïs et de haricots a été détruite en raison de fortes inondations. Depuis cette catastrophe climatique qui a engendré une perte de la production entraînant un ralentissement de la croissance, celle-ci peine à se stabiliser puisqu'elle n'a atteint que 1,6 % en 2013. Le pays est soutenu par les institutions financières internationales dans ses efforts pour réduire le déficit budgétaire et améliorer sa situation dans les domaines de l'éducation et de la santé. Le gouvernement a mis en place un plan de privatisation qui concerne les banques et les assurances mais aussi les télécommunications et l'électricité. Le pays reste touché par la violence, l'économie grise est en augmentation et environ 40 % de la population vit sous le seuil de pauvreté.

TOURISME

- **Recettes touristiques (2012) :** 729 millions de dollars

COMMERCE EXTÉRIEUR

- **Exportations de biens (2012) :** 4 236 millions de dollars
- **Importations de biens (2012) :** 11 096 millions de dollars

DÉFENSE

- **Forces armées (2011) :** 32 300 individus
- **Dépenses militaires (2012) :** 1 % du PIB

NIVEAU DE VIE

- **Nombre d'habitants pour un médecin (2011) :** 627
- **Apport journalier moyen en calories (2007) :** 2 590 (minimum FAO : 2 400)
- **Nombre d'automobiles pour 1 000 hab. (2011) :** 49
- **Téléphones portables (2012) :** 100 % de la population équipée

REPÈRES HISTORIQUES

XVIe s. : la région est conquise par l'Espagne.

1822 : après la proclamation de l'indépendance (1821), le pays est rattaché de force au Mexique.

1823 - 1838 : il constitue une des Provinces-Unies d'Amérique centrale.

1841 : le Salvador devient une république.

Fin du XIXe s. : la vie politique est marquée par l'opposition entre libéraux et conservateurs.

1931 - 1956 : succession de gouvernements autoritaires ou plus libéraux.

1969 : « guerre du football » avec le Honduras.

1972 : les militaires imposent leur candidat contre celui de l'opposition, José Napoleón Duarte. Dès lors sévissent guérilla (dont plusieurs mouvements s'unissent en 1980 pour former le Front Farabundo Martí pour la libération nationale, ou FMLN) et terrorisme.

1984 - 1989 : présidence de Duarte.

1987 et 1989 : signature avec les pays voisins d'accords visant à rétablir la paix en Amérique centrale.

1992 : signature d'un accord de paix entre le gouvernement et la guérilla. Le FMLN se transforme en un parti de gauche et devient une composante majeure de la vie politique.

2009 : élection de Mauricio Funes et accès au pouvoir du FMLN.

JAMAÏQUE

Île au climat tropical maritime constamment chaud, la Jamaïque est plus arrosée au nord qu'au sud et parfois ravagée par des cyclones. Montagneuse dans sa partie orientale (2 467 m dans les Montagnes Bleues), elle est formée de plateaux calcaires au centre et à l'ouest, et parsemée de plaines alluviales, souvent littorales.

Superficie : 10 990 km²
Population (2013) : 2 700 000 hab.
Capitale : Kingston 584 627 hab. (r. 2012) dans l'agglomération
Nature de l'État et du régime politique : monarchie constitutionnelle à régime parlementaire
Chef de l'État : (reine) Élisabeth II, représentée par le gouverneur général Patrick Linton Allen
Chef du gouvernement : (Premier ministre) Portia Simpson Miller
Organisation administrative : 14 paroisses
Langue officielle : anglais
Monnaie : dollar de la Jamaïque

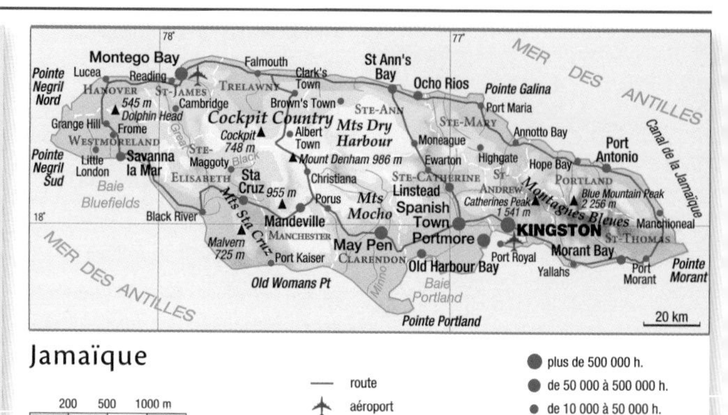

DÉMOGRAPHIE

- **Densité :** 246 hab./km²
- **Part de la population urbaine (2013) :** 52 %
- **Structure de la population par âge (2013) :** moins de 15 ans : 29 %, 15-65 ans : 63 %, plus de 65 ans : 8 %
- **Taux de natalité (2013) :** 15 ‰
- **Taux de mortalité (2013) :** 6 ‰
- **Taux de mortalité infantile (2013) :** 22 ‰
- **Espérance de vie (2013) :** hommes : 71 ans, femmes : 76 ans

La population est principalement composée de descendants d'esclaves venus d'Afrique. L'accroissement naturel (0,8 %) y est nettement moins élevé que dans les autres États des Antilles, en raison, essentiellement, de la baisse du taux de natalité, mais les habitants de moins de 15 ans représentent environ 29 % de la population. La densité moyenne de la population est élevée. Les habitants se concentrent sur le littoral, où se trouve Kingston, la capitale, dans le Sud-Est, qui regroupe près du quart de la population totale de l'île. Montego Bay, dans le Nord-Ouest, est l'autre grande ville de l'île.

ÉCONOMIE

- **PNB (2012) :** 14 milliards de dollars
- **PNB/hab. (2012) :** 5 120 dollars
- **PNB/hab. PPA (2010) :** 7 310 dollars internationaux
- **IDH (2012) :** 0,73
- **Taux de croissance annuelle du PIB (2012) :** – 0,5 %
- **Taux annuel d'inflation (2012) :** 6,9 %
- **Structure de la population active (2012) :** agriculture : 18,1 %, mines et industries : 15,5 %, services : 66,4 %
- **Structure du PIB (2012) :** agriculture : 6,7 %, mines et industries : 21,1 %, services : 72,2 %
- **Dette publique brute (2008) :** 120 % du PIB
- **Taux de chômage (2012) :** 13,7 %

Alors que la crise de 2009 avait affecté la production et les exportations de bauxite, celles-ci ont redémarré et permis une croissance timide de 1,5 % en 2011. Mais, en 2013, le montant de la dette a avoisiné les 143 % du PIB, le chômage a augmenté et, dans un tel contexte économique, la croissance a eu du mal à repartir à la hausse (0,4 %). Les recettes touristiques, dont le pays est particulièrement dépendant, sont à nouveau en augmentation grâce aux touristes canadiens (et, plus récemment, russes) qui ont contrebalancé le déficit de visiteurs européens (effrayés par la forte criminalité), et les transferts de fonds des émigrés sont également repartis à la hausse. Tournée vers les exportations, l'agriculture, dominée par la production de canne à sucre, reste l'un des piliers de l'économie. Les échanges commerciaux se font majoritairement avec les États-Unis. En proie à la violence et à la corruption, le pays a du mal à sortir de la crise malgré le soutien du FMI et la dette publique dépasse la valeur du PIB.

TOURISME

- **Recettes touristiques (2012) :** 2 060 millions de dollars

COMMERCE EXTÉRIEUR

- **Exportations de biens (2012) :** 1 747 millions de dollars
- **Importations de biens (2011) :** 7 761 millions de dollars

DÉFENSE

- **Forces armées (2011) :** 2 830 individus
- **Dépenses militaires (2012) :** 0,9 % du PIB

NIVEAU DE VIE

- **Nombre d'habitants pour un médecin :** n.d.
- **Apport journalier moyen en calories (2007) :** 2 852 (minimum FAO : 2 400)
- **Nombre d'automobiles pour 1 000 hab. (2011) :** 144
- **Téléphones portables (2012) :** 97 % de la population équipée

REPÈRES HISTORIQUES

1494 : l'île est découverte par Christophe Colomb.

1655 : faiblement colonisée par les Espagnols, elle est conquise par les Anglais, qui développent la culture de la canne à sucre.

XVIIIe s. : la Jamaïque devient le centre du trafic des esclaves noirs pour l'Amérique du Sud.

1833 : l'abolition de l'esclavage et des privilèges douaniers (1846) ruine les grandes plantations.

1866 - 1884 : l'île est placée sous l'administration directe de la Couronne.

1870 : la culture de la banane est introduite tandis qu'apparaissent de grandes compagnies étrangères (United Fruit Company).

1938 - 1940 : le mouvement autonomiste se développe.

1962 : la Jamaïque devient indépendante dans le cadre du Commonwealth. Travaillistes et candidats du Parti national populaire (PNP) alternent au pouvoir.

MEXIQUE

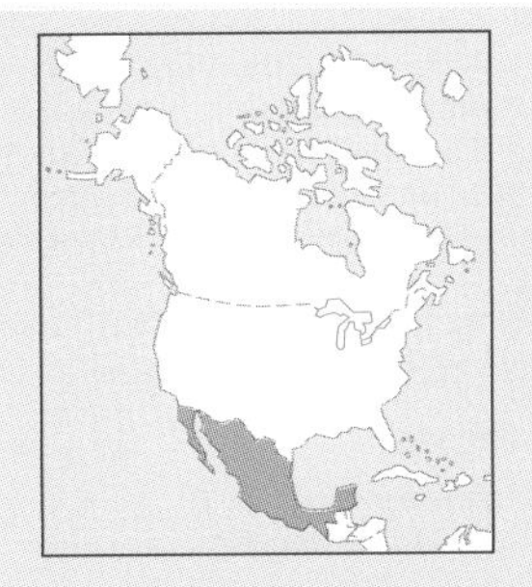

Coupé par le tropique, le Mexique est un pays de hautes terres, où l'altitude modère les températures sur les plateaux du Centre, qui concentrent la majeure partie de la population. Le Nord est aride, semi-désertique, alors que le Sud, au climat tropical humide, est parfois recouvert de forêt. Le volcanisme est localement présent et les séismes sont fréquents.

Superficie : 1 958 201 km²
Population (2013) : 117 600 000 hab.
Capitale : Mexico 20 445 790 hab. (e. 2011) dans l'agglomération
Nature de l'État et du régime politique : république à régime présidentiel
Chef de l'État et du gouvernement : (président de la République) Enrique Peña Nieto
Organisation administrative : 31 États et 1 district fédéral
Langue officielle : espagnol
Monnaie : peso mexicain

DÉMOGRAPHIE

- **Densité :** 60 hab./km²
- **Part de la population urbaine (2013) :** 78 %
- **Structure de la population par âge (2013) :** moins de 15 ans : 30 %, 15-65 ans : 64 %, plus de 65 ans : 6 %
- **Taux de natalité (2013) :** 19 ‰
- **Taux de mortalité (2013) :** 4 ‰
- **Taux de mortalité infantile (2013) :** 15 ‰
- **Espérance de vie (2013) :** hommes : 75 ans, femmes : 79 ans

Premier pays hispanophone du monde, le Mexique se situe au deuxième rang en Amérique latine par sa population, après le Brésil. Dans une population fortement métissée, les habitants d'origine amérindienne représentent 30 % de la population, ce qui en fait la plus grande communauté amérindienne d'Amérique latine. La croissance démographique du pays est encore rapide, malgré la baisse de la fécondité (2,2 enfants par femme). Elle atteint 1,8 million d'habitants par an, à peine freinée par l'émigration (en partie clandestine) vers les États-Unis. Les plateaux du Centre concentrent la majeure partie de la population. L'exode rural et la forte natalité expliquent la rapidité de l'urbanisation. Les trois quarts des Mexicains sont des citadins, une cinquantaine de villes dépassent 100 000 habitants et Mexico, avec plus de 20 millions d'habitants, se situe parmi les plus grandes agglomérations du monde.

ÉCONOMIE

- **PNB (2012) :** 1 158 milliards de dollars
- **PNB/hab. (2012) :** 9 640 dollars
- **PNB/hab. PPA (2012) :** 16 450 dollars internationaux
- **IDH (2012) :** 0,775
- **Taux de croissance annuelle du PIB (2012) :** 3,8 %
- **Taux annuel d'inflation (2012) :** 4,1 %
- **Structure de la population active (2011) :** agriculture : 13,6 %, mines et industries : 24,5 %, services : 61,9 %
- **Structure du PIB (2012) :** agriculture : 3,6 %, mines et industries : 35,7 %, services : 60,7 %
- **Dette publique brute (2009) :** 28,2 % du PIB
- **Taux de chômage (2012) :** 4,9 %

Après avoir subi de plein fouet la crise de 2008, avec une forte récession en 2009, mais, singulièrement, sans envolée du chômage, l'économie renoue avec la croissance à partir de 2010, tirée principalement par les activités de commerce et l'industrie manufacturière (machines, équipements de transport, métallurgie), pour s'effondrer à 0,9 % en 2013. Les échanges extérieurs représentent près de 60 % du PIB et s'effectuent principalement, dans le cadre de l'ALENA, avec les États-Unis, 1er client (80 % des exportations) devant le Canada, la Chine, l'Espagne et le Brésil, et 1er fournisseur (48 % des importations) devant la

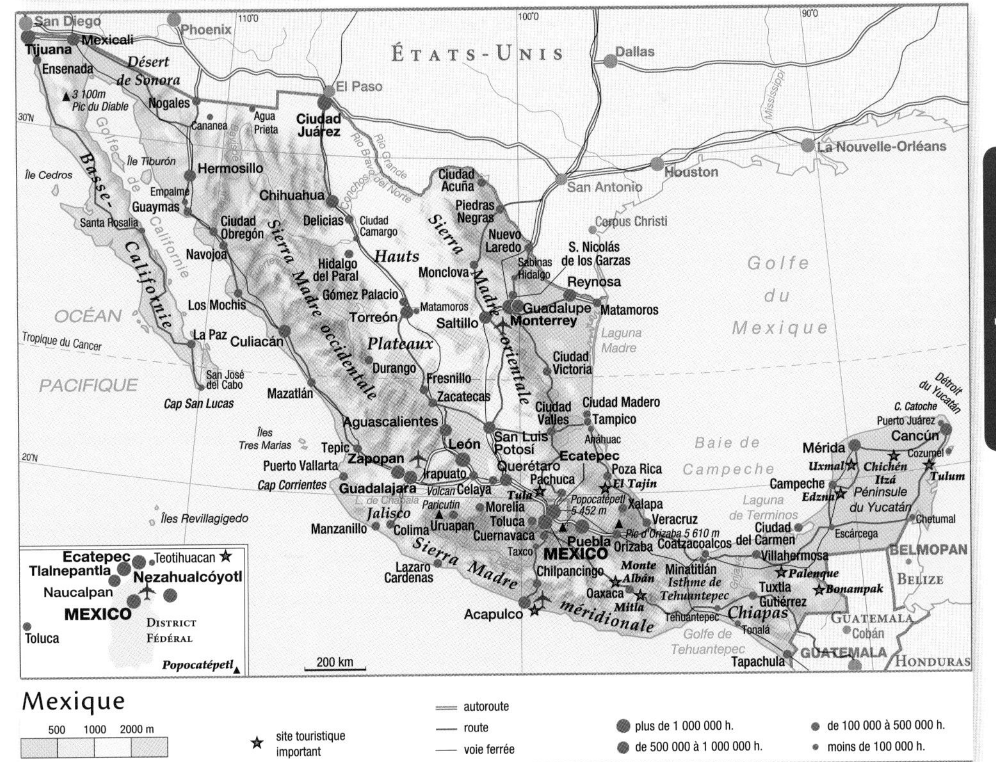

Chine, le Japon, la Corée du Sud et l'Allemagne. Plus de 80 % des exportations sont des produits manufacturés (automobile, machines et matériel électrique) tandis que le secteur pétrolier en représente 14 %. Outre le pétrole et le gaz, le Mexique possède plusieurs richesses minières (or et argent, cuivre, zinc, plomb, notamment), un secteur dont la part dans le PIB est fluctuante mais qui représente une importante source de devises aux côtés des hydrocarbures, du tourisme, de l'agriculture (café, sucre, maïs, oranges) et des transferts de fonds des travailleurs émigrés (seconde source de revenus). Sa forte dépendance vis-à-vis des États-Unis a eu des conséquences sur la croissance en 2013 et, pour tenter de s'en extraire, le Mexique s'est allié au Chili, à la Colombie et au Pérou au travers d'une plateforme de libre-échange qui favorise les échanges avec les marchés asiatiques. Créateur d'emplois en 2011, le pays n'arrive cependant pas à faire fléchir le chômage qui stagne autour de 5 %, le secteur informel employant près de 29 % de la population active. Près de la moitié de la population est considérée comme pauvre dans un pays où la violence est constamment présente (gangs, cartels de la drogue). La stabilité financière et la discipline budgétaire que s'impose le gouvernement ont relancé l'ensemble des secteurs économiques dont l'automobile et l'énergie, le pétrole étant la première source de revenus. Le secteur tertiaire a été développé au détriment du secteur primaire qui ne représente plus que 3,6 % du PIB contre 61,9 % pour le secteur tertiaire, basé surtout sur le tourisme (environ 200 millions de visiteurs par an). Malgré un climat particulièrement violent, les investisseurs, États-Unis en tête suivis par le Japon, sont toujours présents.

TOURISME

- **Recettes touristiques (2012) :** 12 270 millions de dollars

COMMERCE EXTÉRIEUR

- **Exportations de biens (2012) :** 371 378 millions de dollars

les États du Mexique

État	superficie (en km²)	nombre d'habitants*	capitale
Aguascalientes	5 589	1 184 996	Aguascalientes
Basse-Californie du Nord	69 921	3 155 070	Mexicali
Basse-Californie du Sud	73 475	637 026	La Paz
Campeche	50 812	822 441	Campeche
Chiapas	75 634	4 796 580	Tuxtla Gutiérrez
Chihuahua	247 087	3 406 465	Chihuahua
Coahuila de Zaragoza	149 982	2 748 391	Saltillo
Colima	5 191	650 555	Colima
Durango	123 181	1 632 934	Durango
Guanajuato	30 941	5 486 372	Guanajuato
Guerrero	64 281	3 388 768	Chilpancingo de los Bravos
Hidalgo	20-905	2 665 018	Pachuca de Soto
Jalisco	80 836	7 350 682	Guadalajara
Mexico	21 355	15 175 862	Toluca de Lerdo
Michoacán de Ocampo	59 928	4 351 037	Morelia
Morelos	4 950	1 777 227	Cuernavaca
Nayarit	27 621	1 084 979	Tepic
Nuevo León	64 210	4 653 458	Monterrey
Oaxaca	95 364	3 801 962	Oaxaca
Puebla	34 072	5 779 829	Puebla
Querétaro de Arteaga	11 449	1 827 937	Querétaro
Quintana Roo	50 483	1 325 578	Chetumal
San Luis Potosí	63 068	2 585 518	San Luis Potosí
Sinaloa	58 328	2 767 761	Culiacán
Sonora	182 052	2 662 480	Hermosillo
Tabasco	25 267	2 238 603	Villahermosa
Tamaulipas	79 384	3 268 554	Ciudad Victoria
Tlaxcala	4 016	1 169 936	Tlaxcala
Veracruz-Llave	72 815	7 643 194	Jalapa Enríquez
Yucatán	43 379	1 955 577	Mérida
Zacatecas	73 252	1 490 668	Zacatecas
District			
District fédéral	1 749	8 851 080	

* recensement de 2010.

- **Importations de biens (2012) :** 400 343 millions de dollars

DÉFENSE

- **Forces armées (2011) :** 329 750 individus
- **Dépenses militaires (2012) :** 0,6 % du PIB

NIVEAU DE VIE

- **Nombre d'habitants pour un médecin (2011) :** 510
- **Apport journalier moyen en calories (2007) :** 3 266 (minimum FAO : 2 400)
- **Nombre d'automobiles pour 1 000 hab. (2011) :** 191
- **Téléphones portables (2012) :** 87 % de la population équipée

REPÈRES HISTORIQUES

Du Mexique précolombien à la période coloniale

V. 10000 av. J.-C. : chasseurs-cueilleurs.

5200 et 3400 av. J.-C. : Tehuacán, première utilisation du maïs.

2000 - 1000 av. J.-C. : période préclassique. Villages d'agriculteurs ; origines de la civilisation maya.

1500 - 300 av. J.-C. : civilisation des Olmèques.

250 apr. J.-C. - 950 : période classique. Civilisations de Teotihuacán, d'El Tajín, des Zapotèques avec pour capitale Monte Albán, puis Mitla. Épanouissement des Mayas.

950 - 1500 : période postclassique. Incursions des Chichimèques. Hégémonie des Toltèques avec Tula.

1168 : Tula est détruite par des Chichimèques.

XIIIe s. : suprématie des Mixtèques. Épanouissement des Totonaques et de Cempoala, ainsi que des Huaxtèques. Renaissance maya. Dernière vague d'envahisseurs chichimèques, dont sont issus les Aztèques qui ont fondé (1325 ou 1345) Tenochtitlán, aujourd'hui Mexico.

1519 - 1521 : Cortés détruit l'Empire aztèque et devient gouverneur de la Nouvelle-Espagne. La colonie devient une vice-royauté en 1535. Les épidémies et le travail forcé déciment une grande partie de la population indienne. La domination espagnole s'accompagne d'une conversion massive au catholicisme.

XVIIe - XVIIIe s. : le Mexique s'enrichit par l'exploitation des mines d'argent, tandis que l'agriculture et l'élevage se développent.

De l'indépendance à nos jours

1810 - 1815 : conduites par les prêtres Hidalgo et Morelos, les classes pauvres se soulèvent contre les Espagnols et les créoles.

1821 : l'indépendance du Mexique est proclamée. Agustín de Iturbide devient empereur (1822).

1823 : après l'abdication de ce dernier, le général Santa Anna instaure la république.

1836 : le Texas fait sécession et devient une république indépendante.

1846 - 1848 : après la guerre avec les États-Unis, le Mexique perd la Californie, le Nouveau-Mexique et l'Arizona.

1862 - 1867 : la France intervient au Mexique et crée un empire catholique au profit de Maximilien d'Autriche (1864).

1867 : la république est restaurée.

1876 : le général Porfirio Díaz s'empare du pouvoir et gouverne autoritairement jusqu'en 1911 *(porfiriat)*.

1914 - 1917 : la révolution ouvre une longue période de troubles. Des revendications agraires, ouvrières et nationalistes se mêlent à la lutte pour le pouvoir que se livrent les différents chefs des factions, appuyés ou non par les États-Unis : Pancho Villa, Emiliano Zapata, Venustiano Carranza et Álvaro Obregón.

1934 - 1940 : sous la présidence de Lázaro Cárdenas sont établies les bases d'un système politique au centre duquel se trouve le parti dénommé, depuis 1946, Parti révolutionnaire institutionnel (PRI). Ce parti maintiendra son hégémonie sur le pays jusqu'en 2000.

1994 : tandis que la zone de libre-échange (ALENA), créée avec les États-Unis et le Canada en 1992, est instaurée, le gouvernement est confronté à la révolte des paysans indiens dans l'État de Chiapas.

Depuis 2006 : le pays connaît une montée de l'insécurité, liée notamment à l'essor du trafic de drogue.

2012 : l'élection de Enrique Peña Nieto à la présidence de la République marque le retour au pouvoir du PRI, après douze ans d'opposition.

NICARAGUA

L'intérieur, montagneux, est ouvert par les dépressions occupées par les lacs Nicaragua (8 262 km²) et Managua. Cette région sépare deux plaines littorales : l'une, étroite mais fertile, donne sur le Pacifique, et l'autre, plus large, surtout forestière, sur la mer des Antilles.

Superficie : 130 000 km²
Population (2013) : 6 000 000 hab.
Capitale : Managua 969 698 hab. (e. 2011) dans l'agglomération
Nature de l'État et du régime politique : république à régime présidentiel
Chef de l'État et du gouvernement : (président de la République) Daniel Ortega Saavedra
Organisation administrative : 15 départements et 2 régions autonomes
Langue officielle : espagnol
Monnaie : cordoba oro

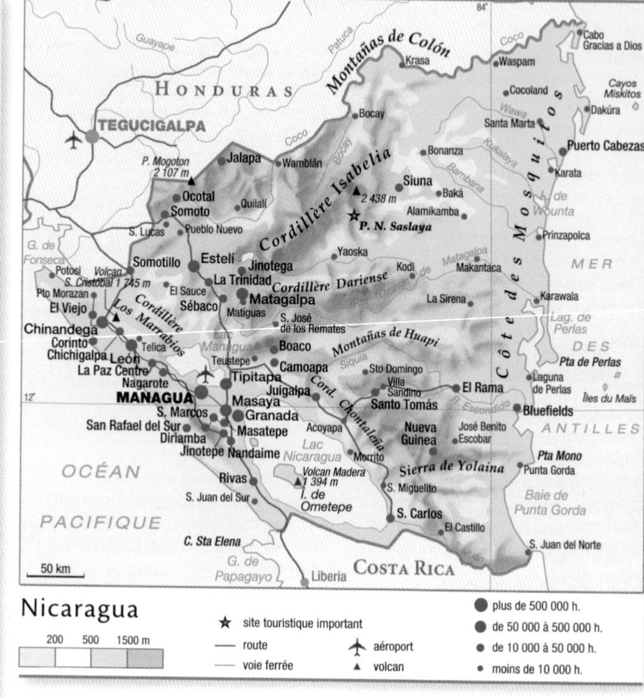

DÉMOGRAPHIE

- **Densité :** 46 hab./km²
- **Part de la population urbaine (2013) :** 58 %
- **Structure de la population par âge (2013) :** moins de 15 ans : 34 %, 15-65 ans : 61 %, plus de 65 ans : 5 %
- **Taux de natalité (2013) :** 24 ‰
- **Taux de mortalité (2013) :** 5 ‰
- **Taux de mortalité infantile (2013) :** 18 ‰
- **Espérance de vie (2013) :** hommes : 71 ans, femmes : 77 ans

Le Nicaragua est le plus vaste pays de l'Amérique centrale et l'un des moins peuplés. La façade atlantique regroupe plus de la moitié de la population. La croissance démographique a diminué pour s'établir à 1,9 % par an (2,6 enfants par femme). 34 % des habitants ont moins de 15 ans.

ÉCONOMIE

- **PNB (2012) :** 10 milliards de dollars
- **PNB/hab. (2012) :** 1 650 dollars
- **PNB/hab. PPA (2012) :** 3 890 dollars internationaux
- **IDH (2012) :** 0,599
- **Taux de croissance annuelle du PIB (2012) :** 5,2 %
- **Taux annuel d'inflation (2012) :** 7,2 %
- **Structure de la population active (2010) :** agriculture : 32,2 %, mines et industries : 16,6 %, services : 51,2 %
- **Structure du PIB (2012) :** agriculture : 20 %, mines et industries : 26,7 %, services : 53,3 %
- **Dette publique brute :** n.d.
- **Taux de chômage (2011) :** 9 %

Le Venezuela a apporté soutien financier et pétrole bon marché ; d'importants programmes sociaux dont l'aide aux éleveurs ont été mis en place. Les secteurs du tourisme, de l'agriculture, de l'industrie et de l'énergie ont bénéficié, au travers des entreprises privées, d'une aide financière. Les exportations agricoles (café, viande bovine, sucre) et minières (or) sont à nouveau à la hausse tout comme le tourisme, les envois de fonds des émigrés et les investissements. Un projet de canal reliant l'Atlantique au Pacifique est à l'étude.

TOURISME

- **Recettes touristiques (2012) :** 377 M de $

COMMERCE EXTÉRIEUR

- **Exportations de biens (2012) :** 4 146 M de $
- **Importations de biens (2011) :** 5 636 M de $

DÉFENSE

- **Forces armées (2011) :** 12 000 individus
- **Dépenses militaires (2012) :** 0,6 % du PIB

NIVEAU DE VIE

- **Nombre d'habitants pour un médecin :** n.d.
- **Apport journalier moyen en calories (2007) :** 2 403 (minimum FAO : 2 400)
- **Nombre d'automobiles pour 1 000 hab. (2011) :** 17
- **Téléphones portables (2012) :** 90 % de la population équipée

REPÈRES HISTORIQUES

XVIe s. : reconnu par les Espagnols dès 1521, le Nicaragua est rattaché à la capitainerie générale du Guatemala.

1821 : l'indépendance du pays est proclamée. Jusqu'en 1838, le Nicaragua fait partie des Provinces-Unies d'Amérique centrale.

XIXe s. : la vie politique est marquée par la lutte entre conservateurs et libéraux et par la rivalité entre intérêts anglais et américains.

1912 - 1926 : les Américains occupent le pays, puis favorisent, face à la guérilla d'Augusto César Sandino, l'arrivée au pouvoir du chef de la garde nationale.

1934 : Sandino est assassiné.

1936 - 1956 : Anastasio Somoza s'empare du pouvoir et impose sa dictature jusqu'à son assassinat.

1956 - 1979 : le Nicaragua vit sous la domination du clan Somoza.

1979 : l'opposition, rassemblée dans le Front sandiniste de libération nationale, abat la dictature de Somoza et établit un régime de tendance socialiste appuyé par Cuba et l'URSS.

1983 : les États-Unis soutiennent les contre-révolutionnaires (« contras »).

1984 : le sandiniste Daniel Ortega est élu à la présidence de la République.

1987 et 1989 : le Nicaragua signe avec les États voisins des accords visant à rétablir la paix dans la région.

1990 : l'opposition accède au pouvoir. Elle met en œuvre une politique de réconciliation nationale vis-à-vis des sandinistes.

2007 : D. Ortega revient au pouvoir.

PANAMA

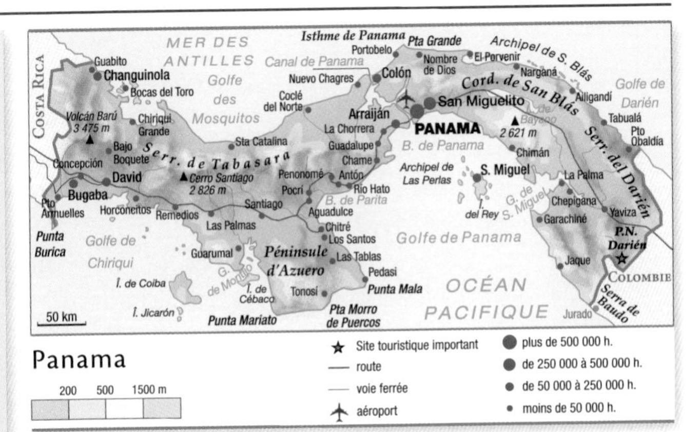

Le Panama comprend des zones montagneuses et forestières ainsi qu'une plaine côtière agricole, mais c'est la zone du canal (reliant les océans Pacifique et Atlantique) qui est la région vitale du pays.

Superficie : 75 517 km²
Population (2013) : 3 900 000 hab.
Capitale : Panama 430 299 hab. (r. 2010), 1 426 110 hab. (e. 2011) dans l'agglomération
Nature de l'État et du régime politique : république à régime présidentiel
Chef de l'État et du gouvernement : (président de la République) Ricardo Martinelli Berrocal
Organisation administrative : 9 provinces et 1 territoire spécial
Langue officielle : espagnol
Monnaies : balboa et dollar des États-Unis

DÉMOGRAPHIE

- **Densité :** 52 hab./km²
- **Part de la population urbaine (2013) :** 75 %
- **Structure de la population par âge (2013) :** moins de 15 ans : 29 %, 15-65 ans : 64 %, plus de 65 ans : 7 %
- **Taux de natalité (2013) :** 20 ‰
- **Taux de mortalité (2013) :** 4 ‰
- **Taux de mortalité infantile (2013) :** 15 ‰
- **Espérance de vie (2013) :** hommes : 74 ans, femmes : 80 ans

La population du Panama, principalement catholique, est composée aux deux tiers de métis. Encore jeune (29 % des habitants ont moins de 15 ans), elle a vu sa croissance ralentir pour s'établir à 1,45 % par an (2,6 enfants par femme). Elle se concentre dans la plaine centrale, autour du canal du Panama, et sur le littoral du Pacifique, où se situe la capitale, Panama, qui regroupe le tiers de la population. Les autres villes importantes, mais beaucoup moins peuplées, sont Colón et David.

ÉCONOMIE

- **PNB (2012) :** 34 milliards de dollars
- **PNB/hab. (2012) :** 8 510 dollars
- **PNB/hab. PPA (2012) :** 15 150 dollars internationaux
- **IDH (2012) :** 0,78
- **Taux de croissance annuelle du PIB (2012) :** 10,7 %
- **Taux annuel d'inflation (2012) :** 5,7 %
- **Structure de la population active (2012) :** agriculture : 16,7 %, mines et industries : 18,2 %, services : 65,1 %
- **Structure du PIB (2012) :** agriculture : 3,9 %, mines et industries : 17,8 %, services : 78,3 %
- **Dette publique brute :** n.d.
- **Taux de chômage (2012) :** 4 %

Les ressources venant de l'exploitation du canal, les travaux pour son élargissement, ainsi que les activités de la zone libre de Colón contribuent au total pour plus des trois quarts au PIB du pays et le taux de croissance s'est élevé à 7,5 % en 2013. Le tourisme renforce encore un secteur tertiaire très diversifié (finance, assurances, infrastructures et communications), tandis que le secteur industriel dont le pilier est le BTP reste globalement modeste (agroalimentaire, textile, pétrochimie) et que l'agriculture concerne les produits tropicaux traditionnels (maïs, café, canne à sucre, riz, banane). Le pays multiplie les traités de libre-échange (Canada et Colombie) et envisage une intégration au sein de l'Alliance du Pacifique (Chili, Colombie, Mexique et Pérou). Par ailleurs, il tente de sortir de la « liste grise » des paradis fiscaux.

TOURISME

- **Recettes touristiques (2012) :** 2 925 millions de dollars

COMMERCE EXTÉRIEUR

- **Exportations de biens (2012) :** 18 878 millions de dollars
- **Importations de biens (2011) :** 22 946 millions de dollars

DÉFENSE

- **Forces armées (2011) :** 12 000 individus
- **Dépenses militaires (2007) :** 1 % du PIB

NIVEAU DE VIE

- **Nombre d'habitants pour un médecin :** n.d.
- **Apport journalier moyen en calories (2007) :** 2 484 (minimum FAO : 2 400)
- **Nombre d'automobiles pour 1 000 hab. (2011) :** 102
- **Téléphones portables (2012) :** 100 % de la population équipée

REPÈRES HISTORIQUES

XVIe s. : colonisé par l'Espagne dès 1510, le Panama devient la base de départ pour la colonisation du Pérou.

1739 : il est rattaché à la vice-royauté de Nouvelle-Grenade.

1819 : le pays reste lié à Bogota après l'indépendance de la Grande-Colombie.

1881 - 1889 : Ferdinand de Lesseps entreprend le percement d'un canal interocéanique ; faute de capitaux suffisants, les travaux sont suspendus.

1903 : le Panama proclame son indépendance et la république est établie, à la suite d'une révolte encouragée par les États-Unis. Souhaitant reprendre le projet du canal, ceux-ci se font concéder une zone large de 10 miles allant d'un océan à l'autre.

1914 : le canal est achevé.

1959, 1964, 1966 : la tutelle américaine provoque la montée du nationalisme, et des émeutes secouent Panama.

1968 - 1981 : le général Omar Torrijos domine la vie politique du pays. Il conclut en 1978 avec les États-Unis un traité prévoyant le retour de la zone du canal sous pleine souveraineté panaméenne à la fin de 1999.

1983 : le général Noriega devient l'homme fort du régime. Il est renversé en 1989 à la suite d'une intervention militaire américaine.

1999 : les États-Unis restituent définitivement au Panama la zone du canal.

PARAGUAY

Le Chaco, vaste plaine semi-aride, très peu peuplée, occupe la moitié ouest. Le reste du pays, entre les ríos Paraguay et Paraná – plus humide (plus de 1 200 mm de pluies par an) –, est formé de plateaux et de plaines.

Superficie : 406 752 km²
Population (2013) : 6 800 000 hab.
Capitale : Asunción 2 139 490 hab. (e. 2011) dans l'agglomération
Nature de l'État et du régime politique : république à régime semi-présidentiel
Chef de l'État et du gouvernement : (président de la République) Horacio Cartes Jara
Organisation administrative : 17 départements et la capitale
Langues officielles : espagnol et guarani
Monnaie : guarani

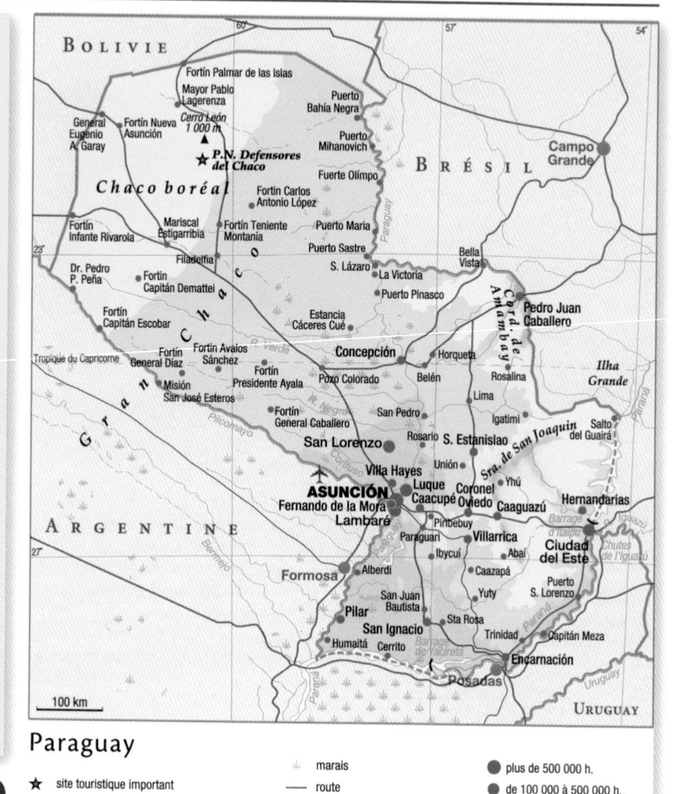

Paraguay

DÉMOGRAPHIE

- **Densité :** 17 hab./km²
- **Part de la population urbaine (2013) :** 62 %
- **Structure de la population par âge (2013) :** moins de 15 ans : 33 %, 15-65 ans : 62 %, plus de 65 ans : 5 %
- **Taux de natalité (2013) :** 24 ‰
- **Taux de mortalité (2013) :** 6 ‰
- **Taux de mortalité infantile (2013) :** 31 ‰
- **Espérance de vie (2013) :** hommes : 70 ans, femmes : 74 ans

La population paraguayenne est majoritairement composée de métis. Un tiers des habitants ne parlent que le guarani. Le taux d'accroissement naturel est resté longtemps assez élevé, d'où la grande jeunesse des habitants (le tiers a moins de 15 ans). Ceux-ci sont très inégalement répartis : 95 % de la population vit dans la partie orientale du pays.

ÉCONOMIE

- **PNB (2012) :** 24 milliards de dollars
- **PNB/hab. (2012) :** 3 400 dollars
- **PNB/hab. PPA (2012) :** 5 720 dollars internationaux
- **IDH (2012) :** 0,669
- **Taux de croissance annuelle du PIB (2012) :** – 1,2 %
- **Taux annuel d'inflation (2012) :** 3,7 %
- **Structure de la population active (2012) :** agriculture : 27,2 %, mines et industries : 16,1 %, services : 56,7 %
- **Structure du PIB (2012) :** agriculture : 17,4 %, mines et industries : 28,1 %, services : 54,5 %
- **Dette publique brute :** n.d.
- **Taux de chômage (2012) :** 4,9 %

Après les effets de la crise de 2009, l'économie, portée surtout par la production de soja (4ᵉ exportateur mondial), la viande étant l'autre grand produit d'exportation, a renoué avec une croissance de 5 % du PIB en 2011 et qui s'élève à 10 % en 2013. Si l'agriculture et l'agroalimentaire sont les fondements de l'économie paraguayenne (80 % des terres cultivables appartiennent aux grands producteurs de soja), le secteur informel occupe une place importante (40 % du PIB) et les transferts de fonds des émigrés (2,5 % du PIB) sont significatifs dans un pays qui reste marqué par de très fortes inégalités sociales.

TOURISME

- **Recettes touristiques (2012) :** 281 M de $

COMMERCE EXTÉRIEUR

- **Exportations de biens (2012) :** 11 904 M de $
- **Importations de biens (2012) :** 11 965 M de $

DÉFENSE

- **Forces armées (2011) :** 25 450 individus
- **Dépenses militaires (2012) :** 1,7 % du PIB

NIVEAU DE VIE

- **Nombre d'habitants pour un médecin :** n.d.
- **Apport journalier moyen en calories (2007) :** 2 634 (minimum FAO : 2 400)
- **Nombre d'automobiles pour 1 000 hab. (2010) :** 28
- **Téléphones portables (2012) :** 100 % de la population équipée

REPÈRES HISTORIQUES

Début du XVIᵉ s. : peuplé par les Indiens Guarani, le bassin du Paraguay est exploré par les Espagnols.
1585 : les jésuites colonisent une partie de la région placée sous leur seule autorité (1604). Les Indiens sont rassemblés dans des « réductions » (villages indigènes interdits aux colons).
1767 : les jésuites sont expulsés ; les réductions sont ravagées et les Indiens dispersés.
1813 : l'indépendance (vis-à-vis de Buenos Aires et de Madrid) est proclamée. Le pays connaît dès lors une succession de dictatures.
1865 - 1870 : une guerre contre l'Argentine, l'Uruguay et le Brésil ruine le pays.
1932 - 1935 : guerre du Chaco contre la Bolivie. Ce conflit, dont le Paraguay sort victorieux, est suivi d'une série de dictatures militaires, dont celle du général Stroessner, de 1954 à 1989.
À partir des années 1990 : le pays s'engage sur la voie de la démocratisation.

PÉROU

Le Pérou est formé de trois grandes régions : la plaine côtière, qui est aride malgré sa latitude ; la montagne andine (altitude supérieure à 4 000 m), qui enserre de hauts bassins et un haut plateau (Altiplano) ; enfin, la plaine amazonienne, forestière, drainée par le haut Amazone et ses affluents, qui couvre plus de la moitié du pays.

Superficie : 1 285 216 km²
Population (2013) : 30 500 000 hab.
Capitale : Lima 9 129 792 hab. (e. 2011) dans l'agglomération
Nature de l'État et du régime politique : république à régime semi-présidentiel
Chef de l'État : (président de la République) Ollanta Humala Tasso
Chef du gouvernement : (président du Conseil des ministres) Cesar Villanueva
Organisation administrative : 24 départements et la province constitutionnelle de Callao
Langues officielles : espagnol, aymara et quechua
Monnaie : sol

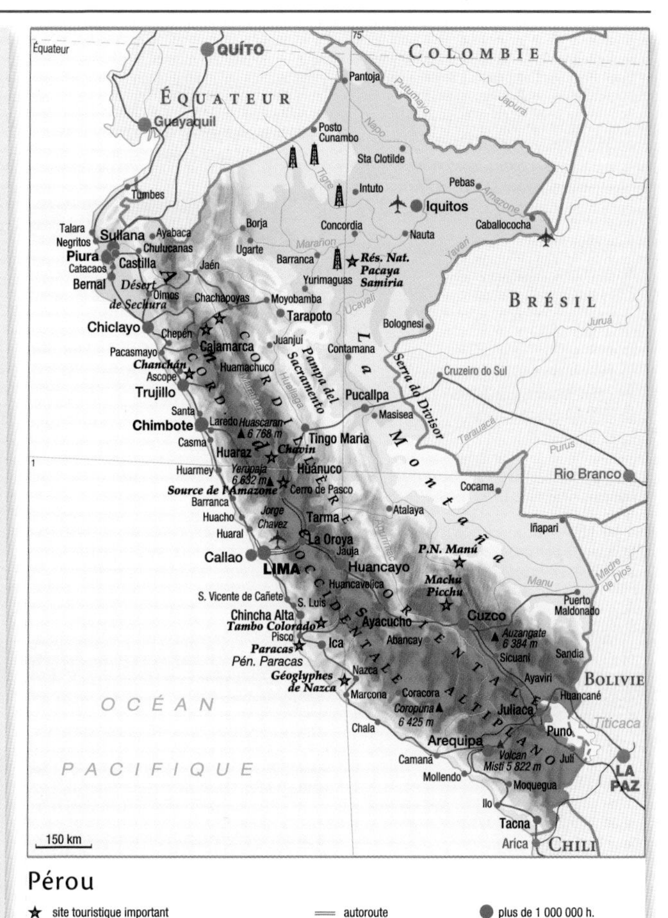

DÉMOGRAPHIE

- **Densité :** 24 hab./km²
- **Part de la population urbaine (2013) :** 75 %
- **Structure de la population par âge (2013) :** moins de 15 ans : 30 %, 15-65 ans : 64 %, plus de 65 ans : 6 %
- **Taux de natalité (2013) :** 20 ‰
- **Taux de mortalité (2013) :** 5 ‰
- **Taux de mortalité infantile (2013) :** 17 ‰
- **Espérance de vie (2013) :** hommes : 72 ans, femmes : 77 ans

La population est en grande majorité amérindienne, principalement quechua, ou métissée. Le taux d'accroissement naturel est resté longtemps assez élevé, d'où la grande jeunesse des habitants (30 % ont moins de 15 ans). La faible densité moyenne (24 hab./km²) ne reflète pas la répartition très ponctuelle de la population, regroupée sur le littoral de la côte pacifique, certains bassins andins, ainsi que les rives du lac Titicaca, contrastant avec les espaces vides de la forêt amazonienne. Les villes, ceinturées de bidonvilles, sont essentiellement localisées dans la plaine côtière. Elles accueillent les trois quarts de la population totale, l'agglomération de Lima, avec plus de 9 millions d'habitants, concentrant un tiers des Péruviens.

ÉCONOMIE

- **PNB (2012) :** 191 milliards de dollars
- **PNB/hab. (2012) :** 6 060 dollars
- **PNB/hab. PPA (2012) :** 10 090 dollars internationaux
- **IDH (2012) :** 0,741
- **Taux de croissance annuelle du PIB (2012) :** 6,3 %
- **Taux annuel d'inflation (2012) :** 3,7 %
- **Structure de la population active (2011) :** agriculture : 25,8 %, mines et industries : 17,4 %, services : 56,8 %
- **Structure du PIB (2012) :** agriculture : 7 %, mines et industries : 34,6 %, services : 58,4 %
- **Dette publique brute (2011) :** 19 % du PIB
- **Taux de chômage (2012) :** 3,6 %

Avec un taux de croissance positif depuis douze ans (5 % en 2013), l'économie a bien surmonté la crise de 2008. Cette reprise est surtout portée par les secteurs minier et pétrolier, qui représentent 60 % des exportations du pays, devant le textile, les biens de consommation, les produits de la pêche et de l'agriculture (café). Outre le pétrole et ses dérivés, les principaux produits exportés sont l'or, l'argent, le cuivre, le zinc, le plomb, le molybdène et le minerai de fer. Les principaux partenaires du Pérou sont les États-Unis (1er client et 1er fournisseur devant la Chine) dans le cadre de l'accord de libre-échange de 2006 (en vigueur depuis 2009), la Suisse (3e client), le Canada, les États d'Amérique latine et l'UE. Résolument tourné vers le commerce international qui représente plus de 45 % de son PIB, le Pérou a signé de nouveaux accords de libre-échange avec la Corée du Sud, le Japon et l'UE en 2013. Cet essor n'a toutefois que peu d'incidence sur les conditions de vie de la population dont 31 % (mais plus de 60 % dans les zones rurales) vit sous le seuil de pauvreté. Le pays devance dorénavant la Colombie dans la production mondiale de feuilles de coca.

TOURISME

- **Recettes touristiques (2012) :** 2 912 millions de dollars

COMMERCE EXTÉRIEUR

- **Exportations de biens (2012) :** 45 639 millions de dollars
- **Importations de biens (2012) :** 48 199 millions de dollars

DÉFENSE

- **Forces armées (2011) :** 192 000 individus
- **Dépenses militaires (2012) :** 1,3 % du PIB

NIVEAU DE VIE

- **Nombre d'habitants pour un médecin (2011) :** 1 087
- **Apport journalier moyen en calories (2007) :** 2 457 (minimum FAO : 2 400)
- **Nombre d'automobiles pour 1 000 hab. (2011) :** 44
- **Téléphones portables (2012) :** 99 % de la population équipée

REPÈRES HISTORIQUES

Le Pérou fut le centre de nombreuses civilisations amérindiennes (Chavín, Moche, Chimú, Nazca, Paracas).

XIIe - XVIe s. : les Incas étendent leur domination sur les plateaux andins, faisant épanouir une remarquable civilisation.

1532 : Francisco Pizarro s'empare de Cuzco et fait exécuter l'Inca Atahualpa (1533).

1537 : la puissance inca est définitivement brisée.

1544 : la découverte des gisements d'argent de Potosí permet un enrichissement rapide de la société coloniale.

1569 - 1581 : le vice-roi Francisco Toledo organise le système colonial et entreprend l'intégration de la population indienne.

Après 1630 : le déclin de la production d'argent et la chute démographique provoquent une longue dépression économique.

1780 - 1782 : une grave révolte indienne, dirigée par Gabriel Condorcanqui (Túpac Amaru), secoue le pays.

1821 : San Martín proclame l'indépendance du Pérou, consacrée par la victoire de Sucre à Ayacucho (1824). Le pays connaît alors une succession de coups d'État militaires.

1836 - 1839 : éphémère confédération du Pérou et de la Bolivie.

1879 - 1883 : la guerre du Pacifique contre le Chili se termine par la défaite du Pérou, qui doit céder la province littorale de Tarapacá.

1980 - 1992 : guérilla maoïste du « Sentier lumineux ».

1998 : un accord règle le litige frontalier opposant depuis plusieurs décennies le Pérou à l'Équateur.

SAINTE-LUCIE → ANTIGUA-ET-BARBUDA

SAINT-KITTS-ET-NEVIS → ANTIGUA-ET-BARBUDA

SAINT-VINCENT-ET-LES-GRENADINES → ANTIGUA-ET-BARBUDA

SALVADOR → HONDURAS

SURINAME → GUYANA

TRINITÉ-ET-TOBAGO → VENEZUELA

URUGUAY

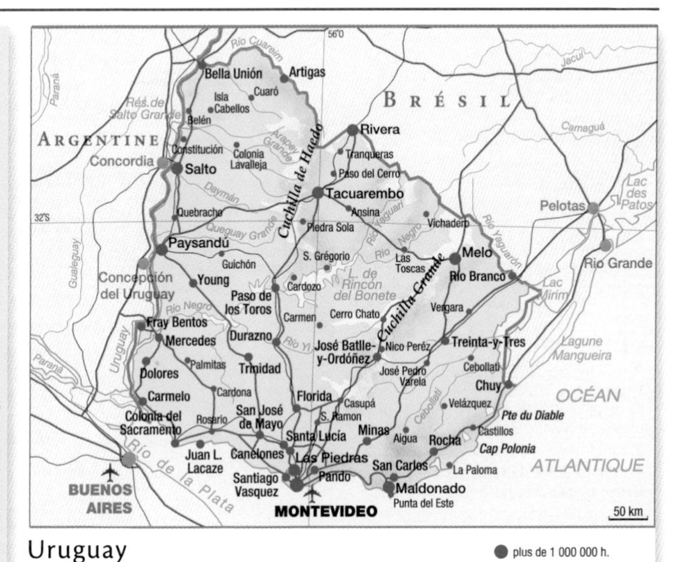

Plaines et collines constituent l'essentiel des paysages. Le pays, largement ouvert sur l'Atlantique et le Río de la Plata, un des plus longs estuaires du monde, fait la transition entre le plateau brésilien et la pampa argentine. Le climat est tempéré et les pluies sont plus abondantes au nord (1 300 mm) qu'au sud (900 mm).

Superficie : 175 016 km²
Population (2013) : 3 400 000 hab.
Capitale : Montevideo 1 319 108 hab. (r. 2011), 1 671 570 hab. (e. 2011) dans l'agglomération
Nature de l'État et du régime politique : république à régime semi-présidentiel
Chef de l'État et du gouvernement : (président de la République) José Mujica
Organisation administrative : 19 départements
Langue officielle : espagnol
Monnaie : peso uruguyen

DÉMOGRAPHIE

- **Densité :** 19 hab./km²
- **Part de la population urbaine (2013) :** 94 %
- **Structure de la population par âge (2013) :** moins de 15 ans : 22 %, 15-65 ans : 64 %, plus de 65 ans : 14 %
- **Taux de natalité (2013) :** 14 ‰
- **Taux de mortalité (2013) :** 10 ‰
- **Taux de mortalité infantile (2013) :** 8,9 ‰
- **Espérance de vie (2013) :** hommes : 73 ans, femmes : 80 ans

La population, uniquement d'origine européenne (espagnole surtout), vieillie (les taux de natalité et de mortalité sont très bas et le taux d'accroissement naturel très faible), est urbaine 94 %. Montevideo regroupe près de la moitié de la population totale.

ÉCONOMIE

- **PNB (2012) :** 48 milliards de dollars
- **PNB/hab. (2012) :** 13 580 dollars
- **PNB/hab. PPA (2012) :** 15 310 dollars internationaux
- **IDH (2012) :** 0,792
- **Taux de croissance annuelle du PIB (2012) :** 3,9 %
- **Taux annuel d'inflation (2012) :** 8,1 %
- **Structure de la population active (2011) :** agriculture : 10,9 %, mines et industries : 21,1 %, services : 68 %
- **Structure du PIB (2012) :** agriculture : 8,4 %, mines et industries : 24,7 %, services : 66,9 %
- **Dette publique brute (2011) :** 47 % du PIB
- **Taux de chômage (2012) :** 6,5 %

L'économie de l'Uruguay est caractérisée par l'importance de son secteur agricole : élevage (ovin et bovin) et cultures (céréales, canne à sucre, soja, fruits et légumes). Son secteur industriel s'est diversifié (papier, cellulose, chimie, charbon, pétrochimie, textile, biens d'équipement) et le tourisme, en pleine expansion, génère davantage de revenus que les exportations de viande. Les objectifs du gouvernement visent à améliorer les services publics (administration, éducation, infrastructures). Le Brésil et l'Argentine restent encore les premiers partenaires commerciaux du pays (Mercosur), suivis par la Chine. Dans ce pays où la stabilité politique et économique attire les investisseurs, principalement brésiliens, dans l'agriculture, le tourisme et le secteur bancaire, la croissance était de 4 % en 2012 et 3,5 % en 2013. Afin de lutter contre les narcotrafiquants, l'État contrôle dorénavant la production et la vente de la marijuana.

TOURISME

- **Recettes touristiques (2012) :** 2 375 millions de dollars

COMMERCE EXTÉRIEUR

- **Exportations de biens (2012) :** 9 907 millions de dollars
- **Importations de biens (2011) :** 10 690 millions de dollars

DÉFENSE

- **Forces armées (2011) :** 25 450 individus
- **Dépenses militaires (2012) :** 1,9 % du PIB

NIVEAU DE VIE

- **Nombre d'habitants pour un médecin (2011) :** 268
- **Apport journalier moyen en calories (2007) :** 2 829 (minimum FAO : 2 400)
- **Nombre d'automobiles pour 1 000 hab. (2010) :** 179
- **Téléphones portables (2012) :** 100 % de la population équipée

REPÈRES HISTORIQUES

XVIe s. : les Espagnols explorent le littoral.

V. 1726 : ils fondent la forteresse de Montevideo.

1821 : après l'échec du soulèvement de José Artigas, le pays est rattaché au Brésil.

1828 : l'Uruguay accède à l'indépendance et forme un État tampon entre ses deux puissants voisins, l'Argentine et le Brésil.

1838 - 1865 : la vie politique est marquée par les luttes entre les *colorados* (libéraux) et les *blancos* (conservateurs), et par la « grande guerre » (1839 - 1851) contre l'Argentine.

1919 : une Constitution libérale est mise en place.

1933 - 1942 : frappé par la crise économique mondiale, l'Uruguay connaît la dictature du président Terra.

Dans les années 1960 : la guérilla urbaine des Tupamaros se développe.

1976 : les militaires s'emparent du pouvoir.

1984 : le pouvoir civil est rétabli.

2005 : rompant avec l'alternance des blancos et des colorados, l'Uruguay se dote pour la première fois d'un président de la République de gauche.

VENEZUELA

Les Andes forment deux cordillères qui culminent au pic Bolívar (5 007 m) et encadrent le golfe de Maracaibo. Le Centre est constitué par les Llanos, bassin drainé par certains des affluents de l'Orénoque, et bordé au nord par les chaînes Caraïbes, parallèles à la côte. Le climat est tropical avec des pluies plus importantes au sud, domaine de la forêt amazonienne.

Superficie : 912 050 km²
Population (2013) : 29 700 000 hab.
Capitale : Caracas 3 241 580 hab. (e. 2011) dans l'agglomération
Nature de l'État et du régime politique : république à régime présidentiel
Chef de l'État et du gouvernement : (président de la République) Nicolás Maduro Moros
Organisation administrative : 23 États, 1 district fédéral et une dépendance fédérale
Langue officielle : espagnol
Monnaie : bolivar

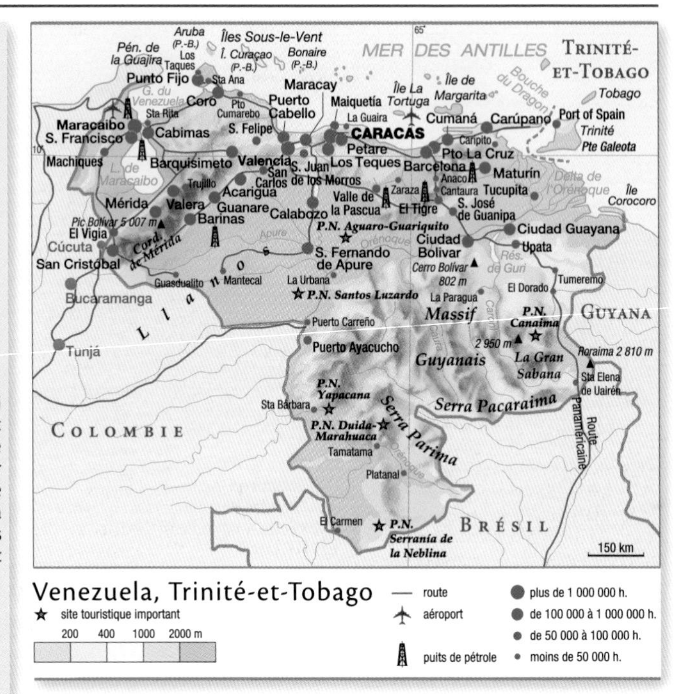

Venezuela, Trinité-et-Tobago

DÉMOGRAPHIE

- **Densité :** 33 hab./km²
- **Part de la population urbaine (2013) :** 89 %
- **Structure de la population par âge (2013) :** moins de 15 ans : 29 %, 15-65 ans : 65 %, plus de 65 ans : 6 %
- **Taux de natalité (2013) :** 21 ‰
- **Taux de mortalité (2013) :** 5 ‰
- **Taux de mortalité infantile (2013) :** 11,6 ‰
- **Espérance de vie (2013) :** hommes : 72 ans, femmes : 78 ans

La croissance de la population est de l'ordre de 1,7 % par an, mais l'indice de fécondité est encore élevé (2,4 enfants par femme) et 29 % des habitants ont moins de 15 ans. La faible densité moyenne ne rend pas compte de l'inégale répartition d'un peuplement qui se concentre dans les cordillères et sur la côte septentrionale, dans la région de Caracas et autour du lac de Maracaibo, tandis que l'intérieur – les zones guyanaises et les Llanos – demeure quasiment vide d'hommes. Près de 90 % des habitants vivent dans des villes. Hormis Caracas, trois autres villes dépassent le million d'habitants : Maracaibo, dans l'extrême Ouest, Barquisimeto, dans l'Ouest, et Maracay, à l'ouest de Caracas.

ÉCONOMIE

- **PNB (2012) :** 371 milliards de dollars
- **PNB/hab. (2012) :** 12 460 dollars
- **PNB/hab. PPA (2012) :** 12 920 dollars internationaux
- **IDH (2012) :** 0,748
- **Taux de croissance annuelle du PIB (2012) :** 5,6 %
- **Taux annuel d'inflation (2012) :** 21,1 %
- **Structure de la population active (2012) :** agriculture : 7,7 %, mines et industries : 21,4 %, services : 70,9 %
- **Structure du PIB (2010) :** agriculture : 5,8 %, mines et industries : 52,1 %, services : 42,1 %
- **Dette publique brute :** n.d.
- **Taux de chômage (2012) :** 8,1 %

Très dépendant du pétrole (3e production d'Amérique du Sud et 1re réserve mondiale), qui représente 96 % de ses exportations et une grande partie des revenus de l'État, le Venezuela a eu de la peine à se relever de la récession de 2009-2010. En 2011, le pays est enfin sorti de la récession avec un taux de croissance de près de 4 % du PIB, mais, avec le décès de Hugo Chávez, le climat d'incertitude économique et l'augmentation constante des importations ont fait chuter la croissance à 2,5 % en 2013. Dans la mesure où seulement 42 % des terres sont exploitées, une part importante de ses produits alimentaires doit être importée (60 %) – notamment des États-Unis, premier partenaire commercial devant la Chine, la Colombie, le Brésil, le Mexique et l'UE – et l'inflation (21 % en 2012 et 54 % en 2013) a atteint un record. L'économie, axée essentiellement sur le pétrole et les services, laisse peu de place à l'agriculture (6 % du PIB). Le secteur industriel, quant à lui, représente plus de 50 % du PIB, et, outre les activités liées au pétrole, les textiles, le fer, l'acier et l'aluminium sont ses principales productions. Si la manne pétrolière permet de financer les programmes sociaux au détriment des investissements de production, et si la pauvreté a diminué, le Venezuela est moins bien classé que l'Argentine, le Brésil, le Chili ou l'Uruguay en matière de développement humain.

TOURISME

- **Recettes touristiques (2012) :** 843 millions de dollars

COMMERCE EXTÉRIEUR

- **Exportations de biens (2012) :** 97 336 millions de dollars
- **Importations de biens (2012) :** 92 395 millions de dollars

DÉFENSE

- **Forces armées (2011) :** 115 000 individus
- **Dépenses militaires (2012) :** 1,1 % du PIB

NIVEAU DE VIE

- **Nombre d'habitants pour un médecin :** n.d.
- **Apport journalier moyen en calories (2007) :** 2 632 (minimum FAO : 2 400)
- **Nombre d'automobiles pour 1 000 hab. (2007) :** 107
- **Téléphones portables (2012) :** 100 % de la population équipée

REPÈRES HISTORIQUES

1498 : la contrée est découverte par Christophe Colomb.

XVIIIe s. : la culture du cacao et du café enrichit le pays, qui accède (1777) au rang de capitainerie générale.

1811 - 1812 : Miranda proclame l'indépendance du Venezuela ; vaincu, il est livré aux Espagnols.

1821 - 1830 : après la victoire de Carabobo, Bolívar organise la fédération de la Grande-Colombie (Venezuela, Colombie, puis Équateur).

1830 - 1848 : après la démission de Bolívar, le Venezuela fait sécession. José Antonio Páez exerce une dictature militaire.

1858 - 1870 : le pays est agité par la guerre civile.

1870 - 1887 : A. Guzmán Blanco laïcise l'État et modernise l'économie.

1910 - 1935 : la longue dictature de Juan Vicente Gómez s'accompagne de l'essor pétrolier (1920).

1935 - 1941 : sous la présidence de López Contreras s'amorce un processus de démocratisation.

1948 - 1958 : l'armée impose le général Marco Pérez Jiménez comme président.

1959 - 1964 : Rómulo Betancourt consolide les institutions démocratiques, malgré l'opposition des militaires conservateurs et d'une guérilla castriste.

1999 - 2013 : Hugo Chávez met en œuvre un programme de « révolution bolivarienne » et s'emploie, au niveau régional et international, à fédérer un front opposé au leadership des États-Unis.

TRINITÉ-ET-TOBAGO

L'État est composé de deux îles, la Trinité (4 827 km² et 96 % de la population totale) et Tobago. Sous un climat tropical humide plus arrosé à l'est qu'à l'ouest, la Trinité a un relief plat en dehors d'une chaîne montagneuse au nord.

Superficie : 5 130 km²
Population (2013) : 1 300 000 hab.
Capitale : Port of Spain 37 074 hab. (r. 2011), 65 839 hab. (e. 2011) dans l'agglomération
Nature de l'État et du régime politique : république à régime parlementaire
Chef de l'État : (président de la République) Anthony Carmona
Chef du gouvernement : (Premier ministre) Kamla Persad-Bissessar
Organisation administrative : 10 régions et 5 municipalités
Langue officielle : anglais
Monnaie : dollar de Trinité-et-Tobago

DÉMOGRAPHIE

- **Densité :** 253 hab./km²
- **Part de la population urbaine (2013) :** 14 %
- **Structure de la population par âge (2013) :** moins de 15 ans : 21 %, 15-65 ans : 70 %, plus de 65 ans : 9 %
- **Taux de natalité (2013) :** 15 ‰
- **Taux de mortalité (2013) :** 9 ‰
- **Taux de mortalité infantile (2013) :** 25 ‰
- **Espérance de vie (2013) :** hommes : 68 ans, femmes : 74 ans

La population se divise en deux grands groupes qui représentent chacun 40 % du total : les descendants d'esclaves africains et les Amérindiens. Les deux grandes villes sont Port of Spain et San Fernando.

ÉCONOMIE

- **PNB (2012) :** 20 milliards de dollars
- **PNB/hab. (2012) :** 14 710 dollars
- **PNB/hab. PPA (2012) :** 22 860 dollars internationaux
- **IDH (2012) :** 0,76
- **Taux de croissance annuelle du PIB (2012) :** 1,5 %
- **Taux annuel d'inflation (2012) :** 9,3 %
- **Structure de la population active (2010) :** agriculture : 3,8 %, mines et industries : 32,4 %, services : 63,8 %
- **Structure du PIB (2012) :** agriculture : 0,6 %, mines et industries : 57,4 %, services : 42 %
- **Dette publique brute (2009) :** 21 % du PIB
- **Taux de chômage (2011) :** 5,7 %

Le pays a bénéficié d'une croissance soutenue depuis le début des années 2000, temporairement affaiblie par la crise en 2009. La production de pétrole et de gaz, associée à un important secteur pétrochimique, contribue pour la moitié au PIB et pour 80 % à la valeur des exportations. Le cacao, les agrumes et les noix de coco sont les principales productions agricoles, la culture de la canne à sucre ayant été arrêtée. Le tourisme, en croissance, concerne surtout Tobago.

TOURISME

- **Recettes touristiques (2011) :** 630 millions de dollars

COMMERCE EXTÉRIEUR

- **Exportations de biens (2011) :** 14 913 millions de dollars
- **Importations de biens (2010) :** 6 890 millions de dollars

DÉFENSE

- **Forces armées (2011) :** 4 050 individus
- **Dépenses militaires (2007) :** 0,26 % du PIB

NIVEAU DE VIE

- **Nombre d'habitants pour un médecin (2011) :** 851
- **Apport journalier moyen en calories (2007) :** 2 725 (minimum FAO : 2 400)
- **Nombre d'automobiles pour 1 000 hab. (2007) :** 351
- **Téléphones portables (2012) :** 100 % de la population équipée

REPÈRES HISTORIQUES

1498 : la Trinité est découverte par Christophe Colomb.

1802 : disputée par les grandes puissances, elle est cédée à la Grande-Bretagne.

1962 : elle constitue avec Tobago un État indépendant, membre du Commonwealth.

OCÉANIE

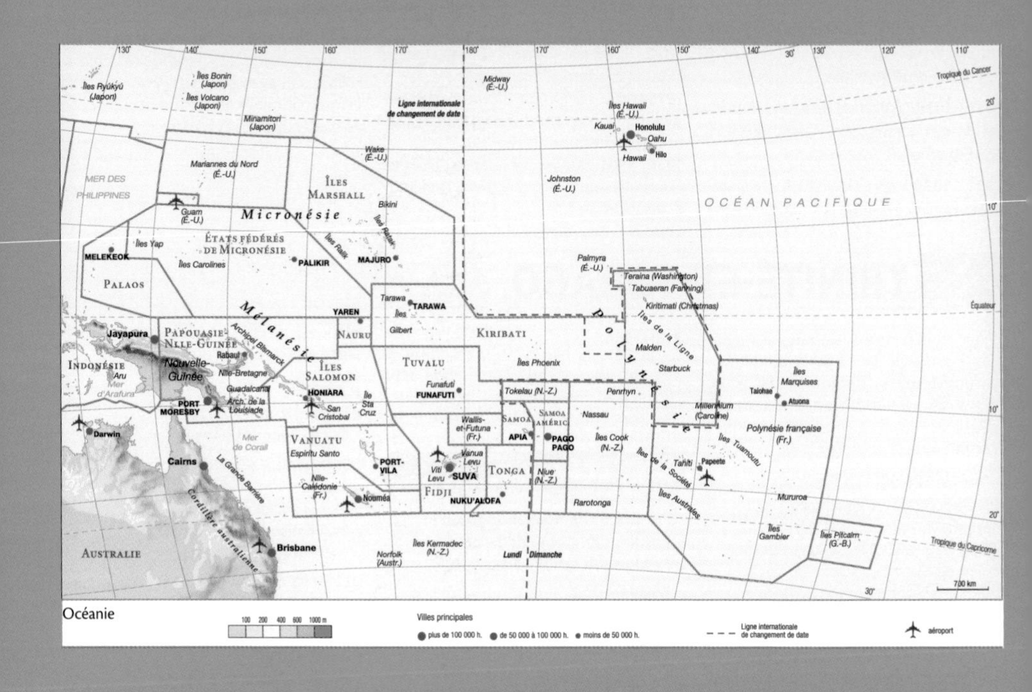

Océanie

100 200 400 600 1000 m

Villes principales: plus de 100 000 h. · de 50 000 à 100 000 h. · moins de 50 000 h.

Ligne internationale de changement de date

aéroport

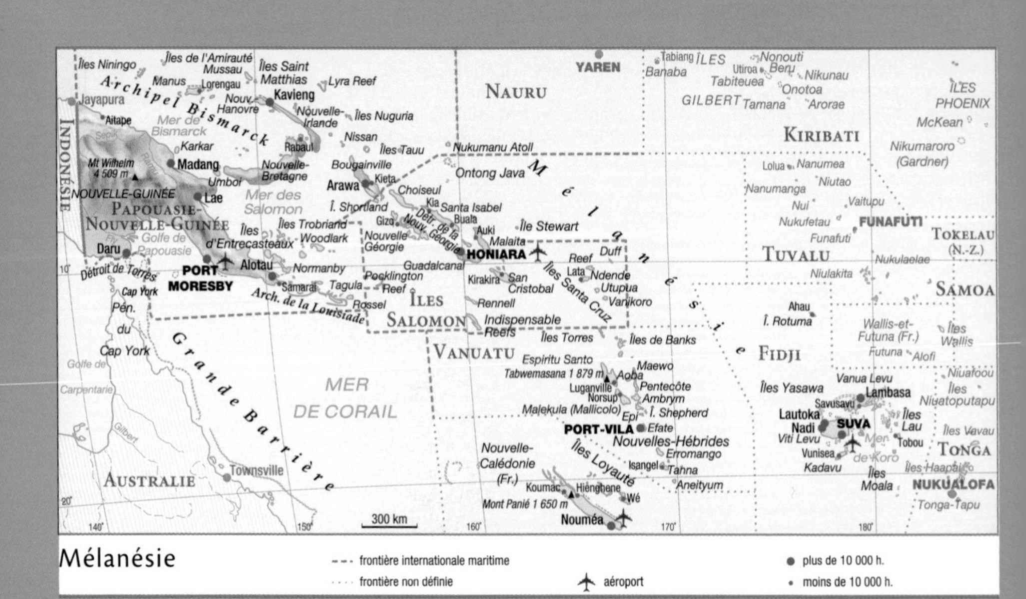

Mélanésie

frontière internationale maritime

frontière non définie

aéroport

plus de 10 000 h.

moins de 10 000 h.

9 000 000 km²
38 millions d'habitants*

*estimation pour 2013

Avec 38 millions d'habitants répartis sur 9 millions de km², l'Océanie comprend l'Australie, la Nouvelle-Zélande, la Papouasie-Nouvelle-Guinée et de nombreux groupements insulaires, situés dans le Pacifique, entre l'Asie, à l'ouest, et l'Amérique, à l'est. Économiquement, l'Australie et la Nouvelle-Zélande, au niveau de vie élevé, s'opposent au reste de l'Océanie, où les Mélanésiens et les Polynésiens vivent surtout des cultures vivrières et de la pêche.

L'Australie est encore globalement peu peuplée. La population se concentre dans les grandes villes qui regroupent 60 % de la population, urbanisée à plus de 65 %. Les Aborigènes représentent seulement 2 % de la population, moins que la minorité asiatique, en pleine expansion.

L'Australie, parmi les grands pays développés, est le pays qui a la croissance économique la plus rapide et la dette la plus faible. Par conséquent, la crise y a été moins violente, mais on constate tout de même une hausse du chômage et un budget en déficit en raison du coût des mesures de relance et de la faiblesse des rentrées fiscales.

De par sa latitude et sa continentalité, l'Australie est un pays où les températures, surtout au cœur du désert, peuvent être très chaudes. Cependant, les années 2009 et 2010 ont été marquées par des phénomènes météorologiques extrêmes ; deux épisodes de fortes chaleurs accompagnées de vents violents ont causé des incendies dévastateurs. Par la suite, des pluies diluviennes ont entraîné des inondations catastrophiques.

Les sécheresses des années 2000, en particulier 2007 et 2008, en Australie, ont entraîné des réductions des rendements agricoles, notamment des récoltes de céréales (blé). Cette baisse de la production a eu des conséquences dramatiques sur les marchés mondiaux et a engendré une grave crise alimentaire en 2008, provoquant des émeutes de la faim dans plusieurs pays.

AUSTRALIE
FIDJI
KIRIBATI
MARSHALL
MICRONÉSIE
NAURU
NOUVELLE-ZÉLANDE
PALAOS
PAPOUASIE-NOUVELLE-GUINÉE
SALOMON
SAMOA
TONGA
TUVALU
VANUATU

AUSTRALIE

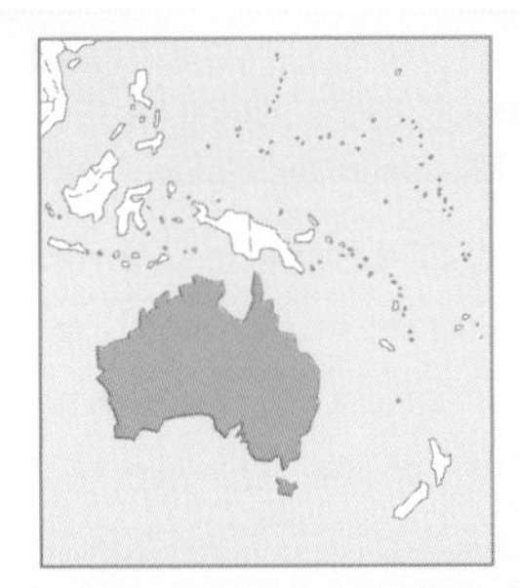

Vaste comme quinze fois la France, l'Australie est encore globalement peu peuplée. Pays de plaines et de plateaux, si l'on excepte sa bordure orientale montagneuse, traversée en son milieu par le tropique, l'Australie possède un climat à dominante aride dans l'intérieur, tropicale au nord-est, tempérée au sud-est, méditerranéenne, enfin, au sud-ouest.

Superficie : 7 741 220 km²
Population (2013) : 23 100 000 hab.
Capitale : Canberra 323 056 hab. (r. 2006), 398 757 hab. (e. 2011) dans l'agglomération
Nature de l'État et du régime politique : monarchie constitutionnelle à régime parlementaire
Chef de l'État : (reine) Élisabeth II, représentée par le gouverneur général Peter Cosgrove
Chef du gouvernement : (Premier ministre) Tony Abbott
Organisation administrative : 6 États, 2 territoires et 7 territoires extérieurs
Langue officielle : anglais
Monnaie : dollar australien

DÉMOGRAPHIE

- **Densité :** 3 hab./km²
- **Part de la population urbaine (2013) :** 82 %
- **Structure de la population par âge (2013) :** moins de 15 ans : 19 %, 15-65 ans : 67 %, plus de 65 ans : 14 %
- **Taux de natalité (2013) :** 18 ‰
- **Taux de mortalité (2013) :** 7 ‰
- **Taux de mortalité infantile (2013) :** 20 ‰
- **Espérance de vie (2013) :** hommes : 80 ans, femmes : 84 ans

Avec 3 habitants en moyenne au km², le pays apparaît sous-peuplé. De vastes régions de l'intérieur – l'outback –, vaste et sec, sont pratiquement inhabitées (sinon par les Aborigènes, 2 % de la population totale, ou par des mineurs). D'origine européenne, la population s'est accrue surtout par immigration : plus de 4,5 millions de personnes venues de 120 nations sont entrées en Australie entre 1945 et 1986. Celle-ci a toutefois diminué et, comme le taux de natalité a fortement baissé depuis 1970 (18 ‰), la croissance démographique s'est ralentie et n'atteint plus que 0,7 % par an : l'Australie commence à connaître, comme l'ensemble des pays développés, un vieillissement sensible de sa population. Celle-ci se concentre, ponctuellement, dans les bordures est et sud, au climat tempéré. La capitale fédérale, Canberra, création artificielle, est la seule grande ville de l'intérieur. Les cinq principales villes (Sydney, Melbourne, Brisbane, Adélaïde et Perth), toutes situées sur le littoral, regroupent 60 % de la population australienne, urbanisée à 82 %. Ces grandes villes continuent de s'étendre, comme en témoignent la prolifération des gratte-ciel dans les centres à vocation commerciale et les maisons individuelles en banlieue. La minorité asiatique, plus nombreuse que les Aborigènes, est en pleine expansion.

ÉCONOMIE

- **PNB (2012) :** 1 476 milliards de dollars
- **PNB/hab. (2012) :** 59 360 dollars
- **PNB/hab. PPA (2012) :** 43 300 dollars internationaux
- **IDH (2012) :** 0,938
- **Taux de croissance annuelle du PIB (2012) :** 3,4 %
- **Taux annuel d'inflation (2012) :** 1,8 %
- **Structure de la population active (2010) :** agriculture : 3,3 %, mines et industries : 21,1 %, services : 75,6 %
- **Structure du PIB (2012) :** agriculture : 2,4 %, mines et industries : 28,2 %, services : 69,4 %
- **Dette publique brute (2011) :** 31 % du PIB
- **Taux de chômage (2012) :** 5,2 %

Pays géant par ses dimensions et par l'ampleur de ses ressources, l'Australie a traversé la crise mondiale sans trop de difficultés, le gouvernement ayant rapidement financé un plan de relance fiscal. Ce sont principalement les exportations, toujours en hausse, du secteur minier qui sont à l'origine de la croissance économique du pays où le chômage se stabilise autour de 5 %. Si l'agriculture n'emploie que 2,4 % de la population active, elle représente environ 10 % des exportations (la viande de bœuf, les moutons, le blé, le vin, la laine, la canne à sucre). Mais ce sont les produits énergétiques et miniers qui dominent : charbon (1er exportateur mondial), minerai de fer, or, alumine, gaz, uranium. La demande, de la part de la Chine en premier lieu, ne ralentit pas, si bien que l'Australie continue à investir pour augmenter ses capacités de production. Le secteur industriel, peu développé, est porté par l'industrie agroalimentaire, les machines et équipements et par la transformation des métaux. Les services représentent plus des deux tiers du PIB, l'Australie étant présente dans toutes les branches les plus évoluées : recherche-développement, communications, assurances notamment. Plusieurs catastrophes naturelles récentes ont alerté sur d'autres fragilités, dont les fréquentes sécheresses et la dégradation de la Grande Barrière de corail en particulier, objet d'un tourisme qui pourrait devenir destructeur. L'Australie est un des acteurs majeurs de l'ensemble Asie-Pacifique, qui est devenu le premier pôle économique mondial (70 % de ses exportations et 52 % de ses importations). Mais c'est avec la Chine qu'elle a noué des relations privilégiées puisque celle-ci est devenue son premier partenaire commercial (25 % de ses exportations par an) et qu'elles ont signé ensemble un traité de libre-échange.

TOURISME

- **Recettes touristiques (2012) :** 34 168 millions de dollars

COMMERCE EXTÉRIEUR

- **Exportations de biens (2012) :** 257 754 millions de dollars
- **Importations de biens (2012) :** 321 908 millions de dollars

DÉFENSE

- **Forces armées (2011) :** 57 050 individus
- **Dépenses militaires (2012) :** 1,7 % du PIB

NIVEAU DE VIE

- **Nombre d'habitants pour un médecin (2011) :** 260
- **Apport journalier moyen en calories (2007) :** 3 227 (minimum FAO : 2 400)
- **Nombre d'automobiles pour 1 000 hab. (2011) :** 621
- **Téléphones portables (2012) :** 100 % de la population équipée

REPÈRES HISTORIQUES

Le pays est occupé partiellement par des populations dites « australoïdes » (Aborigènes), dont les traces d'activité remontent à près de 40 000 ans.

XVIIe s. : l'Australie est atteinte par les Hollandais.

1770 : Cook explore la côte méridionale.

1788 : début de la colonisation britannique en Nouvelle-Galles du Sud à partir de Port Jackson (Sydney). L'Australie est tout d'abord une terre de déportation pour les détenus (convicts).

XIXe s. : la colonisation s'étend à tout le continent. Le sol est exploité par des cultivateurs et des éleveurs de moutons mérinos.

1851 : la ruée vers l'or accélère l'immigration britannique, le chemin de fer se développe, ainsi que l'exportation du blé.

1823 - 1859 : les six colonies (actuels États) sont successivement créées et dotées de gouvernements responsables devant les Parlements (1851 - 1880).

1901 : le *Commonwealth of Australia* est proclamé. Le pays participe activement aux deux guerres mondiales aux côtés des Alliés.

Depuis 1945 : l'Australie s'affirme le partenaire privilégié des États-Unis dans la zone Pacifique. Elle développe des relations économiques avec le Japon, la Corée du Sud, la Chine et les pays de l'ASEAN. La vie politique est marquée par l'alternance au pouvoir des libéraux et des travaillistes.

Depuis la fin des années 1990 : l'Australie conforte son statut de puissance militaire et politique dans la zone Asie-Pacifique.

Indonésie
Timor oriental
Mer d'Arafura
Mer de Timor
Golfe Joseph-Bonaparte
G. Van Diemen
Î. Melville
Péninsule de Cobourg
Îles Wessel
C. Arnhem
Î. Groote Eylandt
Darwin
Terre d'Arnhem
Pine Creek
Katherine
Daly Waters
Archipel Bonaparte
Océan Indien
Wyndham
Cap Lévêque
Plateau de Kimberley
Derby
Broome
Fitzroy Crossing
Borroloola
Î. de Sir Édouard
Îles Wellesley
Golfe de Carpentarie
Plateau Barkly
Burketown
Territoire du Nord
Désert Tanami
Tennant Creek
Plage des 80 miles
Port Hedland
Grand Désert de Sable
Lac Mackay
Île Barrow
Cap Nord-Ouest
Onslow
Dampier
Mts Hamersley
Mt Bruce 1 226 m
Lac du Désappointement
Tropique du Capricorne
L. McLeod
Ashburton
Désert de Gibson
P.N. Uluru
Uluru 867 m (Ayers Rock)
Mts Macdonnell
Alice Springs
Australie-Occidentale
Carnarvon
Murchison
Dirk Hartog
Meekatharra
Wiluna
L. Carnegie
Grand Désert Victoria
Mt Woodroffe 1 440 m
Désert de Simpson
Oodnadatta
Australie-Méridionale
L. Eyre
Coober Pedy
Mt Magnet
Leonora
Malcolm
Geraldton
L. Barlee
Tarcoola
L. Torrens
Dongara
Coolgardie
Kalgoorlie
Plaine de Nullarbor
Leigh Creek
Merredin
Mts Darling
Perth
Northam
Fremantle
Rockingham
Narrogin
Bunbury
C. du Naturaliste
C. Leeuwin
Augusta
Pte d'Entrecasteaux
Albany
Esperance
Norseman
Archipel de la Recherche
Eucla
Eyre
Ceduna
Woomera
Port Augusta
Whyalla
Grande Baie Australienne
Elliston
Port Lincoln
G. Spencer
Mts Flinders
Port Pirie
Adélaïde
Î. Kangaroo
Victor Harbour
B. de Lacépède
Kingston
Mount Gambier
Murray Bridge
Murray
Océan Indien
Détroit de Torres
Cap York
Papouasie-Nlle-Guinée
Océan Pacifique
Weipa
Iron Range
Péninsule du Cap York
Cooktown
Mitchell
Territoire des Îles de la Mer de Corail
Cairns
Innisfail
Mont Bartle Frere 1 612 m
Grande Barrière
Mer de Corail
Normanton
Ingham
Townsville
Charters Towers
Bowen
Cloncurry
Mount Isa
Richmond
Hughenden
Mackay
Cordillère Australienne
Grand Bassin Artésien
Queensland
Longreach
Emerald
Rockhampton
Gladstone
Mount Morgan
Moura
Bundaberg
Maryborough
Î. Fraser
Birdsville
Cooper Creek
Quilpie
Charleville
Roma
Î. Moreton
Dalby
Brisbane
Warrego
Cunnamulla
Toowoomba
Gold Coast
Warwick
Dirranbandi
Lismore
Bourke
Walgett
Grafton
Nouvelle-Galles du Sud
Narrabri
Armidale
Broken Hill
Darling
Cobar
Tamworth
Port Macquarie
Radium Hill
Peterborough
Dubbo
Taree
Blue Mountains
Newcastle
Wentworth
Mildura
Sydney
Murrumbidgee
Goulburn
Wollongong
Canberra
ACT
Victoria
Echuca
Mt Kosciuszko 2 228 m
Naracoorte
Bendigo
Alpes Austr.
Ballarat
Portland
Geelong
Melbourne
C. Howe
Mer de Tasman
Pointe Sud-Est
Détroit de Bass
Î. King
Îles Furneaux
Smithtown
Devonport
Mt Ossa 1 617 m
Launceston
Queenstown
Tasmanie
Hobart
Cap Sud-Ouest
300 km
Australie
200 500 1000 m
route
voie ferrée
aéroport
site touristique important
limite d'État
Perth capitale d'État
plus de 2 000 000 h.
de 1 000 000 à 2 000 000 h.
de 100 000 à 1 000 000 h.
moins de 100 000 h.

FIDJI

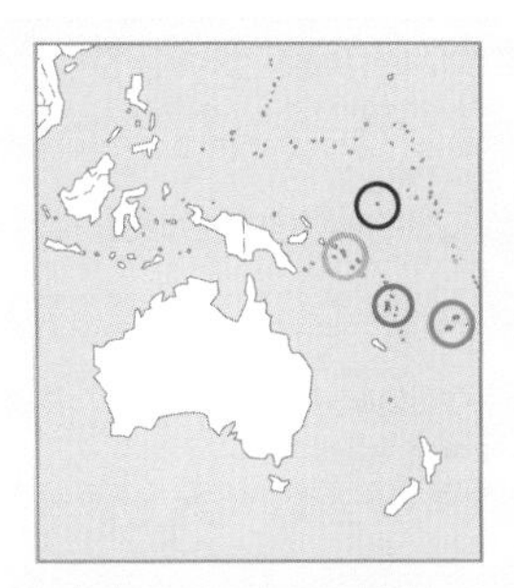

Le pays est formé par un archipel comptant plus de 300 îles, dont les deux principales sont Viti Levu et Vanua Levu.

Superficie : 18 274 km²
Population (2013) : 900 000 hab.
Capitale : Suva 75 225 hab. (r. 2007), 177 316 hab. (e. 2011) dans l'agglomération
Nature de l'État et du régime politique : république à régime parlementaire
Chef de l'État : (président de la République) Ratu Epeli Nailatikau
Chef du gouvernement : (Premier ministre) Voreqe Bainimarama
Organisation administrative : 4 divisions et 1 dépendance
Langues officielles : anglais, fidjien et hindoustani
Monnaie : dollar fidjien

DÉMOGRAPHIE

- **Densité :** 49 hab./km²
- **Part de la population urbaine (2013) :** 51 %
- **Structure de la population par âge (2013) :** moins de 15 ans : 29 %, 15-65 ans : 66 %, plus de 65 ans : 5 %
- **Taux de natalité (2013) :** 21 ‰
- **Taux de mortalité (2013) :** 9 ‰
- **Taux de mortalité infantile (2013) :** 26 ‰
- **Espérance de vie (2013) :** hommes : 67 ans, femmes : 72 ans

La population, qui reste très jeune (29 % a moins de 15 ans), est composée de Mélanésiens et d'une importante communauté d'origine indienne. Suva, la capitale, réunit le quart des habitants.

ÉCONOMIE

- **PNB (2012) :** 4 milliards de dollars
- **PNB/hab. (2012) :** 4 110 dollars
- **PNB/hab. PPA (2012) :** 4 690 dollars internationaux
- **IDH (2012) :** 0,702
- **Taux de croissance annuelle du PIB (2012) :** 2,3 %
- **Taux annuel d'inflation (2012) :** 3,4 %
- **Structure de la population active :** agriculture : n.d., mines et industries : n.d., services : n.d.
- **Structure du PIB (2012) :** agriculture : 13,2 %, mines et industries : 18,9 %, services : 67,9 %
- **Dette publique brute :** n.d.
- **Taux de chômage (2011) :** 7 %

En récession depuis cinq ans, avec cependant une légère hausse depuis 2011 (3 % en 2013), l'économie repose pour l'essentiel sur le secteur sucrier (200 000 emplois), en crise, sur le tourisme et les exportations d'or. Mais le niveau d'investissement est faible en raison notamment d'obstacles d'ordre administratif et de l'instabilité politique, tandis que la dette publique reste élevée.

TOURISME

- **Recettes touristiques (2012) :** 599 millions de dollars

COMMERCE EXTÉRIEUR

- **Exportations de biens (2010) :** 771 millions de dollars
- **Importations de biens (2011) :** 2 219 millions de dollars

DÉFENSE

- **Forces armées (2011) :** 3 500 individus
- **Dépenses militaires (2012) :** 1,5 % du PIB

NIVEAU DE VIE

- **Nombre d'habitants pour un médecin (2011) :** 2 347
- **Apport journalier moyen en calories (2007) :** 3 041 (minimum FAO : 2 400)
- **Nombre d'automobiles pour 1 000 hab. (2011) :** 118
- **Téléphones portables (2012) :** 98 % de la population équipée

REPÈRES HISTORIQUES

1874 : les îles Fidji sont annexées par les Britanniques.
1970 : le pays accède à l'indépendance dans le cadre du Commonwealth.

NAURU

État proche de l'équateur, constitué par un atoll de la Micronésie situé au sud des Marshall.

Superficie : 21 km²
Population (2013) : 10 000 hab.
Capitale : Yaren 10 000 hab. (e. 2010) dans l'agglomération
Nature de l'État et du régime politique : république à régime parlementaire
Chef de l'État et du gouvernement : (président de la République) Baron Waqa
Organisation administrative : 14 districts
Langues officielles : nauruan et anglais
Monnaie : dollar australien

DÉMOGRAPHIE

- **Densité :** 476 hab./km²
- **Part de la population urbaine (2013) :** 100 %
- **Structure de la population par âge (2013) :** moins de 15 ans : 38 %, 15-65 ans : 60 %, plus de 65 ans : 2 %
- **Taux de natalité (2013) :** 27 ‰
- **Taux de mortalité (2013) :** 8 ‰
- **Taux de mortalité infantile (2013) :** 44 ‰
- **Espérance de vie (2013) :** hommes : 57 ans, femmes : 63 ans

La population, polynésienne, de ce très petit État se regroupe à Yaren, la capitale, les trois quarts de l'île étant devenus inhabitables à la suite de l'exploitation des phosphates.

ÉCONOMIE

- **PNB (1993) :** 0,1 milliard de dollars
- **PNB/hab. (1993) :** 12 000 dollars
- **PNB/hab. PPA :** n.d.
- **IDH :** n.d.
- **Taux de croissance annuelle du PIB (2009) :** – 12,1 %
- **Taux annuel d'inflation :** n.d.
- **Structure de la population active :** agriculture : n.d., mines et industries : n.d., services : n.d.
- **Structure du PIB :** agriculture : n.d., mines et industries : n.d., services : n.d.
- **Dette publique brute :** n.d.
- **Taux de chômage :** n.d.

Dévasté par un siècle d'exploitation du phosphate, dont les réserves sont épuisées, ce paradis fiscal tente d'appliquer une stratégie de développement alternatif. Les droits de pêche (Chine, Japon, Corée du Sud, États-Unis) sont une importante source de revenus pour le pays, qui reste très endetté.

TOURISME

- **Recettes touristiques :** n.d.

COMMERCE EXTÉRIEUR

- **Exportations de biens (2007) :** 80 millions de dollars
- **Importations de biens (2007) :** 140 millions de dollars

DÉFENSE

- **Forces armées :** n.d.
- **Dépenses militaires :** n.d.

NIVEAU DE VIE

- **Nombre d'habitants pour un médecin :** n.d.
- **Apport journalier moyen en calories :** n.d.
- **Nombre d'automobiles pour 1 000 hab. :** n.d.
- **Téléphones portables :** n.d.

REPÈRES HISTORIQUES

1968 : l'État de Nauru devient indépendant dans le cadre du Commonwealth.
1999 : il est admis au sein de l'ONU.

SALOMON

L'État des Salomon est composé d'une quarantaine d'îles et d'îlots. Les pluies sont très abondantes, et la forêt dense couvre la majeure partie du territoire.

Superficie : 28 896 km²
Population (2013) : 600 000 hab.
Capitale : Honiara 67 610 hab. (e. 2011)
Nature de l'État et du régime politique : monarchie constitutionnelle à régime parlementaire
Chef de l'État : (reine) Élisabeth II, représentée par le gouverneur général Frank Kabui
Chef du gouvernement : (Premier ministre) Gordon Darcy Lilo
Organisation administrative : 1 territoire et 9 provinces
Langue officielle : anglais
Monnaie : dollar des îles Salomon

DÉMOGRAPHIE

- **Densité :** 21 hab./km²
- **Part de la population urbaine (2013) :** 20 %
- **Structure de la population par âge (2013) :** moins de 15 ans : 39 %, 15-65 ans : 58 %, plus de 65 ans : 3 %
- **Taux de natalité (2013) :** 34 ‰
- **Taux de mortalité (2013) :** 7 ‰
- **Taux de mortalité infantile (2013) :** 40 ‰
- **Espérance de vie (2013) :** hommes : 66 ans, femmes : 69 ans

Avec 4,6 enfants par femme, la population, mélanésienne, est en croissance rapide (2,7 % par an) et très jeune (39 % de moins de 15 ans). Elle se concentre sur les littoraux et notamment à Honiara.

ÉCONOMIE

- **PNB (2012) :** 1 milliard de dollars
- **PNB/hab. (2012) :** 1 130 dollars
- **PNB/hab. PPA (2012) :** 2 130 dollars internationaux
- **IDH (2012) :** 0,53
- **Taux de croissance annuelle du PIB (2012) :** 3,9 %
- **Taux annuel d'inflation (2011) :** 4,1 %
- **Structure de la population active :** agriculture : n.d., mines et industries : n.d., services : n.d.
- **Structure du PIB (2009) :** agriculture : 39 %, mines et industries : 6 %, services : 55 %
- **Dette publique brute :** n.d.
- **Taux de chômage :** n.d.

L'archipel a comme principale ressource le bois de ses forêts, premier poste d'exportation (Chine, Japon) mais en voie d'épuisement. Ses principales productions agricoles (noix de coco, cacao, huile de palme) sont également en partie exportées, le reste provenant de l'exploitation minière (or, plomb, phosphates, zinc, nickel). Le tourisme est encore peu important, mais la croissance a repris depuis 2011.

TOURISME

- **Recettes touristiques (2011) :** 65 M de $

COMMERCE EXTÉRIEUR

- **Exportations de biens (2012) :** 493 millions de dollars
- **Importations de biens (2011) :** 415 millions de dollars

DÉFENSE

- **Forces armées :** n.d.
- **Dépenses militaires :** n.d.

NIVEAU DE VIE

- **Nombre d'habitants pour un médecin (2011) :** 4 464
- **Apport journalier moyen en calories (2007) :** 2 422 (minimum FAO : 2 400)
- **Nombre d'automobiles pour 1 000 hab. :** n.d.
- **Téléphones portables (2012) :** 53 % de la population équipée

REPÈRES HISTORIQUES

1899 : l'archipel est partagé entre la Grande-Bretagne (partie orientale) et l'Allemagne (Bougainville et Buka).
1942 - 1945 : violents affrontements entre Américains et Japonais.
Depuis 1975 : l'ancienne partie allemande, sous tutelle australienne à partir de 1921, dépend de la Papouasie-Nouvelle-Guinée.
1978 : la partie britannique, qui constitue l'État actuel, accède à l'indépendance.

VANUATU

Quatre-vingts îles, dont une soixantaine sont inhabitées, composent l'archipel. Le climat tropical humide explique l'extension de la forêt, qui couvre environ 75 % du territoire. Trois volcans y sont toujours en activité.

Superficie : 12 189 km²
Population (2013) : 300 000 hab.
Capitale : Port-Vila 47 061 hab. (e. 2011)
Nature de l'État et du régime politique : république à régime parlementaire
Chef de l'État : (président de la République) Iolu Abil
Chef du gouvernement : (Premier ministre) Moana Carcasses Kalosil
Organisation administrative : 6 provinces
Langues officielles : anglais, bichlamar et français
Monnaie : vatu

DÉMOGRAPHIE

- **Densité :** 25 hab./km²
- **Part de la population urbaine (2013) :** 24 %
- **Structure de la population par âge (2013) :** moins de 15 ans : 37 %, 15-65 ans : 59 %, plus de 65 ans : 4 %
- **Taux de natalité (2013) :** 31 ‰
- **Taux de mortalité (2013) :** 5 ‰
- **Taux de mortalité infantile (2013) :** 21 ‰
- **Espérance de vie (2013) :** hommes : 70 ans, femmes : 73 ans

Avec 4 enfants par femme, la population, mélanésienne, est en croissance rapide (2,6 % par an) et très jeune (37 % de moins de 15 ans). Elle se regroupe pour moitié dans les trois îles principales.

ÉCONOMIE

- **PNB (2012) :** 1 milliard de dollars
- **PNB/hab. (2012) :** 3 000 dollars
- **PNB/hab. PPA (2012) :** 4 300 dollars internationaux
- **IDH (2012) :** 0,626
- **Taux de croissance annuelle du PIB (2012) :** 2,3 %
- **Taux annuel d'inflation (2012) :** 1,4 %
- **Structure de la population active (2009) :** agriculture : 60,5 %, mines et industries : 7 %, services : 32,5 %
- **Structure du PIB (2012) :** agriculture : 25,2 %, mines et industries : 10,7 %, services : 64,1 %
- **Dette publique brute :** n.d.
- **Taux de chômage (2009) :** 4,6 %

L'archipel, réputé pour être un paradis fiscal, connaît un développement progressif, soutenu par les institutions financières internationales. Une grande partie de la population pratique l'agriculture vivrière. L'agriculture (coprah essentiellement) et la pêche totalisent 80 % des exportations. L'économie a repris depuis 2011, d'importants investissements sont consacrés aux infrastructures liées au tourisme qui constitue environ 40 % du PIB.

TOURISME

- **Recettes touristiques (2012) :** 252 M de $

COMMERCE EXTÉRIEUR

- **Exportations de biens (2012) :** 55 M de $
- **Importations de biens (2011) :** 396 M de $

DÉFENSE

- **Forces armées :** n.d.
- **Dépenses militaires :** n.d.

NIVEAU DE VIE

- **Nombre d'habitants pour un médecin (2011) :** 8 621
- **Apport journalier moyen en calories (2007) :** 2 740 (minimum FAO : 2 400)
- **Nombre d'automobiles pour 1 000 hab. :** n.d.
- **Téléphones portables (2012) :** 54 % de la population équipée

REPÈRES HISTORIQUES

1606 : l'archipel est découvert par les Portugais.
1906 : la commission navale franco-britannique, instaurée en 1887 à la suite de la rivalité entre les deux pays, aboutit à l'établissement d'un condominium.
1980 : l'archipel, qui prend le nom de *Vanuatu*, accède à l'indépendance.

KIRIBATI

Le pays englobe notamment l'archipel des Gilbert et les îles de la Ligne. Traversé par l'équateur et par la ligne de changement de date, l'État est « dispersé » sur près de 5 millions de km², s'étirant sur environ 4 000 km d'ouest en est.

Superficie : 726 km²
Population (2013) : 100 000 hab.
Capitale : Tarawa 44 385 hab. (e. 2011) dans l'agglomération
Nature de l'État et du régime politique : république à régime semi-présidentiel
Chef de l'État et du gouvernement : (Beretitenti) Anote Tong
Organisation administrative : 3 groupes d'îles
Langue officielle : anglais
Monnaie : dollar australien

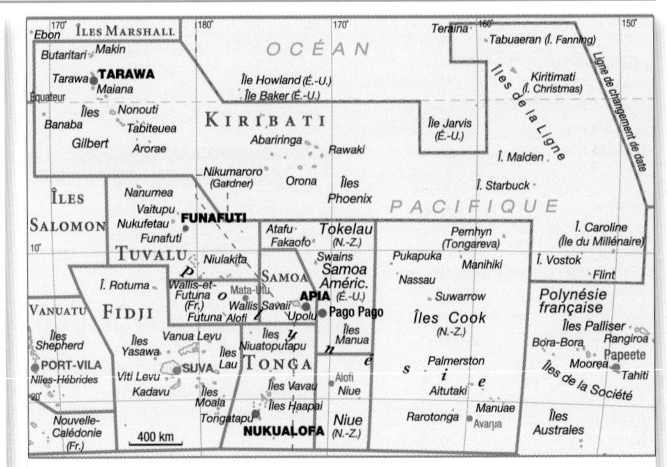

Kiribati, Samoa, Tonga, Tuvalu

TARAWA : capitale d'État
● plus de 10 000 h.
● moins de 10 000 h.

DÉMOGRAPHIE

- **Densité :** 138 hab./km²
- **Part de la population urbaine (2013) :** 54 %
- **Structure de la population par âge (2013) :** moins de 15 ans : 34 %, 15-65 ans : 62 %, plus de 65 ans : 4 %
- **Taux de natalité (2013) :** 28 ‰
- **Taux de mortalité (2013) :** 8 ‰
- **Taux de mortalité infantile (2013) :** 38 ‰
- **Espérance de vie (2013) :** hommes : 62 ans, femmes : 67 ans

Avec 3,6 enfants par femme, la population de ce pays très dispersé en une multitude d'îles, mélanésienne à l'ouest et polynésienne à l'est, est en croissance (2 % par an) et très jeune.

ÉCONOMIE

- **PNB (2012) :** 0,3 milliard de dollars
- **PNB/hab. (2012) :** 2 520 dollars
- **PNB/hab. PPA (2012) :** 3 870 $ internationaux
- **IDH (2012) :** 0,629
- **Taux de croissance annuelle du PIB (2012) :** 2,8 %
- **Taux annuel d'inflation (2003) :** 1,4 %
- **Structure de la population active :** agriculture : n.d., mines et industries : n.d., services : n.d.
- **Structure du PIB (2010) :** agriculture : 25,3 %, mines et industries : 8,2 %, services : 66,5 %
- **Dette publique brute :** n.d.
- **Taux de chômage (2007) :** 46,3 %

Les ressources des trois archipels qui composent Kiribati sont liées à l'agriculture (coprah et huile de coco, partiellement exportés) et à la pêche, avec en outre une production d'algues et de perles. Le tourisme représente 20 % du PIB. Les envois de fonds des émigrés (souvent marins) sont essentiels pour une économie dont les investissements sont financés par les institutions internationales.

TOURISME

- **Recettes touristiques (2010) :** 3 M de $

COMMERCE EXTÉRIEUR

- **Exportations de biens (2009) :** 15 M de $
- **Importations de biens (2009) :** 68 M de $

DÉFENSE

- **Forces armées :** n.d.
- **Dépenses militaires :** n.d.

NIVEAU DE VIE

- **Nombre d'habitants pour un médecin (2011) :** 2 660
- **Apport journalier moyen en calories (2007) :** 2 899 (minimum FAO : 2 400)
- **Nombre d'automobiles pour 1 000 hab. (2009) :** 101
- **Téléphones portables (2012) :** 16 % de la population équipée

REPÈRES HISTORIQUES

1979 : ancienne colonie britannique, l'État de Kiribati devient indépendant dans le cadre du Commonwealth.
1999 : il est admis au sein de l'ONU.

SAMOA

État insulaire d'Océanie, formé essentiellement des îles Savaii et Upolu, et de quelques îlots, c'est un archipel volcanique, montagneux, couvert d'une forêt dense. Les collines et les plaines littorales sont cependant bien mises en valeur.

Superficie : 2 831 km²
Population (2013) : 200 000 hab.
Capitale : Apia 36 513 hab. (e. 2011)
Nature de l'État et du régime politique : monarchie
Chef de l'État : (O le Ao o le Malo) Tuiatua Tupua Tamasese Tupuola Efi
Chef du gouvernement : (Premier ministre) Tuilaepa Sailele Malielegaoi
Organisation administrative : 11 districts
Langues officielles : samoan et anglais
Monnaie : tala

DÉMOGRAPHIE

- **Densité :** 71 hab./km²
- **Part de la population urbaine (2013) :** 21 %
- **Structure de la population par âge (2013) :** moins de 15 ans : 38 %, 15-65 ans : 57 %, plus de 65 ans : 5 %
- **Taux de natalité (2013) :** 28 ‰
- **Taux de mortalité (2013) :** 5 ‰
- **Taux de mortalité infantile (2013) :** 21 ‰
- **Espérance de vie (2013) :** hommes : 72 ans, femmes : 74 ans

Avec 4,5 enfants par femme, la population, polynésienne ou maorie, est jeune (38 % de moins de 15 ans). Elle se regroupe pour les trois quarts dans l'île d'Upolu.

ÉCONOMIE

- **PNB (2012) :** 1 milliard de dollars
- **PNB/hab. (2012) :** 3 260 dollars
- **PNB/hab. PPA (2012) :** 4 250 $ internationaux
- **IDH (2012) :** 0,702
- **Taux de croissance annuelle du PIB (2012) :** 2,9 %
- **Taux annuel d'inflation (2012) :** 2 %
- **Structure de la population active :** agriculture : n.d., mines et industries : n.d., services : n.d.

- **Structure du PIB (2012) :** agriculture : 9,9 %, mines et industries : 27,1 %, services : 62,9 %
- **Dette publique brute :** n.d.
- **Taux de chômage :** n.d.

En 2009, un tremblement de terre suivi d'un tsunami a causé de gros dégâts dans les îles. L'agriculture (noix de coco) et la pêche sont complétées par les ressources d'un tourisme en plein essor (25 % du PIB) tandis que les transferts de fonds des émigrés (vivant en Nouvelle-Zélande surtout) restent essentiels, de même que l'aide publique au développement.

TOURISME

- **Recettes touristiques (2012) :** 135 M de $

COMMERCE EXTÉRIEUR

- **Exportations de biens (2012) :** 31 M de $
- **Importations de biens (2011) :** 373 M de $

DÉFENSE

- **Forces armées :** n.d.
- **Dépenses militaires :** n.d.

NIVEAU DE VIE

- **Nombre d'habitants pour un médecin (2011) :** 2 088
- **Apport journalier moyen en calories (2007) :** 2 886 (minimum FAO : 2 400)
- **Nombre d'automobiles pour 1 000 hab. (2007) :** 40
- **Téléphones portables (2010) :** 91 % de la population équipée

REPÈRES HISTORIQUES

1920 : le pays passe sous tutelle néo-zélandaise.
1962 : les Samoa occidentales deviennent indépendantes et entrent dans le Commonwealth en 1970.
1997 : elles prennent le nom de Samoa.

TONGA

C'est un archipel d'environ 170 îles et îlots, le plus souvent construits sur des plateaux de corail soulevés. Plus des deux tiers des habitants vivent sur l'île de Tongatapu, où se trouve la capitale.

Superficie : 747 km²
Population (2013) : 100 000 hab.
Capitale : Nukualofa 24 500 hab. (e. 2011)
Nature de l'État et du régime politique : monarchie
Chef de l'État : (roi) Tupouto'a Lavaka Tupou VI
Chef du gouvernement : (Premier ministre) Siale'ataonga Tu'ivakano
Organisation administrative : 5 divisions
Langues officielles : tongien et anglais
Monnaie : pa'anga

DÉMOGRAPHIE

- **Densité :** 134 hab./km²
- **Part de la population urbaine (2013) :** 23 %
- **Structure de la population par âge (2013) :** moins de 15 ans : 37 %, 15-65 ans : 57 %, plus de 65 ans : 6 %
- **Taux de natalité (2013) :** 27 ‰
- **Taux de mortalité (2013) :** 7 ‰
- **Taux de mortalité infantile (2013) :** 19 ‰
- **Espérance de vie (2013) :** hommes : 70 ans, femmes : 75 ans

Avec 3,9 enfants par femme, la population polynésienne, est en forte croissance (2 % par an). Plus des deux tiers des habitants vivent sur l'île de Tongatapu.

ÉCONOMIE

- **PNB (2012) :** 0,5 milliard de dollars
- **PNB/hab. (2012) :** 4 220 dollars
- **PNB/hab. PPA (2012) :** 5 020 $ internationaux
- **IDH (2012) :** 0,71
- **Taux de croissance annuelle du PIB (2012) :** 0,8 %
- **Taux annuel d'inflation (2012) :** 1,2 %
- **Structure de la population active (2003) :** agriculture : 31,8 %, mines et industries : 30,6 %, services : 37,6 %
- **Structure du PIB (2012) :** agriculture : 19,2 %, mines et industries : 21,5 %, services : 59,3 %
- **Dette publique brute :** n.d.
- **Taux de chômage (2006) :** 1,1 %

Les envois de fonds des travailleurs émigrés, les recettes touristiques et les investissements publics financés en partie par l'aide internationale, ainsi que le secteur de la construction, ont permis une faible reprise de l'économie. Mais le déficit commercial, avec des exportations limitées et constituées pour l'essentiel de produits agricoles (citrouille, noix de coco, manioc, vanille), ainsi que la dette publique restent très élevés.

TOURISME

- **Recettes touristiques (2010) :** 17 M de $

COMMERCE EXTÉRIEUR

- **Exportations de biens (2009) :** 8 M de $
- **Importations de biens (2011) :** 260 M de $

DÉFENSE

- **Forces armées (1991) :** 300 individus
- **Dépenses militaires :** n.d.

NIVEAU DE VIE

- **Nombre d'habitants pour un médecin (2011) :** 1 776
- **Apport journalier moyen en calories :** n.d.
- **Nombre d'automobiles pour 1 000 hab. :** n.d.
- **Téléphones portables (2012) :** 53 % de la population équipée

REPÈRES HISTORIQUES

1970 : ancien protectorat britannique, les îles Tonga deviennent indépendantes dans le cadre du Commonwealth.
1999 : elles sont admises au sein de l'ONU.

TUVALU

Tuvalu est un petit archipel de 9 atolls.

Superficie : 26 km²
Population (2013) : 10 000 hab.
Capitale : Funafuti 4 979 hab. (e. 2011)
Nature de l'État et du régime politique : monarchie constitutionnelle à régime parlementaire
Chef de l'État : (reine) Élisabeth II, représentée par le gouverneur général Iakoba Taeia Italeli
Chef du gouvernement : (Premier ministre) Enele Sopoaga
Organisation administrative : 9 atolls
Langues officielles : anglais et tuvaluan
Monnaie : dollar australien

DÉMOGRAPHIE

- **Densité :** 385 hab./km²
- **Part de la population urbaine (2011) :** 47 %
- **Structure de la population par âge (2011) :** moins de 15 ans : 32 %, 15-65 ans : 63 %, plus de 65 ans : 5 %
- **Taux de natalité (2011) :** 23 ‰
- **Taux de mortalité (2011) :** 9 ‰
- **Taux de mortalité infantile (2011) :** 17 ‰
- **Espérance de vie (2011) :** hommes : 62 ans, femmes : 65 ans

Cet archipel, l'un des plus petits États du monde, est densément peuplé. La moitié des habitants vit à Funafuti.

ÉCONOMIE

- **PNB (2012) :** 0,1 milliard de dollars
- **PNB/hab. (2012) :** 5 650 dollars
- **PNB/hab. PPA :** n.d.
- **IDH :** n.d.
- **Taux de croissance annuelle du PIB (2012) :** 0,2 %
- **Taux annuel d'inflation :** n.d.
- **Structure de la population active :** agriculture : n.d., mines et industries : n.d., services : n.d.
- **Structure du PIB (2012) :** agriculture : 25,4 %, mines et industries : 5,8 %, services : 68,8 %
- **Dette publique brute :** n.d.
- **Taux de chômage (2005) :** 6,5 %

Les atolls de Tuvalu sont des milieux fragiles, relativement abîmés, ne permettant pas de couvrir les besoins alimentaires des habitants. Les ressources du pays viennent d'un fonds de sauvegarde national, des envois des émigrés, des droits de pêche, de la cession des droits de domaine pour Internet.

TOURISME

- **Recettes touristiques :** n.d.

COMMERCE EXTÉRIEUR

- **Exportations de biens (2009) :** 0,3 M de $
- **Importations de biens (2009) :** 34 M de $

DÉFENSE

- **Forces armées :** n.d.
- **Dépenses militaires :** n.d.

NIVEAU DE VIE

- **Nombre d'habitants pour un médecin (2011) :** 917
- **Apport journalier moyen en calories :** n.d.
- **Nombre d'automobiles pour 1 000 hab. :** n.d.
- **Téléphones portables (2012) :** 28 % de la population équipée

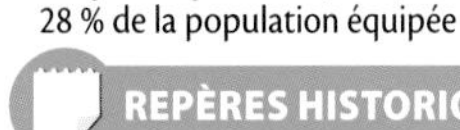

REPÈRES HISTORIQUES

1978 : l'archipel devient indépendant dans le cadre du Commonwealth.
2000 : Tuvalu est admis au sein de l'ONU.

MARSHALL

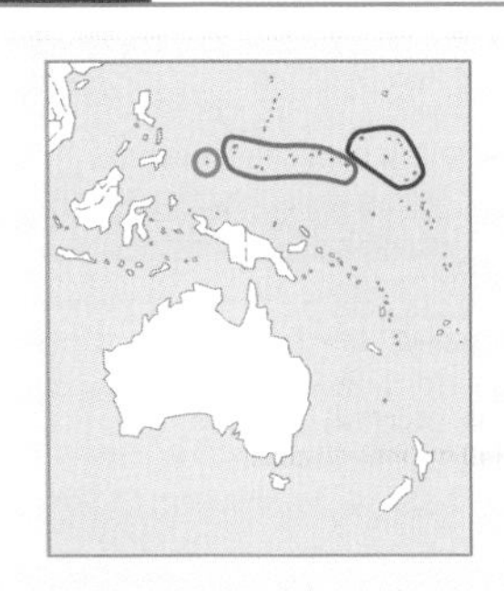

L'archipel comprend deux groupes d'îles, les Ratak (îles « de l'Aurore », ou « du Soleil levant ») et les Ralik (îles « du Soleil couchant »). Les principaux atolls sont Jaluit, Kwajalein, Eniwetok et Bikini.

Superficie : 181 km²
Population (2013) : 100 000 hab.
Capitale : Majuro 31 018 hab. (e. 2011) dans l'agglomération
Nature de l'État et du régime politique : république
Chef de l'État et du gouvernement : (président de la République) Christopher J. Loeak
Organisation administrative : 2 districts
Langues officielles : anglais et marshallais
Monnaie : dollar des États-Unis

DÉMOGRAPHIE

- **Densité :** 552 hab./km²
- **Part de la population urbaine (2013) :** 65 %
- **Structure de la population par âge (2013) :** moins de 15 ans : 41 %, 15-65 ans : 57 %, plus de 65 ans : 2 %
- **Taux de natalité (2013) :** 31 ‰
- **Taux de mortalité (2013) :** 6 ‰
- **Taux de mortalité infantile (2013) :** 21 ‰
- **Espérance de vie (2013) :** hommes : 70 ans, femmes : 74 ans

Avec 3,9 enfants par femme, la population, micronésienne, est jeune. Ce pays au petit nombre d'habitants, et dont les îles sont dispersées sur des centaines de kilomètres, est le plus densément peuplé d'Océanie et certains atolls sont surpeuplés.

ÉCONOMIE

- **PNB (2012) :** 0,2 milliard de dollars
- **PNB/hab. (2012) :** 4 040 dollars
- **PNB/hab. PPA :** n.d.
- **IDH :** n.d.
- **Taux de croissance annuelle du PIB (2012) :** 1,9 %
- **Taux annuel d'inflation :** n.d.
- **Structure de la population active :** agriculture : n.d., mines et industries : n.d., services : n.d.
- **Structure du PIB (2001) :** agriculture : 13,8 %, mines et industries : 16 %, services : 70,2 %
- **Dette publique brute :** n.d.
- **Taux de chômage (2005) :** 25,4 %

Les îles Marshall complètent leurs ressources agricoles par des activités bancaires, des immatriculations de pavillons de complaisance, des droits de pêche et des subsides des États-Unis, dans le cadre de l'accord de libre association. Le tourisme est encore peu développé.

TOURISME

- **Recettes touristiques (2011) :** 3 millions de dollars

COMMERCE EXTÉRIEUR

- **Exportations de biens (2009) :** 21 millions de dollars
- **Importations de biens (2009) :** 90 millions de dollars

DÉFENSE

- **Forces armées :** n.d.
- **Dépenses militaires :** n.d.

NIVEAU DE VIE

- **Nombre d'habitants pour un médecin (2011) :** 2 283
- **Apport journalier moyen en calories :** n.d.
- **Nombre d'automobiles pour 1 000 hab. :** n.d.
- **Téléphones portables (2010) :** 7 % de la population équipée

REPÈRES HISTORIQUES

1885 - 1914 : les îles Marshall sont une possession allemande.

1920 - 1944 : elles passent sous mandat japonais.

1947 : l'ONU les place sous tutelle américaine.

1986 : elles deviennent un État librement associé aux États-Unis.

1991 : elles sont admises au sein de l'ONU.

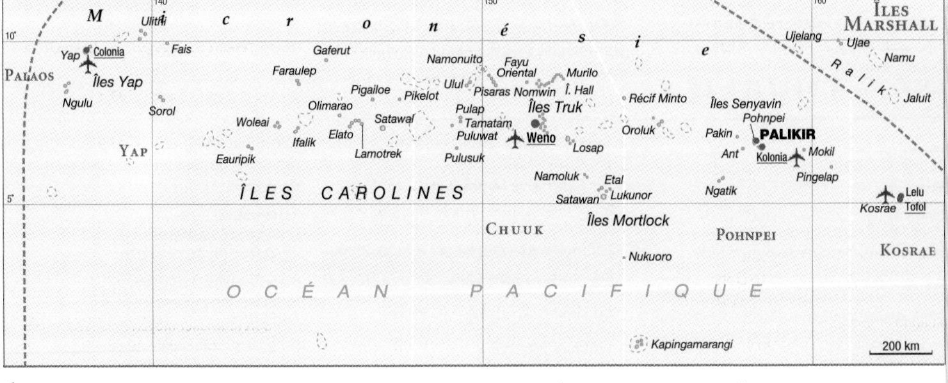

États fédérés de Micronésie

OCÉANIE

MICRONÉSIE

ÉTATS FÉDÉRÉS DE MICRONÉSIE

La Micronésie correspond à la majeure partie de l'archipel des Carolines. Elle est formée de 607 îles regroupant 4 États : Yap, Kosrae, Chuuk, Pohnpei.

Superficie : 702 km²
Population (2013) : 100 000 hab.
Capitale : Palikir 6 696 hab. (e. 2011)
Nature de l'État et du régime politique : république
Chef de l'État et du gouvernement : (président de la République) Immanuel, dit Manny Mori
Organisation administrative : 4 États
Langue officielle : anglais
Monnaie : dollar des États-Unis

DÉMOGRAPHIE

- **Densité :** 142 hab./km²
- **Part de la population urbaine (2013) :** 22 %
- **Structure de la population par âge (2013) :** moins de 15 ans : 35 %, 15-65 ans : 61 %, plus de 65 ans : 4 %
- **Taux de natalité (2013) :** 24 ‰
- **Taux de mortalité (2013) :** 5 ‰
- **Taux de mortalité infantile (2013) :** 36 ‰
- **Espérance de vie (2013) :** hommes : 67 ans, femmes : 68 ans

Avec 3,5 enfants par femme, la population, micronésienne, est jeune (35 % de moins de 15 ans). Les Truks et les Pohnpeians sont majoritaires. Les habitants se regroupent notamment dans l'île de Pohnpei, qui abrite la capitale, Palikir.

ÉCONOMIE

- **PNB (2012) :** 0,3 milliard de dollars
- **PNB/hab. (2012) :** 3 230 dollars
- **PNB/hab. PPA (2012) :** 3 920 dollars internationaux
- **IDH (2012) :** 0,645
- **Taux de croissance annuelle du PIB (2012) :** 0,4 %
- **Taux annuel d'inflation :** n.d.
- **Structure de la population active :** agriculture : n.d., mines et industries : n.d., services : n.d.
- **Structure du PIB (2011) :** agriculture : 28,2 %, mines et industries : 9,2 %, services : 62,6 %
- **Dette publique brute :** n.d.
- **Taux de chômage :** n.d.

Liée aux États-Unis comme les îles Marshall et Palaos par un accord de libre association et d'assistance, la Micronésie est très dépendante de l'aide américaine (autour de 40 % du PIB et plus de 60 % des revenus de l'État, mais en diminution jusqu'à son extinction prévue en 2023). Les activités agricoles sont moins importantes que celles liées à la pêche, qui fournit la plus large part des exportations. Le tourisme se développe.

TOURISME

- **Recettes touristiques (2011) :** 25 millions de dollars

COMMERCE EXTÉRIEUR

- **Exportations de biens (2007) :** 17 millions de dollars
- **Importations de biens (2007) :** 140 millions de dollars

DÉFENSE

- **Forces armées :** n.d.
- **Dépenses militaires :** n.d.

NIVEAU DE VIE

- **Nombre d'habitants pour un médecin (2011) :** 5 650
- **Apport journalier moyen en calories :** n.d.
- **Nombre d'automobiles pour 1 000 hab. (2007) :** 16
- **Téléphones portables (2012) :** 25 % de la population équipée

REPÈRES HISTORIQUES

1947 : l'archipel est placé par l'ONU sous tutelle américaine.
1986 : il devient un État librement associé aux États-Unis.
1991 : il est admis au sein de l'ONU.

PALAOS

Palaos est un archipel d'environ 350 îles et atolls, dont plus de la moitié sont inhabités. Le climat est chaud (température moyenne supérieure à 27 °C), ensoleillé, malgré d'abondantes pluies d'été.

Superficie : 459 km²
Population (2013) : 20 000 hab.
Capitale : Melekeok
Nature de l'État et du régime politique : république
Chef de l'État et du gouvernement : (président de la République) Thomas Esang, dit Tommy Remengesau
Organisation administrative : 16 États
Langues officielles : palaosien, paluan ou palauan et anglais
Monnaie : dollar des États-Unis

DÉMOGRAPHIE

- **Densité :** 44 hab./km²
- **Part de la population urbaine (2013) :** 77 %
- **Structure de la population par âge (2013) :** moins de 15 ans : 20 %, 15-65 ans : 74 %, plus de 65 ans : 6 %
- **Taux de natalité (2013) :** 14 ‰
- **Taux de mortalité (2013) :** 8 ‰
- **Taux de mortalité infantile (2013) :** 20 ‰
- **Espérance de vie (2013) :** hommes : 66 ans, femmes : 72 ans

La population de ce très petit État, peu nombreuse, est composée principalement de Micronésiens, avec une minorité de Philippins (15 %). Elle ne s'accroît que très peu (0,6 % par an). L'île de Koror regroupe le tiers de la population totale.

ÉCONOMIE

- **PNB (2012) :** 0,2 milliard de dollars
- **PNB/hab. (2012) :** 9 860 dollars
- **PNB/hab. PPA (2012) :** 16 870 dollars internationaux
- **IDH (2012) :** 0,791
- **Taux de croissance annuelle du PIB (2012) :** 5,3 %
- **Taux annuel d'inflation :** n.d.
- **Structure de la population active :** agriculture : n.d., mines et industries : n.d., services : n.d.
- **Structure du PIB (2012) :** agriculture : 5,6 %, mines et industries : 8,5 %, services : 85,9 %
- **Dette publique brute :** n.d.
- **Taux de chômage (2005) :** 4,2 %

Après une récession estimée à 3 % en moyenne depuis 2005, l'économie s'est stabilisée grâce aux recettes touristiques en provenance d'Asie (équivalentes au déficit commercial), au secteur de la mer (pêche et culture des coquillages) ainsi qu'aux subventions des États-Unis accordées en vertu de la convention d'assistance entre les deux pays, mais qui sont vouées à progressivement diminuer.

TOURISME

- **Recettes touristiques (2011) :** 124 M de $

COMMERCE EXTÉRIEUR

- **Exportations de biens (2009) :** 5 millions de dollars
- **Importations de biens (2011) :** 155 millions de dollars

DÉFENSE

- **Forces armées :** n.d.
- **Dépenses militaires :** n.d.

NIVEAU DE VIE

- **Nombre d'habitants pour un médecin (2011) :** 724
- **Apport journalier moyen en calories :** n.d.
- **Nombre d'automobiles pour 1 000 hab. :** n.d.
- **Téléphones portables (2012) :** 83 % de la population équipée

REPÈRES HISTORIQUES

1947 : l'archipel est placé par l'ONU sous tutelle américaine.
1994 : il devient indépendant et est admis au sein de l'ONU.

NAURU → FIDJI

NOUVELLE-ZÉLANDE

À 2 000 km au sud-est de l'Australie, la Nouvelle-Zélande est presque tout entière située dans la zone tempérée de l'hémisphère austral. Le pays est formé de deux grandes îles : l'île du Nord et l'île du Sud au relief plus contrasté, dominé par les Alpes néo-zélandaises.

Superficie : 270 534 km²
Population (2013) : 4 500 000 hab.
Capitale : Wellington 190 956 hab. (r. 2013), 410 410 hab. (e. 2011) dans l'agglomération
Nature de l'État et du régime politique : monarchie constitutionnelle à régime parlementaire
Chef de l'État : (reine) Élisabeth II, représentée par le gouverneur général Jeremiah, dit Jerry Mateparae
Chef du gouvernement : (Premier ministre) John Key
Organisation administrative : 16 régions, 2 États autonomes associés et 2 territoires d'outre-mer
Langues officielles : anglais et maori
Monnaie : dollar néo-zélandais

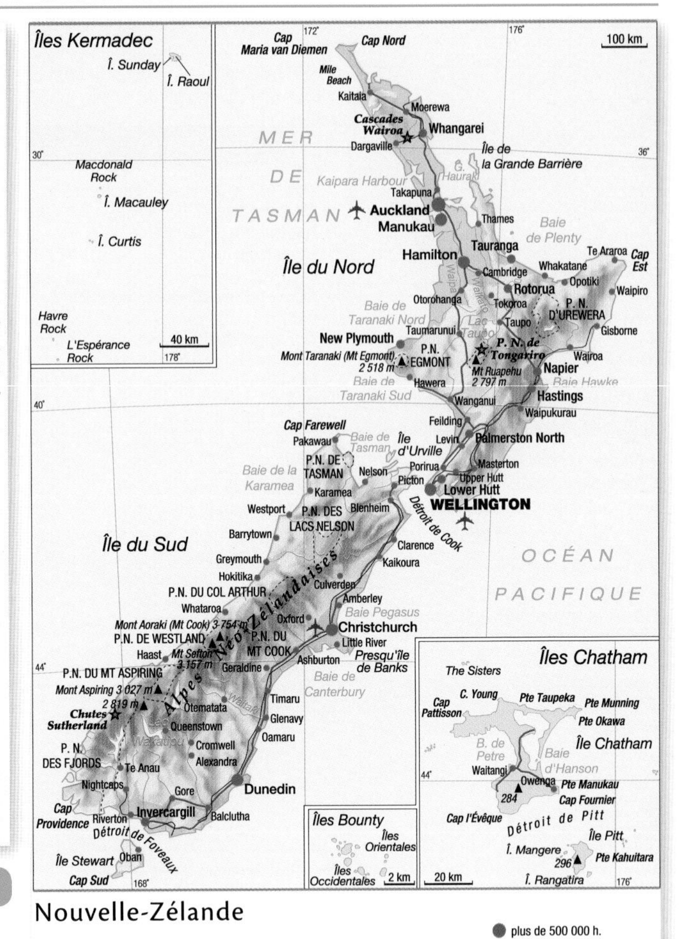

Nouvelle-Zélande

★ site touristique important
500 1000 2000 m
— route
— voie ferrée
aéroport
● plus de 500 000 h.
● de 100 000 à 500 000 h.
● de 50 000 à 100 000 h.
● moins de 50 000 h.

DÉMOGRAPHIE

- **Densité :** 17 hab./km²
- **Part de la population urbaine (2013) :** 86 %
- **Structure de la population par âge (2013) :** moins de 15 ans : 20 %, 15-65 ans : 66 %, plus de 65 ans : 14 %
- **Taux de natalité (2013) :** 14 ‰
- **Taux de mortalité (2013) :** 7 ‰
- **Taux de mortalité infantile (2013) :** 4,2 ‰
- **Espérance de vie (2013) :** hommes : 79 ans, femmes : 83 ans

La population est essentiellement d'origine britannique. Les Maori, indigènes, en représentent environ le dixième. La densité moyenne (17 hab./km²) est faible, mais l'île du Nord concentre les trois quarts de la population du pays et les deux principales villes, Auckland et Wellington, sur 42 % de la superficie totale. 86 % des habitants sont des citadins. Comme le taux de natalité est désormais très bas (14 ‰), la croissance démographique s'est ralentie et n'atteint plus que 0,7 % par an et les plus de 65 ans représentent 14 % de la population totale : la Nouvelle-Zélande commence à connaître, comme l'ensemble des pays développés, un vieillissement sensible de sa population. L'espérance de vie est une des plus élevées du monde.

ÉCONOMIE

- **PNB (2011) :** 154 milliards de dollars
- **PNB/hab. (2011) :** 30 640 dollars
- **PNB/hab. PPA (2011) :** 30 030 dollars internationaux
- **IDH (2012) :** 0,919
- **Taux de croissance annuelle du PIB (2012) :** 3 %
- **Taux annuel d'inflation (2012) :** 0,9 %
- **Structure de la population active (2010) :** agriculture : 6,9 %, mines et industries : 20,9 %, services : 72,2 %
- **Structure du PIB (2005) :** agriculture : 6 %, mines et industries : 23 %, services : 71 %
- **Dette publique brute (2011) :** 62 % du PIB
- **Taux de chômage (2012) :** 6,9 %

La Nouvelle-Zélande renoue avec une timide croissance (2,5 % en 2013) après la récession de 2008 et 2009. Son économie est tournée vers les États membres de l'APEC dont l'Australie (1er partenaire commercial), les États-Unis, la Chine (1e fournisseur avec qui elle a signé un accord de libre-échange en 2008), le Japon, Singapour, la Corée du Sud, l'Indonésie et la Malaisie, qui absorbent 70 % des exportations (autour de 30 % de son PIB) devant l'UE (dont le Royaume-Uni). Désormais largement fondée sur les services (dont le tourisme, en provenance pour 65 % de l'APEC), elle conserve cependant un secteur agricole et agroalimentaire qui représente environ 60 % des produits exportés (produits laitiers, viande ovine, bois, laine, kiwis, vin), devant l'industrie manufacturière et les produits miniers (or, aluminium, gaz, charbon) et pétroliers (2e poste d'exportation et 1er poste d'importation).

TOURISME

- **Recettes touristiques (2012) :** 5 493 millions de dollars

COMMERCE EXTÉRIEUR

- **Exportations de biens (2012) :** 37 867 millions de dollars

- **Importations de biens (2011) :** 45 761 millions de dollars

DÉFENSE

- **Forces armées (2011) :** 8 550 individus
- **Dépenses militaires (2012) :** 1,1 % du PIB

NIVEAU DE VIE

- **Nombre d'habitants pour un médecin (2011) :** 366
- **Apport journalier moyen en calories (2007) :** 3 159 (minimum FAO : 2 400)
- **Nombre d'automobiles pour 1 000 hab. (2011) :** 621
- **Téléphones portables (2012) :** 100 % de la population équipée

REPÈRES HISTORIQUES

1642 : l'archipel, peuplé de Maori, est découvert par le Hollandais Tasman.

1769 - 1770 : James Cook en explore le littoral.

1814 : des missionnaires catholiques et protestants entreprennent l'évangélisation du pays.

1841 : un gouverneur britannique est nommé. La brutale politique d'expansion menée par la Grande-Bretagne provoque les guerres maories (1843 - 1847, 1860 - 1870).

1852 : une Constitution donne à la colonie une large autonomie.

1870 : le retour au calme et la découverte de l'or (1861) favorisent la prospérité du pays.

1889 : le suffrage universel est instauré.

1891 - 1912 : les libéraux mènent une politique sociale avancée.

1907 : la Nouvelle-Zélande devient un dominion britannique.

1914 - 1918 : elle participe aux combats de la Première Guerre mondiale.

1929 : le pays est durement touché par la crise mondiale.

1945 : après avoir pris une part active à la défaite japonaise, la Nouvelle-Zélande entend être un partenaire à part entière dans l'Asie du Sud-Est et dans le Pacifique.

1951 : elle signe le traité établissant l'ANZUS.

1965 - 1971 : soutenant les États-Unis, elle envoie des troupes en Corée et au Viêt Nam.

1974 : après l'entrée de la Grande-Bretagne dans le Marché commun européen, la Nouvelle-Zélande doit diversifier ses activités et chercher des débouchés vers l'Asie, notamment vers le Japon. À partir des années 1980, elle prend la tête du mouvement antinucléaire dans le Pacifique sud.

1985 : sa participation à l'ANZUS est suspendue. Travaillistes et conservateurs alternent au pouvoir.

PAPOUASIE-NOUVELLE-GUINÉE

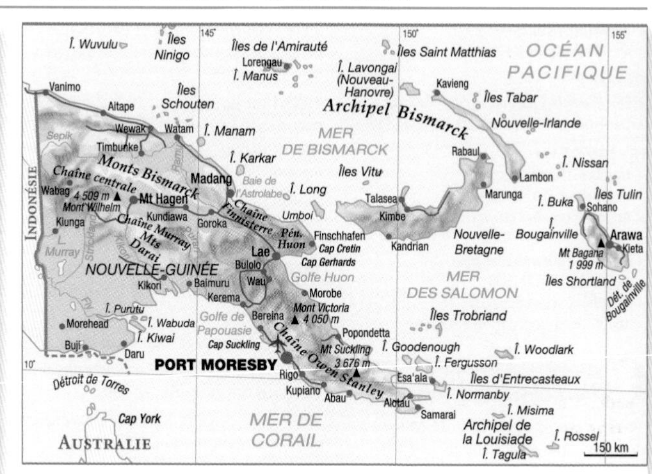

Papouasie-Nouvelle-Guinée

200 500 1000 m

aéroport
route

plus de 100 000 h.
de 25 000 à 100 000 h.
moins de 25 000 h.

Le pays est formé essentiellement par la moitié est de l'île de la Nouvelle-Guinée, à laquelle s'ajoutent plusieurs îles. C'est un territoire montagneux au nord, marécageux au sud, humide, en grande partie couvert par la forêt et habité par des tribus éparses.

Superficie : 462 840 km²
Population (2013) : 7 200 000 hab.
Capitale : Port Moresby 342 904 hab. (e. 2011)
Nature de l'État et du régime politique : monarchie constitutionnelle à régime parlementaire
Chef de l'État : (reine) Élisabeth II, représentée par le gouverneur général Michael Ogio
Chef du gouvernement : (Premier ministre) Peter O'Neill
Organisation administrative : 19 provinces et 1 région autonome
Langue officielle : anglais
Monnaie : kina

DÉMOGRAPHIE

- **Densité :** 16 hab./km²
- **Part de la population urbaine (2013) :** 13 %
- **Structure de la population par âge (2013) :** moins de 15 ans : 38 %, 15-65 ans : 59 %, plus de 65 ans : 3 %
- **Taux de natalité (2013) :** 31 ‰
- **Taux de mortalité (2013) :** 10 ‰
- **Taux de mortalité infantile (2013) :** 45 ‰
- **Espérance de vie (2013) :** hommes : 61 ans, femmes : 66 ans

Aux Papous proprement dits s'ajoutent sur les littoraux et les nombreuses îles d'autres groupes mélanésiens, des Polynésiens, ainsi que des Pygmées dans les régions isolées. Avec 4 enfants par femme, la population est en forte croissance (2,1 % par an) et très jeune (38 % de moins de 15 ans).

ÉCONOMIE

- **PNB (2012) :** 15 milliards de dollars
- **PNB/hab. (2012) :** 1 790 dollars
- **PNB/hab. PPA (2012) :** 2 740 dollars internationaux
- **IDH (2012) :** 0,466
- **Taux de croissance annuelle du PIB (2012) :** 8 %
- **Taux annuel d'inflation (2012) :** 2,2 %
- **Structure de la population active (2000) :** agriculture : 72,3 %, mines et industries : 3,6 %, services : 24,1 %
- **Structure du PIB (2011) :** agriculture : 36 %, mines et industries : 45 %, services : 19 %
- **Dette publique brute :** n.d.
- **Taux de chômage :** n.d.

Avec très peu de terres arables mais d'importantes richesses minières, le pays dépend étroitement de ses exportations (85 % de son PIB en 2013), pour l'essentiel des matières premières : pétrole, or, cuivre, cobalt, nickel et gaz naturel outre le caoutchouc et le bois dont l'exploitation entraîne une grave déforestation. Avec le projet gazier et minier PNG-LNG (Exxon Mobil) et la demande croissante du marché asiatique, le taux de croissance s'est élevé à 8 % en 2012 et 5,4 % en 2013.Mais les effets sur le niveau de vie de la population restent très limités dans ce pays forestier à 85 %, où plus des trois quarts des habitants vivent de l'agriculture vivrière, dans une grande pauvreté.

TOURISME

- **Recettes touristiques (2012) :** 4 millions de dollars

COMMERCE EXTÉRIEUR

- **Exportations de biens (2010) :** 5 745 millions de dollars
- **Importations de biens (2010) :** 3 529 millions de dollars

DÉFENSE

- **Forces armées (2011) :** 3 100 individus
- **Dépenses militaires (2012) :** 0,5 % du PIB

NIVEAU DE VIE

- **Nombre d'habitants pour un médecin (2011) :** 18 868
- **Apport journalier moyen en calories :** n.d.
- **Nombre d'automobiles pour 1 000 hab. (2007) :** 6
- **Téléphones portables (2012) :** 38 % de la population équipée

REPÈRES HISTORIQUES

XVIe s. : l'île est découverte par les Espagnols et les Portugais.

1975 : la Papouasie-Nouvelle-Guinée devient indépendante dans le cadre du Commonwealth.

PALAOS → MARSHALL
SAMOA → KIRIBATI
TUVALU → KIRIBATI
SALOMON → FIDJI
TONGA → KIRIBATI
VANUATU → FIDJI

La France

Au 1er janvier 2014, la France compte 66 millions d'habitants, dont 63,9 millions en métropole. La population française représente 13 % de la population de l'Union européenne et 1 % de la population mondiale. Entre 2006 et 2011, la population a augmenté de 334 122 personnes par an, soit un rythme de 0,5 % par an.

La population française se caractérise à la fois par un indice de fécondité élevé (2,01 enfants par femme en moyenne pour la France au total et 1,99 pour la France métropolitaine, qui situe le pays au deuxième rang après l'Irlande, 2,1), par une espérance de vie élevée (78,7 ans pour les hommes, 85 ans pour les femmes), et par une forte proportion de personnes âgées de plus de 80 ans (6,6 % de la population totale, soit 4 199 787 personnes).

La tendance de ces dernières années confirme l'attirance exercée par les régions du Sud, de l'Ouest et du Sud-Ouest. Sur la période 2006 - 2011, l'accroissement annuel moyen, largement dû au solde migratoire, a été de 1,1 % pour le Languedoc-Roussillon, de 0,9 % pour Midi-Pyrénées et de 0,8 % pour l'Aquitaine.

Cependant, l'Île-de-France demeure la première Région française avec 11,9 millions d'habitants, soit 19 % de la population métropolitaine, fournissant pratiquement 30 % du PIB national. Son accroissement naturel moyen est de 0,7 % (identique à la moyenne nationale), malgré un solde migratoire négatif.

De façon générale, ce sont les grandes métropoles régionales comme Toulouse, Bordeaux, Nice, Nantes qui attirent la population, devançant ainsi la capitale nationale, avec les taux de croissance les plus élevés. Mais l'attraction des grandes agglomérations est inégale entre le Sud et le Nord. Si Lyon, Marseille, Toulon continuent d'attirer la population, il n'en est pas de même pour Strasbourg, Lille et surtout Douai-Lens pour lesquelles le taux de croissance est négatif.

Par ailleurs, la population des espaces ruraux augmente désormais au même rythme que la moyenne générale (0,5 %).

Les importants changements dans la répartition géographique de la population remettent en cause l'ensemble des divisions administratives, communes, cantons, arrondissements, départements et Régions. Une nouvelle catégorie d'élu a été créée : le conseiller territorial, qui remplace le conseiller général et le conseiller régional. La réalisation des schémas départementaux de coopération intercommunale est en cours.

FRANCE ADMINISTRATIVE

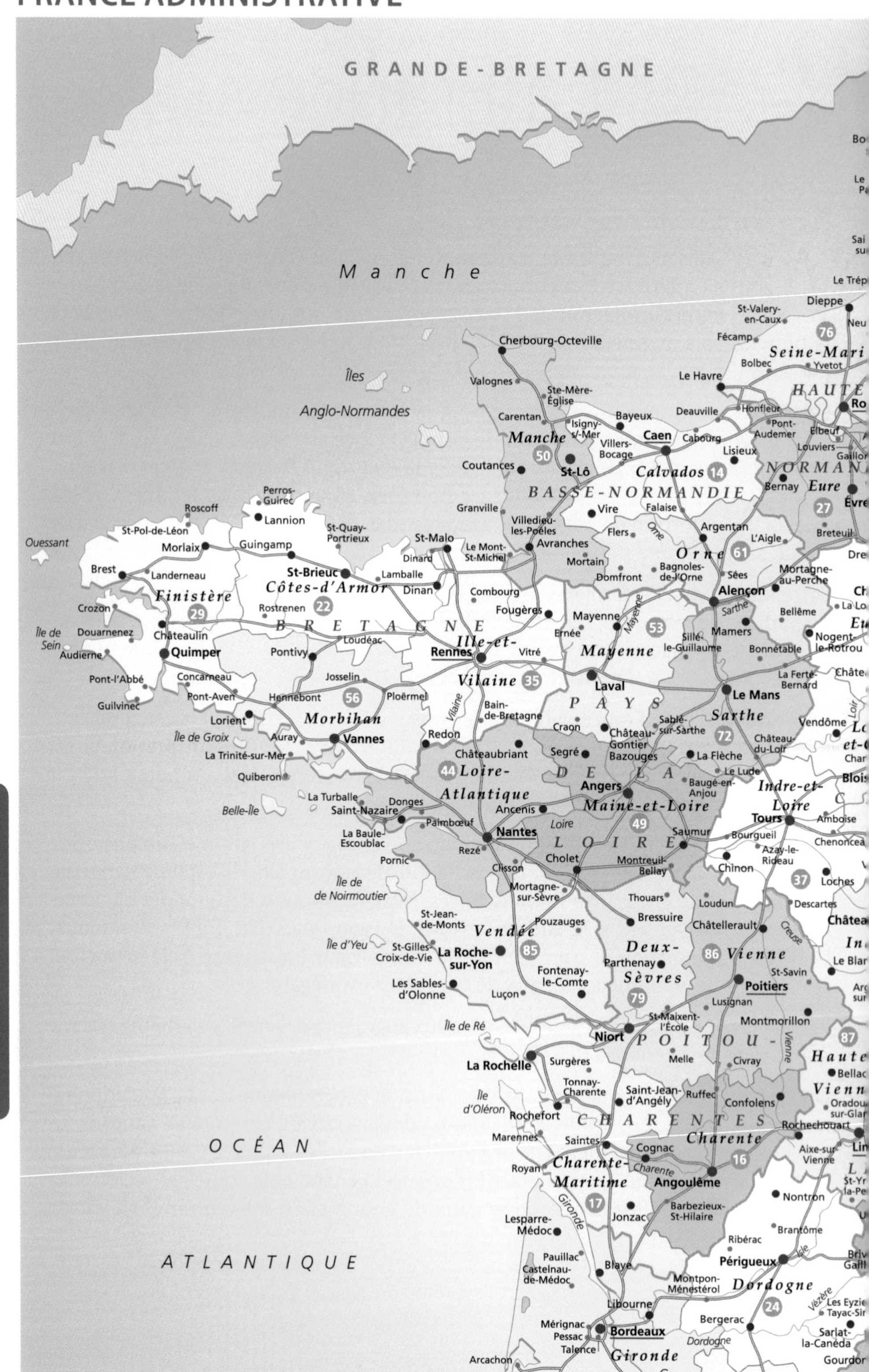

FRANCE

BELGIQUE
PAYS-BAS
ALLEMAGNE
LUXEMBOURG
SUISSE
ITALIE
Dunkerque
NORD
Tourcoing
Roubaix
Armentières
Lille
Béthune
Lens
Liévin
Douai
Anzin
Valenciennes
Pas-de-Calais
62
Arras
Denain
Maubeuge
Nord
59
Avesnes-sur-Helpe
Cambrai
Givet
Doullens
80
Albert
Fourmies
Somme
Péronne
Rocroi
Revin
St-Quentin
Guise
Hirson
Aisne
Vervins
Charleville-Mézières
Sedan
Montdidier
Roye
Tergnier
02
Breteuil
Chauny
Laon
Sissonne
Ardennes
08
Montmédy
Longwy
Oise
Noyon
PICARDIE
Rethel
Stenay
Thionville
Clermont
Aisne
Vouziers
60
Compiègne
Soissons
Reims
Meuse
Étain
Briey
Boulay-Moselle
Forbach
Creil
Villers-Cotterêts
Fismes
Verdun
Chantilly
Senlis
Ste-Ménehould
Pont-à-Mousson
Metz
St-Avold
Sarreguemines
Château-Thierry
51
Marne
Wissembourg
95
Épernay
Châlons-en-Champagne
Meuse
Moselle
LORRAINE
57
Haguenau
93
Bobigny
Meaux
Montmirail
55
St-Mihiel
Meurthe-
Château-Salins
Bas-Rhin
PARIS
Torcy
CHAMPAGNE-
Bar-le-Duc
Saverne
92
94
Seine-
77
Sézanne
Fère-Champenoise
Commercy
Toul
Nancy
Sarrebourg
Strasbourg
Créteil
Lunéville
Évry
et-Marne
Vitry-le-François
Ligny-en-Barrois
et-Moselle
Molsheim
Provins
St-Dizier
Baccarat
67
Essonne
Melun
Aube
Brienne-le-Château
Marne
54
Meurthe
ALSACE
91
Fontainebleau
Nogent-sur-Seine
ARDENNE
Moselle
Saint-Dié-des-Vosges
Sélestat
10
Neufchâteau
Montereau-Fault-Yonne
Troyes
Aube
Bar-sur-Aube
Colombey-les-Deux-Églises
Vosges
Épinal
Ribeauvillé
Nemours
Vittel
88
Gérardmer
Colmar
Rhin
Sens
Chaumont
Courtenay
Yonne
Bar-sur-Seine
52
Haut-Rhin
Remiremont
Guebwiller
45
Montargis
Joigny
Haute-
Bourbonne-les-Bains
Luxeuil-les-Bains
Thann
68
Yonne
Tonnerre
Châtillon-sur-Seine
Langres
Marne
Haute-
90
Mulhouse
Jargeau
Auxerre
Chablis
Saône
70
Lure
La Ferté-St-Aubin
Gien
89
Montbard
Vesoul
Ronchamp
Belfort
St-Louis
Altkirch
Briare
Côte-d'Or
Sochaux
Avallon
FRANCHE-
Montbéliard
Clamecy
Semur-en-Auxois
21
Gray
Baume-les-Dames
Sancerre
Vézelay
Dijon
Saône
Cosne-Cours-sur-Loire
Besançon
Doubs
Cher
Saulieu
Doubs
Corbigny
Loire
Auxonne
BOURGOGNE
Nuits-St-Georges
COMTÉ
25
Vierzon
18
Nièvre
Dole
Arc-et-Senans
Bourges
58
Beaune
Pontarlier
Nevers
Château-Chinon (VILLE)
Autun
Arbois
Cher
St-Florent-sur-Cher
Chagny
Imphy
Jura
Le Creusot
Chalon-sur-Saône
39
Decize
71
St-Amand-Montrond
Saône-et-Loire
Lons-le-Saunier
Bourbon-l'Archambault
Montceau-les-Mines
Louhans
Tournus
Morez
Lac Léman
Digoin
Évian-les-Bains
Allier
Moulins
Charolles
Thonon-les-Bains
Paray-le-Monial
Cluny
St-Claude
Gex
Montluçon
St-Pourçain-sur-Sioule
Mâcon
Morzine
03
Oyonnax
St-Julien-en-G.
Commentry
Bourg-en-Bresse
Ain
Nantua
Cluses
23
Gannat
Vichy
Roanne
Villefranche-sur-Saône
Ain
Bonneville
Bellegarde-sur-Valserine
Haute-Savoie
Chamonix
Aubusson
63
Châtel-Guyon
01
Trévoux
Annecy
74
Riom
Loire
Tarare
Megève
Volvic
Thiers
42
Rhône
Belley
Ugine
Clermont-Ferrand
69
Lyon
Villeurbanne
Aix-les-Bains
Albertville
Bourg-St-Maurice
Puy-de-Dôme
Montbrison
Givors
Bourgoin-Jallieu
Savoie
La Bourboule
Rive-de-Gier
La Tour-du-Pin
Chambéry
Ussel
Ambert
St-Chamond
Vienne
Moûtiers
Val-d'Isère
Le Mont-Dore
Issoire
Allier
St-Étienne
Courchevel
Bort-les-Orgues
Isère
73
Firminy
Isère
Modane
La Chaise-Dieu
RHÔNE-ALPES
Brioude
Annonay
St-Jean-de-Maurienne
Yssingeaux
Grenoble
Mauriac
AUVERGNE
L'Alpe-d'Huez
Tournon-sur-Rhône
Romans-sur-Isère
Langeac
Haute-Loire
38
Cantal
Le Bourg-d'Oisans
Briançon
St-Flour
Le Puy-en-Velay
43
15
07
La Mure
Aurillac
Rhône
Valence
05
Ardèche
St-Chély-d'Apcher
Crest
Die
Privas
Langogne
Hautes-Alpes
Vars
Lozère
Vals-les-Bains
Drôme

FRANCE ADMINISTRATIVE

Limite de Région

Limite de département

Rouen Chef-lieu de Région

Chef-lieu de département

Chef-lieu d'arrondissement

Commune

Autoroute ou grande route

100 km

FRANCE

Loiret
Orléans
45
Courtenay
Montargis
Yonne
Joigny
Yonne
Jargeau
La Ferté-St-Aubin
Gien
Briare
Auxerre
89
Chablis
Tonnerre
Bar-sur-Seine
Châtillon-sur-Seine
Chaumont
52
Haute-Marne
Langres
Bourbonne-les-Bains
Luxeuil-les-Bains
Haute-Saône
70
Vesoul
Remiremont
Haut-Rhin
Guebwiller
Thann
68
Mulhouse
90
Lure
Ronchamp
Belfort
Sochaux
Montbéliard
St-Louis
Altkirch
Montbard
Côte-d'Or
21
Semur-en-Auxois
Avallon
Vézelay
Clamecy
Cosne-Cours-sur-Loire
Sancerre
Cher
18
Vierzon
Bourges
St-Florent-sur-Cher
St-Amand-Montrond
Corbigny
Saulieu
Dijon
Saône
FRANCHE-
Gray
Baume-les-Dames
Doubs
Besançon
Doubs
25
COMTÉ
Auxonne
Nuits-St-Georges
BOURGOGNE
Nièvre
58
Loire
Nevers
Château-Chinon (VILLE)
Imphy
Decize
Autun
Beaune
Dole
Arc-et-Senans
Arbois
Pontarlier
Jura
39
SUISSE
Chagny
Le Creusot
71
Chalon-sur-Saône
Saône-et-Loire
Montceau-les-Mines
Louhans
Lons-le-Saunier
Morez
Bourbon-l'Archambault
Allier
03
Moulins
Digoin
Tournus
Charolles
Paray-le-Monial
Cluny
Mâcon
St-Claude
Gex
Lac Léman
Évian-les-Bains
Thonon-les-Bains
Morzine
Montluçon
Commentry
St-Pourçain-sur-Sioule
Bourg-en-Bresse
Ain
Oyonnax
Nantua
St-Julien-en-G.
Cluses
23
Gannat
Vichy
Roanne
Villefranche-sur-Saône
Ain
01
Bellegarde-sur-Valserine
Bonneville
Haute-Savoie
Chamonix
Aubusson
63
Châtel-Guyon
Riom
Volvic
Clermont-Ferrand
Thiers
Loire
42
Trévoux
Tarare
Rhône
69
Lyon
Villeurbanne
Belley
Annecy
74
Megève
Ugine
Albertville
Aix-les-Bains
Bourg-St-Maurice
Puy-de-Dôme
La Bourboule
Ussel
Le Mont-Dore
Bort-les-Orgues
Issoire
Allier
Ambert
Montbrison
Givors
Rive-de-Gier
St-Chamond
St-Étienne
Firminy
Bourgoin-Jallieu
Vienne
La Tour-du-Pin
Chambéry
Savoie
Moûtiers
Val-d'Isère
73
Courchevel
Isère
Isère
Modane
St-Jean-de-Maurienne
La Chaise-Dieu
Brioude
AUVERGNE
Mauriac
Cantal
15
St-Flour
Langeac
Haute-Loire
43
Le Puy-en-Velay
Yssingeaux
Annonay
RHÔNE-ALPES
Grenoble
38
L'Alpe-d'Huez
Le Bourg-d'Oisans
Briançon
ITALIE
Tournon-sur-Rhône
Romans-sur-Isère
Aurillac
St-Chély-d'Apcher
Langogne
Lozère
07
Ardèche
Privas
Rhône
Valence
Crest
Die
La Mure
05
Hautes-Alpes
Vars
Conques
Laguiole
Marvejols
Vals-les-Bains
Aubenas
Montélimar
Drôme
26
Gap
Embrun
Veynes
Decazeville
Espalion
Mende
Largentière
Villefranche-de-Rouergue
Rodez
Aveyron
48
Valréas
Nyons
Pierrelatte
Barcelonnette
Alpes-
Najac
Florac
Bagnols-sur-Cèze
Bollène
Buis-les-Baronnies
Sisteron
PROVENCE-
06
Tende
Aveyron
Tarn
12
Orange
Carpentras
84
Digne-les-Bains
04
de-Haute-Provence
Puget-Théniers
Var
Alpes-Maritimes
Carmaux
Albi
Millau
Roquefort-sur-Soulzon
Le Vigan
Alès
Gard
Uzès
St-Affrique
Ganges
30
Vaucluse
Avignon
Apt
Forcalquier
Castellane
Tarn
81
Lacaune
LANGUEDOC-
Nîmes
Lunel
13
ALPES-CÔTE D'AZUR
Manosque
Vence
Menton
MONACO
Grasse
Nice
Lodève
34
Salon-de-Provence
Durance
Var
83
Draguignan
Antibes
Cannes
Castres
Mazamet
Bédarieux
St-Pons
Hérault
Montpellier
Palavas-les-Flots
Aigues-Mortes
Arles
Bouches-du-Rhône
Istres
Aix-en-Provence
Fréjus
St-Raphaël
Le Grau-du-Roi
Saintes-Maries-de-la-Mer
Fos-sur-Mer
Martigues
Marignane
Brignoles
Ste-Maxime
Béziers
Sète
Agde
Marseille
Aubagne
Cavalaire-sur-Mer
St-Tropez
ROUSSILLON
La Ciotat
Toulon
Hyères
Le Lavandou
Narbonne
Aude
Aude
11
Limoux
Port-la-Nouvelle
Quillan
Leucate
Bastia
Calvi
Haute-Corse
2B
Corte
Pyrénées-Orientales
66
Prades
Perpignan
Collioure
Port-Vendres
Banyuls-sur-Mer
Céret
Amélie-les-Bains
Bourg-Madame
Mer Méditerranée
Porto
CORSE
Aléria
Ajaccio
Corse-du-Sud
2A
Propriano
Sartène
Porto-Vecchio
Bonifacio

FRANCE

ALSACE

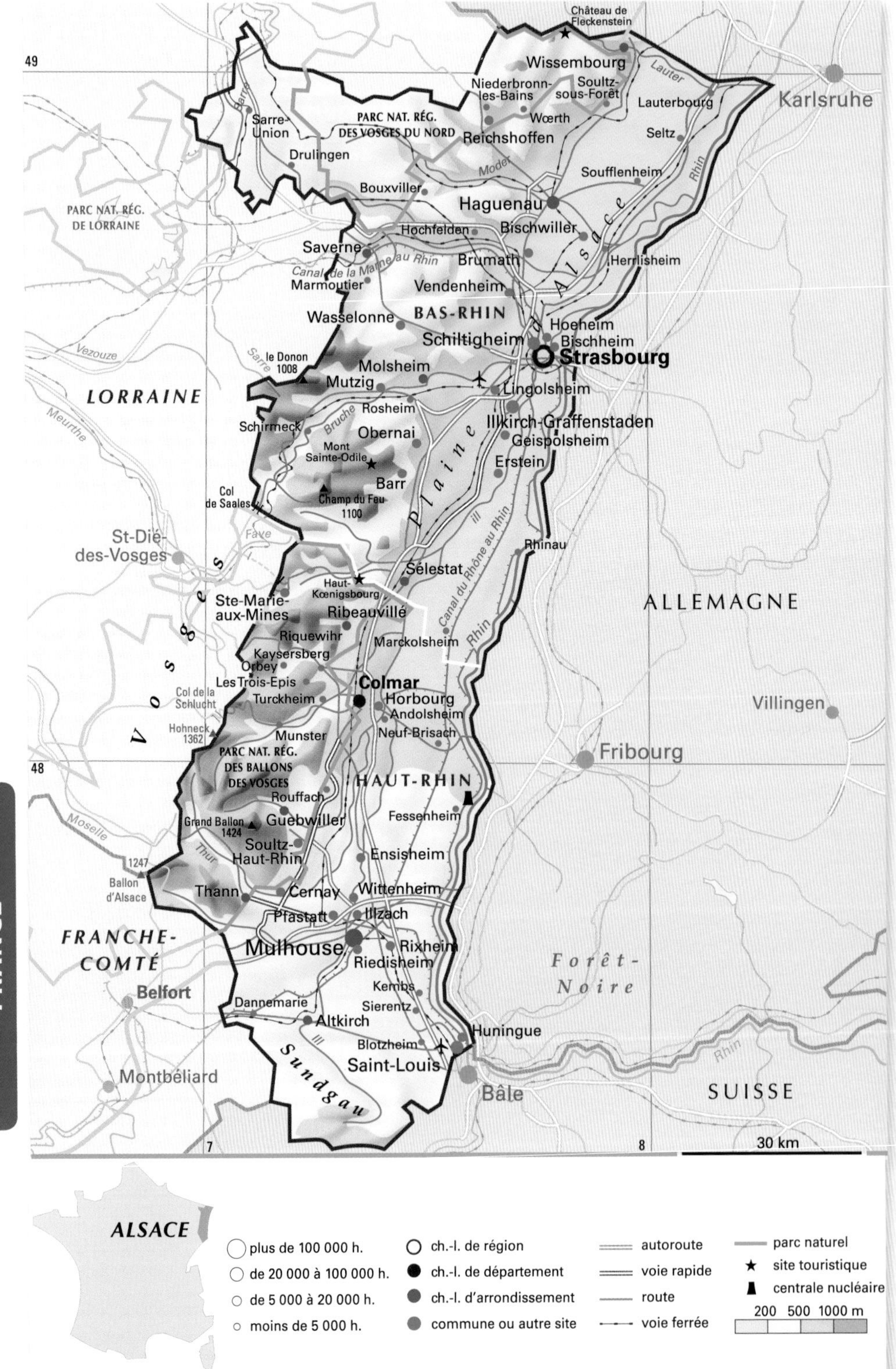

FRANCE

Saintes
Angoulême
Limoges
LIMOUSIN
Royan
Pointe de Grave
Soulac-sur-Mer
Gironde
Charente
POITOU-
CHARENTE
PARC RÉGIONAL DU
PÉRIGORD-LIMOUSIN
Nontron
Thiviers
Brantôme
Isle
DORDOGNE
Auvézère
Dronne
Lesparre-
Médoc
Hourtin
Pauillac
Lac d'Hourtin-
Carcans
Océan
Médoc
Blaye
Bourg
Ribérac
Chancelade
Périgueux
Terrasson-
la-Villedieu
Saint-Astier
Lacanau-
Océan
Carcans
Lacanau
Lac de
Lacanau
Coutras
Neuvic
Mussidan
Montignac
Lascaux
Castelnau-
de-Médoc
St-André-
de-Cubzac
Isle
Montpon-
Ménestérol
Périgord
Vézère
Atlantique
Bordeaux
Libourne
St-Émilion
Les Eyzies-
de-Tayac-
Sireuil
Sarlat-la-
Canéda
Mérignac
Pessac
Bègles
Dordogne
Bergerac
Andernos-les-Bains
Castillon-
la-Bataille
Prigonrieux
Monbazillac
Bassin
d'Arcachon
Gujan-
Mestras
Talence
Entre-
Deux-Mers
Dordogne
Arcachon
Cap-Ferret
La Brède
Dropt
Eymet
La Teste-de-Buch
GIRONDE
La Réole
Miramont-
de-Guyenne
Dune du Pilat
Étang de Cazaux
et de Sanguinet
Eyre
Langon
Sauternes
Garonne
Monflanquin
Fumel
Belin-Béliet
Marmande
Biscarrosse
Ciron
Bazas
LOT-ET-
Villeneuve-
sur-Lot
Cahors
Étang de Biscarrosse
et de Parentis
Guyenne
Tonneins
Lot
Parentis-
en-Born
PARC NAT. RÉG.
DES LANDES
DE GASCOGNE
Casteljaloux
Ste-Livrade-
sur-Lot
GARONNE
Étang d'Aureilhan
Bon-Encontre
Mimizan
Agen
Écomusée
de Marquèze
Lavardac
Nérac
Le Passage
Pays de Born
Contis-Plage
Morcenx
Roquefort
Montauban
Landes
LANDES
Castets
Midouze
Tarn
Mont-de-Marsan
St-Pierre-du-Mont
Étang de Soustons
St-Paul-
lès-Dax
MIDI-
Soustons
Tartas
Adour
Garonne
St-Vincent-de-Tyrosse
Dax
St-Sever
Chalosse
Aire-sur-l'Adour
PYRÉNÉES
Capbreton
Bayonne
Anglet
Adour
Hagetmau
Eugénie-
les-Bains
Auch
Tarnos
Luy de France
Biarritz
Gascogne
St-Jean-
de-Luz
Orthez
Toulouse
Salies-
de-Béarn
Lacq
Nive
Adour
Hendaye
Hasparren
Cambo-les-Bains
Mourenx
Baïse
Gers
Save
Espelette
PYRÉNÉES-
Béarn
Pau
Pays Basque
Mauléon-
Licharre
Billère
Jurançon
Gave de Pau
Tarbes
ATLANTIQUES
Gave d'Oloron
Oloron-
Ste-Marie
Nay-Bourdettes
Garonne
St-Jean-
Pied-de-Port
Gave
d'Aspe
Arudy
Lourdes
Pyrénées
Eaux-
Chaudes
Grottes de
Bétharram
Pic d'Orhy
2017
ESPAGNE
Pic d'Anie
2504
Gourette
PARC NATIONAL
DES PYRÉNÉES
Pampelune
Col du Somport
1632
Pic du Midi
d'Ossau 2884
0
45
44
43
40 km
AQUITAINE
plus de 100 000 h.
de 20 000 à 100 000 h.
de 5 000 à 20 000 h.
moins de 5 000 h.
ch.-l. de région
ch.-l. de département
ch.-l. d'arrondissement
commune ou autre site
autoroute
voie rapide
route
voie ferrée
parc naturel
site touristique
centrale nucléaire
200 500 1000 m

AUVERGNE

FRANCE

ÎLE-DE-FRANCE
CHAMPAGNE-ARDENNE
PARC NAT. RÉG. DE LA FORÊT D'ORIENT
Troyes
Chaumont
Pont-sur-Yonne
Sénonnais
Sens
St-Clément
Paron
Villeneuve-sur-Yonne
Pays d'Othe
St-Florentin
Joigny
CENTRE
St-Julien-du-Sault
Migennes
Charny
Cheny
Tonnerrois
Châtillonnais
YONNE
Tonnerre
Laignes
Châtillon-sur-Seine
Plateau de Langres
Monéteau
Auxerre
Toucy
Chablis
Auxerrois
Noyers
Aisy-sur-Armençon
Abb. de Fontenay
Vermenton
Montbard
St-Fargeau
Venarey-les-Laumes
Alésia
CÔTE-D'OR
Selongey
St-Amande en-Puisaye
Puisaye
Vézelay
Avallon
Semur-en-Auxois
Auxois
Sources de la Seine
Is-sur-Tille
Clamecy
Cosne-Cours-sur-Loire
Donzy
Terre Plaine
Talant
Dijon
Pouilly-sur-Loire
Saulieu
Pouilly-en-Auxois
Chenove
Chevigny-St-Sauveur
Genlis
Auxonne
La Charité-sur-Loire
Prémery
Corbigny
Morvan
PARC NATUREL RÉGIONAL DU MORVAN
Gevrey-Chambertin
Abb. de Cîteaux
NIÈVRE
Arnay-le-Duc
Côte-d'Or
Nuits-St-Georges
Pougues-les-Eaux
Guérigny
Château-Chinon
St-Jean-de-Losne
Fourchambault
Nevers
Pommard
Beaune
Seurre
Nivernais
Moulins-Engilbert
Le Bois du Roi 901
Autun
Épinac
Meursault
Imphy
821 Mt Beuvray
Autunois
Magny-Cours
La Machine
Chagny
Cercy-la-Tour
Givry
Chalon-sur-Saône
St-Pierre-le-Moûtier
Decize
Le Creusot
Signal d'Uchon
Luzy
Torcy
St-Rémy
St-Marcel
Sologne
Montchanin
Bourbonnaise
Blanzy
Montceau-les-Mines
Sennecey-le-Grand
Bresse
Bourbon-Lancy
St-Vallier
SAÔNE-ET-LOIRE
Louhans
Moulins
Gueugnon
Tournus
Taizé
Digoin
Cluny
Charolles
AUVERGNE
Paray-le-Monial
Charnay-lès-Mâcon
Charolais
Mts du Mâconnais
Mâcon
RHÔNE-ALPES
Semur-en-Brionnais
Chauffailles
Bourg-en-Bresse
40 km
BOURGOGNE
plus de 100 000 h.
de 20 000 à 100 000 h.
de 5 000 à 20 000 h.
moins de 5 000 h.
ch.-l. de région
ch.-l. de département
ch.-l. d'arrondissement
commune ou autre site
autoroute
voie rapide
route
voie ferrée
parc naturel
site touristique
200 500 m

FRANCE

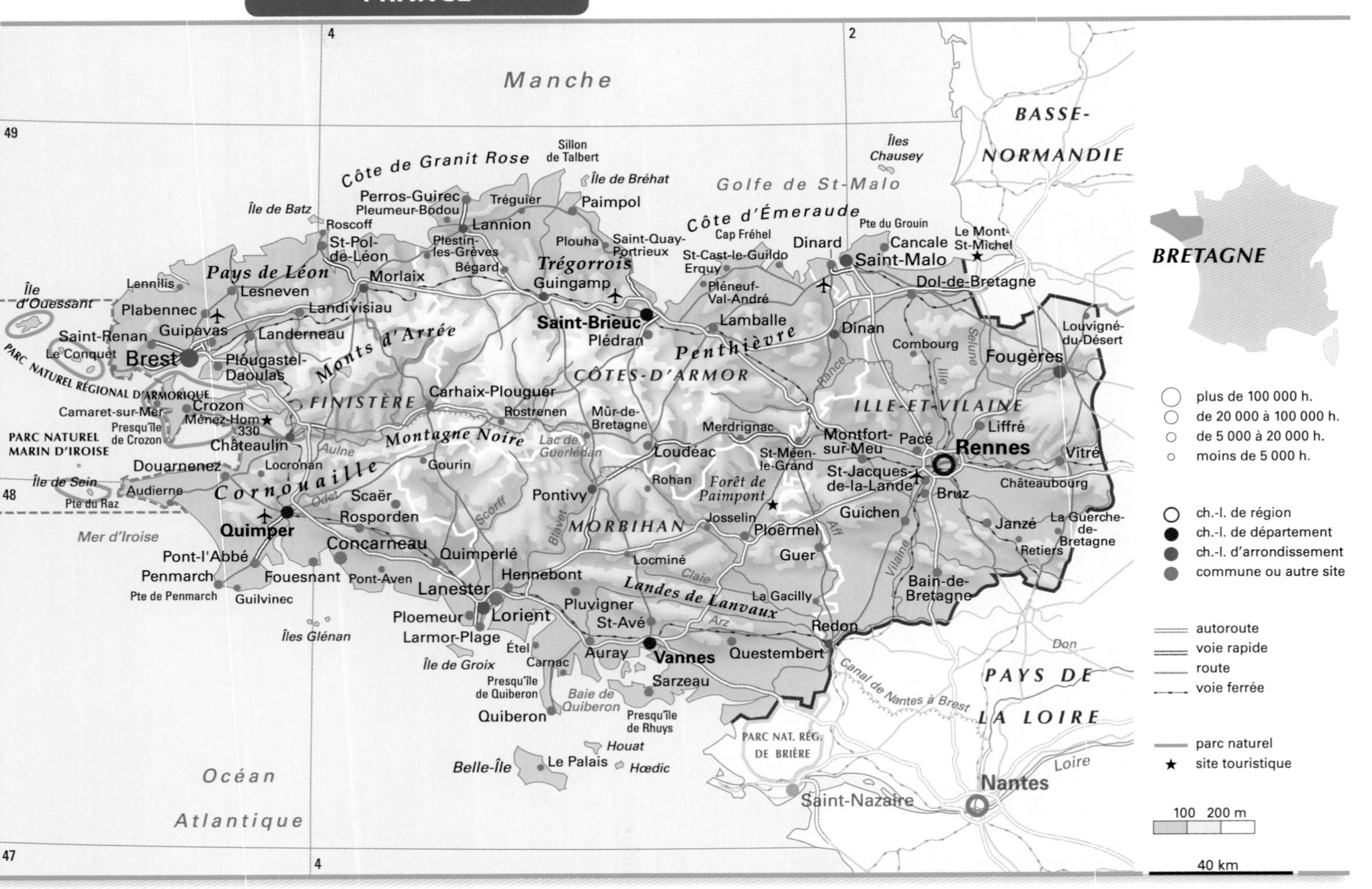
Manche
BASSE-NORMANDIE
Golfe de St-Malo
Côte de Granit Rose
Côte d'Émeraude
Sillon de Talbert
Île de Bréhat
Îles Chausey
Île de Batz
Île d'Ouessant
Perros-Guirec
Pleumeur-Bodou
Tréguier
Paimpol
Lannion
Roscoff
St-Pol-de-Léon
Plestin-les-Grèves
Bégard
Plouha
Saint-Quay-Portrieux
Cap Fréhel
St-Cast-le-Guildo
Erquy
Dinard
Pte du Grouin
Cancale
Saint-Malo
Le Mont-St-Michel
Dol-de-Bretagne
Pays de Léon
Trégorrois
Lannilis
Lesneven
Morlaix
Guingamp
Pléneuf-Val-André
Plabennec
Landivisiau
Saint-Brieuc
Lamballe
Saint-Renan
Guipavas
Landerneau
Plédran
Dinan
Combourg
Louvigné-du-Désert
Le Conquet
Brest
Plougastel-Daoulas
Monts d'Arrée
Penthièvre
Fougères
PARC NATUREL RÉGIONAL D'ARMORIQUE
CÔTES-D'ARMOR
Camaret-sur-Mer
Crozon
FINISTÈRE
Carhaix-Plouguer
Rostrenen
Mûr-de-Bretagne
Merdrignac
ILLE-ET-VILAINE
Liffré
Presqu'île de Crozon
Ménez-Hom
330
Châteaulin
Montagne Noire
Lac de Guerlédan
Montfort-sur-Meu
Pacé
Rennes
Vitré
PARC NATUREL MARIN D'IROISE
Aulne
Loudéac
St-Méen-le-Grand
Douarnenez
Locronan
Gourin
Rohan
Forêt de Paimpont
St-Jacques-de-la-Lande
Châteaubourg
Île de Sein
Audierne
Pte du Raz
Cornouaille
Scaër
Pontivy
Bruz
Odet
Scorff
Blavet
MORBIHAN
Josselin
Ploërmel
Guichen
Janzé
La Guerche-de-Bretagne
Mer d'Iroise
Quimper
Rosporden
Retiers
Concarneau
Quimperlé
Locminé
Guer
Pont-l'Abbé
Claie
Aff
Vilaine
Penmarch
Fouesnant
Pont-Aven
Hennebont
Landes de Lanvaux
La Gacilly
Bain-de-Bretagne
Pte de Penmarch
Guilvinec
Lanester
Pluvigner
Lorient
St-Avé
Ploemeur
Arz
Redon
Îles Glénan
Larmor-Plage
Étel
Auray
Vannes
Questembert
Don
Île de Groix
Carnac
PAYS DE LA LOIRE
Presqu'île de Quiberon
Baie de Quiberon
Sarzeau
Canal de Nantes à Brest
Quiberon
Presqu'île de Rhuys
PARC NAT. RÉG. DE BRIÈRE
Houat
Belle-Île
Le Palais
Hœdic
Loire
Océan
Nantes
Saint-Nazaire
Atlantique
49
48
47
4
2
BRETAGNE
plus de 100 000 h.
de 20 000 à 100 000 h.
de 5 000 à 20 000 h.
moins de 5 000 h.
ch.-l. de région
ch.-l. de département
ch.-l. d'arrondissement
commune ou autre site
autoroute
voie rapide
route
voie ferrée
parc naturel
site touristique
100 200 m
40 km

0
1
2
3
48
47
HAUTE-NORMANDIE
BASSE-NORMANDIE
ÎLE-DE-FRANCE
PAYS DE LA LOIRE
POITOU-CHARENTES
LIMOUSIN
AUVERGNE
BOURGOGNE
EURE-ET-LOIR
LOIRET
LOIR-ET-CHER
INDRE-ET-LOIRE
INDRE
CHER
Évreux
Pontoise
Nanterre
Bobigny
Paris
Versailles
Créteil
Évry
Melun
Anet
St-Lubin-des-Joncherets
Dreux
Vernouillet
Thymerais
Nogent-le-Roi
Épernon
Senonches
Châteauneuf-en-Thymerais
Maintenon
Perche
La Loupe
Mainvilliers
Auneau
PARC NAT. RÉG. DU PERCHE
Lucé
Chartres
Luisant
Alençon
Illiers-Combray
Beauce
Nogent-le-Rotrou
Voves
Malesherbes
Janville
Toury
Brou
Pithiviers
Bonneval
Gâtinais
Châteaudun
Chalette-sur-Loing
Courtenay
Le Mans
Patay
Cloyes-sur-le-Loir
Dunois
Orléanais
Montargis
Amilly
Saran
Fleury-les-Aubrais
Orléans
St-Jean-de-Braye
Savigny-sur-Braye
St-Jean-de-la-Ruelle
Châteauneuf-sur-Loire
Meung-sur-Loire
Olivet
St-Benoît-sur-Loire
Nogent-sur-Vernisson
Vendôme
Beaugency
Cléry-St-André
Dampierre-en-Burly
Montoire-sur-le-Loir
La Ferté-St-Aubin
Sully-sur-Loire
Mer
La Chaussée-St-Victor
Gien
Briare
Chambord
Lamotte-Beuvron
Château-la-Vallière
Gâtine
Château-Renault
Blois
Vineuil
Argent-sur-Sauldre
Chaumont-sur-Loire
Sologne
Vouvray
Belleville-sur-Loire
St-Pierre-des-Corps
Amboise
Contres
Salbris
Aubigny-sur-Nère
Luynes
Tours
Langeais
Montlouis-sur-Loire
Romorantin-Lanthenay
Montrichard
Nançay
Sancerre
Bourgueil
Joué-lès-Tours
St-Avertin
Sancerrois
Chenonceaux
Azay-le-Rideau
St-Aignan
Selles-sur-Cher
Villefranche-sur-Cher
Vierzon
Avoine
Touraine
Mehun-sur-Yèvre
Les Aix-d'Angillon
Chinon
Valençay
PARC NAT. RÉG. LOIRE-ANJOU-TOURAINE
Champagne berrichonne
St-Doulchard
Ste-Maure-de-Touraine
Loches
Luçay-le-Mâle
Vatan
Bourges
Écueille
Avord
Richelieu
Descartes
Levroux
Trouy
Châtillon-sur-Indre
Issoudun
St-Florent-sur-Cher
La Guerche-sur-l'Aubois
Le Grand-Pressigny
Buzançais
Déols
Dun-sur-Auron
Châteauroux
Berry
Sancoins
Brenne
Abb. de Noirlac
Ardentes
PARC NAT. RÉG. DE BRENNE
St-Gaultier
Le Poinçonnet
St-Amand-Montrond
Le Blanc
Château de Nohant
Argenton-sur-Creuse
La Châtre
Poitiers
Châteaumeillant
Gargilesse-Dampierre
Lac de Chambon
Bge d'Éguzon
Aigurande
Éguzon-Chantôme
T.G.V.
Seine
Eure
Marne
Essonne
Loir
Loire
Loiret
Loing
Beuvron
Sauldre
Cher
Indre
Creuse
Vienne
Auron
Allier
Canal latéral à la Loire
Cl de Briare
Cl du Berry
40 km
CENTRE
plus de 100 000 h.
de 20 000 à 100 000 h.
de 5 000 à 20 000 h.
moins de 5 000 h.
ch.-l. de région
ch.-l. de département
ch.-l. d'arrondissement
commune ou autre site
autoroute
voie rapide
route
voie ferrée
parc naturel
site touristique
centrale nucléaire
100
200 m

FRANCE

CHAMPAGNE-ARDENNE

plus de 100 000 h.
de 20 000 à 100 000 h.
de 5 000 à 20 000 h.
moins de 5 000 h.

ch.-l. de région
ch.-l. de département
ch.-l. d'arrondissement
commune ou autre site

autoroute
voie rapide
route
voie ferrée

parc naturel
site touristique
centrale nucléaire
200 500 m

FRANCE

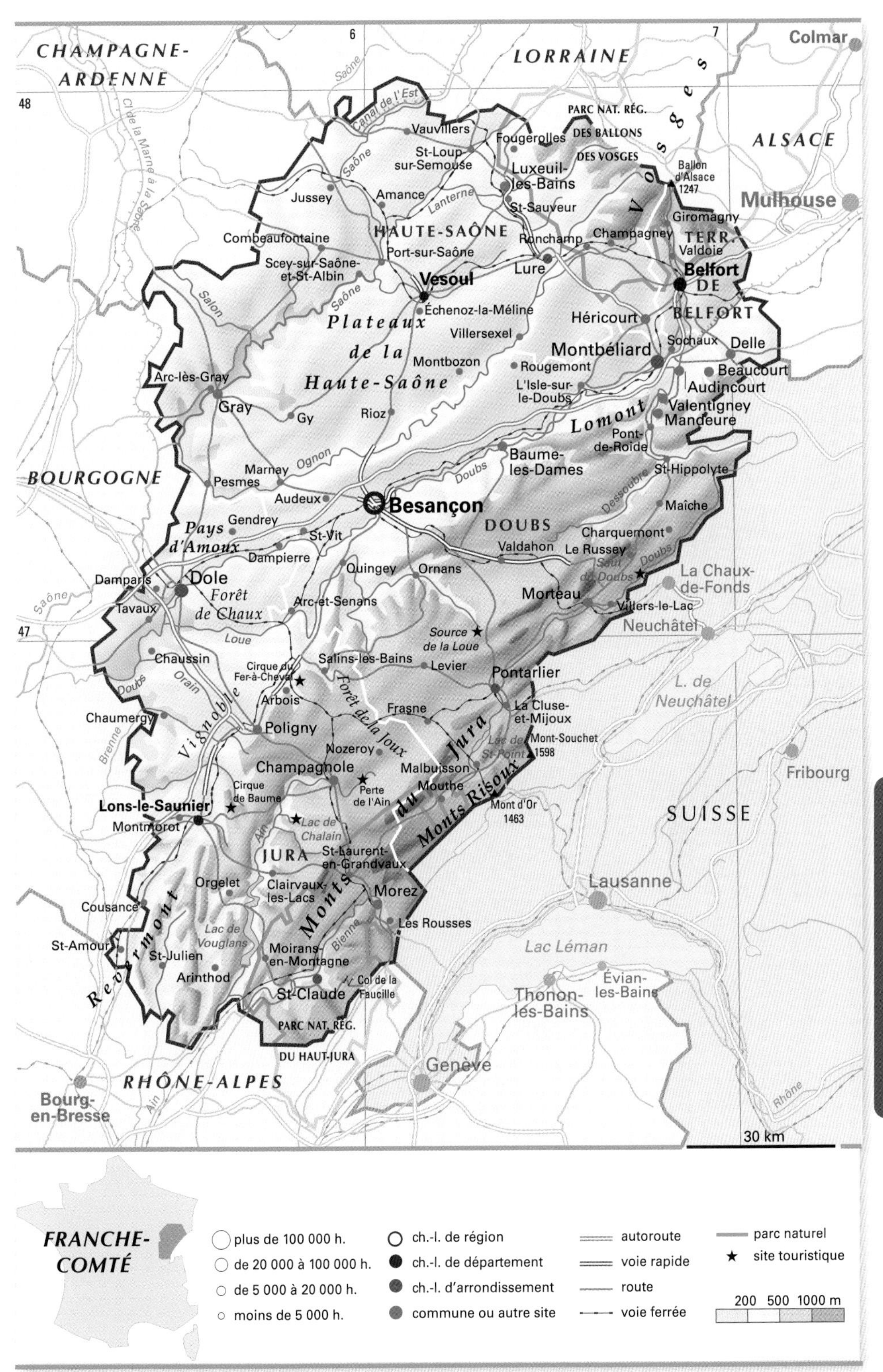
CHAMPAGNE-ARDENNE
LORRAINE
ALSACE
BOURGOGNE
RHÔNE-ALPES
SUISSE
Colmar
Mulhouse
PARC NAT. RÉG. DES BALLONS DES VOSGES
Vosges
Ballon d'Alsace 1247
Vauvillers
Fougerolles
St-Loup-sur-Semouse
Luxeuil-les-Bains
Jussey
Amance
St-Sauveur
Giromagny
HAUTE-SAÔNE
Combeaufontaine
Ronchamp
Champagney
TERR. DE BELFORT
Valdoie
Belfort
Scey-sur-Saône-et-St-Albin
Port-sur-Saône
Vesoul
Lure
Échenoz-la-Méline
Héricourt
Plateaux de la Haute-Saône
Villersexel
Montbéliard
Sochaux
Delle
Montbozon
Rougemont
Beaucourt
Audincourt
Arc-lès-Gray
Gray
L'Isle-sur-le-Doubs
Valentigney
Mandeure
Gy
Rioz
Lomont
Pont-de-Roide
Baume-les-Dames
Marnay
Pesmes
Ognon
St-Hippolyte
Audeux
Besançon
Maîche
Pays d'Amoux
Gendrey
St-Vit
DOUBS
Charquemont
Dampierre
Valdahon
Le Russey
Saut du Doubs
Damparis
Dole
Quingey
Ornans
La Chaux-de-Fonds
Forêt de Chaux
Tavaux
Arc-et-Senans
Morteau
Villers-le-Lac
Neuchâtel
Loue
Source de la Loue
Chaussin
Salins-les-Bains
Levier
Cirque du Fer-à-Cheval
Pontarlier
L. de Neuchâtel
Arbois
Forêt de la Joux
Frasne
La Cluse-et-Mijoux
Chaumergy
Vignoble
Poligny
Lac de St-Point
Mont-Souchet 1598
Nozeroy
Fribourg
Champagnole
Malbuisson
Perte de l'Ain
Mouthe
Cirque de Baume
Lons-le-Saunier
Montmorot
Mont d'Or 1463
Lac de Chalain
Monts du Jura
Monts Risoux
JURA
St-Laurent-en-Grandvaux
Orgelet
Clairvaux-les-Lacs
Morez
Lausanne
Cousance
Les Rousses
Lac de Vouglans
Lac Léman
St-Amour
St-Julien
Moirans-en-Montagne
Revermont
Arinthod
Col de la Faucille
St-Claude
Évian-les-Bains
Thonon-les-Bains
PARC NAT. RÉG. DU HAUT-JURA
Genève
Bourg-en-Bresse
Saône
Doubs
Ain
Rhône
30 km
FRANCHE-COMTÉ
plus de 100 000 h.
de 20 000 à 100 000 h.
de 5 000 à 20 000 h.
moins de 5 000 h.
ch.-l. de région
ch.-l. de département
ch.-l. d'arrondissement
commune ou autre site
autoroute
voie rapide
route
voie ferrée
parc naturel
site touristique
200 500 1000 m

FRANCE

ÎLE-DE-FRANCE

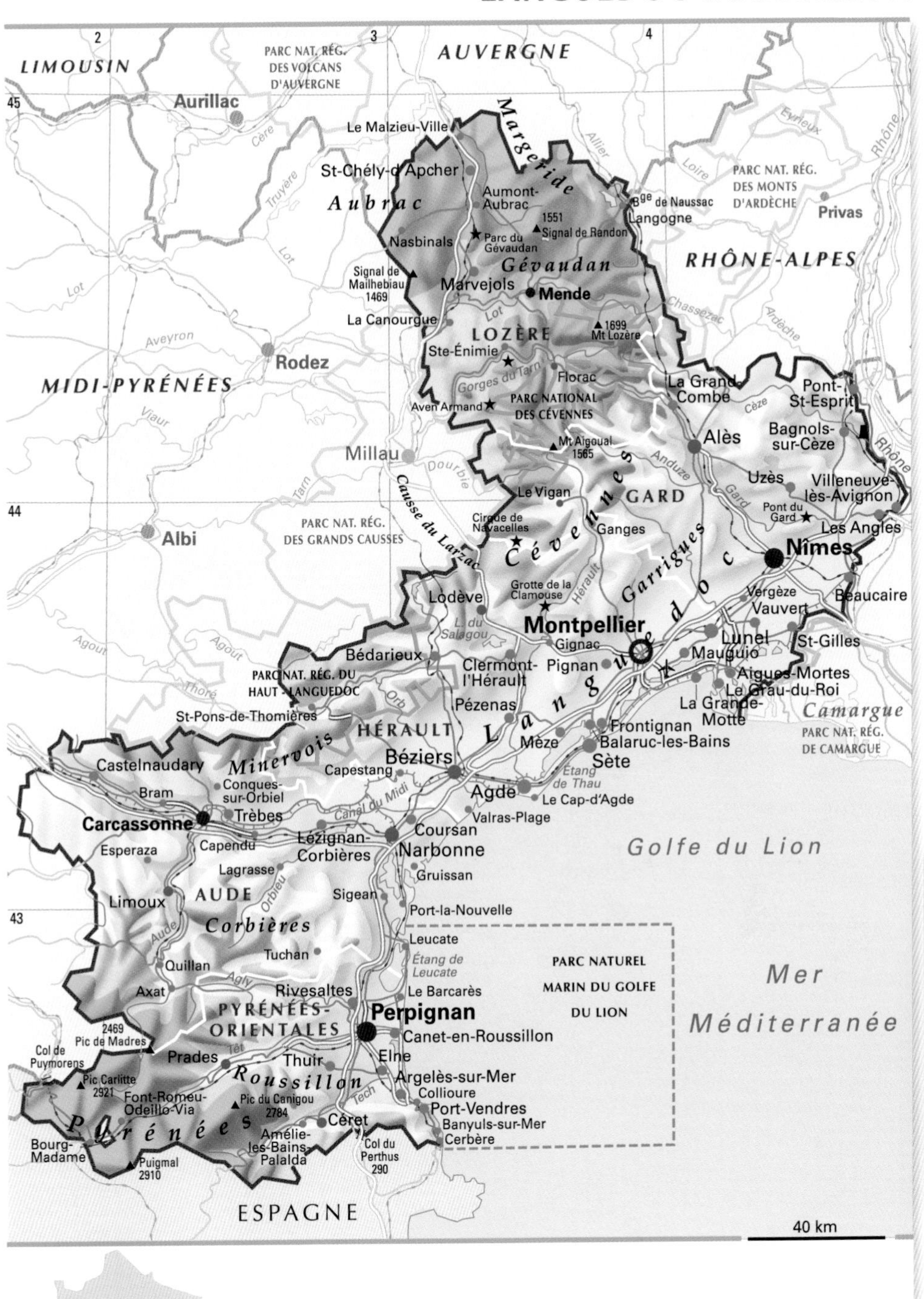
LIMOUSIN
AUVERGNE
PARC NAT. RÉG. DES VOLCANS D'AUVERGNE
Aurillac
Le Malzieu-Ville
Margeride
St-Chély-d'Apcher
Aubrac
Aumont-Aubrac
Nasbinals
Parc du Gévaudan
1551 Signal de Randon
Gévaudan
Signal de Mailhebiau 1469
Marvejols
Mende
La Canourgue
LOZÈRE
1699 Mt Lozère
Langogne
PARC NAT. RÉG. DES MONTS D'ARDÈCHE
Privas
RHÔNE-ALPES
MIDI-PYRÉNÉES
Rodez
Ste-Énimie
Gorges du Tarn
Florac
Aven Armand
PARC NATIONAL DES CÉVENNES
La Grand-Combe
Pont-St-Esprit
Bagnols-sur-Cèze
Alès
Mt Aigoual 1565
Millau
Causse du Larzac
Uzès
Villeneuve-lès-Avignon
Pont du Gard
Les Angles
Le Vigan
GARD
Cévennes
Cirque de Navacelles
Ganges
Garrigues
Albi
PARC NAT. RÉG. DES GRANDS CAUSSES
Nîmes
Vergèze
Vauvert
Beaucaire
Grotte de la Clamouse
Lodève
L. du Salagou
Montpellier
Gignac
Lunel
St-Gilles
Mauguio
Bédarieux
Clermont-l'Hérault
Pignan
Aigues-Mortes
Le Grau-du-Roi
La Grande-Motte
PARC NAT. RÉG. DU HAUT-LANGUEDOC
Languedoc
Pézenas
Camargue
PARC NAT. RÉG. DE CAMARGUE
St-Pons-de-Thomières
HÉRAULT
Frontignan
Minervois
Mèze
Balaruc-les-Bains
Castelnaudary
Béziers
Sète
Capestang
Conques-sur-Orbiel
Bram
Étang de Thau
Agde
Le Cap-d'Agde
Carcassonne
Trèbes
Canal du Midi
Valras-Plage
Coursan
Esperaza
Capendu
Lézignan-Corbières
Narbonne
Golfe du Lion
Lagrasse
Gruissan
Limoux
AUDE
Sigean
Port-la-Nouvelle
Corbières
Leucate
Tuchan
Étang de Leucate
PARC NATUREL MARIN DU GOLFE DU LION
Quillan
Mer Méditerranée
Axat
Rivesaltes
Le Barcarès
PYRÉNÉES-ORIENTALES
Perpignan
2469 Pic de Madres
Canet-en-Roussillon
Col de Puymorens
Prades
Thuir
Elne
Pic Carlitte 2921
Roussillon
Argelès-sur-Mer
Font-Romeu-Odeillo-Via
Pic du Canigou 2784
Collioure
Port-Vendres
Pyrénées
Céret
Banyuls-sur-Mer
Amélie-les-Bains-Palalda
Cerbère
Bourg-Madame
Puigmal 2910
Col du Perthus 290
ESPAGNE
40 km
FRANCE
plus de 100 000 h.
de 20 000 à 100 000 h.
de 5 000 à 20 000 h.
moins de 5 000 h.
ch.-l. de région
ch.-l. de département
ch.-l. d'arrondissement
commune ou autre site
autoroute
voie rapide
route
voie ferrée
parc naturel
site touristique
centrale nucléaire
200 500 1000 m

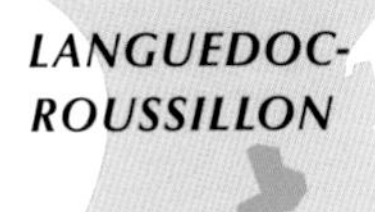
LANGUEDOC-ROUSSILLON

LIMOUSIN

PARC NAT. RÉG. DE LA BRENNE
CENTRE
POITOU-CHARENTES
AUVERGNE
Lac de Chambon
Montluçon
Crozant
Boussac
Bonnat
Combraille
Marche
St-Sulpice-les-Feuilles
Dun-le-Palestel
Chatelus-Malvaleix
La Souterraine
Chambon-sur-Voueize
Magnac-Laval
Le Dorat
St-Vaury
Gouzon
Le Grand-Bourg
Guéret
Évaux-les-Bains
Bessines-sur-Gartempe
Ste-Feyre
Bellac
HAUTE-VIENNE
Bénévent-l'Abbaye
Ahun
Signal de Sauvagnac 701
CREUSE
Bellegarde-en-Marche
Nantiat
Auzances
Oradour-sur-Glane
Ambazac
Bge de l'Étroit
Bourganeuf
Aubusson
St-Priest-Taurion
PARC NAT. RÉG. DE MILLEVACHES EN LIMOUSIN
Felletin
St-Junien
Couzeix
Rochechouart
Limoges
St-Léonard-de-Noblat
Lac de Vassivière
Plateau de Gentioux
Panazol
Aixe-sur-Vienne
Isle
Peyrat-le-Château
Oradour-sur-Vayres
Eymoutiers
Signal d'Audouze
St-Hilaire
Source de la Vienne
La Courtine
PARC NAT. RÉG. PÉRIGORD-LIMOUSIN
Châlus
Nexon
Plateau de Millevaches
731 Mt Gargan
Mt Bessou 977
Limousin
St-Yrieix-la-Perche
Treignac
Meymac
Ussel
Suc-au-May 919
Puy de Manzagol 698
Lubersac
Égletons
Bge de Bort-les-Orgues
Uzerche
Cascade de Gimel
Bge de Neuvic
Neuvic
Arnac-Pompadour
Seilhac
Bort-les-Orgues
Vigeois
Naves
Chau de Ventadour
CORRÈZE
Objat
Allassac
Tulle
Donzenac
Laguenne
Bge de l'Aigle
Périgueux
Malemort-sur-Corrèze
St-Privas
PARC NAT. RÉG. DES VOLCANS D'AUVERGNE
Ussac
Noailles
Brive-la-Gaillarde
Bge du Chastang
Argentat
AQUITAINE
AUVERGNE
Beaulieu-sur-Dordogne
Aurillac
MIDI-PYRÉNÉES
PARC NAT. RÉG. DES CAUSSES DU QUERCY
30 km
LIMOUSIN
plus de 100 000 h.
de 20 000 à 100 000 h.
de 5 000 à 20 000 h.
moins de 5 000 h.
ch.-l. de région
ch.-l. de département
ch.-l. d'arrondissement
commune ou autre site
autoroute
voie rapide
route
voie ferrée
parc naturel
site touristique
200 500 m

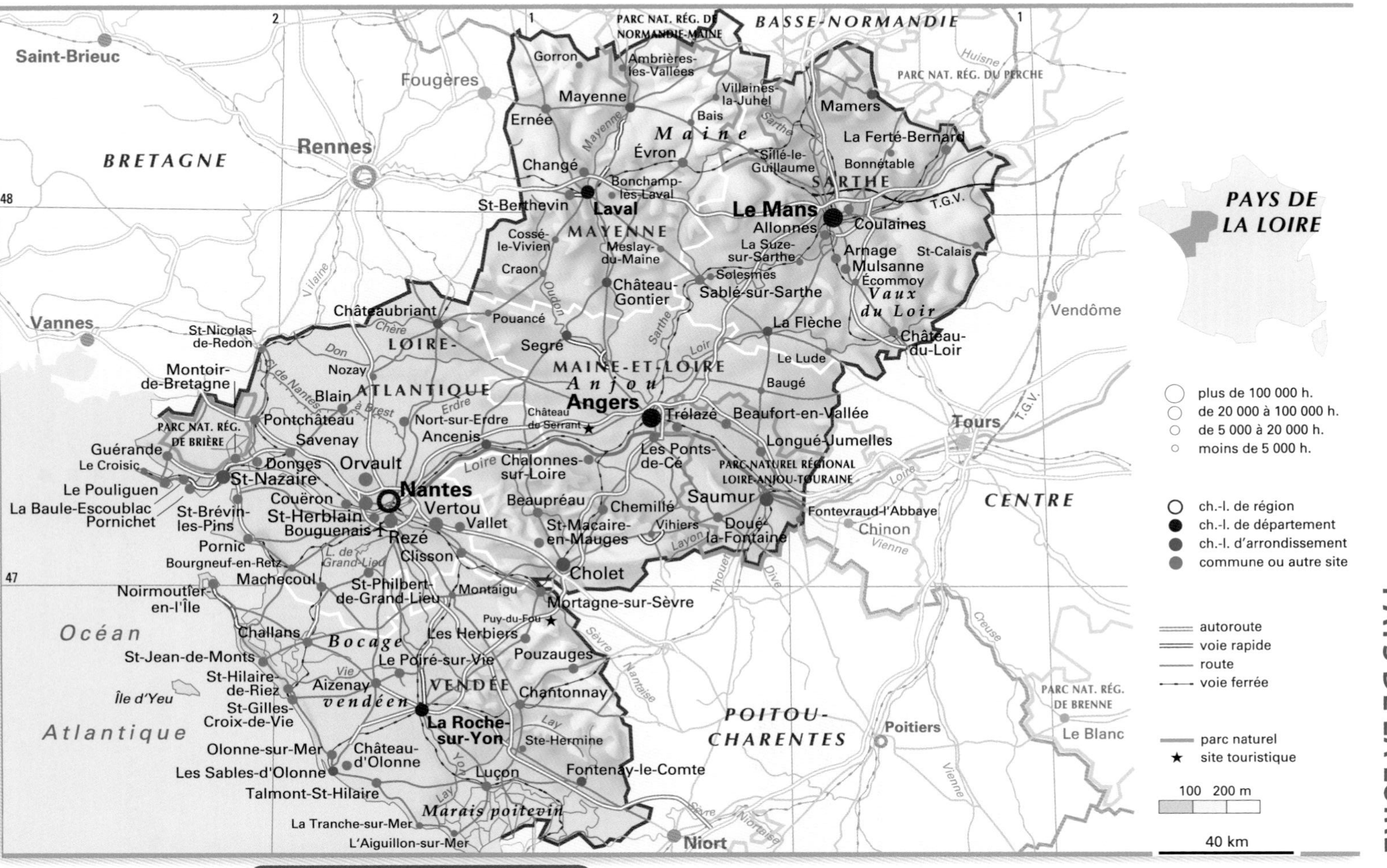
PAYS DE LA LOIRE
plus de 100 000 h.
de 20 000 à 100 000 h.
de 5 000 à 20 000 h.
moins de 5 000 h.
ch.-l. de région
ch.-l. de département
ch.-l. d'arrondissement
commune ou autre site
autoroute
voie rapide
route
voie ferrée
parc naturel
site touristique
100 200 m
40 km
BASSE-NORMANDIE
BRETAGNE
CENTRE
POITOU-CHARENTES
MAYENNE
SARTHE
MAINE-ET-LOIRE
LOIRE-ATLANTIQUE
VENDÉE
Maine
Anjou
Vaux du Loir
Bocage vendéen
Marais poitevin
Océan Atlantique
PARC NAT. RÉG. DE NORMANDIE-MAINE
PARC NAT. RÉG. DU PERCHE
PARC NATUREL RÉGIONAL LOIRE-ANJOU-TOURAINE
PARC NAT. RÉG. DE BRIÈRE
PARC NAT. RÉG. DE BRENNE
Nantes
Angers
Le Mans
Laval
La Roche-sur-Yon
St-Nazaire
Cholet
Saumur
Rezé
St-Herblain
Orvault
Vertou
Trélazé
Les Ponts-de-Cé
Mamers
La Ferté-Bernard
Château-du-Loir
La Flèche
Sablé-sur-Sarthe
Château-Gontier
Mayenne
Ernée
Gorron
Évron
Segré
Châteaubriant
Ancenis
Savenay
Guérande
La Baule-Escoublac
Pornic
Challans
Les Sables-d'Olonne
Luçon
Fontenay-le-Comte
Noirmoutier-en-l'Île
Île d'Yeu
Rennes
Fougères
Vannes
Saint-Brieuc
Tours
Poitiers
Niort
Vendôme
Chinon
Le Blanc
Loire
Sarthe
Mayenne
Vilaine
Sèvre Nantaise
T.G.V.

LORRAINE

BELGIQUE
LUXEMBOURG
Luxembourg
ALLEMAGNE
Sarrebruck
Mont-St-Martin
Montmédy
Stenay
Longwy
Audun-le-Tiche
Longuyon
Villerupt
Thionville
Cattenom
Yutz
Dun-sur-Meuse
Hayange
Fameck
Florange
Briey
Étain
Rombas
Homécourt
Douaumont
Creutzwald
Boulay-Moselle
Freyming-Merlebach
Stiring-Wendel
Forbach
Behren-lès-Forbach
Sarreguemines
Bitche
Verdun
Woippy
Jarny
Metz
Montigny-lès-Metz
Marly
St-Avold
Clermont-en-Argonne
MEUSE
MOSELLE
Plateau lorrain
Hauts de Meuse
Woëvre
Argonne
Barrois
PARC NATUREL RÉGIONAL DE LORRAINE
PARC NAT. RÉG. DES VOSGES DU NORD
Sarralbe
Revigny-sur-Ornain
St-Mihiel
Pont-à-Mousson
Bar-le-Duc
Commercy
MEURTHE-ET-MOSELLE
Château-Salins
Dieuze
Pompey
Champigneulles
Liverdun
Phalsbourg
Col de Saverne
Ligny-en-Barrois
Toul
Laxou
Nancy
Vandœuvre-lès-Nancy
PARC NAT. RÉG. DE LORRAINE
Sarrebourg
Void-Vacon
Ancerville
Villers-lès-Nancy
Neuves-Maisons
Vaucouleurs
St-Nicolas-de-Port
Lunéville
Dabo
Cirey-sur-Vezouze
Baccarat
ALSACE
Domrémy-la-Pucelle
Sion
Vandémont
Neufchâteau
Charmes
Rambervillers
Raon-l'Étape
Senones
Col de Saales
Mirecourt
Châtenois
Thaon-les-Vosges
VOSGES
Vosges
St-Dié-des-Vosges
Bruyères
Vittel
Golbey
Fraize
Col du Bonhomme
Contrexéville
Épinal
Chaumont
Source de la Saône
Gérardmer
Colmar
Lamarche
Xertigny
Col de la Schlucht
1362 Hohneck
Remiremont
La Bresse
Le Val-d'Ajol
PARC NATUREL RÉGIONAL DES BALLONS DES VOSGES
CHAMPAGNE-ARDENNE
Le Thillot
1247 Ballon d'Alsace
FRANCHE-COMTÉ
Mulhouse
Belfort
Vesoul
BOURGOGNE
40 km
Semois
Chiers
Moselle
Sarre
Nied
Orne
Meuse
Aire
Canal de l'Est
Seille
Cl de la Marne au Rhin
Marne au Rhin
Saulx
Ornain
Blaise
Marne
Canal de la Marne à la Saône
Rognon
Vair
Madon
Mortagne
Meurthe
Vezouze
Vologne
Saône
T.G.V.
5
6
7
49
48
LORRAINE
plus de 100 000 h.
de 20 000 à 100 000 h.
de 5 000 à 20 000 h.
moins de 5 000 h.
ch.-l. de région
ch.-l. de département
ch.-l. d'arrondissement
commune ou autre site
autoroute
voie rapide
route
voie ferrée
parc naturel
site touristique
centrale nucléaire
200 500 m

MIDI-PYRÉNÉES
plus de 100 000 h.
de 20 000 à 100 000 h.
de 5 000 à 20 000 h.
moins de 5 000 h.
ch.-l. de région
ch.-l. de département
ch.-l. d'arrondissement
commune ou autre site
autoroute
voie rapide
route
voie ferrée
parc naturel
site touristique
centrale nucléaire
200 500 1000 m
20 km
AUVERGNE
LIMOUSIN
AQUITAINE
LANGUEDOC-ROUSSILLON
ESPAGNE
ANDORRE
Golfe du Lion
Mer Méditerranée
LOT
AVEYRON
TARN
TARN-ET-GARONNE
GERS
HAUTE-GARONNE
HAUTES-PYRÉNÉES
ARIÈGE
Toulouse
Montauban
Cahors
Rodez
Albi
Auch
Tarbes
Foix
Castres
Millau
Figeac
Villefranche-de-Rouergue
Montpellier
Bordeaux
Perpignan
PARC NAT. RÉG. DES CAUSSES DU QUERCY
PARC NAT. RÉG. DES GRANDS CAUSSES
PARC NAT. RÉG. DU HAUT-LANGUEDOC
PARC NATIONAL DES PYRÉNÉES
PARC NAT. DES CÉVENNES
PARC NAT. RÉG. DES LANDES DE GASCOGNE

FRANCE

NORD-PAS-DE-CALAIS

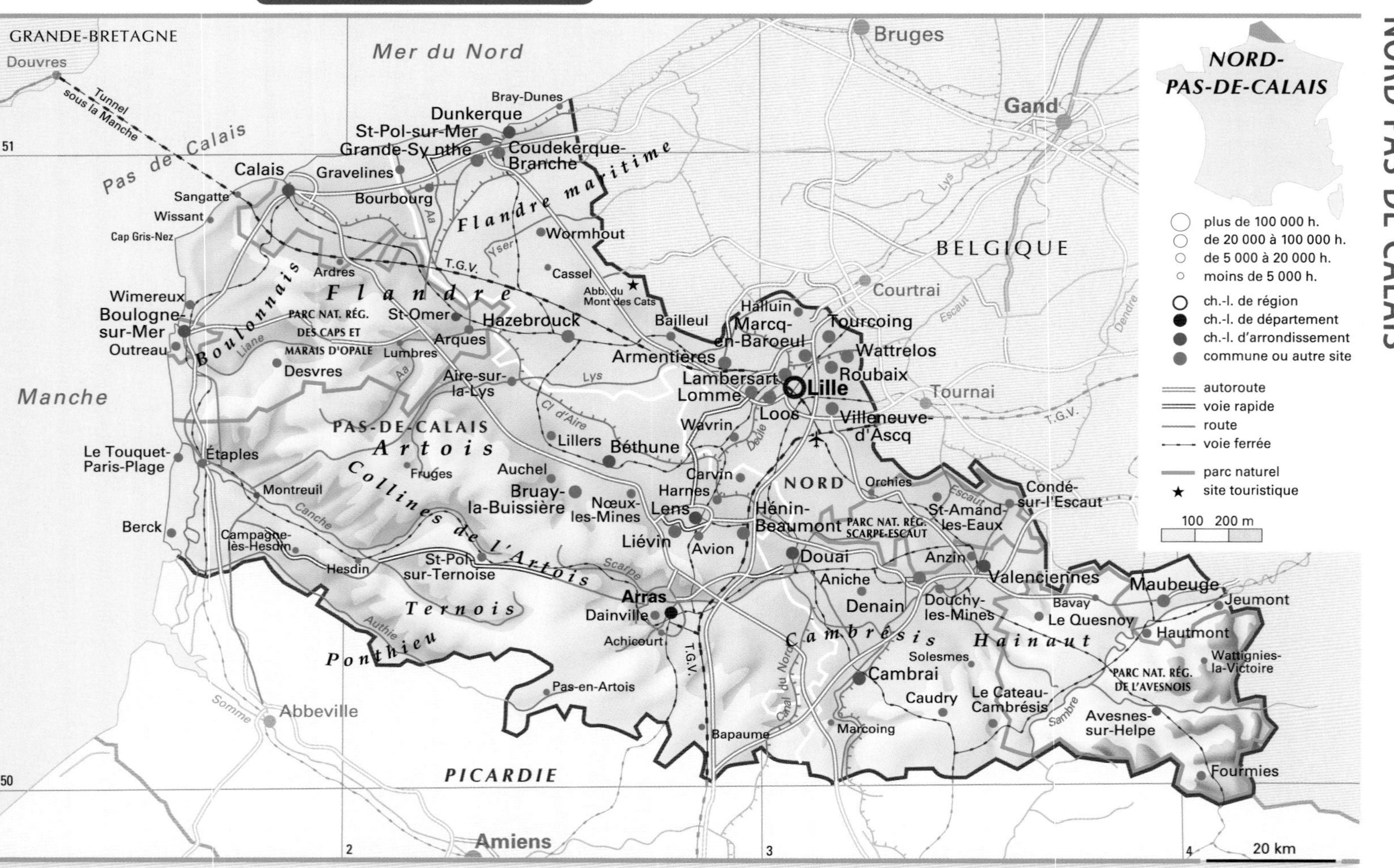

BASSE-NORMANDIE

FRANCE

HAUTE-NORMANDIE

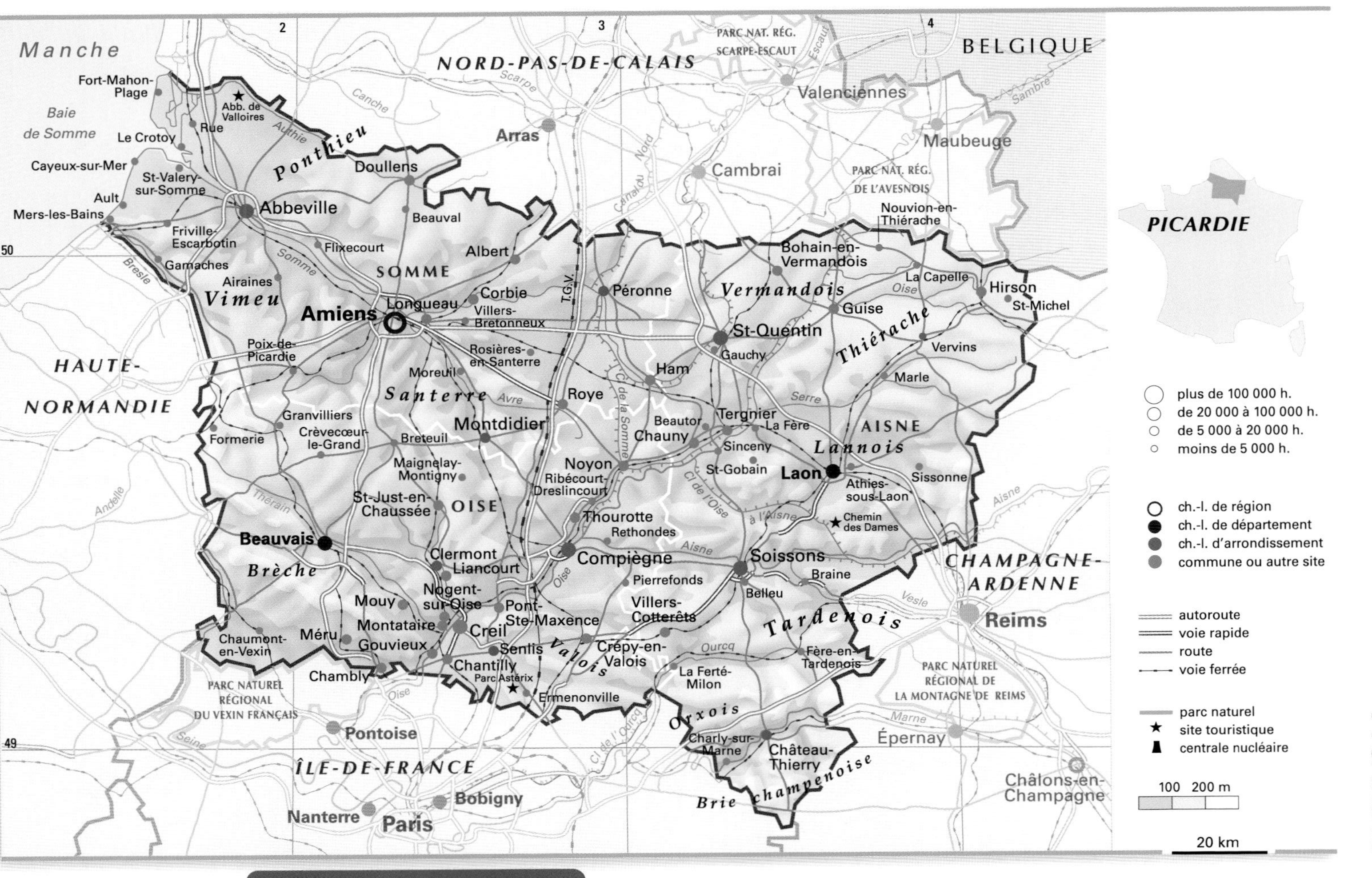
Manche
NORD-PAS-DE-CALAIS
PARC NAT. RÉG. SCARPE-ESCAUT
BELGIQUE
Fort-Mahon-Plage
Abb. de Valloires
Baie de Somme
Le Crotoy
Rue
Ponthieu
Arras
Valenciennes
Maubeuge
Cambrai
PARC NAT. RÉG. DE L'AVESNOIS
Nouvion-en-Thiérache
PICARDIE
Cayeux-sur-Mer
St-Valery-sur-Somme
Doullens
Ault
Mers-les-Bains
Abbeville
Beauval
Friville-Escarbotin
Flixecourt
Albert
Bohain-en-Vermandois
La Capelle
Hirson
St-Michel
Gamaches
Airaines
SOMME
Vimeu
Corbie
Péronne
Vermandois
Guise
Amiens
Longueau
Villers-Bretonneux
St-Quentin
Thiérache
Gauchy
Vervins
Poix-de-Picardie
Rosières-en-Santerre
HAUTE-NORMANDIE
Moreuil
Ham
Marle
Santerre
Roye
Granvilliers
Tergnier
Montdidier
Beautor
La Fère
AISNE
Formerie
Crèvecœur-le-Grand
Breteuil
Chauny
Sinceny
Lannois
Maignelay-Montigny
Noyon
St-Gobain
Laon
Sissonne
Ribécourt-Dreslincourt
Athies-sous-Laon
St-Just-en-Chaussée
OISE
Thourotte
Chemin des Dames
Rethondes
Beauvais
Clermont
Compiègne
Soissons
Liancourt
Braine
Brèche
Pierrefonds
CHAMPAGNE-ARDENNE
Nogent-sur-Oise
Belleu
Mouy
Pont-Ste-Maxence
Villers-Cotterêts
Tardenois
Reims
Montataire
Creil
Chaumont-en-Vexin
Méru
Gouvieux
Senlis
Valois
Crépy-en-Valois
Fère-en-Tardenois
Chantilly
Parc Astérix
La Ferté-Milon
PARC NATUREL RÉGIONAL DE LA MONTAGNE DE REIMS
Chambly
Ermenonville
PARC NATUREL RÉGIONAL DU VEXIN FRANÇAIS
Orxois
Épernay
Pontoise
Charly-sur-Marne
Château-Thierry
ÎLE-DE-FRANCE
Brie champenoise
Châlons-en-Champagne
Bobigny
Nanterre
Paris
Somme
Authie
Canche
Bresle
Scarpe
Escaut
Sambre
Oise
Serre
Aisne
Vesle
Marne
Ourcq
Avre
Thérain
Seine
Andelle
Cl de la Somme
Cl de l'Oise
à l'Aisne
Canal du Nord
Cl de l'Ourcq
T.G.V.
2
3
4
50
49
plus de 100 000 h.
de 20 000 à 100 000 h.
de 5 000 à 20 000 h.
moins de 5 000 h.
ch.-l. de région
ch.-l. de département
ch.-l. d'arrondissement
commune ou autre site
autoroute
voie rapide
route
voie ferrée
parc naturel
site touristique
centrale nucléaire
100 200 m
20 km
FRANCE

POITOU-CHARENTES

FRANCE

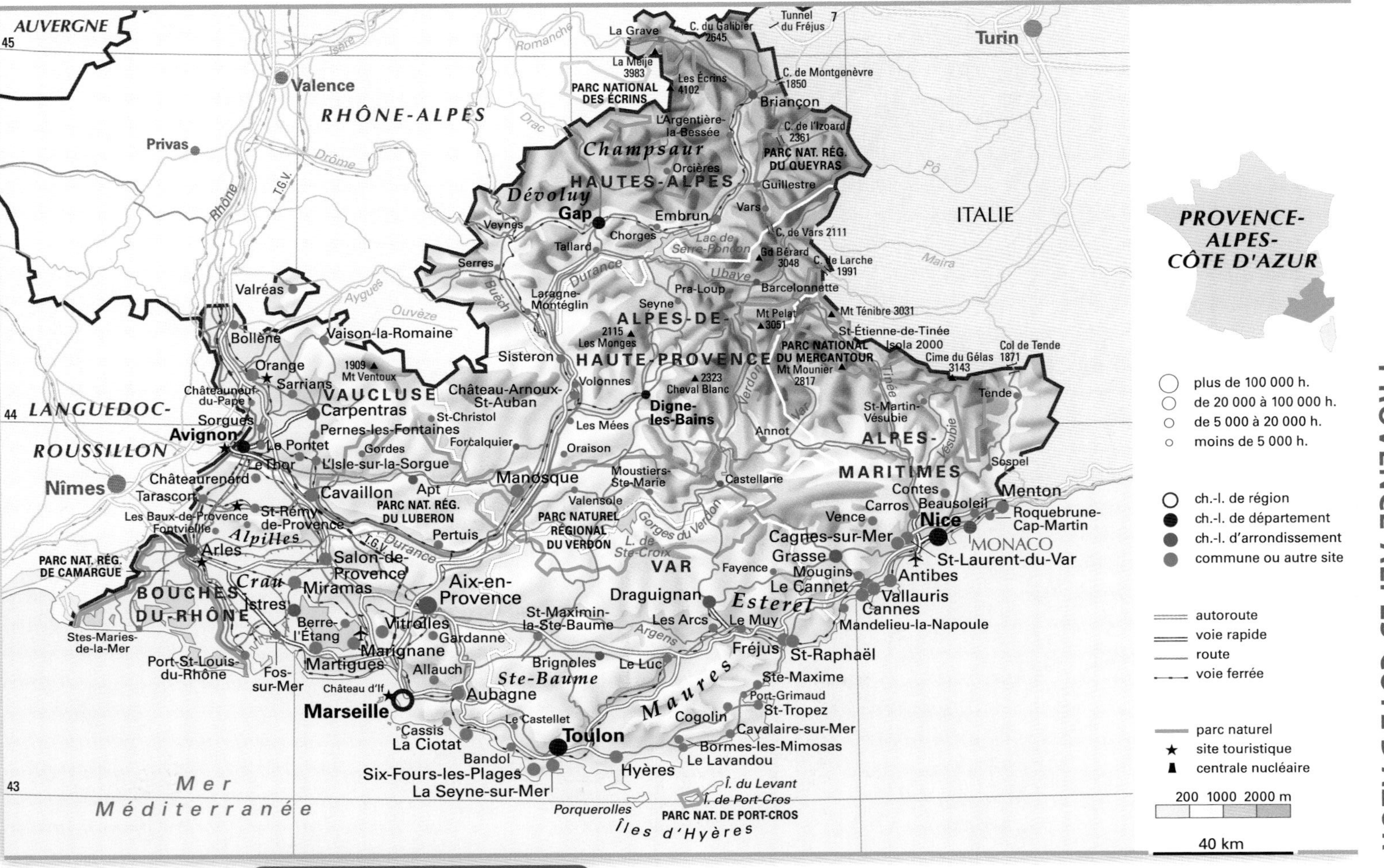

PROVENCE-ALPES-CÔTE D'AZUR
plus de 100 000 h.
de 20 000 à 100 000 h.
de 5 000 à 20 000 h.
moins de 5 000 h.
ch.-l. de région
ch.-l. de département
ch.-l. d'arrondissement
commune ou autre site
autoroute
voie rapide
route
voie ferrée
parc naturel
site touristique
centrale nucléaire
200 1000 2000 m
40 km
AUVERGNE
RHÔNE-ALPES
LANGUEDOC-ROUSSILLON
ITALIE
Turin
Valence
Privas
Nîmes
HAUTES-ALPES
ALPES-DE-HAUTE-PROVENCE
ALPES-MARITIMES
VAUCLUSE
VAR
BOUCHES-DU-RHÔNE
MONACO
Champsaur
Dévoluy
Alpilles
Crau
Ste-Baume
Esterel
Maures
PARC NATIONAL DES ÉCRINS
PARC NAT. RÉG. DU QUEYRAS
PARC NATIONAL DU MERCANTOUR
PARC NATUREL RÉGIONAL DU VERDON
PARC NAT. RÉG. DU LUBERON
PARC NAT. RÉG. DE CAMARGUE
PARC NAT. DE PORT-CROS
La Grave
C. du Galibier 2645
Tunnel du Fréjus
La Meije 3983
Les Écrins 4102
C. de Montgenèvre 1850
Briançon
L'Argentière-la-Bessée
C. de l'Izoard 2361
Orcières
Guillestre
Gap
Embrun
Vars
Veynes
Chorges
C. de Vars 2111
Tallard
Lac de Serre-Ponçon
Gd Bérard 3048
C. de Larche 1991
Serres
Pra-Loup
Barcelonnette
Laragne-Montéglin
Seyne
Mt Pelat 3051
Mt Ténibre 3031
St-Étienne-de-Tinée
Isola 2000
2115 Les Monges
Sisteron
Mt Mounier 2817
Cime du Gélas 3143
Col de Tende 1871
Tende
Volonnes
2323 Cheval Blanc
Digne-les-Bains
Château-Arnoux-St-Auban
St-Christol
Les Mées
Annot
St-Martin-Vésubie
Forcalquier
Oraison
Sospel
Manosque
Moustiers-Ste-Marie
Castellane
Valensole
Contes
Menton
Beausoleil
Roquebrune-Cap-Martin
Carros
Vence
Nice
Cagnes-sur-Mer
St-Laurent-du-Var
Grasse
Antibes
Fayence
Mougins
Le Cannet
Vallauris
Cannes
Mandelieu-la-Napoule
Draguignan
Les Arcs
Le Muy
Fréjus
St-Raphaël
Ste-Maxime
Port-Grimaud
St-Tropez
Cogolin
Cavalaire-sur-Mer
Bormes-les-Mimosas
Le Lavandou
Hyères
Î. du Levant
Î. de Port-Cros
Porquerolles
Îles d'Hyères
Toulon
Le Castellet
Bandol
Six-Fours-les-Plages
La Seyne-sur-Mer
Brignoles
Le Luc
St-Maximin-la-Ste-Baume
Aix-en-Provence
Gardanne
Aubagne
Cassis
La Ciotat
Marseille
Château d'If
Allauch
Vitrolles
Marignane
Martigues
Berre-l'Étang
Istres
Miramas
Fos-sur-Mer
Port-St-Louis-du-Rhône
Stes-Maries-de-la-Mer
Arles
Fontvieille
Les Baux-de-Provence
Tarascon
Châteaurenard
St-Rémy-de-Provence
Salon-de-Provence
Pertuis
Cavaillon
Apt
L'Isle-sur-la-Sorgue
Gordes
Le Thor
Le Pontet
Avignon
Sorgues
Châteauneuf-du-Pape
Pernes-les-Fontaines
Carpentras
Sarrians
Orange
Bollène
Valréas
Vaison-la-Romaine
1909 Mt Ventoux
Mer Méditerranée

FRANCE

RHÔNE-ALPES

○ plus de 100 000 h.
○ de 20 000 à 100 000 h.
○ de 5 000 à 20 000 h.
○ moins de 5 000 h.

ch.-l. de région
ch.-l. de département
ch.-l. d'arrondissement
commune ou autre site

autoroute
voie rapide
route
voie ferrée

parc naturel
★ site touristique
centrale nucleaire
500 1000 2000m

FRANCE

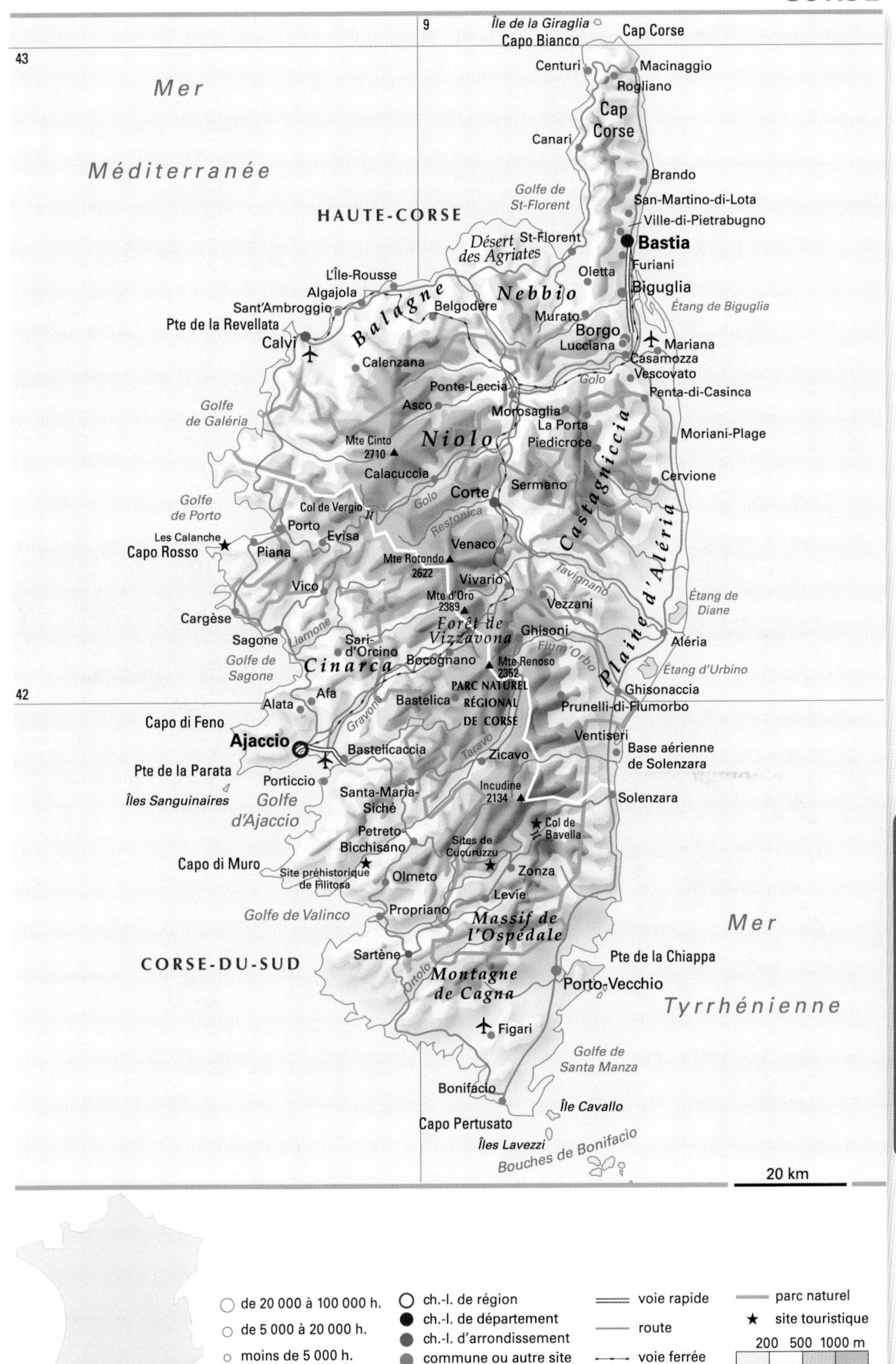

Mer Méditerranée
HAUTE-CORSE
CORSE-DU-SUD
Mer Tyrrhénienne
Île de la Giraglia
Capo Bianco
Cap Corse
Centuri
Macinaggio
Rogliano
Cap Corse
Canari
Brando
Golfe de St-Florent
San-Martino-di-Lota
Ville-di-Pietrabugno
Désert des Agriates
St-Florent
Bastia
Furiani
Oletta
Biguglia
Étang de Biguglia
Nebbio
L'Île-Rousse
Algajola
Balagne
Belgodère
Sant'Ambroggio
Pte de la Revellata
Calvi
Murato
Borgo
Lucciana
Mariana
Casamozza
Vescovato
Penta-di-Casinca
Calenzana
Ponte-Leccia
Golo
Asco
Morosaglia
La Porta
Piedicroce
Golfe de Galéria
Niolo
Mte Cinto 2710
Moriani-Plage
Castagniccia
Calacuccia
Sermano
Cervione
Golfe de Porto
Col de Vergio
Corte
Restonica
Porto
Les Calanche
Evisa
Capo Rosso
Piana
Venaco
Mte Rotondo 2622
Plaine d'Aléria
Tavignano
Vico
Vivario
Mte d'Oro 2389
Vezzani
Étang de Diane
Cargèse
Forêt de Vizzavona
Ghisoni
Liamone
Sagone
Sari-d'Orcino
Aléria
Golfe de Sagone
Cinarca
Bocognano
Mte Renoso 2352
Fium'Orbo
Étang d'Urbino
PARC NATUREL RÉGIONAL DE CORSE
Ghisonaccia
Afa
Alata
Bastelica
Prunelli-di-Fiumorbo
Gravona
Capo di Feno
Ventiseri
Ajaccio
Bastelicaccia
Taravo
Zicavo
Base aérienne de Solenzara
Pte de la Parata
Porticcio
Îles Sanguinaires
Golfe d'Ajaccio
Santa-Maria-Siché
Incudine 2134
Solenzara
Petreto-Bicchisano
Col de Bavella
Sites de Cucuruzzu
Capo di Muro
Site préhistorique de Filitosa
Olmeto
Zonza
Levie
Golfe de Valinco
Propriano
Massif de l'Ospédale
Sartène
Pte de la Chiappa
Ortolo
Montagne de Cagna
Porto-Vecchio
Figari
Golfe de Santa Manza
Bonifacio
Île Cavallo
Capo Pertusato
Îles Lavezzi
Bouches de Bonifacio
43
42
9
20 km
CORSE
de 20 000 à 100 000 h.
de 5 000 à 20 000 h.
moins de 5 000 h.
ch.-l. de région
ch.-l. de département
ch.-l. d'arrondissement
commune ou autre site
voie rapide
route
voie ferrée
parc naturel
site touristique
200 500 1000 m

FRANCE

FRANCE D'OUTRE-MER

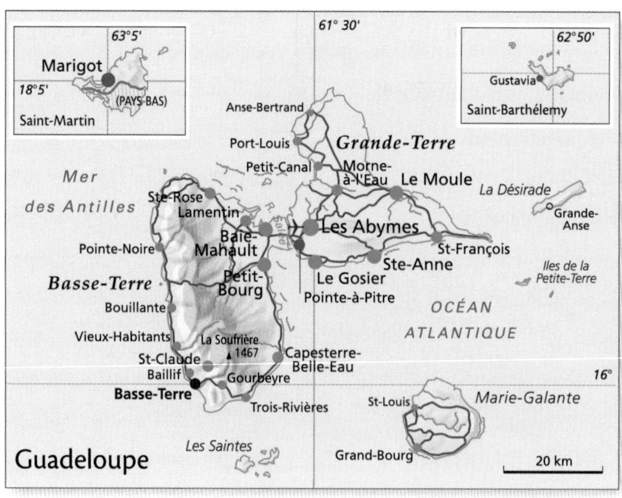

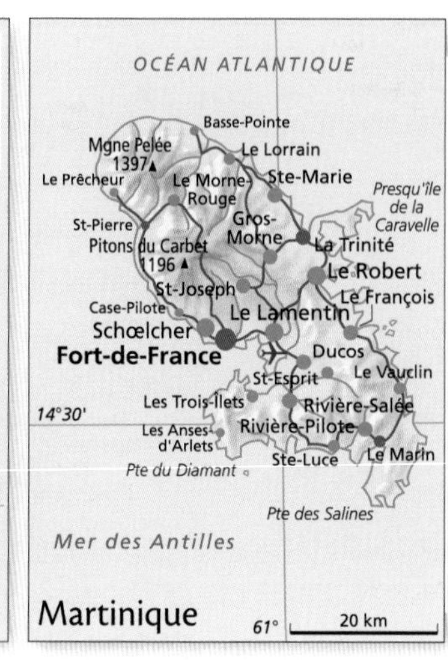

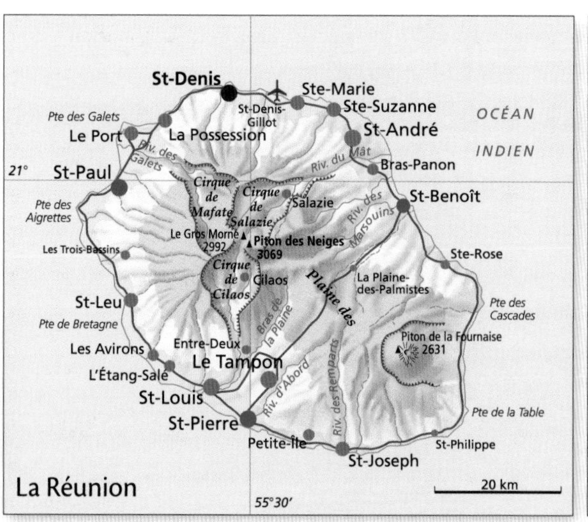

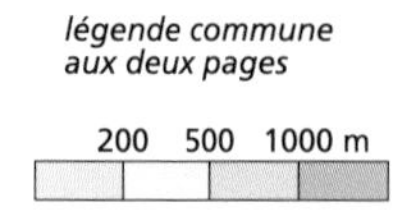

- plus de 50 000 hab
- de 20 000 à 50 000 h.
- de 10 000 à 20 000 h.
- de 5 000 à 10 000 h.
- moins de 5 000 h.
- ch.-l. de département ou ch.-l. de collectivité
- ch.-l. d'arrondissement
- commune
- autre localité
- route
- aéroport
- récif-barrière

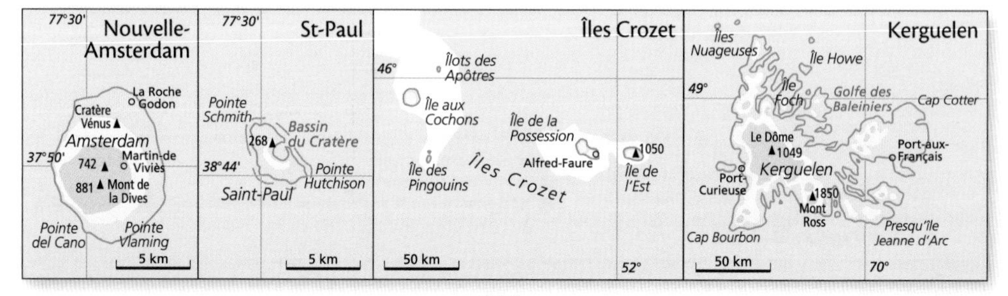

FRANCE

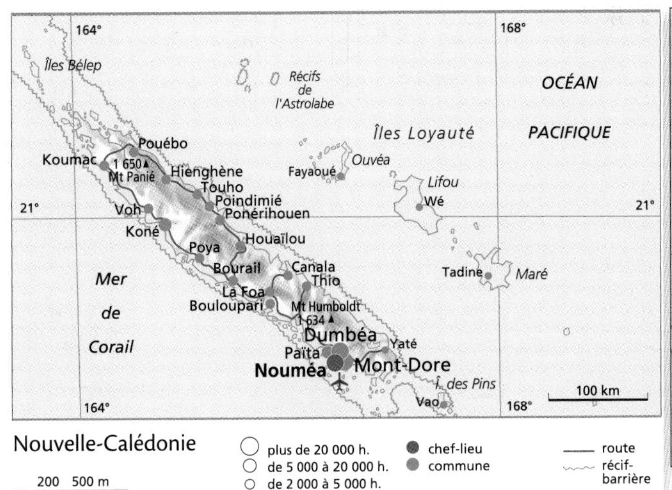

Îles Bélep
Récifs de l'Astrolabe
OCÉAN PACIFIQUE
Îles Loyauté
Pouébo
Koumac
1 650 Mt Panié
Hienghène
Touho
Poindimié
Ponérihouen
Voh
Koné
Houaïlou
Poya
Bourail
Canala
Thio
La Foa
Boulouparis
Mt Humboldt 1 634
Dumbéa
Païta
Nouméa
Mont-Dore
Yaté
Î. des Pins
Vao
Fayaoué
Ouvéa
Lifou
Wé
Tadine
Maré
Mer de Corail
100 km
Nouvelle-Calédonie
200 500 m
plus de 20 000 h.
de 5 000 à 20 000 h.
de 2 000 à 5 000 h.
moins de 2 000 h.
chef-lieu
commune
route
récif-barrière

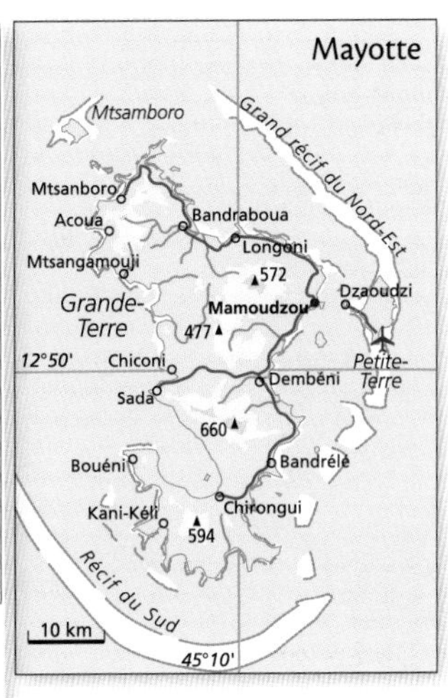

Mayotte
Mtsamboro
Grand récif du Nord-Est
Mtsanboro
Acoua
Bandraboua
Longoni
Mtsangamouji
572
Dzaoudzi
Grande-Terre
Mamoudzou
477
Petite-Terre
Chiconi
Dembéni
Sada
660
Bouéni
Bandrélé
Chirongui
Kani-Kéli
594
Récif du Sud
10 km

Penrhyn
Île Vostok
Île Caroline
Line Islands
Île Flint
(Kiribati)
Nuku-Hiva
Ua-Pou
Tahuata
Hiva-Oa
Fatu-Hiva
Îles Marquises
Raiatea
Tahaa
Bora-Bora
Manihi
Rangiroa
Takaroa
Napuka
Puka-Puka
Makatea
Fakarava
Fakahira
Raroia
Îles Tuamotu
Manuae
Mopelia
Îles Sous-le-Vent
Huahine
Tahiti
Makemo
Anaa
Tatakoto
Îles du Vent
Îles de la Société
Hao
Reao
Nukutavake
Aitutaki
Îles Cook (N.-Z.)
Rarotonga
Îles Australes
Tureia
Îles Gambier
Marutea
Mururoa
Fangataufa
Mangareva
Î. Maria
Rurutu
Rimatara
Tubuai
Raivavae
tropique du Capricorne
Moorea
Tohivea 1207
Papeete
Faaa
Pirae
Mahina
Tahiti
Orohena 2237
Punaauia
Paea
Papara
Isthme de Taravao
Presqu'île de Taiarapu
OCÉAN PACIFIQUE
Rapa
Îlots de Bass
Polynésie française
20 km
500 km

Saint-Pierre-et-Miquelon
Cap du Nid à l'Aigle
Miquelon-Langlade
Grande Miquelon
240
OCÉAN ATLANTIQUE
Grand Barachois
Miquelon
Isthme de Langlade
Cap Percé
Île Verte
Petit Barachois
Langlade (Pte Miquelon)
Grand-Colombier
Cap Bleu
Saint-Pierre
Île aux Marins
Pointe de l'Ouest
Saint-Pierre
10 km

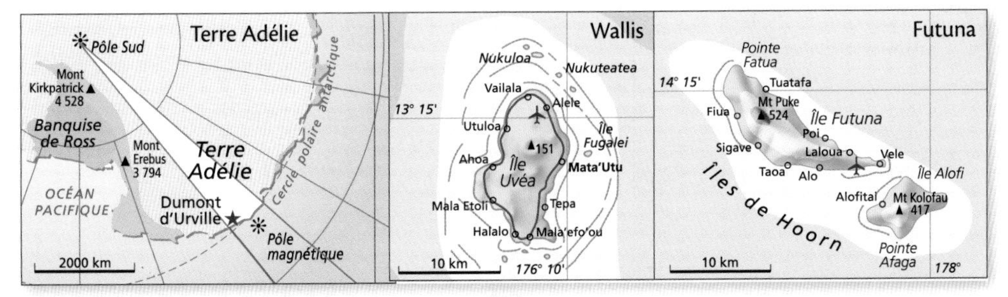

Terre Adélie
Pôle Sud
Mont Kirkpatrick 4 528
Banquise de Ross
Mont Erebus 3 794
Terre Adélie
Cercle polaire antarctique
OCÉAN PACIFIQUE
Dumont d'Urville
Pôle magnétique
2000 km
Wallis
Nukuloa
Nukuteatea
Vailala
Alele
Utuloa
151
Île Fugalei
Ahoa
Île Uvéa
Mata'Utu
Mala Etoli
Tepa
Halalo
Mala'efo'ou
10 km
Futuna
Pointe Fatua
Tuatafa
Mt Puke 524
Fiua
Île Futuna
Poi
Sigave
Laloua
Vele
Taoa
Alo
Île Alofi
Alofitai
Mt Kolofau 417
Îles de Hoorn
Pointe Afaga
10 km

FRANCE

Index

ABRÉVIATIONS : Afghan. : Afghanistan ; **Afr. S.** : Afrique du Sud ; **Allem.** : Allemagne ; **Arabie s.** : Arabie saoudite ; **Austr.** : Australie ; **Autr.** : Autriche ; **Biélor.** : Biélorussie ; **C. d'Iv.** : Côte d'Ivoire ; **Corée N.** : Corée du Nord ; **Corée S.** : Corée du Sud ; **Esp.** : Espagne ; **EU** : Etats-Unis ; **GB** : Grande-Bretagne ; **Guad.** : Guadeloupe ; **Guatem.** : Guatemala ; **Irl. N.** : Irlande du Nord ; **Jam.** : Jamaïque ; **Kazakh.** : Kazakhstan ; **Macéd.** : Macédoine ; **Mozamb.** : Mozambique ; **NZ** : Nouvelle-Zélande ; **Parag.** : Paraguay ; **riv.** : rivière ; **Urug.** : Uruguay ; **Venez.** : Venezuela.

A

B

C

D

E

F

H

I

J

K

L

M

N

O

P

S

T

U

V

W

X

Y

Z

Achevé d'imprimer chez Graficas Estella (Espagne)
Dépôt légal : mai 2014 – 314719/01
N° de projet : 11027091 – mai 2014